홍순민

REMAKING the BONE
An Evidence Based Approach

임플란트를 위한
골재생 술식의 이론과 실제

KOONJA

REMAKING THE BONE
임플란트를 위한 골재생 술식의 이론과 실제

첫째판 1쇄 인쇄 | 2021년 08월 27일
첫째판 1쇄 발행 | 2021년 09월 10일

지 은 이 홍순민
발 행 인 장주연
출 판 기 획 한수인
책 임 편 집 임유리
표지디자인 양란희
편집디자인 유현숙
일 러 스 트 유학영, 신윤지
발 행 처 군자출판사
　　　　　등록 제4-139호(1991.6.24)
　　　　　(10881) 파주출판단지 경기도 파주시 회동길 338(서패동 474-1)
　　　　　전화 (031)943-1888　　팩스 (031)955-9545
　　　　　www.koonja.co.kr

ISBN 979-11-5955-752-1
세트 ISBN 979-11-5955-751-4

정가 220,000원

REMAKING THE BONE

임플란트를 위한 골재생 술식의 이론과 실제

- 서울대학교 치과대학 졸업
- 서울대학교 대학원 치의학과 석사
  (구강악안면외과학 전공, 치의학 석사)
- 서울대학교 대학원 치의학과 박사
  (구강악안면외과학 전공, 치의학 박사)
- 서울대학교 치과병원 구강악안면외과 수련
  (인턴 및 레지던트)
- 목동예치과병원 구강악안면외과 과장
- 한림의료원 강동성심병원 치과 구강악안면외과 전임강사, 조교수
- 한림대학교 임상치의학대학원 구강악안면임플란트학과 교수
- 뉴페이스치과병원 구강악안면외과 원장
- 신데렐라 성형외과 치과 구강악안면외과 원장

홍순민

DDS, MSD, PhD
구강악안면외과 전문의, 치의학 박사

저서

– 임플란트 골증강술(2010년, 군자출판사)

– 한권으로 끝내는 임플란트(2014년, 군자출판사, 대한민국학술원 우수학술도서)

역서

– 임플란트를 위한 골생물학, 채취, 그리고 이식(공역, 2005년, 한국퀸테센스출판)

– 상악동 골이식술 제2판(공역, 2006년, 한국퀸테센스출판)

– 매복 제3대구치 발치의 임상적 성공(공역, 2006년, 한국퀸테센스출판)

– 임플란트의 임상이 바뀌는 Tissue Management (공역, 2008년, 군자출판사)

Hong Soon Min

PREFACE

[
내가 좀 더 멀리 볼 수 있다면, 그것은 바로
거인들의 어깨 위에 올라섰기 때문입니다.

− 아이작 뉴턴 −
]

이 책의 목적은, 독자들이 임플란트 식립과 유지를 위한 골증강 술식에 관해 모든 측면에서 최대한 많이 올바르게 이해하고, 이를 임상에 실제적으로 적용할 수 있는 능력을 얻을 수 있게 하기 위함입니다. 기존의 저서인 『임플란트 골증강술』은, 이에 대한 여러분들의 과분한 칭찬에도 불구하고 저자의 첫 저서이기에 여러 가지 아쉬운 점이 많았던 것도 사실입니다. 이 책을 애초에 『임플란트 골증강술』의 2판으로 기획했다가 다시 완전히 새로운 제목인 『Remaking the Bone』으로 명명한 이유는 다음과 같습니다.

- 임플란트 골증강술의 완벽한 이론적, 임상적 이해를 위해 필요한 개념인 "근거 중심 치의학"에 대하여 체계적으로 정리한 후 설명했습니다. 국내뿐만 아니라 해외 치의학 서적까지 포함해서도 본서 『Remaking the Bone』이 가장 "근거 중심 치의학"에 대해 철저하고 자세하게 설명했다고 자부할 수 있겠습니다.

- 2010년대 말, 즉 2020년까지 발표된 임상 연구 근거를 최대한 찾아내어 제시하고자 노력했습니다. 이에 따라 기존의 임플란트 골증강술 내용보다는 새로 추가한 내용이 훨씬 많아졌습니다. 내용을 정리함에 있어 제1원칙은 최신의, 그리고 최선의 근거를 제시하는 것이었습니다.

- 독자들로 하여금 책 내용을 최대한 이해할 수 있도록, 하기 위해 그림과 임상 증례를 최대한 많이 포함했습니다. 글이 많아질 수밖에 없기 때문에 다소 지루한 감이 있을 수 있고, 또한 백문이 불여일견이라 아무리 잘 쓴 글이라도 간단한 그림보다 이해도가 떨어질 수 있기 때문입니다. 뇌의 후두엽 전체가 시각 영역인 것은, 우리의 감각과 세상에 대한 이해에 있어 시각이 얼마나 중요한지를 보여주는 것입니다.

(1) 근거 중심 치의학

"Evidence Based Dentistry", 즉 근거 중심 치의학은 간단히 말해서 최선의, 그리고 최신의 치의학적 지식을 체계적으로 받아들여 이를 임상에 적용하자는 개념입니다. 근거 중심 치의학은 현실과 동떨어진 뜬구름 잡는 이론이 아닙니다. 우리가 직접 행하는 매일매일의 진료를 최고의 근거 하에서 시행하자는 것입니다. 이를 위해서는 우리의 치의학적 지식 체계 전반에 대해 먼저 체크해 보아야 합니다. 우리는 우리가 행하는 진료의 근거를 어디서 얻었는가? 학부 시절의 교과서, 교수님들이나 연자의 강의, 선배나 동기 등의 주변 치과의사의 조언, 나 스스로의 경험 등이 다가 아닌가? 그리고 이렇게 다양한 원천에서 얻은 지식들은 불분명하게 얽혀 있지 않을까?

근거 중심 치의학에 대해 이해함으로써 얻을 수 있는 가장 큰 이점은 치의학적 지식을 가장 합리적인 방법으로 체계화시킬 수 있다는 점입니다. 저자는 수련을 마친 후 본격적으로 임플란트 치의학에 관심을 갖고 임플란트 치의학 관련 저널을 최대한 체계적으로 많이 읽고 정리할 계획을 세웠습니다. 그리고 2005년에 비엔나에서 개최된 구강악안면외과 관련 학회에 참석했다가 우연히 Greenhalgh T가 쓴 『How to read a paper』라는 책을 구매하게 되었습니다. 책을 구매할 때에는 인식하지 못했지만 이 책의 부제는 "the basics of evidence-based medicine"이었습니다. 즉 근거 중심 의학에 관한 책이었던 것입니다. 저자는 근거 중심 의학에 관한 지식이 전무했고 국내에도 이에 관련된 저술이 거의 없었기 때문에 이를 읽고 이해하기가 매우 어려웠지만, 우연히 읽게 된 이 책을 통해 근거 중심 의학, 또는 근거 중심 치의학은 치의학적 지식을 체계화하는 데 있어 최선의 방법이라는 결론을 내릴 수 있었고, 또 이 개념을 이용해 임플란트 치의학 관련 저널의 내용을 체계화된 지식으로 정리할 수 있었습니다.

근거 중심 치의학에서는 근거들의 객관화된 "신뢰의 정도", 즉 근거 수준을 정합니다. 따라서 한 주제에 관련된 근거들이 여러 개 있을 때에는 이들 근거들을 그 수준에 따라 나열하거나 통합할 수 있습니다. 따라서 "현재 시점"에서 특정 주제에 관한 근거를 최대한 체계화시키게 됩니다.

그러나 저자가 근거 중심 치의학적 시각에서 정리한 내용을 독자가 이해하려면 독자 또한 근거 중심 치의학과 관련된 최소한의 지식은 지녀야만 하겠습니다. 현재 치과대학 교육 과정의 가장 아쉬운 점은 치의학의 각 분야에 대해 너무 세부적인 개별 지식만 전달하려는 데 있다고 생각됩니다. 나무 하나하나도 중요하지만 숲 전체에 대해 이해하는 것 또한 중요합니다. 하지만 숲에 관한 지식은 거의 고려하지 않는 것이 현실입니다. 사실 근거 중심 치의학은 학부 과정에서 가르치는 것이 가장 좋습니다. 개별 지식을 쌓기 전에 이들 지식을 어떻게 쌓아야 하는지에 대한 방법론을 정립하는 것이 필요하기 때문입니다. 게다가 치과대학을 졸업한 이후 임상 진료에 매진하는 중에 근거 중심 치의학에 대해 공부하고 이해한다는 것은 너무나 많은 시간과 정신적 노동을 필요로 합니다.

그럼에도 불구하고 저자는 이 책에서 근거 중심 치의학에 대한 개론을, 특히 연구 방법론에 중심을 두고 기술했습니다. 독자들이 근거 중심 치의학에 대해 무지한 상태에서 근거 중심 치의학적 체계로 지식을 정리하는 것은 적절치 못하다고 생각했기 때문입니다. 오히려 근거 중심 치의학에 대해 가급적 이해하기 쉽게 상세하게 설명하기 위해 최대한의 노력을 기울였습니다. 저자가 여러 문헌을 살펴보았으나 근거 중심 치의학에 관련된, 특히 한글로 쓰여진 저서는 거의 전무한 상태였기 때문입니다. 저자는 이 책의 주제인 "임플란트 골증강술"과 관련된 문헌들을 예로써 이용하고 명료한 그림을 제시하여 재미없는 주제인 근거 중심 치의학을 정말 "최대한" 이해하기 쉽고 명료하게 제시하고자 노력을 기울였습니다. 이 책은, Part I인 "근거 중심 치의학"만 읽더라도 충분히 가치가 있다고 자부합니다.

(2) 최신의, 최선의 근거를 최대한 정리하여 제시

다른 학문 및 기술 분야와 같이 "임플란트 골증강술" 분야 또한 빠르게 발전하고 있습니다. 물론 골증강술의 성공을 위해 필요한 기본적인 생물학적 원리나 수술 기법은 거의 변화 없이 유지되고 있지만, 새로운 수술 기법이나 재료가 끊임없이 발표되고 있습니다. 게다가 기존의 수술 방법 또한 꾸준히 재평가되고 있습니다. 예컨대 아주 짧은 임플란트, 특히 6 mm 임플란트의 임상적 성공률은 꾸준히 개선되어 현재는 8 mm 이상의 표준 길이 임플란트와 비교해서도 큰 차이를 보이지 않게 되었습니다. 또한 상악 구치부에서 잔존골 높이가 4-5 mm일 때 골이식재를 적용하지 않는 치조정 접근 상악동저 거상술로 골 높이를 2-3 mm 정도 예지성 있게 증가시킬 수 있게 되었습니다. 따라서 잔존골 높이가 4-5 mm이면 외측 접근 상악동 골이식 및 표준 길이 임플란트 식립보다는, 비슷한 성공률을 보이면서도 술자와 환자 모두에게 부담이 훨씬 적은 치조정 접근 상악동저 거상술 후 6 mm 임플란트 식립이 충분히 더 고려해볼 수 있는 치료 옵션으로 자리잡게 되었습니다. 이는 특히 2010년대 중반 이후에 발표된, 근거 수준이 높은 여러 임상 연구의 결과를 취합하여 얻을 수 있는 결론입니다.

저자는 최대한의 연구 문헌 내용을 이 책에 포함시키기 위해 2000년대 후반부터 2019년까지 주요한 임플란트 관련 저널에서 골증강술 관련 문헌들의 초록을 모두 읽고 이것들을 그 주제에 따라 분류했습니다. 저자의 기존 저서인 『임플란트 골증강술』과 앞서 분류한 문헌들의 주제 목록에 따라 임플란트 골증강술과 관련된 모든 주제를 포괄할 수 있도록 책의 목차를 일차적으로 정했습니다. 그리고 저자가 읽은 문헌의 초록 중 본문을 읽을 필요가 있다고 판단되는 것들은 인터넷이나 서울대 치의학 도서관에서 검색했습니다. 이들 문헌들을 출력하여 읽고 필요한 경우 이들 문헌의 주요한 참고 문헌 또한 찾아서 읽었습니다.

이후 목차에 따라 각 주제별로 기존 『임플란트 골증강술』의 내용과 새로운 저널들의 내용을 근거 중심 치의학적 원칙에 입각하여 통합했습니다. 이 책의 Part I에서 근거 중심 치의학에 대해 충분히 이해했다면 Part II와 Part III에서 저자가 골증강술에 대해 정리하여 기술한 방법을 충분히 이해할 수 있으리라 생각됩니다. 이 책은 임상가를 위한 책입니다. 따라서 단순히 임상 연구의 결과뿐만 아니라 개별 수술의 임상적인 과정과 생물학적 원리 또한 이해하기 쉽게 자세히 제시했습니다.

(3) 최대한의 이해를 위해 많은 도해를 첨가

인간은 시각의 동물입니다. 구대륙 원숭이 전체, 그리고 일부 신대륙 원숭이들이 개별적으로 세 가지 가시광선 파장에 반응하는 시각 세포를 각각 진화시킨 것은 우연이 아닐 것입니다. 즉 사물의 색깔을 세분화시켜야 할 정도로 영장목에서 시각은 중요한 역할을 하는 것입니다. 그리고 이에 속하는 우리 인간들 또한 세상을 시각적으로 이해하는 데 특화된 동물입니다. 칸트가, 우리 인간이 현상을 이해하는 체로써 시간과 공간을 제시했을 때 공간은 바로 시각적인 정보에 의한 것이라고 말했습니다. 따라서 저자는 최대한 많은 양의 일러스트레이션을 첨가하여 본문의 내용을 가장 수월하게 이해할 수 있도록 도모했습니다.

또한 당연히 본문 내용과 연관된 임상 증례도 제시했습니다. 아무리 본문 내용과 그림이 자세하게 제시되었다고 하더라도 임상 증례가 없다면 독자의 이해에 한계가 있을 수밖에 없습니다. 단순히 글과 도해만으로는 완전히 이해하기 어려운 "임상 증례를 통해서만 이해할 수 있는 무언가"가 있기 때문입니다. 다만 한가지 아쉬운 점은 『임플란트 골증강술』에 사용되었던 증례를 이 책에서도 대거 사용했다는 점입니다. 개인적으로 『임플란트 골증강술』과 『한권으로 끝내는 임플란트』를 저술한 이후로 임상 사진 촬영에 대한 의지가 많이 줄었습니다. 그러나 독자의 이해와 저자의 설명에 필요한 증례는 필요한 만큼 제시했기 때문에 이 책의 큰 흠결이 되지는 않으리라 생각됩니다.

기존에 썼던 『임플란트 골증강술』이란 책을 기본 골격으로 새 살을 덧붙이자는 생각으로 이 책을 쓰기로 했기 때문에 1년 미만의 기간이면 책을 완성할 수 있으리라 생각했지만 예상보다 훨씬 오랜 시간, 어림잡아 3년 이상이 소요되었습니다. 그리고 그 기간 동안 부모님이 모두 돌아가시는 아픔도 겪게 되었습니다. 책을 저술하는 동안 어려움을 겪고 있을 때 두 분 모두 갑작스럽게 돌아가셔서인지 이 책과 부모님이 조건 형성된 것 같습니다. 따라서 이 책을 두 분께 바칩니다. 어려웠던 순간마다 두 분은 저자의 마음 속에서 저자를 응원하고 따뜻하게 다독여 주셨습니다. 그리고 저자에게 가장 따뜻한 안식처인 가정을 만들어준 아내 유승은 선생과 딸 홍윤아에게도 깊은 감사의 뜻을 전합니다. 언제나 저자를 진심으로 지지해주고 응원해주는 딸과 아내가 있었기에 개인으로서 감당하기 힘들었던 이 책을 완성할 수 있었다고 생각됩니다.

그리고 저자의 빈약한 자료를 엮어 이렇게 훌륭한 책으로 만들어 준 군자출판사 직원 여러분들께도 너무나 감사드립니다. 사실 인간의 모든 창조물이 그렇듯이 "책"이라는 결과물 또한 형식과 내용이 모두 중요하다 하겠습니다. 특히나 시각적인 자극의 홍수 속에 살고 있는 우리에게, 책의 형식은 내용보다 오히려 더 중요할 수도 있다고 생각됩니다. 그런 의미에서 저자의 빈약한 저작물을 이렇게 근사한 표지, 구성, 디자인, 일러스트로 구성해 주신 디자이너 양란희 과장님, 일러스트레이터 유학영 과장님, 신윤지 사원님께 감사드립니다. 불친절한데다가 게으르기까지한 저자와 실무적으로 가장 많이 컨택하느라 고생하셨지만, 이렇게 멋진 책을 만들어주신 책임편집자 임유리 사원님께도 감사드립니다. 책의 시작부터 함께하여 부족한 저자의 능력을 최대치로 이끌어주신 한수인 팀장님께도 감사드립니다. 마지막으로 이렇게 학문적인 성격이 짙은 책을 출판할 수 있는 환경을 만들어 주신 군자출판사 장주연 대표님께도 깊이 감사드립니다. 소위 돈이 되는 책은 임상적 경험과 술기를 쉽게 풀어 쓴 것들이며, 실제로 출판 시장에는 이러한 종류의 책이 넘쳐나고 있습니다. 그러나 크지 않은 대한민국 시장에서 이렇게 임상적–학문적인 책을 출간할 수 있는 곳은 군자출판사밖에 없다고 생각됩니다. 저자는 임플란트 임상 강국이라 할 수 있는 대한민국에 본서 『Remaking the Bone』 정도의 임상적, 학문적 깊이를 지닌 책 한 권 정도는 있어야 하지 않을까라는 의무감에 본서를 저술하게 되었고, 군자출판사 덕분에 이러한 목표를 몇 배 초과하여 달성할 수 있었다고 생각합니다.

머리말의 처음에 인용한 뉴턴의 '거인의 어깨' 문구는 이미 널리 알려져 식상한 느낌을 줄 수도 있습니다. 그럼에도 불구하고 이 문구를 인용한 이유는 이것이 학문, 특히 근거 중심적 임상 치의학의 발달 원리를 잘 요약하고 있기 때문입니다. 임상 연구 결과들을 바탕으로 우리의 진료를 끊임없이 발전시켜 나가고, 또한 우리의 진료 결과를 다시 동료나 후배들에게 체계화된 형태로 전달한다면 치의학은 우리 개개인의 시야를 넘어 아주 높은 위치로 다다르게 될 것입니다. 이러한 과정에서 이 책을 저술한 저자가 독자들에게 '거인'까지는 아니더라도 아주 작은 발판만이라도 될 수 있다면 좋겠습니다.

2021년
저자 **홍 순 민**

CONTENTS

PART 1

근거 중심 치의학

근거 중심
치의학의 개요

1.
근거 중심 치의학의 배경

"근거 중심 치의학"은 우리가 임상 진료를 시행함에 있어 "최선의 근거"를 활용하자는 학문, 또는 학문적 흐름이다. 근거 중심 치의학에서 말하는 최선의 근거는 "최대한 객관적이고 신뢰성이 높은 방법으로 수행된, 명확히 정의된 임상 상황에 적용 가능한 임상적 연구 문헌"이다. 이는 갑자기 생겨난 개념은 아니다. 멀리 거슬러 올라가면 철학의 존재론이나 인식론적 토대부터 시작하고, 가까이 오면 기존의 의학 체계 전반에 대한 반성에서 비롯된 것이다. 최근 임상 치의학에 있어 "근거 중심적 접근"은 연구 생산자(연구자)나 연구 소비자(임상의) 모두에게 현저한 영향을 미치기 시작하면서 임상의인 우리가 근거 중심 치의학을 잘 모르더라도 이미 우리의 일상적인 임상 진료에 많은 변화를 초래하고 있다. 여기에서는 근거 중심 치의학에 대해 살펴보기에 앞서 근거 중심 치의학의 배경에 대해 설명하도록 한다.

1) 근거 중심 치의학은 경험론적 인식론에 기반한 접근법이다.

(1) 모든 과학적 학문은 소박한 실재론에 기반한다.
과학적 학문을 그 근원까지 파고들면 결국 인간의 어떤 믿음이나 신념에 기초한다는 것을 알 수 있다. 이를 요약해보면 다음과 같다(📷 1-1).[1]

● 우리가 감각하는 자연은 실재한다.

❸ 우리는 자연의 실제 현상을 감각할 수 있다.

$S=1/2gt^2$

❷ 자연은 어떤 특정한(수학적) 법칙에 의해 움직인다.

📷 **1-1 과학이라는 학문의 기본적인 신념들**

- 우리가 감각하는 자연은 실재한다.
- 자연은 어떤 특정한 법칙에 따라 움직인다.
- 우리는 (직접적으로 우리의 감각 기관을 이용하건 특정한 측정 기구를 이용하건) 자연의 실제 현상을 왜곡 없이, 혹은 실재에 근접하게 감각할 수 있다.

이는 과학 철학자들이 말하는 "소박한 실재론(naive realism)"이다. 그러나 자연이 실제로 존재하는지, 자연에서 일어나는 현상은 항상 특정한 법칙에 따르는지, 우리가 자연의 현상을 제대로 감각할 수 있는지는 어떠한 방법을 동원해서도 알 수가 없다. 따라서 "소박한 실재론"은 말 그대로 우리의 "소박한" 믿음이나 신념에 기반한 사상이 된다. 우리가 보고 알고 느끼는 자연은 모두 우리의 감각 기관을 통해 얻어진 것들이다. 우리의 인지 기관, 혹은 실재한다면 우리의 뇌는 우리의 감각 기관을 통해 얻어진 감각 정보만으로 실재하는 자연과 자연의 법칙을 느낄 수 있을 뿐이다. 그렇다면 영화 매트릭스처럼 누군가가 우리의 뇌를 통해 만들어진 감각을 주입한다면 어떨까? 자연은 실재하는 것이 아니며 누군가가 만든 허구적인 현상이 된다. 이미 과거의 철학자들도 이러한 사실을 잘 알고 있었다. 영국의 관념론자인 조지 버클리는 "존재하는 것은 지각된 것이다"라고 주장했다.

자연에 존재하는 사물과 자연 법칙에 의문을 갖기 시작하면 결국 자연에 대한 회의주의에 빠질 수밖에 없다. 회의주의에 빠지면 우리는 아무 것도 이룰 수 없다. 따라서 자연과학자들과 과학철학자들은 과학적 학문의 토대로써 "소박한 실재론" 개념을 적용한다. 그리고 "소박한 실재론"에 기반한 과학은 많은 것을 이루어냈다. 16-17세기에 시작된 과학 혁명 이후로 불과 500여년 이내에 인간의 자연에 대한 이해는 훨씬 깊어졌고, 자연이 어떻게 이루어지고 어떻게 작동하는지에 대해 심도 깊게 알게 되었다. 현대 과학기술의 발전은 소박한 실재론이 옳다는 직접적인 근거는 될 수 없지만 간접적인 근거로 제시되고 있다.

(2) 근거 중심 치의학은 이론적이거나 사변적이지 않고, 임상적이고 결과 중심적인 접근법이다.

서양 철학사에서 인식론은 매우 중요하다. 16-17세기 근세 시대가 시작됨과 동시에 유럽 각국의 지성들은 지식은 어떻게 획득할 수 있는가에 대해 많은 관심을 기울였다. 이는 과학 혁명과 상호 작용하면서 때로는 과학에서 철학으로, 또는 철학에서 과학으로 영향을 주고받으며 현재 우리의 지식에 대한 이해에 지대한 영향을 미쳤다. 여기에서는 인식론에 대해 아주 간단하게만 설명하고, 이것이 근거 중심 치의학의 개념에 어떤 영향을 미쳤는가에 대해 제시할 것이다.

근거 중심 치의학에서의 근거는 경험론적이고 임상 결과 중심적이다. 서양 인식론의 관점에서 우리의 지식체계, 혹은 세상이 돌아가는 방식을 파악하는 체계는 크게 합리론과 경험론으로 나뉜다. 아주 간단하게 말해서 합리론은 논리 중심적이고 경험론은 결과 중심적이라고 할 수 있다. 사건A가 발생하면 사건B가 발생한다고 가정해보자.

합리론적 관점에서는 모든 개별 사물이나 사건의 배후에는 일련의 실재적인 개념들이 존재하며, 이 개념들은 인과의 사슬로 연결되어 있다고 생각한다. 따라서 논리적이고 이론적인 추론을 거쳐 사건A와 사건B를 연결할 수 있다고 생각한다. 즉, 사건A→사건a→사건b→사건c→……→사건n→사건B로 연결되는 인과의 사슬이 있고, 이를 논리적으로 증명할 수 있으며, 이는 자연에 실제로 근본적인 인과관계가 있기 때문이라고 생각한다(📷 1-2). 스피노자는 합리론적 세계관을 끝까지 밀어붙인 철학자이다.[2] "우연"이란 실제로 존재하지 않으며, 다만 우리가 아직 모르거나 인지할 수 없는 원인이 존재하기 때문에 발생하는 사건이라고 생각했다. 이런 세상은 완벽하게 결정론적일 수밖에 없다. 스피노자에 의하면 세상 전체가 신이며, 신조차도 예정된 결정론적 세상에서 벗어날 수 없다. 신이 나타나는 방식(양태) 중 하나인 우리 인간도 당연히 결정론적 사슬에 매여 있고, 자유는 우리의 착각에 불과하다. 우리가 역학적 현상을 수식으로 설명할 때에는 지극히 합리론적 관점 하에 있는 것이다. 그러나 이러한 접근법의 가장 큰 단점은, 수학이나 논리학과 달리 복잡 다단한 실제 현상에 적용하기 매우 힘들다는 점이다. 세상에 발생하는 현상들은 우리가 통제할 수 없거나 발견할 수 없는 수많은 요소들이 함께 작용하는데, 이를 모두 인과관계의 사슬로 설명하려면 무한대의 노력이 필요할 것이다(📷 1-3).

반면 경험론에서는 모든 실재적인 관념이나 개념을 거부한다. 경험론은 중세 스콜라 철학의 사변적이고 논리적인 사고 방식에 대한 피로와 반발심에서 비롯된 것이다. 따라서 경험론자들은 경험 이전의 개념, 실재적

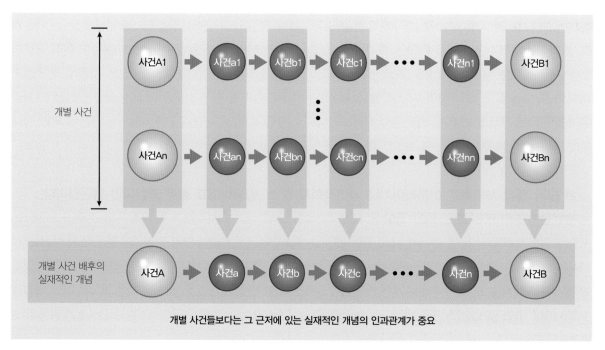

개별 사건들보다는 그 근저에 있는 실재적인 개념의 인과관계가 중요

📷 1-2 합리론적 관점

개별 사건 배후에는 일련의 실재적인 개념들이 인과관계로 연결되어 있다고 생각한다. 따라서 개별 현상을 직접 경험적으로 관찰하는 것보다는 현상의 배후에 있는 인과관계를 논리적이고 이론적인 추론으로 찾아내는 것이 가장 중요하다고 생각한다.

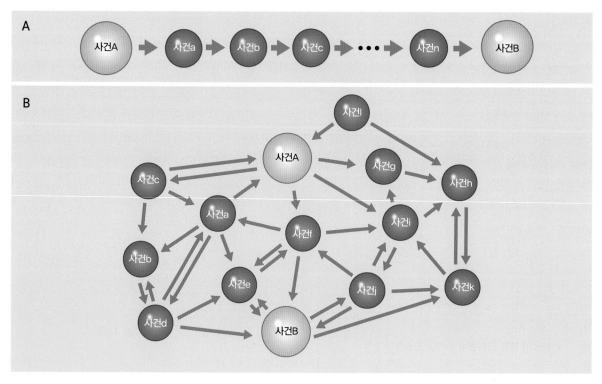

📷 1-3 실제 현상의 진행 과정은 **A**와 같은 선형적인 단순한 경우보다는 **B**와 같은 그물망 구조를 이루는 경우가 많다. 그물망 구조가 복잡해지면 이를 모두 합리론적인 관점으로 설명하기가 점점 어려워진다.

존재 등에 대해 매우 부정적이었다. 경험론에서는 우리의 지식은 원천적으로 경험에서 오는 것이며, 인과관계라는 것은 존재하지 않거나 독립적인 사건들을 인식하기 편리하게 묶어주는 틀이라고 생각했다. 우리가 경험하는 세상에서 사건A가 발생하면 사건B가 발생한다고 생각해보자. 예컨대 사건A1→사건B1, 사건A2→사건B2, 사건A3→사건B3, … , 사건An→사건Bn의 경험이 모여 사건A는 사건B의 원인이라고 생각하는 것이다. 그러나 우리가 실제로 경험할 수 있는 것은 본질적인 사건A와 사건B가 아니라 개별적인 현상들, 즉 사건An과 사건Bn이다(📷 1-2). 대표적인 경험론자인 데이비드 흄은 개별 사건에서 우리가 알 수 있는 것은 사건An과 사건Bn이 인접하여 순서대로 발생한다는 사실(인접성)과, 개별 사건들에서 선행 요소들인 A1, A2, … , An 끼리의 유사성과 후행 요소들인 B1, B2, … , Bn 끼리의 유사성뿐이라고 생각했다.[3] 흄은 결국 우리가 인과관계라고 생각하는 관념은 이렇게 불완전한 경험적 개별 사실들의 연결일 뿐이라고 생각한 것이다. 또한 합리론에서는 원인 요소인 사건A에서 결과 요소인 사건B까지 연결되는 일련의 사슬이 중요하다면, 경험론에서는 원인과 결과인 사건A와 사건B 자체만이 가장 중요하다. 어차피 우리가 경험적으로 확고하게 알 수 있는 것은 개별 사건의 원인과 결과뿐이기 때문이다. 따라서 경험론은 결과 중심적이고 개별 사건의 차이를 인정한다. 개개의 사건An에서 사건Bn에 이르는 모든 복잡하고 개별적인 요소를 자세하게 설명하려 하지 않고 개별 사건들의 전체적인 경향만을 본다(📷 1-4).

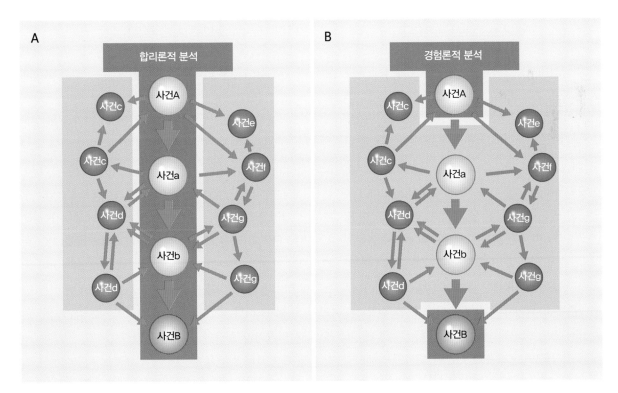

📷 **1-4 현상에 대한 합리론적 분석과 경험론적 분석**
A. 합리론적 분석. 개별 사건을 초월하는 일련의 주요 과정(사건A–사건a–사건b–사건B)이 존재한다. 이를 밝혀내는 것이 가장 중요하다. 그러나 개별 사건마다 분석에 포함되지 않는 "주요하지 않은" 과정들이 존재하며 이들 과정이 오히려 결과에 더 큰 영향을 미칠 수 있다.
B. 경험론적 분석. 결국 그물망처럼 얽힌 개별 사건의 모든 작용을 분석하기 어렵다. 따라서 개별 사건들에서 나타나는 원인(사건 A)과 결과(사건B)의 전반적인 관계를 알아내는 것이 가장 중요하다.

(3) 의학/치의학에서는 합리론적, 경험론적 접근 방법이 모두 필요하지만 실제 임상 진료에서 중요한 지식은 경험론적 접근 방식을 통해 얻을 수 있다.

"골유도 재생술"이란 치료 방법에 대해 생각해보자. 합리론적으로 생각했을 때에는 "골유도 재생술"의 메커니즘 그 자체에 대해 집중한다. 차폐막의 물리적-화학적 성질, 이에 따른 연조직 및 상피세포의 차단, 신생 혈관 형성, 골형성 세포의 이주와 골조직 형성은 일련의 생리학적 과정이고 인과관계의 사슬로 연결되어 있다. 이러한 생물학적 메커니즘은 시험관 연구나 동물 연구, 혹은 일부 임상 연구를 통해 밝혀질 수 있다.

반면 경험론적으로 생각했을 때 가장 중요한 것은 실제로 환자들에게 골유도 재생술을 적용했을 때 신생골이 형성되는지, 형성된다면 어느 정도의 양과 질인지, 그리고 신생골에 임플란트를 식립하면 그 임플란트는 골유착에 성공하여 성공적으로 기능할 수 있는지 등의 임상적 치료 결과이다. 처음에 경험론적 관점은 결과 중심적이라고 말한 것을 생각해보자. 우리가 골유도 재생술을 시행했을 때 알 수 있는 것은 최종적인 치료 결과이지 개별 환자의 체내에서 벌어지는 생물학적 과정을 모두 알 수는 없다. 우리가 이론적으로 생각하는 골유도 재생술의 메커니즘은 매우 단순화되고 이상화된 형태이다. 실제로 환자에게 골유도 재생술을 시행했을 때 체내에서 벌어지는 과정은 너무나 다양하고 복잡하기 때문에 이를 일일이 알아낼 수 없다. 결국 우리가 알 수 있는 것은 골유도 재생술(원인)을 시행했다는 사실과, 이를 통해 환자의 치조골이 재생되어 이 부위에 임플란트 식립이 가능해졌다는 최종적인 결과이다. 또한 개별 환자의 특징은 모두 다르기 때문에 그 치료 효과 또한 다를 수밖에 없으며, 우리가 알 수 있는 것은 전체 치료군에서 보이는 효과의 크기이다(📷 1-5). 우리는 이를 통계학적 방법이라는 경험론적 도구를 통해 정교화 시킨다. 따라서 경험론적 입장에서 중요한 자료는 최종적인 치료 효과를 보여줄 수 있는 임상 연구이다.

합리론적 입장은 인간의 본질적인 뇌구조에 의해 인간에게 선천적으로 장착되어 있는 것 같다. 인간은 세상의 현상에 대해, 심지어 아무런 관련이 없는 사건 사이에서도 과도하게 인과관계를 설정하려는 경향이 있다. 심리학에서는 이를 아포페니아(apophenia)라고 한다. 즉, 인간은 어떤 현상이든지 이를 인과적으로 설명할 수 있어야 안심할 수 있는 존재이다. 영국의 유명한 철학자인 버트란트 러셀은, "인간은 쉽게 믿어버리는 동물이며, 무언가 믿을 것을 필요로 한다. 그래서 믿을 만한 분명한 근거가 없을 때에는 잘못된 근거에 만족하기도 한다."라고 말했다. 인간의 인과관계에 대한 원천적 갈망을 잘 표현한 문구라고 할 수 있다. 따라서 질병이나 치료의 과정을 생리학적, 생화학적, 병리적 메커니즘으로 설명하려 한다면 이는 합리론적 접근법이며, 이러한 메커니즘을 이해해야 우리는 만족을 느낄 수 있다. 그러나, 질환이나 치료에 대한 이러한 합리론적 접근법은 단순히 우리의 심리적 만족감만을 주는 것은 아니다. 오히려 질환이나 치료에 대한 핵심적인 지식이 된다. 합리론적 접근을 통해 질환과 치료의 핵심을 이해하고, 이를 통해 새로운 질병을 발견하거나 새로운 치료법을 개발해 낼 수 있다. 그러나 실제 임상에서의 진단과 치료에 있어서는 합리론적 접근 방법에 한계가 있을 수밖에 없다.

질환이나 치료에 대한 단순화된 합리론적 메커니즘은 우리 인체의 엄청나게 복잡한 생물학적 과정을 완전히

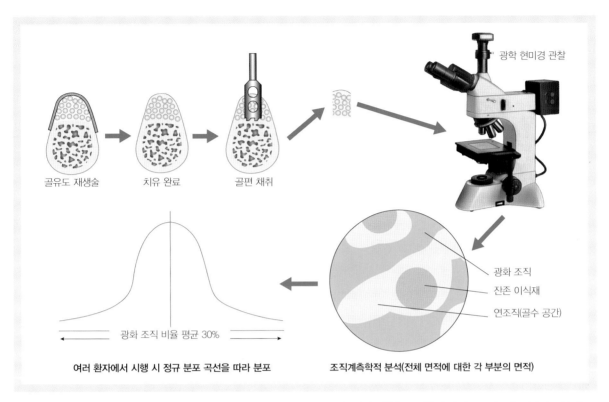

📷 1-5 경험론적 분석에서는 개별 현상의 차이를 인정하고 현상 전체의 전반적인 경향을 통계학적 방법으로 정교화 시킨다. 비슷한 조건의 환자들에게 골유도 재생술을 시행했을 때, 재생골의 상태는 개별 환자들마다 다를 것이다. 이 때 재생된 조직을 조직계측학적으로 분석하면 재생된 조직 내에서 광화 조직이 차지하는 비율을 구할 수 있다. 이러한 조직계측학적 결과에 대한 자료를 충분히 많이 모으면 그 결과의 빈도는 정규 분포 곡선을 따르게 된다. 이를 통계학적 기법으로 분석하면 특정 조건에서 골유도 재생술을 시행했을 때 골재생 결과의 전반적인 경향에 대해 이해할 수 있게 된다.

예측할 수 없다. 개별 환자들은 유전적으로나 환경적으로 다른 조건에 놓여 있으며 생활 습관, 연령, 성별 등 무수히 많은 요소들에 의해 영향을 받는다. 따라서 개별 환자 내에서는 특정 치료가 엄청나게 복잡한 인과론적인 연결에 의해 서로 다른 효과를 나타내지만, 우리가 이를 모두 예측하거나 특정 짓는 것은 불가능하다. 이를 극복하기 위해서는 개별 환자가 치료 효과에 차이를 보인다는 점을 인정하고, 치료에 의한 생물학적 메커니즘보다는 최종적인 치료 결과에 주목해야 한다. 이는 결국 개별 환자에게서 나타나는 치료의 최종 결과들을 통계학적으로 결합하는 방법, 즉 경험론적 접근이 실제 임상에 있어 더 효율적인 접근법임을 보여주는 것이다. 결론적으로 경험론은 합리론이 실제적인 개별 사건의 원인과 최종 결과를 이어주지 못한다는 반성에서 비롯된 것이다. 따라서 경험론적 인식론에 직접적으로 영향을 받은 근거 중심 의학은, 실제 임상에서 개별적인 환자들에게서 보여지는 질환과 치료의 실제적인 효과의 통계학적인 결합이 임상 치료에 있어 가장 중요한 근거라는 생각에서 시작된 것이다.[4]

이상의 내용을 정리하면 다음과 같다. 기존 임상 의학의 패러다임은 합리론에 영향을 받아 질병이나 치료 메커니즘의 이해를 매우 중요하게 생각한다. 치료란 질병 메커니즘에 개입하여 질병 진행을 저지하거나 지연시키는 과정을 의미하기 때문이다. 이런 사고방식은 모든 질병에 원인이 존재하며 원인과 결과는 질병 메커니즘에 따라 필연적인 관계가 있다는 실재론적 사고를 전제로 한다. 이에 비하여 근거 중심 의학/치의학은 인과관계는 모두 알 수 없고 원인과 결과 사이에는 통계적인 연관성만 있을 뿐이라는 역학적 사고, 혹은 확률적 사고에 근거를 두고 있다. 근거 중심 의학적 접근법에서는 질병 메커니즘에 대한 지식보다 체계화된 임상 경험에 근거한 판단을 선호한다. 체계화된 임상 경험이란 무작위 대조 연구나 체계적 문헌 고찰/메타분석을 통하여 임상적으로 효과가 입증된 경험이라고 할 수 있다. 이런 사고는 임상 경험이나 지식을 중요시하는 경험론에 부합한다.[5]

2) 근거 중심 의학의 역사적 개요

근거 중심 의학적 개념의 역사에서 가장 초기의 주요 사건으로 많이 인용되는 것은 프랑스의 Pierre Louis와 관련된 일화이다.[4,6] 그는 발열 질환에 많이 쓰고 있던 사혈(bloodletting)의 치료 효과에 의문을 품고 객관적인 통계 기법으로 치료 결과를 연구하여 사혈이 발열 질환에 효과가 없다는 점을 밝혀냈다. 이 연구는 사변적 추론에 근거한 치료법의 효과에 의심을 품고 객관적 통계 기법을 이용하여 치료 효과를 연구한 것으로 계량적 연구의 선구라고 할 수 있다. 이는 사변적이고 이론적인 근거에 입각한 치료 방법에 대해 "임상적인 치료 효과"라는 경험론적인, 즉 근거 중심 의학적인 근거를 요구한 것이었다.

이후 1930–1940년대에 예방의학의 방법으로 집단의 질병 원인과 분포를 통계적인 측면에서 연구하는 임상 역학이 소개되었고, 1960–1970년대에는 임상 역학을 질환의 원인뿐만 아니라 예후, 진단, 치료 등의 분야에까지 확장시켜야 한다는 움직임이 있었다.[7] 이에 무작위 대조 연구, 체계적 문헌 고찰, 메타분석 등 임상 역학적인 개념에 기초한 임상 연구의 방법론이 1980년대까지 정립되었다.[8] 또한 1980년대에는 한정된 의료 재원 안에서 진단이나 치료의 효율성을 극대화하려는 결과 평가 운동(outcomes movement)이 시작되었다. 이 운동의 지지자들은 검증된 의학 지식에 근거하여 진료할 경우, 의료의 효율성이 높아지기 때문에 단편적인 임상 경험이나 의과학적 지식에 근거한 판단보다 통계적으로 입증된 임상 정보를 진료에 이용하여야 한다고 주장하였다. 이 운동은 근거 중심 의학의 탄생에 큰 영향을 미쳤다고 한다.[4,9]

1990년대 초반에 의료 행위의 반 이상, 그리고 아마도 85%까지는 적절한 임상 연구에 의해 그 효용성이 입증된 바 없으며 오직 4%만이 강력한 근거에 기반한다는 지적이 있었다.[10] 게다가 치의학계에서는 중요한 임상적 처치에 대한 근거 중심적 연구가 거의 없었다.[11] 또한 치과의 3대 질환인 치아 우식증, 치주병, 그리고 안면 동통의 치료에 대해서도 이를 지지해줄 수 있는 임상적 근거는 거의 없는 실정이다.[12] 이러한 사실에 대한 반성으로 근거 중심적 접근 방법이 캐나다의 McMaster 대학에서 제창되어 발전되었으며, 치과 분야에서는 캐나다의 Toronto 대학에서 처음으로 시도되었다.

2.
근거 중심 치의학은 무엇이며 왜 필요한가?

1) 근거 중심 치의학은 최선의 임상 연구 결과를 우리의 임상 진료에 적용하는 것이다.

미국 치과의사협회(American Dental Association, ADA)에서는 근거 중심 치의학을, "개별 환자의 구강 및 전신 상태나 병력에 관하여 임상적으로 가치 있는 과학적 근거에 대해 체계적으로 평가한 후, 이를 치과의사의 임상적 경험과 환자의 치료 요구 및 선호도와 주의 깊게 통합하는 구강 보건 진료의 한 방법"으로 정의하였다 (📷 1–6).[13] 즉, 임상적인 문제를 해결하는 데 있어서 고전적인 강의, 개인적 경험, 교과서 중심적 방법보다는 환자를 대하는 임상가 본인의 자발적이고 문제 중심적인 방법으로 최선의 근거를 찾아 접근하자는 것이다.

우리가 임상에서 필요한 "근거"라고 말하면 당장 떠오르는 것은 병리학적–생리학적인 지식에 기반한 이론적 근거, 의사의 임상 경험에 바탕을 둔 경험적 증거, 전문가의 주관적 평가에 기반을 둔 전문가적 근거 등을 생각한다. 앞서 언급했듯이 특히 병리학적–생리학적 이론적 근거는 과학적 근거 그 자체로 생각하는 경향이 있다. 이는 고전적인 임상 의학에서 생각하는 가장 중요한 근거로, 고전 의학에서는 과학적 권위의 전통을 인정하고 표준적인 접근 방식을 선호한다. 반면, 경험론적 관점에 기반한 근거 중심 의학에서는 질병의 병리학적–생리적 메커니즘에 대한 이해가 필요하다고는 생각하지만 이것이 임상에 있어 절대적인 가치를 갖지는 못한다고 생각한다. 임상에 있어 가장 중요한 것은 체계적인 임상적–경험론적 자료에 기반한 근거라고 생각한다.

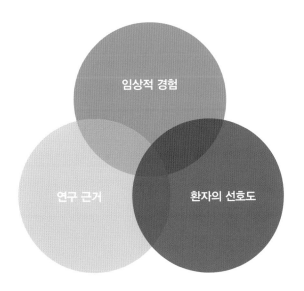

📷 1–6 근거 중심 치의학의 세 가지 요소

질 낮은 임상 근거에 기반한 진료는 임상적 재앙을 초래할 수도 있다. 확고한 임상적 근거에 기초하지 않은 진료가 돌이킬 수 없는 문제를 일으킨 예로는, 악관절 장애를 외과적으로 치료하기 위해 측두하악관절에 Teflon (DuPont, Wilmington, Del.) 매식체를 이식한 술식을 들 수 있다. 이 매식체는 1970년에 새로운 측두하악관절(TemporoMandibular Joint, TMJ) 매식체로 소개되었다. 하지만 이에 대한 전임상 연구(동물 연구)는 전무한 상태였으며, 단지 성형 수술에서 연조직 결손에 이용한 전례만이 있을 뿐이었다. Teflon TMJ 매식체에 관해 초기에 발표된 논문들은 비대조 단일 환자군 연구들 뿐이었으며, 이 연구들에서는 단기간의 추적 관찰 결과, 이 매식체가 특별한 독성 없이 성공적인 결과를 보인다고 하였다.[14,15] 그러나 이 매식체들을 장기간 사용한 결과 대부분의 환자에서 이 매식체들은 관절 부하에 의해 결국 분해되었으며, 이에 따라 관절부의 염증 반응, 퇴행성 변화, 지속성 관절 동통, 그리고 관절 기능 장애 등을 유발하게 되었다.[16,17] 이는 잘 통제된 동물 연구와 임상 대조 연구를 시행했더라면 피할 수 있는 문제였을 것이다.

근거 중심 치의학에서는 기존의 치의학적 권위에 대한 믿음은 약하고, 개별 치과의사가 독자적으로 진단과 치료의 근거를 찾고 이를 평가할 수 있어야 한다고 생각한다.[18] 결국 근거 중심 치의학은 우리가 임상적 문제에 대해 생각하는 방법의 구조를 바꾸는 과정이다.[19] 이는 임상 문제 해결을 위한 교육을, 고전적인 강의나 교과서 중심적 방법보다는 자발적이고 문제 중심적인 방법으로 접근하는 것이다. 따라서 개별 임상 치과의사인 우리는 근거 중심 치의학에서의 "근거"인 임상 연구 논문의 종류와 방법론에 대해 간략하게라도 이해하고 있어야 하며, 우리가 원하는 주제와 내용의 근거를 찾고 평가할 수 있는 능력을 갖출 수 있어야 한다.

2) 우리의 임상에 가장 큰 도움이 되는 근거는 엄정한 과정에 의해 수행된 임상적 연구의 결과이다.

여기에서는 우리가 임상에 활용할 수 있는 근거에는 어떠한 것들이 있는지, 그리고 왜 여타의 근거들에 비해 임상 연구 결과가 더 좋은 근거가 될 수 있는지에 대해 알아볼 것이다.

(1) 권위자의 의견, 우리 자신과 동료 치과의사의 개인적 경험, 교과서, 고전적인 강의는 근거로서의 가치가 상대적으로 떨어진다.

현재 임플란트 치의학이 치과계에서 가장 빠르게 성장하면서 임상에서 매우 중요한 진료 영역의 하나가 되어 버렸음에도 불구하고, 치과대학에서는 여러 가지 이유(진료 영역의 문제, 적절한 교재의 부재, 커리큘럼의 미진)로 인해 임플란트 치과학에 대한 교육이 부족한 것이 사실이다. 따라서 많은 치과의사들은 졸업 후에야 임플란트 치료에 관한 본격적인 지식을 쌓아 나가게 되며, 주로 특정 업체나 개인이 주도하는 연수회나 강연회 등에 의존하는 경향이 있다. 또는 치과의사 관련 인터넷 커뮤니티나 동료 치과의사의 조언과 증례 등에 의존하기도 한다. 물론 이러한 방법들을 통해 짧은 시간 동안 적은 노력으로 지식과 기술을 쌓을 수 있기 때문에 이것들 자체가 나쁘지는 않다. 또한 임플란트 치의학에 대한 체계적인 지식을 쌓기 위해서는 교과서나 잘 짜인

커리큘럼으로 이루어진 연수회 과정을 거쳐야만 한다. 하지만 이 방법들은, 특히 우리가 일상적인 진료 중 떠오르는 특정 영역의 궁금증을 해결하는 데 있어 몇 가지 제약이 있다는 점도 알고 있어야만 한다.

강연 및 연수회의 연자, 또는 동료 치과의사가 충분히 객관적인 지식을 가지고 있으며, 이를 공정하게 전달하는가?

강연이나 연수회 등의 연자는 대부분 임플란트 치과학에 있어 소위 "대가" 또는 "권위자"라고 불리는 사람들이다. 이들이 주장하는 지식과 기술은 대체로 학계의 정설을 따를 것이라고 생각한다. 그러나, 학식과 명망을 갖춘 대가들도 특정한 부분에 있어서는 그릇된 신념과 지식에 의해 잘못된 판단을 내릴 수 있으며, 따라서 객관적이지 못하고 주관적인 정보를 제공할 가능성이 있다. 현대 치과 임플란트학의 아버지라 할 수 있는 Bränemark은 임플란트 치의학에 있어서 최고의 권위자라고 할 수 있다. 그러나 이미 많은 연구와 임상 증례를 통해 1단계 수술 원칙(non-submerged healing)이나 거친 표면 임플란트 사용의 유용성이 입증된 이후에도 그가 2단계 수술 원칙(submerged healing)과 매끈한 표면 임플란트 사용을 고수했던 사실을 본다면 대가가 반드시 옳은 판단을 한다고 볼 수 없다는 것을 알 수 있다. 또한 특정 업체나 모임이 주관하는 연수회, 또는 강연이라면 주최측으로부터 유무형의 압력을 받아 진실을 전달하지 못할 가능성도 있다.

특정한 임상적 상황에 대한 몇 개의 사진과 증례가 이러한 상황을 대표한다고 할 수 있는가?

강연이나 책에서는 "환상적인" 증례를 접하게 되는 경우가 많다. 그렇다면 이러한 증례들은 "특정 임상적 상황에 대한 치료 결과를 대표한다"고 할 수 있을까? 거의 대부분의 저자나 연자들은 의식적으로나 무의식적으로 잘 되지 못한 증례보다는 잘 된 증례를 발표하려는 경향이 있을 것이다. 이러한 경향은 인간 자체의 본성에 따른 것이라고 할 수 있다. 따라서 책이나 강연의 증례를 그대로 따라 한다고 해도 이와 동일한 결과를 반드시 얻지 못할 수도 있는 것이다. 결국 책이나 강연, 혹은 인터넷상의 증례를 대할 때에는 몇 가지 잣대를 가지고 접근해야 한다. 첫째로 증례의 과정을 처음부터 끝까지 빠짐없이 보여주고 있는지 고려해야 한다. 치료 과정 중간을 건너 뛰었거나 사진의 중간에 추가적인 처치를 가한 흔적이 있는가를 확인해야 한다. 둘째로는 개별 환자의 치유 능력을 고려해야 한다. 흡연 등의 습관, 치주염에 잘 이환되는가의 여부, 또는 치주 표현형의 차이에 따라 환자의 치유 능력이 달라진다는 사실은 잘 알려져 있다. 따라서 치유 능력이 좋은 환자에게 시행된 처치의 성공적인 결과는 우리가 마주친 평범하거나 좋지 않은 치유 능력의 환자에게 적용이 불가할 수 있다. 마지막으로 가장 중요한 요소는 그 치료 방법을 적용한 환자군 전체에서의 전반적인 효과가 어떠한지를 반드시 확인해야 한다. 우리는 "성급한 일반화의 오류"에 빠지기 쉽다. 이는 심리학적으로 "가용성 휴리스틱" 때문에 발생하는 것이다. 가용성 휴리스틱은 의사결정이나 확률을 추정하는 과정에서 최근에 많이 접했거나 가장 빨리 떠오르는 사건, 정보, 사례에 근거해서 판단하는 인지적 경향성을 의미한다. 따라서 우리가 책이나 강연에서 접한 증례를 대표적인 증례로 인지하여 그 결과를 우리의 증례에 성급하게 적용할 수 있다. 그러나 이 증례가 대표성을 띤다고 확신할 수는 없으며, 오히려 극단적인 증례일 수도 있다. 임상 연구 논문은 여러 가지 실험적 방법과 통계학적 기법을 통해 특정 치료의 전체 환자군에 대한 전반적인 효과를 객관적으로 추정해 낸다.

내가 궁금해하는 임상 상황에 대한 해답을 정확히 얻을 수 있는가?

강연이나 책에서는 보통 지식 전반에 대해 다루게 된다. 그러나, 이들 경로를 통해서는 "내가 궁금해하는 어떤 특별한 것"을 알 수 없는 경우가 있다. 이에 반해 임상 연구 문헌들에는 우리가 궁금해하는 거의 대부분의 주제가 포괄되어 있다. 우리는 이를 찾아내고 검토해보기만 하면 된다.

(2) 임상적인 주제를 다루는 연구 논문은 치과 진료를 행하는 데 있어 최선의 근거가 된다.

근거 중심 치의학에서 말하는 "근거"는 바로 임상 연구 논문을 의미하는 것이다. 임상적 연구에서 얻어진 임상적 정보를 강연의 연자나 책의 저자의 권위, 임상 치과의사의 개인적 경험과 습관, 또는 다분히 연역적인 추론에 의한 이론보다 중요시하는 것이다. 또한 근거 중심 치의학은 근거가 되는 정보에 순위를 매기고, 더 높은 순위의 근거에 더 높은 중요도를 부여한다. 임상 연구 논문은 다른 근거들에 비해 많은 장점을 갖는다.

객관적이고 과학적인 투명성을 갖는다.

연구 논문은 대부분 도입(Introduction)–재료 및 방법(Materials and Methods)–결과(Results)–토의(Discussion) – 이를 앞자만 따서 IMRaD라고 부른다 – 의 순서로 되어 있다. 이 중 "재료 및 방법"에서는 연구의 방법을 자세히 기술함으로써 향후 누구든지 이 연구를 "재현 가능"하도록 해준다. 또한 연구 대상 환자의 특성, 치료군 배정 방법, 결과 측정 방법 등을 자세히 기술함으로써 가급적 연구자의 주관적 의견이 개입되지 않도록 해주는 장치가 되어 있다. 그리고 "결과"에서는 통계학적 방법을 통해 실험으로 얻어진 자료를 객관적으로 분석한다. 또한 이러한 연구 논문은 대부분 "동료 심사(peer review)" 과정을 거친 후 잡지에 게재된다. "동료 심사"란 특정 잡지에 제출된 논문을 그 분야의 전문가 집단이 미리 심사하는 것을 의미한다. 따라서 권위 있는 잡지에 게재되는 논문들은 미리 권위자들에 의해 그 중요성과 객관성이 어느 정도 검증된 것들이다.

특정 주제에 관한 최신의 정보를 찾을 수 있다.

전술한 바와 같이 강연, 연수회, 책, 또는 동료 치과의사에게서는 "내가" 필요로 하는 특정한 주제에 관한 정보를 얻지 못할 수 있다. 그러나 근거 중심 치의학적 접근법을 통해서는 특정 주제에 관한 연구 논문을 언제든지 얻을 수 있다. 치의학 관련 논문은 매년 폭발적으로 쏟아져 나오고 있다. 이미 1990년대에 2만 개 이상의 의학 관련 저널에서 200만 개 이상의 논문이 매년 출간되고 있었으며, 이 중 치의학과 관련된 저널은 500개 정도였다.[19] 게다가 의학 논문은 매 10–15년마다 두 배씩 증가한다.[20] 치의학 관련 저널의 수도 2003년에 비해 2012년에 두 배로 증가했다.[21] 따라서 우리가 임상적으로 궁금해하는 구체적인 임상적 질문, 예컨대 "피판을 봉합할 때 피판 변연에 가해지는 장력이 얼마 이하이면 열개 없이 안정적으로 치유가 이루어지는가?", "상악 구치부에 5 mm 길이의 임플란트를 식립하면 장기적인 성공률은 얼마나 되는가?" 등을 주제로 하는 문헌을 얼마든지 찾아낼 수 있다. 게다가 이러한 임상 연구들은 저널에 게재된 순간, 혹은 그 이전에도 빠르게 검색하고 평가할 수 있기 때문에 최신의 정보에 접근이 가능하다. 그러나 책이나 강연 등에서는 거기에서 정해진 주제에 대한 지식만을 쌓을 수 있으며 최신의 임상 연구 결과가 바로 반영되지도 않는다.

최신의 근거를 지체 없이 바로 임상에 적용할 수 있다.

일반적으로 치의학적 지식의 파급 경로는 "연구 논문 → 권위자 및 대학 교수 → 책 및 강연 → 개별 치과의사"의 순서를 따른다(물론 항상 그렇지는 않다). 그러나 근거 중심 치의학적 방법을 통한다면 "연구 논문 → 개별 치과의사"의 순서로 지식이 파급되기 때문에 과학적으로 타당한 진료 행위가 우리의 일상 진료에 이용되기까지의 시간차를 줄여줄 수 있다. 과학적으로 타당한 치과 진료가 실제 임상에 광범위하게 적용되기까지 많은 시간이 소요된 예는 얼마든지 있다.[22] 게다가 임상가들은 새로운 중요한 정보가 주어진다고 하여 그 행동을 금방 변화시키지는 않는다. 최근에 임상가들의 진료 행위 변화에 대한 새로운 근거들이 제시되고 있다. 이에 따르면, 그 효과가 임상 연구를 통해 확실히 입증된 치료 방법이 일상적인 임상 진료 행위에 도입되기까지 매우 오랜 시간을 필요로 한다.[23,24] 따라서 환자에게 매우 큰 도움이 될 수 있는 치료가 오랜 기간 잘 알려지지 않은 채 방치될 수 있다. 일례로 실란트가 충치 예방에 도움이 된다는 확고한 사실이 알려진 이후로도 이것이 광범위하게 사용하게 되기까지 오랜 시간이 걸렸으며,[25] 증상이 없는 제3대구치는 발치하지 않아도 된다는 지침 또한 잘 지켜지지 않고 있다.[26]

철저하고 광범위한 과정을 거쳐 가용한 근거를 통합하고, 이를 필요할 때 적용할 수 있는 평생 교육 과정이 된다.

근거 소비자인 우리는 근거 중심 치의학의 과정에 익숙해짐에 따라 연구 논문을 검색하고 평가할 수 있는 능력을 개별적으로 갖출 수 있으며, 필요한 논문을 언제라도 얻을 수 있기 때문에 책이나 강연 등의 방법을 통하지 않고 스스로가 지식을 쌓을 수 있다. 따라서 이는 평생 교육의 매우 좋은 방법이 된다.

3) 왜 우리는 근거 중심 치의학에 익숙해지기 힘든가?

치과의사인 우리는 근거 중심 치의학에 익숙해지기 힘들다. 비단 임상 연구가 대부분 영어로 쓰였다는 점뿐만 아니라 치의학계 전반의 교육 체계나 시스템이 근거 중심 치의학적 접근을 어렵게 하고 있다.

(1) 치과계는 과학적 근거보다는 임상적 기술을 더 중요시하는 경향이 있다.

현재 치과계에서 대부분의 교육 과정은 술기를 가르치는 데 중점을 두고 있는 것이 현실이다. 또한 많은 치과의사들은 그들의 임상적 술기에 자부심을 가지고 있으며 여기에 관심을 두기 때문에 치의학 교육 과정은 주로 기술 중심적으로 이루어지고 있다. 치과 임플란트 관련 연수회나 강의를 들어보자. 연자들은 특정 술식의 이론적 개요를 간단히 설명한 후 주로 그 술식의 과정을 설명한다. 가끔은 자신들이 그 술식을 얼마나 쉽고 빠르게 하는지 자랑하기도 한다. 그러나 그 술식의 임상적 결과에 대한 근거 중심적 설명을 하는 연자를 본 경험은 거의 없는 것 같다. 게다가 임상의들의 바쁘고 힘든 생활은 두뇌의 노동을 요하는 근거 중심적 지식을 배우고자 하는 욕구를 없애는 경향이 있다. 하지만 근거 중심 의학을 시행하는 의사들은 더 행복해하는 경향이 있다는 연구 결과는 주목할 만하다.[19]

(2) 치과의사는 근거 중심적 자료보다는 경험이나 권위자로부터 지식을 쌓도록 교육받는다.

치과의사들은 환자에게 구강 보건 진료를 시행함에 있어 경험(성공과 실패)에서 얻어진 지식에 의존하고 동료에게 배우도록 훈련받는다. 대부분의 치의학과 학생들이나 치과의사들은 소위 대가들의 지도하에 수련을 받는다. 그 결과로 치과의사들은 의견이 일치하지 않거나 때로는 상반된 의견을 가진 교수들에게 교육받으며, 전문가 의견(expert opinion)을 구하고 그들이 실제로 마주치게 되는 임상적 경험으로부터 배우도록 교육받는다.[27]

(3) 치의학계는 근거 중심적 접근법을 비교적 늦게 받아들였다.

의학계에서 무작위 대조 연구는 1960년대에, 체계적 문헌 고찰과 메타분석은 1980년대에 이미 방법론적으로 어느 정도 완성 단계에 이르렀고, 이때부터 근거 중심 의학적 시각에 기초한 임상 연구가 많이 나오기 시작했다. 그러나 치의학계에서는 근거 중심적 접근법을 훨씬 더 늦게 받아들였다. 의학계와는 다르게 치의학계에서는 임상적으로 가치 있는 처치에 대해 평가한 무작위 대조 연구나 결과 중심적 연구(outcome-oriented studies)가 거의 없었다. 예컨대 2000년대 초반까지도 구치부 치아가 상실됐을 때 인접 치아의 전위에 관한 연구는 없었다.[28] 비록 많은 문헌에서 인접 치아는 상실된 치아 쪽으로 전위된다고 설명하긴 했지만 이는 전문가의 의견이나 경험일 뿐이었으며 따라서 근거로서 적합한 것은 아니었다. 다행히 2000년대 중반 이후로 많은 전문가 단체와 저널이 근거 제공자로서 근거 중심적인 접근법에 집중하게 되었고, 그 이후로는 근거 중심 치의학에 기반한 연구 논문이 주류를 이루게 되었다.[29]

(4) 치과 술식은 외과적 술식의 일종이며, 외과적 술식은 근거 중심적 연구를 수행하기 어렵다.

임플란트 수술을 포함하여 술자의 수술이나 시술을 요하는 과정은 무작위 대조 연구를 수행하기 힘들다. 약물 투여와는 다르게 무작위 대조 연구에서 매우 중요하게 생각하는 맹검(blindness)을 환자, 술자, 결과 평가자에게 유지하기가 불가능한 경우가 많으며, 도덕적 문제로 인해 무작위 배정을 시행하기가 불가능한 경우도 많다. 또한 동일 술식을 시행한다고 하더라도 술자의 시술 능력이나 경험에 따라 실제적인 시술의 과정이나 결과는 천차만별이다.[30] 이에 따라 외과학 분야에서 무작위 대조 연구는 내과 계통에 비해 드물며, 그나마 적은 무작위 대조 연구들조차도 실제로 임상에서 중요한 사항을 다루고 있지 못한 경우가 많다.[31] 결국 치과 진료는 외과적인 특성을 지니기 때문에 이에 대한 높은 근거 수준의 임상 연구를 철저하게 수행하기 어렵다.

참고문헌

1. Chang H. Inventing temperature: Measurement and scientific progress. Oxford University Press; 2004.

2. Spinoza B. 강영계 역. 2007b 에티카 개정판 서울: 서광사. 2007.

3. Hume D. An enquiry concerning human understanding. In: Seven masterpieces of philosophy. Routledge; 2016:191−284.

4. 권상옥. 근거중심 의학의 사상. korean J Med Hist. 2004;13(2):335−346.

5. Cohen AM, Stavri PZ, Hersh WR. A categorization and analysis of the criticisms of evidence−based medicine. International journal of medical informatics. 2004;73(1):35−43.

6. Morabia A. PCA Louis and the birth of clinical epidemiology. Journal of clinical epidemiology. 1996;49(12):1327−1333.

7. Sackett DL. Clinical epidemiology: what, who, and whither. Journal of Clinical Epidemiology. 2002;55(12):1161−1166.

8. Association CM. How to read clinical journals: I. Why to read them and how to start reading them critically. CMAJ. 1981;124(5):555−558.

9. Epstein AM. The outcomes movement—will it get us where we want to go? In: Mass Medical Soc; 1990.

10. Lohr KN, Field MJ. Guidelines for clinical practice: from development to use. National Academies Press; 1992.

11. Bader JD. Variation, treatment outcomes and practice guidelines in dental practice. J Dent Educ. 1995;59:61−95.

12. Bader J, Ismail A, Clarkson Jt. Evidence−based dentistry and the dental research community. In: SAGE Publications Sage CA: Los Angeles, CA; 1999.

13. Association AD. ADA Policy Statement on Evidence−Based Dentistry. http://www ada org/1754 aspx. 2008.

14. Kent JN, Homsy CA, Gross BD, Hinds EC. Pilot studies of a porous implant in dentistry and oral surgery. J Oral Surg. 1972;30(8):608−615.

15. Kent JN, Lavelle WE, Dolan KD. Condylar reconstruction: treatment planning. Oral Surg Oral Med Oral Pathol. 1974;37(4):489−497.

16. Lagrotteria L, Scapino R, Granston AS, Felgenhauer D. Patient with lymphadenopathy following temporomandibular joint arthroplasty with Proplast. Cranio. 1986;4(2):172−178.

17. Bronstein SL. Retained alloplastic temporomandibular joint disk implants: a retrospective study. Oral Surg Oral Med Oral Pathol. 1987;64(2):135−145.

18. Evidence−based medicine. A new approach to teaching the practice of medicine. Jama. 1992;268(17):2420−2425.

19. Richards D, Lawrence A. Evidence based dentistry. Br Dent J. 1995;179(7):270–273.

20. Höök O. Scientific communications. History, electronic journals and impact factors. Scandinavian journal of rehabilitation medicine. 1999;31(1):3–7.

21. Jayaratne YSN, Zwahlen RA. The evolution of dental journals from 2003 to 2012: a bibliometric analysis. PLoS One. 2015;10(3).

22. Shaw WC. The Cochrane Collaboration: Oral Health Group. Br Dent J. 1994;177(8):272–273.

23. Bero LA, Grilli R, Grimshaw JM, Harvey E, Oxman AD, Thomson MA. Closing the gap between research and practice: an overview of systematic reviews of interventions to promote the implementation of research findings. The Cochrane Effective Practice and Organization of Care Review Group. Bmj. 1998;317(7156):465–468.

24. Grimshaw J, Thomas R, MacLennan G, et al. Effectiveness and efficiency of guideline dissemination and implementation strategies. 2004.

25. Workshop on guidelines for sealant use: recommendations. The Association of State and Territorial Dental Directors, the New York State Health Department, the Ohio Department of Health and the School of Public Health, University of Albany, State University of New York. J Public Health Dent. 1995;55(5 Spec No):263–273.

26. Song F, Landes DP, Glenny AM, Sheldon TA. Prophylactic removal of impacted third molars: an assessment of published reviews. Br Dent J. 1997;182(9):339–346.

27. Ismail AI, Bader JD. Evidence-based dentistry in clinical practice. J Am Dent Assoc. 2004;135(1):78–83.

28. Bader JD, Shugars DA. Variation, treatment outcomes, and practice guidelines in dental practice. J Dent Educ. 1995;59(1):61–95.

29. Richards D. EBD—Everybody's Dentistry. Evidence-based dentistry. 2005;6(3):57–57.

30. Slim K. Limits of evidence-based surgery. World journal of surgery. 2005;29(5):606–609.

31. Solomon MJ, McLeod RS. Clinical studies in surgical journals—have we improved? Diseases of the colon & rectum. 1993;36(1):43–48.

근거

1.
개요

1) 근거 중심 치의학의 근거는 "임상 연구"이다.

앞서 여러 차례 언급했지만 근거 중심 치의학에서의 "근거"는 우리의 임상 진료와 연관된 연구 논문을 의미한다. 우리의 임상 진료와 별로 관계가 없는 연구 논문은 "근거 중심 치의학"에서 근거로써의 가치가 거의 없다. 근거 중심 치의학은 "진료"의 질을 향상시키기 위한 것이기 때문이다. 연구 논문은 여러 가지 종류가 있으며, 그 종류에 따라 연구의 질, 혹은 근거 수준이 어느 정도 정해진다. 따라서 우리는 우리가 찾은 연구 논문이 어떤 종류의 연구인지, 그리고 어떻게 수행된 연구인지 알고 있어야 한다. 또한 우리는 연구 논문의 결과를 어떻게 해석해야 하는지도 알고 있어야만 한다.

그러나 우리는 임상 연구에 대해 잘 모른다. 앞서 설명했지만 교과서와 실습 중심적인 치의학 교육 제도하에서 우리는 임상 연구를 직접 읽고 이를 평가하는 방법에 대해서는 거의 배운 바 없다. 또한 무작위 대조 연구, 메타분석, 편향, 맹검, 추적 관찰 기간 등은 매우 중요한 개념이지만, 사실 우리는 이에 대해서 들어보거나 읽어본 경험이 거의 없다.

게다가 연구 논문에 해박한 전문가들도 근거 중심 치의학적 접근에 실패하는 경우가 많다. 하나의 주제에 대해 임상 연구가 여러 개이고, 이들 연구들의 결과가 크게 두 가지로 나뉠 때 우리는 이를 어떻게 해석해야 할까? 예컨대 흡연이 상악동 골이식의 예후에 미치는 영향에 대해 10개의 논문이 있다고 해보자(📷 2-1). 이 중 7개의 논문에서는 흡연이 상악동 골이식의 예후에 악영향을 미친다고 결론 내린 반면, 3개의 논문에서는 상악동 골이식의 예후에 별다른 영향을 미치지 못한다고 결론 내렸다. 그렇다면 흡연이 상악동 골이식의 예후에 악영향을 미쳤다고 보고한 논문이 그렇지 않다는 논문보다 두 배 이상 더 많았으므로 흡연은 상악동 골이식의 위험 인자라고 결론지을 수 있을까? 전문가들이 범하는 가장 큰 실수는 연구 논문들의 결과를 다수결식으로 결합하는 경우가 많다는 것이다. 우리는 이들 연구를 좀 더 심층적으로 분석할 수 있어야만 한다. 만약 흡연이 별다른 위험 요소가 아니었다는 연구는 모두 전향적 연구였고 나머지 연구는 모두 후향적 연구였다면, 실제로 흡연은 상악동 골이식의 위험 요소가 아닐 가능성이 훨씬 높다. 전향적 연구는 후향적 연구에 비해 근거 수준이 더 높기 때문이다. 낮은 근거 수준의 임상 연구는 연구자나 환자의 편향된 선입견에 따라 연구의 결과를 잘못된 방향으로 이끌 수 있다.[1]

이번 장에서는 근거 중심 치의학의 "근거"인 임상 연구에 대해 설명하고자 한다. 우리는 이에 대한 배경지식이 거의 없기 때문에 조금 생소하고 이해하기 어려운 개념들을 다룰 것이다. 완전한 문외한과 전문가 사이에서 한쪽으로 치우치지 않고 균형을 잡는다는 일은 사실 거의 불가능한 일이다. 그러나 중요한 개념인 근거 중심 치의학을 이해하기 위해서는 반드시 "근거"에 대한 지식이 필요하기 때문에 이번 장을 끈기 있게 읽어 보기를 권한다. 이번 장은 다음의 문헌들을 기초로 서술했다.

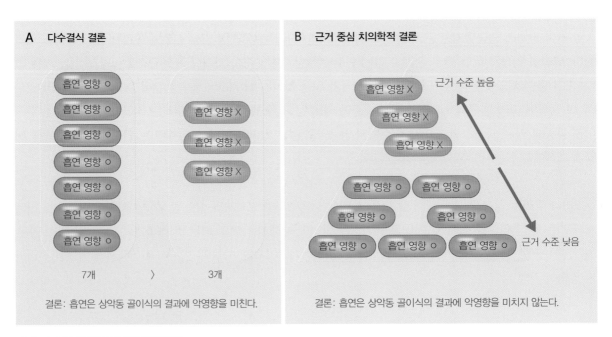

📷 **2-1 복수의 연구 결과의 해석 방법**
A. 다수결식 결론. 연구의 질은 고려하지 않고 수만을 고려한다. **B.** 근거 중심 치의학적 결론. 연구의 양보다는 질을 우선시한다.

- 세계 보건 기구의 "기초 임상 역학"[1]
- Benson과 Hartz의 논문 「A comparison of observational studies and randomized, controlled trials」[2]
- CRD (Centre for Reviews and Dissemination)의 문헌 고찰에 관한 가이드라인[3]
- Concato 등의 논문 「Randomized, controlled trials, observational studies, and the hierarchy of research designs」[4]
- Pocock와 Elbourne의 논문 「Randomized trials or observational tribulations?」[5]
- "Clinical trial"이란 주제로 2003년부터 2004년까지 Journal of Internal Medicine에 연재되었던 논문들[5-14]
- Sackett 등의 책 『임상 역학(Clinical epidemiology)』[15]

2) 치의학 연구의 분류

치의학, 또는 임플란트 치의학에 관한 연구는 크게 실험실 연구(in vitro study), 동물 연구(animal study), 그리고 임상 연구(clinical study, 또는 clinical trial)로 나눌 수 있다.

(1) 실험실 연구(시험관 연구)

"in vitro"는 라틴어로 "in glass"란 의미이며, 따라서 "in vitro study"를 사전적 의미로 해석하면 시험관 내 연구가 된다. 이를 좀 더 확대해서 해석하면 살아있는 생명체(생체) 밖에서 하는 실험을 의미한다. 치의학에서 일반적으로 시행하는 생체 외 연구는 인위적으로 생체 내와 비슷한 환경을 조성하고 여기에 어떠한 처치를 가하여 그 결과를 확인하는 것이다. 가장 자주 쓰이는 실험실 연구는 세포주(cell line)를 이용하는 것이다. 세포주란 유전자 구성이 같은 세포 집단을 의미하는 것으로, 인공적으로 배양한 하나의 세포로부터 분열 증식을 한 결과로 생기는 것이며 적절한 환경 하에서 인위적으로 배양이 가능하다. 골이식재의 골전도 능력(osteoconductive capacity)을 측정하기 위해 골형성 세포의 세포주를 여러 가지 골이식재가 첨가된 환경 하에서 배양한 후, 각 골이식재에서 세포주가 형성한 골형성 단백질의 양을 비교하는 연구는 실험실 연구의 좋은 예가 될 것이다.[16] 유한 요소 분석법(Finite Elements Analysis)이나 사체를 이용한 해부학적 연구는 엄밀히 말해 시험관 연구는 아니지만, 생체 외 연구의 일종이라고 생각할 수 있다.

생체 외 연구는 새로운 치료 개념을 적용하거나 새로운 생체 재료의 효과를 확인하기 위해 첫 단계에 행할 수 있는 실험으로, 실험실 환경을 아무리 정밀하게 조절하더라도 실제 생체의 매우 복잡한 생리적 작용을 흉내 내기가 불가능하기 때문에 연구 중 가장 근거가 낮다. 따라서 생체 외 연구의 결과만을 가지고 직접 임상에 적용하지는 말아야만 한다. 생체 외 연구는 생체 내 연구를 위한 이론적 토대를 마련하는 과정이다.

(2) 동물 연구

"in vitro"에 반대되는 용어는 "in vivo"이며 이는 라틴어로 "in living (organisms)"을 의미한다. 따라서 "in vivo study"는 생체 내 연구이다. 생체 내 연구는 동물 연구와 임상 연구로 나뉘며 인간에게 행한 실험을 임상 연구로, 인간 이외의 동물 종에 행한 실험을 동물 연구로 부른다. 동물을 이용한 연구는 생체의 복잡한 생리학적 효과를 검증할 수 있기 때문에 생체 외 연구보다는 그 근거 수준이 월등하게 더 높다. 그러나 인간과는 다른 종(species)이 보이는 생물학적 반응이 인간과 동일할 수는 없기 때문에, 동물 연구의 결과를 인간에게도 바로 적용할 수는 없다는 문제가 있다("쥐는 작은 인간이 아니다"). 따라서 동물 연구는 주로 두 가지 목적으로 시행된다.

- 새로운 임플란트 시스템이나 골이식 재료 등을 개발하였다면 이를 매우 엄격하게 제한된 환경 하에서 동물에게 적용함으로써 그 효과와 합병증 등을 정밀하게 검증하게 된다. 이를 통해 확인된 장점과 단점, 그리고 합병증을 참고하여 사람에게 적용하기 전에 여러 차례 수정하는 과정을 거치게 된다. 이러한 과정을 전임상 연구(preclinical study)라고 부르기도 한다.
- 윤리적인 이유로 인해 사람에게 행할 수 없는 실험을 시행한다. 예컨대 임플란트 식립 후 임플란트 주변 골의 재개조(remodeling) 과정을 조직학적으로 확인하려면 임플란트를 식립한 후 임플란트 및 그 주변골을 시기에 따라 블록 형태로 제거해야만 하는데 이는 윤리적인 문제로 사람에게 시행하기 불가능하다.

임플란트 치과학에서 주로 이용하는 동물 모델은 개의 악골, 영장류 악골, 토끼 경골 등이다. 특히 개, 이중에서도 비글견(beagle dog)은 치주염의 진행 양상이 인간과 유사하기 때문에 치주과학에서 자주 사용하던 동물이다. 따라서 임플란트의 연구 모델로도 가장 많이 이용되고 있으며 지금까지의 연구 자료가 풍부하다는 점, 하악골 크기가 연구에 적당하다는 점, 사육이 용이하고 인간에게 파급되는 전염병을 지니지 않는다는 점 등의 부가적인 장점이 있다. 생체 외 연구와 전임상 연구의 결과는 실제 환자들에서는 다르게 나타나는 경우도 많다. 따라서 이들 연구의 결과는 반드시 임상 연구를 통해 검증되어야만 한다.

(3) 임상 연구

임플란트 치의학, 또는 치의학 전반에서 모든 연구의 목적은 궁극적으로 인간의 구강악안면 영역의 보건 의료를 개선시키고자 함이다. 따라서 인간을 대상으로 한 임상 연구는 실험실 연구나 동물 연구보다 항상 훨씬 더 중요하다. 적어도 질 좋은 임상 연구로 그 효용성이 입증되기 전에는 새로운 치료 방법이나 재료를 임상에 적용하지 말아야 한다. 임상 연구는 그 특성에 따라 여러 가지로 분류가 가능하며, 또한 그 특성에 따라서 "근거 수준(evidence level)"이 정해지게 된다. 근거 수준은 독자가 연구 논문을 얼마나 신뢰할 수 있는가를 나타내는 지표이다. 근거 수준이 높은 연구는 연구를 시행하거나 결과를 측정하는 과정에서 오차가 적게 발생하기 때문에 진리에 더 가까운 결론을 얻을 수 있다. 이렇듯 근거 수준은 매우 중요한 개념이다.

2.
임상 연구의 구분

임상 연구는 환자의 어떤 특정한 상태와 관련된 원인 요소와 결과 요소의 관계를 밝히기 위해 시행하는 것이다. 구체적으로는 특정한 조건을 공유하는 환자들이, 원인 추정 요소에 노출되면 질환이나 상태와 관련된 결과 측정치가 어떻게 변화하는가를 평가하는 것이다(📷 **2-2**). 원인 요소는 크게 질환의 원인/예후와 치료/처치 요소로 나눌 수 있다.

원인/예후 요소

치과의사의 중재와 관계없이 특정 질환을 유발하거나 예후에 영향을 줄 수 있는 요소이다. 즉, 흡연, 당뇨, 주변 치아에 존재하는 치주염, 각화 점막의 폭, 환자의 구강 위생 습관, 유전적 요인 등은 원인/예후 요소가 된다.

치료/처치 요소

치과의사인 우리가 환자의 상태를 변화시키기 위해 가하는 치료 행위나 약물 등의 요소이다. 예컨대 임플란트 주위염이 발생하면 치과의사는 이를 없애거나 그 정도를 줄여주기 위해 처치를 가한다. 이 때 가해지는 항생제 투여, 임플란트 성형술, 임플란트 표면 오염 제거(decontamination), 삭제형 골수술, 재생형 골수술 등이 치료/처치 요소에 해당한다.

임상 연구는 원인 요소와 결과 요소를 언제 가하거나 측정했는지, 혹은 원인 요소를 연구 수행자가 환자에게 직접 기했는지 등의 여부에 따라 몇 가지로 구분 가능하다. 그리고 이러한 구분은 임상 연구의 근거 수준에 직접적으로 영향을 미치기 때문에 중요하다.

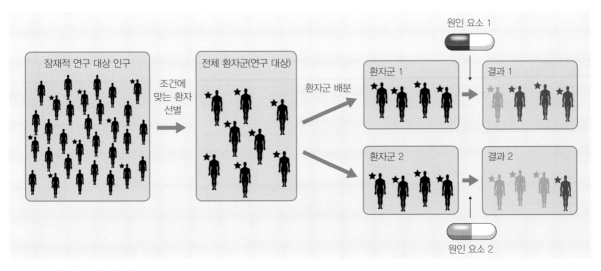

📷 **2-2 임상 연구의 기본적 구조**

1) 관찰연구와 실험연구

임상 연구는 여러 가지로 구분 가능하지만 가장 기본적으로는 관찰연구(observational study)와 실험연구(experimental study)로 구분할 수 있다. 이미 400년 이상 전에 프란시스 베이컨이 지적했듯이 우리가 세상의 이치를 이해하는 두 가지 주요 수단은 바로 실험과 관찰이기 때문이다. 치의학 임상 연구에서 이 두 가지 연구 방법은 연구자가 환자에게 원인 요소를 인위적으로 할당했는지 여부에 따라 구분된다(📷 2-3, 📑 2-1).[17]

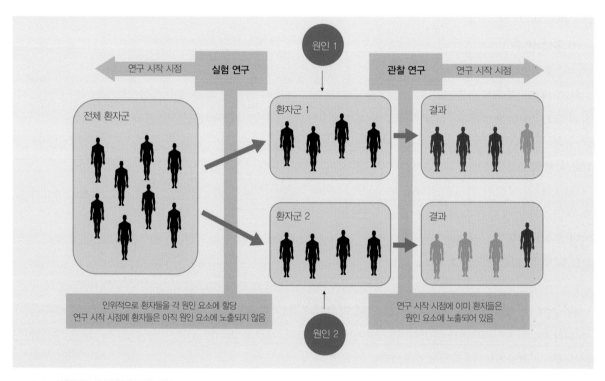

📷 2-3 **실험연구와 관찰연구의 구분**

📑 2-1 **실험연구와 관찰연구의 장·단점[18]**

연구 종류	장점	단점
관찰연구	• 원인, 결과 요소와 관련된 자료가 연구 시작 시 이미 존재하는 경우가 많다. 따라서 연구를 시행하기가 용이하고 연구 비용이 적게 소요된다. • 원인 요소가 이득이 되거나 손해가 되는 경우 모두 시행 가능하다.	• 원인 요소와 결과 요소 간에 인과관계가 있는지 확신할 수 없다.
실험연구	• 연구자가 궁금해하는 주제에 정확히 부합하는 연구를 수행할 수 있다.	• 처치가 불쾌하다면 환자 탈락률이 높다. • 이득이 될 것으로 판단되는 처치에 한해서만 시행 가능하다(윤리적 문제).

- 실험연구에서는 연구자가 연구를 시작한 후 환자에게 인위적으로 원인 요소를 할당한다. 주로 치료/처치 요소가 이에 해당한다. 예컨대 임플란트 주위염의 치료 효과를 평가하기 위해 연구자는 연구에 포함된 환자들을 인위적으로 두 군으로 나누어 각각 삭제형 골수술과 재생형 골수술을 시행할 수 있다.
- 관찰연구에서는 환자들이 원인 요소에 이미 노출되어 있는 상태로 연구를 시작한다. 따라서 연구자가 원인 요소를 임의대로 할당할 수 없다. 원인/예후 요소는 윤리적인 이유로 연구자가 이를 환자에게 인위적으로 할당할 수 없기 때문에 이에 관련된 연구는 주로 관찰연구이다. 예컨대 흡연이 임플란트 주위염의 발생과 예후에 미치는 영향을 평가하기 위해 연구자가 지정한 환자들에게 흡연할 것을 강요할 수는 없을 것이다.

(1) 관찰연구

관찰연구란 연구자가 연구 대상인 환자군에 인위적인 처치를 가하지 않고, 단순히 특정한 원인적 요소와 결과 요소 간의 관계만을 관찰하는 연구이다. 즉, 연구자는 어떤 식으로든 개입하려 하기보다는 어떠한 사건이 일어났는가를 단순히 관찰하는 것이다. 대개는 위험 요소나 원인 요소에 대한 노출 여부에 관한 자료를 취합한 후 이러한 노출과 관심 결과의 발현 여부 간 관계를 도출한다. 근거 수준은 실험연구가 더 높음에도 불구하고 관찰연구를 시행하는 이유는 실험연구가 불필요하거나, 부적절하거나, 비윤리적이거나, 아직까지 시행되지 않았기 때문이다.

예컨대 임플란트 주위 각화 점막의 유무가 임플란트 주위 조직의 염증성 질환 발생에 미치는 영향을 알아보는 연구를 시행한다고 해보자. 이를 실험연구로 진행하려면 임플란트 주위에 각화 점막이 존재하는 환자들을 모집한 후 실험군으로 배정된 환자들은 환자들의 임플란트 주위 각화 점막을 수술적으로 제거해야 한다. 이는 임상적으로 불필요하고 환자들에게 오히려 해가 될 수 있는 비윤리적인 진료이다. 따라서 이러한 경우에는 연구 시작 시 원래 각화 점막이 존재하는 환자군과 존재하지 않는 환자군을 대상으로 어떠한 처치도 없이 "관찰"만 시행해야 할 것이다. 이는 각화 점막의 존재 유무에 따른 "예후"와 관련된 문제는 관찰연구로만 시행 가능함을 의미한다.

임상 연구에서 환자군을 분류할 때 각 군의 환자들은 원인 요소에 노출되었는지의 여부를 제외한 다른 모든 면에서 최대한 비슷해야 한다. 그렇지 않으면 연구의 결과가 원인 요소에 대한 노출 이외의 다른 요소에 의해 좌우될 수 있기 때문이다(📷 2-4). 실험연구에서는 연구자가 모집된 환자들의 특성을 최대한 비슷하게 분리한 후 원인 요소에 노출시킬 수 있기 때문에 불필요한 편향의 가능성이 상대적으로 낮다. 그러나 관찰연구에서는 연구 시작 전에 이미 환자들이 원인 요소에 노출된 상태이며, 원인 요소에 대한 노출 여부는 결과에 영향을 미치는 환자의 다른 요소들과 연관되어 있을 가능성이 높다. 예컨대 흡연이 임플란트 주위 점막의 건강에 미치는 영향을 평가해본다고 해보자. 환자들을 흡연자와 비흡연자로 분류했을 때 환자들은 흡연 여부 이외에도 임플란트 주위 조직의 건강에 영향을 미칠 수 있는 다른 요소들에서 차이를 보일 가능성이 높다. 특히 흡연자는 구강 위생 관리가 더 불량한 경향을 보일 것이다. 따라서 구강 위생 관리에 대한 고려 없이 연구를 수행한 결과, 흡연자에서 임플란트 주위염의 발생 빈도가 유의하게 더 높았다고 했을 때 이것이 흡연에 의한 것인지,

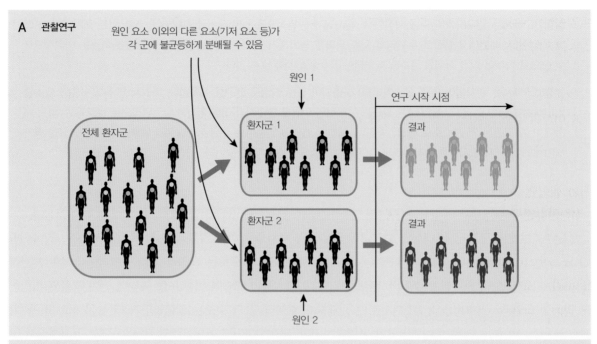

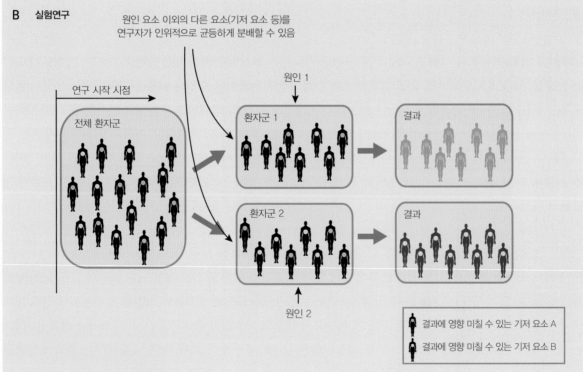

📷 **2-4** 임상 연구에서 원인 추정 요소와 결과 요소 간의 인과관계를 밝히기 위해선 원인 추정 요소 이외에 결과 요소에 영향을 미칠 수 있는 다른 요소들의 영향을 최소화해야 한다. 이를 위해 다른(기저) 요소들은 각 환자군에 균등하게 분배되도록 하는 것이 좋다.

A. 관찰연구에서는 연구 참여 환자들이 이미 원인 추정 요소에 노출되어 있어서 환자군이 나누어져 있기 때문에 다른 요소들을 각 환자군에 균등하게 분배할 수 없다. 이는 관찰연구의 근거 수준을 낮추는 주요한 원인이다. 이 그림에서처럼 관찰연구에서는 결과가 기저 요소의 차이에 의한 것인지, 혹은 원인 1, 2에 의한 것인지 알 수가 없다. **B.** 실험연구에서는 연구 시작 시점에 참여 환자들이 아직 원인 추정 요소에 노출되어 있지 않기 때문에 연구자가 환자들의 기저 요소를 인위적으로 균등하게 각 군에 배분시킬 수 있다. 따라서 원인 요소 이외에 결과에 영향을 미칠 수 있는 다른 요소들의 영향을 최소화시킬 수 있다.

혹은 불량한 구강 위생 관리에 의한 것인지 확신할 수 없게 된다. 따라서 관찰연구는 실험연구에 비해 일반적으로 근거의 질이 낮다.

그러나 관찰연구는 실험연구에 비해 비용이 적게 들고 시행이 간편하며, 연구 기간이 짧다는 장점이 있기 때문에 여전히 많이 시행되고 있다. 관찰연구에 속하는 연구 방법으로는 전향적 코호트 연구, 후향적 코호트 연구, 환자-대조군 연구, 단면연구, 단일 환자군 연구, 증례 보고 등이 있다.

(2) 실험연구

실험연구에서는 연구자가 환자군을 인위적으로 분류한 뒤 각 환자군에 연구자가 원하는 처치를 가한다. 그리고 연구자가 가한 처치가 측정 결과에 미치는 영향을 평가한다. 실험연구는 연구자가 환자군을 제어할 수 있으므로 가한 처치 이외의 다른 오염 요소가 측정 결과에 영향을 끼칠 가능성을 최소화할 수 있다는 장점이 있다. 따라서 직접적인 원인-결과를 추론할 수 있다. 이러한 이유로 실험연구는 관찰연구에 비해 근거 수준이 높다. 임상 실험연구는 치료나 예방적 처치의 효과를 평가하는 황금 기준으로 여겨진다.[19]

임플란트 주위에 각화 점막이 결여되어 있을 때 각화 점막 이식이 임플란트 주위 조직의 건강에 어떤 영향을 미치는지 평가하는 연구를 시행할 때에는 실험연구를 시행해야 한다. 임플란트 주위에 각화 조직이 결여된 환자들을, 각화 점막 이식 환자군(실험군)과 아무런 처치도 받지 않은 환자군(대조군)으로 나누어 이들 환자군에서 임플란트 주위 조직의 염증성 질환 발생 정도를 비교해야 각화 점막 이식의 효과를 평가할 수 있는 것이다. 즉, "치료"와 관련된 주제는 실험연구로 그 효과를 규명해야 함을 알 수 있다.

실험연구는 대조 연구(controlled trial)와 비대조 연구(uncontrolled trial)로 나눌 수 있다(📷 2-5). "대조 연구"의 의미는, 대상 환자군을 관심 처치를 가한 실험군(experimental group)과 관심 처치를 가하지 않은 대조군(control group)으로 나누어 최종적인 측정 결과를 비교하는 연구라는 것이다. 이때 실험군에는 우리가 관심을 갖는, 그 연구를 통해 그 효과를 검증하고 싶은 치료 방법을 적용하고, 대조군에는 외형은 실험군과 같지만 실제 치료 효과는 없는 치료(예: 위약, 가짜 수술)나 가장 광범위하게 쓰이는 표준적인 치료를 적용하는 것이 일반적이다. 예컨대 치조정 접근 상악동 골이식을 시행할 때 수압 거상법의 효과를 검증하고 싶다면 수압 거상법으로 상악동 골이식을 시행한 환자군을 실험군으로, 가장 일반적인 치료법인 오스테오톰법으로 상악동 골이식을 시행한 환자군을 대조군으로 적용하고 그 결과를 비교한다.

반면 "비대조 연구"에서는 환자를 복수의 군으로 나누지 않고 단일 군으로 설정한 후 관심 처치를 가한다. 따라서 비대조 연구를 "단일 환자군 연구"라고도 한다. 비대조 연구에서는 환자나 연구자의 선입관, 또는 편향을 최소화할 수 있는 기법들을 적용할 수 없기 때문에 관심 결과가 과장되게 나타날 가능성이 높으며, 따라서 편향의 가능성이 증가하여 근거 수준이 낮다. 또한 처치의 결과를 비교할 수 없기 때문에 그 처치의 진정한 효과를 알 수 없다. 예컨대 어떤 비대조 연구에서 수압 거상법으로 상악동저의 골을 수직적으로 평균 10 mm

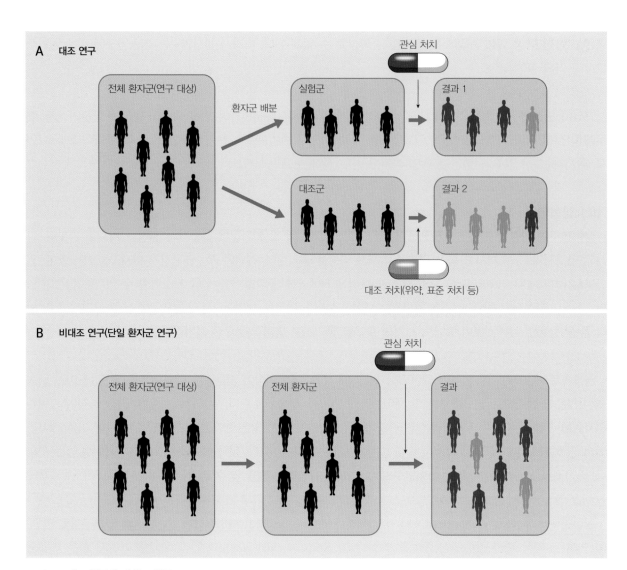

📷 2-5 **대조 연구와 비대조 연구**
비대조 연구는 대조 연구에 비해 근거 수준이 현저히 낮다.

증강시킬 수 있었다고 보고했을 때, 그 연구에 포함된 환자의 특성이나 술자의 실력 등이 결과에 많은 영향을 미쳤을 것이다. 따라서 내가 동일한 술식을 내 환자에게 적용했을 때 동일한 결과를 얻을 수 있을지 알 수 없다. 또한 수압 거상법이 오스테오톰법과 어떠한 치료 효과의 차이를 보이는지도 알 수 없다.

대조 연구는 편향을 최소화할 수 있고 관심 처치의 진정한 효과를 측정할 수 있는 연구 방법이기 때문에 최선의 연구 방법으로 평가받는다. 비대조 연구는 그 근거의 질이 높지 않기 때문에 임상적인 행위를 바꿀 정도의 효과는 없다. 비대조 연구는 새로운 처치의 안전성을 규명하고, 예상치 못한 효과를 찾아내며, 좀 더 명확한 연구 계획을 수립하기 위한 기저 자료를 얻기 위해 연구의 시작 단계에 시행하는 것이다. 그러나 안타깝게도 임플란트 치료와 관련된 실험적 임상 연구로는 비대조 연구가 가장 많이 발표되고 있다.

2) 전향적 연구와 후향적 연구

전향적 연구(prospective study)는 관심 결과가 발생하기 전에 연구를 시작하는 것이고, 후향적 연구(retro-spective study)는 관심 결과가 이미 발생한 이후에 연구를 시작하는 것이다(📷 2-6). 따라서 관찰연구는 전향적이거나 후향적일 수 있으며, 실험연구는 항상 전향적이다. 전향적 연구에서는 연구를 착수하는 당시에 향후에 나타날 결과치에 대해 전혀 알 수 없으며 연구자가 관심 결과를 직접 원하는 방식으로, 원하는 결과 지표에 대해 측정이 가능하기 때문에 편향이나 오류를 최소화할 수 있다는 장점이 있다. 반면 후향적 연구는 원인 요소에 대한 노출 여부와 결과치에 대한 참여자의 면담, 또는 기록된 정보 등에 의지해야 하기 때문에 편향이나 오류가 개재될 가능성이 높고 자료가 결여되어 있는 참여자의 비율도 높아진다. 따라서 근거의 수준은 더 낮다. 후향적 연구는 빠르게 시행 가능하고 실험 비용이 저렴하기 때문에 전향적 연구를 시행하기에 앞서 예비 연구로서 가치가 있다고 하겠다.

동일한 주제에 대한 전향적 연구와 후향적 연구가 다른 결과를 보이는 경우도 많다. 전향적 연구에서는 연구 수행자가 여러 가지 요소들을 제어할 수 있기 때문에 편향이 개재될 가능성이 적지만, 후향적 연구는 이것이 힘들거나 불가능하기 때문에 편향이 커진다. 예컨대 흡연이 골증강술의 예후에 미치는 영향을 평가하기 위해 전향적 연구를 수행할 때에는 비슷한 크기와 형태의 골결손을 지닌 흡연자와 비흡연자를 연구에 참여시키고, 이들에게 동일한 재료와 술식의 골증강술을 시행하여 그 결과를 비교할 수 있다. 이는 골결손부의 특성과 치료 방법에 따른 편향을 줄여줄 수 있는 방법이다. 그러나 후향적 연구에서는 이것이 불가능하다. 이미 다양한 종류의 결손부에 다양한 종류의 재료와 술식으로 골증강술 시행한 환자들을 대상으로 연구를 진행할 수밖에 없으며, 따라서 참여자와 처치의 특성을 통제할 수 없다. 일반적으로 후향적 연구에서는 더 많고 다양한 상태의 환자를 대상으로 실제 진료 환경에서 시행한 자료를 사용한다는 점 때문에 편향이 개재될 가능성이 훨씬 더 높다.

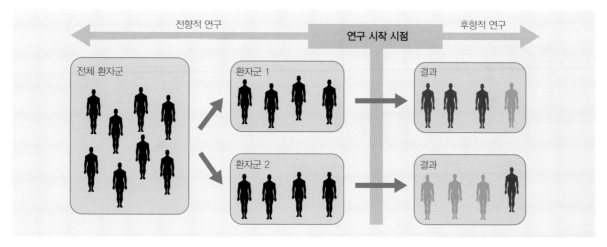

📷 2-6 **전향적 연구와 후향적 연구**
전향적 연구는 결과가 발생하기 이전에 연구를 시작하는 것이고 후향적 연구는 결과가 발생한 이후 연구를 시작하는 것이다.

전향적 연구에는 모든 실험 연구(무작위 대조 연구, 비무작위 대조 연구, 전향적 단일 환자군 연구)와 전향적 코호트 연구가 포함될 수 있다. 후향적 연구에는 후향적 코호트 연구, 환자–대조군 연구, 후향적 단일 환자군 연구, 후향적 증례 보고가 포함된다(📑 2-2).

📑 2-2 전향적 연구와 후향적 연구의 장단점[18]

연구 종류	장점	단점
전향적 연구	• 인과관계를 도출할 수도 있다.	• 연구 기간이 오래 소요된다. • 추적 관찰 시 대상 환자가 누락되기 쉽다.
후향적 연구	• 연구 비용이 적게 든다. • 시행이 쉽다.	• 회상 편향(recall bias)이 잘 생긴다. • 자료가 완전하지 않다.

3) 단면연구와 추적연구

단면연구(=횡단 연구)는 주어진 특정 시간에서 집단의 관심 결과의 발현을 측정한다. 추적연구(=종단 연구)가 시간의 경과에 따른 건강 상태의 "변화"를 관찰하는 반면, 단면연구에서는 "시간"이나 "변화"라는 요소를 고려하지 않고 정해진 짧은 특정 기간 내에서 원인 요소와 결과 요소의 존재 여부나 상태만을 관찰한다. 모든 전향적 연구와 후향적 연구는 추적연구인 반면, 말 그대로 단면연구만이 단면연구이다(📷 2-7, 📑 2-3).

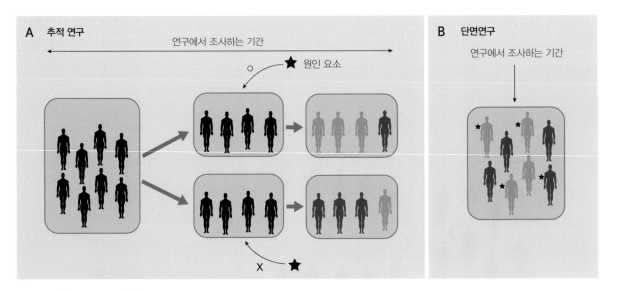

📷 2-7 추적연구와 단면연구
A. 추적연구에서는 원인 추정 요소와 결과 추정 요소의 전후 관계를 확인한다. 따라서 인과 관계를 도출하는 데 있어 중요한 요소인 시간을 고려하기 때문에 원인 추정 요소와 결과 추정 요소 사이의 인과관계를 추정할 수 있다. **B.** 단면연구에서는 특정한 시점에서 원인 추정 요소와 결과 추정 요소의 발현 정도를 측정한다. 따라서 원인 추정 요소가 결과 추정 요소보다 선행하는지 여부를 알 수 없다. 따라서 원인 추정 요소와 결과 추정 요소 간의 상관관계는 도출할 수 있지만 인과관계는 도출할 수 없다.

표 2-3 단면연구와 추적연구의 장·단점[18]

연구 종류	장점	단점
단면연구	• 여러가지 다양한 정보를 분석할 수 있다.	• 교란 요소에 오염될 가능성이 높다.
추적연구	• 원인 요소와 결과 요소 간의 인과관계를 강력하게 추정할 수 있도록 해준다.	• 연구 비용이 높고 시간이 오래 걸린다. • 추적 관찰 중 대상 환자가 탈락될 가능성이 높다.

추적연구에서 중요한 것은 추적 관찰 기간이다. 많은 연구자들은 짧은 시간에 성과를 내기 위해 너무 짧은 추적 관찰 기간 후에 연구 결과를 도출하는 경향이 있다. 그러나 추적 관찰 기간이 짧으면 치료의 효과가 과장되는 경향이 있기 때문에 충분한 기간 동안 추적 관찰을 시행해야 한다. 예컨대 5 mm 임플란트의 임상적 성공을 평가하기 위한 연구에서 추적 관찰 기간을 보철 부하 후 1년까지 만으로 제한하면 임플란트의 성공률은 과장되게 나타날 것이다. 임플란트가 장기간 기능하면 저작력에 저항하지 못하고 탈락되는 경우가 많이 발생할 수 있기 때문이다.

그러나 단면연구에서는 추적 관찰이라는 개념 자체가 없기 때문에 추적 관찰 기간이 짧은 추적연구보다도 근거 수준은 더 낮다. 예컨대 임플란트 주위 점막에서 각화 점막의 폭(원인)이 임플란트 주위 점막의 장기적 건강도(결과)에 어떤 영향을 미치는지 알아보고자 연구를 수행한다고 해보자. 이 주제는 원인/예후에 관련된 것이므로 관찰연구로 해답을 구할 수 있다. 따라서 추적연구인 전향적 코호트 연구가 최선의 근거를 제공해줄 수 있다. 임플란트 보철 치료가 완료되고 임플란트 주위 조직이 건강한 상태에서 각화 점막의 폭에 따라 환자군을 나누고 관찰을 시작하는 것이 가장 이상적이다. 충분한 기간이 경과한 후 임플란트 주위 조직의 건강도를 측정하면 각화 점막의 폭과 임플란트 주위 조직의 건강도에 있어 인과관계를 유추할 수 있다(📷 2-8).

그러나 각화 점막의 폭과 임플란트 주위 조직의 건강도 사이의 관계를 평가한 대부분의 연구는 단면연구였다.[20] 특정 시점에서 이전에 임플란트 치료를 완료한 환자들을 대상으로 임플란트 주위 각화 점막의 폭과 임플란트 주위 조직의 건강도를 한꺼번에 측정하면 단면연구가 된다. 하지만 원인-결과 관계는 시간이 개입되어야 하는 개념이다. 즉, 원인 요소가 먼저 존재하고 시간이 경과함에 따라 이 원인에 의한 결과가 나타나야 하는 것이다. 그러나 단면연구에서는 이러한 시간 개념이 결여되어 있기 때문에 인과관계를 도출할 수가 없다는 치명적인 단점이 있다. 예컨대 단면연구를 통해 한 시점에서 각화 점막이 결여된 환자들은 임플란트 주위 점막의 염증이 더 심하다는 사실을 관찰했다고 해보자.[21] 그렇다고 각화 점막의 결손이 임플란트 주위 점막의 건강에 악영향을 미쳤다고 결론 내릴 수 있을까? 이 연구에서 각화 점막의 폭이 2 mm 미만인 증례에서 2 mm 이상인 증례보다 임플란트 주위 점막의 염증은 현저히 더 많이, 그리고 심하게 나타났다. 이는 세 가지로 해석할 수 있다(📷 2-9).

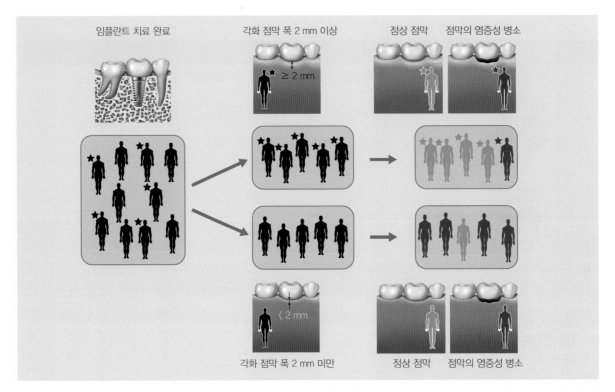

📷 **2-8** 추적연구의 일종인 전향적 코호트 연구를 통해 임플란트 주위 각화 점막의 폭이 임플란트 주위 조직의 건강에 미치는 인과관계를 알아낼 수 있다. 만약 보철 완료 시점에 각화 점막의 폭과 관계없이 모두 건전한 상태를 보이던 임플란트 주위 조직이 몇 년 후 각화 점막의 폭에 따라 임플란트 주위의 염증성 질환 발생률에 차이를 보인다면 각화 점막의 폭은 임플란트 주위 조직의 건강에 유의한 영향을 미친다고 결론 내릴 수 있다.

- 보철 완료 시점에 각화 점막의 폭이 좁으면 임플란트 주위 조직의 건강도에 악영향을 미치고, 따라서 염증성 질환을 더 많이 유발한다.

- 임플란트 주위 점막에 염증이 발생하면 점막이 파괴되고, 이에 따라 각화 점막의 양이 줄어들 수 있다(원인-결과의 혼동).

- 제3의 요인, 즉 교란 요소(confounding factor)가 존재할 수도 있다. 예를 들어, 유전적으로 치주 질환에 취약한 환자가 흡연을 할 때, 각화 점막의 소실과 임플란트 주위 점막에 염증이 동시에 발생할 수도 있는 것이다. 또는 치료 완료 후 경과한 시간에 비례하여 각화 점막의 폭은 줄고 임플란트 주위 조직의 염증 정도는 심해질 수 있다.

추적연구에서는 모든 가능성을 감별할 수 있다. 그러나 단면연구는 세 가지 가능성 중 어떤 이유로 이러한 현상이 발생했는지 설명할 수 없다. 단면연구는 한 시점에서의 상태를 평가하기 때문에 개별 환자의 역사는 고려하지 않는다. 임플란트 보철 연결 후 1년이 지난 환자나 5년이 지난 환자나 똑같이 평가한다. 그러나 보철 연결 후 시간이 경과할수록 각화 점막의 양은 줄어드는 반면, 임플란트 주위 점막의 염증성 질환 유병률은 증가

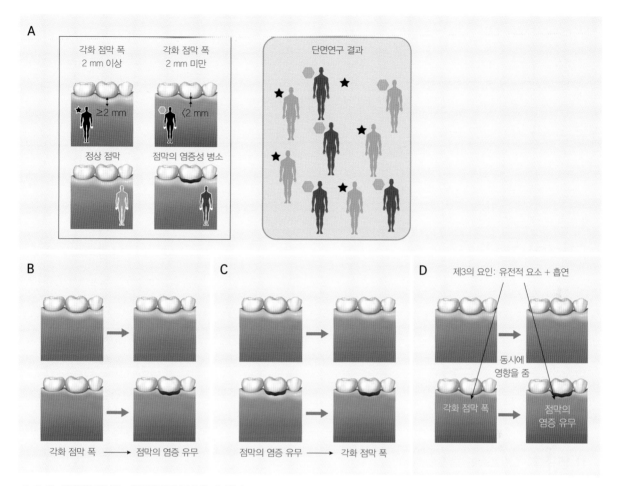

📷 **2-9 단면연구에서는 인과관계를 도출할 수 없다.**

A. 한 단면연구에서 임플란트 치료 환자들의 각화 점막의 폭과 임플란트 주위 질환의 발생이 유의한 상관성을 보였다고 해보자. 즉, 각화 점막 폭이 2 mm 미만이면 임플란트 주위염이나 주위 점막염에 이환된 경우가 각화 점막 폭 2 mm 이상일 때보다 많다고 가정해보자. 이러한 현상은 세 가지 이유로 발생 가능하다. **B.** 각화 점막의 폭은 임플란트 주위 조직의 염증성 질환의 발생에 유의한 영향을 미친다. 이는 각화 점막의 폭과 임플란트 주위 질환 사이에 인과관계가 있음을 나타낸다. **C.** 반대의 현상도 발생 가능하다. 즉, 임플란트 주위 점막에 염증성 병소가 발생하면 각화 점막의 폭이 줄어들 수도 있는 것이다. 따라서 우리가 일반적으로 생각하는 인과관계가 뒤집어져 있을 수도 있다. **D.** 숨겨져 있는 교란 요소가 영향을 미치고 있을 수도 있다. 즉, 숨겨진 다른 요소가 원인 추정 요소와 결과 추정 요소에 동시에 영향을 미침으로써 마치 원인 추론 요소가 결과 추론 요소에 영향을 미치는 것처럼 판단될 수도 있는 것이다. 만약 종단 연구를 시행한다면 원인-결과 추정 요소들의 선후 관계를 알 수 있기 때문에 교란 요소의 영향을 더 많이 배제할 수 있다. 그러나 횡단 연구, 즉 단면연구에서는 원인-결과 추정 요소의 발생 시점을 알 수 없기 때문에 교란 요소의 영향을 배제할 수 없다. 이 예에서는 유전적 요소와 흡연이 결합되어 각화 점막의 폭과 임플란트 주위 점막의 염증성 병소 발생에 동시에 영향을 미칠 수도 있다.

하는 경향이 있다.[22] 따라서 단면연구에서는 각화 점막의 폭이 넓고 염증성 질환이 적은 쪽에는 치료 직후의 환자들이 몰려 있을 것이고, 그 반대쪽으로는 치료 후 많은 시간이 경과한 환자들이 몰려 있을 것이다. 이는 단순히 시간의 경과에 따른 자연스런 현상임에도 단면연구에서는 각화 점막의 결손-임플란트 주위 질환의 잘못된 인과적인 연관 관계를 유추할 수도 있게 된다.

단면연구는 주로 세 가지 목적으로 시행한다.

- 질환의 유병률을 측정함
- 새로운 진단 방법의 정확도를 평가함
- 질환이나 치료에 있어 원인 추정 요소들과 결과 요소 간에 상관성이 있는지 간략히 평가함

이에 대해서는 뒤에서 다시 자세히 설명할 것이다.

3.
근거의 질

앞에서 임상 연구의 종류를 구분하고 종류에 따른 연구의 질과 근거 수준에 대해 간략하게 설명한 바 있다. 여기에서는 연구의 질과 그에 따른 근거 수준에 대해 더 자세하게 설명하도록 한다. 근거 중심 치의학에서는 임상 연구의 질과 근거 수준을 매우 중요시하기 때문에 이에 대한 이해는 중요하다. 모든 종류의 임상 연구는 그 디자인과 수행 방법에 따라 근거의 질이 정해진다.

1) 연구의 질(Quality of Studies)

연구의 질은 그 연구의 가치를 의미한다. 모든 연구는 얼마나 철저하게 잘 수행됐는가에 따라 실제 현상을 그대로 반영할 가능성이 증가할 것이다. 예컨대 A라는 치료법의 진정한 치료 효과가 B라는 치료법의 진정한 치료 효과보다 10% 더 좋다고 해보자. 질이 높은 연구에서는 치료 결과의 차이가 10%라는 수치에 근접하게 될 것이고, 질이 낮은 연구에서는 10%에서 많이 벗어날 확률이 높아질 것이다. 이는 중요한 개념이다. 만약 특정 처치가 효과가 있다는 연구와 없다는 연구가 각각 5개씩 보고됐다고 해보자. 이 때 질이 높은 연구 5개는 처치가 효과가 없다는 결과가 나왔고, 질이 낮은 연구 5개는 처치가 효과가 있다는 결과가 나왔다면 실제로 그 처치는 효과가 없다고 생각할 수 있을 것이다. 질이 낮은 연구는 관심 처치의 효과가 과장되게 나타날 가능성이 높기 때문이다.

연구의 질은 여러 각도에서 측정할 수 있다. 가장 중요한 세 가지 개념은 검정력(power), 신뢰도(reliability), 인과성(causality)이다.[18] 이 세 가지 요소가 높아질수록 연구의 질은 높아진다.

검정력

검정력은 귀무 가설이 오류일 때 이를 거부할 가능성으로 정의된다(이는 뒤에서 다시 설명할 것이다). 쉽게 말하자면 두 치료 방법의 효과에 차이가 있을 때 이를 그 연구에서 실제로 발견할 수 있는 가능성을 검정력이라고 한다.

신뢰도

신뢰도란 동일 실험을 반복할 때에 동일한 결과를 도출할 수 있는 능력을 의미한다. 연구에 참여한 환자 수를 늘리고, 연구의 시행을 반복 가능하도록 구체적으로 철저히 명시하며, 연구 결과에 영향을 미칠 수 있는 여타 요소들을 잘 통제하면 연구의 신뢰도는 증가한다.

인과성

원인 요소와 결과 요소의 발생 시점과 관련하여 연구를 언제 시작했는가, 그리고 원인 요소를 연구자가 인위적으로 조절해주었는가의 두 가지 요소가 인과성을 규명하는 데 가장 중요하다. 원인/결과 요소 발생 전에 연구를 시작하고 원인 요소를 연구자가 인위적으로 조절해주면 가장 명시적으로 인과관계를 도출할 수 있다. 반대로 원인/결과 요소가 모두 발생한 이후 연구를 시작하고 원인 요소를 연구자가 조절할 수 없으면 인과성을 도출하기 힘들어진다.

2) 근거 수준(Evidence Level)

근거 수준(evidence level)은 독자가 연구 논문을 얼마나 신뢰할 수 있는가를 나타내는 지표이다.[23] 연구의 질, 즉 검정력, 신뢰도, 인과성이 높아지면 근거 수준은 향상된다. 따라서 질이 높은 연구는 근거 수준이 높다고 표현한다. 연구가 목적한 바를 옳게 얻는 데 지장을 주는 것을 연구 오차라고 하며, 근거 수준이 높은 연구는 이러한 오차가 적어서 진리에 더 가까운 결론을 얻을 수 있는 연구이다. 연구 오차를 야기할 수 있는 요소에는 우연(chance), 편향(bias), 교란(confounding), 오염 등이 있다.[24]

우연

임상 연구에서는 연구 표본 집단에서의 관찰 결과로 더 광범위한 전체 집단(모집단)에 대해 추론하게 된다. 진정한 모집단의 측정 결과와 표본의 그것이 다른 것은 우연 때문이며, 이를 완전히 배제하는 것은 불가능하다. 하지만 결과를 반복적으로 측정하고, 연구의 표본 대상을 전체 집단을 대표할 수 있는 이들로 잘 선정하며, 연구 대상 수 자체를 늘리면 우연의 가능성을 최소화시킬 수 있다.

편향

"bias"는 편향, 편견, 치우침, 비뚤림 등의 용어로 번역된다. 이 책에서는 이를 "편향"이란 말로 번역할 것이다. 임상 연구에서 편향은 연구 결과를 의식적이건 무의식적이건 간에 어느 한쪽으로 치우치게 하는 요소이다. 편향의 종류에는 수십 가지가 있으며, 연구의 질과 근거 수준을 결정하는 데 있어 편향이 가장 중요한 요소이다. 임상 연구를 수행할 때에는 각 단계마다 편향이 개입될 수 있는데, 근거 수준이 높은 연구에서는 철저한 통제를 통해 이러한 편향이 개입될 가능성을 최소화시킨다.

교란

원인 요소 및 결과 요소 모두와 상관성이 있는 변수를 교란 요소라고 한다. 어떤 연구에서 분석에 포함되지 않은 이차적 원인인 교란 요소에 의해 결과가 발생한 경우, 관심 결과와 노출 간의 관계에 대해 그릇된 인과관계를 도출할 수 있다. 예컨대 어떤 사회학 연구에서 도시 내 교회의 숫자와 범죄 발생수에 유의한 상관관계가 있음을 밝혀냈다고 해보자. 상식적으로 교회가 많아지면 범죄는 줄어들 것으로 생각되기 때문에 이 연구 결과는 이상하다. 사실은 도시 내 인구수가 많아지면 교회 숫자도 늘어나고 범죄 발생 건수도 늘어나기 때문에 이 현상은 "인구수"라는 교란 요소가 개입된 것이다. 교란은 연구 설계 단계에서 무작위 배정으로 최소화시킬 수 있다.[24]

한 연구의 근거 수준은 그 연구의 종류(디자인)와, 그 연구 종류를 실제 수행함에 있어 얼마나 철저하게 시행했는가에 따라 결정된다.

연구의 종류

연구의 종류(디자인)에 따라 그 연구의 근거 수준은 일정 정도 정해진다. 근거 수준의 평가는 주로 연구 디자인에 초점을 두며, 대개 연구 결과의 타당성을 손상시키는 편향(bias)이 얼마나 개입되었는지에 의해 결정된다. 근거 수준은 무작위 대조 연구에 대한 체계적 고찰과 메타분석이 가장 높으며, 그 아래로 무작위 대조 연구, 비무작위 대조 연구, 코호트 연구, 환자-대조군 연구, 단일 환자군 연구, 증례 보고, 전문가 의견의 순서를 따른다 (📷 2-10).[25-27]

연구의 수행

근거 수준에서 더 높은 곳에 위치하는 연구가 더 낮은 근거 수준의 연구보다 항상 연구질이 우월하지는 않다. 좋은 연구 방법을 적용하였더라도 실제 연구 과정에서 개입되는 오차를 잘 제어해 주지 않는다면 근거의 질은 떨어질 수밖에 없는 것이다. 예컨대 적은 수의 환자를 대상으로 하고 맹검이 제대로 이루어지지 않은 무작위 대조 연구보다는 많은 환자를 대상으로 하고 결과 측정에 대해 맹검을 잘 유지한 비무작위 대조 연구의 근거 수준이 더 높을 수도 있다. 연구의 수행 정도는 연구 논문의 독자인 우리가 "비판적 평가"를 통해 스스로 잘 판단해야 한다.

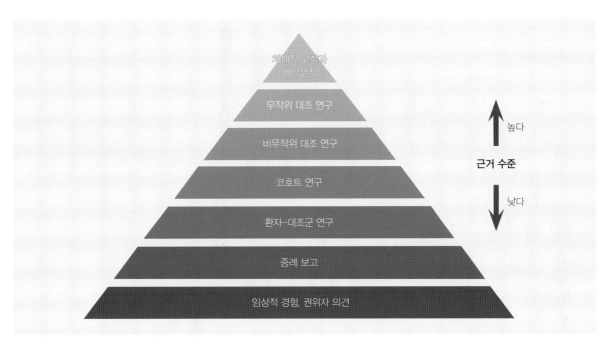

📷 **2-10 근거의 계층도**

3) 임상 연구와 편향

연구의 질은 방법론상의 질, 즉 연구의 내적 타당도(internal validity)를 의미한다. 내적 타당도란 간단히 말해서 다른 잡음 변인이나 이유 때문이 아니라 오직 실험에서 가해진 처치가 원인이 되어 그러한 실험 결과가 나타났다고 자신 있게 말할 수 있는 정도를 뜻하는 것이다. 앞서 설명했지만, 연구를 수행하는 과정 중 편향에 의해 얼마나 오염되었는가로 판단할 수 있다. 연구가 편향에 의해 오염되면 연구 결과는 과장되게 커지거나 축소될 수 있다.[28,29] 따라서 연구 과정 중 편향을 최소화시키면 연구 결과는 진실에 가깝게 된다.

코크란 연합(Cochrane Collaboration)은 근거 중심 의학과 관련된 비정부, 비영리 단체이다. 본사는 영국 런던에 위치하고 있지만, 실제로는 전 세계의 사람들이 참여해 기여하고 있는 기구이다. 코크란이 주로 하는 일은 의학과 관련된 메타분석을 수행하는 것으로, 근거 중심 의학에 있어 세계적으로 가장 권위를 인정받고 있는 기구이다. 코크란 연합에서는 실험 연구에 관한 편향의 위험도(risk of bias)를 측정할 수 있는 방법을 제시한 바 있는데, 여기에서는 이를 중심으로 연구 과정 중 어떤 종류의 편향이 언제 개입될 수 있는지 간단하게 설명하겠다.[30,31]

실험 연구의 구조는 간단하게 요약하면 다음과 같다(📷 **2-11**).

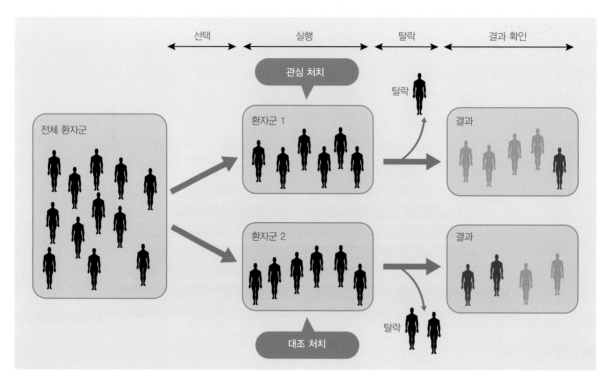

📷 **2-11 실험 연구의 구조와 네 가지 단계**

① 연구 대상 참여자(환자)를 실험군과 대조군으로 배정한다(선택).
② 각 군에 관심 처치와 대조 처치를 가하거나 노출시킨다(실행).
③ 이들 환자를 가급적 탈락시키지 않고 최대한 많이 추적한다(탈락).
④ 이들 환자에서 관심 결과를 특정한 기간에 측정한다(결과 확인).

그리고 이러한 각 과정에서 편향이 발생하는데, 이 편향들은 언제 발생하는가에 따라 선택 편향, 수행 편향, 탈락 편향, 결과 확인 편향 등 네 가지로 명명된다(📂 2-4).

📂 **2-4 실험연구에서의 편향**

편향의 종류	설명	예방 방법
선택 편향 Selection bias	• 비교 대상 군들의 기저 상태의 체계적인 차이	• 배정 순서의 무작위적 생성 • 배정 순서 은폐
실행 편향 Performance bias	• 제공되는 처치에 계통적인 차이가 있거나 관심 중재 이외의 다른 인자에 노출	• 참여 환자와 연구 수행자에 대한 맹검 • 다른 잠재적 편향의 제거
결과 확인 편향 Detection bias	• 처치의 결과를 확인하는 방법에서 군 간의 체계적인 차이	• 결과 평가에 대한 맹검 • 다른 잠재적 편향의 제거
탈락 편향 Attrition bias	• 탈락률에 있어 군 간의 체계적인 차이	• 참여 환자와 연구 수행자에 대한 맹검 • 탈락률과 탈락 이유에 대한 철저한 조사와 서술

(1) 선택 편향

선택 편향은 표본으로 선택된 대상과 그렇지 않은 대상 사이에 차이가 있을 때 발생한다. 선택 편향은 치료 군 배정 시 발생할 수 있다. 대상 환자군들은 치료 결과에 영향을 미칠 수 있는 기저 요인이나 교란 변수들을 다양하게 지니고 있다. 따라서 선택 편향을 없애려면 각 군에 배정된 환자들이 이러한 요소들을 같거나 비슷하 게 보유해야만 한다. 이는 환자들을 각 군에 배정하는 과정과, 연구자가 참여 환자에게 처치를 가하기 직전까지 은폐하는 과정에 의해 달성될 수 있다. 무작위 대조 연구에서처럼 환자를 무작위적으로 각 군에 배정하면 선택 편향을 최소화시킬 수 있다. 반면 관찰연구에서는 알려져 있고 측정 가능한 혼란 변수에 대해서만 통제하 거나 보정하는 것이 가능하다. 알려져 있지 않거나 측정이 가능하지 않다면 보정이나 통제가 불가능하다.

(2) 실행 편향

실행 편향은 임상 연구가 진행되는 동안 실험군과 대조군에게 제공되는 처치에 계통적 차이가 있거나 환자 들이 관심 처치를 제외한 다른 인자에 노출되면 발생한다. 짧은 임플란트와 표준 임플란트의 임상적 성공을 평 가하기 위해 상악 구치부 높이가 5–6 mm인 증례에서 짧은 임플란트를 식립한 경우와 상악동 골이식 직후 표 준 임플란트를 식립한 경우에서 임플란트의 생존율을 비교한다고 해보자. 만약 식립된 임플란트의 생존율만 비교한다면 이는 처치에 있어 계통적인 차이가 발생하게 된다(📷 **2–12**). 예컨대 상악동 골이식에 의한 감염으 로 인해 임플란트를 제거하게 된다면 이는 임플란트 자체의 효과와는 관계없이 임플란트의 생존율을 낮추게 된다. 따라서 연구 목적을 "짧은 임플란트 식립"과 "상악동 골이식 + 표준 임플란트 식립"의 차이를 비교하는

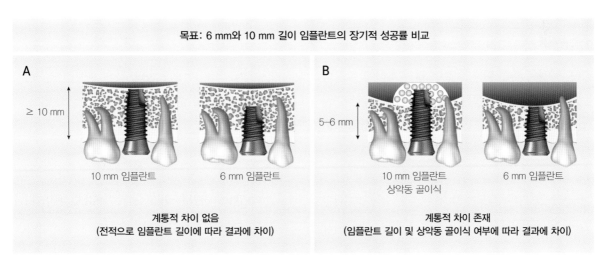

목표: 6 mm와 10 mm 길이 임플란트의 장기적 성공률 비교

A

≥ 10 mm

10 mm 임플란트 · 6 mm 임플란트

계통적 차이 없음
(전적으로 임플란트 길이에 따라 결과에 차이)

B

5–6 mm

10 mm 임플란트 상악동 골이식 · 6 mm 임플란트

계통적 차이 존재
(임플란트 길이 및 상악동 골이식 여부에 따라 결과에 차이)

📷 **2–12 실행 편향은 실험군과 대조군에 가해지는 처치에 계통적 차이가 있으면 발생한다.**
A. 6 mm 길이와 10 mm 길이 임플란트의 장기적 성공률을 비교하기 위해서는 임플란트 식립 자체 이외에 임플란트의 성공에 영향을 미 칠 수 있는 다른 요소가 개입되지 말아야 한다. 만약 잔존골 높이가 10 mm 이상인 증례에 한해 10 mm와 6 mm 길이 임플란트를 골증강 술 없이 식립하고 그 성공률을 비교한다면 이는 처치에 계통적 차이가 없는 공정한 대조 연구가 될 것이다. **B.** 그러나 잔존골 높이가 5–6 mm인 경우에 상악동 골이식 후 10 mm 길이의 임플란트를 식립한 경우와 골증강술 없이 6 mm 길이의 임플란트를 식립한 경우에서 임플 란트의 성공률을 비교한다면 실험군과 대조군의 처치 사이에 계통적 차이가 발생한다. 분명 연구의 목적은 임플란트의 길이에 따른 임플 란트 성공률을 비교하는 것이지만 상악동 골이식이라는 추가적인 처치가 개입되기 때문이다.

것으로 변경하거나, 연구 대상 환자를 잔존골 높이가 10 mm 이상인 경우로 변경해야 할 것이다. 뒤에서 다시 설명하겠지만 환자 및 연구자에 대한 맹검은 관심 처치 이외의 다른 인자를 환자에게 노출시키지 않는 중요한 방법이다. 특히 환자가 자신에게 할당된 처치를 알면 이는 환자에게 정신적, 육체적 영향을 미쳐서 환자의 상태에 영향을 미칠 수 있다.

(3) 탈락 편향

탈락 편향은 연구에서 실험군과 대조군 환자들의 탈락률에 있어 체계적인 차이로 인해 발생한다. 모든 전향적 연구에서는 처음 연구에 포함시켰던 환자들이 여러 가지 이유로 연구를 마칠 때까지 추적 관찰에 참여할 수 없는 경우가 발생한다. 만약 이러한 추적 관찰 탈락이 환자의 단순한 변심이나 이사 등의 우발적인 원인에 의해 발생하면 이는 편향을 별로 유발하지 않는다. 그러나 대조군과 실험군에 가해진 처치 효과의 차이가 너무 크면 효과가 좋지 않은 환자들은 추적 관찰에서 탈락하거나 다른 처치를 받을 가능성이 증가할 것이다. 이러한 현상이 발생하면 탈락 편향이 개입되게 되어 연구 결과를 왜곡시킨다. 좋지 않은 치료 결과로 환자들이 탈락하면 치료 결과는 더 좋은 것처럼 나타나기 때문이다. 또는 맹검이 적절히 이루어지지 않으면 연구자는 추적 관찰에서 본인이 선호하는 치료법에서 결과가 좋지 않은 환자를 의식적으로나 무의식적으로 배제하게 될 것이다. 이를 줄여주기 위해 연구에서는 추적 관찰률을 가능한 최대로 유지하기 위해 노력하며 추적 관찰에서 탈락한 환자들에 대해서는 그 이유를 명확하게 기술해야 한다.

(4) 결과 확인 편향

결과 확인 편향은 결과 평가에 있어서 두 군 사이에 발생할 수 있는 계통적 차이를 말한다. 결과를 평가할 때 배정에 대한 맹검이 이루어져 있으면 이런 편향이 적게 발생할 가능성이 크다. 연구자가 대상군과 비교군의 배정 상태를 알고 있다면 결과 분석을 시행할 때 무의식적으로 편견이 발생하게 되어 결과 평가에 영향을 줄 수 있다. 맹검은 특히 통증과 같이 결과 측정에 주관성이 개입되는 경우 더욱 더 중요하다. 특히 후향적 연구에서는 결과 확인 편향의 일종인 회상 편향이 발생할 수 있다. 회상 편향은 관심 결과를 가진 대상과 갖지 않은 대상 간의 과거 경험을 보고하는 데 있어서 차이를 보이는 현상이다.

4.
무작위 대조 연구

임상 연구의 종류는 여러 가지가 있다. 그 중에서 무작위 대조 연구는 임상 연구의 황금 기준이다. 따라서 여기에서는 무작위 대조 연구에 대해 자세하게 설명하고, 나머지 연구들은 뒤에서 한꺼번에 설명하도록 한다.

RCT라는 약어는 치의학계에서는 "근관 치료(Root Canal Treatment)"의 의미로 가장 많이 사용될 것이다. 그러나 의학계 전반에서는 "무작위 대조 연구(Randomized Controlled Trial)"의 의미로 가장 많이 통용된다. Randomized Controlled Trial의 가장 표준적인 번역어는 "무작위 배정 비교 임상 시험"이지만, 이 책에서는 더 단순한 용어인 "무작위 대조 연구"라는 번역어를 사용할 것이다. 사실 "trial"은 임상 실험 연구를 나타내는 용어로 "임상 시험"이 적합한 번역어지만, 이는 외과적 처치보다는 약물에 대한 연구에 더 적합한 용어이고 치과학에서는 대부분의 임상 연구가 약물이 아닌 처치에 대한 것이기 때문이다. 무작위 대조 연구는 근거 중심 치의학의 근간을 이루는 임상 연구 형태로, 잘 디자인되고 철저하게 수행된 무작위 대조 연구는 모든 임상 연구 중 가장 근거 수준이 높다.[32] "무작위 대조"라는 것은, 대상 환자들을 실험군(experimental group)과 대조군(controlled group)으로 "무작위적"으로 나누고, 이들에게 관심 처치와 대조 처치를 가하는 것을 의미한다(📷 **2-13**). 무작위 대조 연구는 전향적 연구, 종단 연구, 실험 연구이다. 여기에서는 무작위 대조 연구의 가장 중요한 세 가지 개념인 대조군, 무작위 배분, 맹검에 대해 살펴보고 이후 무작위 대조 연구의 질에 영향을 미칠 수 있는 기타 요소들에 대해 설명할 것이다.

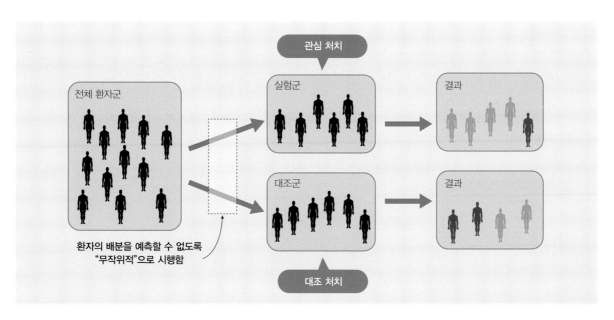

📷 **2-13** 환자의 군을 "무작위적으로 배정"하는 과정은 무작위 대조 연구에서 가장 중요하다. 이를 통해 결과에 영향을 미칠 수도 있는 환자의 기저 특성은 가장 균일하게 배분될 수 있으며, 연구 과정 중 맹검이 가능해진다.

1) 대조군

실험 연구에서는 그 실험으로 입증하고자 하는 "관심 처치"의 효과를 입증하기 위해 위약 처치, 기존의 다른 처치, 무처치(no treatment) 등의 효과와 비교를 한다. 연구자는 실험 연구에 적합한 참여 환자를 모집한 후, 관심 처치를 받을 "실험군"과 다른 처치를 받을 "대조군"으로 배정한다. 앞에서 이미 언급했지만 대조군이 있는 대조 연구(controlled trial)는 대조군이 없는 비대조 연구(uncontrolled trial)에 비해 관심 처치의 치료 효과를 명확히 규명할 수 있고, 편향이 배제된 과장되지 않은 결과를 보여줄 수 있다.

대조군에 가해지는 이상적인 대조 처치는 관심 처치와 외형은 동일하지만 실제적인 치료 효과는 없는 것, 즉 위약이다. 위약(placebo)은 치료 효과가 전혀 없는 물질이나 치료를 의미한다.[33] 임상 연구에서 대조군에 가해지는 위약에는 효과가 없는 정제(tablet; 주로 설탕이 들어간 정제), 효과가 없는 주사(생리식염수), 가짜 수술(sham surgery) 등이 있다.[34] 위약 자체도 어느 정도의 치료 효과를 보이는데, 이는 크게 두 가지 이유 때문이다.[33]

- 환자 상태가 평균 상태로 회귀함. 즉, 질병 상태에서 정상 상태로 자연 치유됨
- 환자 자신이 치료받고 있다는 생각을 하게 함으로써 자신의 신체 상태에 대해 더 긍정적으로 생각하고 느끼게 해주며, 이것이 신체 자체와 환자의 주관적 느낌을 변화되도록 함

위약 효과의 강력함은 잘 알려져 있다. 심지어 환자 자신이 위약을 처방받은 사실을 알고 있더라도 어느 정도의 치료 효과가 나타난다. 한 메타분석에 의하면, 위약을 처치 받은 환자들은 아무런 처치도 받지 않은 환자들보다 유의하게 높은 치료 효과를 보였다.[35] 이는 유사 의학계가 근거 중심 의학적 개념을 차용하여 자신들의 치료가 효과를 나타낸다고 주장하는 근거의 이유가 되기도 한다.

대조군에 기존의 다른 처치나 무처치보다 위약 처치를 가하면 두 가지 이점을 얻을 수 있다.

- 실험군에 관심 처치를 가하고 대조군에 위약 처치를 가하면 위약 효과를 제외한 관심 처치 자체의 치료 효과를 알 수 있다(📷 2-14).
- 위약은 실험 참여 환자, 혹은 환자와 연구자 모두 환자가 어떤 처치로 배정됐는지 알 수 없게 하기 때문에 맹검이 더 철저히 이루어지도록 한다.

임플란트 외과학은 기본적으로 수술적 처치에 관심을 둔다. 따라서 위약은 약물이 아닌 가짜 수술이 된다. 가짜 수술은 수술적 처치에 대한 임상 연구에서 가장 좋은 대조 처치이다. 가짜 수술에서는 진짜 수술과 동일하게 마취, 절개, 피판 거상, 봉합 등을 시행하지만, 치료에 가장 핵심적인 역할을 하는 과정은 시행하지 않는다. 임플란트 주위염의 치료에 임플란트 표면 오염원 제거(decontamination)와 임플란트 성형술(implantoplasty)이 어떤 효과를 보이는지 알아보려는 목적의 임상 실험이 있다면, 실험군 환자에서는 "마취-절개-피판 형성-

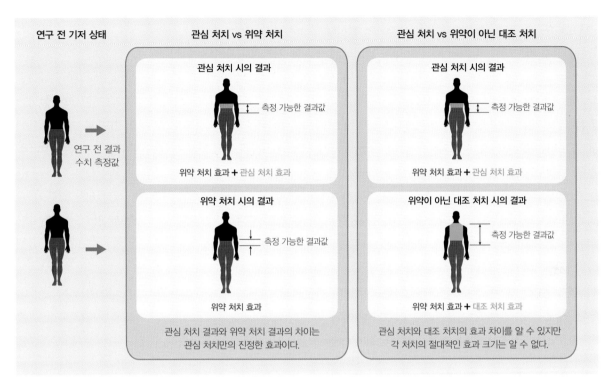

연구 전 기저 상태

연구 전 결과
수치 측정값

관심 처치 vs 위약 처치

관심 처치 시의 결과

측정 가능한 결과값

위약 처치 효과 **+** 관심 처치 효과

위약 처치 시의 결과

측정 가능한 결과값

위약 처치 효과

관심 처치 결과와 위약 처치 결과의 차이는
관심 처치만의 진정한 효과이다.

관심 처치 vs 위약이 아닌 대조 처치

관심 처치 시의 결과

측정 가능한 결과값

위약 처치 효과 **+** 관심 처치 효과

위약이 아닌 대조 처치 시의 결과

측정 가능한 결과값

위약 처치 효과 **+** 대조 처치 효과

관심 처치와 대조 처치의 효과 차이를 알 수 있지만
각 처치의 절대적인 효과 크기는 알 수 없다.

📷 **2–14 대조군에 위약 처치를 가할 때의 장점**
위약 효과는 종류에 관계 없이 모든 처치에서 나타난다. 따라서 관심 처치의 총 효과는 그 처치의 위약 효과와 진정한 치료 효과의 합으로
생각할 수 있다. 따라서 대조군에 위약 처치를 가하면 관심 처치 만의 진정한 치료 효과를 알아낼 수 있다.

임플란트 표면 오염원 제거–임플란트 성형술–세척–봉합"을 시행하고, 대조군 환자에서는 가짜 수술로서 "마취–절개–피판 형성–세척–봉합"을 시행하면 된다. 가짜 수술에서는 수술 전후의 항생제 처방 등을 포함한 전문가 관리의 효과, "마취–절개–피판 형성–봉합" 등 외과적 처치에 기본적으로 포함되는 과정의 우발적인 치료 효과, 환자가 치료를 받고 있다는 믿음에 의한 위약 효과 등을 제외한, 관심 수술 자체의 진정한 치료 효과를 알 수 있도록 해준다.

2014년의 한 메타분석에서는 의학적 수술 처치를 가짜 수술과 비교한 무작위 대조 연구들의 효과를 분석했다.[36] 그 결과 포함된 연구 중 74%의 연구에서 가짜 수술은 치료 효과를 보였고, 51%의 연구에서는 가짜 수술과 진짜 수술의 효과에 차이를 보이지 않았다. 나머지 49%의 연구에서는 진짜 수술이 가짜 수술보다 치료 효과가 우수했지만 효과의 차이는 대부분 그리 크지 않았다. 일례로 무릎의 퇴행성 골관절염(osteoarthritis)을 치료하기 위해 관절경 세척이나 관절경 괴사조직제거를 시행했을 때의 치료 효과는 가짜 수술 후의 치료 효과와 별다른 차이를 보이지 않았다.[37] 이러한 가짜 수술과 진짜 수술의 효과에 대한 최신 지견은 골증강술을 포함한 임플란트 관련 수술에 대해서도 여러 가지 생각할 점을 시사한다. 뒤에서 다시 설명하겠지만 임플란트 골증강술 관련 임상 연구는 대조군이 없는 비대조 연구(단일 환자군 연구)가 가장 많다. 비대조 연구에서는 연구에 참여한 환자들에게 관심 처치만을 가하기 때문에 위약 효과를 제외한 관심 처치 자체의 치료 효과가 얼마나 되

는지 알 수 없다. 게다가 비대조 연구에서는 환자나 연구자 모두 어떤 처치가 가해졌는지 알 수 있기 때문에 "맹검"이 불가능하고, 따라서 치료 효과가 과장되게 편향될 가능성이 아주 높아진다.

그러나 저자가 직접 검색한 바로는 임플란트와 관련된 외과적 처치에 대해 가짜 수술을 대조군으로 설정한 임상 연구는 지금까지 보고된 바가 없었다. 이는 윤리적 문제와도 연관된 것으로 보인다. 가짜 수술은 환자에게 효과가 없을 것으로 판단되는 관혈적 처치를 가하는 것이므로 윤리적 문제가 항상 뒤따른다. 또는 가짜 수술을 시행하는 것이 불가능할 수도 있다. 따라서 많은 연구자들은 대조군에 가짜 수술보다는 치료 효과가 어느 정도 입증된 기존 수술을 시행할 것을 주장하고 있다.[38] 이러한 경우에는 일반적으로 가장 치료 효과가 널리 입증되고 사용되는 "황금 기준(gold standard)" 치료법을 대조군에 처치한다. 그리고 임플란트 수술 관련 무작위 대조 연구에서는 대조군에 보통 황금 기준의 치료법을 적용한다.

무작위 대조 연구는 임상 연구 중 최선의 방법이지만 항상 실행이 가능한 것은 아니며, 실행이 부적절한 경우도 있다. 특히 질환의 인과관계나 예후를 밝히기 위해 무작위 대조 연구를 하려면 환자를 인위적으로 위험 요소에 노출시키거나 질환에 이환되도록 해야 하는 비윤리적 문제가 발생하므로, 이런 경우에는 관찰연구를 시행해야 한다.

2) 무작위 배정(Random Allocation)

무작위 배정이란 연구 참여 환자를 실험군과 대조군으로 배정할 때 이를 미리 예측할 수 없게 무작위적으로 배정한다는 것을 의미한다. 무작위 배정은 크게 두 단계로 이루어진다.

- **예측 불가능한 배정 순서의 생성(unpredictable allocation sequence)**
  이는 환자들이 각 치료군에 무작위적으로 배정되도록 하는 것이다. 주로 컴퓨터 프로그램이나 난수표 등을 이용한다. 이 과정은 실험군과 환자군 사이에 발생할지도 모르는 환자들의 기저 상태의 체계적인 차이를 없애 주기 때문에 교란 편향과 선택 편향을 줄여준다.

- **배정 순서 은폐(allocation concealment)**
  다음 환자에게 어떤 처치를 가하게 될 것인지, 즉 어떤 군에 배정이 될 것인지를 연구자로부터 비밀로 유지하는 것이다. 생성된 배정군을 봉투에 밀봉했다가 연구자가 처치를 가하기 직전에 열거나 처치에 직접 참여하지 않는 제3의 연구자가 처치 직전 통보하는 방식 등을 사용한다. 이는 주로 연구자에 의한 선택 편향을 줄여 주기 위함이다. 일례로 산부인과 관련 무작위 대조 연구에서 그릇된 방법으로 무작위 배정을 하면 치료 효과가 41% 과장되게, 배정 은폐의 방법을 명확하게 기술하지 않은 경우에는 치료 효과가 30% 과장되게 나타났다.[39]

무작위 배정은 선택 편향(selection bias)과 교란 편향(confounding bias)을 없애줄 수 있는 유일하고도 가장 강력한 방법이다.[40,41] 무작위 대조 연구는 "무작위 배정"을 통해 임상적 연구에 있어 가장 간단하면서도 가장 강력한 도구가 되었다. 무작위 배정은 맹검, 적절한 수의 연구 참여 환자 수 설정, 적절한 종류의 결과 측정, 적절한 통계적 방법과 함께, 그리고 이 중에서도 가장 편향을 최소화시키는 방법이다.[42] 특히 선택 편향과 교란 편향은 무작위 배정으로 최소화시킬 수 있다.[43]

- **선택 편향**

  무작위 배정을 하지 않으면 연구자는 의식적으로나 무의식적으로 특정 종류의 환자가 특정 치료를 받도록 함으로써 치료의 결과가 미리 정해지도록 한다.[44] 예컨대 상악 구치부에서 잔존골 높이가 4–6 mm인 100명의 환자들에게 외측 접근 상악동 골이식과 치조정 접근 상악동 골이식을 시행했을 때 그 부위에 식립된 임플란트의 장기적 성공률에 어떠한 영향을 미치는지 평가하고자 하는 연구가 있다고 생각해보자. 연구자가 외측 접근 상악동 골이식이 치조정 접근 상악동 골이식보다 더 효율적인 치료 방법이라고 생각하면 더 젊거나 국소적 골상태가 더 좋은 환자를 무의식적으로 외측 접근 상악동 골이식 군으로 배정할 가능성이 높아지고, 이에 따라 연구 결과는 외측 접근법으로 배정된 군에 더 유리하게 편향될 것이다.

- **교란 편향**

  연구에 포함된 환자들 각각은 모두 다른 개별 개체이며, 따라서 모든 면에서 다르다. 그러므로 특정한 한 가지 처치를 이들 환자들에게 동일하게 가하더라도 그 결과는 모두 다르게 나타날 것이다. 이 때 환자의 기저 상태와 환자가 지닌 교란 요소는, 연구자가 가한 특정 처치를 제외하고도 결과에 영향을 미칠 수 있는 요소들이다. 위의 예에서 각 환자들은 상악 구치부의 잔존골 높이가 4–6 mm 사이인 점을 제외한다면 연령, 성별, 구강 위생, 흡연 여부, 당뇨 이환 여부, 국소적인 골밀도, 국소적인 치조골의 수평적 폭, 상악동의 형태, 상악동 외측벽의 두께 등 수술의 예후에 영향을 미칠 수 있는 요소가 모두 제각각일 것이다. 게다가 우리가 아직까지 잘 모르는 다른 기저 요소나 교란 요소가 존재할 수도 있다. 환자들을 무작위로 배분하면 알려진 요소들과 알려지지 않은 요소들은 각 환자군에서 균등하게 배분될 가능성이 가장 높아진다.[45]

임플란트 외과학에서 무작위 대조 연구를 시행할 때 환자군은 주로 다음 두 가지 방법으로 배정한다.

- **평행 환자군 연구(parallel arm study)**

  여기에서의 "arm"은 환자군을 의미한다. 실험군 환자와 대조군 환자는 각각 관심 처치나 대조 처치 한 가지만을 시행 받는다. 예컨대 상악동 골이식 시 자가골 이식재와 이종골 이식재가 이 부위에 식립한 임플란트의 생존율에 어떠한 영향을 미치는지 평가하는 연구를 시행한다면 실험군 환자에게는 이종골로만 상악동 골이식을 시행하고 대조군 환자에게는 자가골로만 상악동 골이식을 시행한다. 이는 진정한 무작위 대조 연구 방법이다.

• **구강 내 분할 연구(split mouth study)**

양측에 동일한 치료가 필요한 환자들을 대상으로 무작위적으로 한 쪽은 대조군 치료를, 다른 쪽은 실험군 치료를 시행한다. 예를 들면, 좌측은 무작위적 배정에 의해 자가골 이식재로 상악동 골이식을 시행한다면 우측은 이종골 이식재로 상악동 골이식을 시행하는 것이다. 이는 연구 대상 수가 적을 때 실험군과 대조군의 교란 요소를 동일하게 배분(층화; stratification)할 수 있고, 우연에 의해 실험군과 대조군 환자의 수가 달라지는 것을 예방(차폐; blocking)할 수 있는 방법이다. 이는 엄밀히 말해서 유사 무작위 대조 연구이지만 유사 무작위 대조 연구는 특정한 경우에 방법론적으로 무작위 대조 연구와 비슷하거나 오히려 더 우수하다고 생각된다.[46]

3) 맹검(Blindness; 눈가림)

맹검은 무작위 대조 연구의 또 다른 주요 요소이다.[47] 맹검이란 연구 대상 환자와 연구자가 배당된 치료를 모르게 함으로써 그들의 선입관이 결과에 영향을 끼치지 않도록 하는 것이다. 즉, 맹검이 이루어지지 않으면, 환자나 연구자는 모두 자신들의 신념이나 믿음에 부합하도록 연구 결과를 편향시키게 된다(확증 편향; confirmation bias). 예컨대 환자가 신약으로 처치를 받고 있다는 사실을 알게 되면 치료 효과를 더 긍정적으로 느낄 수 있을 것이다. 또한 연구자도 자신이 선호하는 치료법을 특정 환자가 받고 있다는 사실을 알게 되면 결과를 측정할 때 더 긍정적인 방향으로 판단할 수 있다. 이에 따라 맹검이 이루어지지 않으면 관심 처치의 치료 효과는 부풀려진다.[48-50]

약물에 대한 연구에서는 환자와 연구자 모두가 환자에게 어떤 치료가 배당됐는지 알 수 없을 수 있는데, 이러한 경우를 "이중 맹검(double blindness)"이라 하고, 수술적 처치에 대한 연구에서는 연구자는 어떤 처치가 가해졌는지 알게 되기 때문에 환자에게만 맹검을 유지할 수 있어서 "단일 맹검(single blindness)"이라고 한다. 그러나 연구자는 엄밀하게 말해서 처치 제공자, 결과 측정자, 통계 분석자, 논문 작성자로 구분할 수 있는데, 이들 중 누가 맹검 상태에 있었는지 엄격히 구분하기 힘들기 때문에 CONSORT에서는 단일 맹검이나 이중 맹검이라는 용어를 사용하지 말 것을 추천했다.[48]

특히 연구자보다는 참여자(환자)에 대한 맹검 여부가 중요한데, 어느 군에 배정되었는지를 알면 참여자는 치료에 대한 반응이 다를 수 있기 때문이다. 배정 은폐와는 다르게 맹검은 항상 시행 가능하지는 않다.[51] 맹검은 특히 환자가 느끼는 통증 등 주관적 지표를 측정할 때 중요한 요소이다. 반대로 맹검 여부와는 관계없는 지표를 측정할 때에는 이것이 결과에 큰 영향을 미치지 않을 수도 있다. 예컨대 결과 지표가 임플란트의 생존 여부라면 맹검 여부는 결과에 별다른 영향을 미치지 못할 것이다.

맹검은 실행 편향과 결과 확인 편향에 영향을 미친다.[31] 환자에 대한 맹검은 "실행 편향"을 줄여준다. 환자에 대한 맹검이 유지되지 못하면 환자는 자신이 받은 처치에 대해 다른 생각을 갖게 되고 이는 환자의 행동, 느낌, 신체적 상태에 영향을 미치기 때문에 가해진 처치 자체 이외의 다른 인자에 노출되는 결과를 유발하기 때문이다. 반면 연구자에 대한 맹검은 "실행 편향"과 "결과 확인 편향"에 영향을 미친다. 특히 외과적 처치를 가할 때 연구자가 환자에게 어떤 처치를 가하는지 알게 되면 연구자는 자신의 선입견에 따라 처치를 가하는 태도와 노력에 차이를 보일 수 있고, 이는 실행 편향을 유발하게 된다. 또한 연구자가 결과를 측정할 때에도 가해진 처치에 대한 선입견은 편향성을 유발할 수 있다.[52] 따라서 결과 확인 편향 또한 발생하게 된다. 한 메타분석에서는 술후 혈전증을 예방하기 위해 저분자량 헤파린과 표준 헤파린을 투여했을 때의 결과를 비교한 무작위 대조 연구들에서 연구자에 대해 맹검이 유지되지 못하면 저분자량 헤파린의 효과가 35% (95% CI 1–57%) 과장되게 보고되었다고 했다.[52]

4) 연구 결과

원인 요소에 의해 변화된 신체 상태를 우리가 측정 가능한 형태로 변환한 것이 "연구 결과"이다. 연구 결과는 임상적으로 중요한 지표를 측정해야 한다. 또한 그 결과에서 도출된 결과가 더 일반화될 수 있는지 검증해야 한다.

(1) 임상적으로 중요한 결과를 측정해야 한다.

연구 논문에서 측정하는 결과에는 대리 결과(surrogate end point)와 최종 결과(true end point)가 있다.[53]

- **대리 결과**: 생리적, 해부학적 지표로, 생체 내의 생물학적 활성을 측정한 결과를 의미한다.
- **최종 결과**: 환자에게 실제적인 것들이며 환자가 어떻게 느끼는가, 기능하는가, 또는 생존하는가를 직접 결정해줄 수 있는 측정치이다.

예컨대 새로운 골이식재와 자가골 이식재로 상악동 골이식술을 시행하고 그 결과를 비교한 연구가 있다고 가정해보자. 이러한 유형의 연구에서는 일반적으로 상악동 골이식 6개월 정도 경과 후 임플란트를 식립하면서 트레핀 버로 골심(bone core)을 채취하여 이를 조직계측학(histomorphometry)적으로 분석하여 이식된 공간 내로 형성된 신생 조직 중 광화된 조직의 비율이 어느 정도인지를 평가하는 경우가 많다(📷 2–15).[54] 그러나 상악동 골이식술의 궁극적인 목표가 상악 구치부에 임플란트를 식립하여 이를 성공적으로 유지시키는 것이라는 사실을 고려해볼 때, 이 연구의 최종 결과는 수술 부위에 식립된 임플란트의 장기간의 성공률이나 생존율이라고 할 수 있으며, 신생 조직 내의 광화 조직 비율은 대리 결과가 된다.

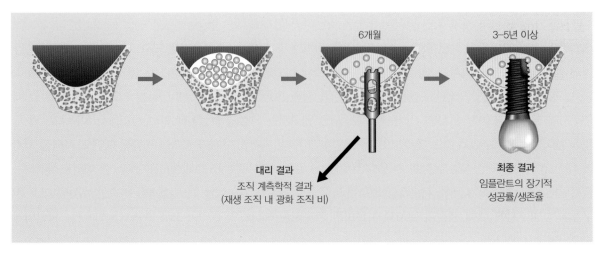

6개월

3-5년 이상

대리 결과
조직 계측학적 결과
(재생 조직 내 광화 조직 비)

최종 결과
임플란트의 장기적
성공률/생존율

📷 **2-15 대리 결과와 최종 결과**
대리 결과는 쉽고 빠르게 측정 가능하다. 이는 최종 결과를 예측할 수 있도록 해주는 대리물이라고 생각할 수 있다. 그러나 대리 결과가 최종 결과와 항상 일치하지는 않기 때문에 대리 결과를 사용한 임상 연구의 결론은 주의 깊게 해석해야 한다.

신생 조직 내 광화 조직의 비율이 높으면 이 부위에 식립된 임플란트는 골조직과 더 넓은 면적에서 골유착을 이룰 수 있으며, 따라서 임플란트의 성공 가능성이 높아진다고 상식적으로 생각할 수 있다. 그러나 우리의 생각은 생각일 뿐이다. 신생 조직 내 광화 조직의 비율이 실제 임플란트와 골 간의 접촉 면적에 영향을 미치는지, 그리고 골-임플란트 간 접촉을 증가시키면 임플란트의 장기적 생존에 영향을 미치는지는 아직까지 확실하지 않다.

여기에서 대리 결과와 최종 결과의 특징 및 차이를 확인할 수 있다. 첫째로 대리 결과는 최종 결과와 생물학적으로 원인-결과 관계가 있다고 생각되는 것이다. 그러나 이러한 관계는 100% 확신할 수는 없기 때문에 대리 결과만을 가지고 특정 치료에 대한 결론을 내릴 수는 없다. 즉, 신생 조직 내 광화 조직의 비율이 높다면 차후 임플란트를 식립한 후에도 성공할 확률이 높다고 가정할 수는 있지만, 이것이 임플란트 성공을 확실히 증가시킬 수 있다고 확정 지을 수는 없다. 둘째로 대리 결과는 최종 결과보다 더 빨리 도출되기 때문에 연구를 시행하기가 용이하다. 골심을 채취하는 것은 수술 6개월 후면 가능하지만, 임플란트의 장기적인 성공 여부를 관찰하기 위해서는 5년 이상의 기간이 필요하다. 따라서 최종 결과를 측정하기까지 오랜 기간이 소요될 것으로 예상된다면 대리 결과를 측정함으로써 연구 기간을 줄여주고, 최종 결과가 나오기까지 그 치료에 대한 잠정적인 결론을 내릴 수 있도록 해준다. 그러나 무작위 연구의 결과라도 대리 결과만으로 임상적인 치료 지침을 변화시켜서는 안 된다.

(2) 연구 결과의 제시: 기술 통계와 추측 통계
임상 연구 결과의 의미를 파악하기 위해서는 약간의 통계학적 개념이 필요하다. 임상 연구의 결과는 기술 통계와 추측 통계를 통해 제시하게 된다(📑 **2-5**).

📂 2-5 기술 통계학과 추측 통계학

기술 통계학	추측 통계학
• 자료를 정리, 요약하는 방법	• 정보를 분석하여 모집단의 특성을 과학적으로 추론하는 방법
• 표, 그래프	• T-test, ANOVA, 회귀분석 등

기술 통계에서는 그 연구 참여자들 자체의 측정된 결과의 특성에 대해 기술하는 것이라면 추측 통계에서는 그 연구에 참여한 환자의 특성과 측정 결과에 기초하여 모집단 전체의 특성을 추측하는 것이다. 예컨대 잔존골 높이가 5-7 mm인 경우, 6 mm 길이의 임플란트만 식립했을 때와 외측 접근 상악동 골이식 후 11-15 mm의 임플란트를 식립했을 때 임플란트의 장기적(5년) 생존율과 치조정 골소실량은 어떤 차이를 보이는지 검증하기 위한 연구를 수행했다고 해보자.[55]

이 연구를 위해 상악 구치부 치아 상실부의 잔존골 높이가 5-7 mm, 잔존골 폭이 6 mm 이상인 환자 101명을 각각 50명은 "짧은 임플란트"군으로, 51명은 "상악동 골이식"군으로 무작위 배분했다.

기술 통계는 그 연구에 포함된 참여자들만의 결과 측정치의 특징을 요약한 것이다.

- 결과값이 치조정 골소실량과 같이 연속 변수(연속된 수)일 때에는 주로 대표수(평균, 중간값, 최빈값 등)나 결과의 분포 정도(사분위값, 분산, 표준편차 등)를 기술 통계 수치로써 사용한다. 이중에서도 "평균±표준편차"의 형태를 가장 많이 이용한다. 이 연구에서 보철 부하 직후에서 5년 후까지 치조정 골소실량의 평균과 표준편차는 두 군에서 각각 0.18±0.55 mm와 0.20±1.06 mm이었다.
- 결과값이 비연속 변수일 때에는 기술 통계 수치로써 결과값의 빈도수나 확률의 형태를 많이 이용한다. 생존율은 생존-실패라는 비연속 변수이기 때문에 빈도나 확률의 형태로 제시할 수 있다. 이 연구에서 짧은 임플란트군에서는 1개, 상악동 골이식군에서는 0개의 임플란트가 실패했기 때문에 환자 수준의 5년 임플란트 생존율(생존 확률)은 각각 98%(49/50)와 100%(51/51)이었다.

기술 통계는 그 연구 자체의 결과를 요약해준다. 그러나 그것만으로는 부족하다. 이 연구의 결과로부터 전체 모집단의 특징을 추측해내는 과정이 필요하다. 이것이 추측 통계학의 역할이다. 임플란트의 5년 생존율 98%와 100%는 상식적으로 아주 좋은 수치이며, 별다른 차이를 보이지 않는 것으로 보인다. 그러나 이는 이 연구에 포함된 환자들만의 특성일 뿐이다. 이에 대한 통계학적 분석을 시행한 결과, 유의 확률은 0.495였다. 이는 95% 유의 수준 0.05를 넘기 때문에 통계학적으로 유의한 차이가 나지 않는 것이다. 즉, 잔존골 높이가 5-7 mm 사이인 상악 구치부 치아 결손부를 가진 모든 사람들에서 6 mm 임플란트만 식립했을 때와 외측 접근 상악동 골이식 후 11-15 mm의 임플란트를 식립했을 때 5년 후 임플란트의 생존율은 통계학적인 방법으로 추측했을 때 차이가 나지 않는다고 결론 내릴 수 있는 것이다.

(3) 추측 통계학에서 통계학적 검정 과정: 귀무 가설과 대립 가설

실험 연구는 전체 모집단의 부분 집합인 일부의 인원을 모집하여 참여시키고, 이들에게 어떤 특정한 관심 처치와 대조 처치를 각각 가한 후 관심 결과(치료의 효과)에 차이가 있는지를 검증하는 것이다. 이때 연구 내에서의 결과값에 차이가 있다면 이 차이가 모집단에서의 실제적인 차이를 반영하는 것인지, 혹은 단순히 우연에 의한 것인지 구별할 수 있어야 하는데, 통계학적 검증 방법은 이를 구분할 수 있도록 해준다.

예컨대 잔존골 높이가 5 mm일 때 수직적 골증강을 시행하고 10 mm 길이의 임플란트를 식립했을 때(실험군)와 수직적 골증강 없이 5 mm 길이의 임플란트를 식립했을 때(대조군) 임플란트의 5년간 생존율에 차이가 있는지를 검증하기 위한 임상 실험 연구를 진행한다고 해보자. 잔존골 높이가 5 mm인 지구상의 모든 사람을 대상으로 연구를 진행하는 것은 불가능하다. 따라서 연구자는 이러한 조건을 만족하는 일부 인구만 참여자로 설정한다.

만약 전체 모집단을 대상으로 연구를 진행했을 때 대조군과 실험군에 해당하는 치료를 시행한 후 임플란트의 생존율에 아주 약간이라도 차이가 있다면 이는 실제적인 차이가 있는 것이다. 그러나 임상 연구는 모집단 내에서 선택된 아주 일부의 대상 환자만 참여시키므로, 임상 연구에서 나타나는 치료 결과의 차이가 전체 모집단의 실제적인 차이를 정확히 반영하는 것은 아니며, 심지어 우연에 의해 실제 결과와는 반대되는 결과를 보일 수도 있다. 예컨대 이 연구에서 실험군에 100명, 대조군에 100명의 환자를 배정하여 임플란트를 식립했고, 5년 후 임플란트 생존율이 각각 90%와 80%였다고 해보자. 이 연구에서 추출한 참여자에서 보이는 이러한 임플란트 생존율의 차이는 실제 전체 모집단에서 보이는 차이를 반영하는 것일까, 아니면 단순한 우연의 결과일까?

이를 검증하기 위해서는 통계학적인 검증 과정을 거쳐야만 한다(📷 2-16). 통계학이란 자료의 일부만 관찰하여 그 자료의 출처가 되는 전체 자료의 특성에 관해 추론하는 것을 다루는 학문이다. 통계학적 검증 과정에서는 어떤 가설을 설정하고, 이 가설에 대한 검정 과정을 통해 그 가설의 채택 여부를 확률적으로 판단한다.[56] 설정한 가설이 옳다는 전제 하에서 구한 검정 통계량의 값이 나타날 가능성이 크면 가설을 채택하고, 나타날 가능성이 적으면 가설을 기각한다.

통계학적 검정을 위해 설정하는 가설에는 귀무 가설과 대립 가설이 있다.

❶ 귀무 가설(H0)

- 보통은 연구자가 두 치료의 효과에 차이가 있기를 기대하며 연구를 진행하기 때문에 일반적으로는 기각되기를 희망하여 형식화한 가설이다.
- 귀무 가설은 항상 모수의 정확한 값을 지정하도록 진술될 것이다.
- 귀무 가설은 보통 "같다"라고 놓는다(또는 차이가 없다, 0이다).
- 귀무 가설은 간단한 가설이기 때문에 통계학적 방법에서 검정하려는 가설은 귀무 가설이다.

❷ 대립 가설(H1)

- 보통은 표본을 통해 입증하고자 하는 새로운 가설이다. 즉, 두 치료의 효과에 차이가 있다는 가정이 대립 가설이 된다.
- "같지 않다"라는 진술이 대립 가설이 된다(또는 차이가 있다, 0이 아니다). 같지 않은 경우는 많거나 무한하다.
- 따라서 대립 가설은 통계학적 검정이 어렵다.

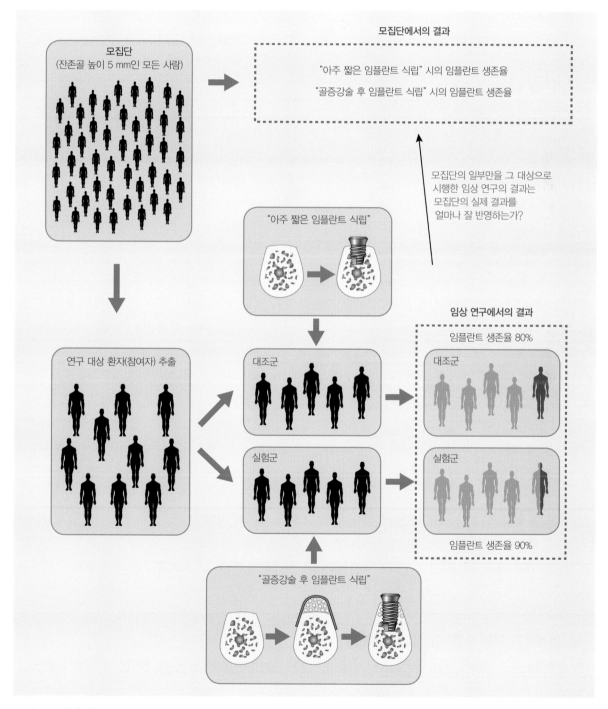

📷 **2-16** 임상 연구는 모집단에서 아주 소수의 연구 대상 환자만을 선택한다. 따라서 임상 연구의 결과가 실제로 모집단에서의 결과와 얼마나 일치하는지를 알아내는 것은 매우 중요하다. 이는 통계학적인 방법을 통해 검증한다.

위의 예에서는 5 mm 임플란트와 10 mm 임플란트의 성공률에는 차이가 없다는 가설이 귀무 가설, 성공률에 차이가 있다는 가설이 대립 가설이 된다.

(4) 가설 검정의 오류: 1종 오류와 2종 오류

이왕 통계학적 개념에 발을 들여놓은 이상 조금 더 깊이 들어가보도록 하자. 가설을 통계학적으로 검정한 결과는 전체 모집단의 결과와 같거나 다를 수 있다. 이를 표로 정리하면 ▬ 2–6과 같다.

▬ 2–6 1종 오류와 2종 오류

통계학적 검정 결과	전체 모집단에서의 진실	
	귀무 가설이 참 (모집단에서 결과에 차이가 없음)	귀무 가설이 거짓 (모집단에서 결과에 차이가 있음)
귀무 가설 기각 (검정 결과에 차이가 있음)	제1종 오류(= α) 통계학적 유의 확률 (significance probability = p value)	옳은 결정 검정력(power) = 1–β
귀무 가설 기각하지 않음 (검정 결과에 차이가 없음)	옳은 결정	제2종 오류(= β)

모집단에서 두 집단의 결과값에 실제로 차이가 없는데 연구의 통계학적 검정 결과에서는 차이가 있다고 결론 내렸을 때를 제1종 오류(type 1 error) 혹은 α라고 하고, 반대로 모집단에서 결과값에 차이가 있는데 통계학적 검정 결과에서는 차이가 없다고 결론 내렸을 때를 제2종 오류(type 2 error) 혹은 β라고 한다. 임상 연구를 수행할 때에는 이러한 두 가지 오류를 최소화할 수 있도록 최선의 노력을 기울여야만 한다. 그러나 1종 오류와 2종 오류는 어느 한쪽을 높이면 다른 쪽은 낮아지는 경향을 보인다.

일반적으로 2종 오류보다는 1종 오류가 더 중요하다고 생각한다. 즉, 모집단에서 실제로 두 군의 결과에 차이가 없는데 연구 결과를 검정했을 때에는 차이를 보이는 오류(제1종 오류)가 더 중요하다고 판단하는 것이다. 위의 예를 들자면, 수직적 골증강 후 10 mm 길이의 임플란트를 식립했을 때와 골증강 없이 5 mm 임플란트를 식립했을 때 두 치료 후의 임플란트 성공률은 실제로 차이가 없는데 임상 연구의 통계학적 검정 결과, 전자가 더 우수한 결과를 보였다고 가정해보자. 그렇다면 수직적 골증강을 실제로는 시행할 필요가 없음에도 불구하고 잘못된 연구 결과 도출로 인해 수직적 골증강이라는 쓸데없고 부담되는 치료를 시행하게 될 수도 있는 것이다.

(5) 통계학적 유의 수준(α)과 유의 확률(p)

여기에서 α라고 통칭하는 통계학적 유의 수준(statistical significance level)이라는 용어가 등장한다. 유의 수준은 제1종 오류의 최대 허용 한계를 의미한다. 유의 수준은 연구자가 연구 시작 전에 미리 정해 놓는데, 일반적으로는 0.05(5%)를 α값, 즉 유의 수준으로 정한다. 이는 제1종 오류의 발생 확률을 의미하는 유의 확률

(significance probability)의 최대 허용치를 의미한다. 유의 수준 0.05가 의미하는 바는 동일한 조건의 실험을 반복해서 100번 시행했을 때 실제로는 차이가 없는데 순전히 우연에 의해 차이가 있는 결과값이 도출될 확률이 0.05, 즉 5%임을 의미한다.

유의 확률(보통 p value라고 표현한다)이란 귀무 가설이 기각됐을 때, 즉 두 군의 결과치에 차이가 있을 때 이것이 실제 모집단에서의 결과에는 차이가 없지만 순전히 우연에 의해 발생할 확률을 의미한다. 예컨대 위의 연구에서 수직적 골증강 후 식립한 임플란트의 성공률과 골증강 없이 식립한 짧은 임플란트의 성공률 차이에 대한 유의 확률이 0.01이라고 해보자. 이때 두 치료법은 원래 모집단에서는 임플란트의 생존율에 차이를 초래하지 않지만 순전히 우연에 의해 이 연구에서 이러한 차이(즉, 90%와 80%)를 보일 확률이 1%임을 나타내는 것이다. 이때 유의 수준이 0.05이고 이 연구에서의 유의 확률이 0.01이므로, 즉 유의 확률이 유의 수준 5%보다 낮으므로 이 연구 결과는 통계학적으로 유의한 차이를 보인다고 결론 내릴 수 있다. 이를 다시 말하면 이 연구에서는 두 치료법을 적용했을 때 임플란트 생존율이라는 결과에 차이를 보이고, 이 차이가 우연에 의해 발생했을 확률은 0.01이므로 우리가 정한 유의 수준 0.05보다 낮아서 통계학적인 유의성을 갖는다고 표현한다.

(6) 임상적 유의성은 통계학적 유의성보다 중요하다.

임상적 유의성(clinical significance)은 통계학적 유의성과는 매우 다른 개념이지만 또한 서로 밀접하게 관련된 개념이다. 위의 예에서 두 치료법에서 얻어진 임플란트 성공률의 차이가 얼마나 될 때 임상가들에게 중요하게 느껴질까? 예컨대 수직적 골증강 후 식립한 임플란트의 성공률이 골증강 없이 식립한 짧은 임플란트의 성공률보다 1%가 높다면 우리는 수직적 골증강 후 표준 임플란트를 식립할 필요성을 느낄 수 있을까? 그건 아닐 것이다. 임상적 유의성은 임상가들이 치료 방법을 변경하거나 공공보건 정책을 바꿀 정도로 큰 치료 효과의 차이를 의미한다. 이는 통계학적 유의성과는 다르게 개별 치료 방법의 효과마다 전부 달라지며 임상가들의 신념이나 믿음이 개입되는 개념이기 때문에 임상적 유의성을 결정하는 것은 매우 까다로운 과정이다. 임플란트 성공률의 차이가 정확히 몇 퍼센트일 때, 즉 수직적 골증강술 후 식립한 임플란트의 성공률이 골증강 없이 식립한 짧은 임플란트의 성공률보다 정확히 얼마나 높을 때 우리는 수직적 골증강을 시행하게 될까? 어떤 이들은 이를 5%로 생각할 수도 있고, 다른 이들은 이를 20%로 생각할 수도 있다.

그리고 우리가 임상 연구의 결과를 평가할 때에는 단순히 두 처치의 결과가 통계학적으로 유의한 차이를 보이는지(즉, 유의 확률이 0.05보다 작은지)만을 보게 되는 경향이 있지만, 실제로 더 중요한 것은 결과의 실제적인 차이이다. 결과의 실제적인 차이는 바로 임상적 유의성과 직결되는 수치이다.

(7) 하나의 자료에 대한 측정 결과의 수가 많아지면 1형 오류가 발생할 가능성이 증가한다.

임상 연구를 수행할 때에는 흔히 한 가지 결과만 측정하지 않고 여러 가지 결과를 측정한다. 이를 다중 검정이라고 한다. 예컨대 수직적 골결손 시 위의 두 치료법을 적용했을 때 임플란트의 성공률뿐만 아니라 치조정 골소실의 양, 환자의 만족도/통증, 수술 비용/수술 시간, 합병증 발생 빈도, 임플란트 주위 조직의 건강도(탐침 시 출혈, 탐침 깊이, 점막 퇴축량 등)를 함께 측정한다. 임상 연구를 시행하기는 어렵고 궁금한 점은 많기 때문에 이는 어쩔 수 없는 측면도 있다.

그러나 동일한 연구 집단에 대해 여러 개의 결과치에 대한 독립적인 통계적 검정을 반복해서 시행할 때에는 개별 결과치는 모두 유의 수준을 넘지 않을지라도 여러 결과치를 통합해서 생각해보면 유의 수준을 넘길 가능성이 높아진다.[57] 예컨대 하나의 결과치에 대한 가설을 검정할 때 0.05의 역치를 넘기지 않을 확률은 0.95이다. 하지만 6개의 결과치에 대한 가정을 검정할 때에는 0.95^6, 즉 0.74, 또는 3/4으로 떨어지게 된다. 즉, 개별 결과치에 대해 유의 수준을 모두 지켰다고 하더라도 전체적으로는 1형 오류를 범할 확률이 1/4이 되기 때문에, 6개의 결과치에 대한 가설을 검증할 때에는 적어도 하나의 가설 검정은 틀린 결론을 내렸을 가능성이 높은 것이다($6 \times 1/4 = 1.5$). 연구 문헌의 독자로서 우리는 단일 연구에서 너무 많은 결과 측정치에 대해 통계학적 검정을 시행한 경우에는 통계학적인 오류에 의해 잘못 결론 내려진 것이 포함되어 있을 가능성이 높다는 점을 알고 있어야만 한다.

연구자들은 다중 검정을 시행한 경우에는 몇 가지 전략으로 이를 극복한다.[57]

- 가장 중요한 하나의 결과 측정치를 결정한다.
- 측정하는 결과의 수에 따라 유의 수준을 낮춰준다.
- 하나의 집단에서 얻어진 여러 결과 측정치를 결합할 수 있는 통계학적 방법을 적용한다.

① 가장 중요한 하나의 결과 측정치를 결정한다.

가장 중요한, 즉 최종 결과(true endpoint)에 가까운 결과 측정치를 일차적인 결과 측정치(primary outcome)로 설정한다. 연구의 주 목적은 일차적인 결과 측정치를 검정하는 것이기 때문이다. 예로 든 연구에서는 임플란트의 성공률이 될 것이다. 나머지 결과 측정치는 이차적인 결과 측정치(secondary outcome)가 되고 이차적 결과 측정치에서는 통계학적 오류를 감수한다.

② 측정하는 결과의 수에 따라 유의 수준을 낮춰준다.

위의 계산식에서 본 바와 같이 결과 측정치의 개수만큼 유의 수준을 나눠준다. 즉, 6번의 검정을 시행할 것이라면 $0.05/6 = 0.008$이므로 α값을 0.008로, 즉 $p < 0.008$일 때 차이가 유의하다는 가정을 하고 시작하는 것이 좋은 것이다.

(8) 유의 확률과 신뢰 구간–정성적 분석(qualitative analysis)과 정량적 분석(quantitative analysis)

유의 수준과 유의 확률을 기반으로한 통계학적 방법과는 다른 방법으로 모집단의 성질을 추측할 수 있는 방법이 있다. 이는 신뢰 구간을 이용하는 것이다. 신뢰 구간(Confidence Interval, CI)은 표본의 평균을 이용하여 계산된, 모집단의 평균(모평균)이 존재할 가능성이 있다고 추정하는 구간을 의미한다. 모평균, 즉 모집단의 평균은 표본 평균을 중심으로 정규 분포를 따른다. 신뢰 구간은 95% 신뢰 구간을 가장 많이 이용하는데, 이는 정규 분포 그래프 상에서 모평균이 존재할 확률이 95%인 구간을 의미한다(📷 2-17).

　통계학적 가설 검증을 통해 모집단의 특성을 추측하는 방법을 정성적 분석법이라고 하고, 신뢰 구간을 이용해 모집단의 특성을 추측하는 방법을 정량적 분석법이라고 한다. 정성적 분석법에서는 비교하는 두 군의 측정치가 통계학적인 차이가 있는지 없는지 만을 말해줄 수 있을 뿐이지만, 정량적 방법에서는 통계학적 차이의 유무뿐만 아니라 모집단에서 두 집단의 차이가 실제로 어느 정도의 구간 내에 존재하는지도 알 수 있다. 이 두 방법의 특징은 📑 2-7과 같다.[58]

　두 군의 평균 결과값의 차이의 95% CI(신뢰 수준)가 0을 포함하지 않으면, 두 군의 결과는 5% 유의 수준에서 통계학적인 차이를 보이는 것이다(📷 2-18). 또한 두 군의 평균 결과값의 비율이 1을 포함하지 않으면 역시 두 군의 결과는 5% 유의 수준에서 통계학적인 차이를 보이는 것이다. 위의 표에서 95% CI는 표본값$\pm 1.96 \times$ $(SD/\sqrt{n})$ 사이의 수라고 했다. 따라서 신뢰 구간은 단순한 통계학적 검정에 비해 연구 대상 참여자의 수나 결과 지표의 분산 정보를 부가적으로 제공하기 때문에 최근 그 사용이 점차 늘고 있는 추세이다.

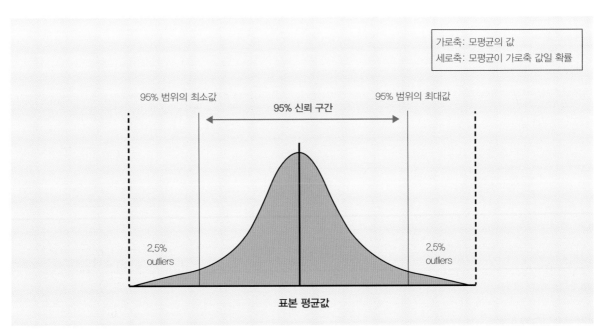

📷 **2-17** 모집단의 평균, 즉 모평균의 실제값은 표본 평균을 중심으로한 정규 분포를 따른다. 가장 많이 사용하는 95% 신뢰 구간은 95%의 확률로 모집단이 존재하는 구간을 의미한다.

▬ 2-7 정성적 분석과 정량적 분석

p값과 가설 검정 정성적 분석	신뢰 구간(Confidence Interval, CI) 정량적 분석
어떠한 용도로 쓰이는가?	
• p값은 표본값이 귀무 가설값(0, 즉 치료 효과 없음)과 얼마나 다른지 평가하기 위해 사용된다. 일반적으로 p<0.05면 귀무 가설은 기각한다.	• CI는 알려지지 않은 참값이 있을 만한 범위를 나타낸다. 95% CI가 가장 자주 쓰인다. 이는 가설 검증에 사용되는 5%의 유의 수준에 부합하는 것이다.
우리에게 무엇을 말해주는가?	
• p값은 연구에서 효과가 없는 경우 이것이 우연에 의해 발생하였을 확률을 의미한다. 이는 진실한 효과의 크기에 대해서는 어떠한 정보도 알려주지 않는다.	• CI에서는 일정한 가능성 하에서, 표본값으로 추정할 수 있는 모수의 최대값과 최소값을 알려준다. 특히 근거 중심 의학에서 중요하게 사용되는데, 왜냐하면 CI가 임상적으로 유의한 수치를 포함하는지 여부를 알려주기 때문이다.
언제 사용할 수 있는가?	
• 가설 검정은 여러 가지가 있는데, 특정한 종류의 가설 검정법은 특정한 종류의 자료에 대해서만 시행 가능하다.	• CI는 대부분의 자료에 사용 가능하다.
어떻게 계산하는가?	
• 검정 통계값을 이용하여 계산한다.	• 세 가지 변수만 알면 계산할 수 있다. • 표본 수(sample size): n • 표본 표준 편차: SD • Z 값(신뢰값에 따라 달라진다. 95% 신뢰 구간에서는 1.96이다) • 95% CI=표본값±Z×(SD/√n)

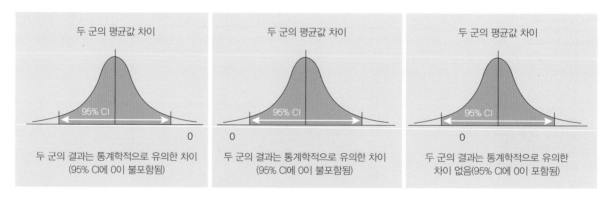

◙ 2-18 임상 연구에서 구해진 두 군의 평균 결과값의 차이의 95% 신뢰 구간 내에 0이 포함되어 있으면, 두 군의 결과는 95% 유의 수준에서 통계학적으로 유의한 차이가 없는 것이다. 반대로 95% 신뢰 구간 내에 0이 포함되지 않으면, 두 군의 결과는 통계학적으로 유의한 차이를 보이는 것이다.

5) 연구 참여 환자

(1) 참여자의 포함과 제외

임상 연구는 특정한 임상적 질문에 답하기 위해 시행하는 것이다. 뒤에서 설명할 PICO (Patient, Intervention, Comparison, Outcome) 형식은 이러한 특정한 질문이 될 것이다. 예컨대 다음 질문을 제기한다고 해보자.

"발치 후 치유가 완료된 치조골에 식립된 테이퍼 임플란트는 원통형 임플란트와 비교하여 임플란트의 초기 안정도에 어떠한 차이를 보이는가?"

이 질문에서 PICO는 각각 📑 **2-8**과 같다.

📑 **2-8 "발치 후 치유가 완료된 치조골에서 테이퍼 임플란트는 원통형 임플란트와 비교하여 임플란트의 초기 안정도에 어떠한 차이를 보이는가?"라는 질문에서 PICO의 요소들**

Patient	치아가 상실되어 임플란트 식립을 요하는 환자
Intervention	테이퍼 임플란트 식립
Comparison	원통형 임플란트 식립
Outcome	일차 안정(식립 토크, 임플란트 식립 시 ISQ), 안정도의 변화(식립 90일 후까지의 ISQ)

이렇게 정형화된 PICO 형식의 질문을 완성한 후 임상 연구를 디자인하는데, 연구에 참여할 환자는 이 질문에 부합될 수 있는 조건의 환자들로 선정해야 한다. 따라서 연구자들은 어떤 환자를 그 연구에 포함시킬지, 또는 어떤 환자를 제외할지 기준을 설정한다. 이를 각각 "포함 기준(inclusion criteria)"과 "제외 기준(exclusion criteria)"이라고 한다. 위의 질문을 제기했던 한 무작위 대조 연구에서 어떤 포함 기준과 제외 기준을 적용했는지 예를 들어 살펴보자(📑 **2-9**).[59]

📑 **2-9 포함 기준과 제외 기준의 예**[59]

포함 기준	제외 기준
• 하악 구치부에서 적어도 하나 이상의 치아가 3개월 이상 상실된 환자 • 이 부위를 임플란트 치료를 이용해 수복하기로 한 환자 • 환자의 전신적 상태가 임플란트 치료에 비적응증이 아닌 환자 • CBCT에서 측정한 치아 상실부의 치조정 골의 폭이 5 mm 이상으로, 최소 4 mm 폭과 10 mm 길이의 임플란트를 식립할 수 있는 환자 • 연구 프로토콜에 대한 설명을 듣고, 연구에 참여하는 것을 찬성하고 서명한 환자	• 임플란트 식립부에 활성 감염이나 염증이 존재하는 환자 • 당뇨와 같은 전신적 질환이 존재하는 환자 • 임신/수유 환자 • 두경부에 방사선 치료를 받은 병력이 있는 환자 • 최근 12개월 내에 비스포스포네이트 치료를 받은 환자 • 하루에 다섯 개비 이상의 담배를 흡연하는 환자

이러한 연구 참여자에 대한 포함 기준과 제외 기준은 몇 가지 중요한 원칙에 의해 결정한다.

- 연구자의 질문에 가장 적합한 조건을 지닌 환자를 선별한다.
- 효능을 검증할 것인지, 효과를 검증할 것인지 연구자의 의도에 따라 포함/제외 조건의 엄격성을 조절한다.
- 전신 질환, 흡연, 치료 결과에 영향을 미칠 수 있는 기타 요소 등 기저 요소나 교란 요소로 작용하여 치료 결과에 영향을 미칠 수 있는 요소를 지닌 환자의 배제 정도를 결정한다.

① 효능(efficacy)과 효과(effectiveness)[60]

효능은 이상적인 환경 하에서 제한적인 조건의 인구 집단에게 특정 처치가 보일 수 있는 최대의 치료 효과를 의미한다. 따라서 효능을 검증하기 위한 연구는 치료 효과를 극대화하기 위해 까다로운 포함/제외 조건을 만족하는 매우 협조적인 환자들을 대상으로 하는 경우가 많다.[61] 효능을 측정하는 연구는 특정 치료나 약물을 개발한 초기에 그 효과를 검증하기 위해 많이 시행한다.

효과는 평균적인 술자(처치/약물 제공자)가 일상적인 환경에서 평범한 환자들에게 처치를 가했을 때 나타나는 치료의 일반 효과를 의미한다. 즉, 우리가 매일매일 마주치는 현실 세계에서 처치의 효과를 의미한다. 따라서 효과를 검증하기 위한 연구에서 참여 환자의 포함/제외 조건은 느슨한 편이다.

위에서 인용한 연구의 포함/제외 기준은 효능을 검증하기 위한 것으로 생각할 수 있다. 매우 엄격하게 제한적인 조건을 적용했기 때문이다.

(2) 연구 참여 환자 수가 많아야 연구의 신뢰도가 높아진다.

연구 참여 환자의 기준을 정한 후에는 연구에 참여할 환자의 수를 결정해야 한다. 연구의 참여자 수는 중요하다. 참여자 수가 적으면 참여자는 우연에 의해 전체 모집단의 특성을 제대로 반영하지 못할 가능성이 증가할 뿐만 아니라 참여자를 무작위로 배정할 때에도 실험군과 대조군에 배정된 환자들의 기저 특성에 차이를 보일 가능성이 증가한다.[62] 만약 연구의 결과에 통계학적 차이가 없다면 참여자 수가 너무 적었거나 실제로 치료 효과가 없었음을 의미한다. 또한 참여자 수가 많아질수록 연구 결과의 신뢰 구간이 좁아지기 때문에 연구 결과로 모집단의 특성을 좀 더 신뢰성 있게 추측할 수 있으며, 작은 치료 효과의 차이로도 통계학적으로 유의한 결과를 도출할 수 있다. 결국 환자 수가 많아질수록 우연에 영향 받을 가능성이 줄고 결과의 변이(분산)가 줄어들기 때문에 좀 더 참된 실제 결과값에 가까워진다. 이를 위해 여러 연구 집단이 동시에 참가하는 다기관 연구(multicenter study)를 통해 대상 환자 수를 증가시키기도 한다. 꼭 그런 것은 아니지만 일반적으로 대상 환자 수가 100명 이하인 연구의 결과는 전체 모집단으로 일반화시킬 수 없는 것으로 간주된다.[60]

반대로 참여자 수가 너무 많으면 연구를 수행하기가 어렵다. 따라서 연구 결과가 우연에 의해 좌우되지 않으면서도 연구 결과가 임상적으로 유의미한 결과를 보일 때 이것이 통계학적으로도 유의한 결과를 보일 수 있도록 참여자 수를 결정해 주어야 한다. 만약 두 군에서 치료의 효과를 비교하는 연구를 시행한다면 참여자 수를 결정하는 네 가지 조건은 다음과 같다.[63]

① 임상적으로 의미가 있는 결과값의 최소한의 차이
② 연구 결과값
③ 유의도 수준(대개 0.05)
④ 연구의 검정력(power; 대개 80-90%)

①과 ②는 우리가 찾고자 하는 것과 관계된 값이며, ③과 ④는 가설 검증에서 발생할 수 있는 오류와 연관된 값이다. 연구 참여자 수가 커질수록, 결과값의 분포가 좁을수록 연구 결과의 불분명성은 감소하고 연구 결과는 모집단의 특성과 유사해진다.

일반적으로 정해진 연구의 검정력 하에서, 두 군 사이의 결과 차이가 임상적인 유의성을 보일 때 통계학적인 유의성을 보일 수 있도록 참여자 수를 조절해 준다. 예컨대 한 무작위 대조 연구는 수술 1시간 전에 2 g의 아목시실린을 투약하는 것이 임플란트의 조기 실패(4개월 이내)에 어떤 영향을 미치는지 평가하고자 하는 목적에서 시행되었다.[64] 이 연구에서는 다음 변수를 이용해 적절한 참여자 수를 계산했다.

• 유의 수준 0.05와 검정력 80%
• 환자 수준에서 임플란트의 생존율 차이 5%가 임상적으로 유의한 차이(94%와 99%)

이를 통계학적 방법으로 계산한 결과, 각 군에 211명의 환자가 필요하다는 계산 결과를 얻었다. 그리고 경과 관찰 중 5%의 환자가 연구에서 탈락한다고 가정하여 최종적으로 전체 참여자 수는 450명으로 결정되었다. 그리고 실제 연구에서는 총 447명의 환자를 포함시켰다.

임플란트 치의학과 관련된 연구에서는 참여자 수가 너무 많은 것보다는 너무 적은 것이 문제가 된다. 예컨대 두 가지 임플란트 시스템의 성공률을 비교하는 연구 논문에서 적절한 참여자 수는 군 당 135명, 총 270명의 참여자라고 알려져 있다. 그러나 실험 연구 중에 이 정도의 참여자 수를 확보한 연구는 거의 없다.

앞서 모집단에서 결과값에 차이가 있는데, 통계적 검정 결과에서는 차이가 없다고 결론 내렸을 때를 제2종 오류(type 2 error), 혹은 β라고 한다고 설명했다. 검정력은 제2종 오류와 반대되는 개념으로, 실제 모집단에서 결과값에 차이가 있는데 이를 연구의 통계학적 검정에서도 차이가 있다고 결론 내릴 수 있는 확률을 의미한다. 이는 위의 표에서 보면 알 수 있듯이 $1-\beta$로 표현 가능하다. 검정력이 높으면 실제로 결과에 차이가 있을 때 통계학적 검정에서도 차이가 있다는 결과를 도출할 수 있을 가능성이 증가한다. 따라서 임상 연구는 가급적 검정력이 높아지도록 설계해야 한다. 잘 설계된 연구는 90%, 혹은 최소한 80%의 검정력을 갖도록 해준다.

(3) 처음 연구에 참여한 환자는 최대한 많이 추적 관찰해야 한다.

처음 연구에 참여한 환자들은 여러 가지 이유로 추적 관찰 과정 중 연구에서 탈락한다. CONSORT (이에 대해서는 뒤에서 설명한다)에서는 연구 기간 중 환자의 수에 대한 흐름도를 연구 보고에 필수적으로 기재할 것을 추천했다(📷 **2-19**). 연구 참여자 수는 그만큼 중요하다.[65]

참여자가 연구에서 탈락하는 이유는 단순히 참여자의 개인적인 사정(연구 시행 장소에서 먼 곳으로 이사, 연구 참여 의지 감소 등)에 의한 것일 수도 있지만, 연구와 관계된 질병의 상태나 치료의 효과와 관련된 것에 의할 수도 있다. 예컨대 A치료와 B치료의 치료 효과에 차이가 커서 A치료에 배당된 환자들이 치료받기를 포기하거나 B치료를 받을 수도 있다. 따라서 추적 관찰 중 소실된 개별 환자를 보고하고 그 이유를 설명하는 것은 중

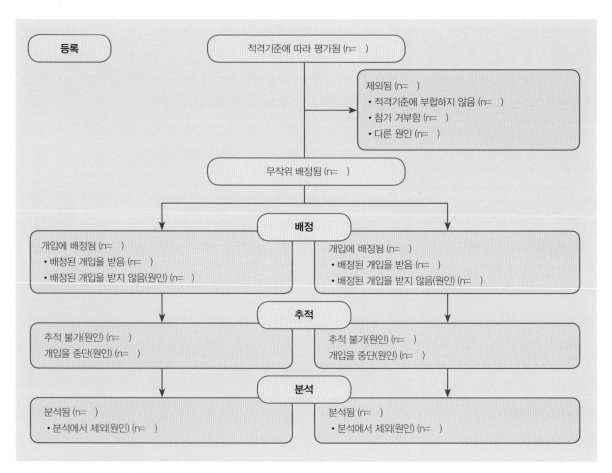

📷 **2-19 연구 기간 중 환자의 수에 대한 흐름도**
이는 환자의 수에 대한 투명한 정보를 제공하는 것으로 실험 연구에서는 이 흐름도를 논문 내에 반드시 제시하는 것이 좋다.

요하다. 사실은 추적 관찰 중 소실된 환자들이 더 유용한 정보를 제공하는 경우도 많다. 합병증 발생이나 처치에 의해 질환이 소실되어 참여자가 탈락되는 경우가 많다.

이러한 정보를 모두 기술하였다고 하더라도, 추적 관찰된 참여자의 비율이 80% 미만이라면 그 연구는 받아들일 만하지 못하다.[66] 또한 참여자가 중간에 원래 배정된 치료를 받지 않고 다른 치료를 받았더라도 결과는 처음 배정된 군에 포함시켜 분석해야 한다. 이를 처치 의도 분석(intention to treat analysis)이라고 한다. 예컨대 A군에 배정받았던 환자가 중간에 B군에 할당된 치료를 받았다면 이 환자는 A군에 포함시켜 분석해야 하는 것이다. 이는 무작위 배정의 원칙을 지키기 위한 것으로, 치료의 차이에 의한 결과의 차이보다는 무작위 배정에 의해 분배된 환자의 기저 특성이 더 중요하다고 생각하기 때문이다.

6) 무작위 대조 연구 이외의 실험 연구

실험연구에는 무작위 대조 연구뿐만 아니라 제한 무작위 대조 연구(restricted randomized controlled trial), 유사 무작위 대조 연구(quasi-randomized controlled trial), 비무작위 대조 연구(nonrandomized controlled trial), 단일 환자군 연구(single cohort study, case series) 등이 있다.

- 제한 무작위 대조 연구란 무작위 대조를 차폐(blocking), 층화(stratification), 그리고 최소화(minimization) 등의 방법으로 제한하는 것이다. 이는 특히 대상 환자 수가 적을 때 실험군과 대조군의 크기와 특징에 균형을 유지해주기 위해 무작위 과정을 조절하는 것을 의미한다. 제한 무작위 대조 연구는 무작위 대조 연구와 동일한 근거 수준을 갖는 것으로 간주한다.[46]
- 유사 무작위 대조 연구는 환자의 생년월일이나 차트번호에 따라 군을 배분하는 것으로(예컨대 차트번호가 짝수이면 실험군, 홀수이면 대조군) 배정 은폐와 맹검이 유지되기 힘들기 때문에 근거 수준은 무작위 대조 연구에 비해 떨어진다.[23]

비무작위 대조 연구는 동시 대조 연구와 시차 대조 연구로 나뉜다. 동시 대조 연구는 연구자가 인위적으로 실험군과 대조군으로 나눈 서로 독립된 환자군을 비교하는 것이며, 시차 대조 연구는 동일 집단에 대해 처치 전후에서 결과치의 차이나 처치 후 시간에 따른 결과치의 차이를 비교하는 것이다. 시차 대조 연구는 하나의 환자군에 한 가지 처치만을 가한 것이기 때문에 엄밀하게 구분하면 대조 연구라기 보다는 단일 환자군, 혹은 비대조 실험 연구이다.

비무작위 대조 연구는 대조 실험연구 중 근거의 수준이 가장 낮다. 하지만, 치과 시술 등의 수술적 처치에서는 무작위 배정이 부적합(도덕적 문제나 응급 치료를 요하는 상황)할 수 있고, 술자의 숙련도에 차이가 있으며, 시술을 표준화하기가 어렵기 때문에 무작위 대조 연구를 시행하기가 힘들다.[67] 또한 비무작위 연구라도 연구 계획을 엄격히 세워서 이에 따라 연구를 시행하면 양질의 무작위 대조 연구와 비슷한 결론을 도출할 수도 있기 때문에 치의학 분야에서는 아직도 중요한 연구 방법이라고 할 수 있다.[68]

5.
관찰연구와 단면연구

1) 코호트 연구(Cohort study)

코호트 연구는 (주로) 전향적 연구, 종단 연구, 관찰연구이다. 코호트는 고유 명사가 아니며, 로마시대 군대 단위 중 현재의 "중대"에 해당하는 개념을 나타내던 용어이다. 임상 연구에서는 코호트를 군(group)과 유사한 개념으로 사용한다. 코호트 연구에서는, 연구 시작 시 참여자들은 이미 원인 요소(질병의 원인이나 예후 인자)에 노출이 되어 있지만 결과(질병)는 아직 발생하기 이전인 상태이다. 연구 대상이 원인에 노출 되었는가의 여부에 따라 군, 또는 코호트를 나누어 이들을 장기간 관찰한 후, 각 군에서 결과(질병이나 특정한 상태)를 보이는 참여자가 얼마나 되는가를 전향적으로 평가한다. 이를 통해 이들 중에서 발생한 질병과 의심되는 요인과의 상관성을 제시한다.

이 연구 형태는 무작위 대조 연구보다 더 적은 비용으로, 그리고 더 쉽게 시행이 가능하다. 또한 이득이 되는 치료를 시행하지 못하거나, 또는 해가 될 수 있는 치료를 행해야만 할 필요가 없기 때문에 무작위 대조 연구보다 더 윤리적이다. 그러나 질환이나 결과가 매우 드물게 발생한다면 참여자 수가 매우 커야 하고 추적 관찰 기간이 매우 오래 걸린다는 단점도 있다.[69]

코호트 연구는 환자군을 연구자가 임의대로 분류할 수 없기 때문에 관찰연구이며, 실험 연구와는 달리 관심 원인 요소가 연구를 시행하기에 앞서 환자에게 이미 노출되어 있는 상태이다. 따라서 각 군이 서로 기저 요소나 교란 요소에 대해 대등하게 배분될 수는 없으며 사회적, 또는 직업적 이유로 다른 원인 요소에 오염되었는지 여부를 확신할 수 없다는 단점이 있다. 따라서 코호트 연구를 포함한 모든 관찰연구는 선택 편향과 교란 편향의 위험에 항상 노출되어 있다. 이를 줄여 주기 위해 연구의 결과값에 대해 이들 요소들의 영향을 고려한 "조정된 분석(adjusted analysis)"을 시행한다. 그러나 이러한 통계학적 조정도 관찰연구의 편향을 극복할 수 있을 정도로 충분하지는 못하기 때문에 관찰연구의 신뢰도는 실험 연구에 비해 떨어질 수밖에 없다.[70] 게다가 조정된 분석은 연구자가 연구 수행 중 측정하거나 기록한 항목에 대해서만 시행 가능하다. 알려지지 않은 제3의 요소가 결과에 미치고, 연구자가 이것을 알지 못한다면 이는 연구 결과를 편향시키게 될 것이다.[70,71]

코호트 연구는 대부분 전향적 연구이지만 후향적으로도 시행 가능하다. 전향적 코호트 연구는 환자들이 이미 원인 요소에 노출되어 있지만 아직 질병 등의 결과가 발생하기 이전에 연구를 시작하는 것이고, 후향적 코호트 연구는 환자들이 이미 원인 요소에 노출되었고 질병 등의 결과가 발생한 상태에서 연구를 시작하는 것이다. 뒤에서 다시 설명하겠지만 후향적 코호트 연구와 환자–대조군 연구는 모두 결과가 발생한 이후 시작하는 후향적 연구라는 점에서 비슷하지만, 후향적 코호트 연구에서는 연구 참여자를 원인 요소에 대한 노출 여부에 따라 구분하고 이에 따른 질환의 발생 여부를 비교하는 반면, 환자–대조군 연구에서는 연구 참여자를 질환의 발생 여부(결과)에 따라 구분한 뒤 질환이 발생한 군과 발생하지 않은 군에서 원인 추정 요소에 얼마나 노출되었는지를 비교한다(📷 2–20).

   전향적 코호트 연구는 관찰연구 중 유일한 전향적 연구이기 때문에 결과 측정 시 기억이나 차트에 의존할 필요가 없고, 연구자가 통제된 방법으로 결과를 측정할 수 있다. 따라서 전향적 코호트 연구는 관찰연구 중 근거 수준이 가장 높은 것으로 평가받는다. 코호트 연구는 윤리적 문제를 야기하지 않기 때문에 질병의 원인을

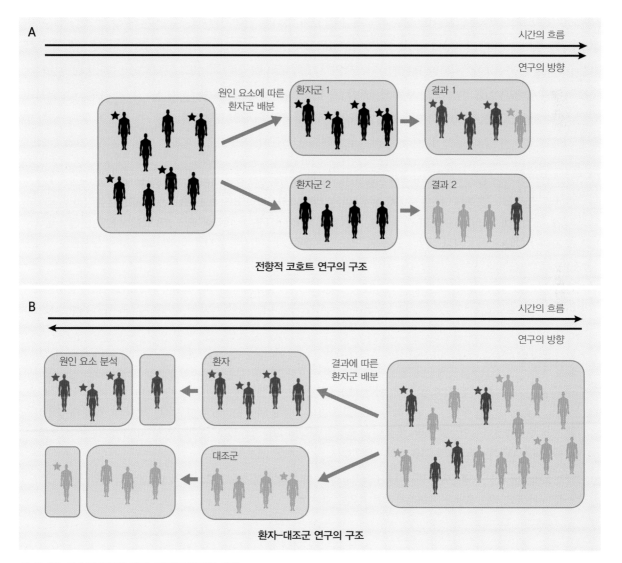

📷 2–20 **코호트 연구와 환자–대조군 연구의 차이**
A. 코호트 연구에서는 환자군을 원인 요소에 노출되었는가 여부에 따라 구분한다. 그리고 질병이나 관심 상태(결과)가 발생하기 전에 연구를 시작하면 전향적으로, 발생 후에 연구를 시작하면 후향적으로 연구를 시행할 수 있다. **B.** 환자–대조군 연구에서는 참여자의 군을 환자와 대조군으로 구분하며, 이는 질병이나 상태(결과)가 그 환자에서 발생했는지에 따라 결정한다. 따라서 환자–대조군 연구는 원인보다는 결과에 따라 참여자 군을 설정하며, 결과가 발생한 이후에만 시행 가능하기 때문에 반드시 후향적 연구이다.

추론하거나 예후를 측정하는 데 있어 최선의 연구 방법으로 생각된다. 또한 코호트 연구는 질환의 발병률을 측정하는 연구 방법이다. 질환의 발병률은 시작 시점에 위험 인자에 노출되었던 사람 중 특정 기간이 경과한 후 질환이 발생한 사람의 비율이다. 따라서 발병률은 반드시 전향적 종단연구(추적 연구)를 통해 측정해야만 한다. 후향적 연구에서는 환자가 발병률 측정 기간의 시작 시점에서 원인 요소에 노출되어 있었는지가 명확하지 않기 때문에 발병률을 측정할 수 없다. 또한 횡단 연구는 유병률을 측정하는 데 적합한 연구이지 발병률을 측정하는 데 적합한 연구는 아니다.

(1) 각화 점막의 폭이 임플란트 주위 점막의 건강도에 미치는 장기간의 영향

앞서 각화 점막의 폭이 임플란트 주위 점막의 건강도에 미치는 영향은 추적연구를 통해 확인해야 함에도 불구하고 이 주제에 관한 대부분의 연구는 단면연구였음을 지적한 바 있다. 그러나 2016년에 이에 관한 아주 장기간(10년)의 추적 관찰을 시행한 전향적 코호트 연구가 발표된 바 있다.[72] 하악 구치부에 단일 종류 임플란트(스트라우만 임플란트)를 식립하고, 후방에 자연치가 없는 최후방 임플란트를 그 대상으로 하여 총 128명의 환자가 처음 포함됐고, 이중 30명이 탈락해서 최종적으로 98명의 환자(98개의 임플란트)가 대상이 됐다. 모든 개별 환자에게 철저한 유지 관리 및 치주 치료 프로그램을 진행했다. 그리고 그 결과는 다음과 같았다(📷 2-21).

- 치료 시작 시 각화 점막으로 둘러 쌓였던 임플란트는 63개, 비각화 점막으로 둘러 쌓였던 임플란트는 35개였다. 치료 10년 후, 잇솔질 시 통증은 비각화 군에서 훨씬 높았던 반면(각화 0% vs 비각화 42.9%), 전악 치태 지수(각화 18.40±7.42% vs 비각화 19.57±8.66%)와 전악 출혈 지수(각화 17.46±6.97% vs 비각화 18.26±8.33%)는 양측 군에서 별다른 차이가 없었다. 이는 각화 점막이 결손되어 있으면 잇솔질 시 불편감이 높지만, 이 연구에 참여한 환자들은 그럼에도 불구하고 전반적으로 철저한 구강 위생 관리를 시행했음을 의미한다.

- 유지 관리 중 진전된 임플란트 주위 조직 염증성 질환으로 인해 항생제 처방이나 외과적 치료가 필요했던 환자들의 비율은 각화 점막군에서 12.7%, 비각화 점막군에서 51.4%였으며, 이는 임상적으로나 통계학적으로 매우 유의한 차이였다.

- 유지 관리 중 잇솔질 시 통증이 심해 적절한 구강 위생 관리에 어려움을 호소하는 환자 11명에게는 유리 치은 이식을 통한 각화 점막 증강술을 시행했다. 따라서 치료 시작 시 각화 점막이 결손됐던 환자 35명을 24명(비각화 점막군)과 11명(각화 점막 증진군)으로 나누어, 각화 점막군(원래 각화 점막이 존재했던 환자) 63명과 함께 총 3군으로 비교했을 때에는 다음의 결과를 얻었다. 각화 점막군과 각화 점막 증진군에 비해 비각화 점막군에서 임플란트 주위 점막의 치태 지수가 유의하게 높았으며, 이는 잇솔질 시 통증의 차이에 의한 것이었다. 그러나 탐침 시 출혈이나 방사선학적 치조정골 소실량에는 유의한 치아를 보이지 않았다.

- 점막 퇴축양은 각화 점막군에서 평균 0.16±0.39 mm, 각화 점막 증진군에서 1.27±1.17 mm, 비각화 점막군에서 2.08±0.71 mm였고, 이는 모든 군 사이에서 서로 유의한 차이였다.

이 연구의 결과는, 특히 하악 구치부에서 임플란트 주위에 각화 점막이 결손되면 잇솔질 시 통증을 느끼게 되기 때문에 이 부위에서 잇솔질이 어려워지고, 또한 점막 변연이 더 많이 퇴축됨을 보여준다. 또한 이에 의해 더 많은 치태가 침착되어 임플란트 주위 점막의 염증성 질환에 이환된다는 사실을 보여주는 것이다. 그러나 임플란트 주위 치조골의 흡수를 동반한 심한 염증성 질환까지는 잘 진전되지 않는다는 사실 또한 보여준다. 결국

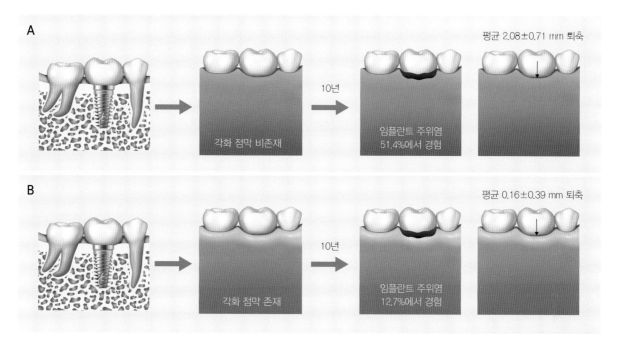

A
평균 2.08±0.71 mm 퇴축
10년
각화 점막 비존재
임플란트 주위염
51.4%에서 경험

B
평균 0.16±0.39 mm 퇴축
10년
각화 점막 존재
임플란트 주위염
12.7%에서 경험

📷 2-21 **전향적 코호트 연구의 예[72]**
보철 완료 직후 임플란트 주위에 각화 점막의 존재 여부(원인 요소)에 따라 환자군을 구분하고 이를 10년 후까지 추적 관찰했다. 두 군에서 환자들은 비슷한 정도의 치태 지수를 달성했음에도 불구하고 각화 점막이 존재하지 않은 환자들**(A)**은 각화 점막이 존재한 환자들**(B)**보다 임플란트 주위염을 경험한 빈도나 점막의 평균 퇴축량에 있어 유의하게 더 높은 수치를 보였다.

이전의 많은 단면연구들의 결과, 즉 임플란트 주위의 각화 점막 유무는 임플란트 주위 조직의 심하지 않은 염증성 질환(임플란트 주위 점막염) 발생에 영향을 미칠 수 있다는 사실은 이 연구를 통해 검증되었다고 볼 수 있다.

2) 환자-대조군 연구(Case-control study)

환자-대조군 연구는 후향적 연구, 종단 연구, 관찰연구이다. 환자-대조군 연구에서는 특정 질환이나 상태(결과)를 이미 보이는 사람들을 환자(실험군)로, 그리고 이러한 상태를 보이지 않는 사람들 중 환자군과 여러 가지 기저 특성을 비슷하게 맞추도록 설정된(matching) 이들을 대조군으로 설정한다. 즉, 참여자의 군을 코호트 연구나 실험 연구에서는 원인 요소에 따라 구분하는 반면, 환자-대조군 연구에서는 결과 요소에 따라 구분하는 것이다(📷 2-20). 이후 각 군에서 관심 질환의 원인 요소로 생각되는 것에 노출된 사람들의 비율을 구하고, 실험군과 대조군의 비율을 비교함으로써 질병 유무와 연구하고자 하는 요인의 상관관계를 구한다. 환자-대조군 연구는 원인 요소와 결과 요소가 이미 발생한 이후 시행하는 것이기 때문에 항상 후향적 연구이다. 또한 환자군과 대조군을 매칭하는 과정에서 편향이 발생될 가능성이 높다.

이 연구 방법의 가장 큰 단점은, 참여자가 과거에 원인으로 의심되는 요소에 노출되었는가의 여부를 부정확하거나 불완전한 "기억" 또는 의무 기록에 의존해야 한다는 점이다. 이 과정에서 추적 편향이 개입될 가능성이 증가한다. 추적 편향(recall bias)이란 질환이 발생한 환자가 과거 원인 요소에 노출됐던 사실을 더 잘 기억하는 현상이다. 또한 환자와 대조군으로 설정된 참여자들은 연령, 성별, 인종, 경제 상태 등 여러 가지 특징을 비슷하게 맞춰 주긴 하지만, 실제로 이를 달성하기는 쉽지 않다(선택 편향, 교란 편향). 이렇게 환자-대조군 연구는 관찰연구의 단점인 선택 편향과 교란 편향에 쉽게 영향을 받는다는 점에 더해 후향적 연구의 단점인 추적 편향까지 더해지기 때문에 근거의 질은 코호트 연구에 비해 더 낮다.

하지만 이 연구 방법은 매우 빠르게 진행 가능하며 비용이 매우 적게 든다는 장점이 있다. 환자-대조군 연구는 코호트 연구와 유사하게 치료의 효과보다는 질병의 원인이나 예후를 밝히는 것이 주 목적이다. 이 연구 방법은 매우 드물게 발생하는 질병이나 발병에 오랜 시간이 소요되는 질환의 원인 요소를 유추하거나 예후를 평가하는 데 적합한 연구 방법이라고 할 수 있다. 환자-대조군 연구에서는 보통 환자군의 수가 적기 때문에 연구의 검정력(power)을 높이기 위해 대조군의 수를 환자군보다 더 크게 잡는다.

(1) 상대적 위험도(relative risk)와 오즈비(odds ratio)

질환의 원인이나 예후를 밝히는 관찰연구는, 원인 요소에 노출됐을 때와 노출되지 않았을 때 질환의 발생 정도가 어떻게 차이나는지를 밝혀내는 것이 주목적이다. 이러한 목적으로 많이 사용되는 지표로 상대적 위험도와 오즈비가 있다. 이 두 지표는 원인 요소와 결과 요소가 유/무의 단 두 가지로만 측정될 때 계산 가능하다. 예컨대 일차 안정이 즉시 부하를 가한 임플란트의 골유착 성공에 미치는 영향을 평가해보고자 한다고 해보자. 일차 안정의 지표로는 식립 토크를 사용하고, 식립 토크≤30 Ncm을 낮은 일차 안정으로, 식립 토크>30 Ncm를 충분한 일차 안정으로 분류한다. 3개월 후 최종 보철물을 연결할 때까지 임플란트가 동요도를 보이면 실패, 동요도를 보이지 않고 성공적으로 보철물을 연결할 수 있으면 성공으로 구분한다(저자가 이해를 위해 임의대로 설정한 구분이다). 이에 대해 임상 연구를 수행했다고 가정하고 가상의 결과를 2×2 표로 만들면 다음과 같았다고 해보자(📖 2-11).

📖 2-11 일차 안정에 따른 골유착 실패와 성공의 2X2표

	골유착 실패	골유착 성공	합계
낮은 일차 안정	A (40)	B (60)	A+B (100)
충분한 일차 안정	C (20)	D (80)	C+D (100)
합계	A+C (60)	B+D (140)	A+B+C+D (200)

오즈(odds)는 한국말로 보통 승산(승리할 확률)이나 배당으로 번역된다. 예컨대 10게임 중 8게임을 이기고 2게임을 패하면 승률은 80% (8/10)이지만 승산은 4(8/2)가 된다. 즉, 승리와 패배의 비율을 오즈라고 하는 것이다.

의학 연구에서 오즈는 동일 조건에서 질환이나 관심 사건이 발생한 사건수(이 예에서는 골유착 실패)와 발생하지 않은 사건수(골유착 성공)의 비가 된다. 따라서 위의 표에서 낮은 일차 안정 시의 오즈는 A/B=40/60=2/3가 된다. 반면 충분한 일차 안정 시의 오즈는 C/D=20/80=1/4이 된다. 오즈비(Odds Ratio, OR)는 오즈의 비율을 의미하는 것으로, 보통 위험 인자에 노출되지 않았을 때(충분한 일차 안정)의 위험도에 대한 위험 인자에 노출되었을 때(낮은 일차 안정)의 위험도의 비를 의미한다. 충분한 일차 안정에 대한 낮은 일차 안정의 오즈비는 (A/B)/(C/D)=(2/3)/(1/4)=8/3≒2.67이다.

위험도는 동일 조건에서 전체 건수 중 관심 사건이나 질환이 발생한 건수의 비율이다. 위의 표에서 낮은 일차 안정 시의 위험도는 A/(A+B)=40/100=0.4이다. 반면 충분한 일차 안정 시의 위험도는 C/(C+D)=20/100=0.2이다. 상대적 위험도(Relative Risk, RR)는 보통 위험 인자에 노출되지 않았을 때(충분한 일차 안정)의 위험도에 대한 위험 인자에 노출되었을 때(낮은 일차 안정)의 위험도의 비를 의미한다. 위의 표에서 상대적 위험도는 (낮은 일차 안정 시의 위험도)/(충분한 일차 안정 시의 위험도)=((A/(A+B))/(C/(C+D))=0.4/0.2=2가 된다.

상대적 위험도(위험비)는 직관적으로 이해하기 편하다. 위의 표에서 상대적 위험도 2였으며, 이는 "일차 안정이 낮을 때 임플란트가 골유착에 실패할 확률은 일차 안정이 충분할 때에 비해 2배 더 높다"라고 표현할 수 있다. 그러나 오즈비는 직관적이지 못하다. 위의 표에서 오즈비는 "일차 안정이 낮을 때 임플란트의 골유착 실패-성공 비율은 일차 안정이 충분할 때의 골유착 실패-성공 비율보다 2.67배 더 높다"고 해석할 수 있다. 오즈비는 잘 와닿지 않는 개념인 것이다. 그렇다면 오즈비는 왜 사용할까?

가장 큰 이유는 임상 연구 중 상대적 위험도를 측정 불가능한 경우가 있기 때문이다(📷 2-22, 23). 전향적 코호트 연구에서는 위험 요소에 노출된 참가자(낮은 일차 안정)와 노출되지 않은 참가자(충분한 일차 안정)를 모두 포함시킨 상태에서 연구를 시작한다. 따라서 위의 표에서 (A+B)와 (C+D)를 모두 알 수 있다. 이러한 경우에는 상대적 위험도를 알 수 있다. 그러나 환자-대조군 연구에서는 반대로 위험 요소가 아니라 관심 사건이나 질환(골유착 실패와 골유착 성공)이 발생한 이후 참가자를 분류하고, 각각의 군에서 위험 요소에 노출되었는지의 여부를 평가한다. 따라서 처음에 위험 요소에 노출되었거나 노출되지 않은 이들을 연구에 모두 포함시킬 수 없다. 따라서 진정한 (A+B)와 (C+D)는 알 수가 없는 것이다. 결국 환자-대조군 연구에서는 상대적 위험도의 유사 개념으로써 오즈비를 사용하게 된다.[73] 환자-대조군 연구에서 유일하게 도출할 수 있는 유의미한 결과는 바로 오즈비이다. 이는 환자-대조군 연구뿐만 아니라 후향적 연구 전반에 걸쳐 나타나는 단점이다. 오즈비는 직관적으로 이해하기 힘들뿐만 아니라 후향적 연구에서 얻을 수 있는 위험도에 대한 유일한 지표이기 때문에 일반적으로 상대적 위험도와 매우 유사한 의미로 사용된다. 사건(질환)이 희귀하게 발생하거나 오즈비가 1에 가까우면 상대적 위험도와 오즈비는 매우 유사해진다. 그러나 위의 예에서 보듯이 사건이 흔하게 발생하면 오즈비와 상대적 위험도는 차이를 보이게 된다.

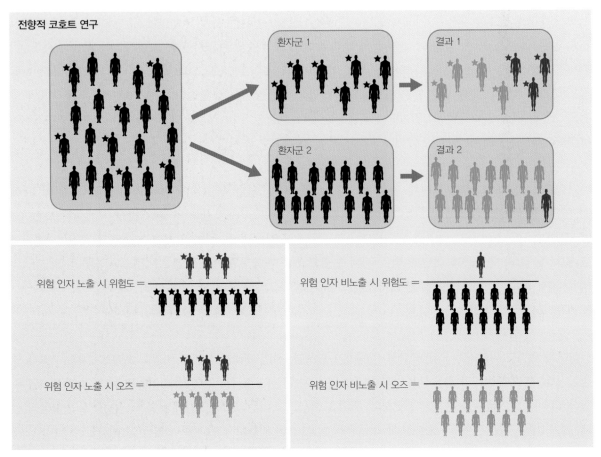

2-22 전향적 코호트 연구에서는 원인 요소에 노출된 참여자와 노출되지 않은 참여자를 모두 포함한 상태에서 연구를 시작하므로 오즈비와 상대적 위험도를 모두 계산 가능하다.

이외에도 특정한 통계적 기법에서 그 결과를 교란 요소에 대해 교정을 가했을 때에는 오즈비로만 표현 가능하다고 한다. 오즈비는 메타분석에서도 자주 이용된다. 오즈비는 상대적 위험도에 비해 일차 연구들에서 자료를 추출하기가 훨씬 용이하기 때문이다.[73] 또는 전향적 연구에서도 추적 관찰 중 많은 참여 환자들이 탈락하면 오즈비는 측정 가능한 반면, 상대적 위험도는 측정이 불가능할 수도 있다.

(2) 2X2표의 사용

2×2 표가 나온 김에 이와 연관된 결과 지표들에 대해 알아보자.[57,73-75] 2×2표는 독립 변수와 종속 변수가 모두 두 가지로 나뉘는 자료에 적용할 수 있다. 독립 변수는 환자에 대한 치료 방법이나 질병의 원인에 대한 노출 여부가 된다. 종속 변수는 이에 따라 환자의 신체에 나타나는 결과이다. 예컨대 임플란트를 식립할 때 수술 전 항생제를 처방하는 것이 임플란트의 단기적 생존 여부에 미치는 영향을 평가한다고 해보자. 독립 변수는 "항생제 처방함/처방하지 않음"일 것이고 종속 변수는 "임플란트 생존/임플란트 탈락"일 것이다. 이렇게 독립 변수와 종속 변수가 두 가지씩이면 우리가 그 결과를 해석하는 데 있어 직관적으로 이해하기 쉬우며 임상에 사용하기에 좋은 여러 가지 다양한 결과 수치를 얻을 수 있다.

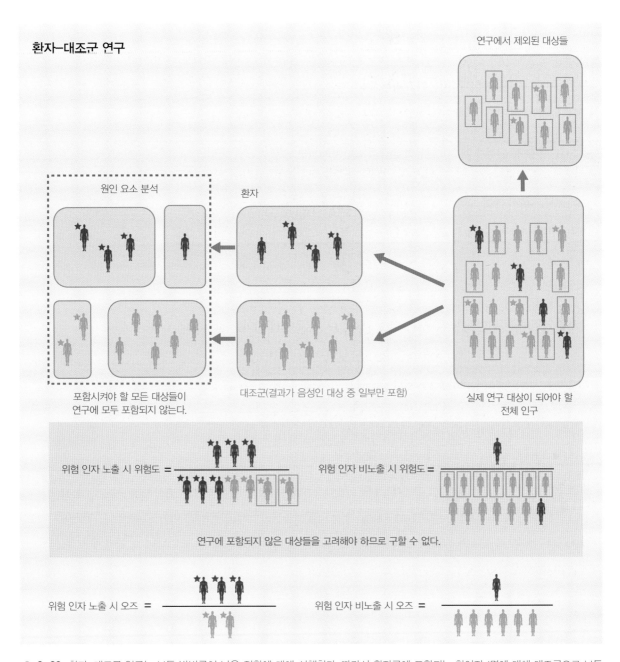

환자-대조군 연구

원인 요소 분석

환자

연구에서 제외된 대상들

포함시켜야 할 모든 대상들이
연구에 모두 포함되지 않는다.

대조군(결과가 음성인 대상 중 일부만 포함)

실제 연구 대상이 되어야 할
전체 인구

위험 인자 노출 시 위험도 =

위험 인자 비노출 시 위험도 =

연구에 포함되지 않은 대상들을 고려해야 하므로 구할 수 없다.

위험 인자 노출 시 오즈 =

위험 인자 비노출 시 오즈 =

📷 **2-23** 환자-대조군 연구는 보통 발병률이 낮은 질환에 대해 시행한다. 따라서 환자군에 포함되는 참여자 1명에 대해 대조군으로 보통 질환이 발생하지 않은 참여자 2-3명 가량을 선별하여 연구에 포함시킨다. 결국 환자 대조군 연구는 애초에 연구에 포함되어야 할 대상들을 모두 포함시킨 채 시행할 수 없는 구조의 연구임을 알 수 있다. 따라서 환자-대조군 연구에서는 원인 요소에 노출된 대상과 노출되지 않은 대상들을 모두 포함시켜야 계산 가능한 위험도를 계산할 수 없다. 그러나 연구에 포함된 참여자들만을 대상으로 하여 계산 가능한 오즈비는 산출할 수 있다.

한 무작위 대조 연구에서는 특별한 전신적 병력이 없는 넓은 포함 기준의 환자들을 대상으로 수술 전 한 번 항생제를 복용시키면 4개월 후 임플란트의 성공/실패에 어떠한 영향을 미치는지 평가했다. 처방한 항생제는 아목시실린 2 g이나 클린다마이신 600 mg으로, 수술 1시간 전에 처방했다. 그 결과를 2×2표로 나타내면 다음과 같았다(🔖 2-12).

🔖 2-12 수술 전 항생제 처방이 골유착 성공과 실패에 미치는 영향

	골유착 실패	골유착 성공	합계
항생제 처방하지 않음	32(A)	396(B)	428
항생제 처방함	12(C)	523(D)	535
합계	44	919	963

오즈비와 상대적 위험도는 위에서 알아보았으므로 이 표에서도 이들 값을 쉽게 구할 수 있다.

- 오즈비=(A/B)/(C/D)=AD/BC≒3.52(실제 연구에서는 환자마다 식립한 임플란트의 개수가 달랐기 때문에 이에 대한 교정을 시행한 후의 오즈비를 제시했다. 여기에서는 편의를 위해 한 환자당 하나의 임플란트를 식립한 것으로 가정하자)
- 상대적 위험도(위험비)=(A/(A+B))/(C/(C+D))≒3.33

이 연구의 결과 예방적 항생제를 처방하지 않으면 처방할 때보다 임플란트가 골유착에 실패할 위험도는 3.33배 증가한다고 결론 내릴 수 있다(상대적 위험도). 이 연구에서 임플란트가 골유착에 실패할 확률은 항생제를 처방하지 않았을 때에는 32/428≒7.48%, 항생제를 처방했을 때에는 12/535≒2.24%이다. 여기에서 사건(임플란트의 실패)이 발생할 확률이 비교적 높지는 않으므로 오즈비는 상대적 위험도에 근접한 수치를 보였다.

이번에는 위험도 감소와 치료 필요수라는 개념을 알아보자.

① 절대적 위험도 감소(absolute risk reduction)
한 군의 위험도와 다른 군의 위험도 간 차이를 절대적 위험도 감소라고 한다. 이 수치는 두 치료군의 환자에서 사건의 발생 확률에 얼마나 차이가 있는지를 나타내는 수치이다. 이 연구에서는 7.48%-2.24%=5.24%가 된다. 즉, 수술 1시간 전 항생제를 처방하면 임플란트의 단기적 실패 가능성은 5.24% 감소하는 것이다.

② 치료 필요수(number needed to treat, NNT)
이제 또 하나의 중요한 개념이 등장한다. 치료 필요수는 관심 치료법이 한 번의 치료 효과를 보이기 위해 필요한 환자 수를 의미한다. 이 연구에서는 임플란트가 실패한 한 사건을 예방하기 위해 수술 전에 항생제를 처방해야 하는 환자 수가 된다. 이는 절대적 위험도 감소의 역수임을 알 수 있다. 위에서 계산한 절대적 위험도 감소는 5.24%였다. 따라서 이 연구에서의 치료 필요수는 1/0.0524≒19.08이 된다. 결국 임플란트 식립 1시간 전에 항생제를 투약하면 약 19명마다 한 건의 임플란트 실패를 예방한다고 결론 내릴 수 있다.

치료 필요수는 근거 중심 의학에서 매우 중요하게 생각하는 결과 지표 중의 하나이다. 우리가 많이 사용하는 지표인 절대적 위험도 감소도 중요한 정보를 제공해 주지만 뭔가 아쉬운 측면이 있다. 술 전 항생제 처방 시 임플란트의 단기 실패 비율이 5.24% 줄어든다는 표현보다는 항생제를 19명에게 처방하면 한 건의 임플란트 실패를 예방할 수 있다는 것이 더 와 닿는다. 게다가 치료 필요수는 치료 비용의 계산과 합병증의 발생을 고려해야 할 때 중요한 고려요소이다. 즉, 한 명의 환자에서 사건의 발생을 제거해주기 위해 소요되는 비용은 치료 필요수×연구의 추적 관찰 기간×단위 기간당 한 환자에게 들어가는 비용이다. 이 연구에서는 임플란트 실패 한 건을 예방하기 위해서 항생제 비용×19가 될 것이다. 항생제 비용을 1,000원이라고 하면 19,000원의 총비용으로 임플란트 실패 한 건을 예방할 수 있다는 뜻이 되는 것이다.

3) 단면연구(Cross-sectional survey)

단면연구의 주 목적에 대해서는 위에서 설명했다.

- 질환의 유병률을 측정함
- 새로운 진단 방법의 정확도를 평가함
- 질환이나 치료에 있어 원인 추정 요소들과 결과 요소 간에 상관성이 있는지 간략히 평가함

(1) 유병률 측정

질환의 유병률(prevalence)은 특정 시점에서 관심 질환에 이환된 인구의 비율을 의미한다. 반면 발생률(incidence rate)은 주어진 특정 기간 동안 관심 질환에 새로이 이환되는 인구의 비율을 의미한다. 예컨대 2000년 1월 1일에 전체 인구 중 20%의 인구가 고혈압 상태라면 고혈합의 유병률은 20%이다. 반면 2000년 1월 1일부터 12월 31일까지 전체 인구 중 1%에서 고혈압이 새로 발생했다면 2000년의 고혈압 발생률은 연간 1%인 것이다. 따라서 유병률은 단면연구로만 측정 가능하다.

유병률을 측정하기 위해 단면연구를 시행한 예로, Derks 등이 스웨덴에서 임플란트 주위염의 유병률을 측정한 연구를 들 수 있다.[76] 이들은 스웨덴에서 임플란트 치료를 완료한 환자 중 무작위로 900명을 선정했고, 이들 중 596명이 연구에 참여했다. 특정 기간 동안 이들 환자들을 연구 기관에 내원시켜 임플란트 주위 조직의 상태를 평가했다. 그 결과 임플란트 치료를 완료하고 평균 9년이 경과했을 때 심한 임플란트 주위염은 환자 기준으로 14.5%, 임플란트 기준으로 8.0%에서 존재했다.

질환의 유병률을 측정할 때 가장 크게 개입될 수 있는 편향은 생존 편향(survival bias)이다.[77] 예를 들어 위의 연구에서 만약 임플란트 주위염에 이환된 임플란트가 탈락했다면 유병률을 조사할 때 대상에서 제외 된다. 이는 질환에 이환된 대상이 사라지는 것이므로 생존하지 못한 대상을 제외하고 유병률을 측정한다면 유병률이 실제보다 낮게 측정되는 결과를 초래한다. 위의 연구에서는 임플란트를 식립했을 때부터의 자료가 모두 확보 된 상태에서 연구를 시행했기 때문에 유병률이 과소 측정되지는 않았다.

(2) 원인 추정 요소와 결과 요소 간에 상관성이 있는지 간략히 평가

환자를 대표할 수 있는 참여자에게 인터뷰나 검사를 시행하여 과거에 원인 요소에 노출되었는지 여부와 질환이나 관심 결과를 경험하였거나 겪고 있는지를 동시에 알아낸다. 이는 가능한 원인 요소와 결과(질환이나 특정 상태) 간의 관계를 정립하고자 시행하는 것이다. 이 연구 방법은 매우 저렴하게 시행 가능하며, 시행이 아주 용이한 데다가 윤리적 문제를 야기하지 않는다는 장점이 있다. 하지만 노출 및 결과를 정하는 데 있어서 불분명한 기억을 사용해야 할 수도 있다는 단점이 있으며, 가장 중요하게는 원인으로 추정되는 요소와 결과로 추정되는 요소 간의 상관관계 유무만 설정할 수 있고 인과관계는 유추할 수 없다는 단점이 있다. 인과관계를 확정하는 데 있어서 가장 중요한 원칙은 원인 요소가 결과 요소에 반드시 선행해야 한다는 점이다.[78] 그러나 단면연구에서는 원인 추정 요소와 결과 요소 중 어떤 것이 먼저 발생했는지 알 수 없다. 따라서 인과관계를 도출할 수 없는 것이다.

2019년 Kotsakis는 단면연구를 통해 원인–결과 요소 간의 상관성을 성공적으로 추정하고, 실험연구로 인과 관계를 확정 지은 좋은 예를 보여주었다.[62] 한 시험관 연구에서는 치과용 시멘트가 세균의 증식을 촉진할 수 도 있다는 점을 보여 주었으며, 이를 통해 임플란트 보철을 스크루 유지형보다 시멘트 유지형으로 적용하면 임플란트 주위염에 더 쉽게 이환될 수 있다는 점을 시사해 주었다.[79] 이는 즉시 단면연구로 검증이 이루어졌다. 한 단면연구에서 임플란트 주위염이나 임플란트 주위 점막염의 유병률은 시멘트 유지형이나 스크루 유지형 보철물을 사용했을 때 별다른 차이를 보이지 않았다.[80] 그러나 시멘트 유지형 중에서도 메타크릴레이트 시멘트(Premier Implant Cement)와 산화아연유지놀 시멘트(Temp Bond)를 사용한 경우의 결과를 비교한 단면연구에서는 메타크릴레이트 시멘트를 사용한 환자들에서 임플란트 주위 염증성 질환의 유병률이 훨씬 더 높다는 사실을 보여주었다.[81] 이는 "시멘트 유지형" 보철 디자인보다는, 메타크릴레이트라는 "재료"의 시멘트가 임플란트 주위 조직에 악영향을 미친다는 점을 강력하게 시사해주는 결과였다. 이에 따른 후속 연구로 실험연구가 시행되어 메타크릴레이트 시멘트와 임플란트 주위염의 인과성을 도출했다. 단일 환자군 연구였던 이 실험에서는, 메타크릴레이트로 접착을 시행한 모든 임플란트 보철물을 제거하고 산화아연유지놀 시멘트로 다시 접착을 시행했다. 그 결과 탐침 시 출혈과 탐침 시 배농의 빈도는 현저히 개선되는 결과를 보여 주었다.[82]

(3) 진단 방법의 정확도 평가

진단 방법의 정확도를 평가하기 위해서는 질환의 유무를 측정할 인구 집단에 대해, 특정 기간 동안 질환의 이환 유무를 황금 기준 진단법과 관심 진단법으로 측정하고 이를 비교해야 한다. 따라서 이러한 목적의 연구로는 단면연구가 가장 적절하다.

진단 방법의 타당도(validity)와 신뢰도(reliability)는 진단 방법의 가치를 결정짓는 중요한 두 가지 지표이다. 타당도는 진단 방법에서 측정한 결과가 참값을 반영하는 정도로, 정확도와 같은 의미이다. 신뢰도는 동일 대상에 대해 반복 측정했을 때 같은 결과가 나오는 정도이다. 단면연구는 관심 진단법의 타당도를 평가하는 연구 방법이다. 이를 위해 진단하고자 하는 질환을 정확하게 판단할 수 있는 진단 방법의 황금 기준과, 그 연구에서 검증하고 싶은 관심 진단 방법을 일련의 환자군에서 동시에 적용하고, 그 결과를 이용하여 타당도의 지표를 구할 수 있다.

질환의 발병 유무를 양성과 음성으로 구분할 수 있을 때, 황금 기준과 관심 진단 방법의 진단 결과는 다음 표와 같이 요약할 수 있다(📑 2-13).

📑 2-13 황금 기준과 관심 진단의 진단 결과 비교표

편향의 종류		실제 질환의 유무(황금 기준을 통한 진단)		계
		질환 유	질환 무	
관심 진단법의 검사 결과	양성	A 진양성(true positive)	B 위양성(false positive)	A+B 관심 진단법 상 양성자
	음성	C 위음성(false negative)	D 진음성(true negative)	C+D 관심 진단법 상 음성자
계		A+C 실제 질환 양성자	B+D 실제 질환 음성자	

이 때 민감도(sensitivity)는 실제로 질환이 존재하는 환자 중 관심 진단법의 검사 결과가 양성으로 나타나는 확률을 의미한다. 위의 표에서는 실제 질환 양성자의 수는 A+C이고 이들 중 관심 진단법 상 양성을 보인 환자 수는 A이므로, 관심 진단법의 민감도는 A/(A+C)이다. 특이도는 반대로 실제로 질환이 존재하지 않는 환자 중 관심 진단법의 검사 결과가 음성으로 나타나는 확률이다. 위의 표에서는 D/(B+D)가 될 것이다.

민감도가 높은 검사법은 위음성의 가능성이 낮으므로(A/(A+C)가 크므로 C가 작다) 음성 판정의 타당도가 높다. 즉, 이 검사상 음성으로 판정되면 실제로 질환에 이환되지 않았을 가능성이 높은 것이다. 반대로 검사 자체가 질환의 존재 유무에 예민하게 반응하는 경향이 있기 때문에 위양성의 가능성은 높아진다. 즉, 실제로 질환에 이환되지 않은 환자들도 검사 결과가 양성으로 나타날 가능성이 높다. 따라서 민감도가 높은 검사법은 주로 스크리닝의 목적, 즉 질환에 이환된 모든 환자를 걸러내는 일차적인 진단 방법으로 많이 활용된다.

특이도가 높은 검사법은 위양성의 가능성이 낮으므로 양성 판정의 타당도가 높다. 따라서 실제로 질환에 이환된 이들만을 양성으로 판정할 때 유용하다. 결국 특이도가 높은 검사법은 진단 과정에서 마지막으로 확진을 할 때 활용할 수 있다.

(4) 민감도와 특이도의 예; 즉시 부하 시 식립 토크의 진단적 가치

일차 안정(Primary Stability)은 임플란트를 치조골에 식립한 직후 임플란트가 움직임 없이 골과 얼마나 물리적으로 잘 결합되어 있는지를 나타내는 지표이다.[83] 임플란트가 골과 유착하기 위해서는 치유 기간 중 골 내에서 움직임 없이 안정적으로 유지되어야 하며, 따라서 일차 안정은 골유착을 위해 반드시 필요하다.[84] 임플란트 식립 후 3–4개월의 치유 기간을 부여하는 표준 부하 시에는 일차 안정의 정도가 임플란트의 골유착 성공 유무에 아주 결정적인 영향을 미치지는 않지만, 임플란트 식립 직후에 부하를 가하는 즉시 부하 시에는 일차 안정이 임플란트의 골유착 성공 유무와 아주 밀접한 관련성을 보인다.[85]

임플란트 식립 시 측정할 수 있는 일차 안정의 지표에는 식립 토크(Insertion Torque, IT), 페리오테스트(Periotest, PT), 공진 주파수 분석값(Implant Stability Quotient, ISQ) 등이 있다. 한 임상 연구에서는 이들 지표가 즉시 부하 임플란트의 골유착 성공을 진단하는 데 있어 어떠한 가치를 지니는지 평가했다.[86] 이 연구에서는 상악과 하악의 완전/부분 무치악 증례에서 복수 치아를 식립하고 고정성 보철물로 서로 스플린팅 한 채 즉시 부하를 가했다. 임플란트 식립 시 식립 토크, 페리오테스트, 공진 주파수 분석을 시행하고 장기간 임플란트의 성공과 실패를 평가했다(혼란을 피하기 위해 언급하겠지만 이 연구는 단면연구는 아니었다. 임플란트의 성공과 실패를 식립 당시 평가하는 것은 불가능하기 때문이었다. 그러나 이 연구는 새로운 진단 방법인 식립 토크의 진단적 가지를 잘 평가한 연구였기 때문에 여기에 수록하였다).

이들 중 식립 토크와 임플란트의 골유착 성공/실패와의 관계를 표로 나타내면 **2-14**와 같았다.

이 연구에서 실제 질환의 유무는 임플란트의 골유착 실패(질환 유)와 성공(질환 무)으로 판단할 수 있다. 관심 진단법은 식립 토크로, 12 Ncm 이하의 낮은 토크는 검사 결과가 "양성"인 것이고 13 Ncm 이상의 높은 토크는 검사 결과가 "음성"인 것이다. 이 연구에서 "즉시 부하 임플란트의 성공과 실패에 대한 식립 토크(12.5 Ncm 기준)의 진단적 가치"는 다음과 같다.

2-14 식립 토크와 임플란트 실패/성공의 관계[86]

식립 토크(Ncm)		실제 임플란트의 성공과 실패		계
		임플란트 실패	임플란트 성공	
식립 토크(Ncm)	양성 (12 이하)	9 진양성(true positive)	16 위양성(false positive)	25 관심 진단법 상 양성
	음성 (13 이상)	0 위음성(false negative)	71 진음성(true negative)	71 관심 진단법 상 음성
계		A+C 임플란트 실패(질환 양성)	B+D 임플란트 성공(질환 음성)	96

- 민감도 = 9/(9+0) = 100%
- 특이도 = 71/(16+71) = 81.6%

이 연구의 결과, 복수치를 서로 스플린팅하여 고정성 보철물로 즉시 수복해주는 증례에서 식립 토크 기준 12.5 Ncm는 임플란트의 실패 여부에 대해 100%의 민감도와 81.6%의 특이도를 보이는 검사라고 결론 내릴 수 있을 것이다. 따라서 이 기준법을 적용했을 때, 식립 토크가 12.5 Ncm 보다 크면 100% 골유착에 성공한다고 할 수 있으며(음성 판정 타당도가 매우 높음), 식립 토크가 12.5 Ncm 보다 작으면 골유착에 실패할 가능성이 높다고 할 수 있다(양성 판정 타당도가 높음). 결국 이 연구의 조건에 부합하는 증례(복수치 스플린팅 즉시 부하)에서 식립 토크(12.5 Ncm 기준)는 진단적인 가치가 매우 높은 진단 방법임을 알 수 있다.

4) 단일 환자군 연구(Case series)

"Case series"는 여러 가지로 번역된다. "환자 사례군 연구"가 가장 흔한 번역어이고, "증례 나열"이나 "단일 환자군 연구"로도 번역되기도 한다. 이 책에서는 단일 환자군 연구로 용어를 통일하도록 하겠다. 단일 환자군 연구는 동일한 특정 질환이나 치료를 공유한 단일 집단의 환자들을 대상으로 한 연구이다. 단일 환자군 연구는 관찰연구와 실험 연구 모두 가능하다.

특정 질환이나 상태를 가진 일련의 환자들의 상태 변화를 기술하면 그것은 단일 환자군 관찰연구이다. 환자 군에 대해 특정한 처치를 가하고 그 효과를 평가하는 연구는 단일 환자군 실험 연구가 된다. 즉, 실험 연구 중에서 대조군 없이 실험군만 있는 연구가 단일 환자군 실험 연구로 구분된다(📷 2-5). 이렇게 대조군 없는 실험 연구는 단일 코호트 연구(single cohort study, 혹은 single arm study)나 비대조 실험 연구(non-comparative experimental study)로 부르기도 한다. 단일 환자군 실험 연구는 대조군이 없기 때문에 환자에게 시행한 처치의 효과를 정확하게 특정 지을 수 없다.[87] 예컨대 새로운 디자인의 임플란트를 일련의 환자들에게 식립하고 5년간 성공률이 95%였다면 이 임플란트는 어느 정도 신뢰할 수 있다고 생각할 수 있다. 그러나 이 임플란트를 식립한 병원의 환경, 술자의 기술과 숙련도, 환자들의 상태는 비교 대상이 없기 때문에 이 임플란트가 얼마나 효율적인지는 정확한 평가가 불가능하다. 다른 조건에서 이 임플란트를 식립하면 전혀 다른 결과가 도출될 수도 있다. 게다가 환자에게 어떠한 처치가 가해졌는지 환자와 연구자 모두가 알고 있기 때문에 치료를 무작위로 배분할 수 없고 맹검도 불가능하다. 따라서 연구 결과가 편향될 가능성이 매우 높다. 이는 특히 신약이나 새로운 수술적 기법에 대한 연구에서 중요하게 생각할 사항이다. 뒤에서 다시 설명하겠지만 오스테오톰법을 제외한 치조정 접근 상악동 골이식 술식에 대한 임상 연구는 대부분 단일 환자군 연구이다. 이 연구들은 압전 수술, 수압 거상법, 풍선 확장법 등이 모두 굉장히 우수한 결과를 보였다고 보고하긴 했지만, 아직 대조 연구는 거의 시행되지 않은 상태이기 때문에 그 효과를 단정지을 수 없다.

실험적 단일 환자군 연구는 자주 대조 연구 같은 형태를 보이기 때문에 쉽게 혼동될 수 있다. 단일 환자군에서, 처치를 시행하기 전의 상태와 치치 시행 후의 상태는 다르다. 이렇게 처치 전과 후의 상태를 비교하는 단일 환자군 연구를 시차 대조 연구라고도 한다. 그러나 시차 대조 연구는 대상 환자군이 하나이기 때문에 용어와는 다르게 실제로 대조 연구는 아니다.

실험적 단일 환자군 연구는 실험 연구 중 가장 낮은 근거 수준을 지닌다. 최근에는 무작위 대조 연구의 중요성이 지속적으로 강조되면서 그 수가 줄고 있는 추세이긴 하지만, 단일 환자군 연구는 전체 치의학뿐만 아니라 임플란트 치의학에서도 가장 많은 수를 차지하고 있는 임상 연구 종류이다.

5) 증례 보고(Case report)

증례 보고에서는 단일 환자나 소수의 환자의 병력을 이야기의 형식으로 기술한다. 증례 보고보다는 단일 환자군 연구에서 더 많은 환자를 포함시키지만 두 연구 형식을 구분 짓는 명확한 참여 환자 수는 정해지지 않았다. 그러나 증례 보고는 좀 더 이야기적인 형식을 띤다. 이 연구는 다음 목적으로 수행된다.[17]

- 매우 드물게 발생하는 질환의 새로운 특성을 기술하거나 새로운 치료법을 설명하기 위해 시행한다.
- 특정 처치나 약물의 알려지지 않았던 합병증을 새로이 발견했을 때 이를 긴급히 보고하기 위해 이용한다.
- 새로운 이론이나 치료법을 제시한다. 특히 새로운 약물이나 처치법을 제시할 때에는 원리 검증(proof of principle)이라고 한다. 원리 검증이 소수의 환자들에서 입증되면 실험 연구를 통해 더 광범위한 환자에서 실제로 새로운 치료법이 작동하는지 확인해야 한다.[88]

하지만 비대조, 비체계적으로 얻은 독립된 관찰 결과들을 모아서 더 큰 인구 집단에 적용할 수 있는 일반화된 법칙을 이끌어내는 것은 불가능하기 때문에, 증례 보고는 가장 낮은 근거 수준의 연구 형태이다. 증례 보고에서는 단일 환자군 연구에서와 동일하게 대조군이 없고 맹검이 불가능하다. 게다가 대상 환자 수가 극단적으로 적기 때문에 원리 검증 시 적용된 치료가 우연에 의해 질병 개선에 도움이 되었을 가능성도 높다.

6) 임상 연구를 통해 원인과 결과가 밝혀지는 과정 – 지대주 점막 관통부 높이와 치조정 골소실의 관계

어떤 원인 요소와 결과 요소 간의 인과관계를 검증하는 일반적인 과정은 다음과 같다.

① 단면연구에서 원인 추정 요소와 결과 추정 요소 사이의 상관성을 발견한다.

② 기존의 자료를 이용할 수 있으며, 따라서 빠르게 시행 가능한 후향적 추적 관찰연구를 통해 단면연구에서 나타난 상관성은 인과관계로 연결되어 있을 가능성이 높음을 보여준다.

③ 실험 연구를 통해 원인 요소와 결과 요소 간에 명확한 인과관계가 있음을 증명한다.

여기에서는 그 예로써, 매몰형–내부 연결형 임플란트에서 지대주의 점막 관통부 길이가 치조정 골소실량을 결정하는 원인 요소 중 하나로 검증된 과정을 보여주고자 한다.

(1) 단면연구에서 지대주 점막 관통부 높이와 치조정 골소실량은 상관관계를 보였다.

임플란트를 식립하고 부하를 가하면 임플란트 주위 치조골은 약간 흡수된다. 1986년 Albrektsson 등의 보고 이후로, 외부 연결형 임플란트 주위의 치조정 골흡수가 보철 부하 1년 후까지 1.5–2 mm 이하이고 그 이후로 연간 0.2 mm 이후로만 증가할 때에는 생리적인 신체의 변화로 간주된다.[89-91] 아직까지도 치조정 골소실의 명확한 원인이 특정되지는 못했지만 임플란트 매식체의 식립 깊이, 매식체–지대주 연결부의 위치, 점막의 두께, 임플란트 매식체의 디자인, 임플란트 주위 조직의 만성 염증성 질환, 매식체와 지대주의 폭경의 차이, 흡연 여부, 임플란트 주위 치조골의 밀도, 매식체–지대주 연결부의 형태 등은 그 원인으로 생각된다.[92] 이러한 초기 치조정 골소실량이 크면 병적인 골흡수를 동반한 임플란트 주위 조직의 질환에 이환될 가능성이 높아지기 때문에 초기 치조정 골소실을 줄여줄 수 있는 여러가지 진단 및 치료 방법에 대해 임상가들은 많은 관심을 기울여왔다.[93]

2002년, 매몰형–내부 연결형 임플란트로 하악 전악을 수복한 후 조기 부하를 가했을 때 임플란트의 단기적 생존율과 치조정 골소실의 양을 측정하는 것이 주 목적인 단면연구가 시행되었다.[94] 이 연구에서 저자들은 뜻밖에도 지대주 점막 관통부가 길어질수록 치조정 골소실이 줄어드는 경향을 발견하였다. 즉, 지대주 점막 관통부 높이가 낮아질수록 치조정 골소실량은 더 큰 경향을 보인 것이다(📷 2-24).

이 연구는 임플란트에 보철물을 부착하고 경과한 시간을 고려하지 않은 단면연구였다. 앞서 설명했지만 단면연구의 이러한 특징은 원인 추정 요소와 결과 추정 요소 간의 인과관계를 도출할 수 없는 가장 중요한 이유이다. 인과관계를 도출하기 위해서는 "시간"이라는 개념이 들어가야만 한다. 지대주 점막 관통부 높이 차이가 먼저 주어진 상태에서 이것이 시간이 경과함에 따라 치조정 골소실량에 차이를 나타나게 해야 인과관계를 추정할 수 있는 것이다. 단면연구에서는 이러한 시간의 흐름이 고려되지 않기 때문에 무엇이 시간상 선행하는지, 아니면 제3의 변인(교란 요소)에 의해 동시에 변화하는지 알 수 없다. 특히 지대주 점막 관통부 높이와 치조정 골소실의 관계는 "점막 두께"라는 중요한 교란 요소가 개입되어 있다. 임플란트 식립부 점막의 두께는 치조정 골소실량을 결정짓는 매우 중요한 요소 중 하나로 알려져 있다. 임플란트 주위 연조직은 생리적으로 일정한 두께 이상의 폭(생물학적 폭경)을 확보해야 하며, 따라서 임플란트 매식체 상부의 연조직 두께가 이러한 폭보다 얇으면 치조정 골을 보상적으로 흡수시킴으로써 적정한 연조직 폭을 형성해준다고 생각된다.[95,96]

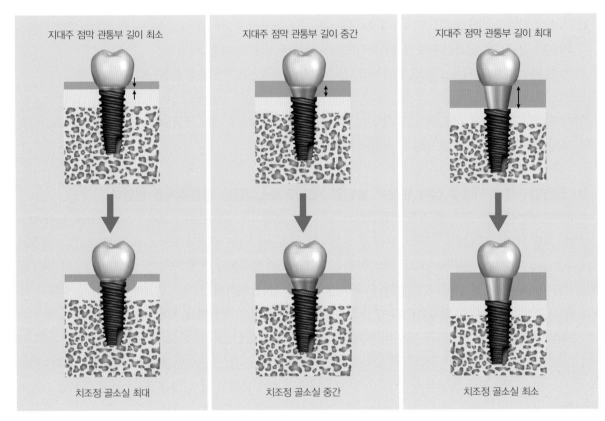

지대주 점막 관통부 길이 최소 — 치조정 골소실 최대

지대주 점막 관통부 길이 중간 — 치조정 골소실 중간

지대주 점막 관통부 길이 최대 — 치조정 골소실 최소

📷 **2-24** 한 단면연구에서는 매몰형-내부 연결형 임플란트를 사용했을 때 지대주의 점막 관통부 길이가 길어질수록 치조정 골소실의 양이 적다는 사실을 발견했다.[94] 저자들은 점막 두께가 두꺼울수록 더 긴 지대주를 사용하기 때문에, 이러한 현상은 지대주의 점막 관통부 길이보다는 점막 자체의 두께가 두꺼울수록 치조정 골소실의 양이 적어진다는 사실을 보여주는 현상으로 판단했다.

매몰형-내부 연결형 임플란트 상부의 점막 두께가 두꺼우면 임상가들은 점막 관통부 높이가 높은 지대주를 사용할 것이고, 두께가 얇으면 높이가 낮은 지대주를 사용할 것이다. 또한 점막 두께가 두꺼우면 치조정 골소실량은 줄고, 두께가 얇으면 치조정 골소실량은 증가할 것이다. 결국 임플란트 식립부의 점막 두께는 지대주 높이와 치조정 골소실에 모두 영향을 미칠 수 있는 주요한 교란 요소가 될 수 있다(📷 2-25). 위의 단면연구에서도 지대주 점막 관통부 높이와 치조정 골소실량의 상관관계는 점막 두께라는 제3의 변인의 결과로 나타난 것일 수 있는 것이다. 이 연구에서 저자들은 점막의 두께를 측정하지는 않았지만, 지대주의 높이는 점막의 두께를 반영하는 것이기 때문에 지대주의 높이 자체보다는 점막 두께가 치조정 골소실의 양을 결정했을 것이라고 결론 내렸다. 2014년의 다른 후향적 연구에서도 지대주 점막 관통부 높이가 높아질수록 치조정 골소실량은 줄어든다는 사실을 보여주었지만, 역시 점막의 두께에 대한 직접적인 평가는 하지 않았다.[97] 이 연구의 저자들도 지대주 높이는 점막의 두께를 반영할 뿐이며, 지대주의 높이 자체보다는 점막의 두께가 치조정 골소실량을 결정하는 주요한 요소일 것이라고 결론 내렸다.

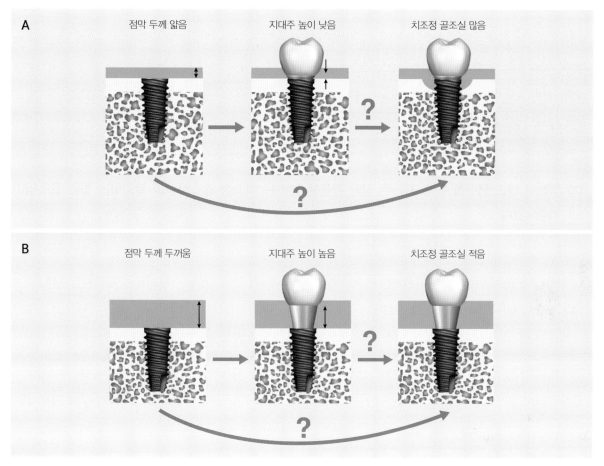

A
점막 두께 얇음   지대주 높이 낮음   치조정 골조실 많음

B
점막 두께 두꺼움   지대주 높이 높음   치조정 골조실 적음

📷 **2-25** 점막 두께는 지대주의 점막 관통부 길이와 치조정 골소실에 모두 영향을 미칠 수도 있다. 아니면 치조정 골소실의 양은 점막 두께와 무관하고 오직 지대주 점막 관통부의 길이가 치조정 골소실의 양에 결정적인 영향을 미칠 수도 있다. 그러나 앞의 연구를 통해서는 치조정 골소실의 양이 점막 두께에 따라 결정되는지, 점막 두께와는 무관하게 지대주 점막 관통부의 두께에 따라 결정되는지, 아니면 두 가지 요소 모두에 의해 결정되는지 알 수 없다.

(2) 후향적 추적 관찰연구에서 지대주 점막 관통부 높이는 그 자체로 치조정 골소실량을 결정짓는 원인 요소가 될 수 있음을 보였다.

2014년의 한 후향적 연구에서는 몇 가지 위험 요소가 임플란트 주위 치조골의 치조정 골소실량에 어떤 영향을 미치는지 평가했다.[98] 지대주 점막 관통부 높이, 흡연 여부, 골증강 여부, 치주염 이환 여부 등이 치조정 골소실량에 어떤 영향을 미칠 수 있는지 평가했는데, 지대주 점막 관통부 높이가 치조정 골소실량에 가장 주요한 영향을 미쳤다. 따라서 저자들은 지대주 점막 관통부 높이가 치조정 골소실량에 영향을 미치는 원인 요소가 될 수 있음을 추정하고, 매몰형–내부 연결형 임플란트를 사용할 때에는 지대주 점막 관통부 높이가 2 mm 이상인 것을 사용할 것을 추천했다. 같은 연구 그룹에서는 또 다른 대규모의 후향적 연구를 통해 platform switching 양보다는 지대주 점막 관통부의 높이가 치조정 골소실을 줄여주는 데 더 큰 영향을 미친다는 사실을 보여주었다.[99]

이들 후향적 연구에서는 지대주 점막 관통부 높이와 치조정 골소실의 선후 관계를 확인할 수 있었고, 따라서 지대주 점막 관통부 높이가 치조정 골소실의 원인 요소가 될 수 있음을 보여주었다. 그러나 위에서 언급한 근본적인 문제, 치조정 골소실량을 결정짓는 요소는 지대주 길이 자체가 아니라, 지대주 길이를 통해 간접적으로 측정된 점막의 두께인가는 아직 알 수 없는 상태였다. 이를 검증하기 위해서는 동일한 점막 두께를 보이는 부위에서 서로 다른 높이의 지대주를 임플란트에 연결하고, 이후 발생한 치조정 골소실의 양을 비교해 보아야만 한다. 이를 위해선 실험 연구가 필요하다.

(3) 무작위 대조 연구를 통해 지대주 점막 관통부 높이는 치조정 골소실량을 결정짓는 원인 요소임이 검증되었다.

2010년대 말에 두 연구 그룹에서는 서로 독립적으로 점막 두께의 영향을 제한하고 지대주 높이에 차이를 둔 무작위 대조 연구를 각각 시행했다. 스페인 그룹에서 시행한 연구에서는 먼저 임플란트 상방의 점막 두께가 3 mm 이상인 증례에서 임플란트 매식체의 변연부를 치조정 높이와 일치하도록 임플란트를 식립하고, 보철 부하 6개월 후까지의 치조정 골소실량을 측정했다.[100] 그리고 그 결과 점막 관통부 높이가 1 mm인 지대주를 사용했을 때에는 평균 치조정 골소실량이 0.91±0.19 mm였고, 3 mm인 지대주를 사용했을 때에는 0.11±0.09 mm였으며 이는 유의한 차이를 보이는 것이었다. 두 번째 연구에서는 점막 두께가 2 mm 이하인 증례에서 치조정 높이에 맞게 임플란트를 식립한 후 점막 관통부 높이가 1 mm인 지대주를 연결한 경우와 치조정 2 mm 하방 높이로 임플란트를 식립한 후 3 mm 높이인 지대주를 연결한 경우를 비교했다.[101] 이 연구에서도 보철 12개월 후 치조정 골소실량은 1 mm 지대주를 사용했을 때 0.95±0.88 mm, 3 mm 지대주를 사용했을 때 0.12±0.33 mm로 유의한 차이를 보였다. 결국 점막 두께와는 상관없이 지대주의 점막 관통부 높이가 1 mm이면 1년 후 대략 1 mm에 가까운 치조정 골소실을, 3 mm이면 0.1 mm 정도의 치조정 골소실을 보인 것이다(📷 2-26, 🗂 2-15).

이탈리아 그룹에서 시행한 무작위 대조 연구도 위의 연구와 비슷한 구조로 시행했다.[102] 이 연구에서도 임플란트 매식체를 치조정 골 높이에 맞게 식립하면 1 mm보다는 3 mm 높이의 점막 관통부 높이를 지닌 지대주를 사용했을 때 치조정 골소실량이 훨씬 적었으며, 점막 두께는 치조정 골소실량에 거의 영향을 미치지 못했다 (🗂 2-16).

그럼 이제 매몰형-내부 연결형 임플란트 매식체를 이용했을 때 지대주의 점막 관통부 높이는 치조정 골소실을 결정하는 원인 요소 중 하나라고 결론 내릴 수 있을까? 답은 "그렇다"이다. 앞서 근거 중심 치의학의 철학적 배경에서 설명했지만, 근거 중심 치의학은 병태 생리학적 설명보다는 실제 현상으로 나타나는 원인-결과의 관계를 훨씬 중요하게 생각한다. 따라서 우리가 아직 지대주의 점막 관통부 높이가 왜 치조정 골소실의 양에 영향을 미치는지 명확히 알지 못한다고 해도 전자가 후자의 원인이라는 점에 대해서는 확신을 가지고 긍정할 수 있는 것이다.

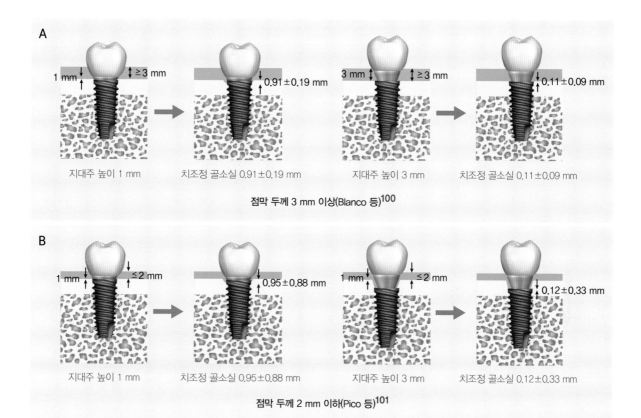

A

지대주 높이 1 mm · 치조정 골소실 0.91±0.19 mm · 지대주 높이 3 mm · 치조정 골소실 0.11±0.09 mm

점막 두께 3 mm 이상(Blanco 등)[100]

B

지대주 높이 1 mm · 치조정 골소실 0.95±0.88 mm · 지대주 높이 3 mm · 치조정 골소실 0.12±0.33 mm

점막 두께 2 mm 이하(Pico 등)[101]

📷 **2-26** 한 연구 그룹에서 시행하여 발표한 두 무작위 대조 연구 결과를 통해 점막의 두께는 치조정 골소실 양에 거의 영향을 미치지 못하고 오직 지대주 점막 관통부의 길이가 치조정 골소실의 양에 유의한 영향을 미친다는 사실을 알 수 있었다. 점막 두께가 3 mm 이상 **(A)**이거나 2 mm 이하**(B)**일 때 동일한 점막 관통부 높이를 지닌 지대주를 사용하면 치조정 골소실의 양은 비슷했다. 그러나 점막 두께와는 무관하게 점막 관통부 높이가 1 mm인 지대주를 사용하면 1년 후 대략 1 mm에 근접하는 골소실을, 3 mm인 지대주를 사용하면 대략 0.1 mm 정도의 골소실을 보였다.

📊 **2-15 지대주 점막 관통부 높이와 치조정 골소실량의 관계**

연구	Blanco 등, 2018[100]		Pico 등, 2019[101]	
점막 두께	점막 두께 ≥ 3 mm		점막 두께 ≤ 2 mm	
임플란트 식립 깊이	치조정 높이에 식립		치조정 높이에 식립	치조정 2 mm 하방에 식립
지대주 점막 관통부 높이	1 mm (n=11)	3 mm (n=10)	1 mm (n=34)	3 mm (n=32)
3개월 후	0.83±0.19	0.14±0.08	0.76±0.79	0.06±0.21
6개월 후	0.91±0.19	0.11±0.09	0.92±0.88	0.07±0.22
12개월 후			0.95±0.88	0.12±0.33

표 2-16 점막 두께 및 지대주의 점막 관통부 높이와 치조정 골소실량의 관계

점막 두께	점막 두께 ≤ 2 mm		점막 두께 > 2 mm	
지대주 점막 관통부 높이	1 mm (n=15)	3 mm (n=14)	1 mm (n=19)	3 mm (n=18)
4개월 후	0.09±0.03	0.11±0.04	0.14±0.03	0.12±0.03
10개월 후	0.58±0.09	0.31±0.08	0.62±0.08	0.33±0.05
16개월 후	0.67±0.11	0.35±0.09	0.70±0.01	0.33±0.05

지대주의 점막 관통부 높이가 높아질수록 치조정 골소실이 적어진다는 이러한 현상은, 단면연구에서 관찰된 단순한 상관관계에서 시작하여 교란 요소인 점막 두께를 잘 통제한 무작위 대조 연구까지 이어지면서 완전히 검증되었다. 이를 통해 낮은 근거 수준의 연구에서 새로운 치료나 예후 요소에 대한 아이디어를 찾아내고, 높은 근거 수준의 연구를 통해 이를 검증해내는 일련의 과정을 잘 이해할 수 있게 되었다.

(4) 후기: 그래서 지대주의 점막 관통부 높이가 높으면 왜 치조정 골소실량이 줄어드는가?

지대주 점막 관통부 높이와 치조정 골소실량이 명확한 인과관계를 이룬다는 사실을 알게 됐고, 이 사실만이 우리의 치료에 있어 중요한 사항이다. 그러나 우리는 이러한 인과관계를 병리생태학적으로 설명해 줄 수 있는 이론을 필요로 한다. 인간은 현상의 "인과관계"에 집착하는 동물이고, 왜 이러한 인과관계가 성립하는지 본능적으로 궁금해하는 존재이기 때문이다. 또한 지대주의 점막 관통부 높이–치조정 골소실의 관계에 대한 병태생리학적 지식을 얻게 된다면, 이러한 지식을 응용해서 더 많은 치료 방법을 개선시킬 수 있을 것이다.

매몰형–내부 연결형 임플란트에서 지대주의 점막 관통부 길이가 치조정 골소실을 결정짓는다는 것은 이제 확실한 근거를 갖는 사실이라고 볼 수 있다. 적어도 매몰형–내부 연결형 임플란트에서 점막 두께는 치조정 골소실 양을 결정짓는 데 별다른 영향을 미치지 못한다. 이러한 현상은 어떻게 설명 가능할까? 매몰형 임플란트의 일종인 외부 연결형 임플란트에서는 매식체–지대주 사이에 존재하는 미세틈(microgap)이 치조정 골소실을 유발하는 가장 중요한 요소로 생각되어 왔다.[103] 미세틈에는 만성적으로 세균이 서식하고 있는데, 이에 저항하는 신체의 반응으로 대략 최대 1.5 mm 정도의 염증 조직을 포함한 연조직이 이 미세틈을 둘러싸는 것으로 생각된다(📷 2-27). 결국 이러한 미세틈의 위치, 즉 수직적으로는 임플란트의 식립 깊이, 수평적으로는 매식체 표면과 지대주 표면 사이의 거리는 외부 연결형 임플란트를 식립한 후 치조정 골소실의 양을 결정하는 가장 중요한 요소가 된다.

반면 내부 연결형 임플란트에서는 매식체–지대주 결합부가 외부 연결형 임플란트에 비해 훨씬 긴밀하게 접합되어 있다. 따라서 이 부위에는 세균이 잘 군집하지 못하고, 오히려 지대주–금관 변연의 결합부가 만성 염증을 유발하는 세균의 서식처가 될 수 있다(📷 2-28). 외부 연결형 임플란트에서 미세틈 주변으로 1.5 mm 폭의

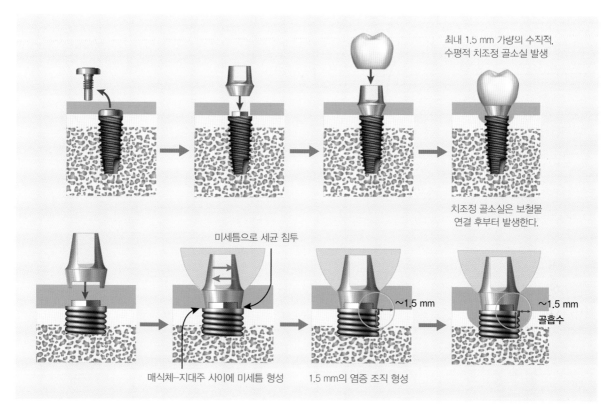

최내 1.5 mm 가량의 수직적, 수평적 치조정 골소실 발생

치조정 골소실은 보철물 연결 후부터 발생한다.

미세틈으로 세균 침투

~1.5 mm

~1.5 mm

골흡수

매식체-지대주 사이에 미세틈 형성

1.5 mm의 염증 조직 형성

📷 **2-27** 전통적인 매몰형-외부 연결형 임플란트는 매식체와 지대주 연결부가 내부 연결형 임플란트처럼 밀접하게 접촉할 수 없으며 따라서 미세한 틈이 존재하게 된다. 이러한 미세틈은 세균의 서식지가 되어 주변 조직에 만성 염증을 유발하는 것으로 생각된다. 만성 염증 조직은 미세틈을 중심으로 최대 1.5 mm의 원을 그리며 형성되고, 따라서 치조정 골은 만성 염증 조직으로 대체되면서 흡수되는 것이다.

염증성 조직이 형성된 것처럼, 내부 연결형 임플란트에서는 지대주-금관 변연 주변으로 최대 1.5 mm의 염증성 조직을 위한 공간이 필요할 수 있다. 결국 최소한 지대주-금관 변연에서 치조정골까지의 거리가 1.5 mm 이상이 되면 치조정 골소실을 효율적으로 예방할 수 있게 된다는 이론적인 결론을 얻을 수 있다. 그리고 이 거리를 일정하게 유지하려면 매식체의 식립 깊이가 깊어짐에 따라 지대주 점막 관통부 높이를 증가시켜야만 한다. 즉, 매몰형-내부 연결형 임플란트 식립 후 치조정 골소실을 최소화하려면 "임플란트 식립 깊이"+1.5 mm 길이보다 긴 점막 관통부 높이를 갖는 지대주를 연결해 주어야 한다.

그러나 지대주 점막 관통부의 높이가 높아진다고 해서 무조건 유리한 점만 있는 것은 아니다. 매몰형-내부 연결형 임플란트를 사용했을 때 지대주 점막 관통부의 길이가 3 mm를 초과하면 지대주 나사 풀림 등의 보철적 합병증이 발생하는 빈도가 증가한다. 한 후향적 분석에서는 지대주 길이 3.89 mm가 보철적 합병증 발생이 증가하는 통계학적 기준점이 되었다고 보고했다.[104] 따라서 매몰형-내부 연결형 임플란트에서 치조정 골소실 량과 보철적 합병증 발생 가능성을 최소화할 수 있는 최적의 지대주 점막 관통부 높이는 임플란트 식립 깊이와 점막의 두께에 따라 달라지지만 대략 3 mm 내외라는 점을 알 수 있다.

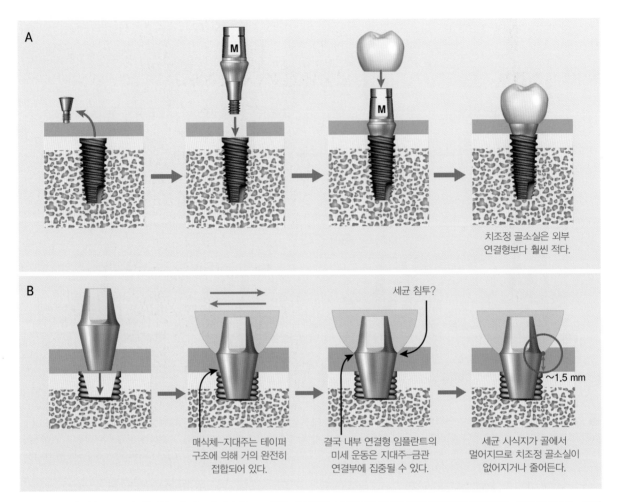

치조정 골소실은 외부
연결형보다 훨씬 적다.

세균 침투?

~1.5 mm

매식체-지대주는 테이퍼
구조에 의해 거의 완전히
접합되어 있다.

결국 내부 연결형 임플란트의
미세 운동은 지대주-금관
연결부에 집중될 수 있다.

세균 시식지가 골에서
멀어지므로 치조정 골소실이
없어지거나 줄어든다.

📷 **2-28** 매몰형-내부 연결형 임플란트는 테이퍼 구조로 인해 매식체와 지대주 연결부가 훨씬 긴밀하게 연결된다. 이에 따라 기능 부하 시 가해지는 힘을 지대주-금관 연결부의 미세한 움직임으로 분산할 수 있게 된다. 따라서 이로 인해 발생한 틈이 세균의 서식지가 될 수 있을 것이다. 결국 지대주 점막 관통부의 길이가 길어질수록 염증 유발 부위는 치조정 골에서 멀어지고, 따라서 치조정 골소실의 양은 감소할 수 있게 된다.

6.
체계적 문헌 고찰과 메타분석

지금까지 여러 가지 임상 연구에 대해 자세히 살펴보았다. 이들 임상 연구는 저자들이 궁금한 특정 질문에 대답하기 위해 자신들이 모은 자료나 실험 결과를 이용해 직접 결과를 도출한 것이다. 이러한 연구들은 원저(original article), 혹은 일차 연구(primary study)라고 한다. 그리고 고찰 연구(review article), 혹은 이차 연구(secondary study)라고 불리는 또 다른 종류의 연구가 있다. 고찰 연구는 일차 연구들의 결과를 통합해서 보고하는 것이므로 통합적 연구(Integrative studies)라고도 부른다. 체계적 문헌 고찰(systematic review)은 대표적인 통합적 연구이며 그 하위 개념인 메타분석은 가장 높은 근거 수준의 연구로 간주된다.

1) 체계적 문헌 고찰과 메타분석의 개요

(1) 체계적 문헌 고찰과 메타분석은 전문가들이 일차 연구들의 근거를 찾아내고 분석한 후 결합한 것이다.

우리가 어떤 문제에 대한 근거가 필요할 때 가장 좋은 방법은 이 문제에 대한 원저를 샅샅이 찾아보고 개별 문헌의 근거를 직접 분석해보는 것이다. 그러나 현재 치의학 문헌은 개인이 이를 일일이 시행할 수 없을 정도로 폭발적으로 증가하고 있는데 반해 우리의 시간과 노력에는 한계가 있다. 고찰 연구는 개별 임상 연구를 일일이 읽고 분석하기 힘든 우리 임상가들의 수고를 줄이고, 특정 주제에 대한 현재의 임상적 근거를 요약하기 위한 목적으로 시행되는 것이다. 고찰 연구는 크게 비체계적인 방법과 체계적인 방법(체계적 문헌 고찰, 메타분석)으로 구분할 수 있다.

- 고전적인 비체계적 고찰(narrative reviews)은 그 분야의 전문가가 작성하는 경우가 일반적이다. 주어진 주제에 대하여 근거를 질적으로, 서술적으로 요약한다. 대부분 정보를 수집하고 해석하는 데 있어 비공식적이고 주관적인 방법을 사용한다. 따라서 고전적인 문헌 고찰에서는 편향이 개입되어 있을 가능성이 굉장히 높다.
- 체계적 고찰은 특정 주제에 대한 연구 모두에 대해 포괄적(comprehensive)이고 재현 가능한 방법으로 검색을 하고, 미리 결정된 통계학적이고 명시적인 방법으로 이를 결합한다. 간단하게 말해서 체계적 고찰은 전문가들이 근거 중심 치의학적 과정을 통해 특정 주제의 임상 근거를 찾고 평가한 후 결과를 객관적, 양적, 통계학적으로 요약한 것이라고 생각하면 된다.

체계적 고찰은 "체계적 문헌 고찰(systematic review)"이라고 부르며 "메타분석"은 체계적 문헌 고찰의 하위 개념이다.[105] 체계적 문헌 고찰은 "특정한 주제에 관하여 연관된 모든 연구물의 체계적 결합, 예리한 평가, 그리고 결합을 통하여 편향을 줄이는 과학적인 전략의 적용"으로 정의될 수 있다. 이는 확고한 목적 하에서 재현 가능하고 명백한 방법론에 의해 일차 연구를 찾고 그 결과를 결합하는 것이다. 따라서 체계적 문헌 고찰에서는 편향과 확률적 오차(random error)를 줄이는 방법을 사용하여 다양한 연구의 결과를 객관적으로 통합한다.

메타분석은 체계적 고찰을 통해 찾아낸 일차 문헌의 결과들을 양적, 통계적으로 통합하기 위한 방법이다. 메타분석에서는 체계적 분석으로 각 연구 결과로부터 얻은 효과 크기(effect size)의 추정값, 즉 평균차, 상대적 위험도, 오즈비 등의 자료를 통계적 기법을 사용하여 결합하고 종합적인 결론을 얻는다. 대체적으로 체계적 문헌 고찰에 포함된 문헌들의 이질성이 크거나 연구 결과가 명확히 제시되지 못한 경우에는 자료를 통계학적으로 결합하기 힘들기 때문에 메타분석을 시행하지 않으며, 일차 문헌들의 이질성이 적은 경우에는 메타분석을 시행한다.

(2) 잘 디자인되고 수행된 체계적 문헌 고찰/메타분석은 가장 높은 수준의 임상적 근거가 된다.

체계적 문헌 고찰은 다음의 장점이 있다.

① 객관적이며 편향이나 오류의 가능성이 상대적으로 적다.

② 문헌 검색이 포괄적이며 철저하고 재현 가능하다.

③ 사용한 방법을 명백히 기술한다.

④ 일차 연구 선택 기준이 명시적이고 연구의 질 평가에 대한 고찰이 있다.

⑤ 수를 세기보다는 양적으로 결합하고 자료를 모으기 때문에 작은 치료 효과도 발견할 수 있다.

⑥ 독자나 다른 연구자가 체계적 문헌 고찰과 메타분석의 과정을 재현할 수 있다.

무작위 대조 연구에 대한 체계적 고찰과 메타분석은 일반적으로 가장 높은 수준의 근거로 여겨지고 있지만 잘 수행된 단일 무작위 대조 연구보다 메타분석이 근거의 질이 더 높은지는 여전히 논쟁의 대상으로 남아 있다.[106-108] 따라서 사전에 철저하게 준비하고 치밀하게 수행해야 메타분석으로써의 가치가 있다고 생각된다. 그래서 무작위 대조 연구에 대한 체계적 문헌 고찰/메타분석의 경우에는 "Preferred Reporting Items for Systematic review and Meta-Analysis" (PRISMA),[109] 그리고 비교 관찰연구에 대한 무작위 대조 연구/메타분석 경우에는 "Meta-analysis of Observational Studies in Epidemiology" (MOOSE)[110]와 같은 표준 방법이 만들어졌다.

2) 체계적 문헌 고찰/메타 메타분석은 어떠한 구조로 이루어져 있는가?

메타분석은 우리가 임상 문헌을 진료에 적용하는 과정인 "질문하기-근거 검색-비판적 평가"에 기반하여 이루어진다. 위에서 언급한 대로 메타분석과 체계적 고찰의 효율성을 높이고 좀 더 공정하면서도 편향성이 적은 결과를 이끌어내기 위해 체계적 고찰/메타분석의 표준적인 보고 방법이 제안되었는데, 이를 PRISMA라고 한다.[109] 이는 하나의 순서도(flow diagram)와 27개의 아이템으로 이루어져 있다. 2015년에는 좀 더 간소화된 형태인 PRISMA-P가 제시되었으며, 이는 17개의 아이템으로 이루어져 있다.[111] 체계적 문헌 고찰/메타분석을 시행할 때에는 이들 아이템을 모두 포함하고 각 아이템 별 추천 사항을 따른다. 여기에서는 PRISMA의 주요 내용을 중심으로 메타분석에 대해 간략하게 설명하도록 한다. 2018년 EAO Consensus Conference의 일환으로 수행된 "자연 치열 내에 위치한 임플란트 지지 수복물의 침하(infraposition)와 접촉점(contact point) 상실의 빈도: 체계적 문헌 고찰 및 메타분석"을 그 예로써 사용할 것이다(이 연구 결과물의 내용과 그림은 어떠한 형태의 저작물에도 사용 가능하도록 개방되어 있다).[112]

(1) 구체적 질문 만들기

근거 중심 치의학에서 구체적 질문을 만드는 과정은 중요하다. 근거 중심 치의학에서는 우리가 근거를 검색할 때 항상 어떤 특정한 임상적 주제를 먼저 설정할 것을 요구한다. 근거 중심 치의학적 질문은 Patient, Intervention, Comparison, Outcome 등 네 가지 요소(PICO)를 포함하고 있다(이에 대해서는 다음 장에서 다시 자세히 설명할 것이다). 이 연구에서는 다음과 같은 질문을 작성했다.

"청소년 및 성인의 잔존 치열 내 자연치 사이에서 기능하는 골유착 임플란트의 부작용, 특히 침하(Implant InfraPosition, IIP)와 인접면 접촉점 상실(Proximal Contact Point loss, PCP loss)의 속도와 정도는 어떻게 되는가?"

이 연구의 일차 결과(primary outcome)는 침하가 발생한 증례의 빈도였으며, 침하량의 평균, 1 mm 이상 침하된 증례의 빈도 또한 평가했다. 또한 인접면 접촉점 상실은 증례의 빈도만을 평가했다.

(2) 문헌 검색

① 포함 기준 및 배제 기준 설정

연구 질문에 대한 PICO가 결정되면 이를 조합하여 검색어를 작성하고 이에 부합하는 일차 문헌을 검색한다. 검색된 모든 문헌은 그 주제나 근거의 수준이 체계적 고찰에 부합하는 것은 아니기 때문에 특정한 선택 기준과 배제 기준에 따라 고찰/메타분석에 포함시킬 일차 문헌을 선택한다. 이때 문헌을 검색한 후에 이러한 선택/배제 기준을 설정하면 편향이 개입될 수 있기 때문에 검색을 실제로 수행하기 이전 계획 단계에서 이를 설정한다. 선택과 배제 기준은 논리적으로 서술되어야 하며, 찾아낸 일차 문헌이 배제기준 중 하나라도 해당되면 그 문헌은 배제한다. 만약 연구의 포함 범위를 너무 광범위하게 설정하면 포괄적이며 외적 타당도가 증가하나 추출된 일차 연구가 방대하여 자료의 비교 합성에 어려움이 있으며, 범위를 너무 축소하면 고찰을 수행하기 용이하나 연구 결과를 일반화하는 데 어려움이 있을 수 있다.[113,114]

이 메타분석의 포함 기준과 배제 기준은 다음과 같았다.

포함 기준

이 메타분석에서는 연구의 포함 기준을 굉장히 광범위하게 잡았으며 연령, 성별, 인종에 상관없이 하나 이상의 임플란트를 자연 치열 내에 식립하고 나서 추적 관찰 중에 임플란트 보철물의 침하나 접촉점 상실을 평가한 무작위/비무작위 임상 연구를 포함했다.

배제 기준

배제 기준은 비임상 연구, 증례 보고, 동물 연구, 임플란트 지지 오버덴처/치아-임플란트 지지 보철물에 대한 연구, 6개월 미만의 경과 관찰을 시행한 연구로 설정했다.

② 문헌의 검색

문헌을 검색하는 전략은 가능한 한 투명하고 다시 재현할 수 있도록 서술되고 시행되어야 한다. PICO에서 검색어 목록을 작성하고 포함 기준과 배제 기준을 설정한 후에는 여러 서지 정보 데이터 베이스에서 일차 문헌을 검색한다. 문헌의 검색 전략은 "민감하고 광범위한 검색"과 "특정적이고 좁은 검색"으로 나눌 수 있는데, 체계적 문헌 고찰에서는 검색 중 편향이 발생할 가능성을 최소화하기 위해 가급적 "민감하고 광범위한 검색" 전략을 취한다. MEDLINE은 가장 큰 데이터 베이스지만 주로 영어로 작성된 논문과 미국에서 출판된 논문이 수록되어 있으므로 다른 데이터 베이스에서도 일차 문헌을 찾아내야 한다. Scottish Intercollegiate Guidelines Network (SIGN) 기준에 따라 체계적 문헌 고찰을 위한 검색의 편향을 최소화하기 위해 MEDLINE, EMBASE, CINAHL 및 Cochrane Library 데이터베이스 등을 검색한다. 일반적인 데이터베이스로 검색하였을 때 정보가 충분하지 않은 경우 더 많은 정보를 수집하기 위해 수기 검색으로 검색하기도 한다. 수기 검색은 찾은 일차 문헌에서 인용한 참고문헌을 통하여 얻을 수 있으며 과학 문헌 인용 색인을 이용하여 검색할 수도 있다. 서지 정보를 통해서도 출판정보가 나타나지 않아 확인이 어려운 문헌을 통칭하는 회색문헌(gray literature)으로는 학위 논문, 진행중인 연구, 학회 자료집, 연구 보고서 등이 있다. 출판 편향을 줄이기 위해 회색 문헌의 검토 여부를 결정한다.

이 메타분석에서는 2018년 1월 10일까지 출판된 문헌을 검색했으며 데이터 베이스로는 MEDLINE, Cochrane Database of Systematic Reviews, Cochrane Central Register of Controlled Trials, EMBASE, Virtual Health Library, Scopus, Web of Knowledge가 이용됐다. 추가적으로 Google Scholar, International Standard Registered Clinical/social sTudy Number Registry, Directory of Open Access Journals, Digital Dissertations, metaRegister of Controlled Trials, ClinicalTrials와 검색된 문헌들의 참고문헌들을 검색했다.

③ 검색의 편향

무작위 대조 연구나 비교 관찰연구 중 일부는 출판되지 못하여 문헌 검색에 누락될 때 출판 편향이 생길 수 있다. 출판되지 못한, 유의성이 부족했던 결과를 보인 연구물을 제외하고 분석하게 되는 경우 체계적 문헌 고찰/메타분석의 결과는 훨씬 더 과장될 수 있으므로 주의해야 한다.[115] 그 결과가 통계학적으로 유의한 차이를 보이는 연구는 무의식적으로 더 가치 있는 것으로 간주되어 학술지에 개재될 가능성이 높다.[116-118] 또한 이러한 연구는 출간될 때까지 소요되는 시간이 짧으며 검색될 확률도 높다.[117] 반면 출간되지 않은 연구물은 검색해 내기가 어렵다. 이러한 이유로 출간된 연구 결과를 결합하는 메타분석에서는 분석 결과가 실제보다 과장되어 나타날 수 있다. 통계적으로 유의한 결과는 주로 영어로 출판되는 저널에 개재될 가능성이 높고(언어 편향), 다른 저널에 중복 출판될 가능성도 높으며(중복 출판 편향), 다른 논문에서 인용될 확률도 높다(문헌 참고 편향).[118] 이러한 편향은 모두 출판 편향과 관련된 특성으로 나타나며, 문헌 고찰/메타분석의 결과에 영향을 미칠 수 있으므로 결론과 추론을 이끌어낼 때 반드시 고려해야 한다.[119]

영어를 공용어로 사용하지 않는 국가에서 수행된 연구물이 통계적으로 유의한 결과를 보인 경우, 영어로 쓰인 저널에 더 잘 게재되는 경우에 언어 편향이 생길 수 있다.[120] 그러므로 메타분석에서 영어로 쓰인 연구물만 포함하는 경우 결합 효과의 크기가 왜곡되게 과장될 수 있다.[120] 만약 저널들이 긍정적인 결과를 보인 연구물을 더 많이 게재하면 연구자들은 부정적인 결과를 보인 연구물들을 투고하지 않으려 할 것이다.[116] 또한 출간되지 못한 연구들은 연구 디자인이 부실하여 분석에서 제외되었을 가능성도 있을 수 있다. 그러나 긍정적인 결과를 보인 연구가 그렇지 않은 연구보다 더 좋은 디자인을 보인다는 근거는 없다.[116] 따라서 체계적 문헌 고찰/메타분석에서는 굉장히 철저한 검색이 요구된다. 또한 메타분석의 결과는 실제 효과보다 더 과장되게 나타날 가능성이 항상 존재하며 광범위한 검색이 이루어지지 못했을 때 그 가능성이 더 증가한다는 점은 명심하고 있어야 한다.

(3) 문헌의 선택

검색된 일차 문헌은 앞서 설정한 포함 기준/배제 기준에 따라 체계적 문헌 고찰/메타분석에 포함시킬지 여부를 결정한다. 연구의 선택은 두 단계를 거치는데, 첫째로 제목과 초록을 일단 확인한 후 포함될 연구를 선택한다. 둘째로 제목과 초록만으로는 포함시킬 수 있을지 여부를 결정할 수 없는 경우 본문을 직접 확인한 후 포함 여부를 결정한다. 한 명의 평가자가 연구를 선택할 경우 약 8%의 누락이 있을 수 있는데 비해 두 명의 평가자가 독립적으로 수행할 경우에는 해당하는 모든 연구물을 찾을 수 있다고 한다.[121] 따라서 보통은 두 명의 평가자가 참여하여 독립적으로 문헌 선택을 수행한 뒤 일치(inter-assessor reliability) 여부를 kappa 통계를 통하여 확인하고 전문가의 자문과 함께 최종적으로 문헌을 선택한다.[122] PRISMA에서는 문헌의 검색과 선택 과정을 하나의 흐름도로 제시할 것을 추천한다.

이 연구에서는 첫 검색으로 579개의 일차 문헌을 찾아냈고 중복 문헌 배제, 제목과 초록 단계에서의 배제, 본문 단계에서의 배제를 통해 총 34개의 일차 문헌을 최종적으로 포함시켰다. 이들 일차 문헌 중 중복된 것을 하나의 연구로 간주하여 27건의 연구가 체계적 고찰에 포함됐다(📷 2-29).

(4) 개별 문헌의 특성과 편향 위험도 평가

개별 일차 연구의 편향은 문헌 고찰/메타분석 결과의 신뢰도에 영향을 줄 수 있으므로 개별 연구의 질을 평가하여야 한다. 앞서 설명한 바와 같이 연구의 질은 대체로 편향의 정도와 반비례 관계에 있다. 모든 논문의 주장이 다 객관적인 근거가 있는 것은 아니므로 객관적인 결과에 영향을 주는 편향이 개입될 가능성이 있다. 내적 타당성에 영향을 줄 수 있는 네 가지 편향, 즉 선택 편향, 실행 편향, 탈락 편향, 결과 확인 편향 등을 확인한다. 연구자들은 가능한 많은 연구물을 포함시키기를 원하지만 질이 낮은 연구는 메타분석에서 제외하는 것이 적은 자료로 더 완벽한 분석을 할 수 있게 한다.[123] 질을 평가하는 여러 종류의 방법이 개발되어 왔으며 크게 두 가지로 나뉜다.[124] 점검 목록 방식(checklist)은 여러 항목 중 몇 가지 항목에서 만족할 만한 질을 지니는지 평가하는 것이고, 척도 방식(scale)은 연구에서의 편향을 정량화하는 데 도움이 된다.

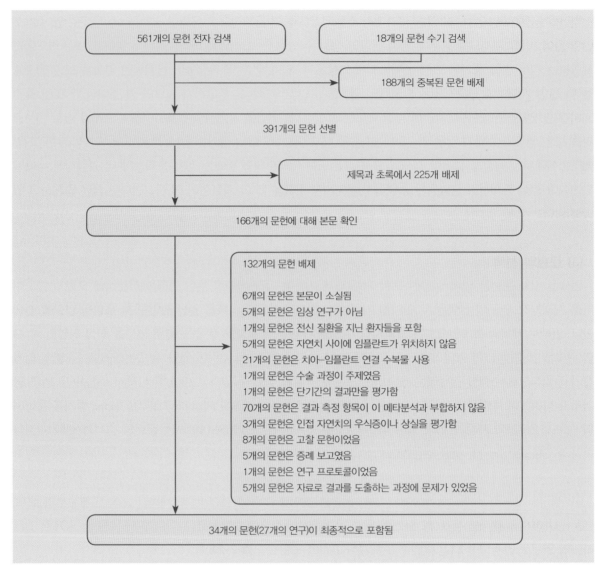

📷 **2-29** 실험 연구에서 연구 참여 환자의 흐름도를 제시한 것처럼 체계적 문헌 고찰/메타분석에서는 여기에 포함된 일차 연구에 대한 흐름도를 제시해야 한다.[112] 이는 체계적 문헌 고찰/메타분석에 포함된 일차 연구가 어떻게 선별되었는지 독자가 파악하기 쉽게 해주고 체계적 문헌 고찰/메타분석의 진행 과정을 투명하고 재현 가능하게 제시하도록 한다.

이 연구에서는 무작위 대조 연구는 하나도 포함되지 못했으며 4개(15%)의 문헌은 전향적 비무작위 연구였고 나머지는 후향적 연구이거나 불분명한 디자인의 연구였다. 연구에 포함된 총 환자 수는 1,572명 이상이었고 총 7,835개 이상의 임플란트가 분석에 이용됐다. 편향의 위험도는 코호트 연구를 위한 변형 뉴캐슬-오타와 척도를 이용해 평가했다. 편향 위험도는 모든 연구에서 높았고, 특히 포함된 연구 중 93%에서 결과 측정 시 맹검이 전혀 이루어지지 않았다. 또한 결과 측정 방법의 신뢰도 평가와 연구 참여자 수 선정에서 많은 편향이 개입되었다. 따라서 이 주제에 관한 기존의 일차 문헌들과 이 메타분석의 근거 수준은 극히 낮다고 결론 내릴 수 있었다. 따라서 저자들은 이 메타분석의 신뢰도는 낮기 때문에 후속 연구를 통해 좀 더 수준 높은 근거를 축적해야만 한다고 했다.

(5) 이질성 조사(exploring heterogeneity)

이질성이란 결합하고자 하는 일차 연구들의 다양성으로 인하여 생기는 차이를 의미한다. 개별 일차 연구들은 연구 수행 시의 임상적 차이나 연구 방법론적인 차이로 인해 그 결과가 다양하게 나타날 수 있다. 임상적 차이는 연구가 이루어진 지역, 연구 대상 환자들의 특성, 연구에 이용된 처치 방법의 양이나 강도, 실제 수행된 외과적 방법의 차이 등에 의해 발생하며, 방법론적인 차이는 연구 디자인, 연구가 실제로 얼마나 철저히 수행되었는지의 정도, 결과를 분석한 방법의 차이 등에 기인한다. 만약 분석에 포함된 일차 연구들의 결과가 너무 이질적이라면 이들 결과를 결합한 효과 추정치는 가치가 떨어질 수밖에 없다. 따라서 이질성이 크다면 이질성의 원인을 알아야 하며 원인을 밝힐 수 없을 경우 결합된 효과 추정치를 제시하지 말아야 한다.

이 메타분석에서는 일차 연구들의 결과에 있어 이질성이 극히 높았다고 했다. 그리고 개별 연구에 따른 환자, 임플란트, 연구 디자인 특성의 차이가 이러한 이질성에 영향을 미치는지 분석했다. 그 결과 침하 현상은 상악에 식립된 임플란트에서 유의하게 더 많이 발생했으며, 침하의 속도는 환자 연령, 성별, 상악/하악, 추적 관찰 기간과 유의한 상관성을 보였다. 침하의 양은 젊은 환자에서, 여성에서, 전치부에서, 추적 기간이 길수록 증가했으며 침하의 양은 1년마다 평균 0.05 mm씩 증가했다. 한편 접촉점 상실에 대해서는 단 하나의 연구에서만 결과에 영향을 미칠 수 있는 요소를 평가했으며 60세 이상의 환자 연령, 낮은 골밀도, 인접 자연치가 단근치/높은 동요도/치조정 골상실을 보임/측방 교합 유도에 참여함의 소견을 보일 때 증가하는 경향을 보였다고 했다.

(6) 자료의 추출, 합성, 분석과 결과의 보고

개별 연구에서 결과의 측정치나 결과에 대한 통계학적 방법은 다르기 때문에 이들을 통합하여 제시하기 위해서는 개별 일차 연구의 결과를 통계에 적합한 형태로 추출하고 추출된 결과들을 통합하여 합성한 후 분석해야 한다.[125] 개별 결과 자료를 통합하고 합성할 수 있다면 이를 메타분석하지만, 이 과정이 불가능하거나 어려운 경우에는 통합-합성을 그만두고 체계적 고찰로 분석을 종료할 수 있다.

결과의 합성은 기술적 합성과 양적 합성으로 나눌 수 있다. 기술적 합성에서는 각 문헌의 결과를 나열하고 해석의 유의점, 근거의 타당성, 이질성 등을 기술한다. 개별 연구의 결과를 양적으로 합성하려면 각 연구들에서 얻은 개별 결과의 특성을 파악해야 하며, 이는 개별 연구를 명확하게 서술적으로 요약하여야 알 수가 있다. 이는 서술적 고찰이 체계적 분석에서 반드시 필요한 이유이다.

메타분석에서는 양적 합성을 시행하며, 각 일차 연구들의 결과를 통합하여 합성하면 결과값의 실제 수치를 추정하는 정밀도와 검정력을 증가시킨다. 대부분의 메타분석은 먼저 각 일차 연구의 결과를 계산하고 분석한 뒤 일차 연구물의 통계치를 결합하여 전반적인 효과의 결합값을 얻는다. 이때 개별 연구의 결과를 단순히 1:1로 결합하지 않고 결과의 정밀도와 분산 정도에 따라 가중치를 두기도 한다.[106,123] 그러므로 대규모의 연구는 소규모의 연구에 비해 결합값에 더 많은 영향을 미칠 수 있다.[126] 각 연구의 가중치에 의해 얻은 결합값은 더욱 믿을 만하다. 메타분석의 결과는 보통 숲그림으로 제시해준다. 숲그림(forest plot)은 추정되는 효과의 크기(결과값)와 신뢰 구간, 그리고 요약 추정치를 한꺼번에 표시하는 중요한 그림이다.

이 메타분석의 일차 결과 항목인 침하의 발생 빈도에 대한 숲그림을 보자(📷 2-30). 연구에 따라 침하의 빈도는 굉장히 심한 이질성을 보인다는 사실을 알 수 있다. 그리고 평균 침하 발생 빈도는 50.46%임을 알 수 있다. 또한 이차 결과값들에 대한 분석 결과 평균 침하량은 0.58 mm (95% CI 0.33-0.83), 1 mm를 초과하는 침하의 발생 빈도는 20.84% (95% CI 8.35-37.09), 인접 접촉점 소실의 빈도는 46.31% (95% CI 32.52-60.40)이었다. 결국 전체 임플란트 보철물의 절반 정도는 교합 침하가 발생하며, 1 mm를 초과하는 심한 침하는 대략 1/5의 증례에서 발생하는 것으로 나타났다. 그리고 전체 증례의 절반 정도에서는 교합 접촉이 상실되는 결과를 보였다.

임플란트의 침하는 성장기 환자에서 악골 성장에 의해 발생하는 것으로 알려져 있다. 그러나 이 메타분석의 결과, 성장이 완료된 환자에서도 자연치의 느리지만 지속적인 정출에 의해 연간 평균 0.05 mm의 속도로 침하가 발생한다고 결론 내릴 수 있다(📷 2-31). 또한 남성보다는 여성에서 침하가 더 잘 발생하는데, 이는 여성에서 전방 안면 고경이 더 많이 증가하면서 하악이 후방 회전되는 현상에 의한 것으로 생각된다. 또한 인접 접촉점 상실도 치아의 지속적인 근심 이동에 의해 발생한다고 추측된다. 따라서 임플란트와 자연치 사이의 접촉점 상실은 주로 임플란트 근심면에서 발생한다.

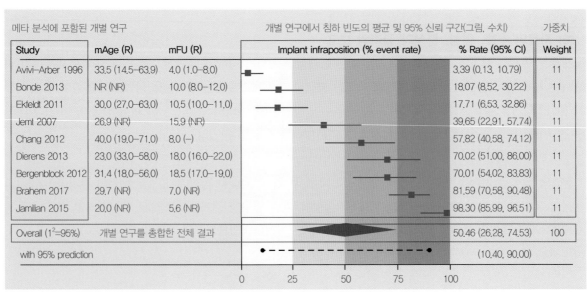

메타 분석에 포함된 개별 연구			개별 연구에서 침하 빈도의 평균 및 95% 신뢰 구간(그림, 수치)		가중치
Study	mAge (R)	mFU (R)	Implant infraposition (% event rate)	% Rate (95% CI)	Weight
Avivi-Arber 1996	33.5 (14.5-63.9)	4.0 (1.0-8.0)		3.39 (0.13, 10.79)	11
Bonde 2013	NR (NR)	10.0 (8.0-12.0)		18.07 (8.52, 30.22)	11
Ekfeldt 2011	30.0 (27.0-63.0)	10.5 (10.0-11.0)		17.71 (6.53, 32.86)	11
Jemt 2007	26.9 (NR)	15.9 (NR)		39.65 (22.91, 57.74)	11
Chang 2012	40.0 (19.0-71.0)	8.0 (-)		57.82 (40.58, 74.12)	11
Dierens 2013	23.0 (33.0-58.0)	18.0 (16.0-22.0)		70.02 (51.00, 86.00)	11
Bergenblock 2012	31.4 (18.0-56.0)	18.5 (17.0-19.0)		70.01 (54.02, 83.83)	11
Brahem 2017	29.7 (NR)	7.0 (NR)		81.59 (70.58, 90.48)	11
Jamilian 2015	20.0 (NR)	5.6 (NR)		98.30 (85.99, 96.51)	11
Overall (I²=95%)	개별 연구를 총합한 전체 결과			50.46 (26.28, 74.53)	100
with 95% prediction				(10.40, 90.00)	

📷 **2-30** 보통 메타분석의 결과는 숲그림으로 정리하여 제시한다. 이 메타분석에서도 포함된 일차 연구들의 개별 결과와 이를 총합한 결과를 숲그림으로 제시했다. 전체 결과를 보면 임플란트 보철물이 침하되는 빈도는 평균 50.45%이며, 95% CI (다이아몬드 형태의 좌우 폭)는 0과 만나지 않으므로 침하는 유의하게 발생함을 알 수 있다.

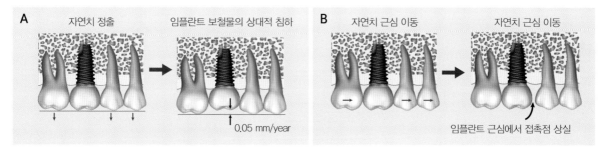

📷 2-31 **임플란트의 상대적 침하와 근심 접촉점 상실**
A. 임플란트의 침하는 성장이 완료된 환자에서도 발생한다. 자연치의 생리적 정출로 인해 임플란트는 상대적으로 침하된다. **B.** 자연치가 역시 생리적으로 근심 이동함에 따라 임플란트 근심 접촉점이 상실될 수 있다.

(7) 숲그림

숲그림은 여러 그루의 나무가 서있는 것처럼 보이기에 명명된 것이다. 세계적으로 가장 권위 있는 "근거 중심 의료" 기관인 코크란 연합(The Cochrane Collaboration)의 로고는 숲그림을 형상화한 것이다(📷 2-32). 그만큼 숲그림은 근거 중심적 사고에 있어 매우 상징적이고 중요한 그림이다. 메타분석의 결과는 결국 몇 개의 숲그림으로 모두 요약할 수 있게 된다.

숲그림에 대한 간단한 이해를 돕기 위해 5th EAO Consensus Conference에서 제시된 메타분석을 예로써 설명하도록 한다. 이 메타분석에서는(골다공증 치료를 위한 소량의) 비스포스포네이트 복용이 임플란트 실패에 미치는 영향을 평가했다(이 메타분석 또한 저작물에 대한 모든 사용을 허가했다).[127] 숲그림은 기본적으로 개별 연구의 결과를 나열하고 이를 통합한 결과를 제시하는 것이다. 이 예의 그림에서 상단의 각 항목은 다음과 같다(📷 2-33).

📷 2-32 **코크란 연합의 로고** 숲그림을 형상화한 것이다.

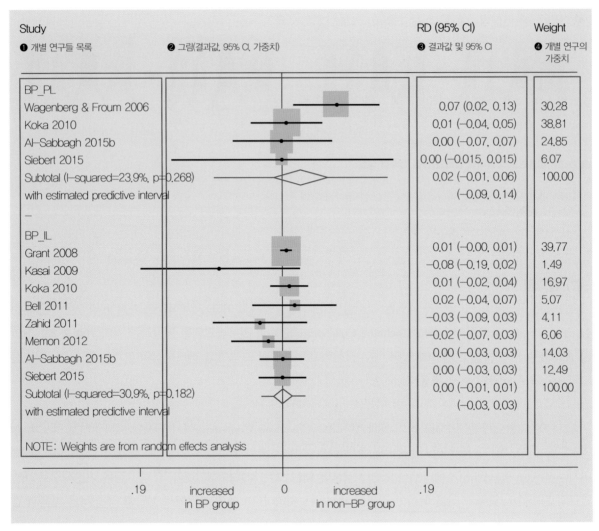

📷 2-33 숲그림의 기본 항목

- **Study(①):** 메타분석에 포함된 개별 연구들 목록이다. 보통 1저자와 출판 연도로 표시한다.

- **그림(②):** 가장 중요한 가운데 그림은 개별 연구들의 결과(가운데 회색 정사각형이 있는 가로선)와, 이들 개별 연구를 모두 더한 전체적인 결과(가운데 다이아몬드가 있는 가로선)를 보여준다.

- **RD(③):** 우측의 숫자에서 RD는 위험차(risk difference, RD)이다. 보통 메타분석에서는 개별 연구 결과를 몇 가지로 가공한다. 이분형 자료(임플란트 생존/실패 등)의 경우엔 오즈비, 위험비 등으로, 연속형 자료(임플란트 길이에 따른 성공률 등)는 평균차, 표준 평균차 등으로 결과값을 나타낸다. 여기에서는 임플란트 상실 위험도의 차이인 위험차를 결과값으로 이용했다. 이 숫자를 그림으로 나타낸 것이 가운데 가로선이다.

- **% weight(④):** 마지막으로 % weight는 각 연구의 가중치이다. 각 연구 결과는 단순히 1:1로 합산하는 것이 아니라 연구 대상의 수, 연구의 근거 수준, 결과의 분산 정도 등을 평가하여 가중치를 두어 합산하게 된다.

숲그림의 해석 방법은 다음과 같다(📷 2-34).

- **개별 가로선의 구성 요소(❺)**: 각 가로선의 좌우 범위는 그 연구에서 결과값의 95% 신뢰 구간을 나타낸다. 여기에서는 RD값이 그 결과값이다. 가로선 중앙의 정사각형은 각 연구의 가중치를 나타내고, 정사각형 가운데의 점은 개별 연구의 결과치(평균값)를 나타낸다.

- **개별 가로선의 폭(❻)**: 95% 신뢰 구간이 좁아질수록 신뢰도가 높은 연구라 할 수 있다. 따라서 개별 가로선의 폭이 좁은 연구는 신뢰도가 높다. 대체로 사각형의 크기가 크면(즉, 가중치가 높으면) 포함된 환자의 수가 많고 분산의 정도가 적기 때문에 신뢰 구간이 좁아지는 경향이 있다.

- **개별 가로선과 세로축과의 관계(❼)**: 0에서 올라가는 세로선은 양쪽 군에서 결과값에 차이가 없는 기준선이 된다. 결과값이 비율일 때에는 1이 기준선이 되고 절대값일 때에는 0이 기준선이 된다. 가로선이 세로선과 만나면 95% 신뢰 수준에서 통계학적으로 유의한 차이가 없음을, 만나지 않으면 유의한 차이가 있음을 의미한다. 여기에서는 가장 상단의 Wagenberg & Froum의 연구에서만 환자 수준(PL)에서 non-BP group에 임플란트 실패가 유의하게 더 높았음을 알 수 있다.

- **가로축(❽)**: 그림의 가장 하단을 보면 숫자와 increased in BP group과 increased in non-BP group이라는 문구가 있다. 여기서 0은 BP group (비스포스포네이트 복용군)과 non-BP group (비스포스포네이트 비복용군)에서 임플란트 실패의 위험차가 없음을 의미하고, 좌측은 BP group에서 임플란트 실패의 위험도가 증가, 우측은 non-BP group에서 임플란트 실패의 위험도가 증가함을 의미한다.

- **그림의 다이아몬드 모양 도형이 메타분석의 알파이자 오메가라 할 수 있는 부분이다(❾)**: 다이아몬드는 모든 개별 연구 결과들을 총합한 전체 효과(overall effect)를 의미한다. 다이아몬드의 폭은 95% 신뢰 구간을, 가운데가 전체 평균값을 의미한다. 이 그림에서는 환자 수준과 임플란트 수준에서 임플란트 실패의 위험차 총합이 두 개의 다이아몬드로 나타나 있다. 상방의 다이아몬드는 환자 수준이고 하방은 임플란트 수준이다. 환자 수준이나 임플란트 수준 모두에서 임플란트 실패는 모두 non-BP group에서 더 높았지만, 다이아몬드가 세로축과 닿기 때문에 통계학적으로 유의한 차이는 없음을 의미한다. 따라서 이 메타분석 결과는 비스포스포네이트 복용 환자와 비복용 환자에서 임플란트 실패의 유의한 차이는 없음을 의미한다.

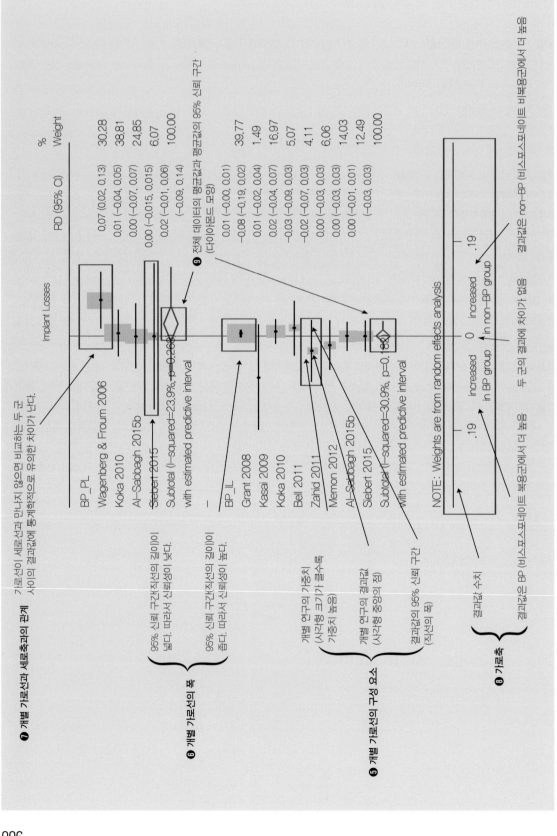

그림 2-34 **숲그림의 해석 방법**

7.
임상 연구에 대한 추가적인 고려 사항

1) 근거의 계층

위에서 설명한 바와 같이 임상 연구는 그 형태(디자인)에 따라 고유의 근거 수준을 지닌다. 이를 도식화하여 근거 사다리, 혹은 근거 피라미드를 여러 단체나 개인이 제안한 바 있다(◎ 2-10). 동일 주제에 여러 연구 문헌이 존재한다면 근거 사다리나 피라미드의 높은 위치에 위치할수록 더 신뢰성 있는 결과를 보여준다고 할 수 있다.[42,46,51]

- 양질의 체계적 고찰, 메타분석
- 명확한 결과를 보이는 큰 무작위 대조 연구
- 불명확한 결과(예: 양성 경향을 보이나 통계학적으로 유의한 차이는 없음)를 보이는 작은 무작위 대조 연구
- 비무작위 동시 대조 연구
- 비무작위 시간차 대조 연구
- 코호트 연구
- 환자-대조군 연구
- 현저한 결과를 보이는 비대조 연구
- 증례 보고와 묘사 연구
- 전문가 집단의 보고(reports of expert committee)와 임상적 경험에 근거한 권위자의 의견(opinion of respected authorities)

2) 임상 연구의 표준화

임상 연구의 질을 향상시키고 표준화시키기 위해서 여러 분야의 전문가들이 모여 각 임상 연구의 종류에 따라 연구 논문의 "작성 항목 체크 리스트"와 "환자의 모집, 배분, 추적 관찰에 대한 흐름도"를 제출하도록 권유하고 있다. 그 시작은 임상 실험 연구(clinical trial)에 대한 통합된 기준을 제시했던 CONSORT (Consolidated Standards of Reporting Trials)이다. 1990년대 초반에 저널 편집자, 연구자, 방법론자 등으로 이루어진 두 독립된 그룹들은 임상 연구를 보고하는 데 있어서의 추천 사항들을 각자 발표하였다. 이후 Renie 등은 두 그룹이 한데 모여 하나의 추천 사항을 도출할 것을 주장하였고, 그 결과물이 CONSORT이다.[128] CONSORT의 개발 이후 많은 연구자들은 실험 연구 작성 시 이를 따르고 있으며, 이에 따라 연구의 질이 명백히 향상되기 시작했다.[129,130] 치과 임플란트와 관련된 무작위 대조 연구에서도, 대상 환자의 배정 은폐(allocation concealment), 추적 관찰 중 연구에서 탈락한 환자에 대한 정보, CONSORT 항목 준수는 결과의 편향성을 유의하게 감소시킬

수 있는 요소들로 밝혀졌다.[131] CONSORT는 1996년 첫번째 판이 발표되었고, 이후 2001년과 2010년에 개정되었다.[132] 2010년 CONSORT에 의하면, CONSORT의 목적은 크게 세 가지이다.

- 논문의 저자들이 무작위 대조 연구 보고서를 작성하는 것을 돕기 위함
- 저널의 편집자와 검토자가 출판을 위해 원고를 검토할 수 있도록 함
- 논문의 독자들이 출판된 논문을 비판적으로 평가할 수 있도록 함

CONSORT 이후 각 연구 디자인 별로 CONSORT에 준하는 표준 연구 작성 방법이 제시되었다.

- 체계적 문헌 고찰과 메타분석 PRISMA (Preferred Reporting Items for Systematic reviews and Meta-Analyses)[133]
- 실험 연구(무작위 대조 연구) CONSORT (Consolidated Standards of Reporting Trials)[132]
- 관찰연구 STROBE (STrengthening the Reporting of OBservational studies in Epidemiology)[134]
- 증례 보고 CARE (CAse REport)[135]
- 진단 연구 STARD (Standards for Reporting of Diagnostic Accuracy Studies)[136]
- 전임상 동물 연구 ARRIVE (Animal Research: Reporting In Vivo Experiments)[137]

2000년대 초반에는 CONSORT에 기반해 무작위 대조 연구를 작성하도록 규정한 치의학 저널이 the British Dental Journal, Journal of Endodontics, Journal of the Canadian Dental Association, Journal of Orthodontics 등 소수에 지나지 않았다.[138] 주요 치과 저널들에서 2000년대 후반에서 2010년대 초반 이후로 위의 표준 연구 작성 방법들을 채택하면서 임상 연구의 근거의 질이 현저히 향상됐다. 2000년대 말까지는 CONSORT에 기반한 임플란트 관련 무작위 대조 연구가 매우 드물었지만, 2000년대 말부터 CONSORT에 기반하여 작성되는 사례가 증가하기 시작했다.[131,139] 미국 교정과 학회지인 American Journal of Orthodontics and Dentofacial Orthopedics (AJO-DO)에서 2011년 CONSORT를 채택하기 전과 후의 무작위 대조 연구를 비교한 결과, 채택 전에 비해 채택 후에 게재된 연구들은 더 많은 CONSORT 항목을 만족함으로써 연구의 질이 향상되었다.[140]

3) 임상 연구의 사전 등록

한 임상 연구에서 여러 가지 결과를 측정하게 되면, 단지 우연에 의해 특정 결과치에서만 통계학적인 유의성을 보일 수 있다. 연구자들은 한 연구 내에서 대조군과 실험군의 측정치가 통계학적으로 유의한 차이를 보이는 결과에 한하여 이를 보고하려는 경향이 있다. 선택적 보고(selective reporting), 혹은 선택적 결과 보고(selective outcome reporting)는 실험 시 여러 항목을 측정한 후 그 결과치에 따라 특정한 항목만을 선택해서 보고하는

편향이다.[141] 이는 일반적으로 결과가 통계학적으로 유의한 차이를 보이는 연구가 그렇지 않은 연구보다 저널에 더 잘 등재되기 때문에 나타나는 현상이다.[142] 선택적 보고에 의해 특정 치료의 효과 중 유의한 차이를 보이는 결과만 더 많이 보고되면 그 치료의 효과는 과장되게 인정되거나, 실제로 효과가 없는데 있는 것으로 판단될 수밖에 없다.[143,144]

비슷한 편향으로 출판 편향(publication bias)이라는 것이 있다. 지금 당장 저널 하나를 아무거나 펼쳐보자. 그 저널에 있는 대부분의 논문은 측정 결과에 유의한 차이가 있었다는 결과를 보여줄 것이다. 결과에 유의한 차이를 보인 논문은 그렇지 않은 논문에 비해 출판될 가능성이 3배나 높다.[145] 이는 앞서 언급한대로 체계적 문헌 고찰이나 메타분석에서도 중요하게 고려해야 할 현상이다. 치료 효과에 대한 논문 중 통계학적으로 유의하게 긍정적인 효과가 있는 논문은 그렇지 않은 논문에 비해 메타분석에 포함될 확률이 27%나 더 높았다.[146] 이렇듯 연구자들이 유의한 차이가 있는 결과가 포함된 논문만을 저널에 제출하거나, 저널 측에서 유의한 결과가 있는 논문을 더 많이 출판하는 현상을 출판 편향이라고 한다.

따라서 이를 없애기 위한 방법으로, 2005년 국제 저널 편집자 위원회는 임상 연구를 수행하기 전에 보고할 결과 항목을 포함한 연구 계획을 공공 등록 기관에 사전 등록할 것을 권고했다.[147] 사전 등록을 시행한 연구는 선택적 결과 보고를 잘 하지 않으며 통계학적으로 유의한 결과를 보고할 가능성이 감소한다.[148,149] 2015년에 보고된 조사에 의하면, 78개의 주요 치의학 저널 중 40%에서 연구의 사전 등록을 권유하거나 원했다.[150] 그러나 아직까지도 치과 임플란트학에서 선택적 결과 보고는 많이 이루어지고 있는 상태이다. 2019년 2월까지 ClinicalTrials.gov에 등록된 임플란트 관련 연구를 분석한 결과, 55.1%의 연구에서 선택적 결과 보고가 이루어지고 있었다.

4) 기업의 후원

임상 연구가 기업의 후원(industry sponsorship) 하에 진행되면 편향이 개입될 여지가 높아진다. 예컨대 특정 기업에서 제조하는 임플란트의 성공과 다른 업체의 임플란트 성공을 비교한다면, 전자의 임플란트에 유리한 결과 지표를 선택적으로 보고하려는 경향이 발생한다(선택적 보고). 또는 후원 업체의 임플란트를 그다지 성공률이 높지 않은 것으로 알려진 임플란트(허수아비 대조군)와 비교할 수도 있다.[151]

기업의 후원 여부가 임상 연구에서 보고된 임플란트의 실패율에 영향을 미치는지 평가한 2010년 연구에 의하면, 후원 받은 연구에서의 임플란트 실패율은 그렇지 않은 연구에 비해 유의하게 낮게 보고되었으며, 오즈비는 0.21이었다.[152] 그러나 2019년의 메타분석에서는 기업 후원 여부가 임플란트 주위 치조정 골흡수의 양을 보고하는 데 있어서는 별다른 영향을 미치지 못한다고 결론 내렸다.[153]

참고문헌

1. Bonita R, Beaglehole R, Kjellström T. Basic epidemiology. World Health Organization; 2006.

2. Benson K, Hartz AJ. A comparison of observational studies and randomized, controlled trials. New England Journal of Medicine. 2000;342(25):1878–1886.

3. Tacconelli E. Systematic reviews: CRD's guidance for undertaking reviews in health care. The Lancet Infectious Diseases. 2010;10(4):226.

4. Concato J, Shah N, Horwitz RI. Randomized, controlled trials, observational studies, and the hierarchy of research designs. New England journal of medicine. 2000;342(25):1887–1892.

5. Pocock SJ, Elbourne DR. Randomized trials or observational tribulations? In: Mass Medical Soc; 2000.

6. Devereaux P, Yusuf S. The evolution of the randomized controlled trial and its role in evidence–based decision making. Journal of internal medicine. 2003;254(2):105–113.

7. Califf R. Issues facing clinical trials of the future. Journal of internal medicine. 2003;254(5):426–433.

8. Sleight P. Where are clinical trials going? Society and clinical trials. Journal of internal medicine. 2004;255(2):151–158.

9. Julian D. Translation of clinical trials into clinical practice. Journal of internal medicine. 2004;255(3):309–316.

10. Boissel JP. Planning of clinical trials. Journal of internal medicine. 2004;255(4):427–438.

11. Machin D. On the evolution of statistical methods as applied to clinical trials. Journal of internal medicine. 2004;255(5):521–528.

12. DeMets D. Statistical issues in interpreting clinical trials. Journal of internal medicine. 2004;255(5):529–537.

13. Tumber MB, Dickersin K. Publication of clinical trials: accountability and accessibility. Journal of internal medicine. 2004;256(4):271–283.

14. Wilhelmsen L, Held P, Wedel H. Clinical trials: a summary. Journal of internal medicine. 2004;256(4):284–287.

15. Sackett DL, Haynes RB, Tugwell P. Clinical epidemiology: a basic science for clinical medicine. Little, Brown and Company; 1985.

16. Groen N, Tahmasebi N, Shimizu F, et al. Exploring the Material–Induced Transcriptional Landscape of Osteoblasts on Bone Graft Materials. Adv Healthc Mater. 2015;4(11):1691–1700.

17. Kotsakis GA. Minimizing risk of bias in clinical implant research study design. Periodontol 2000. 2019;81(1):18–28.

18. Levin KA. Study design I. Evidence—based dentistry. 2005;6(3):78—79.

19. Medicine CfE—B. Oxford Centre for Evidencebased Medicine—Levels of Evidence (March 2009). In: Centre for Evidence—Based Medicine (CEBM) Oxford; 2009.

20. Wennström JL, Derks J. Is there a need for keratinized mucosa around implants to maintain health and tissue stability? Clin Oral Implants Res. 2012;23 Suppl 6:136—146.

21. Grischke J, Karch A, Wenzlaff A, Foitzik MM, Stiesch M, Eberhard J. Keratinized mucosa width is associated with severity of peri—implant mucositis. A cross—sectional study. Clin Oral Implants Res. 2019;30(5):457—465.

22. Lim HC, Wiedemeier DB, Hämmerle CHF, Thoma DS. The amount of keratinized mucosa may not influence peri—implant health in compliant patients: A retrospective 5—year analysis. J Clin Periodontol. 2019;46(3):354—362.

23. Greenhalgh T. How to read a paper: The basics of evidence—based medicine. John Wiley & Sons; 2010.

24. Levin KA. Study design II. Issues of chance, bias, confounding and contamination. Evidence—based dentistry. 2005;6(4):102—103.

25. Woolf SH, Battista RN, Anderson GM, Logan AG, Wang E, on the Periodic CTF. Assessing the clinical effectiveness of preventive maneuvers: Analytic principles and systematic methods in reviewing evidence and developing clinical practice recommendations A report by the Canadian task force on the periodic health examination. Journal of clinical epidemiology. 1990;43(9):891—905.

26. Sackett D. Rules of evidence and clinical recommendations for the management of patients. The Canadian journal of cardiology. 1993;9(6):487.

27. Sackett DL. Rules of evidence and clinical recommendations on the use of antithrombotic agents. Chest. 1989;95(2):2S—4S.

28. Hinton S, Beyari MM, Madden K, Lamfon HA. The Risk of Bias in Randomized Trials in General Dentistry Journals. J Long Term Eff Med Implants. 2015;25(4):277—288.

29. Papageorgiou SN, Kloukos D, Petridis H, Pandis N. An Assessment of the Risk of Bias in Randomized Controlled Trial Reports Published in Prosthodontic and Implant Dentistry Journals. Int J Prosthodont. 2015;28(6):586—593.

30. 김수영. 근거중심의학. 프로그램북 (구 초록집). 2015;67(2):156—157.

31. 허대석, 김수영, 박지은, et al. NECA 체계적 문헌고찰 매뉴얼. 연구결과보고서. 2015;1(1):1—287.

32. Annibali S, Bignozzi I, Cristalli MP, Graziani F, La Monaca G, Polimeni A. Peri—implant marginal bone level: a systematic review and meta—analysis of studies comparing platform switching versus

conventionally restored implants. J Clin Periodontol. 2012;39(11):1097–1113.

33. Arnstein P, Broglio K, Wuhrman E, Kean MB. Use of placebos in pain management. Pain Manag Nurs. 2011;12(4):225–229.

34. Lanotte M, Lopiano L, Torre E, Bergamasco B, Colloca L, Benedetti F. Expectation enhances autonomic responses to stimulation of the human subthalamic limbic region. Brain Behav Immun. 2005;19(6):500–509.

35. Charlesworth JEG, Petkovic G, Kelley JM, et al. Effects of placebos without deception compared with no treatment: A systematic review and meta–analysis. J Evid Based Med. 2017;10(2):97–107.

36. Wartolowska K, Judge A, Hopewell S, et al. Use of placebo controls in the evaluation of surgery: systematic review. Bmj. 2014;348:g3253.

37. Moseley JB, O'Malley K, Petersen NJ, et al. A controlled trial of arthroscopic surgery for osteoarthritis of the knee. N Engl J Med. 2002;347(2):81–88.

38. Michels KB. The placebo problem remains. Arch Gen Psychiatry. 2000;57(4):321–322.

39. Clarke M. The QUORUM statement. The Lancet. 2000;355(9205):756–757.

40. Altman D. CONSORT GROUP (Consolidated Standards of Reporting Trials). The revised CONSORT statement for reporting randomized trials: explanation and elaboration. Ann Intern Med. 2001;134:663–694.

41. Schulz KF. Randomized controlled trials. Clinical obstetrics and gynecology. 1998;41(2):245–256.

42. Jadad A. Bias in RCTs: beyond the sequence generation. Randomized Controlled Trials: A User's Guide London: BMJ Publishing. 1998:28–45.

43. Grimes DA, Schulz KF. An overview of clinical research: the lay of the land. Lancet. 2002;359(9300):57–61.

44. Altman DG, Dore C. Randomisation and baseline comparisons in clinical trials. The Lancet. 1990;335(8682):149–153.

45. Schulz KF, Altman DG, Moher D. CONSORT 2010 statement: updated guidelines for reporting parallel group randomized trials. Annals of internal medicine. 2010;152(11):726–732.

46. Altman DG, Schulz KF, Moher D, et al. The revised CONSORT statement for reporting randomized trials: explanation and elaboration. Annals of internal medicine. 2001;134(8):663–694.

47. Rothman KJ. Epidemiology: an introduction. Oxford university press; 2012.

48. Schulz KF, Altman DG, Moher D. CONSORT 2010 statement: updated guidelines for reporting parallel group randomised trials. Bmj. 2010;340:c332.

49. Moncrieff J, Wessely S, Hardy R. Meta–analysis of trials comparing antidepressants with active placebos.

Br J Psychiatry. 1998;172:227−231; discussion 232−224.

50. Greenberg RP, Bornstein RF, Greenberg MD, Fisher S. A meta−analysis of antidepressant outcome under "blinder" conditions. J Consult Clin Psychol. 1992;60(5):664−669; discussion 670−667.

51. Devereaux P, Bhandari M, Montori VM, Manns BJ, Ghali WA, Guyatt GH. Double blind, you are the weakest link−goodbye! BMJ Evidence−Based Medicine. 2002;7(1):4−5.

52. Jüni P, Witschi A, Bloch R, Egger M. The hazards of scoring the quality of clinical trials for meta− analysis. Jama. 1999;282(11):1054−1060.

53. Guyatt G, Rennie D, Meade M, Cook D. Users' guides to the medical literature: a manual for evidence−based clinical practice. Vol 706: AMA press Chicago; 2002.

54. Stacchi C, Lombardi T, Oreglia F, Alberghini Maltoni A, Traini T. Histologic and Histomorphometric Comparison between Sintered Nanohydroxyapatite and Anorganic Bovine Xenograft in Maxillary Sinus Grafting: A Split−Mouth Randomized Controlled Clinical Trial. Biomed Res Int. 2017;2017:9489825.

55. Thoma DS, Haas R, Sporniak−Tutak K, Garcia A, Taylor TD, Hämmerle CHF. Randomized controlled multicentre study comparing short dental implants (6 mm) versus longer dental implants (11−15 mm) in combination with sinus floor elevation procedures: 5−Year data. J Clin Periodontol. 2018;45(12):1465−1474.

56. 유근영, 안재억. 의학 보건학 통계분석. 서울: 한나래. 2006:344−357.

57. Guyatt G, Jaeschke R, Heddle N, Cook D, Shannon H, Walter S. Basic statistics for clinicians: 1. Hypothesis testing. CMAJ: Canadian Medical Association Journal. 1995;152(1):27.

58. DOLL H, CARNEY S. Statistical approaches to uncertainty: p values and confidence intervals unpacked. BMJ evidence−based medicine. 2005;10(5):133−134.

59. Waechter J, Madruga MM, Carmo Filho LCD, Leite FRM, Schinestsck AR, Faot F. Comparison between tapered and cylindrical implants in the posterior regions of the mandible: A prospective, randomized, split−mouth clinical trial focusing on implant stability changes during early healing. Clin Implant Dent Relat Res. 2017;19(4):733−741.

60. Pihlstrom BL, Curran AE, Voelker HT, Kingman A. Randomized controlled trials: what are they and who needs them? Periodontol 2000. 2012;59(1):14−31.

61. Prochaska JO, Evers KE, Prochaska JM, Van Marter D, Johnson JL. Efficacy and effectiveness trials: examples from smoking cessation and bullying prevention. J Health Psychol. 2007;12(1):170−178.

62. Kotsakis GA. Minimizing risk of bias in clinical implant research study design. Periodontology 2000. 2019;81(1):18−28.

63. Glasziou P, Doll H. Was the study big enough? Two cafe rules. BMJ Evidence−Based Medicine.

2006;11(3):69-70.

64. Kashani H, Hilon J, Rasoul MH, Friberg B. Influence of a single preoperative dose of antibiotics on the early implant failure rate. A randomized clinical trial. Clin Implant Dent Relat Res. 2019;21(2):278-283.

65. Sun DJ, Lim HC, Lee DW. Alveolar ridge preservation using an open membrane approach for sockets with bone deficiency: A randomized controlled clinical trial. Clin Implant Dent Relat Res. 2019;21(1):175-182.

66. Sackett DL RW, Rosenberg WMC, Haynes RB. Evidence-based medicine: how to practice and teach EBM. London: Churchill-Livingstone; 2001.

67. Slim K. Limits of evidence-based surgery. World journal of surgery. 2005;29(5):606-609.

68. Barton S. Which clinical studies provide the best evidence?: The best RCT still trumps the best observational study. In: British Medical Journal Publishing Group; 2000.

69. Sutherland SE. Evidence-based dentistry: Part IV. Research design and levels of evidence. Journal-Canadian Dental Association. 2001;67(7):375-378.

70. Hujoel PP, Drangsholt M, Spiekerman C, DeRouen TA. Periodontitis-systemic disease associations in the presence of smoking-causal or coincidental? Periodontol 2000. 2002;30:51-60.

71. Hujoel PP, Cunha-Cruz J, Kressin NR. Spurious associations in oral epidemiological research: the case of dental flossing and obesity. J Clin Periodontol. 2006;33(8):520-523.

72. Roccuzzo M, Grasso G, Dalmasso P. Keratinized mucosa around implants in partially edentulous posterior mandible: 10-year results of a prospective comparative study. Clin Oral Implants Res. 2016;27(4):491-496.

73. Jaeschke R, Guyatt G, Shannon H, Walter S, Cook D, Heddle N. Basic statistics for clinicians: 3. Assessing the effects of treatment: measures of association. CMAJ: Canadian Medical Association Journal. 1995;152(3):351.

74. Guyatt G, Jaeschke R, Heddle N, Cook D, Shannon H, Walter S. Basic statistics for clinicians: 2. Interpreting study results: confidence intervals. CMAJ: Canadian Medical Association Journal. 1995;152(2):169.

75. Guyatt G, Walter S, Shannon H, Cook D, Jaeschke R, Heddle N. Basic statistics for clinicians: 4. Correlation and regression. CMAJ: Canadian Medical Association Journal. 1995;152(4):497.

76. Derks J, Schaller D, Håkansson J, Wennström JL, Tomasi C, Berglundh T. Effectiveness of Implant Therapy Analyzed in a Swedish Population: Prevalence of Peri-implantitis. J Dent Res. 2016;95(1):43-49.

77. Saracci R. Survival-related biases survive well. International journal of epidemiology. 2007;36(1):244–246.

78. Hill AB. The environment and disease: association or causation? 1965. J R Soc Med. 2015;108(1):32–37.

79. Raval NC, Wadhwani CP, Jain S, Darveau RP. The interaction of implant luting cements and oral bacteria linked to peri-implant disease: an in vitro analysis of planktonic and biofilm growth – a preliminary study. Clinical implant dentistry and related research. 2015;17(6):1029–1035.

80. Kotsakis GA, Zhang L, Gaillard P, Raedel M, Walter MH, Konstantinidis IK. Investigation of the Association Between Cement Retention and Prevalent Peri-Implant Diseases: A Cross-Sectional Study. J Periodontol. 2016;87(3):212–220.

81. Korsch M, Walther W. Peri-Implantitis Associated with Type of Cement: A Retrospective Analysis of Different Types of Cement and Their Clinical Correlation to the Peri-Implant Tissue. Clin Implant Dent Relat Res. 2015;17 Suppl 2:e434–443.

82. Korsch M, Obst U, Walther W. Cement-associated peri-implantitis: a retrospective clinical observational study of fixed implant-supported restorations using a methacrylate cement. Clin Oral Implants Res. 2014;25(7):797–802.

83. Abrahamsson I, Berglundh T, Linder E, Lang NP, Lindhe J. Early bone formation adjacent to rough and turned endosseous implant surfaces. An experimental study in the dog. Clin Oral Implants Res. 2004;15(4):381–392.

84. Brunski JB. Avoid pitfalls of overloading and micromotion of intraosseous implants. Dent Implantol Update. 1993;4(10):77–81.

85. Atieh MA, Alsabeeha NH, Payne AG, de Silva RK, Schwass DS, Duncan WJ. The prognostic accuracy of resonance frequency analysis in predicting failure risk of immediately restored implants. Clin Oral Implants Res. 2014;25(1):29–35.

86. Wentaschek S, Scheller H, Schmidtmann I, et al. Sensitivity and Specificity of Stability Criteria for Immediately Loaded Splinted Maxillary Implants. Clin Implant Dent Relat Res. 2015;17 Suppl 2:e542–549.

87. Matthews DC, Hujoel PP. A practitioner's guide to developing critical appraisal skills: observational studies. The Journal of the American Dental Association. 2012;143(7):784–786.

88. Kotsakis GA, Boufidou F, Hinrichs JE, Prasad HS, Rohrer M, Tosios KI. Extraction socket management utilizing platelet rich fibrin: a proof-of-principle study of the "Accelerated-early implant placement" concept. Journal of Oral Implantology. 2016;42(2):164–168.

89. Misch CE, Perel ML, Wang HL, et al. Implant success, survival, and failure: the International Congress of Oral Implantologists (ICOI) Pisa Consensus Conference. Implant Dent. 2008;17(1):5-15.

90. Albrektsson T, Zarb G, Worthington P, Eriksson AR. The long-term efficacy of currently used dental implants: a review and proposed criteria of success. Int J Oral Maxillofac Implants. 1986;1(1):11-25.

91. Papaspyridakos P, Chen CJ, Singh M, Weber HP, Gallucci GO. Success criteria in implant dentistry: a systematic review. J Dent Res. 2012;91(3):242-248.

92. Albrektsson T, Buser D, Sennerby L. On crestal/marginal bone loss around dental implants. Int J Prosthodont. 2012;25(4):320-322.

93. Galindo-Moreno P, León-Cano A, Ortega-Oller I, Monje A, F OV, Catena A. Marginal bone loss as success criterion in implant dentistry: beyond 2 mm. Clin Oral Implants Res. 2015;26(4):e28-e34.

94. Collaert B, De Bruyn H. Early loading of four or five Astra Tech fixtures with a fixed cross-arch restoration in the mandible. Clin Implant Dent Relat Res. 2002;4(3):133-135.

95. Suárez-López Del Amo F, Lin GH, Monje A, Galindo-Moreno P, Wang HL. Influence of Soft Tissue Thickness on Peri-Implant Marginal Bone Loss: A Systematic Review and Meta-Analysis. J Periodontol. 2016;87(6):690-699.

96. Akcalı A, Trullenque-Eriksson A, Sun C, Petrie A, Nibali L, Donos N. What is the effect of soft tissue thickness on crestal bone loss around dental implants? A systematic review. Clin Oral Implants Res. 2017;28(9):1046-1053.

97. Vervaeke S, Dierens M, Besseler J, De Bruyn H. The influence of initial soft tissue thickness on peri-implant bone remodeling. Clin Implant Dent Relat Res. 2014;16(2):238-247.

98. Galindo-Moreno P, Leon-Cano A, Ortega-Oller I, et al. Prosthetic Abutment Height is a Key Factor in Peri-implant Marginal Bone Loss. J Dent Res. 2014;93(7 Suppl):80S-85S.

99. Galindo-Moreno P, Leon-Cano A, Monje A, Ortega-Oller I, O'Valle F, Catena A. Abutment height influences the effect of platform switching on peri-implant marginal bone loss. Clin Oral Implants Res. 2016;27(2):167-173.

100. Blanco J, Pico A, Caneiro L, Novoa L, Batalla P, Martin-Lancharro P. Effect of abutment height on interproximal implant bone level in the early healing: A randomized clinical trial. Clin Oral Implants Res. 2018;29(1):108-117.

101. Pico A, Martin-Lancharro P, Caneiro L, Novoa L, Batalla P, Blanco J. Influence of abutment height and implant depth position on interproximal peri-implant bone in sites with thin mucosa: A 1-year randomized clinical trial. Clin Oral Implants Res. 2019;30(7):595-602.

102. Spinato S, Stacchi C, Lombardi T, Bernardello F, Messina M, Zaffe D. Biological width establishment

around dental implants is influenced by abutment height irrespective of vertical mucosal thickness: A cluster randomized controlled trial. Clin Oral Implants Res. 2019;30(7):649-659.

103. Jansen VK, Conrads G, Richter EJ. Microbial leakage and marginal fit of the implant-abutment interface. Int J Oral Maxillofac Implants. 1997;12(4):527-540.

104. Lee BA, Kim BH, Kweon HHI, Kim YT. The prosthetic abutment height can affect marginal bone loss around dental implants. Clin Implant Dent Relat Res. 2018;20(5):799-805.

105. Higgins J, Wells G. Cochrane handbook for systematic reviews of interventions. 2011.

106. Berman NG, Parker RA. Meta-analysis: neither quick nor easy. BMC medical research methodology. 2002;2(1):10.

107. Smith GD, Egger M. Meta-analysis: unresolved issues and future developments. BMJ. 1998;316(7126):221-225.

108. LeLorier J, Gregoire G, Benhaddad A, Lapierre J, Derderian F. Discrepancies between meta-analyses and subsequent large randomized, controlled trials. New England Journal of Medicine. 1997;337(8):536-542.

109. Liberati A, Altman DG, Tetzlaff J, et al. The PRISMA statement for reporting systematic reviews and meta-analyses of studies that evaluate health care interventions: explanation and elaboration. Journal of clinical epidemiology. 2009;62(10):e1-e34.

110. Stroup DF, Berlin JA, Morton SC, et al. Meta-analysis of observational studies in epidemiology: a proposal for reporting. Jama. 2000;283(15):2008-2012.

111. Shamseer L, Moher D, Clarke M, et al. Preferred reporting items for systematic review and meta-analysis protocols (PRISMA-P) 2015: elaboration and explanation. Bmj. 2015;349.

112. Papageorgiou SN, Eliades T, Hämmerle CHF. Frequency of infraposition and missing contact points in implant-supported restorations within natural dentitions over time: A systematic review with meta-analysis. Clin Oral Implants Res. 2018;29 Suppl 18:309-325.

113. Horwitz RI. "Large-scale randomized evidence: Large, simple trials and overviews of trials": Discussion. A clinician's perspective on meta-analyses. Journal of clinical epidemiology. 1995;48(1):41-44.

114. Eysenck HJ. Systematic reviews: Meta-analysis and its problems. Bmj. 1994;309(6957):789-792.

115. Song F, Eastwood A, Gilbody S, Duley L, Sutton A. Publication and related biases: a review. Health technology assessment. 2000;4(10):1-115.

116. Easterbrook PJ, Gopalan R, Berlin J, Matthews DR. Publication bias in clinical research. The Lancet. 1991;337(8746):867-872.

117. Stern JM, Simes RJ. Publication bias: evidence of delayed publication in a cohort study of clinical

research projects. Bmj. 1997;315(7109):640–645.

118. Egger M, Smith GD. Meta–analysis bias in location and selection of studies. Bmj. 1998;316(7124):61–66.

119. Song F, Altman DG, Glenny A–M, Deeks JJ. Validity of indirect comparison for estimating efficacy of competing interventions: empirical evidence from published meta–analyses. Bmj. 2003;326(7387):472.

120. Egger M, Zellweger–Zähner T, Schneider M, Junker C, Lengeler C, Antes G. Language bias in randomised controlled trials published in English and German. The Lancet. 1997;350(9074):326–329.

121. Edwards P, Clarke M, DiGuiseppi C, Pratap S, Roberts I, Wentz R. Identification of randomized controlled trials in systematic reviews: accuracy and reliability of screening records. Statistics in medicine. 2002;21(11):1635–1640.

122. Kraemer HC. Correlation coefficients in medical research: from product moment correlation to the odds ratio. Statistical Methods in Medical Research. 2006;15(6):525–545.

123. Sutton AJ, Abrams KR, Jones DR. An illustrated guide to the methods of meta–analysis. Journal of evaluation in clinical practice. 2001;7(2):135–148.

124. Moher D, Jadad AR, Nichol G, Penman M, Tugwell P, Walsh S. Assessing the quality of randomized controlled trials: an annotated bibliography of scales and checklists. Controlled clinical trials. 1995;16(1):62–73.

125. Egger M, Schneider M, Smith GD. Meta–analysis Spurious precision? Meta–analysis of observational studies. Bmj. 1998;316(7125):140–144.

126. Egger M, Smith GD, Phillips AN. Meta–analysis: principles and procedures. Bmj. 1997;315(7121):1533–1537.

127. Stavropoulos A, Bertl K, Pietschmann P, Pandis N, Schiødt M, Klinge B. The effect of antiresorptive drugs on implant therapy: Systematic review and meta–analysis. Clin Oral Implants Res. 2018;29 Suppl 18:54–92.

128. Altman DG, Schulz KF, Moher D, et al. The revised CONSORT statement for reporting randomized trials: explanation and elaboration. Ann Intern Med. 2001;134(8):663–694.

129. Plint AC, Moher D, Morrison A, et al. Does the CONSORT checklist improve the quality of reports of randomised controlled trials? A systematic review. Med J Aust. 2006;185(5):263–267.

130. Hopewell S, Dutton S, Yu LM, Chan AW, Altman DG. The quality of reports of randomised trials in 2000 and 2006: comparative study of articles indexed in PubMed. Bmj. 2010;340:c723.

131. Cairo F, Sanz I, Matesanz P, Nieri M, Pagliaro U. Quality of reporting of randomized clinical trials in implant dentistry. A systematic review on critical aspects in design, outcome assessment and clinical

relevance. J Clin Periodontol. 2012;39 Suppl 12:81–107.

132. Lee JS, Ahn S, Lee KH, Kim JH. Korean translation of the CONSORT 2010 Statement: updated guidelines for reporting parallel group randomized trials. Epidemiology and health. 2014;36.

133. Moher D, Liberati A, Tetzlaff J, Altman DG. Preferred reporting items for systematic reviews and meta-analyses: the PRISMA statement. J Clin Epidemiol. 2009;62(10):1006–1012.

134. von Elm E, Altman DG, Egger M, Pocock SJ, Gøtzsche PC, Vandenbroucke JP. The Strengthening the Reporting of Observational Studies in Epidemiology (STROBE) Statement: guidelines for reporting observational studies. Int J Surg. 2014;12(12):1495–1499.

135. Gagnier JJ, Kienle G, Altman DG, Moher D, Sox H, Riley D. The CARE guidelines: consensus-based clinical case report guideline development. J Clin Epidemiol. 2014;67(1):46–51.

136. Cohen JF, Korevaar DA, Altman DG, et al. STARD 2015 guidelines for reporting diagnostic accuracy studies: explanation and elaboration. BMJ Open. 2016;6(11):e012799.

137. Kilkenny C, Browne W, Cuthill IC, Emerson M, Altman DG. Animal research: reporting in vivo experiments: the ARRIVE guidelines. Br J Pharmacol. 2010;160(7):1577–1579.

138. Richards D. EBD—Everybody's Dentistry. Evidence-based dentistry. 2005;6(3):57–57.

139. Sarkis-Onofre R, Marchini L, Spazzin AO, Santos M. Randomized Controlled Trials in Implant Dentistry: Assessment of the Last 20 Years of Contribution and Research Network Analysis. J Oral Implantol. 2019;45(4):327–333.

140. Pandis N, Shamseer L, Kokich VG, Fleming PS, Moher D. Active implementation strategy of CONSORT adherence by a dental specialty journal improved randomized clinical trial reporting. Journal of clinical epidemiology. 2014;67(9):1044–1048.

141. Mathieu S, Boutron I, Moher D, Altman DG, Ravaud P. Comparison of registered and published primary outcomes in randomized controlled trials. Jama. 2009;302(9):977–984.

142. Chan AW, Hróbjartsson A, Haahr MT, Gøtzsche PC, Altman DG. Empirical evidence for selective reporting of outcomes in randomized trials: comparison of protocols to published articles. Jama. 2004;291(20):2457–2465.

143. Li G, Abbade LP, Nwosu I, et al. A systematic review of comparisons between protocols or registrations and full reports in primary biomedical research. BMC medical research methodology. 2018;18(1):9.

144. Goodman SN, Fanelli D, Ioannidis JP. What does research reproducibility mean? Science translational medicine. 2016;8(341):341ps312–341ps312.

145. Dickersin K, Chan S, Chalmersx T, Sacks H, Smith Jr H. Publication bias and clinical trials. Controlled clinical trials. 1987;8(4):343–353.

146. Kicinski M, Springate DA, Kontopantelis E. Publication bias in meta-analyses from the Cochrane Database of Systematic Reviews. Statistics in medicine. 2015;34(20):2781-2793.

147. De Angelis C, Drazen JM, Frizelle FA, et al. Clinical trial registration: a statement from the International Committee of Medical Journal Editors. Ann Intern Med. 2004;141(6):477-478.

148. Kaplan RM, Irvin VL. Likelihood of Null Effects of Large NHLBI Clinical Trials Has Increased over Time. PLoS One. 2015;10(8):e0132382.

149. Farquhar CM, Showell MG, Showell EAE, et al. Clinical trial registration in fertility trials - a case for improvement? Hum Reprod. 2017;32(9):1827-1834.

150. Smaïl-Faugeron V, Fron-Chabouis H, Durieux P. Clinical trial registration in oral health journals. J Dent Res. 2015;94(3 Suppl):8s-13s.

151. Schwendicke F, Tu YK, Blunck U, Paris S, Göstemeyer G. Effect of Industry Sponsorship on Dental Restorative Trials. J Dent Res. 2016;95(1):9-16.

152. Popelut A, Valet F, Fromentin O, Thomas A, Bouchard P. Relationship between sponsorship and failure rate of dental implants: a systematic approach. PLoS One. 2010;5(4):e10274.

153. Dos Santos MBF, Agostini BA, de Moraes RR, Schwendicke F, Sarkis-Onofre R. Industry sponsorship bias in clinical trials in implant dentistry: Systematic review and meta-regression. J Clin Periodontol. 2019;46(4):510-519.

일상 진료에서 근거 중심 치의학 적용하기

근거 중심 치의학은 근거 제공자와 근거 소비자의 관점에서 바라볼 수 있다. 근거 제공자의 관점에서 근거 중심 치의학은 치의학 학문 영역에 막대한 영향을 미쳤다. 근거 제공자인 임상 연구자들은 임상 연구의 질을 급격히 향상시켰으며, 이들 연구를 우리가 임상에서 적용하기 편한 형태로 제공하고 있다. 따라서 근거 소비자인 임상가들, 즉 우리도 근거를 소비할 준비가 되어 있어야만 한다. 근거 중심 치의학 소비하는 과정, 즉 근거 제공자(연구자)들이 제공한 근거를 우리가 임상에 적용하는 단계는 다섯 단계로 구성된다(📁 3-1, 📷 3-1).[1,2]

1.
질문하기

우리가 마주친 임상적 문제에 대해 근거 중심 치의학적 해답을 얻는 첫 번째 과정은, 이를 명확한 질문의 형태로 만들어주는 것이다. 프란시스 베이컨은 신중한 질문은 지식의 반이라고 했다. 임상적 질문은 합리론적 관점에 중심을 두는지, 혹은 경험론적 관점에 중심을 두는지에 따라 크게 두 가지로 구분할 수 있다. 전자에 중심을 두는 질문을 배경 질문(background question)이라 하고 후자에 중심을 두는 질문을 전경 질문(foreground question)이라 한다. 배경 질문은 질환, 약, 치료 등에 대해 기본적인 작용기전, 또는 배경 지식을 묻는 것이다. 전경 질문은 특정 환자나 문제에 적용할 수 있는 지식을 찾는 것으로, 본인이 알고자 하는 치료 방법의 효과, 진단 방법의 신뢰성, 질환의 예후와 원인을 찾고자 하는 것이다. 따라서 근거 중심 치의학에서는 전경 질문을 적절히 할 수 있는 능력을 갖는 것이 중요하다.

📑 3-1 근거 중심 치의학을 임상에 작용하는 단계

질문하기 **(Question)**	• 우리가 임상 과정 중 궁금해진 정보를 대답 가능한 형태의 질문으로 변환하는 과정이다. 질문의 유형은 치료, 진단, 예후, 원인의 네 가지가 있다. 그리고 질문은 환자(Patient)–처치(Intervention)–비교(Comparison)–결과(Outcome) 등 네 가지 요소를 조합하여 만든다(앞 자만 따서 약자로 PICO라고 한다).
근거 검색 **(Search)**	• 질문에 답할 수 있는, 가용한 최선의 근거를 체계적으로 검색한다. "질문하기"에서 작성한 PICO의 요소를 검색어로 사용하여 PubMed나 Google Scholar 등의 인터넷 기반 프로그램을 통해 근거를 검색한다.
비판적 평가 **(Critical Appraisal)**	• "근거 검색"을 통해 찾아낸 근거(연구 논문)에 대해 그 내적 타당성과 외적 타당성을 비판적으로 평가한다. 검색하여 찾아낸 문헌들은 모두 정확한 실험 방법에 근거하여 결론을 이끌어냈다고 할 순 없다. 따라서 논문의 결과를 적용하기에 앞서, 그 실험 방법에 문제는 없는지 검증해야 한다. 이를 내부 유효성 평가(internal validity)라고 한다. 내부 유효성이 입증된 논문도 그 논문의 결과를 내 환자에게 적용 가능한지 평가해 보아야 한다. 문헌에서 포함된 환자의 특성이 내 환자의 특성과 비슷한지, 문헌에서 적용된 치료 방법을 내가 적용할 수 있는지를 평가하는 것을 외부 유효성 평가(external validity)라고 한다.
적용하기 **(Act)**	• 내가 찾아서 비판적으로 평가한 근거, 내 자신의 경험, 환자의 요구에 따라 선택된 최선의 방법을 임상에 적용한다.
평가하기 **(Evaluation)**	• 근거 중심 치의학을 적용하여 내가 시행한 임상 과정이 어떤 결과를 보였는지 평가한다. 이후 이 과정을 다른 환자에게도 적용하는 것이 좋을지, 혹은 폐기하는 것이 좋을지를 결정한다.

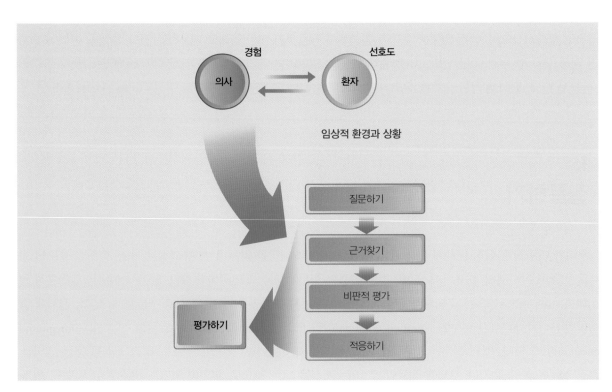

📷 3-1 근거 중심 치의학을 일상 진료에 적용하는 과정
임상 진료에서 치료나 진단 등의 "근거"는 근거 중심 치의학적 과정을 통해 얻는 것이 가장 좋다. 그 과정은 질문하기–근거 검색–비판적 평가–적용하기–평가하기 등의 다섯 단계로 이루어져 있다.

근거 중심 치의학의 첫 번째 단계는 우리가 일상적으로 마주치는 임상적 문제로부터 근거 중심 치의학의 원리에 부합하는 형태의 질문을 만드는 것이며, 이때 질문은 가급적 좁은 주제에 대해 명확한 형태로 해야 한다. 우리가 임상적으로 마주칠 수 있는 문제는 대략 네 가지의 유형으로 나눌 수 있다(**📁** 3-2).[3]

📁 3-2 임상 질문의 네 가지 유형	
치료(therapy)	환자에게 해가 안되고 이득이 되며 비용을 최소로 하면서도 효과적인 결과를 이끌어낼 수 있는 치료는 무엇인가?
진단(diagnosis)	정확도, 정밀도, 적용성, 비용, 안정성을 고려하여 어떤 검사 방법을 선택할 것인가?
예후(prognosis)	시간에 따른 환자의 경과와 예상되는 합병증은 무엇이고, 그것을 예측할 수 있는가?
원인(causation)	질병이나 특정한 신체적 상태의 원인은 무엇인가?

질문의 방법은, 처음 떠오르는 임상적 질문을 환자/문제(Patient/Problem) - 처치(Intervention) - 비교(Comparison) - 결과(Outcome)로 이루어진 4단계의 형태로 만드는 것이다(각 단계의 앞 자만을 따서 PICO라고 한다). 이렇게 정형화된 형태로 질문하기를 시행하면 본인이 검색하고자 하는 문헌의 주제를 명확히 할 수 있으며, 근거 검색의 과정도 용이해진다.[4] PICO의 각 단계에 대해 좀 더 구체적으로 살펴보기로 한다.[5,6]

① 환자/문제(P)

환자의 상태를 좀 더 큰 인구 집단으로 일반화함으로써 환자의 문제나 환자의 유형을 찾아내도록 하기 위해 필요하다. 환자/문제가 너무나 포괄적으로 정의된다면 이 유형을 환자의 연령, 인종, 성별, 병력, 과거 및 현재의 투약 등 좀더 작고 세분화된 형태로 만들어준다.

② 처치(I)

자신이 환자에게 어떠한 처치를 할 것인지 명확히 하는 것이 가장 중요하다. 이는 특정한 진단 방법, 치료, 보조 치료법, 약물, 또는 환자 자신이 스스로 이용할 수 있는 장치 등을 포함한다. 처치는 대상 환자에게 고려해야 할 가장 중요한 고려 요소이다.

③ 비교(C)

비교란, 본인이 생각할 수 있는 가장 주요한 대체 치료나 원인을 의미한다. 이는 매우 명확해야 하며, 단 한 가지만 상정하는 것이 좋다. 비교는 PICO에서 가장 중요도가 떨어지는 요소로, 꼭 필요하지 않으면 작성하지 않는다.

④ 결과(O)

이는 본인이 달성, 개선, 또는 영향을 미치고자 하는 결과로, 측정 가능한 것이어야 한다. 결과가 될 수 있는 것들로는 특정 증상의 경감이나 완치 여부, 기능의 유지나 개선, 또는 심미적 개선 등을 포함한다.

치료, 진단, 예후, 원인에 따른 PICO의 예를 들어보자(📑 3-3).

📑 3-3 PICO의 예

질문의 유형	환자/문제	처치(치료, 진단 방법, 예후 인자, 원인)	비교	결과
치료	상악 구치부에서 가용골 높이가 5-6 mm일 때	상악동 골이식 없이 짧은 임플란트만 식립하면	상악동 골이식 후 표준 길이 임플란트를 식립할 때에 비해	임플란트의 성공률/ 생존율에 있어 차이를 보이는가?
진단	고전적 부하를 가하는 임플란트에 있어	식립 토크는	공진 주파수 분석법에 비해	임플란트의 골유착 성공을 얼마나 더 잘 예측할 수 있는가?
예후	상악 구치부에 식립한 임플란트가	상악동저를 관통하면	관통하지 않은 경우에 비해	임플란트의 실패율이나 합병증 발생률이 증가하는가?
원인	골다공증 환자에게 임플란트를 식립했을 때	비스포스포네이트를 투약하면	비스포스포네이트를 투약하지 않았을 때에 비해	임플란트의 실패를 증가시키는가?

이렇게 정리된 PICO 각각의 요소는 근거 검색 시 검색어로 활용된다. 예컨대 상단 표의 "치료" 항목에 대한 질문에서 일단 떠오르는 대로 검색어를 정리해보면 다음과 같다(📑 3-4).

📑 3-4 PICO의 각 요소에서 검색어를 만들어내는 과정

질문의 유형	환자/문제	처치(치료, 진단 방법, 예후 인자, 원인)	비교	결과
질문	상악 구치부에서 가용골 높이가 5-6 mm일 때	상악동 골이식 없이 짧은 임플란트만 식립하면	상악동 골이식 후 표준 길이 임플란트를 식립할 때에 비해	임플란트의 성공률/ 생존율에 있어 차이를 보이는가?
검색어	"maxillary posterior" "bone height 5-6 mm" "sinus pneumatization"	"short implant"	"sinus bone graft"	"implant survival" "implant success"

검색어는 "우선 환자/문제"와 관련된 것과 "처치"에 관련된 것을 먼저 조합해서 이용해보고, 검색된 문헌의 숫자가 너무 많으면 "비교"와 "결과"에 관련된 것을 추가해서 검색한다.[7]

2.
근거 검색

질문하기에서 PICO를 작성하고, 이를 이용해 검색할 검색어를 설정한 이후 근거를 검색한다. 근거 중심 치의학에서는 개별 치과의사가 스스로 근거를 검색할 능력을 갖출 것을 원한다. 자신의 임상적 질문에 가장 부합하는 주제의 근거는 본인 스스로 검색해야 찾을 수 있기 때문이다. 최근에는 인터넷 기반의 의학, 치의학 문헌에 대한 근거 검색 툴이 다양하게 사용 가능하다. 이중에서 가장 대표적인 근거 검색 사이트는 단연코 PubMed라고 할 수 있다. 또한 Google Scholar도 PubMed와는 차별되는 특성을 갖는 효율적인 근거 검색 사이트로 자리잡았다. 여기에서는 가장 표준적인 사이트인 PubMed에 대해서만 설명하도록 한다.

1) PubMed를 이용한 근거 검색

PubMed (https://pubmed.ncbi.nlm.nih.gov/)는 의학과 치의학 논문 검색에 있어 가장 널리 사용되고 있는 표준 사이트이다. 여기에서는 PubMed 검색의 가장 기본적인 방법에 대해 설명하도록 한다.

(1) PubMed는 MEDLINE의 서지 정보를 검색하기 위한 목적의 사이트이다.

PubMed는 미국 국립의학도서관(National Library of Medicine, NLM) 산하 미국 국립생물공학정보센터(National Center for Biotechnology Information, NCBI)에서 개발하여 1997년 6월부터 제공되기 시작한 웹 기반 검색 시스템으로, Entrez라고 부르는 NCBI의 대규모 검색시스템의 일부이다.[8] PubMed는 무료로 사용이 가능하다는 장점 이외에도, 미국 국립의학도서관에서 제공하는 40여 개의 다른 의학 관련 데이터 베이스와 연결이 가능하고 검색과 연관된 여러 가지 부가적인 기능들이 지속적으로 추가되어 그 검색 능력을 향상시키고 있기 때문에 MEDLINE을 검색하기 위해 가장 널리 쓰이는 웹사이트이다.

한편 MEDLINE은 온라인으로 접근 가능한 미국 국립의학도서관에서 주관하는 생명 과학 및 의학 문헌의 서지 정보(bibliography) 데이터 베이스로, 1971년부터 제공되기 시작했다.[8] 이 데이터 베이스에는 1950/1951년 이후 5,639개의 잡지에 30개 이상의 언어로 출간된 총 3,000만개 이상의 논문에 대한 정보가 포함되어 있다.[9,10] MEDLINE은 미국 기반의 데이터베이스이기 때문에 48%의 논문은 미국에서 발간된 것이며, 88%는 영어로 쓰여진 것이다. 한편 현재 통용되고 있는 700개 이상의 치의학 잡지 중에서는 대략 절반 정도가 MEDLINE에 등록되어 있다.[11] 치의학계의 논문에 관한 서지 정보는 MEDLINE에 가장 많이 수록되어 있기 때문에 치의학 문헌을 검색하기 위해서는 이를 필수적으로 이용할 수 있어야 한다.

(2) PubMed 검색을 위해서는 검색의 전략이 필요하다.

일단 PubMed 사이트에 접속해보자. 검색 사이트에서와 비슷한 형태의 검색창이 중앙 상단부에 위치한 웹 페이지가 등장한다(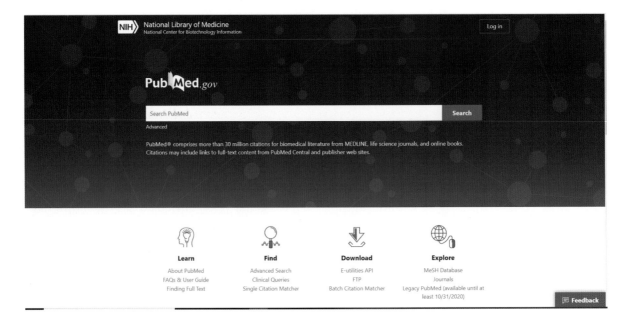 3-2). 우리가 원하는 근거를 찾아내기 위해서는 이 검색창에 "검색어"를 입력해야 한다. 검색어는 "질문하기"에서 우리가 설정한 PICO의 각 요소를 이용한다. PICO의 네 요소를 모두 이용하여 검색을 수행할 수도 있지만 일반적으로는 가장 중요한 요소로 먼저 검색을 시도하고 검색된 문헌의 수가 너무 많으면 중요도의 순에 따라 차례대로 검색어를 추가한다. 일반적으로는 먼저 "처치"에 관한 검색어로 검색을 수행하고 이어서 "비교", "환자/문제", "결과"의 순으로 검색어를 추가한다. 위의 📂 3-4에서 정리한 질문을 예로 들어보면 "sinus bone graft", "short implant", "maxillary posterior"/"bone height 5-6mm", "implant survival", "implant success"의 순으로 검색어를 입력하게 된다.

"sinus bone graft"를 우선 검색어로 입력해보자(📷 3-3). 무려 3,402개의 문헌이 검색된다(2020년 9월 9일 검색 시행). PubMed는 검색어를 입력하면 이를 자체적으로 해석하여 검색어에 부합할 수 있는 가장 광범위한 검색 결과가 도출되도록 프로그래밍되어 있다. 이를 "팽창(exploding) 검색 개념"이라고 한다.[12] 그렇다면 sinus bone graft라는 검색어에 대해 PubMed에서는 어떠한 과정을 통해 문헌을 검색했는지 확인해보자(📷 3-4).

(((("paranasal sinuses"[MeSH Terms] OR ("paranasal"[All Fields] AND "sinuses"[All Fields]) OR "paranasal sinuses"[All Fields]) OR "sinus"[All Fields]) OR "sinus's"[All Fields]) AND (((("bone transplantation"[MeSH Terms] OR ("bone"[All Fields] AND "transplantation"[All Fields])) OR "bone transplantation"[All Fields]) OR ("bone"[All Fields] AND "graft"[All Fields])) OR "bone graft"[All Fields])

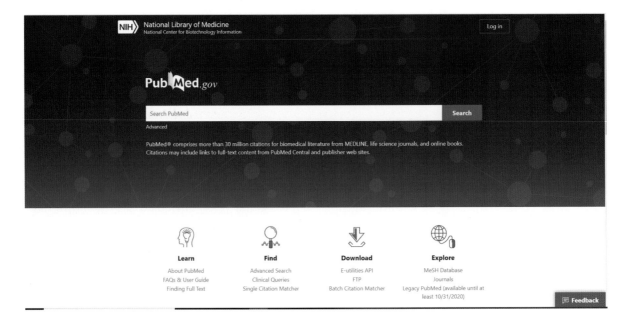

📷 3-2 PubMed (https://pubmed.ncbi.nlm.nih.gov/)

뭔가 복잡하지만 PubMed는 위와 같은 검색 전략으로 검색을 수행했으며 이는 "sinus bone graft"를 각각 "sinus"와 "bone graft"라는 두 검색어의 조합으로 해석했음을 알 수 있다. "sinus"라는 검색어는 "paranasal sinuses"[MeSH Terms] OR ("paranasal"[All Fields] AND "sinuses"[All Fields]) OR "paranasal sinuses"[All Fields] OR "sinus"[All Fields] OR "sinus's"[All Fields]로, "bone graft"라는 검색어는 "bone transplantation"[MeSH Terms] OR ("bone"[All Fields] AND "transplantation"[All Fields]) OR "bone transplantation"[All Fields] OR

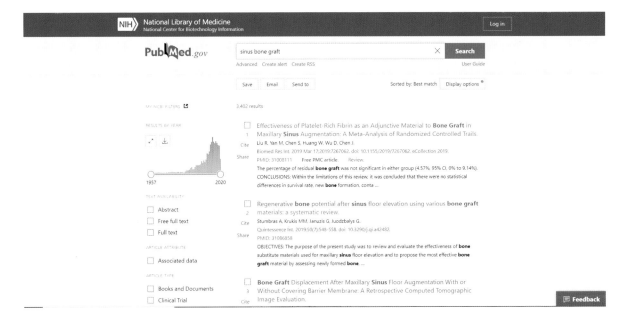

📷 3-3 **검색창에 sinus bone graft 입력했을 때의 검색 결과**

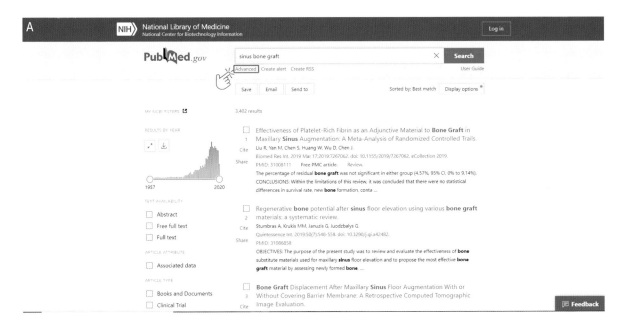

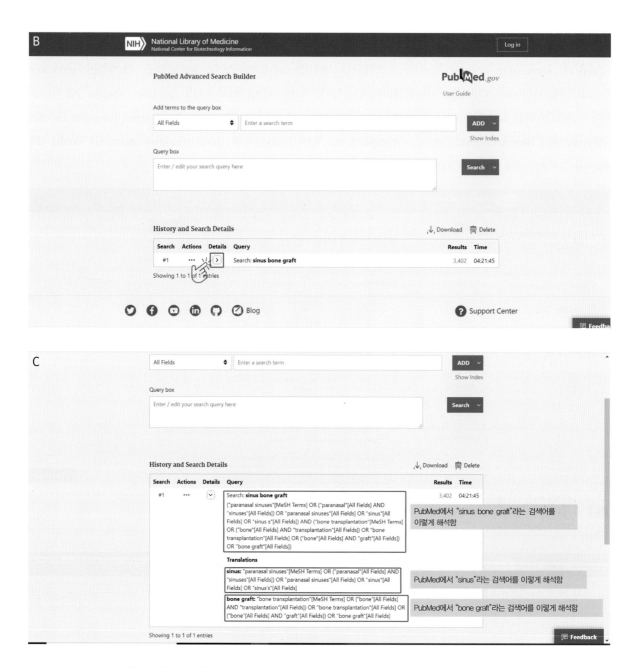

📷 3-4 PubMed가 실제로 어떻게 검색을 수행했는지 알아보는 과정이다.
A. 검색창 바로 하단의 "Advanced"를 클릭한다. **B.** "History and Search Details"는 검색 이력과 각 검색 시 PubMed가 수행한 구체적인 검색 방법을 보여준다. "Details"를 클릭하면 구체적인 검색 과정을 보여준다. **C.** 가장 상단의 박스는 전체 검색어를 어떻게 해석했는지 보여주는 것이다. 아래 두 박스는 sinus bone graft란 검색어를 sinus와 bone graft로 분리한 후 각각을 해석하였음을 설명하고 있다.

("bone"[All Fields] AND "graft"[All Fields]) OR "bone graft"[All Fields]로 번역한 후 이를 합쳐서 검색을 수행했음을 알 수 있다. 우리가 특정되지 않은 형태로 검색어를 입력하면 PubMed는 앞에서 언급했듯이 자동화된 "팽창 검색"을 수행한다. 팽창 검색은 우리가 원하는 주제의 논문을 빠트리지 않고 찾아주기 위한 검색 전략으로, 최대한 광범위한 검색 결과를 얻을 수 있도록 해준다. 위의 예에서 "sinus"라는 검색어를 위해 PubMed는 "paranasal sinuses"[MeSH Terms], ("paranasal"[All Fields] AND "sinuses"[All Fields], "paranasal sinuses"[All Fields], "sinus"[All Fields], "sinus's"[All Fields] 등 무려 다섯 가지나 되는 검색어 조합을 만들어냈다. 하지만 팽창 검색은 반대로 우리가 원하는 주제와 관계없는 문헌을 포함해 너무 광범위한 검색 결과를 보여준다는 단점이 있다. 따라서 우리가 원하는 주제의 문헌을 찾아줄 수 있는 검색 전략을 우리 스스로 수립하고 이를 이용해 검색을 시행할 필요가 있다.

위의 PubMed의 검색 결과에서 보이듯이 PubMed에서의 검색어 입력은 일반적으로 다음과 같은 구조로 수행된다(📷 3-5).

(3) 검색어 설정의 과정

개별 검색어는 가급적 큰따옴표를 붙여준다. 앞의 sinus bone graft로 검색하면 3,402건의 문헌이 검색됐지만 "sinus bone graft"로 검색하면 32개의 문헌만이 검색된다. 이는 큰따옴표로 묶인 검색어를 하나의 단위로 인식하기 때문이다. 실제로 PubMed에서는 "sinus bone graft"를 "sinus bone graft"[All Fields]로만 해석하여 검색을 진행한다(📷 3-6).

큰따옴표로 묶인 검색어 뒤에는 대괄호 [ ] 내에 필드 태그를 써서 붙여줄 수 있다(📷 3-7, https://www.ncbi.nlm.nih.gov/books/NBK3827/table/pubmedhelp.Tn/ 참조). 필드 태그는 검색어의 조건을 제한하여 좀 더 좁은 범위의 검색을 가능하게 해준다. 예컨대 제목에 "bone graft"라는 문구가 들어간 논문을 찾고 싶다면 "bone graft"[TI], 혹은 "bone graft"[title]로 검색을 수행하면 된다. 주로 많이 사용하는 태그는 MeSH Term ([MH])과 Text Words ([TW])이다. 우리가 검색어 뒤에 태그를 붙이지 않으면 PubMed는 자동으로 적절한 태그를 붙여주기 때문에 꼭 필요한 경우가 아니라면 굳이 붙여줄 필요는 없다.

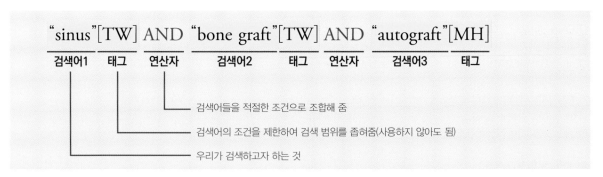

📷 **3-5 PubMed에서 일반적인 검색 방법**
기본적으로 여러 검색어들을 논리 연산자로 묶어서 검색하는 구조이다. 각 검색어 단위는 큰따옴표(" ")로 묶어주고 검색어를 한정하기 위해 태그를 붙여 주기도 한다.

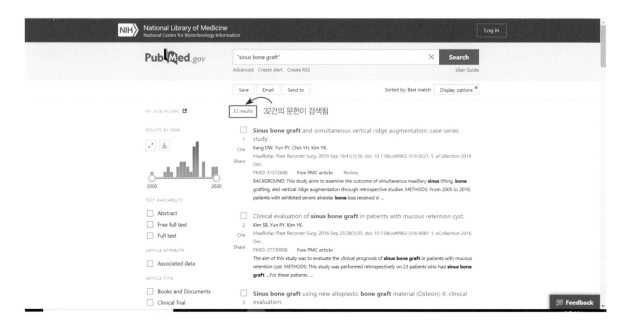

📷 **3-6** PubMed는 큰따옴표 내의 검색어들을 하나의 검색 단위로 인식한다. 따라서 다양한 조합이 가능한 sinus bone graft라는 검색어보다는 "sinus bone graft"의 검색 결과가 훨씬 적다.

Search Field Descriptions and Tags

Affiliation [AD]	Grant Number [GR]	Pharmacological Action [PA]
Article Identifier [AID]	Investigator [IR]	Place of Publication [PL]
All Fields [ALL]	ISBN [ISBN]	PMID [PMID]
Author [AU]	Issue [IP]	Publisher [PUBN]
Author Identifier [AUID]	Journal [TA]	Publication Date [DP]
Book [book]	Language [LA]	Publication Type [PT]
Comment Corrections	Last Author [LASTAU]	Secondary Source ID [SI]
Corporate Author [CN]	Location ID [LID]	Subset [SB]
Create Date [CRDT]	MeSH Date [MHDA]	Supplementary Concept [NM]
Completion Date [DCOM]	MeSH Major Topic [MAJR]	Text Words [TW]
Conflict of Interest [COIS]	MeSH Subheadings [SH]	Title [TI]
EC/RN Number [RN]	MeSH Terms [MH]	Title/Abstract [TIAB]
Editor [ED]	Modification Date [LR]	Transliterated Title [TT]
Entrez Date [EDAT]	NLM Unique ID [JID]	UID [PMID]
Filter [FILTER]	Other Term [OT]	Version
First Author Name [1AU]	Owner	Volume [VI]
Full Author Name [FAU]	Pagination [PG]	
Full Investigator Name [FIR]	Personal Name as Subject [PS]	

📷 **3-7 필드 태그 목록**
검색어의 조건을 한정하여 좁은 범위의 검색이 가능하도록 해준다.

검색어는 우리가 PICO에서 작성한 항목을 보통 MeSH 용어나 Text Word (본문어)로 변환하여 설정한다.

① MeSH 용어를 이용한 검색

MeSH는 "Medical Subject Headings"의 약어로, NLM에서 문헌들의 주제를 나타내는 용어들을 정리한 공식 용어집이다. MeSH는 MEDLINE에서 논문을 색인할 경우와 도서나 시청각 자료에 대한 목록 작업을 할 때에 주제명을 채택하는 데 이용된다.[13] 많은 저널에서 논문의 키워드로 MeSH 용어를 이용할 것을 추천한다. 새로운 문헌이 MEDLINE에 추가되면 그 문헌의 제목, 초록, 저자 등에 따라 숙련된 NLM의 색인 작성자들은 각 문헌의 주제에 가장 적합한 MeSH 용어를 10-12개 정도 부여한다. MeSH 용어는 단일한 개념에 대해 여러 개의 용어가 통용되는 경우, 단 하나의 MeSH 용어로 이들을 모두 통합해서 검색할 수 있도록 해준다. 그러므로, MeSH 용어집은 여타 분야의 데이터베이스와 MEDLINE을 대별해주는 가장 큰 특징이며 장점이라고 생각할 수 있다. 예컨대 "sinus bone graft"에 대한 논문을 검색한다고 해보자. 이 용어는 일관적으로 사용되지는 않으며 문헌에 따라 "sinus augmentation", "sinus lifting", "sinus graft", "sinus floor bone graft", "sinus floor augmentation", "sinus bone graft", "sinus lift bone graft" 등으로 다양하게 쓰인다. 우리가 상악동 골이식에 대한 문헌을 빠짐없이 찾고 싶다면 이들 개별 검색어를 모두 조합하여 사용해야 하지만 그것이 쉽지는 않다. 이럴 때 MeSH 용어를 이용하면 "상악동 골이식"이 주제어 중 하나인 논문을 찾아낼 수 있는 것이다.

MeSH 용어를 이용하기에 앞서 우리가 찾는 검색어에 해당하는 MeSH 용어를 찾아내야 한다. MeSH 용어를 검색할 수 있는 방법은 크게 두 가지로, 첫째는 도입어(entry term)를 이용하는 것이다. 즉, MeSH 용어를 정확하게 모르는 검색자가 도입어를 통해 그에 해당하는 MeSH 용어를 찾아내는 것이다. PubMed 초기 화면에서 검색어 하단의 네 가지 항목 중 가장 우측의 Explore 항목 중 MeSH Database에 들어가면 검색이 가능하다(📷 3-8). "상악동 골이식"의 MeSH 용어를 검색해보자. 우선 "sinus bone graft"로 검색하면 이에 해당하는 검색어가 나타나지 않는다. 몇몇 용어로 검색을 시도해보는 중 "sinus floor"로 검색해보니 "sinus floor augmentation"이라는 MeSH 용어가 검색된다(📷 3-9). 즉, "상악동 골이식"의 MeSH 용어는 "sinus floor augmentation"임을 알 수 있다. "Entry Term"은 특정 MeSH 용어로 연결될 수 있는 용어들을 나타내는데, "sinus floor augmentation"으로 연결되는 용어에는 "Augmentation, Sinus Floor", "Augmentations, Sinus Floor", "Floor Augmentation, Sinus", "Floor Augmentations, Sinus", "Sinus Floor Augmentations", "Maxillary Sinus Floor Augmentation", "Sinus Augmentation Therapy", "Augmentation Therapies, Sinus", "Augmentation Therapy, Sinus", "Sinus Augmentation Therapies", "Therapies, Sinus Augmentation", "Therapy, Sinus Augmentation" 등이 있음을 알 수 있다. 이 목록에 "sinus bone graft"가 없었기 때문에 검색되지 않았던 것이다. 다시 초기 검색창으로 돌아가서 "sinus floor augmentation"[mh]로 검색하면 1,118개의 문헌이 검색된다. 이는 MEDLINE에서 "sinus floor augmentation"가 주제어 중 하나로 할당된 문헌, 즉 "상악동 골이식"과 관련된 문헌이 1,137개임을 나타내는 것이다(📷 3-10). 그러나 "sinus floor augmentation"이라는 MeSH 용어는 2012년에 도입되었기 때문에 그 이전에 "상악동 골이식"을 주제로 발표된 문헌은 거의 포함되지 않는다는 점은 염두에 두어야 할 것이다.

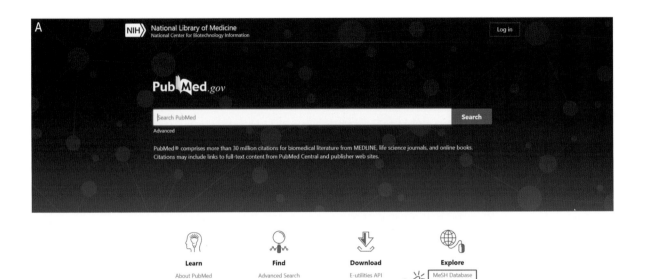

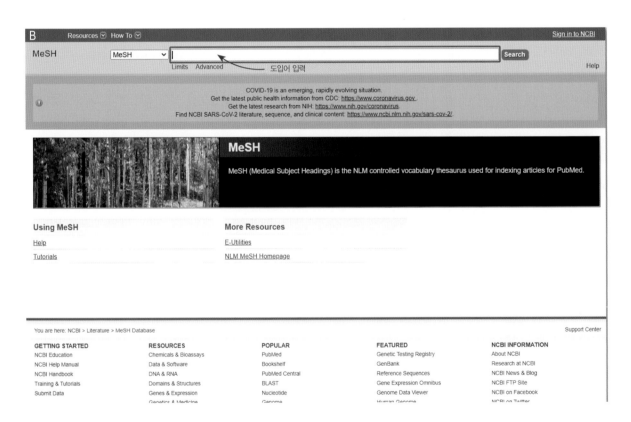

📷 3-8 MeSH 용어에 대한 도입어를 검색하기 위한 접근 과정

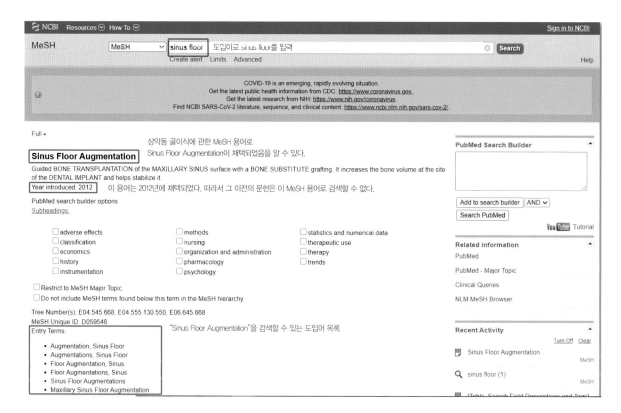

📷 3-9 sinus floor라는 도입어를 이용해 "sinus floor augmentation", 즉 "상악동 골이식"에 대한 MeSH 용어를 찾아낼 수 있다.

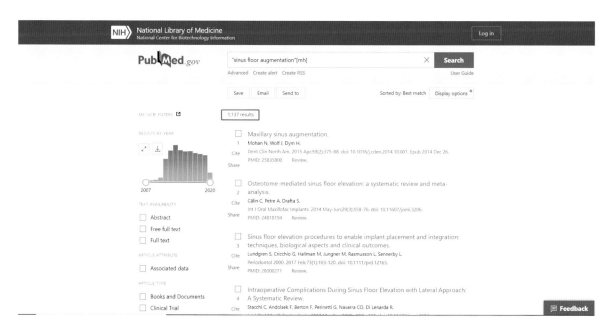

📷 3-10 "sinus floor augmentation"[mh]로 검색을 시행하면 MEDLINE에서 "상악동 골이식"이 주제어 중 하나인 모든 문헌이 검색된다.

MeSH 용어를 검색할 수 있는 두 번째 방법은 원하는 주제의 논문을 아무거나 찾아내고 여기에서 MeSH 용어를 찾아내는 것이다. 도입어를 이용하는 방법보다 이 방법이 실질적으로 더 쉽다. 초기 검색창에서 sinus bone graft를 검색어로 입력하면 PubMed가 검색한 문헌들이 나타난다. 여기에서 첫 번째 문헌을 클릭해보자(📷 3-11). 우측의 PAGE NAVIGATION에서 "MeSH terms"라는 항목을 클릭하면 해당 논문에 할당된 MeSH 용어의 목록이 나열된다. 이중에서 "상악동 골이식"과 관련 지을 수 있는 MeSH 용어는 "sinus floor augmentation"임을 알 수 있다. 용어 뒤에 붙어있는 별표(*)는 이 용어가 해당 문헌의 주요 주제어임을 나타

C

MeSH terms

> Bone Regeneration / drug effects
> Bone Substitutes / pharmacology
> Bone Transplantation / methods*
> Dental Implantation, Endosseous / methods*
> Humans
> Maxillary Sinus / drug effects
> Maxillary Sinus / pathology
> Platelet-Rich Fibrin*
> Randomized Controlled Trials as Topic
> Sinus Floor Augmentation*   "상악동 골이식"의 MeSH 용어임을 알 수 있다.

Substances

> Bone Substitutes

Related information

MedGen

LinkOut – more resources

Full Text Sources
Europe PubMed Central
Hindawi Limited
PubMed Central

Medical
MedlinePlus Health Information

Search result 1 of 3,403 for **sinus bone graft**

Feedback

📷 **3-11 MeSH 용어를 찾는 또다른 방법이 존재한다. 상악동 골이식과 관련된 문헌을 아무거나 찾아내고 여기에서 상악동 골이식에 관한 MeSH 용어를 찾을 수 있다.**
A. 생각나는 대로 sinus bone graft라고 검색어를 입력하면 3,400개 이상의 문헌이 검색된다. 이 중 첫 번째 문헌을 클릭해보자. **B.** 우측의 PAGE NAVIGATION은 이 문헌과 관련된 여러 가지 항목이 나열된다. 이 항목 중 "MeSH terms"를 클릭하면 이 문헌에 할당된 MeSH 용어가 나열된다. **C.** 이 문헌에는 10개의 MeSH 용어가 할당되어 있다. 이 중 상악동 골이식과 관련된 MeSH 용어는 sinus floor augmentation임을 알 수 있다.

내는 것이다. 또한 이 MeSH 목록에서는 상악동 골이식과 관련된 몇 개의 추가적인 MeSH 용어들을 알아낼 수 있다. "maxillary sinus", "bone regeneration", "bone transplantation" 등은 상악동 골이식 관련 문헌들을 검색할 때 이용할 수 있다고 판단할 수 있다. 색인 작성자들은 상악동 골이식과 관련된 모든 문헌에 "sinus floor augmentation"이라는 MeSH 용어를 할당하지는 않는다. "sinus floor augmentation"이라는 MeSH 용어가 생기기 전에 작성된 논문이나 색인 작성자의 판단에 따라 다른 MeSH 용어들이 할당되어 있을 수도 있다. 따라서 "sinus floor augmentation"라는 MeSH 용어로 우리가 원하는 정도로 충분한 문헌이 검색되지 않는다면 "maxillary sinus", "bone regeneration", "bone transplantation"라는 MeSH 용어를 조합하여 추가적인 검색을 시행할 수 있다.

MeSH 용어의 태그는 [mh]이다. 따라서 MeSH 용어로 "sinus floor augmentation"이 부여된 문헌을 검색할 때에는 검색창에 "sinus floor augmentation"[mh]를 입력하면 된다. 앞서도 언급했지만 태그는 붙이지 않아도 PubMed에서 자동으로 적합한 태그를 부여해준다. 따라서 꼭 필요한 경우가 아니라면 태그를 붙일 필요는 없다.

② Text Word를 이용한 검색

Text Word란 문헌의 제목, 초록, 저자명, 수록정보(논문이 게재된 저널명, 출판 일시, 권, 호, 페이지)에 포함된 단어나 문구를 의미하며, PubMed에서는 MeSH를 이용한 주제별 검색과 함께 Text Word를 이용한 검색이 가능하다. Text Word로 검색하기 위해서는 검색문 입력창에 검색하고자 하는 Text Word를 입력하고 [TW]라는 태그를 붙여 주기만 하면 된다(다시 말하지만 태그는 반드시 붙일 필요는 없다). 📷 3-12에서 "비교" 항목의 짧은 임플란트(short implant)는 이에 해당하는 MeSH 용어가 존재하지 않는다. 따라서 검색창에 "short implant"라는 Text Word를 입력하여 검색을 진행한다. 이를 통해 총 160개의 문헌이 검색되었다(📷 3-12).

(4) 검색어 조합

검색어는 논리 연산자와 소괄호를 이용하여 조합시킬 수 있다.

① 논리 연산자

이제 마지막으로 검색어를 조합하여 원하는 검색을 완료한다. 우리는 상악 구치부 잔존골 높이가 제한적인 경우 "상악동 골이식 후 표준 길이 임플란트 식립"과 "골이식 없는 짧은 임플란트 식립" 시 어떤 임상적 결과의 차이를 보이는지 알아보고자 했다. 여기에서 핵심적인 두 가지 검색어는 "상악동 골이식"과 "짧은 임플란트"이다. 이들 두 검색어를 어떻게 조합할 수 있을까? PubMed에서는 논리 연산자(Boolean operator)를 이용하여 두 개 이상의 검색어를 결합할 수 있다. PubMed에 이용되는 논리 연산자는 AND, OR, NOT 등 세 가지이다. AND 연산자는 모든 검색 단어를 포함하는 논문을 검색하는데 이용한다. OR 연산자는 검색 단어 중 최소

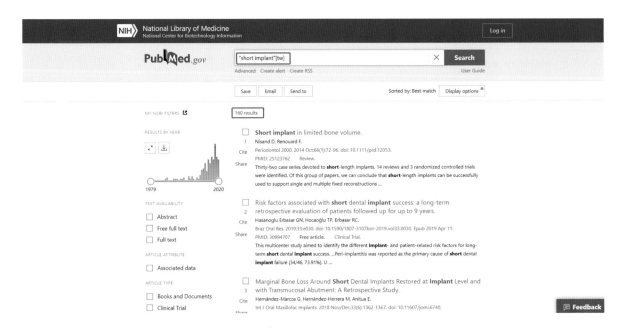

📷 **3-12 Text Word를 이용한 검색**
검색어 뒤에 [TW]라는 태그를 붙여준다. 여기에서는 "short implant"라는 text word를 포함한 문헌이 160개 검색되었다.

한 하나라도 포함하는 문헌을 검색한다. NOT 연산자는 검색으로부터 특정한 단어를 포함하는 문헌을 제외하도록 하는 경우에 이용한다(📷 3-13).

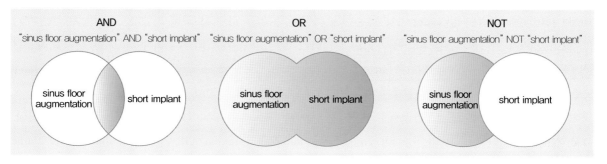

📷 **3-13 논리 연산자를 이용해 복수의 검색어를 조합해준다.**

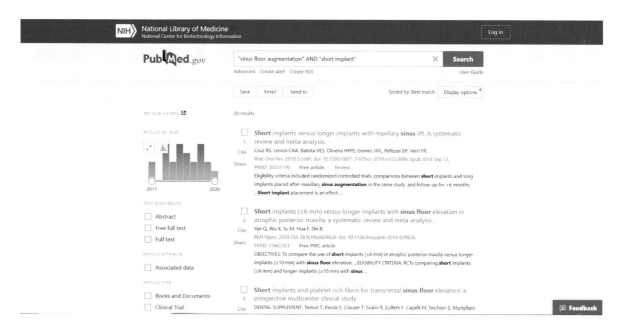

📷 **3-14 "sinus floor augmentation" AND "short implant"의 검색 결과**

위에서 살펴본 대로 "상악동 골이식"은 "sinus floor augmentation"이라는 MeSH 용어로, "짧은 임플란트"는 "short implant"라는 Text Word로 검색한다. 따라서 이들 두 개념을 모두 포함한 문헌을 찾아내기 위해 우리는 "sinus floor augmentation" AND "short implant"라는 검색어 조합으로 검색을 시행할 수 있다(논리 연산자는 소문자를 써도 된다). 그 결과 총 20개의 문헌이 검색되었다(📷 3-14). 보통 우리가 검색을 시행했을 때 찾아진 문헌의 수가 20개 이하이면 적절하다고 볼 수 있다. 이보다 더 많은 수의 문헌이 검색되면 검색의 특이도를 높이는 방향으로, 적은 수의 문헌이 검색되면 민감도를 높이는 방향으로 검색 전략을 수정할 수 있다.

② 소괄호

3개 이상의 검색어를 조합할 때에는 소괄호를 이용하여 검색어를 묶어줄 수도 있다. 앞서 언급했지만 "상악동 골이식" 관련 문헌은 단순히 "sinus floor augmentation"만으로는 검색이 완전치 못하다. 따라서 앞서 찾아본 MeSH 용어들을 이용해 "상악동 골이식"에 관련된 더 많은 문헌을 검색해보도록 하겠다. "상악동"이라는 개념과 "골이식술", 또는 "골재생술"이라는 개념을 결합하면 "상악동 골이식"의 개념이 된다. 이들 용어를 MeSH 용어로 조합하고자 한다면 논리적으로 "maxillary sinus" AND ("bone regeneration" OR "bone transplantation")으로 정리할 수 있다. 여기에서 소괄호는 수학 방정식처럼 검색어들을 먼저 묶어주는 역할을 하는 것이다. 소괄호는 여러 번 적용할 수도 있다. 소괄호가 여러 개 있으면 가장 내부부터 외부의 순서로 검색어를 묶어준다. 결국 "상악동 골이식"에 상응하는 검색어 조합은 "sinus floor augmentation" OR ("maxillary sinus" AND ("bone regeneration" OR "bone transplantation"))이 된다. 이 검색어로 검색을 해보면 총 2,412개의 문헌이 검색된다 (📷 3-15). 이는 앞에서 "sinus floor augmentation"으로 시행한 검색에서 검색된 문헌이 1,137개였던 것과 비교해보면 두 배 이상의 문헌이 검색된 것이다.

"짧은 임플란트"와 관련된 문헌도 검색어의 조합으로 찾아낼 수 있다. 짧은 임플란트 관련 논문들을 찾아보면 "short"라는 단어와 "implant"라는 단어를 항상 붙여서 표현하지 않는다. 이번에는 논문의 제목에 "short"와 "implant"가 들어간 문헌을 찾기로 해보자. 검색어는 "short"[TI] AND ("implant"[TI] OR "implants"[TI])로 정했다. 그 결과 총 699개의 문헌이 검색되었다(📷 3-16). Text Word를 이용한 검색에서 명사 검색어는 단수형과 복수형을 모두 검색어 조합에 포함시키는 것이 좋다.

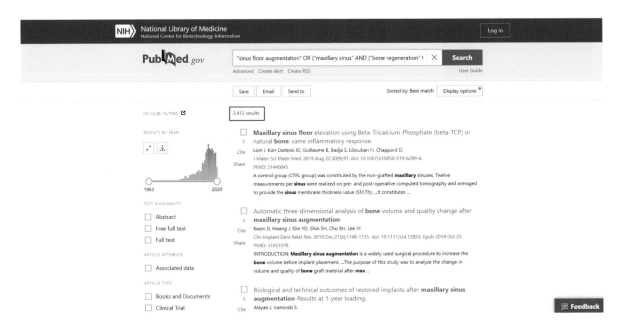

📷 **3-15 소괄호의 이용**
"sinus floor augmentation" OR ("maxillary sinus" AND ("bone regeneration" OR "bone transplantation"))의 검색 결과

이제 이렇게 확장시킨 "상악동 골이식"과 "짧은 임플란트"의 검색어를 AND로 조합해 보자. ("sinus floor augmentation" OR ("maxillary sinus" AND ("bone regeneration" OR "bone transplantation"))) AND ("short"[ti] AND ("implant"[ti] OR "implants"[ti]))를 검색어로 이용하면 총 43개의 문헌이 검색된다(📷 3-17).

📷 3-16 **"short"[TI] AND ("implant"[TI] OR "implants"[TI])의 검색 결과**

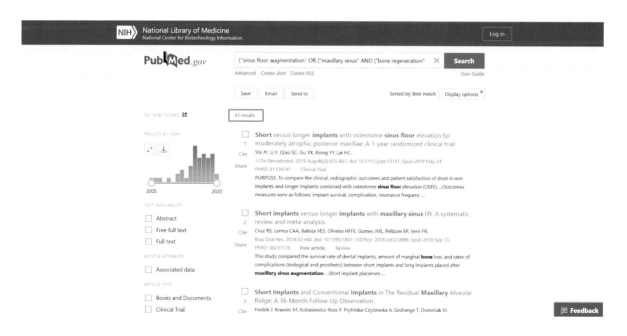

📷 3-17 **"상악동 골이식"과 "짧은 임플란트"에 관한 내용을 동시에 포함한 문헌의 최종 검색 결과**
("sinus floor augmentation" OR ("maxillary sinus" AND ("bone regeneration" OR "bone transplantation"))) AND ("short"[ti] AND ("implant" [ti] OR "implants"[ti]))로 검색을 시행했다.

앞서 단순히 MeSH 용어만을 조합해 검색했을 때 20개의 문헌이 검색되었던 것과 비교해 두 배 이상의 문헌을 찾을 수 있었던 것이다.

③ Filter의 활용

위에서 찾아낸 43개의 문헌은 우리가 다 찾아보기에는 많다. 이 때에는 Filter 기능을 활용할 수 있다. 검색 결과창에서 좌측에 Filter 항목들이 존재한다(📷 3-18). Filter를 통해 문헌의 접근성(초록만 볼 수 있는지, 전문을

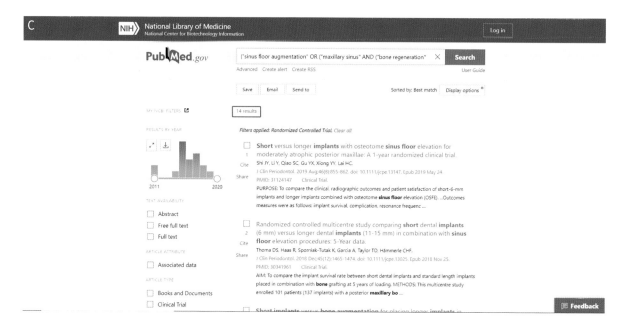

📷 3-18 **Filter의 활용. 검색 결과를 좁혀준다.**
A. 검색 결과에서 좌측에 Filter가 존재한다. **B.** Filter 중 ARTICLE TYPE이 가장 중요하다. 무작위 대조 연구만 보고싶다면 "Randomized Controlled Trial" 항목을 클릭한다. **C.** 전체 검색 결과 중 무작위 대조 연구만이 나타난다.

다 볼 수 있는지), 문헌의 종류(책, 임상 시험 연구, 메타분석, 무작위 대조 연구, 문헌 고찰, 체계적 문헌 고찰), 출판 시기(최근 1년, 5년, 10년 사이에 출판), 치의학 저널에 게재되었는지 여부에 따라 문헌의 범위를 좁혀 줄 수 있다. 이 중 가장 중요한 항목은 "ARTICLE TYPE", 즉 문헌의 종류이다. 찾아낸 문헌의 수가 많다면 이를 통해 근거 수준이 높은 문헌만을 간추릴 수 있다. 예컨대 무작위 대조 연구만을 보고 싶다면 "Randomized Controlled Trial" 항목을 클릭한다. 그 결과 42개의 문헌 중 총 14개의 문헌이 무작위 대조 연구로 분류되어 나타났다.

3.
비판적 평가

검색을 통해 찾아낸 문헌은 비판적으로 평가해야 한다. 비판적 평가(critical appraisal)는 문헌의 자료를 철저하고 투명한 방법으로 평가하여 그 문헌이 얼마나 믿음직스러운지, 그리고 우리의 진료에 문헌의 결과를 적용할 수 있는지 평가하는 과정이다.[14] 우리가 찾아낸 문헌은 크게 세 가지 과정을 통해 비판적으로 평가한다.[9,15,16]

- 연구의 결과는 유효한가?(Are the results of the study valid?)
- 결과는 어떠하였는가?(What are the results?)
- 이 연구의 결과는 내가 환자를 진료하는데 도움이 되는가?(Will the results help locally?)

그리고 그 문헌의 목적이 치료(처치)에 관한 것인지, 진단에 대한 것인지, 예후에 관한 것인지, 아니면 원인에 대한 것인지에 따라 비판적 평가를 구체적으로 수행한다. 일단 PubMed에서 찾아낸 문헌들의 초록을 읽어보고 구체적으로 읽을 필요가 있다고 판단되는 문헌은 전문(full text)을 찾아서 읽어본다. 문헌의 절반 정도는 PubMed나 Google에서 무료로 전문에 접근 가능하지만, 나머지 절반 정도의 문헌은 유료로만 전문에 접근할 수 있기 때문에 이를 얻기 위해서는 논문이 게재된 저널을 직접 구매/구독하거나 치의학 도서관에 방문하여야 한다. 여기에서는 위의 검색에서 찾은 문헌 중 Thoma 등이 2018년에 발표한 "Randomized Controlled Multicentre Study Comparing Short Dental Implants (6 mm) Versus Longer Dental Implants (11–15 mm) in Combination With Sinus Floor Elevation Procedures: 5–Year Data"라는 제목의 무작위 대조 연구를 예로 들어 치료에 관한 비판적 평가를 아주 간략하게만 설명하겠다(📷 3–19).[17] 이 연구에서는 상악 구치부에서 잔존골 높이가 5–7 mm 사이이고 폭이 6 mm 이상인 101명의 환자에 대해 골이식 없이 4 mm 직경과 6 mm 길이의 임플란트만 식립하거나 외측 접근 상악동 골이식 후 4 mm 직경과 11–15 mm 길이의 임플란트를 식립하고 보철 부하 5년 후까지 추적 관찰하여 그 결과를 평가했다(📷 3–20).

1) 연구의 결과는 유효한가?

"연구의 결과는 유효한가?"라는 항목은 연구를 올바른 방법으로 수행했는지를 평가하는 것이다. 우리가 찾은 논문이 어떤 종류의 연구 모델을 적용했는지, 그리고 선택한 연구 모델에서 치우침 없이 철저한 방법을 적용했는지 확인한다. 연구의 유효성은 내부 유효성과 외부 유효성으로 나눌 수 있는데, 이는 연구의 "내부 유효성"을 평가하는 과정이다(📷 3–21). 즉, 연구가 얼마나 철저하게 수행되었고, 따라서 얼마나 철저히 "편향성"을 제거했는지 확인하는 것이다. 따라서 연구 결과의 유효성을 확인하기 위해서는 개별 연구 방법론에 대해 철저한

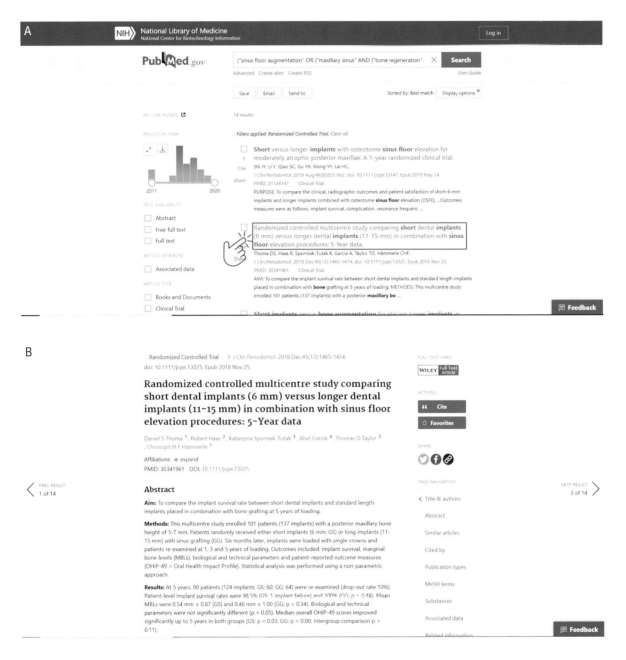

📷 3-19 📷 3-18의 검색 결과 중 두번째 논문의 전문을 읽고 이에 대한 비판적 평가를 시행하도록 하겠다.

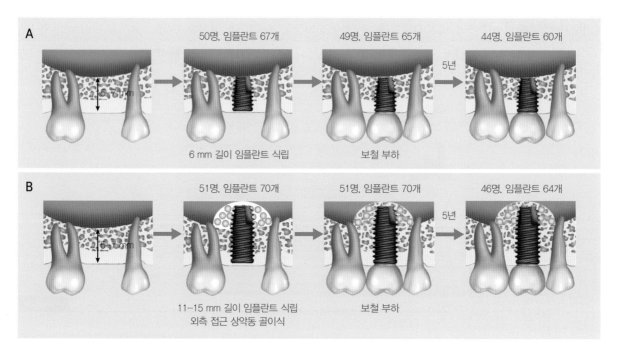

📷 3-20 이 연구의 기본적인 구조이다.

A는 실험군으로 골이식 없이 6 mm 길이의 임플란트만 식립했다. **B**는 대조군으로 외측 접근 상악동 골이식 후 11-15 mm 길이의 임플란트를 식립했다. 보철 완료 후 5년이 경과할 때까지 환자들을 추적 관찰했다.

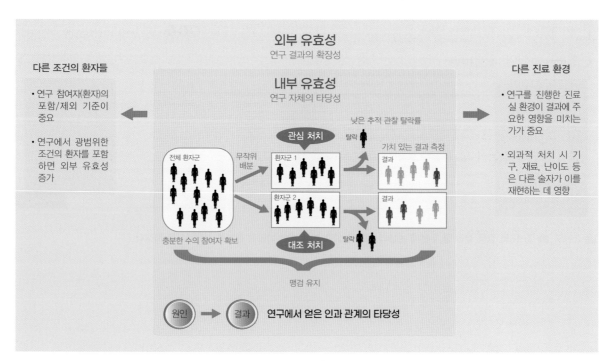

📷 3-21 내부 유효성과 외부 유효성

내부 유효성은 연구 자체의 질을 의미한다. 잘 수행된 질 높은 연구는 내부 유효성이 높다. 외부 유효성은 연구의 확장성을 나타낸다. 연구의 결과를 다른 환자, 다른 진료 환경에 얼마나 잘 적용할 수 있는지의 정도가 외부 유효성을 결정한다.

이해가 선행되어야만 한다. 예컨대 치료와 관련된 무작위 대조 연구를 평가할 때에는 참여 환자의 수는 적절했는지, 철저하게 무작위적으로 치료군을 배정했는지, 환자와 처치 제공자에서 맹검이 얼마나 철저히 수행되었는지, 충분히 오랜 기간 추적 관찰을 수행했는지 등을 평가하는 것이다.

연구 논문은 대체로 도입(Introduction), 연구 재료 및 방법(Materials and Methods), 결과(Results), 토의(Discussion)의 순서로 진행된다. 여기서 Introduction, Methods, Results, and Discussion의 앞 자를 따서 IMRaD 라는 약자로 표시한다.[18] 각 부분에서 서술되는 내용은 다음과 같다.[19]

- Introduction 왜 연구가 수행되었는가? 연구를 시작하게 된 임상적 질문은 무엇인가? 연구의 목적은 무엇인가?
- Methods 언제, 어디서, 어떻게 연구를 수행했는가? 어떤 재료, 혹은 어떤 환자가 연구에 포함되었는가? 어떤 처치, 진단 방법이 적용되었는가?
- Results 연구 시작 시 제기된 질문의 답은 어떻게 나타났는가? 연구에서 어떤 것을 발견했는가?
- Discussion 연구를 통해 찾아낸 사실은 무엇을 의미하고 왜 중요한가? 연구의 결과는 다른 연구의 결과와 얼마나 일치하는가? 향후의 연구에서는 어떤 점을 더 찾아내야 하는가?

"연구의 결과는 유효한가?"라는 질문은 결국 연구의 Materials and Methods 항목을 주로 평가하는 것이다.

(1) 도입부에서 적절하며 명확한 질문을 제기하였는가?

반복적으로 말하지만 좁게 한정된 명확한 질문은 매우 중요하다. 이 연구의 일차적인 목표는 "잔존골 높이가 5–7 mm 사이일 때 6 mm 길이의 짧은 임플란트와 상악동 골이식을 동반한 11–15 mm 길이의 표준 길이 임플란트의 부하 5년 후 임플란트 생존율을 비교하는 것"이었다.

(2) 연구 참여 환자의 수는 적절했는가?

앞서 연구에 참여한 환자의 수는 중요하다는 점을 설명했다. 연구의 참여자 수는, 그 연구에서 가장 중요하게 생각하는 일차 결과(primary outcome; 가장 중요하게 생각하는 측정 결과)의 실험군과 대조군에서의 임상적으로 중요한 차이가 통계학적으로 유의한 차이와 일치하도록 설정하는 것이 이상적이다. 연구의 참여자 수가 적으면 각 군의 결과값에 큰 차이를 보여야 통계학적으로도 유의해진다. 반면 참여자 수가 너무 많으면 사소한 결과값의 차이로도 통계학적인 유의성을 보인다. 따라서 연구를 수행하기에 앞서 통계학적인 계산에 의해 임상적으로 중요하다고 판단되는 최소한의 차이를 보이면 통계학적 유의성을 보이도록 설정해야 한다. 우리가 참여자 수를 설정하는 과정을 이해하기는 힘들지만 일단 논문에 참여자 수를 설정하는 과정이 나와 있다면 그 자체로 그 논문은 더 높은 근거 수준을 보인다고 생각할 수 있다. 이 연구에서의 일차 결과는 "임플란트의 5년간 누적 생존율"이었다. 그러나 이 연구에서는 연구 참여자 수를 통계학적으로 계산하지는 않았다.

임플란트 관련 논문에서는 주로 참여자 수가 너무 적은 것이 문제가 된다. 이 연구에서는 연구 시작 시점에 101명(137개의 임플란트)의 환자를 포함했다. 비록 참여자 수를 계산하지는 않았지만 100명 이상의 환자를 포함시킨 것은 치의학 문헌에서는 충분히 큰 대상수를 확보한 것이다.

(3) 환자의 군은 무작위로 배정되었으며 논문에 그 구체적 방법을 기술하였는가?

무작위 배정은 실험적 임상 연구에서 맹검과 더불어 편향을 줄여줄 수 있는 가장 중요한 두 가지 요소이다. 앞서 자세히 설명한 바와 같이 이는 알려지지 않은 환자의 잠재적 특성이 각 군에 비슷하게 배분되도록 해주기 때문에 최종 결과의 차이가 처치의 차이에 의해서만 발생되었다는 확신을 가질 수 있도록 해준다.[15] 실제로 그릇된 방법으로 무작위 배정을 하면 치료 효과가 41% 과장되게 나타날 수 있으며 논문에서 무작위 배정을 하였다고 진술하였지만 그 구체적인 방법에 대해 기술하지 않았을 때에는 30% 과장되게 나타났다는 보고가 있었다.[20]

이 연구에서는 수술 당일에 치료군에 대한 무작위 배분을 시행하고 배분된 군이 표기된 결과를 밀봉된 봉투에 보관했다가 환자 수술 시 피판을 거상한 이후 봉투를 뜯어서 확인하도록 해주었다. 이는 "치료군의 무작위 배분"과 "배분된 군의 은폐"를 모두 지킨 것이므로 이 연구는 무작위 배분의 원칙을 잘 수행했다고 볼 수 있다.

(4) 연구의 시작 시점에서 각 군에 분배된 환자들의 기저 특성은 비슷하였는가?

무작위 배정이 완벽하게 이루어졌더라도 우연에 의해 각 군에 배정된 환자의 기저 특성 사이에 차이가 있을 수 있다. 논문에서는 표를 통해 각 군에 배정된 환자의 연령, 인종, 성별, 병력 등의 특성에 차이가 없음을 보여야 하며, 차이가 클 때에는 결과 분석 시에 이를 고려해야만 한다.

이 연구에서는 구체적인 수치는 제시하지 않았지만 두 군의 환자의 연령, 성별 분포, 의학적 상태, 임플란트의 식립 위치, 흡연 습관, 구강 내 악습관 등의 기저 특성에 유의한 차이를 보이지 않았다고 기술했다.

(5) 환자와 연구자에게 환자가 배당된 소속군을 비밀로 유지하였는가?

앞서 설명한 바와 같이 맹검이란 참여 환자, 처치 제공자, 그리고 때로는 결과 분석자 등 연구에 관련된 이들이 개별 환자에게 배당된 치료를 모르게 하는 것이다. 일반적으로 환자는 새로운 치료를 받거나 위약(placebo)이 아닌 치료를 받고 있다는 사실을 알면 치료 효과를 과장되게 보고하는 경향이 있으며 결과를 측정하는 연구가나 결과 분석자도 동일한 경향을 보인다. 따라서 맹검 상태가 잘 유지되면 치우침을 줄여줄 수 있다. 하지만, 배당 은폐와는 다르게 맹검은 항상 시행 가능하지는 않으며, 특히 치과 처치를 가할 때에는 환자나 처치 제공자에게 맹검 상태를 유지하는 것은 불가능하거나 어렵다. 이러한 경우에도 결과 측정만은 맹검 하에서 시행할 수 있다.[21]

이 연구의 방법론에 있어 가장 큰 단점은 맹검이 적절히 이루어지지 못했다는 점이다. 그러나 이 연구는 구조적으로 맹검이 힘든 연구였다는 점도 염두에 두어야 한다. 이 연구에서는 서로 침습성의 차이가 큰 두 가지 수술 방법을 비교했다. 따라서 환자나 처치 제공자(수술 담당 의사)에게 맹검을 시행하는 것은 불가능했을 것이다. 또한 측정한 일차 결과는 임플란트의 생존율이었는데, 이는 맹검 여부가 결과 측정치(임플란트의 잔존/탈락)에 거의 영향을 미치지 않는다. 결국 이 연구는 맹검이 제대로 이루어지지 못했고, 따라서 이로 인해 근거 수준이 저하되었지만 연구에서 가해준 처치나 평가한 결과에 특성상 어쩔 수 없는 측면이 있었다고 결론 내릴 수 있다.

(6) 처음 연구에 참여했던 모든 환자에 대해 결과를 측정하였는가? 처치 의도 분석을 시행하였는가? 충분히 오랜 기간 동안 추적 관찰하였는가?

추적 관찰 중 소실된 환자를 보고하고 그 이유를 설명하는 것은 중요하다. 사실은 추적 관찰 중 소실된 환자들이 더 유용한 정보를 제공하는 경우도 많다(합병증 발생이나 처치에 의해 질환이 소실되어 소실되는 경우가 많다). 이러한 정보를 모두 기술하였다고 하더라도 추적 관찰된 참여자의 비율이 80% 미만이라면 그 연구는 받아들일 만하지 못하다.[22] 또한 모든 환자는 처음 배정된 군에 포함시켜 분석해야 한다(이를 처치 의도 분석; intention to treat analysis이라고 한다). 예컨대 연구 시작 시점에서 A군에 배정받았던 환자가 중간에 B군에 할당된 치료를 받았다면 이 환자는 A군에 포함시켜 분석해야 하는 것이다. 이는 무작위 배정의 원칙을 지키기 위한 것으로, 치료의 차이에 의한 결과의 차이보다는 무작위 배정에 의해 균등하게 분배된 환자의 기저 특성이 더 중요하기 때문이다. 마지막으로, 관심 결과가 발생하기에 충분한 기간 동안 추적 관찰을 시행해야 처치의 효과를 제대로 파악할 수 있다.

이 연구에서는 연구 참여자의 흐름도를 제시했다. 참여자의 흐름도는 연구 과정 중 참여 환자가 연구에서 얼마나 탈락했고 얼마나 유지됐는지를 한눈에 파악할 수 있도록 해주며 CONSORT에서는 무작위 대조 연구에 반드시 이 흐름도를 제시할 것을 권유했다. 이 연구에서는 연구 시작 시점에 101명(137개의 임플란트)이 참여했고 5년 후에는 90명(124개의 임플란트)의 환자에서 최종적으로 결과를 측정했다. 이는 89.1%의 추적 관찰 참여율로, 5년이라는 긴 기간을 감안하면 굉장히 높은 수치를 보인 것이었다. 따라서 이 연구는 추적 관찰 기간이 길고 환자의 참여율이 굉장히 높은 연구였다고 할 수 있다.

2) 결과는 어떠하였는가?

연구의 결과에 대해 평가할 때에는 두 가지에 집중한다.

- 임상적으로 중요한 결과를 측정했는가?
- 결과는 어떻게 나타났는가?

이는 주로 IMRaD에서 "결과(Results)" 항목을 통해 확인한다.

(1) 임상적으로 중요한 결과를 측정했는가?

아무리 좋은 연구 방법론을 적용했다고 하더라도 임상적으로 별다른 가치가 없는 결과를 측정한다면 그 논문의 중요도는 떨어질 수밖에 없다. 연구 논문에서는 가장 중요한 가치를 지닌 결과를 일차 결과(primary outcome)로, 그 이외의 결과를 이차 결과(secondary outcome)로 구분해서 제시해 주는 것이 좋다.

앞서 설명했지만 실험 논문에서 측정하는 결과에는 대리 결과(surrogate end point)와 최종 결과(true end point)가 있다. 대리 결과는 생리적, 해부학적 지표로, 생체 내의 생물학적 활성을 측정한 결과를 의미하며, 최종 결과는 환자에게 실제적인 것으로, 환자가 어떻게 느끼는가, 기능하는가, 또는 생존하는가를 직접 결정해줄 수 있는 측정치이다.[23] 대리 결과를 측정하면 빠른 시간에 손쉽게 연구를 시행할 수 있다는 장점이 있지만, 대리 결과가 반드시 최종 결과를 예견할 수 있는 것은 아니기 때문에 치료 논문에서는 가급적 최종 결과를 측정하는 것이 좋다. 임플란트 관련 연구에서 가장 중요한 결과 측정치는 임플란트의 성공률일 것이다. 그러나 임플란트 성공률은 측정이 어렵기 때문에 이의 대체 결과인 생존율이 많이 쓰이고 있다. 따라서 임플란트의 성공률/생존율은 임플란트 관련 실험의 최종 결과가 된다. 여타의 조직학적 결과(주로 조직계측학적 측정)나 방사선학적 결과(주로 치조정 골소실)는 임플란트의 생존과 성공을 예견할 수 있도록 도와주는 측정치이기 때문에 대리 결과가 된다.

이 연구에서는 일차 결과로 보철 부하 5년 후의 임플란트 생존율을 측정했다. 이차 결과로는 임플란트 주위 조직의 건강도(탐침 깊이, 탐침 시 출혈, 치태 지수), 방사선학적 치조정 골소실, 치관/임플란트 비, 환자 중심 결과 지표(Patient Reported Outcome Measure, PROM)를 측정했다. 이 연구는 최종 결과와 대리 결과를 모두 측정했지만 가장 중요한 결과 지표인 장기간의 임플란트 생존율을 측정했기 때문에 임상적으로 가치 있는 결과를 측정했다고 할 수 있다.

(2) 결과는 어떻게 나타났나?

결과의 값은 임상 연구에서 가장 중요한 항목이다. 그 연구에서 알아내고자 하는 약물이나 치료의 효과를 나타내는 것이기 때문이다. 이 연구에서는, 환자 수준에서 짧은 임플란트 식립군의 임플란트 생존율은 98%, 상악동 골이식 및 표준 임플란트 식립군의 임플란트 생존율은 100%였고, 이는 임상적으로나 통계학적으로 유의하지 않은 차이를 보이는 것이었다. 기타의 이차 결과들도 두 군에서 별다른 차이를 보이지 않았다. 결국, 상악 구치부에서 잔존골 높이가 5-7 mm인 증례에서 상악동 골이식 없이 6 mm 길이의 임플란트만 식립하더라도 상악동 골이식 후 11-15 mm 길이의 임플란트를 식립했을 때와 장기간(5년간)의 임플란트 생존율은 거의 차이를 보이지 않는다고 결론 내릴 수 있었다(📷 3-22).

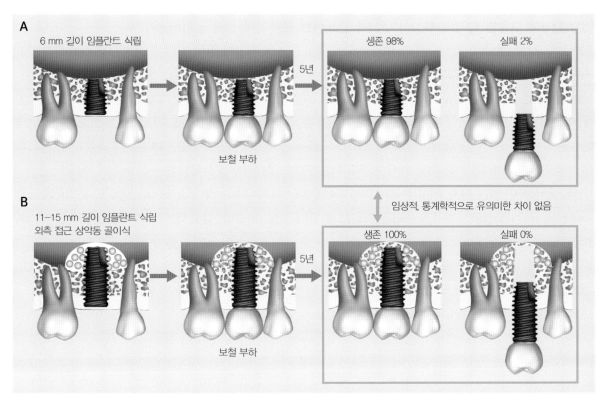

3-22 이 연구는 장기간(5년) 수행했고 환자의 추적 관찰 소실율이 낮았으며, 대리 결과가 아닌 최종 결과를 측정했기 때문에 가치가 높은 연구였다. 이 연구의 결과, 상악 구치부에서 잔존골 높이가 5-7 mm로 제한적인 경우, 상악동 골이식 없이 6 mm 길이의 임플란트만 식립하더라도 상악동 골이식 후 표준 길이 임플란트를 식립할 때와 비슷한 정도의 임상적 성공을 보인다고 결론 내릴 수 있다.

3) 이 연구의 결과는 내가 환자를 진료하는 데 도움이 되는가?

이 연구를 내가 실제로 임상에서 재현할 수 있는지, 그리고 할 수 있다면 얼마나 도움이 될 수 있는지 평가하는 것이다. 이는 연구의 "외부 유효성(external validity)" 평가를 포함하는 과정이다. 내부 유효성은 연구 자체의 유효성을 평가하는 것인데 반해, 외부 유효성은 연구 결과를 연구 조건 외부로 확장시킬 수 있는지 여부를 평가하는 것이다.[24] 이는 크게 두 가지 과정으로 이루어진다.

- 연구에 포함된 환자의 특성이 우리가 진료하는 환자의 특성과 일치하는가?
- 연구를 시행한 진료 환경이나 사용된 재료 및 술식을 우리가 사용하거나 시행할 수 있는가?

(1) 연구에 포함된 환자의 특성이 우리가 진료하는 환자의 특성과 일치하는가?

연구에 포함된 환자의 포함 기준과 제외 기준은 외부 유효성 평가에 있어 가장 중요하다. 연구의 환자 포함 기준이 너무 엄격하다면 우리가 일상적으로 마주치는 환자에 연구 결과를 적용하기 힘들 수 있다. 앞 장에서 설명했듯이 연구의 포함 기준은 그 연구가 효능을 평가하기 위한 것인지, 아니면 효과를 평가하기 위한 것인지에 따라 결정된다. 효과를 평가하는 연구는 외부 유효성이 크다고 할 수 있다. 효과는 평균적인 술자가 일상적인 환경에서 평범한 환자들에게 처치를 가했을 때 나타나는 치료의 일반 효과를 의미하는 것이기 때문이다. 이 연구에서는 너무 엄격한 포함 기준/제외 기준을 적용하지는 않았지만 조절되지 않는 당뇨 환자, 이갈이 습관이나 알코올 중독이 있는 환자, 하루 10개비 이상의 흡연자는 포함시키지 않았다. 따라서 앞의 제외 기준에 포함되지 않는 일반 환자에 이 연구의 결과를 적용할 수 있다고 할 수 있다. 결국 이 연구에 포함된 환자는 우리가 일상적으로 진료하는 환자들의 특성과 비슷하다고, 혹은 외부 유효성이 크다고 볼 수 있다.

(2) 연구를 시행한 진료 환경이나 사용된 재료 및 술식을 우리가 사용하거나 시행할 수 있는가?

연구의 결과가 아무리 좋다고 하더라도 연구에 사용된 술식이 너무 어려워서 우리가 당장 시행하기 어렵거나 연구에 사용된 재료를 구하기 힘들다면, 우리의 진료에 이를 당장 적용하기 힘들다. 이 연구에서는 외측 접근 상악동 골이식과 임플란트 식립이라는 외과적 술식을 적용했으며 이는 우리가 일상적으로 할 수 있는 술식이다. 또한 이 연구에 사용된 임플란트는 Astra Tech Implant System의 내부 연결형, 매몰형 임플란트로 이 제품 자체나 그 대체품을 쉽게 사용할 수 있다. 상악동 골이식에 사용된 재료 또한 Bio-Oss와 Bio-Gide로 우리가 쉽게 사용할 수 있는 재료였다. 따라서 이 연구의 진료 환경이나 사용된 재료 및 술식은 우리가 쉽게 사용하거나 시행할 수 있다.

4.
적용하기와 평가하기

우리가 찾아낸 임상 연구 논문을 적절히 평가한 이후 이를 임상에 적용하고 그 결과를 평가한다. 이 과정을 통해 우리의 진료 프로토콜을 끊임없이 변화시켜 나가도록 해야 한다. 예컨대 우리가 치료할 환자의 상악 제1대구치가 결손되어 있었으며 상악동 함기화로 인해 잔존골 높이가 6 mm였다고 해보자.

1) 적용하기

환자는 신체적으로 건강하기는 했지만 수술에 대한 공포감이 심했으며 치아 결손부 쪽에 증상이 없는 만성 상악동염이 존재하고 있었다. 이러한 경우 만성 상악동염을 우선적으로 치료하고 상악동 골이식과 더불어 표준 임플란트를 식립할 수도 있지만 치료 기간이 너무 길어지고 환자의 불편감이나 공포감이 증가될 수 있을 것이다. 우리는 앞의 논문뿐만 아니라 여러 문헌을 검색하고 평가한 끝에 잔존골 높이가 6 mm 이상일 때 상악동 골이식 없이 6 mm 길이의 임플란트를 식립하면 상악동 골이식 후 표준 임플란트를 식립했을 때보다 임플란트의 성공률이 아주 약간 저하되거나 거의 차이를 보이지 않는다는 사실을 알아냈다. 또한 상악동 골이식 없이 짧은 임플란트만 식립하면 상악동 내부로의 접근이 필요하지 않기 때문에 임플란트 치료 전에 반드시 상악동염을 치료할 필요는 없다. 환자에게 이러한 사실을 설명하고 환자는 짧은 임플란트 식립을 선호했기 때문에 실제로 상악동 골이식 없이 6 mm 임플란트만 식립했다.

2) 평가하기

그 결과 수술은 아주 간단하게 진행할 수 있었을 뿐만 아니라 임플란트는 골유착에 성공하여 아무런 문제없이 장기간 기능하게 되었다. 환자와 우리 모두 이 결과에 만족할 수 있었다. 우리는 상악 구치부에서 잔존골이 제한적일 때 상악동 골이식 없이 6 mm 길이의 임플란트만 식립해도 임플란트를 성공적으로 사용할 수 있다는 확신을 갖게 되었다. 그러나 단 하나의 임상 증례 결과를 일반화시킬 수는 없다. 비슷한 증례에서 같은 술식을 반복적으로 적용하여 그 전반적인 결과를 평가해야만 한다. 우리가 임상 연구에 기반해 적용한 술식이나 약물이 지속적으로 양호한 결과를 보인다면 우리의 치료 프로토콜은 이에 맞게 변화시켜야 한다. 또는 새로운 처치가 기존의 것에 비해 만족스럽지 않은 결과를 보인다면 이를 폐기해야만 한다. 이것이 곧 평가하기의 과정이 된다.

이상의 과정, 즉 질문하기–근거 검색–비판적 평가–적용하기–평가하기를 통해 최신의, 그리고 최선의 임상 근거를 우리 스스로 임상에 적용할 수 있게 된다. 전술한 바와 같이 임상 연구들에는 우리가 궁금해하는 거의 대부분의 정보가 포함되어 있으므로 근거 중심 치의학을 통해 우리가 궁금해하는 거의 대부분의 주제에 대해 최선의 해답을 얻을 수 있다는 사실을 다시 한 번 알 수 있다. 이는 우리 스스로가 시행할 수 있는 최고의 평생 교육 방법이다.

참고문헌

1. Cook DJ, Jaeschke R, Guyatt GH. Critical appraisal of therapeutic interventions in the intensive care unit: human monoclonal antibody treatment in sepsis. Journal Club of the Hamilton Regional Critical Care Group. J Intensive Care Med. 1992;7(6):275–282.

2. Porzsolt F, Ohletz A, Thim A, et al. Evidence-based decision making-the 6-step approach. ACP J Club. 2003;139(3):A11–12.

3. Oxman AD, Sackett DL, Guyatt GH. Users' guides to the medical literature. I. How to get started. The Evidence-Based Medicine Working Group. Jama. 1993;270(17):2093–2095.

4. McGibbon A EA, Marks S. Evidence-Based Principles and Practice. Hamilton, Ontario: Decker Inc; 1999.

5. Forrest JL, Miller SA. Evidence-based decision making in action: Part 1-Finding the best clinical evidence. J Contemp Dent Pract. 2002;3(3):10–26.

6. Sackett DL RW, Rosenberg WMC, Haynes RB. Evidence-based medicine: how to practice and teach EBM. London: Churchill-Livingstone; 2001.

7. Weinfeld JM, Finkelstein K. How to answer your clinical questions more efficiently. Fam Pract Manag. 2005;12(7):37–41.

8. PubMed Tutorial. In.

9. Greenhalgh T. How to read a paper: the basics of evidence-based medicine. John Wiley & Sons; 2014.

10. John J. Sources of Evidence-MEDLINE. Evidence-Based Dentistry. 2003;4(4):91–93.

11. Sutherland S, Walker S. Evidence-based dentistry: Part III. Searching for answers to clinical questions: finding evidence on the Internet. Journal (Canadian Dental Association). 2001;67(6):320–323.

12. Easy SSM. Searching for Answers to Clinical Questions: How to Use MEDLINE. J Can Dent Assoc. 2001;67:277–280.

13. Yang H, Lee HJ. Research Trend Visualization by MeSH Terms from PubMed. Int J Environ Res Public Health. 2018;15(6).

14. Croft P. The Handbook of Clinical Trials and Other Research. Nurse researcher. 2002;10(2):83–86.

15. Sutherland SE. Critical Appraisal of the Dental Literature: Papers About Therapy. J Can Dent Assoc. 2001;67(8):442–445.

16. Attia J, Page J. A graphic framework for teaching critical appraisal of randomised controlled trials. Equine veterinary journal. 2006;38(1):7–9.

17. Thoma DS, Haas R, Sporniak-Tutak K, Garcia A, Taylor TD, Hämmerle CHF. Randomized

controlled multicentre study comparing short dental implants (6 mm) versus longer dental implants (11–15 mm) in combination with sinus floor elevation procedures: 5–Year data. J Clin Periodontol. 2018;45(12):1465–1474.

18. Nair PR, Nair VD. Scientific writing and communication in agriculture and natural resources. Springer; 2014.

19. Mogull SA. Scientific and medical communication: a guide for effective practice. Routledge; 2017.

20. Schulz KF, Chalmers I, Hayes RJ, Altman DG. Empirical evidence of bias: dimensions of methodological quality associated with estimates of treatment effects in controlled trials. Jama. 1995;273(5):408–412.

21. Sign S. 50: A guideline developers' handbook. SIGN. 2011.

22. Haynes RB, Sackett DL, Richardson WS, Rosenberg W, Langley GR. Evidence–based medicine: How to practice & teach EBM. Canadian Medical Association Journal. 1997;157(6):788.

23. Richards D. Outcomes, what outcomes? Evidence–based dentistry. 2005;6(1):1–1.

24. Park JH. Persistent misunderstandings of inclusive fitness and kin selection: Their ubiquitous appearance in social psychology textbooks. Evolutionary Psychology. 2007;5(4):147470490700500414.

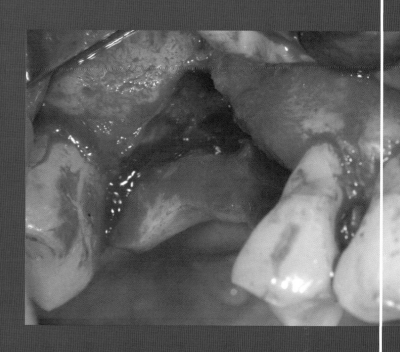

PART 2

골증강술의 개요

Remaking
the bone

골결손의
원인과 분류

1.
골결손과 골증강술에 대한 개요

많은 임플란트 치료 증례에서 치조골의 높이와 폭은 임플란트를 수용하기에 부족하다. 이러한 증례에서도 임플란트 치료를 안정적으로 시행하기 위해서 우리는 "골증강술"에 대해 확고한 지식을 쌓고, 또 이를 임상에 적용할 수 있는 능력을 지녀야만 한다. 골증강술은 적절한 지식과 경험만 뒷받침된다면 충분히 예지성 높은 치료 결과를 보일 수 있는 술식이다. 또한 골증강술은 그 결과가 극적인 경우도 많기 때문에 치과의사로서 많은 성취감을 느끼게 해주는 술식이기도 하다.

1) 임플란트 식립부의 골량이 부족하면 임플란트의 성공 가능성은 현저히 저하된다.

임플란트 치료는 상실된 치아를 수복하는 가장 효율적이며 예지성 높은 치료로 자리 잡았다. 최근의 메타분석들에 의하면 고정성 보철물을 지지하는 임플란트 매식체의 10년 생존율은 93-95% 이상이며, 합병증은 임상적으로 받아들일 만한 범위의 빈도에서 발생한다.[1,2] 그러나 임플란트는 치조골과의 골유착을 통해 악골에 고정되어 기능하기 때문에, 임플란트 식립부에는 임플란트를 수용할 수 있는 충분한 양과 질의 치조골이 존재해야 한다. 특히 골량이 부족한 경우에는 크게 두 가지 문제가 발생할 수 있다(📷 1-1).

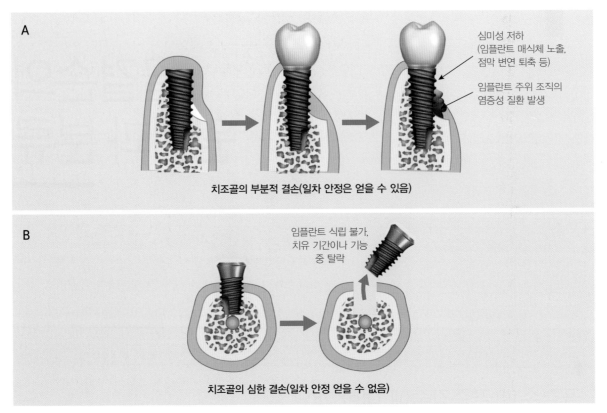

심미성 저하
(임플란트 매식체 노출,
점막 변연 퇴축 등)

임플란트 주위 조직의
염증성 질환 발생

치조골의 부분적 결손(일차 안정은 얻을 수 있음)

임플란트 식립 불가,
치유 기간이나 기능
중 탈락

치조골의 심한 결손(일차 안정 얻을 수 없음)

📷 1-1 치조골의 양이 부족하면 임플란트 치료 시, 혹은 치료 후 크게 두 가지 문제를 야기할 수 있다.
A. 임플란트 주위 조직의 건전성 저하, 심미성 저하 **B.** 임플란트 식립 불가, 혹은 식립 후 골유착 실패

(1) 임플란트의 식립 불가, 혹은 식립 후 골유착 성공률 저하

골량이 극히 적은 경우에는 임플란트를 식립하면서 일차 안정을 얻을 수 없다. 혹은 낮은 정도의 일차 안정만 얻을 수 있기 때문에 임플란트가 골유착에 실패하거나 기능 중 탈락할 가능성이 증가한다.

(2) 임플란트 주위 조직의 건전성 저하, 심미성 저하

치조골이 부분적으로 결손된 경우에는 임플란트를 식립할 때 일차 안정을 얻을 수 있더라도 임플란트 주위 조직에 결손이 발생한다. 이는 임플란트 주위 조직의 건전성을 저하시켜 임플란트 주위 조직에 염증성 질환을 발생시키거나 임플란트 치료의 심미적 결과를 저하시킨다.

① 임플란트의 식립 불가, 혹은 식립 후 골유착 성공률 저하

임플란트 식립부의 골량은 임플란트의 예후에 분명한 영향을 미친다. 한 체계적 문헌 고찰에 의하면 Lekholm & Zarb의 골량 구분 상 D와 E형(기저골까지 이르는 악골의 현저한 흡수)에 식립한 임플란트는 A–C 형에 식립한 임플란트보다 유의하게 높은 실패율을 보였다.[3] 대규모의 후향적 연구에서는 임플란트 식립 시

골이 현저히 흡수되어 있던 증례에서 임플란트의 실패율이 유의하게 높았다고 보고했다.[4] 다른 여러 문헌에서도 임플란트 식립부의 골량이 저하된 경우 임플란트의 예후는 유의하게 저하되었다고 보고했다.[5-7] 그러나 골량의 부족은 이러한 문헌에 보고된 것보다 임플란트 치료에 더 많은 악영향을 미친다고 확신할 수 있다. 임플란트 식립이 불가능할 정도로 치조골이 결손된 경우는 임플란트를 식립할 시도조차 할 수 없기 때문에 많은 연구의 분석 대상에서 아예 제외되어 있을 것이기 때문이다. 만약 이렇게 극단적인 증례까지 포함시킨다면 골량이 부족한 경우에 있어 임플란트 식립 후 임플란트가 탈락할 확률은 더욱 상승할 것이다.

② 임플란트 주위 조직의 건전성 저하, 심미성 저하

골량이 줄어들었다고 하더라도 남은 잔존골에서 임플란트의 일차 안정은 얻을 수 있는 경우도 있다. 그러나 이러한 경우에 골증강술 없이 임플란트만 식립한다면 치조정 골소실, 임플란트 주위 연조직의 염증성 병소, 임플란트 주위 점막의 퇴축 등 여러 가지 합병증이 발생할 가능성이 증가한다.[8,9] 뿐만 아니라 임플란트 수복 치료의 심미적 예후를 결정하는 임플란트 주위 조직의 크기와 형태도 골증강술 없이는 현저하게 악화된다.[10]

결국 치아 상실부에서 임플란트 수복물이 저작 기능과 심미적 기능을 정상적으로 수행하면서 임플란트 주위 조직이 건강하게 유지되는 상태를 "임플란트 치료의 성공"으로 정의 내린다면, 치아 상실부 치조골의 양이 저하되어 있고 이를 수복하지 않은 채 임플란트 치료를 진행하면 임플란트의 성공 가능성은 현저히 저하된다는 사실을 알 수 있다.

2) 전체 임플란트 치료 증례 중 절반 정도에서 골증강술이 필요하다.

이렇게 임플란트 식립부의 골결손은 흔하게 발생하기 때문에 임플란트 치료 시 골증강술이 필요한 경우가 많다. 대규모의 환자군을 후향적으로 분석했던 일련의 연구들에서는, 대략 50% 정도의 증례에서 골증강술이 필요했다고 보고했다.[11-15] 1,206명의 환자에게 1,817개의 임플란트를 식립하고 골증강의 필요성을 후향적으로 분석했던 연구에 의하면, 총 51.7%(939/1,817)의 임플란트 식립 증례에서 골증강술이 필요했다.[11] 특히 전체 증례 중 대략 40%의 증례에서는 국소적인 골유도 재생술이 필요했다. 또 다른 후향적 연구에서는 총 792개의 6분악(sextant)에 1,512개의 임플란트를 식립하고 골증강술의 시행 빈도를 분석했다.[12] 그 결과 50.3%의 증례에서 골증강술이 필요했으며, 구체적으로는 22.7%의 증례에서 골유도 재생이, 22.1%의 증례에서 상악동 골이식술이, 5.4%의 증례에서 블록골 이식술이 시행되었다(📷 1-2). 또한 상악 전치부에서는 77.2%의 증례에서, 상악 구치부에서는 62.7%의 증례에서, 하악 구치부에서는 31.8%의 증례에서, 그리고 하악 전치부에서는 12.3%의 증례에서 골증강술을 시행했다고 보고했다.

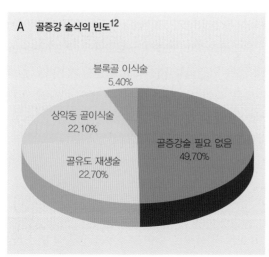

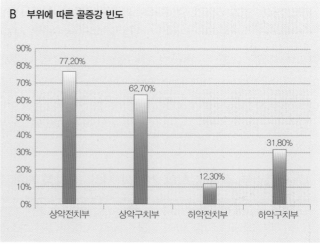

📷 **1-2 임플란트 치료 시 골증강술의 시행 빈도[12]**
A. 거의 절반 정도의 임플란트 치료 증례에서 골증강술이 필요하다. 골증강술의 거의 대부분은 골유도 재생술과 상악동 골이식술이며 상악 전치부에서는 블록골 이식술도 꽤 많이 시행한다. **B.** 상악 전치부와 구치부는 각각 수평적, 수직적 결손이 호발하므로 높은 빈도로 골증강술이 시행된다.

이 책의 각 부분에서 자세하게 설명하겠지만 치조골의 결손 형태 분포는 부위에 따라 차이를 보인다. 일반적으로 자연치의 형태와 크기에 의해 치조골의 형태와 크기가 결정되기 때문에 치조골의 폭은 전치부가 구치부보다 좁다. 전치가 구치보다 치아의 협설폭이 더 좁기 때문이다(📷 **1-3**). 자연치 치근의 평균 크기는 📖 **1-1**과 같다.[16]

따라서 수평적 골결손은 구치부보다는 전치부에서 더 흔하다. 전치부에서는 임플란트의 식립 깊이를 수직적으로 제한할 수 있는 해부학적 구조물이 존재하지 않는 반면, 구치부에서는 상악의 상악동과 하악의 하악관이 임플란트 식립부의 수직적 길이를 제한한다. 따라서 수직적 골결손은 전치부보다는 구치부에서 더 흔하다(📷 **1-4**).[17]

📖 **1-1 자연치 치근의 크기(mm)**

	상/하악	중절치	측절치	견치	1소구치	2소구치	1대구치	2대구치
치근 길이	상악	13.0	13.4	16.5	13.4	14.0	12.9	12.9
	하악	12.6	13.5	15.9	14.4	14.7	14.0(M) 13.0(D)	13.9(M) 13.0(D)
치경부 근원심폭	상악	6.4	4.7	5.6	4.8	4.7	7.9	7.6
	하악	3.5	3.8	5.2	4.8	5.0	9.2	9.1
치경부 협설폭	상악	6.3	5.8	7.6	8.2	8.1	10.7	10.7
	하악	5.4	5.8	7.5	7.0	7.3	9.0	8.8

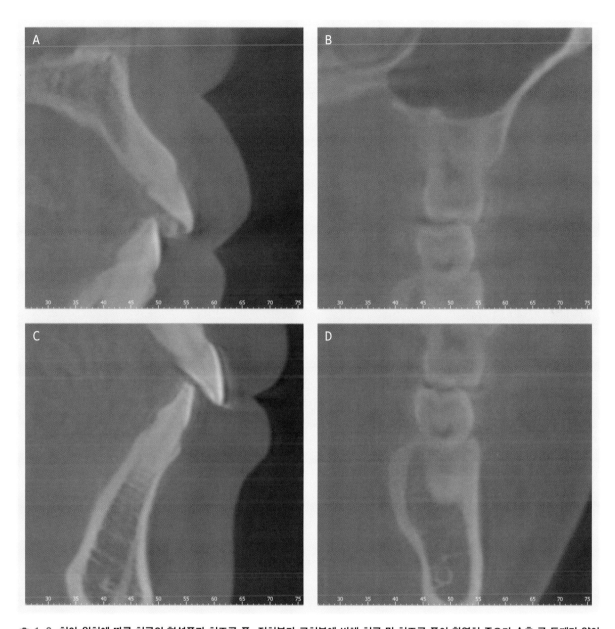

📷 1-3 **치아 위치에 따른 치근의 협설폭과 치조골 폭. 전치부가 구치부에 비해 치근 및 치조골 폭이 확연히 좁으며 순측 골 두께가 얇아서 흡수가 잘 되기 때문에 치아 상실 후 임플란트 식립 시 수평적 결손이 더 호발한다.**
A. 상악 전치부. **B.** 상악 구치부. **C.** 하악 전치부. **D.** 하악 구치부

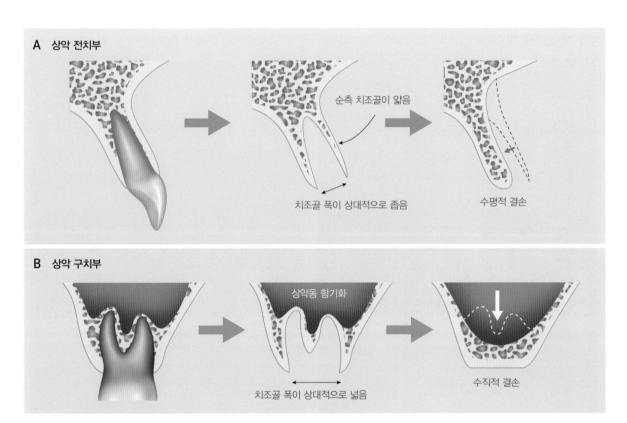

📷 **1-4** **전치부에서는 주로 수평적 결손이, 구치부에서는 수직적 결손이 흔하다.**
A. 상악 전치부에서는 순측 치조골이 얇고 치조골 폭이 좁아서 수평적 결손이 자주 발생한다. **B.** 상악 구치부에서는 상악동의 함기화로 인해 수직적 결손이 자주 발생한다.

2.
골결손의 원인

임플란트 식립부 치조골의 결손 원인은 다양하다. 이를 간략히 정리하면 다음과 같다.[18]

1) 치아 상실 후의 자연적인 치조골 흡수

치아 상실 후에는 자연적으로 치조골이 흡수된다. 얇은 협측, 특히 치조정측 치조골은 대부분 치아에 의해 유지되는 속상골로 이루어져 있다. 따라서 발치 후 초기 치유 과정에서 협측 치조정 부위에 한정된 열개 결손이 주로 발생한다.[19,20] 이는 발치 시 동시에 임플란트를 식립하거나 발치 후 지연 식립할 때 항상 발생하는 현상이기 때문에, 발치 후 즉시 임플란트 식립 시에도 반드시 예방적인 골재생술을 고려해야 한다.[21,22] 치아 상실 후 임플란트 수복이 이루어지지 않으면 치조골은 지속적으로 흡수되면서 협측의 전체적인 수평적 결손, 수직적 결손의 순서로 결손이 진행된다(📷 1-5).[23]

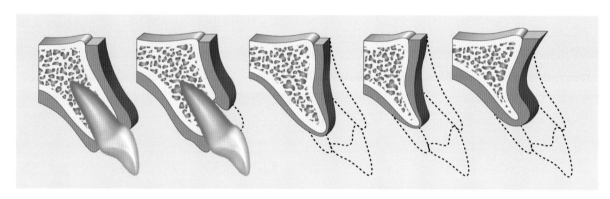

📷 **1-5 발치 후의 일반적인 치조골 흡수 과정**
치아 상실 후 순(협)측 치조골부터 흡수가 진행되면서 부분적인 수평적 결손에서 시작하여 수직적 결손에 이르게 된다.

2) 발치 중 외상

얇은 협(순)측 치조골은 발치 중 손상될 가능성이 높다. 한 임상 연구에 의하면 발치 중 협측골 파절은 9%, 열개 형성은 28%, 협측골의 완전한 상실은 4%의 증례에서 발생했다(📷 1-6, 7).[24] 또한 발치 중 치조골의 상실은 발치와의 치유 후 치조골 폭의 감소로 이어진다.[25] 따라서 발치 중 외상은 골결손의 중요한 원인이 된다.

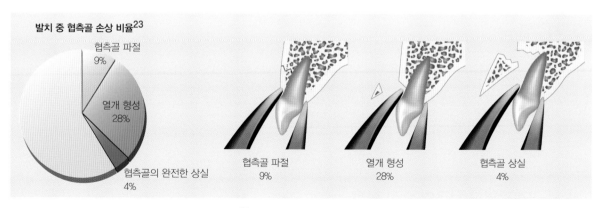

📷 **1-6 발치 중 외상에 의한 협(순)측골의 손상 빈도**[24]

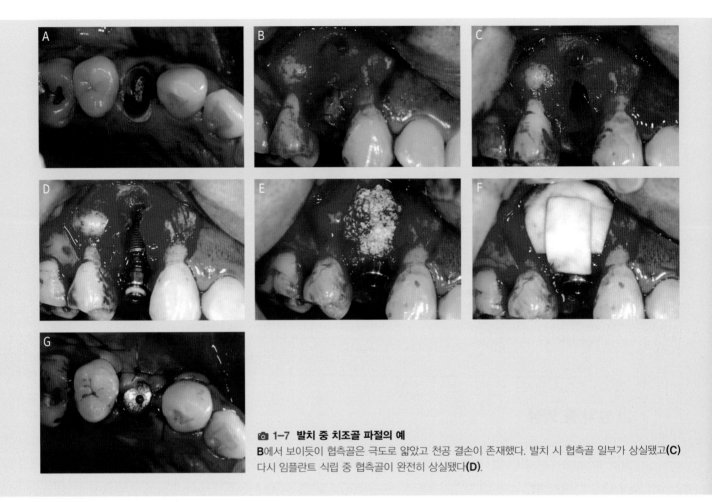

📷 **1-7 발치 중 치조골 파절의 예**
B에서 보이듯이 협측골은 극도로 얇았고 천공 결손이 존재했다. 발치 시 협측골 일부가 상실됐고**(C)**
다시 임플란트 식립 중 협측골이 완전히 상실됐다**(D)**.

3) 치주염

심한 치주염의 유병률은 10%에 이른다.[26] 치주염에 이환되면 치조골은 염증에 대한 반응으로 지속적으로 흡수된다.[27] 따라서 여타 원인에 비해 치주염에 의해 치아가 상실된 경우에 치조골의 결손이 더 심하며, 임플란트 식립을 위해 골증강술이 필요할 가능성이 높아진다(📷 1-8).[28]

4) 치근단 감염과 치근의 수직 파절

치근단 질환에 이환된 치아의 근단부에 위치하는 치조골은 염증에 의해 흡수된다.[29] 이러한 치근단 부위의 골결손에 의해 임플란트 식립 시 천공 결손이 발생하며 심한 경우에는 일차 안정을 얻기가 어려워질 수도 있다(📷 1-9).[30] 또한 치근단 병소를 완전히 제거하지 않은 채 임플란트를 식립하면 임플란트 치근단 부위에 염증성 병소(역행성 임플란트 주위염)가 발생할 수 있다.[31,32]

수직적 치근 파절을 초기에 진단하는 것은 매우 어렵다. 그러나 한 임상 연구에 의하면 근관 치료 병력이 있는 치아의 발치 원인 중 10.9%는 수직적 치근 파절에 의한 것이었다.[33] 수직적 치근 파절은 주변 치조골의 염증성 흡수를 유발할 수 있으며 이로 인해 골결손이 발생할 수 있다.[34]

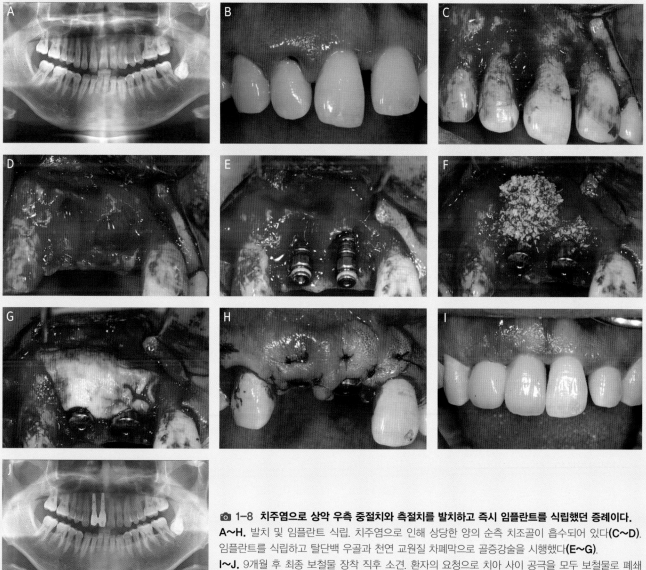

📷 **1-8 치주염으로 상악 우측 중절치와 측절치를 발치하고 즉시 임플란트를 식립했던 증례이다.**
A~H. 발치 및 임플란트 식립. 치주염으로 인해 상당한 양의 순측 치조골이 흡수되어 있다(**C~D**). 임플란트를 식립하고 탈단백 우골과 천연 교원질 차폐막으로 골증강술을 시행했다(**E~G**).
I~J. 9개월 후 최종 보철물 장착 직후 소견. 환자의 요청으로 치아 사이 공극을 모두 보철물로 폐쇄했다.

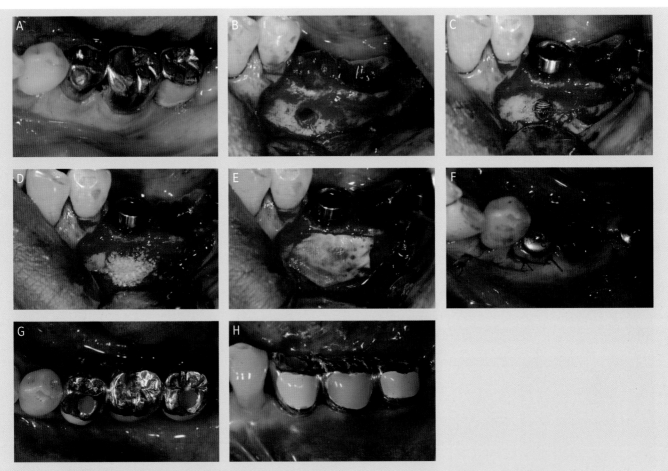

📷 **1-9** **치료 불가능한 근관 내 병소나 치근의 수직 파절로 치아를 발치했을 때에는 치근단 병소로 인해 천공 결손이 발생할 수 있다.**
A~F. 수복 불가능한 하악 좌측 제2소구치~제2대구치를 발거하고 즉시 임플란트를 식립했다. 제2소구치의 치근단 병소로 인해 발치 직후 천공 결손이 발생해 있다(**B**). 이는 비탈회 동종골과 천연 교원질 차폐막으로 수복해 주었다.
G~H. 8개월 후 최종 보철물을 연결해 주었다.

5) 일반 외상

여러 외상에 의해 구강 내 구조물인 치아, 점막, 치조골 등이 상실될 수 있다. 특히 치아 및 치조골의 동반 상실은 현저한 치조골 결손을 야기할 수 있다(📷 **1-10**).[35] 그러나 이러한 외상은 흔하게 발생하지는 않기 때문에 이에 관한 임상 연구는 거의 없다.

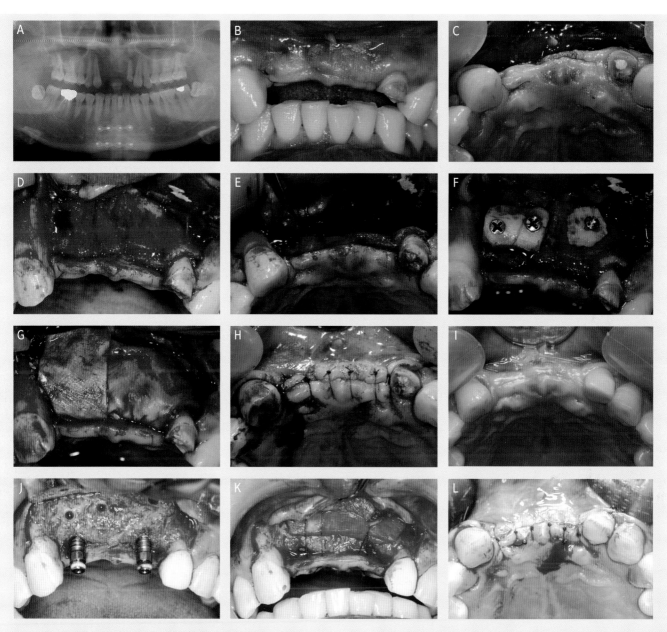

📷 **1-10 외상에 의한 치조골 및 치아 결손을 수복한 증례**

A. 교통 사고에 의해 하악골 정중부 골절과 상악 전치부 치아의 탈락 및 치조골 상실이 발생했던 환자이다. 하악 정중부는 관혈적 정복술을 미리 시행했다.

B~H. 외상 3개월 후 상악 전치부 치조골은 현저하게 상실되어 있었기 때문에 하악지에서 채취한 자가 블록골과 탈단백 우골, 그리고 천연 교원질 차폐막으로 수평적 골증강을 먼저 시행했다.

I~L. 6개월 후 수술부에 재진입하여 임플란트를 식립했고, 무세포성 동종 진피를 삽입하여 순측 조직 부피를 증강시켰다.

- 계속 -

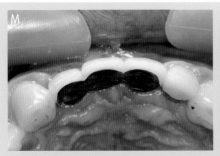
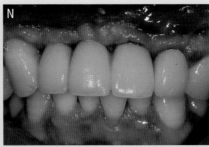
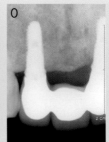
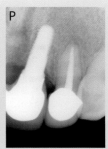

📷 **1-10 외상에 의한 치조골 및 치아 결손을 수복한 증례**
M~P. 4개월 후 최종 보철물을 연결해 주었다. 외상 시 순측 조직의 상실량이 너무나 컸기 때문에 골증강술과 연조직 증강술에도 불구하고 순측 조직의 조직량은 약간 부족해 보인다**(M)**.

6) 상악동 함기화

상악 구치부 치조골은 낮은 상악동저 때문에 수직적 골량이 제한적인 경우가 많다.[36] 연령이 증가함에 따라 상악동이 함기화되면서 상악동저는 점점 하방으로 이동한다.[37] 게다가 상악 구치부 치아가 상실되면 이러한 함기화는 더욱 가속되어 잔존골 높이가 더 감소하게 된다. 파노라마 방사선 사진을 이용한 한 단면 연구에 의하면 상악 구치부 치아를 발거하면 상악동저는 대략 2 mm 정도 하방으로 이동했다.[38] CBCT를 이용하여 비슷한 방식으로 수행된 또 다른 단면 연구에서도 상악 구치부에 치아가 상실된 부위의 잔존골 높이는 상실되지 않은 부위의 높이보다 평균 2.6 mm 더 낮았다고 하여 비슷한 결과를 보였다(📷 **1-11**).[39]

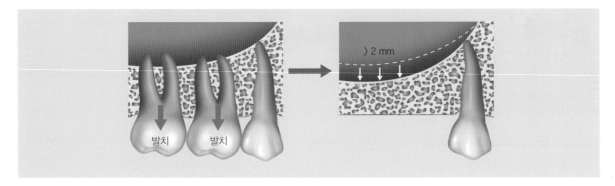

📷 **1-11** 상악 구치부 치아를 발거하면 상악동 함기화에 의해 상악동저는 평균적으로 2 mm를 초과하여 하방 이동한다. 따라서 상악 구치부의 가용골 높이는 감소하게 된다.

7) 전신 질환

외배엽 이형성증(ectodermal dysplasia) 등은 선천적으로 치아 및 치조골의 결손이나 발달 이상을 초래하는 질환이다.[40] 치아의 발달이 이루어지지 않으면 치조 돌기는 결손되거나 크기가 줄어든다.[41] 그러나 이러한 전신 질환은 빈도가 흔하지 않기 때문에 임플란트 식립 및 골증강술과 관련된 임상 연구나 보고는 거의 없는 실정이다.

8) 건전한 치조골의 결손

치아와 치조골이 건전하더라도 치조골이 부분적으로 결손되어 있는 경우도 있다. 인간 두개골을 분석한 바에 의하면 별다른 병적 소견을 보이지 않는 치아의 치조골은 4.1%에서 열개 결손이, 9.0%에서 천공 결손이 존재했다.[42] 한 연구에서는 상악 전치부 치아를 발거할 때 골결손이 얼마나 존재하는지를 관찰했다. 그 결과 발치 시 천공 결손은 26.5%(9/34)의 증례에서, 열개 결손은 26.5%(9/34)의 증례에서 존재했다.[43] 게다가 치아 주변에 어떠한 결손도 존재하지 않는 증례에서도 임플란트 매식체와 치근의 형태 차이에 의해 임플란트 식립 후 골결손이 발생할 수 있다. 상악 전치부에서는 보철적으로 이상적인 위치로 임플란트를 식립하면 순측 치근단 부위에 천공 결손이 발생할 수 있다. 하악에서는 반대로 설측에 언더컷이 존재하기 때문에 이 부위가 천공될 수 있다. 단면 연구들에 의하면 하악 구치부에서는 36~66%의 증례에서[44-46], 전치부에서는 2.4~8%의 증례에서 이러한 언더컷이 존재했다(📷 **1-12**).[45,47]

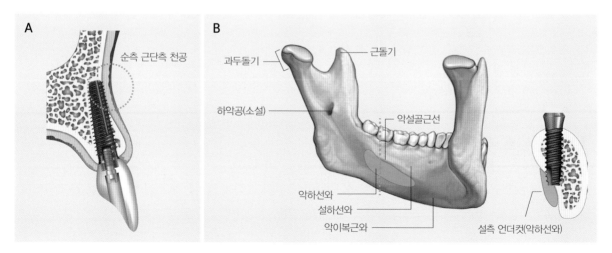

📷 **1-12** **치조골이 건전한 상태에서 치아를 발거한 직후에도 임플란트 식립 시 골결손이 발생할 수 있다.**
A. 상악 전치부에서는 순측골이 워낙 얇고 치아의 장축과 이상적인 임플란트 식립각이 다르기 때문에 순측에 천공 결손이 발생할 수 있다. **B.** 하악, 특히 구치부에서는 설측 치근단측에 언더컷이 존재한다. 따라서 임플란트를 협측 경사되도록 식립하면 설측 치근단측에 천공이 발생할 수 있다.

9) 임플란트 식립 위치 이상

상악 전치부에서 임플란트의 순-구개측 식립 위치는 매우 중요하다.[48] 이상적인 식립 위치보다 임플란트를 순측으로 식립하면 순측 점막과 골이 퇴축되거나 흡수될 수 있으며 이는 심미적인 실패로 이어지게 된다. 한 임상 연구에서는 상악 전치부에서 발치 후 임플란트를 즉시 식립할 때 순측으로 위치된 경우에는 구개측으로 위치된 경우에 비해 경과 관찰 시 순측 조직의 퇴축이 유의하게 더 많이 발생했다.[49] 또한 한 후향적 연구에서는 상악 전치부에서 임플란트를 식립하고 보철 부하를 가한 후 평균 18.9개월이 경과했을 때 순측 조직의 퇴축량을 평가했다.[50] 그 결과 이상적인 위치로 식립한 임플란트에서의 평균 퇴축량은 0.6 ± 0.55 mm였던 반면, 순측으로 식립한 임플란트에서의 평균 퇴축량은 1.8 ± 0.83 mm로 세 배 더 많았다. 한 후향적 분석에 의하면 상악 전치부에서 발치 후 즉시 임플란트를 식립하고 4개월이 경과했을 때 임플란트의 순-구개측 위치는 순측 치조골정의 높이와 유의한 상관 관계를 보였다. 임플란트를 1 mm 더 순측으로 식립할수록 순측 치조골정의 높이는 0.22 mm 더 감소했다(📷 1-13).[51]

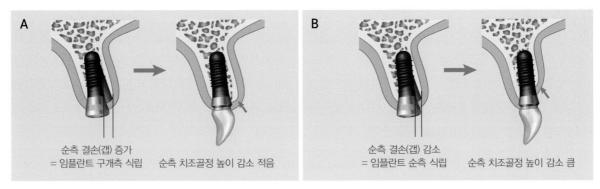

📷 **1-13 많은 임상 연구에서 상악 전치부 임플란트를 순측으로 식립할수록 순측 치조골정의 높이 감소량이 더 증가한다는 점을 보였다.** **A.** 발치 후 임플란트 즉시 식립 시 순측의 치아 주위 결손(갭)의 폭을 충분히 부여하면(≒ 2 mm), 즉 임플란트를 구개측에 치우치도록 식립하면 향후 임플란트 순측 치조골정의 흡수량은 적다. **B.** 발치 후 임플란트 즉시 식립 시 순측 치아 주위 결손의 폭을 충분히 부여하지 못하면(< 2 mm), 즉 임플란트를 순측으로 식립하면 향후 임플란트 순측 치조골정의 흡수량은 증가한다.

10) 임플란트 주위염

임플란트에 보철물을 연결하여 부하를 가한 후 임플란트 주위 조직에 염증성 병소가 발생할 수 있다. 이러한 염증성 질환은 임플란트 주위 점막의 염증에서 시작되어 임플란트 주위 치조골의 파괴로까지 이어질 수 있다. 이렇게 임플란트 주위 점막이 염증에 이환되고 이에 의해 치조골이 흡수된 상태를 임플란트 주위염이라고 한다.[52] 5년 이상 기능하고 있는 임플란트에서 임플란트 주위염의 유병률은 12-43%에 이르는 것으로 알려져 있다.[53] 임플란트 주위염에 의한 골결손 양상은 진행 정도에 따라 골 내의 임플란트 주위 결손에서부터 열개 결손까지 다양하게 나타난다(📷 1-14).[54]

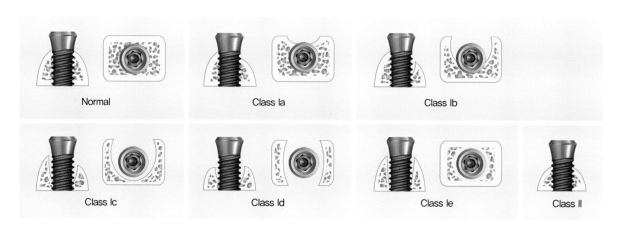

📷 **1-14 임플란트 주위염으로 인한 치조골 파괴의 분류**
Class I: 골내 결손
Class Ia: 협측의 열개 결손
Class Ib: 협측의 열개 결손과 임플란트 주위의 반원형 골흡수
Class Ic: 협측의 열개 결손과 설측 피질골이 보존된 임플란트 주위의 원형 골흡수
Class Id: 협설측 피질골이 상실된 임플란트 주위의 원형 골흡수
Class Ie: 협설측 피질골이 보존된 임플란트 주위의 원형 골흡수
Class II: 골외 결손

3.
골결손의 분류

모든 치조골 결손이 동일한 형태를 보이는 것은 아니다. 치조골 결손의 형태에 따라 골증강술의 방법이 달라지며, 골증강술의 결과 또한 골결손의 형태와 양에 의해 좌우되는 경향이 있기 때문에 골결손을 분류하는 능력을 갖는 것은 중요하다고 하겠다.[55,56] 특히 골결손의 양, 골결손 내 골벽의 존재와 위치, 골결손의 위치, 골결손부 자체의 공간 유지 능력 등은 골재생의 결과에 결정적인 영향을 미친다.[57]

1) 발치 후 발생하는 자연적인 치조골의 변화에 기반한 분류법

악골은 치조 돌기(혹은 치조골)와 기저골로 구분할 수 있다(📷 1-15).[58] 치조골은 치아를 둘러싼 골로 치아의 존재 여부에 따라 유지와 흡수가 결정되는 반면, 기저골은 치아의 존재 유무와 관계없이 비교적 안정적으로 유지된다.[58] 치아가 상실되면 치조골은 흡수되기 시작하는데 보통 두께가 얇고 대부분이 속상골로 이루어진 협측의 치조정에서 근단측으로 흡수가 진행되고, 이어서 설측골이 흡수된다. 따라서 치아 상실 후의 치조골 형태는 대부분 다음 순서를 따르며 변화된다.[59-62]

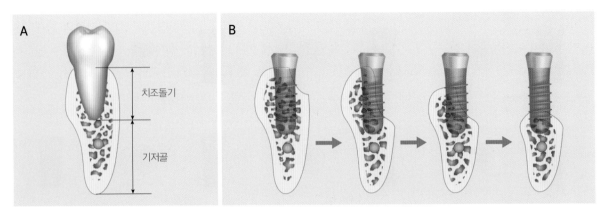

📷 **1-15 악골의 형태와 흡수 과정**
A. 악골은 치아를 둘러싼 치조 돌기와 기저골로 구분할 수 있다. 치조 돌기는 치아 의존적 구조물이기 때문에 치아 상실 후 흡수가 진행되는 반면, 기저골은 상대적으로 안정적으로 유지된다. **B.** 치아 상실 후 악골의 흡수 과정. 일반적으로 협측 치조 골기의 부분적 흡수에서 시작하여 치조 돌기의 완전한 상실에 이르기까지 흡수가 진행된다.

- 치아 존재 시 치조골과 기저골이 건전함: 골결손 없음
- 치아 상실 직후 협측 치관측 골 소실: 협측의 열개 결손
- 협측 치조골이 전체적으로 상실됨: 광범위한 수평적 결손
- 설측 치관측 치조골이 소실됨: 수평적 결손과 부분적인 수직적 결손
- 설측 치조골 전체 상실: 수직적 결손

발치 후의 이러한 일반적인 골변화에 기반하여 골결손을 분류한 이들이 많았다. 그러나 이러한 분류법들은 임상적으로 큰 의미는 없다고 생각한다. 임플란트 치료가 일반화된 지금, 치아 상실 후 오랜 기간 이를 방치하는 경우가 많지 않으며, 이들 분류법에서의 분류 기준은 모호한 측면이 있기 때문에 이에 따른 치료 방법 선택과 예후 구분 또한 모호하기 때문이다.

(1) Cawood와 Howell의 분류

Cawood와 Howell은 300개의 두개골을 분석하여 상악 전치부, 상악 구치부, 하악 전치부, 하악 구치부 등 네 부위의 골흡수 양상을 6단계로 구분한 분류법을 제시하였다.[63-65] Cawood와 Howell의 분류법은 다음과 같다.

- 1급: 유치악골
- 2급: 발치 직후
- 3급: 충분한 폭과 높이를 가진, 둥근 외형의 치조골
- 4급: knife edge를 갖는 치조골. 높이는 충분하나 폭은 불충분함
- 5급: 편평한 치조골. 폭과 높이가 모두 불충분함
- 6급: 기저골이 다양한 정도로 흡수된 함몰된 치조골

이들은 본인들이 제시한 골흡수 양상이 치아 상실 후의 치조골 변화를 대표하며, 따라서 대부분의 증례에서 이러한 변화 양상을 따른다고 주장하였다. 이들의 연구는 임상 연구가 아니기 때문에 이러한 주장은 성급하다고 말할 수밖에 없지만, 그 후의 임상 연구들에 의하면 이들의 이론은 어느 정도 타당한 것으로 나타났다.[59] 이들 연구의 중요한 시사점들은 다음과 같다.

① 발치 후 초기 수 개월 이내에 이미 치조골 흡수가 상당량 발생하며, 이는 특히 수평적으로 현저하게 발생한다.
② 치조골의 수직적 흡수는 발치 후 상당 기간이 경과한 이후부터 천천히 발생한다.
③ 부적절한 가철성 보철물을 사용하면 치조골 흡수를 가속시킬 수 있다.

이들의 개념은 사실 보철 전 처치를 위해 제안된 것이었지만 임플란트 치료가 일반화되면서 임플란트 치료에도 적용되고 있다(📷 1-16).[65]

(2) Lekholm과 Zarb의 분류

Lekholm과 Zarb는 1985년 유명한 골량 및 골질 구분법을 제시하였다.[66] 이들은 악골의 흡수 정도를 5단계로 구분하였다(📷 1-17).

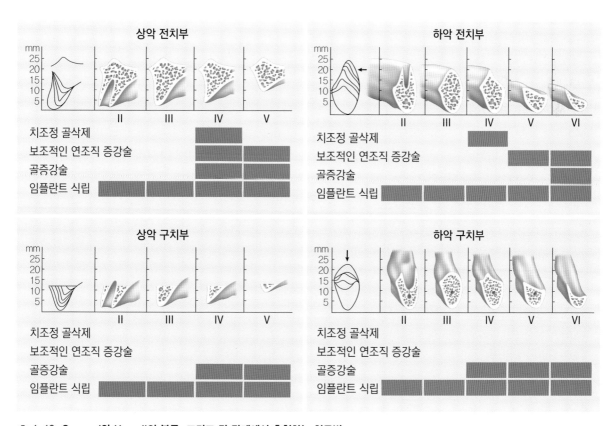

📷 1-16 Cawood와 Howell의 분류, 그리고 각 단계에서 추천하는 치료법

163

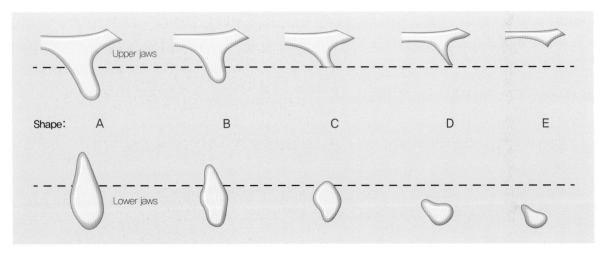

📷 **1-17 Lekholm과 Zarb의 분류**
가장 고전적이고 널리 쓰이는 구분법 중 하나이다.

- A: 매우 양호한 상태의 치조골
- B: 약간의 치조골 흡수
- C: 기저골까지 이르는 치조골의 현저한 흡수
- D: 기저골의 초기 흡수
- E: 기저골의 현저한 흡수

(3) Misch와 Judy의 분류

Misch와 Judy 역시 발치 후 발생하는 치조골의 일반적인 흡수 양상에 따라 가용골을 구분하는 분류법을 제시한 바 있다.[67,68] 이들은 가용골의 양을 4단계로 구분하였고 중간의 두 단계는 다시 두 단계씩으로 세분하여 총 6단계로 구분하였다(📷 **1-18**). 이러한 구분은 실제 발치 후 치조골의 일반적인 흡수 양상에 기초한다는 점에서 위의 분류법들과 비슷하다고 하겠다.

- A: 풍부한 양의 골
- B: 가까스로 충분한 양의 골
- B-w: 가까스로 충분한 양의 골-수평적 골량 부족
- C-w: 불충분한 양의 골-수평적 골량 부족
- C-h: 불충분한 양의 골-수직적 골량 부족
- D: 결핍된 양의 골

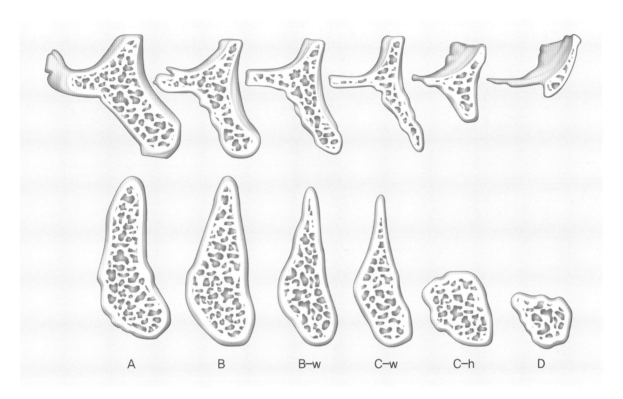

📷 1-18 **Misch와 Judy의 분류**

(4) Seibert 분류법

Seibert는 1983년에 (골과 연조직을 포함하는) 잔존 치조제의 분류법을 제안한 바 있다.[69] 이 분류법은 원래 골결손을 분류하기 위한 것이 아니라 고정성 보철물에서 pontic 하방의 치조제 형태를 분류하고, 이에 따른 다양한 연조직 처치법을 제안하기 위해 고안한 것이었다. 그러나 임플란트 시술이 일반화되면서 임플란트 식립을 위한 골증강술 또한 일반화되었고, 따라서 임플란트 식립부의 골결손을 분류하는 용도로도 광범위하게 쓰이게 되었다.[70] Seibert 분류법은 다음과 같다(📷 1-19).

- **1급 결손**: 정상적인 수직적 치조제 높이를 동반한 조직의 협설측(수평적) 결손
- **2급 결손**: 정상적인 치조제의 협설측 폭을 동반한 조직의 수직적 결손
- **3급 결손**: 복합 결손(조직의 높이와 폭이 모두 결손)

Seibert 분류법은 오래되었고 적용하기가 간단하기 때문에 임상에서 많이 사용되고 있다. 하지만 이 분류법은 골결손의 양에 대한 고려가 전혀 없으며 실제 임상에서 나타날 수 있는 다양한 결손 형태를 모두 나타낼 수 없다는 단점이 있다. Wang과 Al-Shammari는 Seibert 분류법을 변형하여 조직의 결손 양을 함께 고려할 수 있는 분류법을 제시하였다.[70] 이들은 골결손을 그 형태에 따라 각각 H (Horizontal – 수평적 결손), V (Vertical –

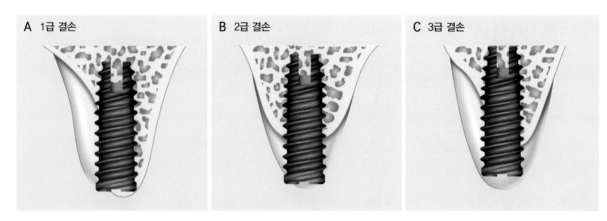

A 1급 결손   **B** 2급 결손   **C** 3급 결손

📷 **1-19 Seibert 분류법**

수직적 결손), C (Combination – 복합 결손)로 구분하였고, 양에 따라 각각 이들을 s (small – 3 mm 이하의 결손), m (medium – 4–6 mm의 결손), l (large – 7 mm 이상의 결손)로 세분하였다. 이들은 각 결손부의 분류 기준에 따라 필요한 연조직이나 경조직 재건술을 제안한 바 있다(📚 1-2).

분류	고정성 보철물을 위한 연조직 이식	임플란트를 위한 골이식
H-s	• "Roll" 술식 • Pouch 술식 • 인레이 연조직 이식술	• 골 팽창술 • 블록골 이식술 • GBR
H-m	• Pouch 술식 • 인레이 연조직 이식술	• 블록골 이식술 • GBR
H-l	• 인레이 연조직 이식술 • 연조직 개재 이식술	• 블록골 이식술 • GBR
V-s	• 연조직 개재 이식술	• 교정적 정출 • GBR
V-m	• 연조직 개재 이식술 • 온레이 연조직 이식술	• 교정적 정출 • GBR • 블록골 이식술 • 골신장술
V-l	• 연조직 개재 이식술 • 온레이 연조직 이식술(낮은 예지성)	• GBR • 블록골 이식술 • 골신장술
C-s	• 연조직 이식술의 복합 적용	• GBR • 블록골 이식술
C-m	• 연조직 이식술의 복합 적용(낮은 예지성)	• GBR, 블록골 이식술, 골신장술의 다양한 복합 적용
C-l	• 치료가 어려움 • 여러 연조직 이식술을 복합 적용하여 적은 양의 　결손으로 증진시키는 것은 가능	• 치료가 어려움 • 많은 양의 구강외 자가골 이식술 • 수차례의 시술이 필요함

📚 **1-2 Wang과 Al-Shammari에 의한 치조골 결손의 분류와 그 처치법**

2) 임플란트에 대한 골결손 부위의 위치에 따른 분류법

이 분류법은 임상가들 사이에서 가장 많이 쓰이는 방법이다.[71,72] 이 분류법에 의하면 임플란트 주변 골결손은 다음과 같이 구분할 수 있다(📷 1-20).

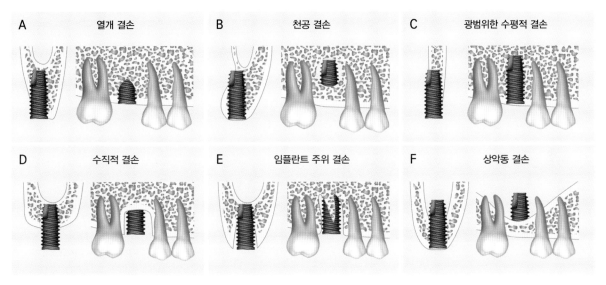

| A | 열개 결손 | B | 천공 결손 | C | 광범위한 수평적 결손 |
| D | 수직적 결손 | E | 임플란트 주위 결손 | F | 상악동 결손 |

📷 1-20 **임플란트에 대한 골결손 부위의 위치에 따른 분류법**
A. 열개 결손(dehiscence defect) **B.** 천공 결손(fenestration defect) **C.** 광범위한 수평적 결손(horizontal defect) **D.** 수직적 결손(vertical defect) **E.** 임플란트 주위 결손(peri-implant defect) **F.** 상악동 함기화에 의한 결손(bone defect due to sinus pneumatization)

- **열개 결손(dehiscence defect):** 임플란트의 치조정측에 한정된 수평적 결손
- **천공 결손(fenestration defect):** 임플란트의 치근단측에 한정된 수평적 결손
- **광범위한 수평적 결손(horizontal defect):** 임플란트 전체 길이에 걸친 수평적 결손
- **수직적 견손(vertical defect):** 치조정 골의 현저한 흡수에 의한 수직적 결손
- **임플란트 주위 결손(peri-implant defect):** 치조골 내부와 임플란트 표면 사이의 결손
- **상악동 함기화에 의한 결손(bone defect due to sinus pneumatization):** 상악동의 함기화에 의해 상악동저가 하방으로 이동하면서 발생하는 상악 구치부의 수직적 결손

골결손의 진행 정도, 골벽의 수, 골결손의 위치 등은 골증강 술식의 난이도에 영향을 미친다. 완전히 일반화시킬 수는 없지만 임플란트 주위 결손, 천공 결손, 열개 결손, 광범위한 수평적 결손, 수직적 결손의 순서로 골재생이 어려워지고 예후가 불량해지는 경향을 보인다.[73]

골결손부의 수직적 위치는 골증강술의 예후를 결정짓는 중요한 요소 중 하나이다. 골결손부가 치조정측에 위치할수록 골재생 술식은 점점 불리한 환경에 처하게 된다. 그 이유는 크게 두 가지이다(📷 1-21).

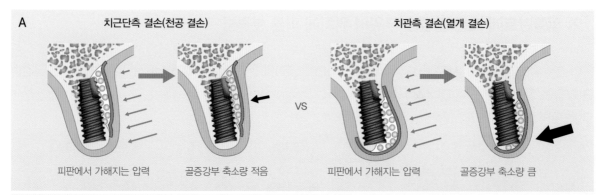

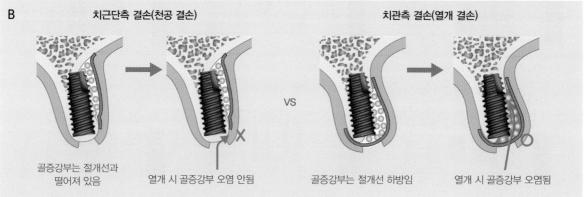

1-21 치관측에 위치한 결손은 치근단측에 위치한 결손보다 골증강에 불리하다.
A. 골증강술을 완료하고 피판을 폐쇄했을 때 피판에서 골증강부로 가해지는 압력은 치관측 변연에서 가장 크고 치근단측으로 갈수록 작
아진다. 따라서 치관측 골증강부는 피판의 압력에 의해 더 많이 붕괴되어 골증강부가 축소될 수 있다. **B.** 치관측에 골증강술을 시행하면
피판이 열개될 가능성이 증가할 뿐만 아니라 일단 열개되면 골증강부가 오염될 가능성 또한 더 높다. 피판의 변연과 골증강부가 인접해 있
기 때문이다.

• 골증강부를 폐쇄했을 때 골증강부에 가해지는 압력은 치조정 부위에서 가장 강하다. 따라서 골결손부가 치조정에 가
까워질수록 골증강부가 압력에 의해 붕괴되거나 피판이 열개될 가능성이 증가한다.

• 수평 절개는 보통 치조정에 가하게 된다. 따라서 협설측 피판은 치조정 부위에서 만나게 되며, 봉합부 또한 치조정에
위치하게 된다. 열개 결손, 광범위한 수평적 결손, 수직적 결손 등에서 치조정 부위에 골증강을 시행하면 골증강부는
절개 부위에 인접하기 때문에 치유 기간 중 절개부의 열개에 의해 외부에 노출될 가능성이 증가한다. 반면 치근단측
에 위치한 결손인 상악동 함기화에 의한 결손과 천공 결손부는 치유 기간 중 피판이 열개되더라도 외부로 잘 노출되
지 않는다.

    이는 천공 결손보다는 열개 결손이, 수평적 결손보다는 수직적 결손이 예후가 더 불량한 이유 중 하나가 될 수 있
수 있다.

3) 골벽수에 의한 분류법

이 분류법은 임플란트 주변을 둘러싼 치조골벽의 수로 골결손을 분류하는 방법이다. 보통은 치근단 부위를 정점으로, 치관측을 밑면으로 하는 사각뿔 형태로 치조골을 가정한다. 이 때 협측벽, 설측벽, 근심벽, 원심벽 각각은 골벽을 이루며 최대 골벽수는 네 개가 된다.[68]

(1) 골벽 수가 적어질수록 골증강술의 예후는 저하된다.

골벽수에 의한 분류법은 임플란트 주변 결손에 대한 골증강술의 예후를 매우 잘 예측할 수 있도록 해준다. 일반적인 원칙은 골벽수가 많을수록 수술의 예후가 좋아진다. 그 이유는 다음과 같다(📷 1-22).[74-76]

① 골벽수가 많아질수록 결손부 자체의 이식재/혈병 유지 능력이 증가한다. 이는 치유 기간 중 이식재가 주위 조직으로 유출되는 현상을 예방해준다.
② 골벽수가 많을수록 골재생부와 수혜부 골의 접촉 면적은 증가한다. 이로 인해 골재생부로의 신생 혈관 형성과 및 골형성 세포의 공급이 증가한다. 따라서 치유 기간이 단축되고 골재생 능력이 향상된다.

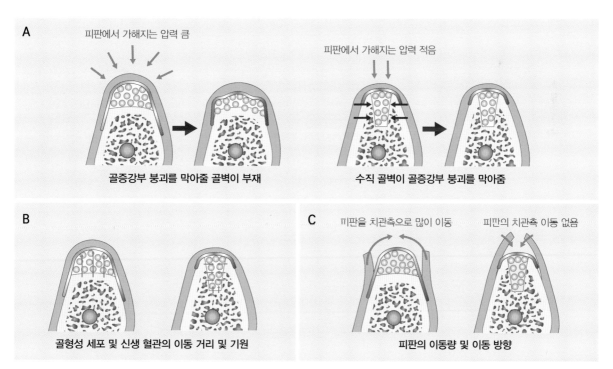

📷 **1-22 골벽수가 많아질수록 골증강술의 예후는 좋아진다.**
A. 골벽수가 많아질수록 결손부 자체의 이식재/혈병 유지 능력이 증가하여 치유 기간 중 이식재가 주위 조직으로 유출되는 현상을 예방해준다. 또한 골벽수가 많아지면 이식재는 기존 치조골 외측보다는 내측에 위치하게 되며, 따라서 골벽은 치유 기간 중 골증강부가 붕괴되는 것을 더 잘 막아준다. **B.** 골벽수가 많을수록 골재생부와 수혜부 골의 접촉 면적은 증가한다. 이로 인해 골재생부로의 신생 혈관 형성과 골형성 세포의 공급이 증가한다. **C.** 골벽수가 많아질수록 골증강술 후 피판의 치관측 이동량은 감소한다. 따라서 피판과 골증강부에 가해지는 압력은 감소하며 술 후 피판 열개 가능성 또한 감소한다.

③ 골벽수가 많아질수록 공간 유지에 더 유리해진다. 골벽수가 많아지면 이식재는 기존 치조골 외측보다는 내측에 위치하게 되며, 따라서 골벽은 치유 기간 중 골증강부가 붕괴되는 것을 더 잘 막아준다.

④ 골벽수가 많아질수록 골증강 후 상부 연조직에 가해지는 장력은 감소하며, 따라서 수술 후 피판 열개의 가능성도 줄어든다.

골재생부로 신생 혈관 형성과 골형성 세포의 이주는 골의 치유에 있어 가장 중요한 요소라고 생각된다.[77,78] 또한 영양소, 산소, 골유도성 단백질 등도 골재생의 초기에 매우 중요한 역할을 한다.[79,80] 골벽 수가 많아지면 이러한 요소들을 공급할 수 있는 수혜부 골은 골재생부에 더 넓게 접하게 되고, 또한 이들 요소가 전달되어야 할 골재생부 중심부까지의 거리는 감소하게 된다.

골재생에 있어 골재생부의 물리적인 공간 유지는 매우 중요하다. 치유 과정 중 골재생부는 상부 연조직으로부터 끊임없이 압력을 받고 이로 인해 그 형태가 붕괴될 수 있다. 골벽수가 많으면 상부 연조직의 압력에 대해 골벽이 직접 저항해주며, 따라서 치유 기간 중 붕괴에 더 잘 저항할 수 있다.

치조정 접근 상악동 골이식을 시행했을 때 골이식재가 더 많은 골벽과 접촉할수록 재생 조직 내 광화 조직의 비율이 현저히 증가한다는 연구 결과는 골벽수의 중요성을 직접 보여주는 것이다(📷 1-23).[81] 이 연구에서

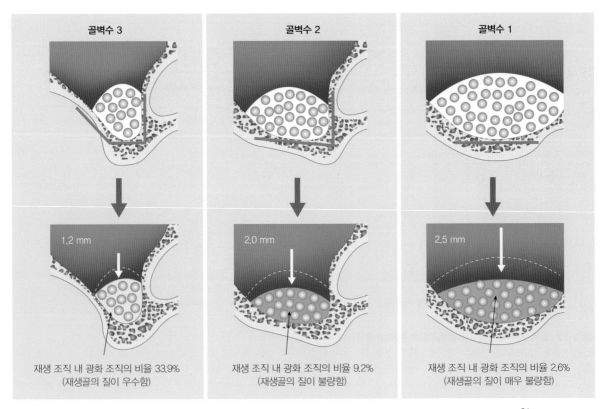

📷 **1-23 골벽수가 많아질수록 재생골의 질은 향상되고 골증강부의 축소량은 줄어든다는 사실을 보여주는 연구의 결과**[81]

이식골이 세 개의 골벽과 만나면 수술 6개월 후 재생 조직 내 광화 조직의 비율은 평균 33.9%, 2개의 골벽과 만나면 평균 9.2%, 1개의 골벽과 만나면 평균 2.6%였다. 또한 골증강부의 높이 감소도 세 개의 골벽과 만나면 1.2 mm, 두 개의 골벽과 만나면 2.0 mm, 한 개의 골벽과 만나면 2.5 mm였다. 즉, 골재생부와 만나는 골벽이 많아질수록 재생골의 질과 양은 모두 더 현저히 개선될 수 있었던 것이다. 따라서 많은 임상가들이 임플란트 식립부의 골벽수에 따라 이식 재료나 골증강 방법을 선택하도록 권유하기도 한다.[82,83] 우리가 임상적으로 자주 마주치는 각 결손을 골벽수에 따라 분류하면 다음과 같다(📷 1-24, 📑 1-3).

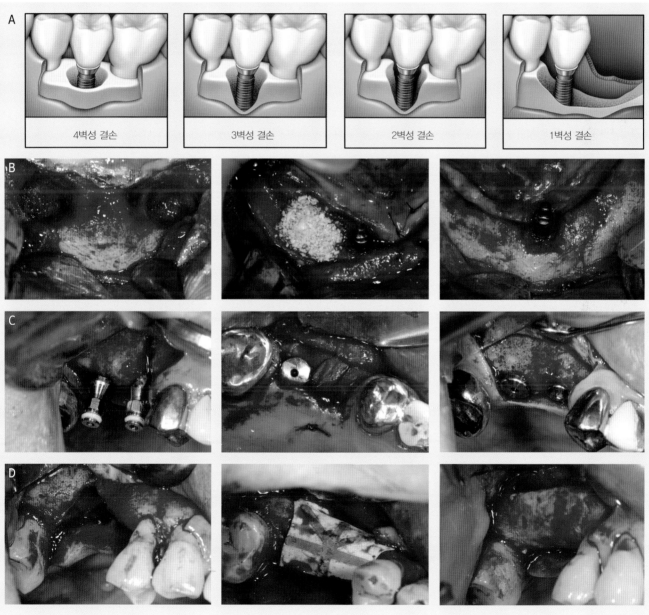

– 계속 –

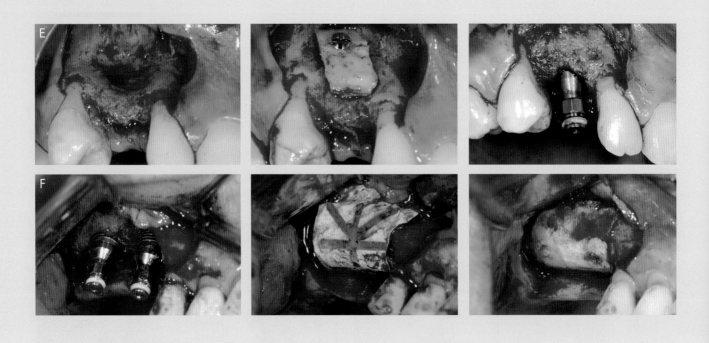

📷 **1-24 골벽수에 따른 분류**

A. 1벽성 결손–4벽성 결손의 예 **B.** 4벽성 결손과 수복 **C.** 3벽성 결손과 수복 **D.** 2벽성 결손과 수복 **E.** 수평적 1벽성 결손과 수복 **F.** 수직적 1벽성 결손과 수복(이 증례는 근심 골벽이 존재하므로 1벽성 결손이다. 수직 결손에서 근심 골벽이 존재하지 않으면 0벽성 결손이 된다)

📚 **1-3 결손의 종류에 따른 골벽수와 이에 따른 고려 사항**

골벽수	일반적인 증례	고려 사항
4벽	• 발치 직후의 발치와	• 골재생 능력이 가장 좋다. 경우에 따라 골이식 없이도 완전한 골재생을 이룰 수 있다.
3벽	• 순측 중앙부만 함몰된 작은 열개 결손 • 협측벽이 소실된 발치와	• 3벽성 골결손은 결손부가 볼록한 형태보다는 오목한 형태를 보이기 때문에 입자형 이식재가 결손부 내에 잘 보존되며 골벽수가 많아서 골재생의 예후가 좋다.
2벽	• 협설측 골이 소실되고 근원심 골은 존재하는 치조골(부분적인 수직적 결손) • 커다란 열개나 천공 결손	• 2벽성 결손은 대개 인접 자연치의 치조골이 건전한 1–2개 치아 부위의 수직적 결손 형태로 나타난다. 수직적 결손이기 때문에 골재생을 이루기 힘들지만 그래도 골벽수가 상대적으로 많고 근원심 골이 차폐막과 이식재를 약간이나마 지지해 주기 때문에 0벽성 결손보다는 예후가 좋다. • 커다란 열개나 천공 결손 또한 2벽성 결손의 형태를 보일 수 있다. 이러한 결손의 예후는 3벽성 결손보다는 떨어지지만 일반적으로는 예지성 높은 수복이 가능하다.
1벽	• 광범위한 수평적 결손 • 근심 골벽이 존재하는 수직적 결손	• 1벽성 결손은 보통 치조정에서 치근단에 이르는 광범위한 수평적 결손의 형태로 나타난다. 0벽성 결손보다는 치료의 예후가 좋지만 공간 유지와 골재생 능력이 떨어지는 형태의 결손이기 때문에 이를 고려한 난이도 높은 술식이 필요하다.
0벽	• 광범위한 수직적 결손	• 광범위한 수직 결손, 즉 0벽성 결손은 골결손부 자체의 공간 유지 능력이 전무하며 골이식부와 골접촉 면적이 극히 좁기 때문에 수복이 가장 어려울 뿐만 아니라 예후가 가장 불량한 결손이다.

4) 골내 결손과 골외 결손

골 결손부는 골표면보다 외부에 위치할 수도 있고 내부에 위치할 수도 있다. 골내 결손은 골 표면보다 내측에 위치한 결손이고, 골외 결손은 골 표면의 외측에 위치한 결손이다. 골내 결손은 골외 결손에 비해 골재생에 있어 여러 가지 유리한 측면이 있다(📷 1-25, 26, 27, 📚 1-4).[55,84-86]

골외 결손보다는 골외 결손을 수복할 때 이식골이 골재생 부위 내에 잘 유지될 수 있으며, 이는 골증강 양에 유의한 영향을 미칠 수 있다. 한 임상 연구에서 임플란트 순측 결손을 수복했을 때 골외 결손보다는 골내 결손에서 더 많은 양의 골이 증강되었다.[87]

5) 골결손의 종류는 골증강술의 방법을 결정짓는 데 있어 가장 중요하게 고려해야할 요소이다.

지금까지 살펴본 바와 같이 골결손의 형태와 크기는 재생골의 양과 질을 결정짓는 데 있어서 매우 중요한 요소이다. 뒤에서 살펴보겠지만 골재생의 예후는 연조직 세포의 차단, 골증강 부위의 공간 유지, 이식재와 혈병의 안정적인 유지라는 요소들에 의해 결정된다. 그리고 골결손부의 형태는 이러한 요소들을 수술 전에 미리 어느 정도 결정짓는다. 따라서 술자가 해야할 일은 각 증례에서 골결손부의 양과 형태에 따라 그 예후를 평가하고, 이에 따라 필요한 골이식재의 양, 골이식재의 형태, 골이식재의 조성, 차폐막의 종류를 결정한 후 생물학적, 기술적으로 적합하게 수술을 시행하는 것이라고 하겠다. Benic과 Hämmerle은 골결손부의 상태에 따른 골증강술의 방법에 대해 제안한 바 있다(📷 1-28, 📚 1-5).[55]

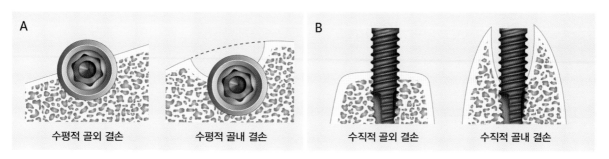

📷 **1-25 골내 결손과 골외 결손의 분류**
A. 수평적 분류 **B.** 수직적 분류

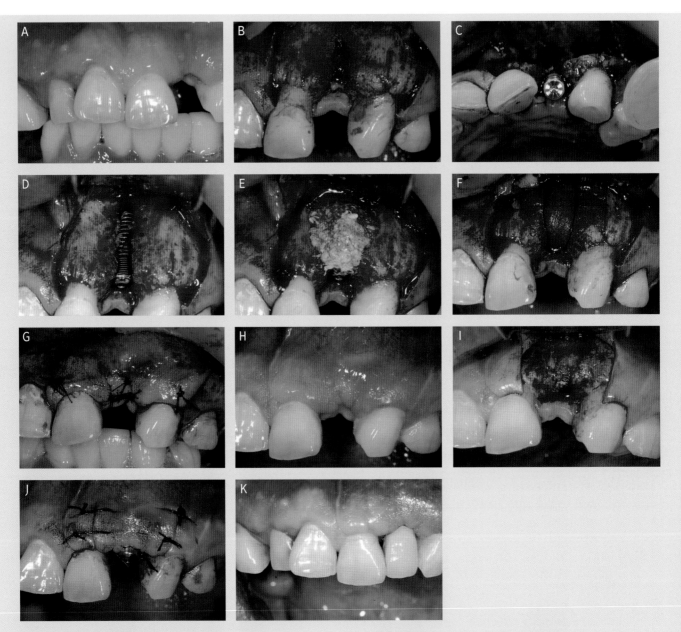

📷 **1-26 열개 결손 중 골내 결손의 수복 증례**

A~G. 좌측 상악 측절치 부위에 임플란트를 식립하고 동종 입자골과 교차 결합 교원질 차폐막으로 골유도 재생술을 시행했다. 골결손부는 수평적인 골내 결손 상태이므로**(C)** 골증강술 자체도 더 쉽게 시행 가능하며 예후도 좋을 것으로 예상할 수 있다.

H~J. 약 3.5개월 후 2차 수술을 시행했다. 약간의 열개 결손이 잔존했지만 비교적 성공적인 골증강 결과를 보였다**(I)**.

K. 최종 치료 결과. 2차 수술로부터 약 3주 후 보철물을 연결한 직후의 소견이다.

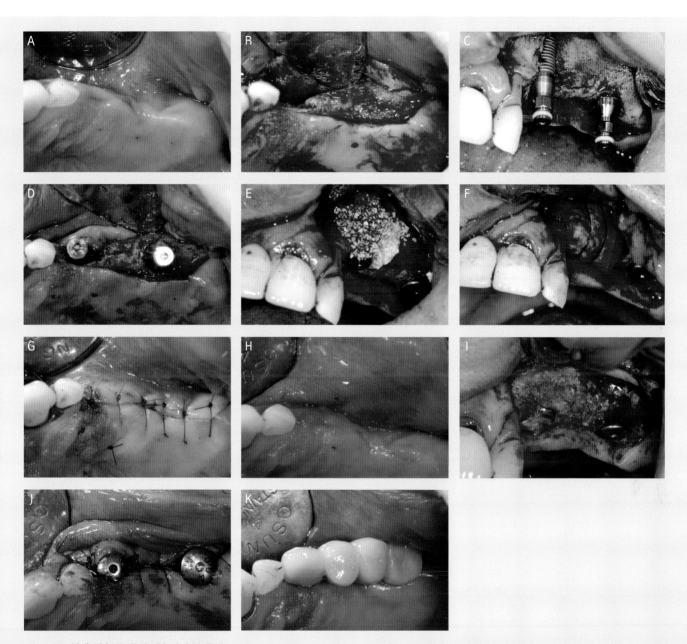

📷 1-27 열개 결손 중 골외 결손의 수복 증례

A~G. 상악 좌측 구치부 결손 증례에서 임플란트를 식립하며 골유도 재생술을 시행했다. 견치 부위에 식립한 임플란트의 순측에 긴 열개 결손이 존재한다(**C**). 이 열개 결손은 골외 결손 상태였다(**D**). 골증강은 탈단백 우골과 교차 결합 교원질 차폐막으로 시행했다(**E, F**). 사실 이러한 증례에서는 티타늄 메쉬나 티타늄 강화 비흡수성 차폐막 등 공간 유지 능력이 좋은 차폐막을 일차적으로 고려하는 것이 좋다. 이 증례에서는 환자의 저하된 치유 능력과 대합 치열이 가철성 보철물임을 고려하여 흡수성 차폐막을 이용했다.

H~J. 대략 5.5개월 후 2차 수술을 시행했다. 이 증례에서는 완전한 골의 외형을 얻을 수 있었다(**I**).

K. 보철물 연결 직후 소견

📖 1-4 골내 결손과 골외 결손의 특징과 수술적 고려 사항

골벽수	골내 결손	골외 결손
결손의 종류	• 발치와(extraction socket) 내의 결손 • 골내 천공/열개 결손 • 상악동 함기화에 의한 결손	• 골외 천공/열개 결손 • 광범위한 수평적 결손 • 수직적 결손
골결손부의 골형성 능력	• 골벽 수가 많음 • 골재생 부위는 수혜부 골과 넓게 접촉함 • 골결손부 자체가 골증강부의 공간 유지에 기여 • 골재생부 상방의 연조직에서 가해지는 압력이 적음	• 골벽 수가 적음 • 골재생 부위는 수혜부 골과 좁게 접촉함 • 골결손부는 공간 유지 기능이 없음 • 골재생부 상방의 연조직에서 가해지는 압력이 큼
수술적 고려 사항	• 골대체재(동종골, 이종골, 합성골 등) 사용 • 입자형 이식재 사용 • 흡수성 차폐막 사용 • 협측 피판의 골막 이완 절개만으로 일차 폐쇄가 가능	• 자가골 이식재나 혼합 이식재를 사용해야 할 수도 있음 • 경우에 따라 블록형 이식재를 사용해야 할 수도 있음 • 비흡수성 차폐막, 티타늄 강화 차폐막, 티타늄 메쉬 등을 사용해야 함 • 협측 피판의 골막 이완 절개뿐만 아니라 설측(구개측) 피판의 장력 이완 술식, 협측 피판에서 근육층 박리 등을 추가적으로 시행해야 할 수도 있음

📖 1-5 Benic과 Hämmerle의 골결손 분류와 이에 따른 골증강 방법 (계속)

골결손 분류	상태 설명	골증강 방법
0급	• 임플란트 식립에는 충분한 양의 치조골이 존재하지만 치조제 외형에 약간의 결손이 존재	• 심미적으로 중요한 위치에서만 해당하는 것으로, 2급에서와 비슷하게 흡수성 차폐막과 입자형 골대체재로 골증강술을 시행한다.
1급	• 임플란트 표면과 건전한 골벽 사이의 치조골 내 결손(임플란트 주위 결손)	• 1형/2형 식립(즉시/조기 식립) 시 마주칠 수 있다. 치조골 내 결손은 임플란트 주위 결손의 폭이 1–2 mm를 초과하면 골이식재를 충전해준다. 심미적으로 중요한 부위에는 순측에 입자형 골대체재와 흡수성 차폐막으로 골증강술을 추가적으로 시행한다.
2급	• 임플란트 주위의 열개 결손. 골이식재는 주위 골벽에 의해 안정적으로 유지됨	• 임플란트는 잔존골에서 충분한 안정을 얻을 수 있으며 골재생 술식에서 공간 유지가 많이 필요하지 않기 때문에 입자형 골대체재와 흡수성 차폐막을 사용하여 골유도 재생술을 시행한다.
3급	• 임플란트 주위의 열개 결손. 골이식재는 주위 골벽에 의해 유지되지 못함	• 골재생 술식에서 많은 공간 유지가 필요하기 때문에 입자형 골대체재와 강한 공간 유지 능력이 있는 차폐막(티타늄 강화 비흡수성 차폐막 등)으로 골증강술을 시행한다.
4급	• 임플란트 식립 전에 골증강술이 필요한 광범위한 수평적 결손	• 임플란트 식립 시 일차 안정을 얻을 수 없으므로 골증강술과 임플란트 식립을 단계법으로 시행한다. 임플란트 식립 전에 광범위한 결손부를 수복하기 위한 목적으로 시행하는 골증강술 시 자가 블록골(±골대체재)과 교원질 차폐막을 이용한 골증강술은 가장 신뢰성 높고 성공적인 술식이다.

📑 1-5 Benic과 Hämmerle의 골결손 분류와 이에 따른 골증강 방법

골결손 분류	상태 설명	골증강 방법
5급	• 임플란트 식립 전에 골증강술이 필요한 수직적 결손	• 임플란트 식립 시 일차 안정을 얻을 수 없으므로 골증강술과 임플란트 식립을 단계법으로 시행한다. "자가 블록골(±골대체재)+교원질 차폐막"이나 "자가 입자골+티타늄 메쉬/티타늄 강화 차폐막"이 가장 신뢰성 높은 치료 옵션이다. 이에 관해서는 뒤에서 다시 논할 것이다.

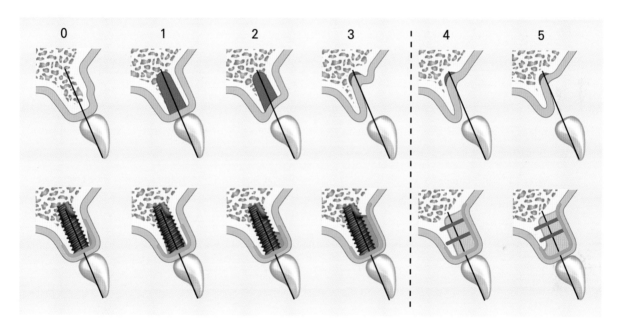

📷 1-28 Benic과 Hämmerle의 골결손 분류와 이에 따른 골증강 방법(그림에 대한 설명은 📑 1-5 참조)[55]

참고문헌

1. Jung RE, Zembic A, Pjetursson BE, Zwahlen M, Thoma DS. Systematic review of the survival rate and the incidence of biological, technical, and aesthetic complications of single crowns on implants reported in longitudinal studies with a mean follow-up of 5 years. Clin Oral Implants Res. 2012;23 Suppl 6:2–21.

2. Pjetursson BE, Thoma D, Jung R, Zwahlen M, Zembic A. A systematic review of the survival and complication rates of implant-supported fixed dental prostheses (FDPs) after a mean observation period of at least 5 years. Clin Oral Implants Res. 2012;23 Suppl 6:22–38.

3. Chrcanovic BR, Albrektsson T, Wennerberg A. Bone Quality and Quantity and Dental Implant Failure: A Systematic Review and Meta-analysis. Int J Prosthodont. 2017;30(3):219–237.

4. Jemt T. A retro-prospective effectiveness study on 3448 implant operations at one referral clinic: A multifactorial analysis. Part II: Clinical factors associated to peri-implantitis surgery and late implant failures. Clin Implant Dent Relat Res. 2017;19(6):972–979.

5. Porter JA, von Fraunhofer JA. Success or failure of dental implants? A literature review with treatment considerations. Gen Dent. 2005;53(6):423–432; quiz 433, 446.

6. Bryant SR. The effects of age, jaw site, and bone condition on oral implant outcomes. Int J Prosthodont. 1998;11(5):470–490.

7. Jemt T, Häger P. Early complete failures of fixed implant-supported prostheses in the edentulous maxilla: a 3-year analysis of 17 consecutive cluster failure patients. Clin Implant Dent Relat Res. 2006;8(2):77–86.

8. Jung RE, Herzog M, Wolleb K, Ramel CF, Thoma DS, Hämmerle CHF. A randomized controlled clinical trial comparing small buccal dehiscence defects around dental implants treated with guided bone regeneration or left for spontaneous healing. Clin Oral Implants Res. 2017;28(3):348–354.

9. Schwarz F, Sahm N, Becker J. Impact of the outcome of guided bone regeneration in dehiscence-type defects on the long-term stability of peri-implant health: clinical observations at 4 years. Clin Oral Implants Res. 2012;23(2):191–196.

10. Lee J, Park D, Koo KT, Seol YJ, Lee YM. Validity of a regenerative procedure for a minor bone defect with immediate implant placement: a systematic review and meta-analysis. Acta Odontol Scand. 2019;77(2):99–106.

11. Bornstein MM, Halbritter S, Harnisch H, Weber H-P, Buser D. A retrospective analysis of patients referred for implant placement to a specialty clinic: indications, surgical procedures, and early failures.

Int J Oral Maxillofac Implants. 2008;23(6):1109–1116.

12. Cha HS, Kim JW, Hwang JH, Ahn KM. Frequency of bone graft in implant surgery. Maxillofac Plast Reconstr Surg. 2016;38(1):19.

13. Knöfler W, Barth T, Graul R, Krampe D. Retrospective analysis of 10,000 implants from insertion up to 20 years—analysis of implantations using augmentative procedures. Int J Implant Dent. 2016;2(1):25.

14. Bazrafshan N, Darby I. Retrospective success and survival rates of dental implants placed with simultaneous bone augmentation in partially edentulous patients. Clin Oral Implants Res. 2014;25(7):768–773.

15. Acharya A, Hao J, Mattheos N, Chau A, Shirke P, Lang NP. Residual ridge dimensions at edentulous maxillary first molar sites and periodontal bone loss among two ethnic cohorts seeking tooth replacement. Clin Oral Implants Res. 2014;25(12):1386–1394.

16. Scheid RC, Weiss G. Woelfel's dental anatomy. Jones & Bartlett Publishers; 2020.

17. Nunes LSdS, Bornstein MM, Sendi P, Buser D. Anatomical characteristics and dimensions of edentulous sites in the posterior maxillae of patients referred for implant therapy. Int J Periodontics Restorative Dent. 2013;33(3):337–345.

18. Hämmerle CHF, Tarnow D. The etiology of hard- and soft-tissue deficiencies at dental implants: A narrative review. J Periodontol. 2018;89 Suppl 1:S291–S303.

19. Clementini M, Agostinelli A, Castelluzzo W, Cugnata F, Vignoletti F, De Sanctis M. The effect of immediate implant placement on alveolar ridge preservation compared to spontaneous healing after tooth extraction: Radiographic results of a randomized controlled clinical trial. J Clin Periodontol. 2019;46(7):776–786.

20. Cardaropoli G, Araújo M, Lindhe J. Dynamics of bone tissue formation in tooth extraction sites. An experimental study in dogs. J Clin Periodontol. 2003;30(9):809–818.

21. Clementini M, Tiravia L, De Risi V, Vittorini Orgeas G, Mannocci A, de Sanctis M. Dimensional changes after immediate implant placement with or without simultaneous regenerative procedures: a systematic review and meta-analysis. J Clin Periodontol. 2015;42(7):666–677.

22. Yang X, Zhou T, Zhou N, Man Y. The thickness of labial bone affects the esthetics of immediate implant placement and provisionalization in the esthetic zone: A prospective cohort study. Clinical implant dentistry and related research. 2019;21(3):482–491.

23. Schropp L, Wenzel A, Kostopoulos L, Karring T. Bone healing and soft tissue contour changes following single-tooth extraction: a clinical and radiographic 12-month prospective study. Int J Periodontics Restorative Dent. 2003;23(4):313–323.

24. Leblebicioglu B, Hegde R, Yildiz VO, Tatakis DN. Immediate effects of tooth extraction on ridge integrity and dimensions. Clin Oral Investig. 2015;19(8):1777−1784.

25. Osorio LB, de Menezes LM, Assaf JH, Soares AV, da Veiga ML, Stuani MBS. Post−extraction evaluation of sockets with one plate loss—a microtomographic and histological study. Clin Oral Implants Res. 2016;27(1):31−38.

26. Frencken JE, Sharma P, Stenhouse L, Green D, Laverty D, Dietrich T. Global epidemiology of dental caries and severe periodontitis − a comprehensive review. J Clin Periodontol. 2017;44 Suppl 18:S94−S105.

27. Grossi SG, Genco RJ, Machtei EE, et al. Assessment of risk for periodontal disease. II. Risk indicators for alveolar bone loss. J Periodontol. 1995;66(1):23−29.

28. Mengel R, Flores−de−Jacoby L. Implants in regenerated bone in patients treated for generalized aggressive periodontitis: a prospective longitudinal study. Int J Periodontics Restorative Dent. 2005;25(4):331−341.

29. Estrela C, Bueno MR, Leles CR, Azevedo B, Azevedo JR. Accuracy of cone beam computed tomography and panoramic and periapical radiography for detection of apical periodontitis. J Endod. 2008;34(3):273−279.

30. Lee C−T, Chuang S−K, Stoupel J. Survival analysis and other clinical outcomes of immediate implant placement in sites with periapical lesions: systematic review. Int J Oral Maxillofac Implants. 2015;30(2):268−278.

31. Sarmast ND, Wang HH, Soldatos NK, et al. A novel treatment decision tree and literature review of retrograde peri−implantitis. Journal of periodontology. 2016;87(12):1458−1467.

32. Ramanauskaite A, Juodzbalys G, Tözüm TF. Apical/retrograde periimplantitis/implant periapical lesion: etiology, risk factors, and treatment options: a systematic review. Implant dentistry. 2016;25(5):684−697.

33. Fuss Z, Lustig J, Tamse A. Prevalence of vertical root fractures in extracted endodontically treated teeth. Int Endod J. 1999;32(4):283−286.

34. Corbella S, Taschieri S, Samaranayake L, Tsesis I, Nemcovsky C, Del Fabbro M. Implant treatment choice after extraction of a vertically fractured tooth. A proposal for a clinical classification of bony defects based on a systematic review of literature. Clin Oral Implants Res. 2014;25(8):946−956.

35. Seymour DW, Patel M, Carter L, Chan M. The management of traumatic tooth loss with dental implants: part 2. Severe trauma. Br Dent J. 2014;217(12):667−671.

36. Güler AU, Sumer M, Sumer P, Biçer I. The evaluation of vertical heights of maxillary and mandibular

bones and the location of anatomic landmarks in panoramic radiographs of edentulous patients for implant dentistry. J Oral Rehabil. 2005;32(10):741−746.

37. Israel H. Age factor and the pattern of change in craniofacial structures. Am J Phys Anthropol. 1973;39(1):111−128.

38. Sharan A, Madjar D. Maxillary sinus pneumatization following extractions: a radiographic study. Int J Oral Maxillofac Implants. 2008;23(1):48−56.

39. Wagner F, Dvorak G, Nemec S, Pietschmann P, Figl M, Seemann R. A principal components analysis: how pneumatization and edentulism contribute to maxillary atrophy. Oral Dis. 2017;23(1):55−61.

40. Pinheiro M, Freire−Maia N. Ectodermal dysplasias: a clinical classification and a causal review. Am J Med Genet. 1994;53(2):153−162.

41. Kramer F−J, Baethge C, Tschernitschek H. Implants in children with ectodermal dysplasia: a case report and literature review. Clin Oral Implants Res. 2007;18(1):140−146.

42. Rupprecht RD, Horning GM, Nicoll BK, Cohen ME. Prevalence of dehiscences and fenestrations in modern American skulls. J Periodontol. 2001;72(6):722−729.

43. Chen ST, Darby I. The relationship between facial bone wall defects and dimensional alterations of the ridge following flapless tooth extraction in the anterior maxilla. Clin Oral Implants Res. 2017;28(8):931−937.

44. Nickenig H−J, Wichmann M, Eitner S, Zöller JE, Kreppel M. Lingual concavities in the mandible: a morphological study using cross−sectional analysis determined by CBCT. J Craniomaxillofac Surg. 2015;43(2):254−259.

45. Watanabe H, Mohammad Abdul M, Kurabayashi T, Aoki H. Mandible size and morphology determined with CT on a premise of dental implant operation. Surg Radiol Anat. 2010;32(4):343−349.

46. Chan H−L, Brooks SL, Fu J−H, Yeh C−Y, Rudek I, Wang H−L. Cross−sectional analysis of the mandibular lingual concavity using cone beam computed tomography. Clin Oral Implants Res. 2011;22(2):201−206.

47. Quirynen M, Mraiwa N, van Steenberghe D, Jacobs R. Morphology and dimensions of the mandibular jaw bone in the interforaminal region in patients requiring implants in the distal areas. Clin Oral Implants Res. 2003;14(3):280−285.

48. Buser D, Martin W, Belser UC. Optimizing esthetics for implant restorations in the anterior maxilla: anatomic and surgical considerations. Int J Oral Maxillofac Implants. 2004;19 Suppl:43−61.

49. Chen ST, Darby IB, Reynolds EC. A prospective clinical study of non−submerged immediate implants:

clinical outcomes and esthetic results. Clin Oral Implants Res. 2007;18(5):552–562.

50. Evans CDJ, Chen ST. Esthetic outcomes of immediate implant placements. Clin Oral Implants Res. 2008;19(1):73–80.

51. Tomasi C, Sanz M, Cecchinato D, et al. Bone dimensional variations at implants placed in fresh extraction sockets: a multilevel multivariate analysis. Clin Oral Implants Res. 2010;21(1):30–36.

52. Lang NP, Berglundh T, Working Group 4 of Seventh European Workshop on P. Periimplant diseases: where are we now?——Consensus of the Seventh European Workshop on Periodontology. J Clin Periodontol. 2011;38 Suppl 11:178–181.

53. Zitzmann NU, Berglundh T. Definition and prevalence of peri–implant diseases. J Clin Periodontol. 2008;35(8 Suppl):286–291.

54. Schwarz F, Herten M, Sager M, Bieling K, Sculean A, Becker J. Comparison of naturally occurring and ligature–induced peri–implantitis bone defects in humans and dogs. Clin Oral Implants Res. 2007;18(2):161–170.

55. Benic GI, Hämmerle CHF. Horizontal bone augmentation by means of guided bone regeneration. Periodontol 2000. 2014;66(1):13–40.

56. Khojasteh A, Motamedian SR, Sharifzadeh N, Zadeh HH. The influence of initial alveolar ridge defect morphology on the outcome of implants in augmented atrophic posterior mandible: an exploratory retrospective study. Clin Oral Implants Res. 2017;28(10):e208–e217.

57. Sculean A, Stavropoulos A, Bosshardt DD. Self–regenerative capacity of intra–oral bone defects. J Clin Periodontol. 2019;46 Suppl 21:70–81.

58. Araújo MG, Silva CO, Misawa M, Sukekava F. Alveolar socket healing: what can we learn? Periodontol 2000. 2015;68(1):122–134.

59. Schropp L, Wenzel A, Kostopoulos L, Karring T. Bone healing and soft tissue contour changes following single–tooth extraction: a clinical and radiographic 12–month prospective study. Int J Periodontics Restorative Dent. 2003;23(4):313–323.

60. Clementini M, Agostinelli A, Castelluzzo W, Cugnata F, Vignoletti F, De Sanctis M. The effect of immediate implant placement on alveolar ridge preservation compared to spontaneous healing after tooth extraction: Radiographic results of a randomized controlled clinical trial. J Clin Periodontol. 2019;46(7):776–786.

61. Farmer M, Darby I. Ridge dimensional changes following single–tooth extraction in the aesthetic zone. Clin Oral Implants Res. 2014;25(2):272–277.

62. Palacci P, Nowzari H. Soft tissue enhancement around dental implants. Periodontol 2000.

2008;47:113−132.

63. Cawood JI, Howell RA. A classification of the edentulous jaws. Int J Oral Maxillofac Surg. 1988;17(4):232−236.

64. Cawood JI, Howell RA. Reconstructive preprosthetic surgery. I. Anatomical considerations. Int J Oral Maxillofac Surg. 1991;20(2):75−82.

65. Cawood JI, Stoelinga PJ, Blackburn TK. The evolution of preimplant surgery from preprosthetic surgery. Int J Oral Maxillofac Surg. 2007;36(5):377−385.

66. Brånemark P−I, Zarb GA, Albrektsson T. Tissue−integrated prostheses: osseointegration in clinical dentistry. Chicago: Quintessence; 1985.

67. Misch CE, Judy KW. Classification of partially edentulous arches for implant dentistry. Int J Oral Implantol. 1987;4(2):7−13.

68. Misch CE. Contemporary implant dentistry. St. Louis: Mosby; 1993.

69. Seibert JS. Reconstruction of deformed, partially edentulous ridges, using full thickness onlay grafts. Part II. Prosthetic/periodontal interrelationships. Compend Contin Educ Dent. 1983;4(6):549−562.

70. Wang HL, Al−Shammari K. HVC ridge deficiency classification: a therapeutically oriented classification. Int J Periodontics Restorative Dent. 2002;22(4):335−343.

71. Buser D, Dula K, Hess D, Hirt HP, Belser UC. Localized ridge augmentation with autografts and barrier membranes. Periodontol 2000. 1999;19:151−163.

72. Donos N, Mardas N, Chadha V. Clinical outcomes of implants following lateral bone augmentation: systematic assessment of available options (barrier membranes, bone grafts, split osteotomy). J Clin Periodontol. 2008;35(8 Suppl):173−202.

73. Chen ST, Beagle J, Jensen SS, Chiapasco M, Darby I. Consensus statements and recommended clinical procedures regarding surgical techniques. Int J Oral Maxillofac Implants. 2009;24 Suppl:272−278.

74. Khojasteh A, Morad G, Behnia H. Clinical importance of recipient site characteristics for vertical ridge augmentation: a systematic review of literature and proposal of a classification. J Oral Implantol. 2013;39(3):386−398.

75. Miyamoto I, Funaki K, Yamauchi K, Kodama T, Takahashi T. Alveolar ridge reconstruction with titanium mesh and autogenous particulate bone graft: computed tomography−based evaluations of augmented bone quality and quantity. Clin Implant Dent Relat Res. 2012;14(2):304−311.

76. El Chaar E, Urtula AB, Georgantza A, et al. Treatment of Atrophic Ridges with Titanium Mesh: A Retrospective Study Using 100% Mineralized Allograft and Comparing Dental Stone Versus 3D−Printed Models. Int J Periodontics Restorative Dent. 2019;39(4):491−500.

77. Carano RA, Filvaroff EH. Angiogenesis and bone repair. Drug Discov Today. 2003;8(21):980−989.

78. Retzepi M, Donos N. Guided Bone Regeneration: biological principle and therapeutic applications. Clin Oral Implants Res. 2010;21(6):567−576.

79. De Santis E, Lang NP, Ferreira S, Rangel Garcia I, Jr., Caneva M, Botticelli D. Healing at implants installed concurrently to maxillary sinus floor elevation with Bio−Oss(®) or autologous bone grafts. A histo−morphometric study in rabbits. Clin Oral Implants Res. 2017;28(5):503−511.

80. Scala A, Botticelli D, Rangel IG, Jr., de Oliveira JA, Okamoto R, Lang NP. Early healing after elevation of the maxillary sinus floor applying a lateral access: a histological study in monkeys. Clin Oral Implants Res. 2010;21(12):1320−1326.

81. Stacchi C, Lombardi T, Ottonelli R, Berton F, Perinetti G, Traini T. New bone formation after transcrestal sinus floor elevation was influenced by sinus cavity dimensions: A prospective histologic and histomorphometric study. Clin Oral Implants Res. 2018;29(5):465−479.

82. Garg AK. Bone biology, harvesting, grafting for dental implants : rationale and clinical applications. Chicago: Quintessence Pub. Co.; 2004.

83. Misch CE, Dietsh F. Bone−grafting materials in implant dentistry. Implant Dent. 1993;2(3):158−167.

84. Mertens C, Braun S, Krisam J, Hoffmann J. The influence of wound closure on graft stability: An in vitro comparison of different bone grafting techniques for the treatment of one−wall horizontal bone defects. Clin Implant Dent Relat Res. 2019;21(2):284−291.

85. Mir−Mari J, Benic GI, Valmaseda−Castellón E, Hämmerle CHF, Jung RE. Influence of wound closure on the volume stability of particulate and non−particulate GBR materials: an in vitro cone−beam computed tomographic examination. Part II. Clin Oral Implants Res. 2017;28(6):631−639.

86. Mir−Mari J, Wui H, Jung RE, Hämmerle CHF, Benic GI. Influence of blinded wound closure on the volume stability of different GBR materials: an in vitro cone−beam computed tomographic examination. Clin Oral Implants Res. 2016;27(2):258−265.

87. Jiang X, Zhang Y, Di P, Lin Y. Hard tissue volume stability of guided bone regeneration during the healing stage in the anterior maxilla: A clinical and radiographic study. Clin Implant Dent Relat Res. 2018;20(1):68−75.

2 CHAPTER

골증강술의 개요

1.
개요

현대 임플란트 골증강술에 있어서 대부분의 술식은 이식재와 차폐막을 적용하는 골유도 재생술로 수렴되었다. 그러나 골증강술에 대한 전반적인 이해를 위해 골증강술 전반에 대해 아주 간략하게만 논의해보도록 하겠다.

1) 골증강술, 골재생술, 골이식술

골증강술, 골재생술, 골이식술은 의미가 비슷하기 때문에 우리는 이를 혼용하는 경향이 있다. 그러나 그 엄밀한 의미에는 차이가 있다.

(1) 골증강술(bone augmentation)

임플란트 식립을 위해 치조골 양을 증가시키는 술식들을 통칭하여 치조골 증강술, 혹은 단순히 골증강술이라고 한다. 이 용어는 골을 증강시킬 부위의 과거 상태는 고려하지 않는다. 즉, 과거에 골이 존재했지만 상실된 부위인지, 아니면 원래부터 골이 존재하지 않았던 부위인지와는 관계없이 사용할 수 있다(📷 2-1). 임플란트를 식립할 부위의 골이 임플란트를 지지하기에 부족하거나 심미적으로 만족스러운 외형을 보이지 않아 골량을 증가시킬 목적으로 시행하는 모든 술식은 골증강술이 되기 때문에 가장 광범위한 의미의 용어이다.

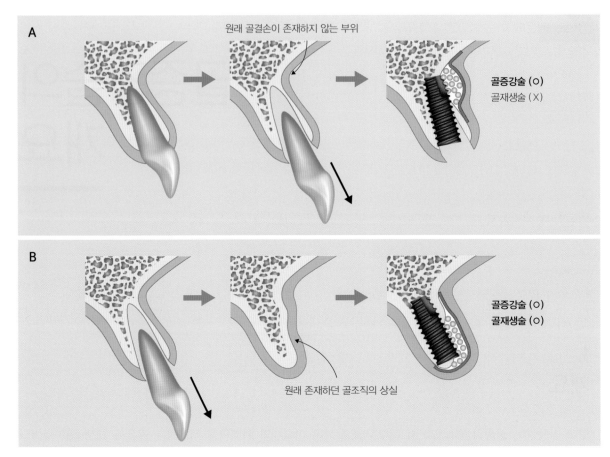

📷 **2-1 골증강술과 골재생술은 거의 구분되지 않고 사용되는 용어이지만 엄밀하게는 의미상의 차이가 있다.**

A. 치조골이 온전한 치아를 발치하고 즉시 임플란트를 식립한 후 치근단측에 천공이 발생했을 때, 이를 골이식재와 차폐막으로 수복해 주었다. 이 술식은 골의 양을 증강시키는 술식이기 때문에 골증강술이라고 할 수 있다. 그러나 원래 존재하다가 상실된 조직을 재생시키는 것은 아니기 때문에 골재생술이라고는 할 수 없을 것이다. **B.** 순측의 열개 결손은 원래 존재하던 골조직이 상실된 상태이다. 따라서 이를 수복하는 술식은 골증강술이자 골재생술이 될 수 있다.

(2) 골재생술(bone regeneration)

골재생술은 과거 골이 존재했지만 여러 가지 이유로 상실된 부위에 다시 골을 형성해주는 술식이다. 따라서 원래부터 골이 존재하지 않았던 부위에 골을 형성해주는 술식은 엄밀히 말해서 골재생술이라고 할 수는 없다 (📷 2-1). 결국 "골유도 재생술"은 "골재생술"의 의미만 포함하는 용어는 아니다. 원래 골이 존재하지 않던 부위에서도 골유도 재생술을 통해 신생골을 형성할 수 있기 때문이다.

(3) 골이식술(bone graft, bone transplantation)

"이식(移植)"이라는 단어는 원래 나무를 다른 곳으로 옮겨 심는다는 뜻이다. 따라서 조직 이식도 원래 신체 내의 한 곳에서 채취한 장기나 조직을 다른 곳으로 옮겨 준다는 의미였다. 이러한 의미에서 골이식술도 원래 신체의 한 곳에서 채취한 골을 다른 곳으로 옮겨 주는 술식이었다. 과거에는 골이식술 시에 자가골 이식재만 사용했기 때문에 이는 합당한 것이었다. 그러나 다양한 기원의 이식재를 광범위하게 사용하는 오늘날에는 골이식술의 의미가 확장되어 골을 형성할 목적으로 골이식재를 적용하는 모든 술식을 골이식술이라고 한다. "상악동 골이식" 시 골이식재를 사용하지 않으면 이 술식은 엄밀히 말해서 골증강술에는 해당되지만 골이식술은 아니다(📷 2-2). 반대로 골이식재를 적용하는 상악동 골이식술은 골이식술이자 골증강술이다.

위의 "골유도 재생술"이나 "상악동 골이식" 등의 용어는 워낙 광범위하게 사용되는 골증강술 용어이기 때문에 "골유도 재생술" 시 실제로 골을 재생시키지 않았다거나, "상악동 골이식" 시 실제로 골을 이식하지 않았더라도 골형성을 목적으로 차폐막을 적용한 모든 술식을 "골유도 재생술"로, 상악동저의 막을 거상하고 거상된 상악동 막과 상악동저 사이에 골을 형성하는 모든 술식을 "상악동 골이식"으로 부른다.

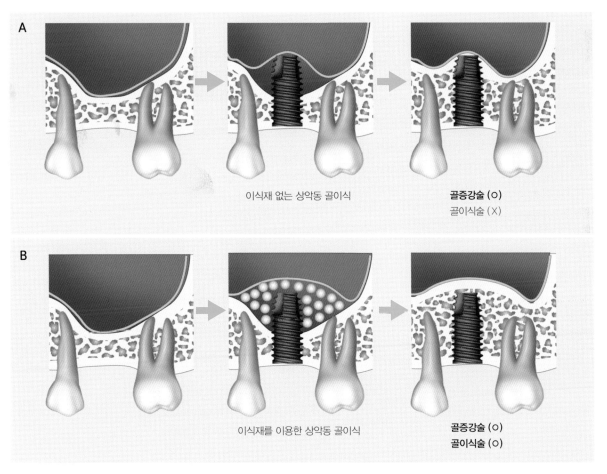

📷 2-2 **골이식술, 골증강술, 골재생술은 사실 세밀한 구분이 불가능할 정도로 혼용되어 사용되고 있다.**
A. 이식재를 사용하지 않는 상악동 골이식술은 엄밀히 말해 "골이식술"이라고 할 수 없지만 상악동저에 골증강을 시행하는 술식은 "상악동 골이식술"이라는 용어로 정착되었기 때문에 "이식재를 사용하지 않는 상악동 골이식"이라고 칭한다. **B.** 전통적으로 상악동저의 골증강술은 이식재를 사용하는 술식이었기 때문에 골증강술이자 골이식술이었다. 따라서 상악동 골이식술은 적절한 용어였다고 할 수 있다. 앞서 MEDLINE에서 "상악동 골이식술"의 MeSH 용어를 "sinus floor augmentation"로 정한 것을 기억해보자. 이는 골이식재를 사용하는 술식과 사용하지 않는 술식을 모두 포괄하는 매우 적절한 용어임을 알 수 있다.

2) 골증강술의 종류

골증강술에는 여러 가지 종류가 있는데 각각의 방법들은 서로 적응증에 차이가 약간씩 있으며 상대적인 장단점이 있다. 지금까지 문헌에 소개된 치조골 증강술의 종류는 다음과 같다(📁 2-1, 📷 2-3).[1-4]

📁 2-1 Benic과 Hämmerle의 골결손 분류와 이에 따른 골증강 방법

골증강술의 종류	적용 부위	적응증
골유도 재생술 (guided bone regeneration, GBR)	모든 부위	• 상악동 함기화에 의한 결손을 제외한 모든 종류의 결손 형태와 모든 정도의 골상실에서 적용 가능하다.
상악동 골이식술 (sinus bone graft)	상악 구치부	• 상악 구치부에서 상악동 함기화에 의해 치조골 높이가 저하된 경우가 일차적인 적응증이다. • 상악 구치부에서 함기화가 없더라도 치조정측에 심한 수직적 결손이 존재하면 상악동 골이식술로 수직적 골량을 증가시킬 수 있다.
블록골 이식술 (block bone graft)	모든 부위 주로 상악 전치부	• 이는 이식재의 형태에 따른 분류 방법으로, 온레이 이식술, 혹은 베니어 이식술(onlay graft, veneer graft)이라고 부르기도 한다. • 치조골의 심한 수평적 결손이나 수직적 결손에 적용한다.
골신장술 (distraction osteogenesis, DO)	모든 부위 주로 상하악 전치부	• 치조골의 심한 수직적 결손 시 적용한다. • 이론적으로는 모든 부위에서 적용 가능하지만 구치부에서는 해부학적 장해물 때문에 적용이 어렵다.
치조골 분할술, 혹은 팽창술 (ridge splitting, expansion)	모든 부위 주로 상하악 전치부, 하악 구치부	• 치조골의 수평적 결손 시 적용한다.
LeFort I 골절단술과 개재골 이식술 (LeFort I osteotomy with interpositional bone grafts)	상악	• 상악 전악이 수평적, 수직적으로 심하게 위축된 경우에 적용한다.
치조제 보존술 (ridge preservation)	모든 부위 주로 상하악 전치, 소구치	• 발치 후 지연 식립 시(4개월 이상 치유 기간 부여) 치조골의 흡수를 예방하기 위해 적용한다.
임플란트 주위 결손의 골이식술 (bone graft to peri-implant defect)	모든 부위 주로 상하악 전치, 소구치	• 특히 상악 전치부에서 발치 후 즉시 임플란트 식립 시 순측 치조골의 흡수를 최소화하기 위해 적용한다.
혈관화 자가골 이식술 (vascularized autograft)	모든 부위 주로 하악	• 종양이나 외상에 의해 하악골이 상당히 많이 상실된 경우 적용한다.
개재골 이식술 (interpositional bone graft)	모든 부위, 주로 하악 구치부	• 치조골이 수직적으로 상실된 경우 적용한다.

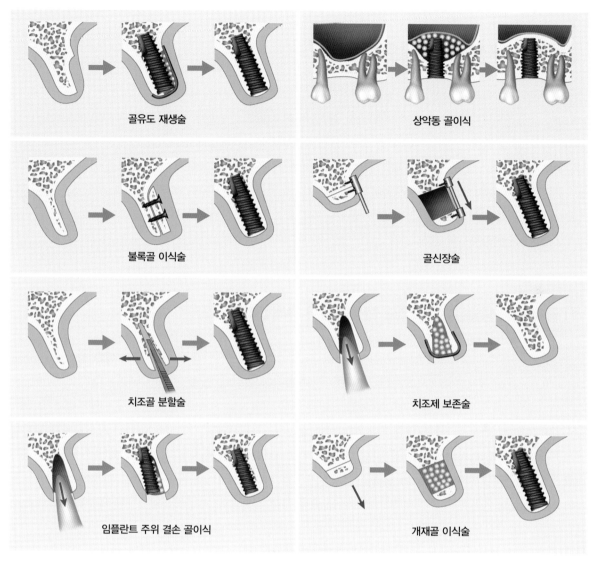

골유도 재생술

상악동 골이식

불록골 이식술

골신장술

치조골 분할술

치조제 보존술

임플란트 주위 결손 골이식

개재골 이식술

📷 **2-3 골증강술의 종류와 그 모식도**

이중 가장 빈번한 빈도로 사용되는 술식들은 골유도 재생술, 상악동 골이식술, 블록골 이식술, 치조제 보존술, 발치 후 즉시 식립 시 임플란트 주위 결손의 골이식이다. 이들 술식은 우리가 마주칠 수 있는 거의 대부분의 골결손을 수복해줄 수 있고, 술식이 비교적 용이하며, 임상적 결과에 대한 풍부한 임상적 근거가 축적되어 있다.

2.
골유도 재생술의 개요

치과용 임플란트와 관련된 골증강술 중 가장 광범위하게 적용되고 있으며, 또 가장 많은 근거가 축적되어 그 효용성이 가장 잘 입증된 술식은 바로 골유도 재생술(Guided Bone Regeneration, GBR)이다.[1,5-10] 상악동 골이 식술이나 블록골 이식술 등 골유도 재생술과는 독립된 개념으로 발전된 골증강술에서조차 골이식재 상부에 차 폐막을 적용하는 것이 일반화되면서, 차폐막을 적용하는 모든 술식을 골유도 재생술이라고 간주한다면 임상적으로 시행되고 있는 거의 모든 골증강술은 골유도 재생술이 되었다.[11] 여기에서는 골유도 재생술의 개념과 초기 역사에 대해 설명하도록 한다.

1) 골유도 재생술은 조직 유도 재생술에서 유래했다.

골유도 재생술(Guided Bone Regeneration, GBR)은 그 이름에서도 알 수 있듯이 조직 유도 재생술(Guided Tissue Regeneration, GTR)에서 파급된 개념이다. 1980년대 초반에 스웨덴 Gothenberg 대학의 Nyman과 Karring 등은 조직 유도 재생술의 개념을 확립하게 된 매우 의미 있는 일련의 동물 실험을 진행하였다. 이들은 인위적인 조작을 통해 치주염에 이환시킨 치아에서, 파괴된 치아의 부착 기구(attachment apparatus)를 재생시키기 위해서는 반드시 치주 인대에서 유래한 세포가 결손 부위로 이동해야 한다는 점을 밝혔다.[12,13] 치주염에 의해 형성된 골내 결손에 치석 제거 및 치근면 활택술만을 시행하면 이 결손부를 둘러싼 여러 종류의 세포 중 상피 세포가 항상 가장 먼저 이동하였으며, 결손은 결국 긴 접합 상피로 치유되었다.[14,15] 따라서 이들은 결손된 치주 조직 내로 가장 먼저 이동하는 것은 상피 세포이기 때문에 건전한 부착 조직을 재생시키기 위해서는 치유 과정 중 상피 세포가 결손부 내로 이동하지 못하도록 막아주어야 한다고 결론 내렸다.

치아 주위 결손부 내로 상피 세포의 증식은 막아주면서 치아 주변의 결합 조직, 이중에서도 특히 치주 인대 조직에서 기원한 세포를 유도시키면 상실된 부착 기구가 재생될 수 있다는 이론적 결론을 얻은 이들은 이러한 개념을 조직 유도 재생술이라고 명명하였고 이를 동물 실험을 통해 검증했다. 인위적으로 결손된 치주 조직에 상피 세포 침투를 막아줄 수 있는 인공막(Gore-Tex 차폐막)을 적용한 결과, 결손부는 백악질(cementum)과 치조골, 그리고 이들을 연결하는 치주 인대로 이루어진 부착 기구로 완벽히 재생된다는 사실을 확인하였다 (📷 2-4).[16,17] 이러한 동물 실험 결과는 임상에 적용되어 인간에서도 조직 유도 재생술을 이용하여 치주 조직의 재생을 얻을 수 있다는 사실이 밝혀졌다.[18,19]

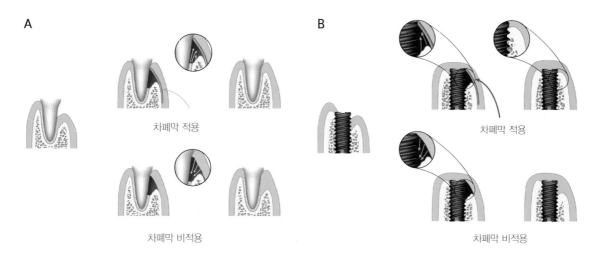

A

차폐막 적용

차폐막 비적용

B

차폐막 적용

차폐막 비적용

📷 2-4 조직 유도 재생술과 골유도 재생술의 개념
A. 조직 유도 재생술. 치주 조직이 결손된 경우, 단순히 소파술과 치근 활택술만 시행하면 상피조직 기원세포들이 치주 조직 결손부로 이동하여 긴 접합 상피를 이루게 된다. 반면, 차폐막을 적용하면 상피기원세포를 차단하여 치주인대와 치조골에서 유래한 세포들이 결손부로 이동하여 치주 조직을 재생하게 된다. **B.** 골유도 재생술. 기본적인 원리는 조직 유도 재생술과 동일하다. 치주 조직 재생술과 유일한 차이라고 한다면, 임플란트 주위 조직에는 치주인대가 없기 때문에 차폐막을 적용하여 상피기원세포를 차단하면 순수하게 치조골에서 유래한 세포들만이 결손부로 이동하여 골조직을 재생한다는 점이다.

2) 골유도 재생술은 차폐막을 통해 골결손부에서 골형성세포만 선택적으로 증식되도록 해주는 술식이다.

골유도 재생술은 재생시킬 조직이 백악질, 치주 인대, 치조골로 이루어진 복합적인 치주 결합조직이 아닌, 골이라는 단 한 종류의 조직이라는 점에서 조직 유도 재생술과 차이가 있다. 특정한 치조골 부위가 결손된 경우, 이 부위는 주변 상피 세포와 연조직에서 기원한 결합 조직 세포가 이동하여 골보다는 연조직으로 치유되는 경향이 있다. 이때 주변 연조직 세포의 침투를 차단하면 골결손부에는 주변의 골에서 유래한 골형성 세포가 이동하여 결국 골소식이 재생되게 된다(📷 2-5). 이러한 개념을 처음 제안하고 동물 실험을 통해 증명한 것은 역시 Gothenburg 대학의 Dahlin 등이었다. 이들은 쥐의 양측 하악 우각부 부위에 협설측을 관통하는 골결손을 형성하고 나서 한쪽은 협측 및 설측에 Gore-Tex 차폐막을 적용하였고 반대쪽에는 아무런 처치도 시행하지 않았다. 그 결과는 매우 극적이었는데 차폐막을 적용한 쪽에서는 수술 6주 이후 완전한 골재생을 보였던 반면, 차폐막을 적용하지 않았던 쪽에서는 골재생이 전혀 이루어지지 않은 채 결손부는 연조직으로만 충전되었다(📷 2-6).[20]

골유도 재생술은 결손된 골을 재생시킨다는 사실을 확인한 후 이 술식을 통해 재생된 골이 과연 임플란트와 골유착을 이룰 수 있는지가 다음 의문이 되었다. 이에 대한 해답은 역시 Dahlin 등이 토끼를 이용한 실험을 통해 밝혔다. 이들은 토끼 비골(tibia)에 임플란트를 식립하며 열개 결손을 인위적으로 형성했고, 이 부위를 Gore-

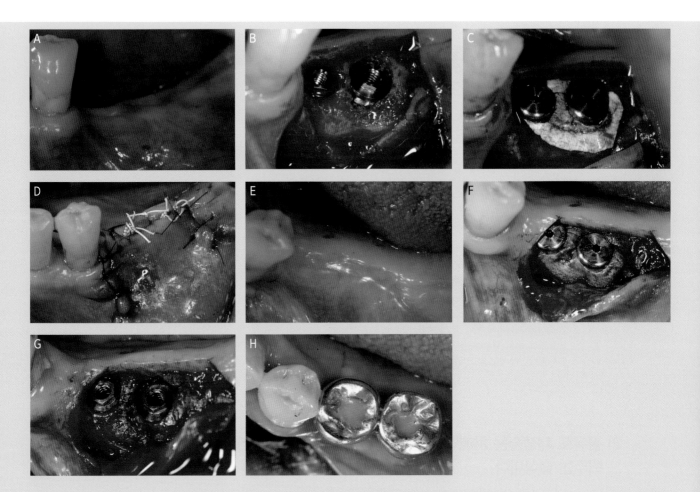

📷 **2-5** 골유도 재생술의 고전적 개념은 골이식재 없이 차폐막만 사용하여 골재생을 이루는 것이다. 차폐막은 주변 연조직 세포의 침투를 차단하여 주변의 골에서 유래한 골형성 세포만을 골결손부로 이동시켜 결국 골조직을 재생시킨다. 이 증례는 골결손의 양이 적어서 ePTFE 차폐막만을 적용하여 골을 재생시켰다.

A~D. 작은 열개 및 임플란트 주위 결손이 발생했고**(B)**, 이를 차폐막만으로 수복했다**(C)**.

E~G. 4개월 후 2차 수술을 진행했다. 차폐막 제거 후 차폐막 하방으로 양질의 골이 재생되어 있음을 확인할 수 있다**(G)**.

H. 보철 완료 후 소견

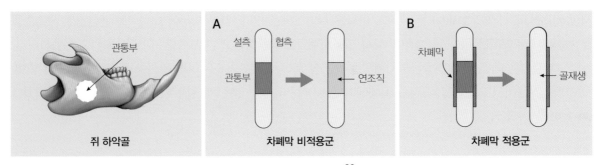

📷 **2-6** Dahlin 등이 시행한 골유도 재생술에 관한 첫 전임상 연구의 모식도.[20] 이들은 쥐의 양측 하악 우각부 부위에 협설측을 관통하는 골결손을 형성했다.

A. 한쪽은 차폐막을 적용하지 않았다. 그 결과 천공부는 연조직으로 충전되었다. **B.** 반대쪽은 협측 및 설측에 Gore-Tex 차폐막을 적용했다. 그 결과 6주 후 이 부위는 완전한 골재생을 보였다.

Tex 차폐막으로 피개했다. 그 결과 수술 6주 후부터 차폐막 하방으로 신생골이 형성되었으며 이 골은 임플란트와 연소식의 개재가 없는 골유착을 이룬다는 사실을 조직학적으로 확인했다.[21]

이러한 1980년대 후반의 동물 실험에 이어 1990년대 초반부터 골유도 재생술에 대한 문헌이 폭발적으로 발표되기 시작했다(◎ 2-7). 골유도 재생술의 개념을 제안하고 동물 실험을 통해 증명해낸 이들이 Dahlin 등의 스웨덴 Gothenburg 대학 팀이라고 한다면, 이를 임상에 처음 적용하여 그 결과를 발표하고 향후 골유도 재생술의 임상 술식의 기준을 제시했던 것은 스위스의 Berne 대학 팀이었다. 골유도 재생술을 임상에 적용하고 그 결과를 발표한 최초의 문헌은 Berne대학의 Nyman 등에 의해 1990년에 발표되었다.[22] 이들은 이 문헌에서 발치 후 즉시 임플란트를 식립하며 발생한 임플란트 주위 결손을 Gore-Tex 차폐막으로 피개한 증례와, 하악 구치부에서 치조골 폭이 부족하여 Gore-Tex 차폐막을 이용하여 골폭을 증가시키고 난 후 임플란트를 식립한 증례를 보고했다.

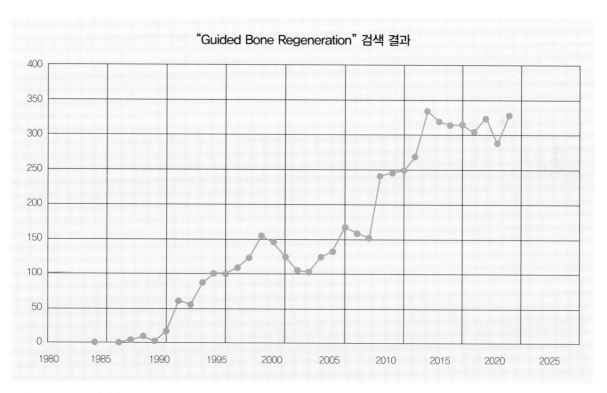

◎ 2-7 PubMed에서 "guided bone regeneration"으로 검색했을 때의 검색 결과
물론 다양한 검색어 조합으로 검색을 시행하면 이 결과보다 훨씬 더 많은 검색 결과가 나타날 것이다. 그러나 대체적인 경향은 확인할 수 있다. 1990년대부터 2010년대 초반까지 "골유도 재생술"과 관련된 문헌이 지속적으로 증가했음을 확인할 수 있다. 이는 임상적 관심도를 반영하는 결과이다. "골유도 재생술"에 대한 관심은 지속적으로 증가했고 지금까지도 높아진 관심이 유지되고 있음을 알 수 있다.

3) 골유도 재생술의 외과적 프로토콜

골유도 재생술 술식은 여러 전문가들의 노력으로 정립되었지만, Berne 대학 Buser 교수는 골유도 재생술의 수술 프로토콜을 정리하고 이를 정착시키는 데 있어 가장 큰 기여를 하였다. 그는 Berne 대학의 동료들과 함께 최초로 다수의 환자를 대상으로 골유도 재생술을 시행하고 그 시술 경험과 과학적 근거에 기반하여 골유도 재생술의 수술 프로토콜을 정립하였다. 또한 이러한 프로토콜을 적용하여 많은 환자들에게 골유도 재생술을 시행하고 장기간 추적 관찰하여 그의 수술 프로토콜이 매우 예지성 높은 결과를 이끌어낼 수 있다는 사실을 밝혔다.

(1) 개발기(development period; 1989–1990)

Buser 등은 1989년–1990년 사이에 최초로 환자를 대상으로 골유도 재생술을 시행하였다.[23] 총 12명의 환자가 대상이었다. 여기에서 이들은 Gore-Tex 차폐막을 골이식재 없이 적용하였으며, 필요시에는 공간 유지를 위해 스크루를 이용했다. 이 때 발견된 주목할 만한 결과들은 다음과 같다.

- 차폐막으로 피개된 공간 내에 골조직이 형성됨을 조직학적으로 확인했다.
- 치유 기간 중 차폐막이 노출될 수 있으며 염증이 없는 상태에서 이를 적절한 시기에 제거하기만 한다면 골재생의 결과에 현저한 영향을 미치지는 않는다.
- 골유도 재생술을 통해 충분히 예지성 있게 치조골량을 증강시킬 수 있으며 이렇게 증강된 부위에 임플란트를 식립하여 기능적 부하를 성공적으로 가할 수 있다.

또한 이들은 이 환자들을 5년간 추적 관찰하여 장기간의 결과까지 보고하였다.[24] 그 결과 골유도 재생술을 통해 증강된 골은 오랜 시간이 경과한 후에도 원래 남아있던 자연골과 유사한 양상을 보이며 잘 유지된다고 하였다.

골유도 재생술이라는 개념에 익숙해진 우리들은 이러한 사실이 당연하다고 생각하기 때문에 "주목할 만하다"고 까지는 느껴지지 않는다. 그러나 처음 발견했을 때 놀라웠던 사실들은 시간이 지나면서 당연시되는 법이다. 뉴턴이 만유인력의 개념을 처음 발표했을 때에도 뜨거운 논란이 있었다. 서로 떨어져 있는 두 물체가 물리적인 영향을 미칠 수 있다는 개념이 너무나 생소했기 때문이다. 그러나 뉴턴이 몇몇 운동 법칙과 만유인력의 원리만으로 태양계 행성들의 운동을 완벽하게 증명해내자 이러한 논란은 수그러들었다. 뉴턴 시대 이후 400년 가까이 경과한 지금, 우리는 만유인력을 너무나 당연한 기본적인 힘으로 생각한다. 골유도 재생술에 대한 기본적인 개념도 마찬가지다. 골증강 술식은 거의 자가골 이식밖에 없던 시대에 골이식재 없이 차폐막만 적용해도 신생골을 형성할 수 있으며 이 신생골에 임플란트를 식립하여 성공적으로 부하를 가할 수 있다는 사실은 치과계에 놀라움을 안겨주었을 것이다. 골유도 재생술은 순수하게 이론적인 병태생리학적 개념을 토대로 개발되어 실제 임상적인 효용성이 확실히 검증된 술식이라는 점에서 독특하다.

(2) 정착기(validation period; 1991–1994)

Buser는 초기 환자들을 통해 골유도 재생술에 대한 경험을 축적하면서 골유도 재생술의 수술 프로토콜을 정립하였으며, 이를 상악과 하악으로 나누어 발표하였다.[25,26] 또한 1991–1994년에 걸쳐 40명의 환자를 대상으로 개선된 프로토콜을 적용하고 그 단기간의 결과[27]와 장기간의 결과를 보고하였다.[28] Buser는 1989년–1990년의 발전기에 비해 1991–1994년의 정착기에 개선된 프로토콜은 크게 세 가지였다고 했다.[27]

① 절개 방법의 변형
② 차폐막 고정을 위해 스크루 사용
③ 차폐막 지지를 위해 자가골 이식재 사용

발전기 환자 12명 중 5명에서 농양 발생이나 차폐막 노출 등의 합병증이 발생하였던 반면, 개선된 프로토콜을 적용한 이들 40명의 환자 중에선 단 한 명에서만 차폐막이 노출되는 합병증이 발생했고, 결과적으로 38명의 환자에서 만족할 만한 결과를 얻을 수 있었다고 보고하였다.[27] 또한 이들 환자에 대한 5년간의 추적 관찰 연구에서는 식립된 모든 임플란트가 기능하여 100%의 생존율과 98.3%의 성공률을 보인다고 했다.[28] 따라서 Buser의 골유도 재생술 프로토콜은 매우 예지성이 높으며 이를 통해 형성한 신생골은 장기간 정상적으로 기능한다는 사실을 알 수 있다.

(3) 골유도 재생술의 고전적 수술 프로토콜

앞서 언급한 바와 같이 Buser는 각각 1993년과 1995년에 상악과 하악에서의 골유도 재생술 적용에 관한 기념비적인 프로토콜을 발표하였으며[25,26] 1999년에 이를 다시 정리하였다.[29] Buser는 차폐막과 골이식재 각각의 황금 기준(gold standard)인 Gore–Tex 차폐막과 자가골 이식재를 이용하였으며 그가 정립한 외과적 프로토콜에 따라 매우 높은 성공을 얻을 수 있었다고 하였다. 이후 이 프로토콜은 큰 변형없이 현재도 쓰이고 있을 정도로 매우 중요한 것이기 때문에 간략하게 정리해 보도록 하겠다.

① 절개

골유도 재생술 후 피판이 열개되면 차폐막이 노출되고 이는 수술의 실패를 야기하게 된다. 따라서 치유 기간 중 창상이 열개되지 않도록 하는 것은 매우 중요하다. 창상 열개를 예방하기 위해서는 피판을 생물학적, 해부학적 원칙에 기초하여 잘 설계해 주어야 한다. 이를 위해 상악에서는 치조정에서 구개측으로 3–5 mm 정도 치우친 부분에서 절개를 부분층으로 비스듬하게 시작하여 치조정 부위에서 골과 접하도록 가하고, 하악에서는 반대로 협측에서 치조정측에서 치조정을 향한 절개를 가한다고 하였다. 이를 통해 피판 변연부의 면적이 증가하기 때문에 피판 변연의 열개 없이 치유가 잘 이루어졌다(현재는 절개선 설정을 치조정 중앙에 가하는 것이 표준이 되었다. 이에 대해서는 뒤에서 다시 설명할 것이다).

② 피질골 천공

수술부 골을 노출시킨 후 2 mm 직경의 라운드 버로 피질골을 천공시킨다. 그 이유는 세 가지이다. ① 신생 혈관 및 신생골 형성을 위한 세포의 공급처인 골수를 노출시킴, ② 국소적 성장 인자가 방출되도록 하여 신생 골 형성을 활성화시킴, ③ 골의 출혈을 도모함

③ 이식재 적용

골유도 재생술에 이식재를 사용하는 일차적인 목적은 공간 유지를 위해서이다. Buser는 공간 유지의 목적으로 처음에는 스크루를 텐트 기둥처럼 이용하여 차폐막을 지지해 주었지만 점차 거의 자가골 이식재를 이용하게 되었다. 여러 이식재에 대한 문헌 고찰과 실제 경험을 통해 그는 자가골 이식재가 가장 좋은 임상적 결과를 가져온다고 결론지었다.

④ 적절한 차폐막 사용

Buser가 처음 골유도 재생술을 시행했을 때 골유도 재생술을 위한 차폐막의 황금 기준은 ePTFE계 차폐막인 Gore-Tex 차폐막이었다. Buser는 Gore-Tex가 생체 친화적이며 골재생을 가장 예지성 있게 유도할 수 있는 차폐막이기 때문에 가장 좋다고 하였다.[25]

⑤ 차폐막 형태 설정 및 안정적 고정

골유도 재생술을 성공시키기 위해서는 골증강을 시행할 부위를 차폐막으로 완전히 피개해 주어야 한다. 더불어 치유 기간 중 차폐막이 움직이면 차폐막 하부에서 골조직보다는 연조직이 형성되는 경향이 있기 때문에 차폐막을 안정적으로 고정시키는 것은 중요하다. 이를 위해 Buser는 스크루를 이용하여 차폐막을 고정해 주었다.

⑥ 일차 폐쇄

치유 중 차폐막의 노출을 예방하기 위해서는 창상을 장력 없이 일차 폐쇄시켜주는 것이 가장 중요하다. 이를 위해 Buser는 골막 이완 절개를 통해 피판의 긴장을 줄여주고 수평 누상 봉합(horizontal mattress suture) 및 단순 봉합(interrupted suture)을 혼합하여 피판을 완전히 폐쇄할 것을 주장하였다.

⑦ 치유 기간

골유도 재생술을 통해 형성된 신생골이 충분히 성숙하기 위해서는 9개월의 치유 기간이 필요하다고 하였다.

3.
골증강술의 성공을 위한 요소

모든 임상 술식의 성공에 있어서 가장 중요한 두 가지 요소를 꼽으라면 환자 요소와 술자 요소를 들 수 있을 것이다. 이는 골증강술에 있어서도 동일하게 적용되는 원칙이다(🖥 2-2).

🖥 2-2 골증강술의 성공을 위해 고려해야 할 요소		
술자 요소	술자의 시술 능력	• 많은 임상 경험과 능숙한 수술 능력은 외과적 술식의 성공에 필수적이다.
		• 임플란트 및 골증강술과 관련된 근거 중심적 지식을 끊임없이 축적하여 최선의 치료 방법을 선택하는 능력을 갖춰야 한다.
	적절한 술식과 재료의 선택	• 우리가 마주친 바로 그 임상 상황에 맞는 적절한 술식과 재료를 선택하는 것은 매우 중요하다.
환자 요소	국소적 요소	• 골결손부의 상태: 골결손의 종류/위치/크기 등
		• 골결손부 점막 상태: 골결손부 점막의 두께/각화 점막 유무
		• 인접 자연치 상태
		• 치주염 이환 여부
	전신적 요소	• 전신 질환 유무: 당뇨, 알코올 중독, 흡연, 골다공증 및 비스포스포네이트 복용 등
		• 환자의 협조도

1) 임플란트 골증강술의 성공에 있어 가장 중요한 요소는 술자 자신이다.

골증강술의 성공에 있어 가장 중요한 요소는 술자 자신, 즉 우리들이다. 차폐막이나 골이식재 같은 재료, 환자의 전신적 상태, 골결손부의 국소적 상태 등은 모두 매우 중요한 요소이다. 그러나 환자의 상태를 진단하고 그에 맞는 술식과 골증강 재료를 선택하여 실제로 적용하는 이는 바로 우리들 자신이다. 우리는 우리의 치료가 만족스럽지 못할 때 "근본적 귀인 오류"라는 근원적인 심리적 오류를 범하기 쉽다. "귀인(歸因)"이란 원인을 귀속시킨다는 의미로 사용되는 단어이다. 근본적 귀인 오류는 본인의 행동에 대해서는 "상황 귀인", 즉 어떤 특정한 상황을 원인으로 돌리고 타인의 행동에 대해서는 "성향 귀인", 즉 특정 상황을 무시한 채 그 사람의 성격과 동기 등 내적 특성 탓으로만 돌리는 것이다. 골유도 재생술이 실패했을 때 우리는 우리 자신의 경험, 능력, 지식 부족을 그 원인으로 생각하지 않고 환자의 비협조, 재료의 불량, 우리가 처한 증례의 어려운 난이도 등을 꼽기 쉽다. 물론 우리의 통제나 인식 밖의 원인으로 우리의 시술 결과가 좋지 않을 수도 있다. 그러나 우리가 가한 처치에 대한 결과의 가장 근본적인 원인은 바로 그러한 특징의 환자에서 그 상태의 골결손 부위에 그 재료로 그 술식을 시행한 우리 자신이다.

(1) 술자의 경험이 많아지면 임플란트의 성공 가능성은 현저히 증가한다.

술자 요소에는 술자의 경험, 술자의 시술 능력(능숙한 술기), 그리고 근거 중심적 지식이 가장 중요하다. 임플란트 치과학에서 술자의 경험은 중요한 요소로 생각되어 왔다. 한 고전적인 후향적 연구에 의하면 임플란트 식립 개수가 50개 미만인 술자는 50개 이상인 술자보다 식립한 임플란트의 실패 확률이 두 배에 이르렀다.[30] 또 다른 후향적 연구에서는 골증강술이 필요치 않았던 증례에 한해 술자가 처음 식립한 50개의 임플란트의 골유착 성공률은 84.0%였던데 반해, 그 이후에 식립한 임플란트의 골유착 성공률은 94.4%로 상승했다고 했다.[31] 한 메타분석에 의하면 임플란트 식립 50개를 기준으로 했을 때 이보다 더 많은 임플란트를 식립한 술자가 식립한 임플란트와 더 적은 임플란트를 식립한 술자가 식립한 임플란트의 실패율은 현저한 차이를 보인다(오즈비 2.18, 95% CI 1.40–3.39).[32] 심지어 컴퓨터 가이드 수술 템플릿을 이용한 임플란트 식립 시에도 술자의 경험은 임플란트의 식립 위치 정확성에 현저한 영향을 미친다.[33-35] 결국 골증강 없이 임플란트만 식립하더라도 일정 정도의 경험은 필수적으로 필요하다고 결론 내릴 수 있다. 임플란트 식립술 자체보다 더 난이도가 높은 골증강 술은 어떨까? 이에 대한 임상 연구는 없었지만 골증강술의 성공을 위해선 당연히 술자의 경험이 훨씬 더 많이 필요할 것이다.

인간의 사고를 인지적 사고와 비인지적 사고로 나누었을 때 경험이 많아질수록 우리가 수술을 시행하는 과정은 비인지적 사고의 지배를 더 많이 받게 된다. 기억은 외현 기억과 암묵 기억으로 나뉜다. 외현 기억은 일화나 의미에 대한 기억인데, 특히 의미 기억은 학습과 관계된 지식 체계에 대한 기억으로 대뇌 피질에 저장되어 있다. 의미 기억을 불러일으키기 위해서는 지속적인 인지적 노력을 요한다. 반면 암묵 기억은 해마–대뇌 피질로 연결된 외현 기억과는 별도로 기저핵이 중심이된 통로를 통해 저장되는 기억으로, 언어적이거나 인지적이지 않은 기억이다. 암묵 기억 중 가장 대표적인 기억은 자전거 타기 등의 특정한 운동이나 유기적인 신체적 움직임을 기억하는 절차 기억이다.

이제 우리가 골유도 재생술을 시행하는 과정을 생각해보자. 경험이 일천한 술자들은 수술 과정 하나하나를 대뇌 피질 속에 저장된 이에 관한 의미 기억으로부터 의식적인 노력으로 떠올려 수행해야 한다. 반면 경험이 많은 술자들은 수술 과정 전반이 절차 기억으로 저장되어 있기 때문에 의식적인 노력 없이 이 술식을 시행할 수 있다. 모든 증례는 제각각 다르기 때문에 술자는 수술을 시행하는 중간중간에 선택의 기로에 놓이게 된다. 경험이 많은 술자는 수술 과정 일반을 절차 기억으로 수행하기 때문에 선택의 순간에 의식 전체를 이에 할당할 수 있다. 반면 초심자는 수술 과정 자체와 선택 과정에 의식적인 노력을 분배해야 한다. 잘 알려져 있듯이 대뇌 피질이 주관하는 의식적 사고는 멀티태스킹이 불가능하다. 결국 초심자들은 이렇게 여러 가지 사항에 대해 의식적 사고를 해야 하기 때문에 숙련자들보다 쉽게 심리적으로 피로해질 뿐만 아니라 의식적 결정을 올바르지 못하게 내릴 가능성이 증가한다. 결과적으로 초심자들은 술식에 대한 술기 자체도 떨어질 뿐만 아니라 수술 중 심리학적 피로도와 오류가 증가하기 때문에 술식의 성공 가능성은 저하된다. 이 때 근거 중심적 지식은 큰 도움이 될 수 있을 것이다. 술자가 마주친 임상적 상황에서 확고한 근거에 기반한 의미 기억을 떠올린다면 술자의 의식은 불필요한 부분으로 분산될 필요가 없을 것이다.

(2) 근거 중심적 지식은 특정한 상황에서 가장 합리적인 치료 방법을 선택할 수 있도록 해준다.

사실 근거 중심적 지식이 실제 임상 술식의 성공 가능성을 얼마나 증진시킬 수 있는지 평가하는 것은 매우 어렵다. 그러나 특정한 임상적 상황에서 두 가지 상반된 치료 방법의 결과를 예측할 수 있다면 우리는 합리적인 선택을 할 수 있다. 상악 구치부 잔존골 높이가 6 mm일 때 6 mm 길이의 임플란트를 골증강술 없이 식립하는 것과 상악동 골이식 후 10 mm 길이의 임플란트를 식립하는 것 중 어떤 술식이 더 유리한가를 평가하고 선택하는 과정은 근거 중심적 지식에 기반한다. 두 술식을 사용했을 때 임플란트의 장기적 성공률에 차이가 없거나 아주 작은 차이만 보인다면 굳이 더 많은 시간, 비용, 노력을 요하는 후자의 술식을 선택할 필요는 없을 것이다.

(3) 수술 과정 전반에 대한 술기도 중요하다.

술자의 술기도 매우 중요하다. 한 후향적 연구에 의하면 구강악안면외과 레지던트들이 식립한 임플란트는 레지던트들의 연차에 관계없이 비슷한 생존율을 보였다.[36] 이는 수술적 과정에 익숙한 술자는 임플란트 술식에 대한 경험이 적더라도 양호한 임상적 결과를 얻을 수 있음을 보여주는 것이다. 술자의 수술 기술이 좋으면 수술 시간이 단축되고 외과적 원칙에 기반한 정확한 수술이 가능해진다. 게다가 술자가 외과적 술식에 능숙해지면 이를 절차 기억에 의해 수행하기 때문에 의식적 관심과 노력을 수술 술식 이외의 다른 곳에 효율적으로 배분할 수 있게 된다. 근거 중심적 지식은 술기에도 주요한 영향을 미친다. 특정 상황에서 가장 예지성 높은 방법이 무엇인지 알고 있는 술자는 술기가 떨어져도 가장 효율적인 방법으로 수술을 진행할 수 있다. 외과적 술기에 능숙한 술자가 잘못된 방법으로 절개와 봉합을 시행하는 것보다는 외과적 술기가 부족한 술자가 적합한 위치에 절개를 가하고 적합한 방법으로 봉합을 시행하는 것이 술식의 성공 가능성을 더 높여줄 수 있을 것이다.

2) 환자 요소는 우리에게 주어진 것이지만 이를 진단하는 사람은 우리 자신이다.

환자 요소는 매우 중요하다. 특히 환자의 국소적 요소는 진단, 술식의 선택, 재료의 선택에 있어 가장 중요한 고려요소이다. 또한 골의 조직학적 특성, 창상 치유 과정, 골의 치유 능력에 영향을 미치는 전신적 요소도 골증강술의 성공에 중요한 영향을 미친다. 여기에서 또 한번 술자, 즉 우리 자신의 능력과 역할이 중요함을 알게 된다. 이러한 환자 요소를 분석하고 진단하는 것은 바로 우리 자신이기 때문이다.

각각의 골증강 술식에 있어 주요한 국소적 요소에 대해서는 각 부분에서 설명하므로 여기에서는 이에 대한 내용을 생략하기로 한다. 또한 전신적 요소에 대해서도 골증강술과 관련해서는 아직 많은 것들이 밝혀진 상태는 아니기 때문에 중요한 요소에 대해서만 아주 간략하게 다룰 것이다.

(1) 특정한 환자에서 임플란트의 실패가 집중되며 이는 전신적 요소의 중요성을 보여주는 것이다.

임플란트 실패는 특정 환자에게 집중되는 경향이 있다. 특정한 질환이나 상태에 이환된 환자에서 임플란트 실패가 증가한다는 것은 어찌보면 당연하다고 할 수 있을 것이다. 또한 이러한 환자들에게 여러 개의 임플란트를 식립했다면 복수의 임플란트가 실패할 가능성도 높을 것이다(📷 2-8). 이에 대해 정리된 문헌이 별로 없기 때문에 조금 더 자세히 설명하도록 하겠다.

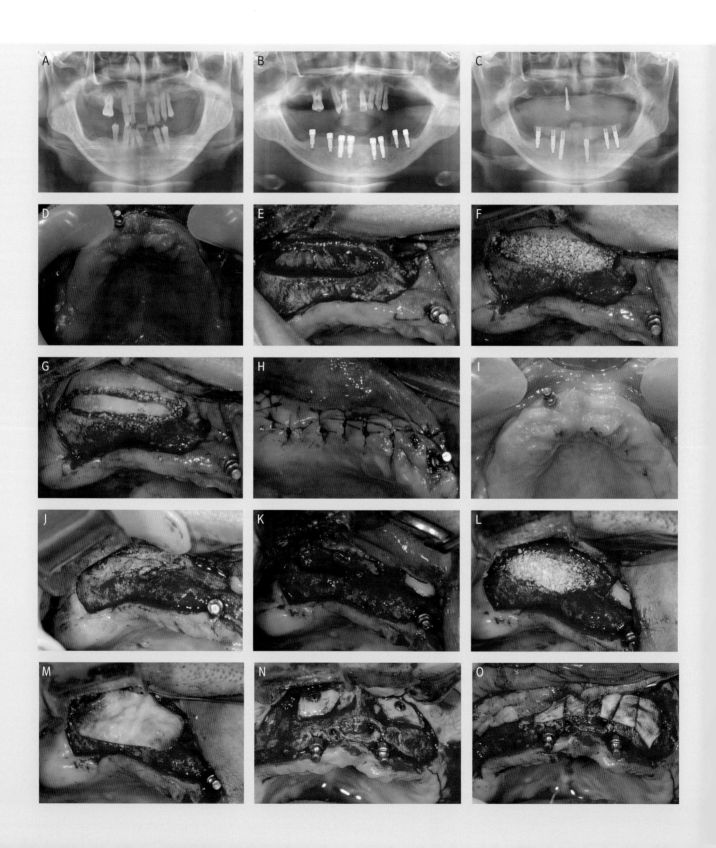

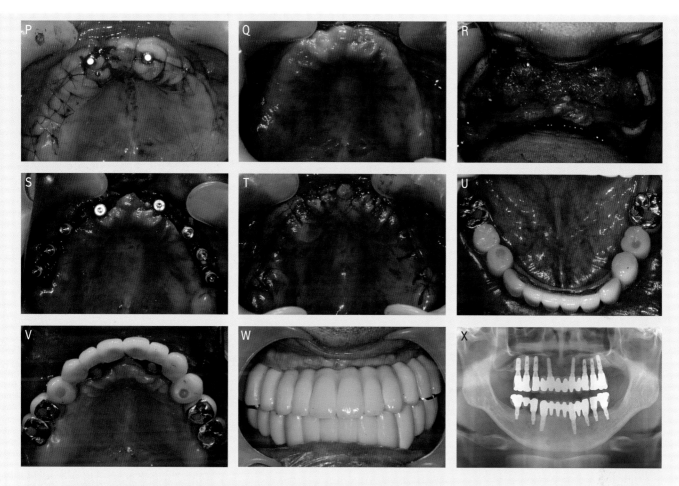

📷 **2-8** 임플란트 치료의 성공에 있어 환자 요소는 중요하기 때문에 우리는 환자의 국소적/전신적 상태를 철저하게 진단해야만 한다. 임플란트 치료에서 환자 요소의 중요성은 임플란트 실패의 "군집 효과"로 알 수 있다. 이 환자는 30대 후반임에도 불구하고 심한 치주 질환으로 인해 전악 발치 후 임플란트 치료를 시행한 환자이다. 이른 연령에 심한 치주 질환으로 전 치아를 상실할 정도로 환자의 유전적/행동적 요소에 문제가 있다고 생각할 수 있다.

A~C. 우선 하악 치아를 발치하고 즉시 임플란트를 식립했다. 1주 후 조기 부하를 가했으나 두 개의 임플란트가 빠르게 동요도를 보여 제거했다. 상악에서는 전치부에서 수평적 증강을 위한 자가 블록골 이식술, 구치부에서는 상악동 골이식술이 필요했기 때문에 일단 치아를 발거한 후 미니 임플란트를 식립하고 가철성 임시 보철물을 적용했다. 미니 임플란트 중 하나는 식립 1주 이내에 유동성을 보여 제거했나.

D~H. 우선 양측 구치부에서 상악동 골이식을 시행했다. 탈단백 우골 적용 후 골창을 재위치 시켰다. 수술 중 특별한 문제는 없었다.

I~P. 우측 상악동 골이식부는 수술 2주 후 감염되어 농양이 형성됐었다. 일단 항생제 처방으로 증상은 사라졌지만 이식골의 제거와 재수술이 필요한 상태였다. 따라서 상악동 골이식 2개월 후 전치부에 블록골을 이식하면서 우측 상악동 골이식부는 재수술을 시행했다. 우측 상악동 골이식부는 육아조직과 연조직이 골이식재를 둘러싸고 있었다(**J**). 이를 완전히 제거한 후(**K**) 탈단백 우골과 천연 교원질 차폐막을 적용했다(**L~M**). 자가 블록골 이식(**N~O**) 후 미니 임플란트를 추가적으로 식립했다.

Q~T. 다시 8개월 후 임플란트를 식립했다. 모든 골재생 술식은 성공적이었음을 확인할 수 있었다.

U~X. 최종 보철물 장착 후 소견. 임플란트 식립 4개월 후 고정성 임시 보철물을 장착하고 다시 3개월 후 최종 보철물로 교체해 주었다. 이 환자는 골증강부의 감염 복수의 임플란트 탈락 등 치료 과정 중 여러 번의 문제가 발생했다.

- 군집성 실패에 대한 첫 언급은 1993년에 발표된 논문에서였다.[37] 여기에서는 임플란트 실패에 대한 영향을 후향적으로 분석했을 때 특정 환자에게서 복수의 임플란트가 군집성으로 탈락하는 경향이 있었으며 이는 통계학적으로 아주 강한 유의성을 보인다고 했다. 어떤 환자에게서 1개의 임플란트가 실패하면 이 환자에게 식립한 또 다른 임플란트가 실패할 확률은 30% 증가했다.

- 대규모의 환자를 대상으로한 한 후향적 연구에서는 임플란트 실패가 특정한 "취약" 환자에 집중된다는 사실이 통계적으로 검증되었다고 했다.[38] 즉, 임플란트 실패의 위험성은 환자에 따라 균등하지 않고 이질적임을 보여주었다.

- 한 후향적 연구에서는 전체 환자의 임플란트 생존율은 97.3%였던 반면, 임플란트가 한 개라도 실패했던 환자에서는 임플란트 생존율이 69.1%밖에 되지 않았다고 했다.[39] 그리고 전체 임플란트 실패의 2/3는 임플란트 실패를 경험한 환자의 1/3에 집중해서 발생했다. 이는 임플란트 실패가 특정 환자에 집중됨을 나타내는 것이다.

임플란트의 군집성 실패와 비슷한 현상이 골증강술에서도 나타나는지는 아직 밝혀지지 못했지만, 위의 결과는 임플란트의 골유착 자체보다 환자의 상태에 더 민감하게 반응하는 골증강술에 있어 환자의 전신적 요소가 중요하다는 점을 잘 시사해 주는 것이다.

(2) 전신적 위험 요소에 대한 간략한 고찰

골증강술 후의 치유 과정은 연조직과 골조직의 복잡한 생물학적 과정이 포괄적으로 작용한다. 따라서 연조직과 골조직의 치유에 장해를 유발할 수 있는 여러 질환과 조건은 전신적 위험 요소가 될 수 있다. 이러한 요소들, 특히 당뇨나 흡연 등의 주요 요소가 임플란트 식립 수술과 임플란트의 예후에 미치는 영향에 대해서는 어느 정도의 근거가 축적되었다. 그러나 이러한 요소들이 골증강술 결과에 미치는 영향에 대해서는 사실 거의 밝혀진 바가 없다. 특히 어떤 형태이건 전향적 연구나 대조 연구로 이들 요소의 영향이 밝혀진 바는 거의 없으며, 다만 소수의 후향적 위험 요소 분석만이 시행된 바 있다. 여기에서는 중요한 전신적 위험 요소에 대해서만 아주 간략하게 정리하도록 하겠다(📑 2-3).[40,41]

📑 2-3 골증강술에 있어 전신적 위험 요소		
당뇨	기전	• 면역 기능과 혈관계의 변화로 인해 치유 능력이 저하된다. • 골밀도가 저하되고 골형성 세포의 활성이 낮아지며 골형성 속도가 저하된다. 이는 당뇨 환자에서 TNF-α의 발현이 증가되기 때문이며, TNF-α는 골아 세포 및 그 전구 세포의 세포 예정사(apoptosis)를 유도한다.[42,43] 이들 세포의 예정사는 골의 치유 과정에 악영향을 미치게 된다.[85] • 성장 인자 생산 감소, 염증 세포의 장기간의 침투, 단백질 분해 증가 등은 골이식의 실패를 야기할 수 있다.[44]
	대처	• 수술 전후로 엄정하게 혈당을 관리해야 한다. 당뇨 환자에서는 HbA1C를 7% 이하로 유지하는 것이 목표이다. • 당뇨 환자에서는 다른 위험 인자를 사전에 제거해야 한다. 따라서 흡연, 고혈압, 치주염/치은염, 불량한 구강 위생은 수술 전에 모두 교정해 주어야 한다.

항흡수 약물 복용 (비스포스 포네이트 등)	기전	• 비스포스포네이트는 크게 골다공증을 치료하기 위한 목적과 종양을 치료하기 위한 목적으로 사용된다.[45,46] 종양 치료 목적으로 비스포스포네이트를 정맥 주사로 투약 받는 환자는 골다공증 치료 목적으로 경구 투약 중인 환자보다 악골 괴사증(Medication Related OsteoNecrosis of Jaw, MRONJ)의 발생 빈도가 네 배 더 높다.[47] • 비스포스포네이트는 파골세포의 활성을 저하시킴으로써 정상적인 골의 재형성 과정 중에 골의 흡수보다는 침착을 상대적으로 증가시킨다.[48,49] 이는 골밀도를 증가시켜 골다공증 환자의 골절 가능성을 줄여주지만, 생리적인 자극이나 외상에 대한 골의 치유 능력을 떨어뜨린다.[50]
	대처	• 골의 악성 종양을 치료하기 위한 목적으로 정맥 주사나 피하 주사로 비스포스포네이트를 투약 받은 환자는 골다공증 치료를 위해 소량의 비스포스포네이트를 투약 받은 환자들보다 골괴사증의 발생 위험성이 높기 때문에 임플란트 관련 수술을 시행하지 말아야 한다.[47,51,52] • 골다공증 치료 목적으로 소량의 비스포스포네이트를 경구 투약 중인 환자는 임플란트 실패나 임플란트 합병증의 발생 빈도가 증가하지 않는다.[51,52] 따라서 이러한 증례는 그 자체로 임플란트 치료의 비적응증이라고 할 수는 없다. 골다공증 치료의 목적으로 소량의 피하 주사나 정맥 주사로 비스포스포네이트를 투약한 환자에서는 임플란트의 예후에 대해 거의 알려진 바가 없지만 간접적인 근거에 의하면 경구 투약 환자들보다 골괴사증의 발생 가능성은 더 높을 것으로 생각된다.[51,52] • 비스포스포네이트를 복용 중인 환자는 악골 괴사증이 발생할 잠재적인 가능성이 존재한다. 임플란트 치료 환자에서 골괴사증의 발병률은 낮은 것으로 보이지만 임플란트 수술 이후 수 주~수 년이 경과하고 골괴사증이 발생했다는 보고가 존재한다.[51,52] • 비스포스포네이트의 복용 기간이 어떤 영향을 미치는지에 대해서도 거의 알려진 바 없다.[52] 그러나 한 연구 그룹에서 수행한 단일 환자군 연구에 의하면 임플란트와 연관된 골괴사증은 투약을 3년 이상 지속한 환자에서 주로 발생했다.[51] • 임플란트 관련 수술 전 3개월 간의 투약 중지가 추천된다("drug holiday").[53] 그러나 아직까지 임플란트 치료에 있어 이러한 투약 중지가 도움이 되는지에 대한 임상적 근거는 없다.[51,52] • 비스포스포네이트가 골증강술의 예후에 미치는 영향은 거의 알려진 바가 없다.[52] 가용한 근거가 거의 없기 때문에 골증강술은 극도로 조심하면서 시행해야 한다. • 비스포스포네이트를 복용 중인 환자에서 임플란트 식립이나 골증강술을 시행할 때에는 수술 전에 흡연이나 기타 질환을 완전히 교정하고 치주염이나 인접 자연치의 치근단 질환을 완전히 치료해 주어야 한다.[51]
흡연	기전	• 니코틴은 혈관 수축, 혈소판 응집, 혈액 점성 등을 증진시키고 다형핵 호중구의 기능을 저하시킨다.[54-56] • 흡연은 이식된 골의 재혈관화를 방해하며, 이는 주로 니코틴의 혈관 수축 효과에 기인한다.[57,58] • 또한 혈관 수축은 이식골로의 혈류 공급을 저하시켜 이식골과 수혜부 골의 유합을 지연시킨다.[59] • 흡연으로 인한 구강 내 세균총의 변화는, 흡연자에서 골증강술을 포함하는 치주 수술의 감염 가능성을 2~3배 증가시킨다.[60] • 몇몇 임상 연구에서 흡연은 골증강술 후 창상 치유 지연, 합병증 발생 증가, 재생골의 질적 저하, 식립한 임플란트의 생존율 저하 등의 문제를 야기했다고 보고했다.[61-63]
	대처	• 흡연자가 금연 시 치주 질환의 진행을 늦추고 골이식 후의 치유를 촉진시킨다.[61] • 가용한 근거들은 대부분 흡연자와 비흡연자의 치료 결과를 비교한 것으로, 금연 프로토콜이 제시된 문헌은 거의 없다. 한 임상 연구에서는 수술 1주 전부터 수술 8주 후까지 금연할 것을 추천했다.[64]

음주	기전	• 알코올 복용은 보체(complement), T 임파구, 단핵구, 호중구, 대식 세포 등과 연관된 면역 체계를 저하시킨다. • 알코올은 동물 실험에서 골아세포의 증식을 방해하고 파골세포의 활성을 증가시켜 골이식에 부정적인 영향을 미쳤다.[65] 또한 알코올은 치조골의 치유를 방해했다.[66] • 알코올 중독 환자들은 영양 실조를 동반한 경우가 많으며, 중독에 동반된 행동 장애로 인해 수술 후 치유 과정이 더욱 저하되는 경향이 있다.[67] • 한 환자–대조군 연구에서 심한 음주 습관이 있는 환자에서 임플란트 실패 비율이 유일하게 높았다고 보고했다.[68]
	대처	• 골증강술을 시행하기에 앞서 최소한 몇 주 전부터 금주해야 한다.[69]

참고문헌

1. Aghaloo TL, Moy PK. Which hard tissue augmentation techniques are the most successful in furnishing bony support for implant placement? Int J Oral Maxillofac Implants. 2007;22 Suppl:49−70.

2. Chiapasco M, Casentini P, Zaniboni M. Bone augmentation procedures in implant dentistry. The International journal of oral & maxillofacial implants. 2009;24 Suppl:237−259.

3. McAllister BS, Haghighat K. Bone augmentation techniques. J Periodontol. 2007;78(3):377−396.

4. Chiapasco M, Casentini P, Zaniboni M. Bone augmentation procedures in implant dentistry. Int J Oral Maxillofac Implants. 2009;24 Suppl:237−259.

5. Chiapasco M, Zaniboni M, Boisco M. Augmentation procedures for the rehabilitation of deficient edentulous ridges with oral implants. Clin Oral Implants Res. 2006;17 Suppl 2:136−159.

6. Donos N, Mardas N, Chadha V. Clinical outcomes of implants following lateral bone augmentation: systematic assessment of available options (barrier membranes, bone grafts, split osteotomy). J Clin Periodontol. 2008;35(8 Suppl):173−202.

7. Esposito M, Grusovin MG, Kwan S, Worthington HV, Coulthard P. Interventions for replacing missing teeth: bone augmentation techniques for dental implant treatment. Cochrane Database Syst Rev. 2008(3):CD003607.

8. Fiorellini JP, Nevins ML. Localized ridge augmentation/preservation. A systematic review. Ann Periodontol. 2003;8(1):321−327.

9. Hammerle CH, Jung RE, Feloutzis A. A systematic review of the survival of implants in bone sites augmented with barrier membranes (guided bone regeneration) in partially edentulous patients. J Clin Periodontol. 2002;29 Suppl 3:226−231; discussion 232−223.

10. Rocchietta I, Fontana F, Simion M. Clinical outcomes of vertical bone augmentation to enable dental implant placement: a systematic review. J Clin Periodontol. 2008;35(8 Suppl):203−215.

11. Rakhmatia YD, Ayukawa Y, Furuhashi A, Koyano K. Current barrier membranes: titanium mesh and other membranes for guided bone regeneration in dental applications. J Prosthodont Res. 2013;57(1):3−14.

12. Karring T, Nyman S, Lindhe J. Healing following implantation of periodontitis affected roots into bone tissue. J Clin Periodontol. 1980;7(2):96−105.

13. Nyman S, Karring T, Lindhe J, Planten S. Healing following implantation of periodontitis−affected roots into gingival connective tissue. J Clin Periodontol. 1980;7(5):394−401.

14. Caton J, Nyman S, Zander H. Histometric evaluation of periodontal surgery. II. Connective tissue

attachment levels after four regenerative procedures. J Clin Periodontol. 1980;7(3):224–231.

15. Karring T, Isidor F, Nyman S, Lindhe J. New attachment formation on teeth with a reduced but healthy periodontal ligament. J Clin Periodontol. 1985;12(1):51–60.

16. Gottlow J, Nyman S, Karring T, Lindhe J. New attachment formation as the result of controlled tissue regeneration. J Clin Periodontol. 1984;11(8):494–503.

17. Nyman S, Gottlow J, Karring T, Lindhe J. The regenerative potential of the periodontal ligament. An experimental study in the monkey. J Clin Periodontol. 1982;9(3):257–265.

18. Gottlow J, Nyman S, Lindhe J, Karring T, Wennstrom J. New attachment formation in the human periodontium by guided tissue regeneration. Case reports. J Clin Periodontol. 1986;13(6):604–616.

19. Nyman S, Lindhe J, Karring T, Rylander H. New attachment following surgical treatment of human periodontal disease. J Clin Periodontol. 1982;9(4):290–296.

20. Dahlin C, Linde A, Gottlow J, Nyman S. Healing of bone defects by guided tissue regeneration. Plast Reconstr Surg. 1988;81(5):672–676.

21. Dahlin C, Sennerby L, Lekholm U, Linde A, Nyman S. Generation of new bone around titanium implants using a membrane technique: an experimental study in rabbits. Int J Oral Maxillofac Implants. 1989;4(1):19–25.

22. Nyman S, Lang NP, Buser D, Bragger U. Bone regeneration adjacent to titanium dental implants using guided tissue regeneration: a report of two cases. Int J Oral Maxillofac Implants. 1990;5(1):9–14.

23. Buser D, Bragger U, Lang NP, Nyman S. Regeneration and enlargement of jaw bone using guided tissue regeneration. Clin Oral Implants Res. 1990;1(1):22–32.

24. Buser D, Dula K, Lang NP, Nyman S. Long–term stability of osseointegrated implants in bone regenerated with the membrane technique. 5–year results of a prospective study with 12 implants. Clin Oral Implants Res. 1996;7(2):175–183.

25. Buser D, Dula K, Belser U, Hirt HP, Berthold H. Localized ridge augmentation using guided bone regeneration. 1. Surgical procedure in the maxilla. Int J Periodontics Restorative Dent. 1993;13(1):29–45.

26. Buser D, Dula K, Belser UC, Hirt HP, Berthold H. Localized ridge augmentation using guided bone regeneration. II. Surgical procedure in the mandible. Int J Periodontics Restorative Dent. 1995;15(1):10–29.

27. Buser D, Dula K, Hirt HP, Schenk RK. Lateral ridge augmentation using autografts and barrier membranes: a clinical study with 40 partially edentulous patients. J Oral Maxillofac Surg. 1996;54(4):420–432; discussion 432–423.

28. Buser D, Ingimarsson S, Dula K, Lussi A, Hirt HP, Belser UC. Long-term stability of osseointegrated implants in augmented bone: a 5-year prospective study in partially edentulous patients. Int J Periodontics Restorative Dent. 2002;22(2):109-117.

29. Buser D, Dula K, Hess D, Hirt HP, Belser UC. Localized ridge augmentation with autografts and barrier membranes. Periodontol 2000. 1999;19:151-163.

30. Truhlar RS, Morris HF, Ochi S, Winkler S. Second-stage failures related to bone quality in patients receiving endosseous dental implants: DICRG Interim Report No. 7. Dental Implant Clinical Research Group. Implant Dent. 1994;3(4):252-255.

31. Zoghbi SA, de Lima LA, Saraiva L, Romito GA. Surgical experience influences 2-stage implant osseointegration. J Oral Maxillofac Surg. 2011;69(11):2771-2776.

32. Sendyk DI, Chrcanovic BR, Albrektsson T, Wennerberg A, Zindel Deboni MC. Does Surgical Experience Influence Implant Survival Rate? A Systematic Review and Meta-Analysis. Int J Prosthodont. 2017;30(30):341-347.

33. Marei HF, Abdel-Hady A, Al-Khalifa K, Al-Mahalawy H. Influence of surgeon experience on the accuracy of implant placement via a partially computer-guided surgical protocol. Int J Oral Maxillofac Implants. 2019;34(5):1177-1183.

34. Hinckfuss S, Conrad HJ, Lin L, Lunos S, Seong WJ. Effect of surgical guide design and surgeon's experience on the accuracy of implant placement. J Oral Implantol. 2012;38(4):311-323.

35. Stefanelli LV, DeGroot BS, Lipton DI, Mandelaris GA. Accuracy of a Dynamic Dental Implant Navigation System in a Private Practice. Int J Oral Maxillofac Implants. 2019;34(1):205-213.

36. Melo MD, Shafie H, Obeid G. Implant survival rates for oral and maxillofacial surgery residents: a retrospective clinical review with analysis of resident level of training on implant survival. J Oral Maxillofac Surg. 2006;64(8):1185-1189.

37. Weyant RJ, Burt BA. An assessment of survival rates and within-patient clustering of failures for endosseous oral implants. J Dent Res. 1993;72(1):2-8.

38. Chuang SK, Cai T, Douglass CW, Wei LJ, Dodson TB. Frailty approach for the analysis of clustered failure time observations in dental research. J Dent Res. 2005;84(1):54-58.

39. Schwartz-Arad D, Laviv A, Levin L. Failure causes, timing, and cluster behavior: an 8-year study of dental implants. Implant Dent. 2008;17(2):200-207.

40. Moy PK, Aghaloo T. Risk factors in bone augmentation procedures. Periodontol 2000. 2019;81(1):76-90.

41. 홍순민. 한권으로 끝내는 임플란트. 서울: 군자출판사; 2014.

42. Liu R, Bal HS, Desta T, Behl Y, Graves DT. Tumor necrosis factor—alpha mediates diabetes—enhanced apoptosis of matrix—producing cells and impairs diabetic healing. Am J Pathol. 2006;168(3):757—764.

43. Darby IA, Bisucci T, Hewitson TD, MacLellan DG. Apoptosis is increased in a model of diabetes—impaired wound healing in genetically diabetic mice. Int J Biochem Cell Biol. 1997;29(1):191—200.

44. Komesu MC, Tanga MB, Buttros KR, Nakao C. Effects of acute diabetes on rat cutaneous wound healing. Pathophysiology. 2004;11(2):63—67.

45. Coleman RE. Metastatic bone disease: clinical features, pathophysiology and treatment strategies. Cancer Treat Rev. 2001;27(3):165—176.

46. Lane JM, Gardner MJ, Lin JT, van der Meulen MC, Myers E. The aging spine: new technologies and therapeutics for the osteoporotic spine. Eur Spine J. 2003;12 Suppl 2(Suppl 2):S147—154.

47. Kraut RA. Bisphosphonate therapy. Implant Dent. 2006;15(4):322.

48. Sato M, Grasser W, Endo N, et al. Bisphosphonate action. Alendronate localization in rat bone and effects on osteoclast ultrastructure. J Clin Invest. 1991;88(6):2095—2105.

49. Black DM, Cummings SR, Karpf DB, et al. Randomised trial of effect of alendronate on risk of fracture in women with existing vertebral fractures. Fracture Intervention Trial Research Group. Lancet. 1996;348(9041):1535—1541.

50. Eriksen EF, Melsen F, Sod E, Barton I, Chines A. Effects of long—term risedronate on bone quality and bone turnover in women with postmenopausal osteoporosis. Bone. 2002;31(5):620—625.

51. Schliephake H, Sicilia A, Nawas BA, et al. Drugs and diseases: Summary and consensus statements of group 1. The 5(th) EAO Consensus Conference 2018. Clin Oral Implants Res. 2018;29 Suppl 18:93—99.

52. Stavropoulos A, Bertl K, Pietschmann P, Pandis N, Schiødt M, Klinge B. The effect of antiresorptive drugs on implant therapy: Systematic review and meta—analysis. Clin Oral Implants Res. 2018;29 Suppl 18:54—92.

53. Ruggiero SL, Dodson TB, Fantasia J, et al. American Association of Oral and Maxillofacial Surgeons position paper on medication—related osteonecrosis of the jaw—2014 update. J Oral Maxillofac Surg. 2014;72(10):1938—1956.

54. Kenney EB, Kraal JH, Saxe SR, Jones J. The effect of cigarette smoke on human oral polymorphonuclear leukocytes. J Periodontal Res. 1977;12(4):227—234.

55. Lawrence WT, Murphy RC, Robson MC, Heggers JP. The detrimental effect of cigarette smoking on flap survival: an experimental study in the rat. Br J Plast Surg. 1984;37(2):216—219.

56. Mosely LH, Finseth F, Goody M. Nicotine and its effect on wound healing. Plast Reconstr Surg.

19/8;61(4):570-575.

57. Haber J, Kent RL. Cigarette smoking in a periodontal practice. J Periodontol. 1992;63(2):100-106.

58. Riebel GD, Boden SD, Whitesides TE, Hutton WC. The effect of nicotine on incorporation of cancellous bone graft in an animal model. Spine (Phila Pa 1976). 1995;20(20):2198-2202.

59. Kan JY, Rungcharassaeng K, Lozada JL, Goodacre CJ. Effects of smoking on implant success in grafted maxillary sinuses. J Prosthet Dent. 1999;82(3):307-311.

60. Grossi SG, Skrepcinski FB, DeCaro T, Zambon JJ, Cummins D, Genco RJ. Response to Periodontal Therapy in Diabetics and Smokers. J Periodontol. 1996;67 Suppl 10S:1094-1102.

61. Johnson GK, Slach NA. Impact of tobacco use on periodontal status. J Dent Educ. 2001;65(4):313-321.

62. Lambert PM, Morris HF, Ochi S. The influence of smoking on 3-year clinical success of osseointegrated dental implants. Ann Periodontol. 2000;5(1):79-89.

63. Levin L, Schwartz-Arad D. The effect of cigarette smoking on dental implants and related surgery. Implant Dent. 2005;14(4):357-361.

64. Bain CA. Smoking and implant failure—benefits of a smoking cessation protocol. Int J Oral Maxillofac Implants. 1996;11(6):756-759.

65. Koo S, König B, Jr., Mizusaki CI, Allegrini S, Jr., Yoshimoto M, Carbonari MJ. Effects of alcohol consumption on osseointegration of titanium implants in rabbits. Implant Dent. 2004;13(3):232-237.

66. Bombonato-Prado KF, Brentegani LG, Thomazini JA, Lachat JJ, Carvalho TL. Alcohol intake and osseointegration around implants: a histometric and scanning electron microscopy study. Implant Dent. 2004;13(3):238-244.

67. Passeri LA, Ellis E, 3rd, Sinn DP. Relationship of substance abuse to complications with mandibular fractures. J Oral Maxillofac Surg. 1993;51(1):22-25.

68. Alissa R, Oliver RJ. Influence of prognostic risk indicators on osseointegrated dental implant failure: a matched case-control analysis. J Oral Implantol. 2012;38(1):51-61.

69. Byers RM. Factors affecting choice of initial therapy in oral cancer. Semin Surg Oncol. 1995;11(3):183-189.

3

CHAPTER

차폐막

골유도 재생술에 있어 차폐막은 필수적 요소이다. 골유도 재생술이란 개념과 용어 자체가 차폐막을 적용함으로써 밀폐된 공간을 만들고, 이 공간 내부로 골형성 세포만을 유도하여 골을 재생시킨다는 이론에서 파생된 것이다.[1] 치조골 결손부에서 골증강술을 위해 이식재만 적용하였을 때와 이식재와 차폐막을 함께 적용하였을 때의 결과를 비교한 연구들에 의하면 차폐막과 이식재를 함께 적용하였을 때가 신생골의 양과 밀도가 우수하였으며 증강된 골에 식립한 임플란트의 성공률 또한 개선되었다.[2,3] 따라서 최근에는 심지어 블록골 이식술,[4] 상악동 골이식술,[5] 치조골 분할술[6] 등 골유도 재생술과는 별도의 개념에서 시작된 골증강에서도 차폐막을 적용하는 것이 일반화되었다. 여기에서는 차폐막의 요구 조건, 기능, 분류 등에 대해 살펴볼 것이다.

1.
차폐막의 요구 조건과 기능

골유도 재생술을 위한 차폐막의 요구 조건으로는 다음과 같은 것들이 있다(📁 3-1).[7,8]

Gottlow 등은 흡수성 차폐막은 그 자체의 흡수가 조직 반응을 최소한으로만 야기해야 하고, 가역적이어야 하며, 원하는 조직(골조직)의 재생에 악영향을 미치지 말아야 한다는 추가적인 요구 조건을 제시하였다.[9]

차폐막의 주요한 기능은 다음과 같다(📷 3-1).[7,8,10]

📂 3-1 차폐막의 요구 조건

생체 적합성 (biocompatibility)	• 차폐막이 주위 조직에 염증 반응 등의 비정상적인 반응을 유발하면 골이 정상적으로 재생될 수 없다. 주위 조직의 반응이 정상적이고 적절해야 차폐막은 정상적인 골재생을 이룰 수 있다.
세포 차단성 (cell occlusiveness)	• 차폐막은 골재생부 내로 상피 세포와 연조직 세포가 침투하는 것을 막아줄 수 있어야 한다. 또한 차폐막이 치유 과정 중 구강 내로 노출되는 경우에는 세균의 침투를 최소화시킬 수 있어야 한다.
주위 조직과의 유착 (attachment to the surrounding tissues)	• 차폐막이 주위 조직과 유착되면 치유 기간 중 움직임 없이 안정되게 골재생부를 보호해줄 수 있다. 또한 차폐막 변연부가 골과 잘 유착되면 차폐막으로 피개된 골재생 부위를 주위 연조직으로부터 확실히 격리시킬 수 있다.
임상적 조작성 (clinical manageability)	• 차폐막은 임상적으로 조작이 편해야 한다.
공간 유지/형성 (space making function)	• 차폐막은 그 하방 공간에서 신생골 형성이 완료될 때까지 붕괴되지 않고 안정적인 공간을 제공할 수 있어야 한다.

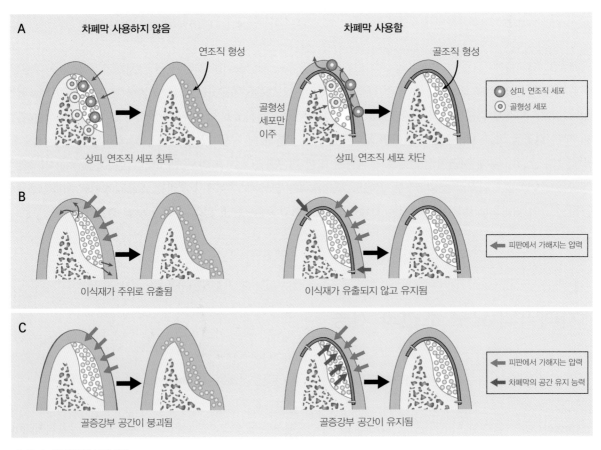

📷 3-1 차폐막의 주요 기능

A. 골이식부 내부로 상피 세포와 연조직 세포의 침투는 막고 골형성 세포는 이주하게 함으로써 골형성을 유도한다. **B.** 차폐막 하부의 이식재가 흩어지거나 주위 공간으로 유출되는 것을 막아주고 혈병을 유지시킨다. **C.** 상부의 연조직으로부터 가해지는 압력에 대항하여 골증 강 부위가 함몰되거나 붕괴되는 것을 막아줌으로써 원하는 양과 형태의 신생골이 형성되도록 해준다.

① 골이식부 내부로 상피 세포와 연조직 세포의 침투는 막고 골형성 세포는 이주하게 함으로써 골형성을 유도한다.

② 차폐막 하부의 이식재가 흩어지거나 주위 공간으로 유출되는 것을 막아주고 혈병을 유지시킨다.

③ 상부의 연조직으로부터 가해지는 압력에 대항하여 골증강 부위가 함몰되거나 붕괴되는 것을 막아줌으로써 원하는 양과 형태의 신생골이 형성되도록 해준다.

④ 신생골 형성과 관계된 성장인자와 생체 분자의 분비를 유도하고 이를 흡수함으로써 골증강 부위 내에서 이들 물질의 농도를 높인다.

1) 연조직 세포와 상피 세포를 차단하는 것은 차폐막의 가장 본질적인 기능이다.

"차폐막"이라는 명칭이 보여주듯이, 연조직 세포와 상피 세포의 차단은 차폐막의 가장 본질적인 기능이다. 골유도 재생술을 처음 시작한 이들은 상피 세포나 구강 점막에서 유래한 결합 조직 세포를 막아주고 골 내부에서 기원한 골형성 세포의 이주를 유도하는 물리적 차단막으로 기능함으로써 차폐막이 골의 재생을 유도하게 된다고 생각했다.[1,11,12]

(1) 차폐막 하방에는 골형성 세포의 수가 증가한다는 직접적인 근거가 존재한다.

차폐막 하방의 골결손부가 조직학적으로 신생골로 치유된다는 사실이 잘 밝혀져 있긴 하다. 그러나 이러한 사실이 차폐막의 세포 차단 효과에 대한 직접적인 근거가 될 수는 없다.[13] 이를 증명하려면 차폐막으로 차단된 골증강 부위 내에서 골형성 세포가 선택적으로 증식된다는 사실을 보여주어야 한다. 그리고 최근의 연구들에서는 이러한 차폐막의 기능을 증명할 수 있는 결과들을 보여주었다. 한 연구에서는 인체 내에 적용했던 ePTFE 차폐막을 제거하고 나서 차폐막에 부착되어 있던 세포를 체외 배양했다. 그 결과 이 세포에서는 골형성 유도 단백질이 연조직 세포에서보다 현저히 높게 발현됐다.[14] 이는 ePTFE 차폐막이 골형성 세포의 이주를 유도한다는 사실을 보여주는 것이다. 비슷한 다른 연구에서는 생체 내에서 차폐막에 부착되어 있던 세포를 체외에서 배양하면 광물 함유 결정(mineralized nodule)을 형성한다는 사실을 보여주었다.[15] 이 또한 차폐막이 골형성 세포의 이주와 분화를 유도한다는 사실을 보여주는 결과이다. 골결손부 상부에 교원질 차폐막을 적용했을 때 결손부를 바라보는 차폐막 표면에서는 골형성 유전자인 ALP, OP, OC 등이 현저히 발현된다.[16] 또한 골유도 재생술 시 사용된 교원질 차폐막 표면에는 중요한 골형성 인자인 BMP-2를 발현하는 다양한 형태의 세포가 부착된다.[17] 결국 이들 연구 결과들은 차폐막이 골형성 세포의 이주를 유도하고 이들 세포가 골형성 관련 인자들을 분비하도록 한다는 사실을 보여주는 것이다(📷 3-2).[13,18]

(2) 차폐막은 다공성 구조를 보여야 한다.

차폐막은 다공성 구조를 보이는 것이 좋다. 차폐막 내 작은 구멍(소공)의 크기는 세포 차단 효과에 가장 결정적인 영향을 미친다.[19] 소공은 크게 두 가지 역할을 한다(📷 3-3). 한편으로는 골형성 세포에 필요한 체액, 산소,

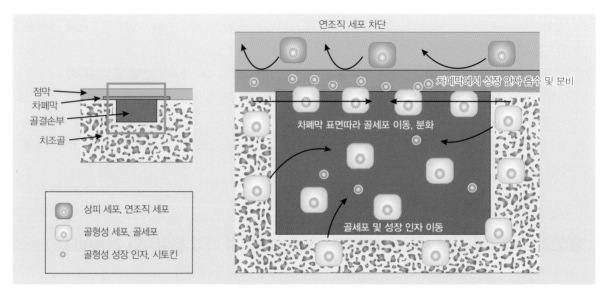

📷 3-2 차폐막은 연조직 및 상피 세포를 차단할 뿐만 아니라 그 표면을 따라 골형성 세포가 이주하도록 유도하고 이들 세포가 골형성 관련 인자들을 분비하도록 한다.

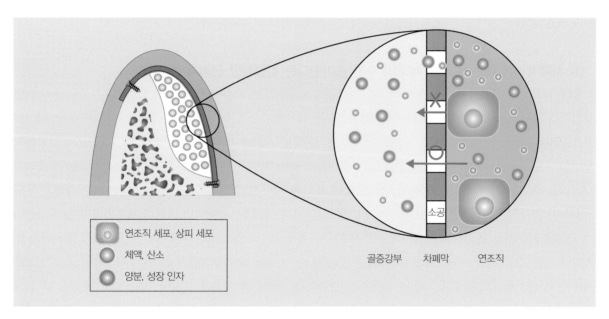

📷 3-3 차폐막은 완전히 닫힌 구조가 아니라 미세한 구멍(소공)이 무수하게 존재한다. 이 소공은 연조직 및 상피세포는 통과시키지 않을 정도로 작고 체액, 산소, 양분, 성장 인자는 통과시킬 정도로는 커야 한다.

양분, 성장 인자 등이 확산되는 통로 역할을 하며, 다른 한편으로는 골형성을 방해하는 상피 세포와 섬유아세포의 침투를 막는 필터 역할을 한다.[20] 따라서 소공의 크기가 커지면 서로 길항적인 두 가지 작용이 함께 상승하는 역설적인 상황에 마주치게 된다. 즉, 소공이 커지면 연조직 세포가 골결손 부위로 더 쉽게 이동할 수 있어서 골형성을 방해하는 효과를 나타내는 반면에,[21,22] 골형성에 필요한 양분과 성장 인자 등은 더 원활하게 공급되고 신생 혈관 형성이 촉진되기 때문에 골형성을 촉진하는 효과 또한 나타난다.[23] 결국 이 두 가지 효과가 결합되어 최선의 골재생을 보일 수 있는 소공의 크기를 찾아내는 것이 중요한 과제이다. 여러 동물 실험에 의하면 차폐막이 다공성을 가져야 하는 것은 맞지만, 소공의 크기가 0–300 μm 사이의 범위에서 정확히 어느 정도의 크기일 때 최선의 효과를 보이는지 아직 확실히 결정되지 못했다.[13,20]

소공의 크기는 이외에도 차폐막의 특성에 몇 가지 영향을 미칠 수 있다.[24-26] 이를 정리하면 표와 같다 (📁 3-2).

📁 3-2 소공의 크기가 차폐막 특성에 미치는 영향		
	소공이 크다	**소공이 작다**
장점	• 체액, 산소, 양분, 성장 인자 등의 확산이 용이하다. • 치유 속도가 빠르다.	• 공간 유지 기능이 좋아진다. • 연조직 세포를 효율적으로 차단한다. • 구강 내 노출 시 세균 침투를 잘 막아준다. • 제거가 용이하다.
단점	• 연조직 세포에 대한 차단 효과가 저하된다. • 구강 내 노출 시 세균이 잘 침투한다. • 공간 유지 기능이 떨어진다. • 제거가 어렵다.	• 차폐막 하방부에 비혈관성의 섬유성 연조직이 두껍게 형성된다. • 치유 속도가 느려진다.

2) 차폐막은 이식재와 혈병을 원하는 위치에서 안정적으로 유지시킨다.

차폐막 변연이 골증강부의 변연과 밀접히 접촉하고 있으면 이식재와 혈병은 주위 조직으로 유출되지 않고 안정적으로 유지된다. 차폐막 자체의 골조직과의 물리 화학적 친화도, 차폐막을 구부리면 원래 형태로 돌아가지 않고 그대로 유지되는 성질(소성 변형), 차폐막 변연을 수술적으로 고정하는 방법(핀/스크루 고정, 봉합 고정)은 이에 중요한 영향을 미친다(📷 3-4).

(1) 차폐막은 이식재와 혈병이 골증강부에서 주위 조직으로 유출되지 않고 안정적으로 유지되도록 해준다.

특히 골외 결손, 치조정측 결손(열개 결손, 수직 결손), 골벽수가 적은 결손에서 입자형 이식재를 차폐막 없이 적용하면 이식재가 적용된 부위로부터 주위 조직으로 유출된다(📷 3-5).[27] 치유 기간 중 상부 피판의 압력으로 인해 골증강부에 위치시킨 이식재는 붕괴되면서 주위 조직으로 유출되고, 따라서 술자가 원하는 형태를 급속하게 잃게 된다. 차폐막은 이식재를 둘러싼 폐쇄된 공간을 형성해 줌으로써 이러한 이식재의 유출을 막아줄 수 있다.[27,28] 이러한 측면에서 차폐막 변연은 골결손부를 둘러싼 주변골과 밀접하게, 그리고 안정적으로 접촉하고 있어야 이식재의 유출을 막는 봉쇄 작용을 해줄 수 있다.[29] 전임상 연구들에서 수평적 골결손부를 입자형

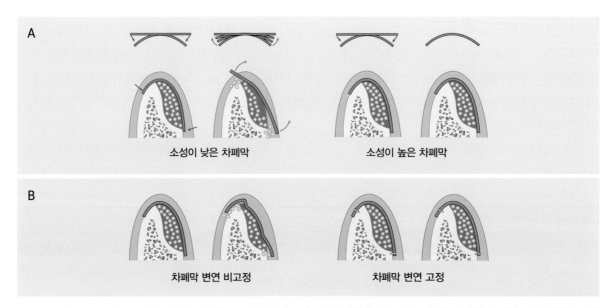

📷 3-4 차폐막 변연은 골조직과 밀접하게 접촉하고 있어야 세포 차단성과 이식재 유출 방지 기능을 유지할 수 있다. 이에 영향을 미치는 요소는 두 가지이다.
A. 차폐막의 소성은 중요하다. 티타늄 메쉬와 같이 소성이 높은 차폐막은 일단 형성된 모양을 잘 유지하므로 차폐막 변연이 들리지 않고 잘 유지된다. 반면 소성이 낮은 차폐막은 고정용 핀/스크루나 봉합 고정법을 적용하지 않으면 변연이 들뜨기 때문에 주변 골조직과 접촉하지 않게 된다. **B.** 어떠한 차폐막을 사용하더라도 변연을 고정시키면 골조직과 밀접하게 접촉한 채 안정적으로 유지시킬 수 있다.

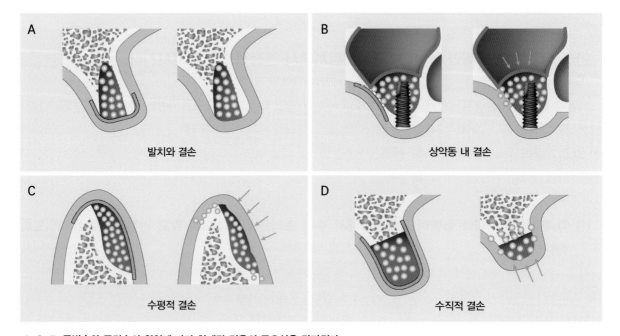

📷 3-5 골벽수와 골결손의 위치에 따라 차폐막 적용의 중요성은 달라진다.
A, B. 발치와 결손부나 상악동 함기화에 의한 결손부는 골내 결손이기 때문에 골증강부 상부의 피판으로부터 가해지는 압력이 거의 없고 골벽수가 많아서 주위골이 이식재의 유출을 막아준다. 따라서 차폐막 적용의 필요성은 낮다. **C, D.** 수직 결손이나 광범위한 수평적 결손은 골외 결손이기 때문에 피판의 압력이 크고 골벽수가 적어서 주위골이 이식재 유출을 막아줄 수 없다. 따라서 이러한 증례들에서는 차폐막을 반드시 적용해야 한다.

이식재와 교원질 차폐막으로 수복해 주었을 때 차폐막 변연을 핀으로 고정해주어 이식재의 유출을 막아주면 핀으로 고정하지 않았을 때에 비해 수술 직후 골증강부가 붕괴되는 양은 거의 절반으로 감소했다.[30,31] 이는 골증강의 결과에 차폐막의 이식재 유지 기능이 얼마나 중요한가를 보여주는 결과이다. 이와 관련된 임상적 연구에 대해서는 뒤에서 다시 설명하겠지만, 차폐막을 적용하지 않았을 때보다는 적용했을 때,[2,32-34] 그리고 차폐막을 적용해도 변연을 고정하지 않았을 때보다는 변연을 고정했을 때 이식재의 유출이 줄어들어 최종적인 골증강의 양을 증진시킬 수 있다(📷 3-4).[35-37]

차폐막은 또한 골증강부 내에 형성된 혈병(blood clot)을 유지하고 안정화해준다. 치주 및 임플란트 주위 조직의 치유에 있어 혈병의 안정적 형성과 유지는 매우 중요하다고 생각된다.[38,39] 혈병에서는 창상의 초기 치유에 결정적인 역할을 하는 많은 시토킨들과 성장 인자들이 분비된다.[10] 이는 세포의 이주, 혈관의 형성, 골형성 과정에 중요한 역할을 한다.[40] 또한 혈병 자체는 일종의 비계로 작용하여 이후의 육아 조직을 형성하는 혈관 세포들과 결합 조직 세포들의 이주를 돕는다.[41] 따라서 차폐막을 통해 혈병을 안정적으로 유지시켜주면 골이식부의 초기 치유가 개선된다고 할 수 있다. 차폐막은 골증강 부위에 형성된 혈병을 안정적으로 유지시켜준다.[7,42,43]

(2) 차폐막은 이식재와 혈병이 치유 기간 중 움직임 없이 안정적으로 유지되도록 해준다.

치유 기간 중 이식재가 물리적으로 움직임 없이 안정적으로 유지되는 것도 중요하다. 골의 치유에 있어 "움직임 없는 고정"은 매우 중요하다. 이식재가 치유 기간 중 안정되지 못하고 유동성을 보이면 신생골이 형성되지 못하고 연조직이 형성된다.[44,45] 골외 결손부, 즉 골벽수가 적은 결손부는 이식재를 안정적으로 유지시키지 못하기 때문에 공간 유지 기능이 큰 차폐막을 이용하거나 차폐막 변연을 확고하게 고정하여 이식재의 안정을 도모해야 한다.

3) 스스로 공간을 유지할 수 있는 능력이 낮은 골결손부에서는 차폐막의 기능 중 공간 유지 기능이 가장 중요하다.

골결손부에 골증강술을 시행하고 나면 이 부위는 치유 기간 중 상부 연조직으로부터 가해지는 압력에 직면하게 된다. 이러한 압력은 차폐막을 수축시키고 이식재를 유출시켜 골증강부가 붕괴되어 함몰되도록 한다(📷 3-5). 압력은 수술 직후부터 작용하기 때문에 수술 후 초기(4주 이내)에 골증강부를 현저히 수축시킨다.[30,31,46,47]

(1) 골결손부의 여러 가지 특성은 골증강부의 공간 유지에 매우 중요한 영향을 미친다.

특히 골결손의 형태, 위치, 크기는 골증강부로 가해지는 압력을 결정짓는 가장 중요한 요소이다(📷 3-3).[31] 공간 유지에 불리한 결손부에서 차폐막과 이식재의 공간 유지 기능은 적어도 세포 차단 기능과 동등하거나 혹은 그 이상의 역할을 한다.[19,48] 한 전향적 대조 연구에서는 발치 후 골이식재를 적용하지 않고 협측 골판에 금속 플레이트를 적용하면 4개월 후 치조골 폭은 87.61±5.88%가 보존된 반면, 적용하지 않으면 55.09±14.46%만 보존되었다고 보고했다(📷 3-6).[49] 이는 골의 보존과 증강에 공간 유지가 얼마나 중요한지 보여주는 예이다.

📁 3-3 골결손부의 특성이 골증강부로 가해지는 압력에 미치는 영향

구분	연조직 압력 크다 (차폐막의 공간 유지 기능이 중요함)	연조직 압력 적다 (차폐막의 공간 유지 기능이 덜 중요함)
결손의 수직적 위치	치조정에 가깝다(수직 결손, 열개 결손)	치조정에서 멀다 (수평 결손, 천공 결손, 상악동 골이식 부위)
결손 크기	결손이 크다	결손이 작다
골벽수	골벽수가 많다	골벽수가 적다
잔존골에 대한 결손의 위치	골외 결손	골내 결손

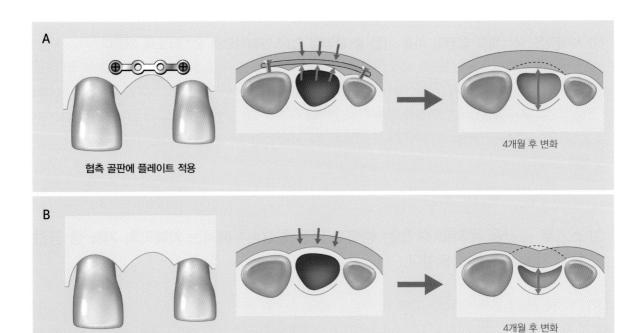

📷 3-6 공간 유지가 골량의 유지에 중요함을 보여준 임상 연구[49]
A. 발치 후 순측 골판에 플레이트를 고정해 상부 연조직의 압력에 대항하여 공간을 유지하면 4개월 후 치조골의 폭은 87.61%가 보존되었다. **B.** 발치 후 아무런 조치도 가하지 않았을 때에는 4개월 후 치조골 폭이 55.09%만 유지되었다.

(2) 골증강부에 가해지는 압력은 치조정 부위에 집중된다.

최근에 시행된 일련의 실험은 상부 피판으로부터 골증강부에 가해지는 압력의 강도와, 이를 극복하기 위한 방법에 대해 시사점을 제공해준다. 이 연구들은 동물에서 채취한 하악에 인위적인 3벽성 결손을 형성하고 임플란트를 식립한 후 다양한 이식재와 차폐막의 조합으로 골증강술을 시행했다. 이후 골막 이완 절개를 충분히 가하고 수술부를 봉합한 직후 CT를 촬영하여 골증강부의 수평적 폭이 얼마나 감소했는가를 평가했다.[30,31,47] 이들 연구의 결과 입자형 이식재와 고정하지 않은 천연 교원질 차폐막(Bio-Gide)으로 골증강을 시행했을 때 치조정에 가까울수록 골증강부의 수평적 폭은 더 감소했으며, 특히 치조정측 2-3 mm 부위에 이러한 감소가 집중됐다(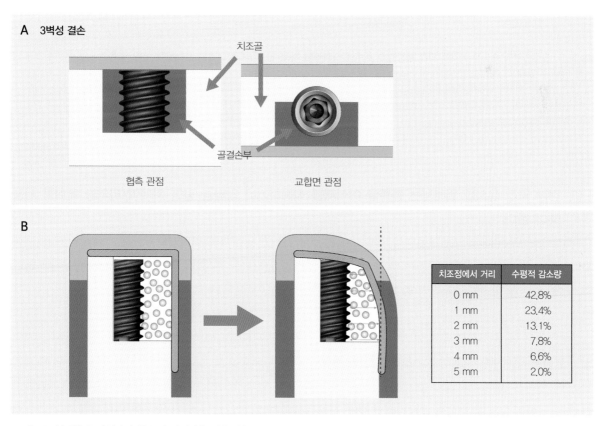 3-7).[30] 이는 치조정에 더 가까울수록, 이중에서도 치조정 부근 2-3 mm 부위에서 상부 연조직으로부터 가해지는 압력이 크다는 것을 의미하는 것이다.[30,31]

이러한 전임상 연구의 결과는 임상 연구에서도 비슷하게 나타났다. 한 단일 환자군 연구에서는 열개 결손을 입자형 이식재와 교원질 차폐막으로 수복하고 수술 직후와 6개월 후의 골증강량을 CT로 평가했다.[48] 그 결과 수술 직후 증강된 골량은 수술 6개월 후 수평적으로 치조정 높이에서 1.82 mm, 치조정보다 2 mm 치근단측에

치조정에서 거리	수평적 감소량
0 mm	42.8%
1 mm	23.4%
2 mm	13.1%
3 mm	7.8%
4 mm	6.6%
5 mm	2.0%

📷 **3-7** 입자형 골이식재와 흡수성 차폐막을 적용했을 때 수술부 폐쇄 직후 골증강부의 수평적 감소량은 치조정 부위에서 가장 많았고 근단측으로 이동하면서 점차 줄어들었다. 이는 골증강부 상부의 피판으로부터 골증강부에 가해지는 압력은 치조정 부위에서 가장 크다는 점을 보여주는 결과이다.

서 1.29 mm, 4 mm 치근단측에서 0.83 mm, 6 mm 치근단측에서 0.54 mm가 감소했다. 비슷한 다른 연구에서도 치조정에서 치근단으로 갈수록 골증강량의 감소가 줄어든다는 사실을 보여주었다.[50]

치조정 부위의 구강 점막은 탄성 섬유가 없는 각화 점막으로 이루어져 있는 반면, 치근단측에는 탄성 섬유가 풍부한 비각화 점막이 존재한다. 따라서 구강 점막의 이러한 조직학적 특성의 차이에 의해 치조정측에 피판으로부터 가해지는 압력이 집중되는 것으로 보인다.[30,31,47] 이러한 의미에서 수직적 결손이 수평적 결손보다, 그리고 열개 결손이 천공 결손보다 예후가 더 불량하고 수복이 더 어려운 이유 중 하나는 바로 치조정을 포함한 부위에 결손이 존재하기 때문일 것이다(📷 3-8).[51]

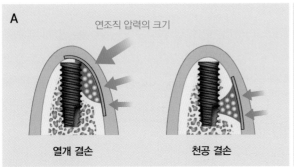 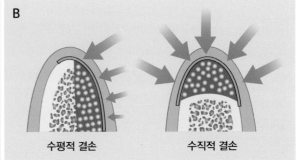

📷 **3-8 골결손부의 수직적 위치에 따라 골증강술 후 피판으로부터 가해지는 압력의 크기가 달라진다. 이는 골증강술의 예후에 크게 영향을 미칠 수 있다.**
A. 열개 결손은 치조정 부위에 한정된 결손이기 때문에 천공 결손보다 골증강술 후 더 많은 피판(연조직)의 압력을 받는다. **B.** 수직적 결손은 결손부 전체가 커다란 압력을 받는 반면, 수평적 결손은 치관측에서는 많은 압력을 받지만 치근단측으로 갈수록 적은 압력을 받는다. 이는 수평적 결손 수복의 예후가 수직적 결손 수복의 예후보다 더 좋은 이유 중 하나이다.

(3) 강한 공간 유지를 위해서는 블록골 이식재를 적용하거나 티타늄 강화 차폐막/티타늄 메쉬를 사용해야 한다.

특히 치조정 부위에서 피판으로부터 가해지는 압력은 입자형 이식재와 부드러운 교원질 차폐막만으로 저항하기에는 너무 강하다. 따라서 몇 가지 더 강력하게 공간을 유지시킬 수 있는 방법으로 연조직의 압력에 저항할 수 있다. 이들 방법을 정리하면 📷 3-9와 같다.[31,47]

결론적으로 특히 치조정 근처의 커다란 결손부나 골외 결손부에서는, 이식재 자체가 강한 공간 유지 능력이 있는 블록골 이식재를 사용하거나 티타늄 강화 차폐막/티타늄 메쉬 등의 차폐막을 입자형 이식재와 함께 사용했을 때 원하는 골증강의 양과 형태를 얻을 수 있음을 알 수 있다.[30,31,47] 한 체계적 문헌 고찰에서는 많은 공간 유지 능력이 필요한 수직적 골증강술 시에는 블록골 이식재를 사용했을 때가 입자형 이식재를 사용했을 때보다, 그리고 티타늄 메쉬 등의 강한 공간 유지 능력이 있는 차폐막을 사용했을 때가 다른 종류의 차폐막을 사용했을 때보다 골증강 양이 유의하게 더 많았다고 보고했다.[51]

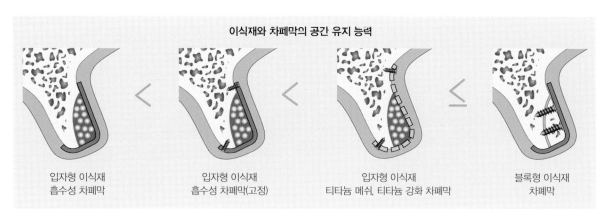

📷 3-9 치조정 부위에 한정된 커다란 결손을 수복할 때에는 상부 피판으로부터의 압력에 저항할 수 있도록 공간 유지 기능이 강한 이식재/차폐막 조합을 사용해야만 한다.

① 블록골 이식재 사용

블록골 이식재는 그 자체가 강한 공간 유지 능력이 있기 때문에 높은 공간 유지 능력을 요하는 골결손부에 사용할 수 있다. 블록골 이식재를 사용하면 차폐막의 공간 유지 능력은 크게 중요치 않다.[31,47] 따라서 많은 임상가들이 광범위하고 불리한 형태의 결손에 블록골을 사용할 것을 추천했고, 또 실제 임상에서 광범위하게 성공적으로 사용되어 왔다.[51-53] 특히 블록골 이식재는 치조정 부위에서 집중적으로 가해지는 연조직의 압력에 의해 초기에 형태가 변화하지 않기 때문에 광범위한 수평적 골결손부에 사용되면 골유도 재생술에 비해 더 큰 폭의 신생골을 형성할 수 있다.[51,52,54]

2019년에 발표된 무작위 대조 연구에서는 수평적 골결손 부위에 임플란트를 식립하며 "입자형 탈단백 우골+천연 교원질 차폐막"이나 "블록형 탈단백 우골+천연 교원질 차폐막"으로 골증강술을 시행했다. 그리고 골증강부의 수평적 폭을 이식재 적용 직후, 수술부 폐쇄 직후, 수술 6개월 후에 측정하여 비교했다(📷 3-10).[55] 그 결과는 매우 극적이었는데, 우선 블록형 골은 수술 중 골증강부의 수평적 폭이 3.17 ± 0.49 mm였지만 수술 직후에는 3.38 ± 0.59 mm로 7.5%가 증가했다. 반면 입자형 골은 수술 중 폭이 4.00 ± 0.74 mm였지만, 수술 직후에는 2.73 ± 0.69 mm로 28.9%나 감소했다. 단순히 피판을 폐쇄한 것만으로도 "입자형 이식재+흡수성 차폐막"을 적용한 수복부는 폭이 28.9%나 감소했던 것이다! 또한 수술 6개월 후에는 블록형 골은 폭이 2.71 ± 1.19 mm, 입자형 골은 0.52 ± 0.80 mm였으며, 이는 수술 직후의 폭에 비해 각각 22.5%와 81.8%가 감소한 것이었다. 즉, 골증강부 상부 연조직의 지속적인 압력은, 입자형 이식재와 흡수성 차폐막으로 증강된 부위의 폭을 현저히 감소시켰다는 사실을 알 수 있다.

② 공간 유지 능력이 강한 차폐막의 사용

흡수성 차폐막은 비흡수성 차폐막에 비해 물리적 강도가 약할 뿐만 아니라 치유 기간 중 흡수되면서 그 물리적 성질을 잃게 되므로 차폐막 중 공간 유지 기능이 가장 떨어진다. 입자형 이식재와 흡수성 차폐막을 사용

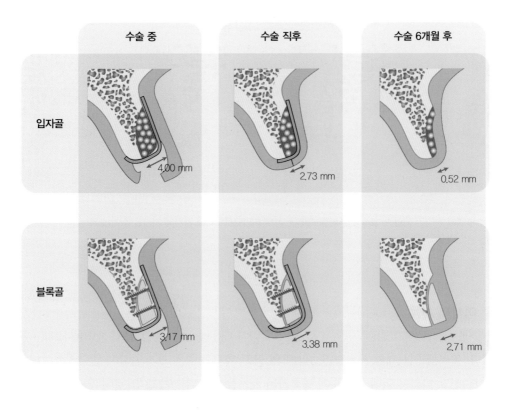

📷 **3-10** 블록골은 입자골에 비해 공간 유지 능력이 강하다. 따라서 광범위한 수평적 결손이나 수직적 결손 등 공간 유지 능력이 중요한 부위에서는 블록골 이식재의 사용을 고려한다.[55]

하면 수술 직후에 이미 골증강 부위는 상부 연조직의 압력에 의해 특히 치조정 부위에서 현저히(50% 이상) 그 부피가 감소한다.[30,31,47] 이는 입자형 이식재와 티타늄 강화 차폐막을 이용하거나 블록형 이식재를 사용해야 예방할 수 있다.[30,31] 일련의 동물 실험에 의하면 흡수성 차폐막을 사용하면 비흡수성 차폐막을 사용할 때보다 재생골의 양이 유의하게 더 적은 양상을 보였다.[56-59] 또한 임상 대조 연구에서도 열개 결손 수복 시 ePTFE 차폐막/티타늄 강화 ePTFE 차폐막은 합성 흡수성 차폐막(polyglycolic acid)보다 유의하게 더 많은 양의 골을 증강시킬 수 있었다.[60] 한 무작위 대조 연구에서는 작은 수평적 결손(열개/천공 결손)이 존재할 때 입자형 이식재를 교원질 차폐막으로 피개했을 때보다는 티타늄 강화 비흡수성 차폐막으로 피개했을 때, 수술 6개월 후 골증강부의 수평적 축소량이 유의하게 적었다고 보고했다(2.23 mm vs 0.14 mm).[61]

결국 차폐막의 공간 유지 능력은 "티타늄 메쉬≥티타늄 강화 비흡수성 차폐막>비흡수성 차폐막(ePTFE, dPTFE)>흡수성 차폐막"의 순서를 따르며 골결손부의 형태, 위치, 크기에 따라 어떠한 차폐막을 이용할 지 결정하는 것이 좋다. 즉, 입자형 이식재를 적용한다고 했을 때 "수직적 결손 – 광범위한 수평적 결손 – 열개 결손 – 천공 결손" 등의 순서로 차폐막의 더 큰 공간 유지 능력이 필요할 것이기 때문에 이에 부합하는 공간 유지 능력을 갖춘 차폐막을 이용한다(📷 3-11).

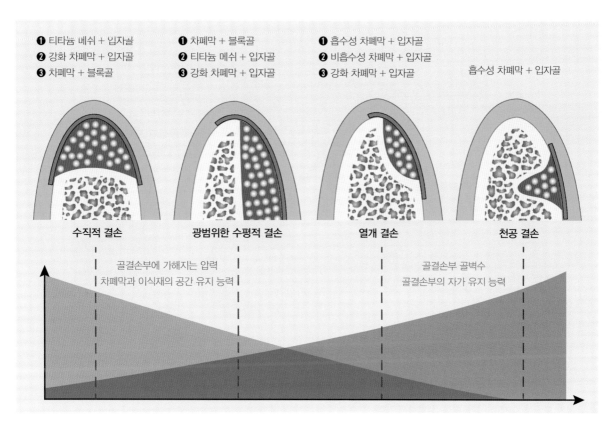

❶ 티타늄 메쉬 + 입자골
❷ 강화 차폐막 + 입자골
❸ 차폐막 + 블록골

❶ 차폐막 + 블록골
❷ 티타늄 메쉬 + 입자골
❸ 강화 차폐막 + 입자골

❶ 흡수성 차폐막 + 입자골
❷ 비흡수성 차폐막 + 입자골
❸ 강화 차폐막 + 입자골

흡수성 차폐막 + 입자골

수직적 결손   광범위한 수평적 결손   열개 결손   천공 결손

골결손부에 가해지는 압력
차폐막과 이식재의 공간 유지 능력

골결손부 골벽수
골결손부의 자가 유지 능력

📷 3-11 골결손의 종류에 따라 필요한 이식재와 차폐막의 조합

4) 차폐막은 골형성 세포 및 골형성 유도 분자를 촉진할 수 있다.

차폐막의 기능에 대해서는 지금까지 고전적으로 공간 유지, 세포 차단, 이식재/혈병 유지 등 주로 기계적인 면에 초점을 맞춰왔다. 그러나 최근에는 차폐막이 골의 형성에 관계된 여러 가지 생물학적, 생화학적 과정을 증진시키는 효과도 있다는 증거가 축적되고 있다.[13,18] 이에 대해서 간략하게 정리해 보고자 한다(📷 3-12).

(1) 생물학적 분자 메커니즘에 의한 차폐막의 골유도 과정

동물 실험에 의하면 골결손부 상부에 PTFE 차폐막을 적용하면 차폐막 하방에서 더 많은 수의 골형성 전구 세포가 관찰되며, 이들 세포가 더 빠르게 골형성 세포로 분화되는 것 또한 관찰된다.[62] 결국 PTFE 차폐막의 하방부는 빠르게 신생골이 형성된다.[63] 이렇게 PTFE 차폐막 하방에서 빠르게 신생골이 형성되는 현상은 골전구 세포의 빠른 증식보다는 골형성 세포로의 빠른 분화에 의한 것이다.[63] 이러한 골형성 세포 자체의 빠른 분화뿐만 아니라 골형성과 관계된 성장 인자 또한 PTFE 차폐막 하방에서 더 많이 발현된다. BMP-2, BMP-4, BMP-7, osteonectin, bone sialoprotein 등의 분자들은 차폐막 직하방에서 더 높은 발현 정도를 보였다.[64] 이러한 동물 실험들의 결과는 인체 내 실험 결과와도 부합하는 것이다. 한 임상 대조 연구에서는 깊은 골내 결손이

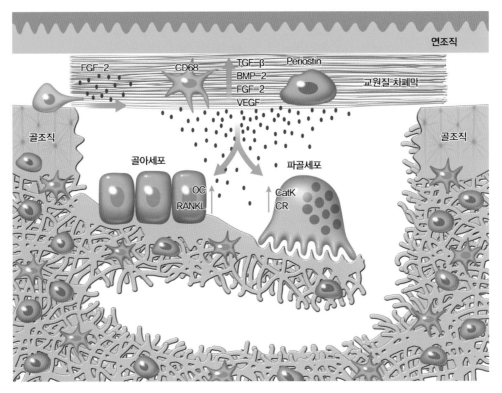

📷 3-12 **교원질 차폐막의 생물학적, 생화학적 기능**

존재하는 치주 조직을 소파하고 ePTFE 차폐막을 적용하면 21일 후 채취한 재생 조직 내에서 골형성 유전자인 OP, BSP, ALP와 골의 재형성에 관계된 단백질을 유도하는 RANKL, OGP, MMP-2, MMP-9가 더 많이 발현되었다.[65]

PTFE 차폐막과 유사하게 교원질 차폐막도 골형성(OC) 및 골재형성(CTR, CatK, RANKL)과 관계된 유전자의 발현을 증진시킨다.[17] 교원질 차폐막이 결손부 내 다양한 세포에 미치는 여러 가지 영향은, 차폐막 직하방에서 더 높은 성숙도를 보이는 재생골이 형성되는 사실을 설명해준다.[17] 또한 교원질 차폐막은 골형성 전구 세포를 골결손부로 이동시키고 이를 골형성 세포로 분화시키는 역할을 한다는 부분적인 근거가 제시되었다. 교원질 차폐막 하방에서는 골형성 전구 세포에 대해 화학 주성을 갖는 유전자인 CXCR4와 MCP1이 수술 직후부터 많이 발현되었다. 이는 차폐막 자체가 특정 세포의 이주를 유도하고, 또 이 세포에서 골형성과 관계된 특정한 분자를 분비하는 데 관련되어 있다는 근거가 된다. 각 종류의 차폐막은 서로 다른 종류의 세포를 이주시킬 수 있으며, 이는 차폐막이 골형성 과정에 있어 수동적인 물리적 기능뿐만 아니라 능동적인 생물학적 기능 또한 수행함을 의미하는 것이다.[18,66,67] 게다가 교원질 차폐막은 입자형 자가골이나 동종골에 함유되어 있는 TGF-β 등의 성장 인자를 흡수한 후 서서히 방출함으로써 골유도 재생술의 결과를 증진시킬 수 있다는 근거가 제시되기도 했다.[68,69]

지금까지 살펴본 바와 같이 차폐막은 세포 차단이나 공간 유지라는 물리적이고 기계적인 효과만으로 골재생에 기여하는 것이 아니라, 여러 종류의 세포나 성장 인자와 관계된 생물학적 효과도 보인다는 사실이 점점 명확해지고 있다. 그러나 아직까지 이에 대한 연구는 드물고, 주로 시험관 연구나 동물 연구에 국한되어 있다는 한계는 남아있다. 조만간 이에 대해 더 많은 사실이 밝혀질 것으로 기대된다.

(2) 차폐막에 생활성 물질이나 항생제 등을 첨가하려는 시도가 이루어지고 있다.

이러한 차폐막의 능동적인 역할을 더 증진시키기 위해 골형성을 촉진할 수 있는 물질이나 감염을 예방할 수 있는 항생제를 차폐막에 직접 첨가하려는 연구가 활발하게 시행되고 있다. 아직 임상적인 적용은 이루어지고 있지 않으나, 이에 대해 간략히 설명하도록 하겠다.[18]

몇몇 시험관 연구에서는 BFP1, bFGF, SDF-1α 등의 분자를 차폐막에 적용하고 그 상방에 다양한 종류의 세포를 위치시켰을 때의 경과를 관찰했다. 그 결과 세포들은 확장(spreading), 이주, 증식 등이 증가하는 양상을 보였다.[70-72] 체내 실험에서도 교원질 차폐막에 BMP-2, BMP-7, bFGF/FGF-2, PDGF, BFP1 등을 첨가하면 골형성을 더 증진시키는 효과를 나타냈다.[73-75] 코르티코스테로이드인 덱사메타손 또한 차폐막에 적용됐을 때 골재생을 증진시켰다.[76]

차폐막에 항생제나 은을 첨가하면 세균이 차폐막에 부착되어 증식되는 성질을 억제하고 세균에 대한 조직과 세포의 반응을 변화시킬 수 있다. 차폐막에 메트로니다졸, 은 이온, 테트라사이클린 등을 첨가하면 차폐막이 노출됐을 때 세균 감염에 더 잘 저항한다.[77-79] 게다가 한 동물 연구에서는 차폐막 표면에 테트라사이클린을 첨가하면 골재생의 양이 증가했다.[77]

2.
골막은 차폐막으로 기능할 수 있는가?

모든 골결손부에서 골증강을 위해 반드시 차폐막이 필요하지는 않다. 특히 골내 결손부이자 다수의 넓은 골벽과 마주하는 결손부는 차폐막 없이도 예지성 높은 골증강 결과를 얻을 수 있다. 예컨대 외측 접근 상악동 골이식 후에는 외측 골창에 차폐막을 적용하지 않더라도 재생골의 질이 유의하게 저하되지 않는다는 높은 수준의 임상적 근거가 존재한다.[80-82] 또한 치조제 보존술 시 치아 관통부를 차폐막이 아닌 교원질 스폰지나 자가점막 등으로 피개하더라도 차폐막을 적용했을 때와 비슷한 양과 질의 재생골을 형성시킬 수 있다(📷 3-13).[83-87] 반대로 바로 앞에서 살펴본 것처럼 수직적 결손, 광범위한 수평적 결손, 혹은 큰 열개 결손 등에는 공간 유지 기능이 좋은 차폐막을 필수적으로 적용해야 한다.

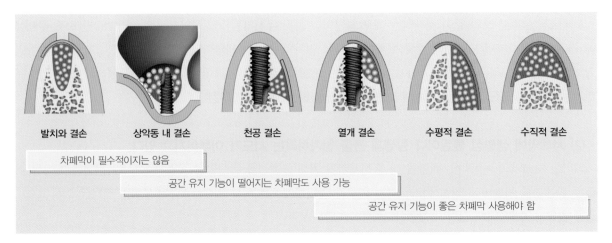

발치와 결손 　　상악동 내 결손 　　천공 결손 　　열개 결손 　　수평적 결손 　　수직적 결손

차폐막이 필수적이지는 않음

공간 유지 기능이 떨어지는 차폐막도 사용 가능

공간 유지 기능이 좋은 차폐막 사용해야 함

📷 **3-13 골결손의 종류에 따라 필요한 차폐막의 종류**
일반적으로 골내 결손, 골벽수가 많은 결손, 치근단측에 위치한 결손일수록 차폐막의 필요성은 떨어지고 골외 결손, 골벽수가 적은 결손, 치관측에 위치한 결손일수록 차폐막의 필요성과 그 요구 조건은 증가한다.

그렇다면 우리가 가장 자주 마주치는 골결손부인 열개 결손 등에서는 차폐막 없이 골재생, 혹은 골증강이 가능할까? 다시 말해서 골막은 차폐막으로 기능할 수 있을까? 골증강술 시 차폐막을 사용하지 않으면 수술이 간소화되고, 비용이 절감되며, 차폐막 노출 등의 합병증 발생 가능성을 줄여줄 수 있다는 장점이 있기 때문에 많은 임상가들은 이 주제에 대해 관심을 기울여 왔다.[88]

1) 골막은 골형성을 방해하지는 않지만 신생골 형성을 촉진하지도 않는다.

골증강술 시 결손부의 공간 유지만 적절히 이루어진다면 차폐막이 반드시 필요한가에 대한 의문이 제기될 수 있다. 왜냐하면 많은 전임상 연구에서 골막은 골을 형성하는 능력이 있다는 사실을 보여주었기 때문이다.[89-92] 골유도 재생술에 관한 초기 연구에서 인위적으로 형성된 골결손 부위에 골이식재 없이 ePTFE 차폐막을 적용하면 차폐막을 적용하지 않고 골막을 골결손부에 직접 접하게 한 경우에 비해 현저한 골증강을 얻을 수 있었다. 그러나 이러한 결과는 골막이 골형성 능력을 지니지 않는다는 사실을 보여준다기 보다는 골막이 골재생을 위한 공간 유지 능력이 없다는 사실만을 보여주는 것이다.[11,93] 최근에는 골유도 재생술 시에도 차폐막 하방에 골이식재를 적용하는 것이 일반화되었다. 그렇다면 그 자체로 공간 유지 능력이 있는 골이식재를 적용하면 차폐막을 사용하지 않더라도 골막 자체가 신생골 형성을 유도하는 차폐막으로 기능할 수 있지 않을까라는 의문이 제기될 수 있을 것이다(📷 3-14). 골막이 차폐막으로 기능할 수 있는가에 대한 찬성과 반대의 고전적인 근거를 📚 3-4에 정리했다.

Weng 등의 유명한 연구는 골재생에 있어 골막의 기능에 본격적인 초점을 맞춘 동물 실험이었다.[39] 이들은 5마리의 원숭이를 이용한 실험에서 한 쪽 하악골에는 공간 유지 기능을 할 수 있는 개방형 티타늄 메쉬만을,

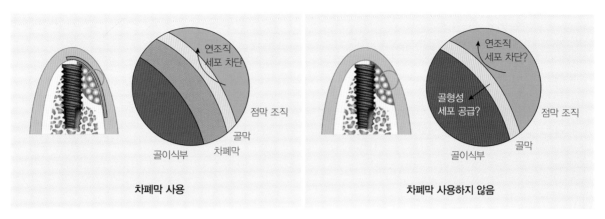

📷 **3-14** 골막은 골형성 세포가 이장된 치밀한 막성 구조물이기 때문에 연조직 및 상피 세포의 침입을 차단하고 골형성 세포를 공급하는 일종의 차폐막으로서 기능할 수도 있지 않을까라는 의문을 제기할 수 있다.

🗂 3-4 골막은 차폐막으로 기능할 수 있는가?

골막은 차폐막으로 기능할 수 있다.	골막은 차폐막으로 기능할 수 없다.
• 골막은 여타 조직으로 이식했을 때 이소적 골형성(ectopic bone formation) 능력이 있다.[94,95] • 피판 내부에 골막이 존재하면 존재하지 않을 때에 비해 피판 하방의 골결손부에서 골재생이 촉진된다.[96,97] • 특별한 처치 없이도 골내 결손부에서 현저한 양의 신생골이 형성된다.[98-100] • 자가 유지 골결손부를 골막으로 피개하면 골형성이 촉진된다.[92]	• 골막은 물리적으로 신생골 형성을 위한 공간 유지가 불가능하다.[11,93] • 임플란트 치료를 필요로 하는 환자들의 연령은 대체로 높다. 골막의 골형성 능력은 연령 증가에 반비례해서 감소한다.[94,97] • 수술 중 피판에 포함되어 거상된 골막은 쉽게 손상되며, 따라서 골형성 능력이 저하되거나 사라진다.[95,101]

한 쪽은 개방형 티타늄 메쉬와 그 상부에 ePTFE 차폐막을 함께 적용하였다. 따라서 한 쪽(대조군)에서는 공간 유지가 가능한 티타늄 메쉬를 골막이 피개하게 되었으며 다른 한 쪽(실험군)은 티타늄 메쉬로 공간 유지를 하고 그 상부를 세포 차단성 차폐막으로 피개하게 되었다. 4개월 후의 결과는 🗂 **3-5**와 같았다(📷 **3-15**).

이 연구는 신생골 형성을 위한 공간만 유지된다면 불리한 형태의 결손부에서도 차폐막 적용 여부와 상관없이 신생골이 형성된다는 사실을 보여준다. 그러나 이 연구에서 골막으로부터는 신생골이 전혀 형성되지 않고 전적으로 기저골로부터만 신생골이 형성되었다. 즉, 골증강술의 환경에서 골막은 골형성 능력을 보여주지 못한 것이다. 또한 골막은 연조직 세포 차단 기능을 보이지 않았다. 티타늄 메쉬 하방으로 근육 세포가 부분적으로 관찰됐기 때문이다. 반면 메쉬 상방에 차폐막을 추가적으로 적용하면 주위 연조직 세포의 침투를 막아줄 수 있기 때문에 신생골의 질을 유의하게 향상시켜 준다는 사실을 보여주었다.

📖 3-5 공간 유지가 충분한 골증강부에서 차폐막 적용 여부가 골증강 결과에 미치는 영향[39]

	개방형 티타늄 메쉬 적용군	개방형 티타늄 메쉬 및 ePTFE 차폐막 적용군
골재생부 내의 광화 조직 함량(%)	• 68.6±8.4	• 77.2±7.5(유의한 차이)
메쉬 직하방 조직	• 골막과 조직학적으로 동일한 얇은 결합 조직층 형성, 골막 세포는 성숙하고 활성도가 떨어짐 • 메쉬 하방에서 부분적으로 근육 세포가 관찰됨	• 골막과 조직학적으로 동일한 얇은 결합 조직층 형성, 골막 세포와 교원질은 상대적으로 미성숙함
신생골 형성의 방향	• 신생골은 골막보다는 기저골로부터 형성됨	• 신생골은 골막보다는 기저골로부터 형성됨

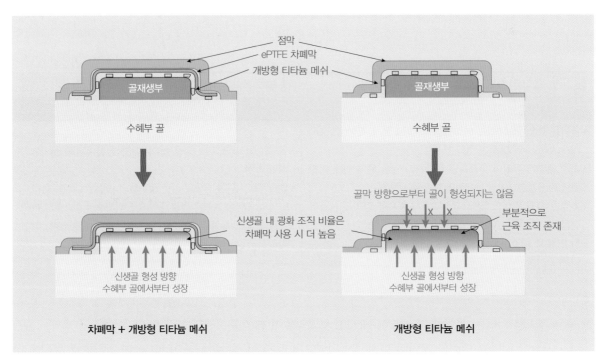

📷 3-15 골막의 골형성 능력을 평가한 동물 실험의 결과[39]
개방형 티타늄 메쉬로 공간 유지를 했을 때 차폐막을 적용하면 적용하지 않을 때보다 신생골의 질(광화 조직의 비율)은 유의하게 더 좋았다. 또한 신생골은 차폐막 적용 유무와는 관계없이 항상 잔존골로부터 연조직 방향을 향해 성장했다. 이는 골막이 연조직/상피 세포를 차단하는 기능이 차폐막보다 떨어지고 골형성 촉진 기능을 결여하고 있다는 사실을 보여주는 것이다.

쥐를 이용한 실험에서는 하악에 티타늄 마이크로 임플란트를 식립한 후, 한쪽에는 흡수성 차폐막을 적용했고 다른 쪽에는 적용하지 않았다. 6개월 후 차폐막 적용군에서는 현저한 골증강을 얻을 수 있었던 반면, 차폐막 비적용군에서는 골이 전혀 형성되지 않았다. 또한 차폐막 적용군 중 일부에서는 골재생부 내로 연조직의 침투가 관찰되었는데, 이는 부분적으로 흡수된 차폐막 부위나 차폐막과 기저골 접합부가 접촉되어 있지 않던 부위를 통한 것이었다. 이 실험의 결과는, 골막에는 없는 차폐막의 연조직 차단 효과가 골재생에 있어 중요하다는 사실을 보여주는 것이다.[29] 또 다른 동물 실험에서도 차폐막의 연조직 차단 효과가 중요하다는 사실을 보여주었다. 여기에서는 토끼의 두개골 상방에 티타늄 캡을 적용했는데, 한 쪽은 캡에 1.5 mm의 구멍을 형성했고, 다른 쪽은 구멍을 형성하지 않았다(📷 **3-16**). 그 결과 수술 1개월 후에는 양측에 별다른 차이가 없었지만 3개월 후에는 캡 내부의 조직 형성량(55.9±7.4% vs 89.9±6.5%)과 형성된 조직 내의 광화된 골조직 비율에 있어 모두 천공부가 없이 완전히 폐쇄된 티타늄 캡을 이용했을 때가 유의하게 더 우수하다고 했다.[102] 이는 골재생부에서 차폐막에 의한 완전한 연조직 차단이 골재생의 양과 밀도에 모두 중요한 영향을 미친다는 사실을 보여주는 것이다.

한 임상 연구에서는 추가적인 차폐막 없이 티타늄 메쉬와 탈단백 우골로 수직적 골증강술을 시행했다.[103] 9개월 후 골증강부를 조직학적으로 관찰했을 때 신생골은 수혜부 골과 접하는 쪽으로 갈수록 성숙해지는 양상을 보였고, 수혜부 골과 먼 쪽으로 갈수록 미성숙해지는 양상을 보였으며, 수혜부와 먼 쪽, 즉 티타늄 메쉬가 존재하는 쪽에는 연조직이 두껍게 형성됐다(📷 **3-17**). 이는 세포 차단성 차폐막을 적용하지 않았을 때에도 신생골은 골막보다는 수혜부 골표면으로부터 시작되며 골막은 신생골 형성에 별다른 기여를 하지 못한다는 사실을

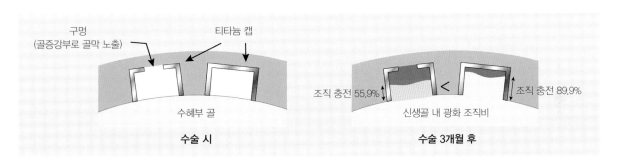

📷 **3-16** 토끼의 두개골에서 시행한 골유도 재생술 모델에서도 공간 유지 장치를 천공시켜 골막을 유지시켰을 때보다 공간 유지 장치를 완전히 폐쇄했을 때 형성된 신생골의 양과 질이 모두 더 우수했다.[102] 이는 골막이 차폐막으로써 기능할 수 없다는 점을 보여주는 근거이다.

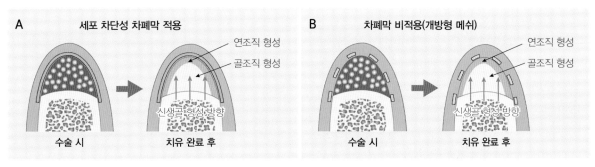

📷 **3-17** 임상 연구에서도 골막은 골형성 촉진 기능이 존재하지 않는다는 사실을 보여주었다. 차폐막을 사용하거나 천공된 티타늄 메쉬를 사용했을 때 모두 신생골은 잔존골에서부터 성장하는 모습을 보였다. 골막이 골형성 기능이 있다면 개방형 메쉬를 사용할 때 골막측으로부터도 신생골이 형성되는 양상을 보여야 할 것이다. 골막측에서 신생골이 형성된다는 근거는 전혀 얻을 수 없었다.

간접적으로 보여주는 것이다. 또 다른 무작위 대조 연구에서는 광범위한 수평적 결손을 자가골과 탈단백 우골의 혼합 이식재로 수복하고 이를 비교차 결합 교원질 차폐막으로 피개해 주었다.[104] 평균 7.5개월 후 골재생부를 조직계측학적으로 평가했을 때 신생 조직 내 광화 조직(골조직) 비율은 수혜부 골표면 쪽이 골막 쪽보다 유의하게 높았던 반면, 연조직 비율은 골막 쪽이 유의하게 높았다. 이는 수평적 골증강술 시에도 신생골 형성은 골막보다는 수혜부 골표면에서 이루어지며 신생골은 수혜부 골표면에서 골막 쪽으로 진행됨을 의미하는 것이다.

2) 열개 결손에서 차폐막을 사용하지 않으면 골증강의 양이 현저히 줄어든다.

지금까지 골이식재 상부에 차폐막을 적용하지 않고 이식재와 골막이 직접 접촉되도록 하면 재생골의 질이 저하된다는 사실을 보여주었다. 동물 실험들의 결과에 의하면, 열개 결손 수복 시 골이식재 상부에 차폐막을 적용하면 골재생의 속도가 빨라지고 재생 조직 내 광화 조직의 비율이 증가할 뿐만 아니라 골증강부의 골–임플란트 간 접촉 정도 또한 향상된다.[27,105,106] 그러나 열개 결손 수복 시에는 재생 조직의 질보다는 양이 임상적으로 더 중요하다. 임플란트의 안정은 잔존골만으로도 충분히 얻을 수 있기 때문이다. 한편, 열개 결손은 가장 자주 마주칠 수 있는 골결손이고 대부분 결손의 크기가 작다. 또한 열개 결손은 입자형 이식재를 사용했을 때 차폐막의 적용 유무가 도움이 되는가를 평가하기에 적절한 형태의 결손이다(📷 3–13). 따라서 열개 결손을 입자형 이식재로 수복했을 때 상부에 차폐막을 적용하는 것이 골재생의 양(골충전; bone fill)에 얼마나 도움이 되는지를 평가한 임상 연구가 수 차례 진행된 바 있다.

2008년 Park 등은 임플란트를 식립할 때 열개 결손이 존재하는 증례들에서 비탈회 동종골 이식재를 적용했고, 그 상부에 동종 진피나 흡수성 교원질 차폐막을 적용하거나 차폐막을 적용하지 않았다.[2] 수술 6개월 후에 결손부를 평가한 결과, 높이의 개선에서는 유의한 차이를 보이지 않았지만(결손부 높이 감소율 차폐막 사용 71.02%, 차폐막 비사용 63.56%) 골증강의 폭은 차폐막을 사용한 경우에서 유의하게 더 많이 개선되었다고 하였다(수평적 골증강량 차폐막 사용 1.66 mm, 차폐막 비사용 1.02 mm). 다만 이는 임상적인 골충전 정도만을 비교한 것으로, 실제 조직학적으로 신생골 형성 정도에 어떠한 차이가 있는가에 대해서는 알 수 없다. 2014년과 2015년에는 Fu 등이 역시 열개 결손 수복 시 차폐막 적용 유무가 골증강량에 미치는 영향을 무작위 대조 연구를 통해 측정했다.[32,33] 그 결과, 치조정에서 2–6 mm 하방에서는 차폐막을 사용했을 때 골증강의 양이 통계학적으로나 임상적으로 유의미하게 더 많이 증강되었지만 치조정 높이에서는 차폐막 사용 여부와는 관계없이 두 군에서 모두 이식한 골이 거의 상실되었다. Jonker 등은 역시 열개 결손에서 이식재 상방에 하이드로젤 차폐막을 적용하면 적용하지 않을 때와 어떠한 차이를 보이는지 평가했다.[34] 이 연구에서는 골재생의 양(골충전)을 평가하지는 않았고, 상악 전치부의 심미적 지표, 임플란트 주위 조직의 건강도, 임플란트의 생존율/성공률을 단기간 동안 평가했고 전반적으로 차폐막 사용 유무가 이들 지표에 별다른 영향을 미치지는 못한다는 결론을 얻었다. 그러나 임플란트의 성공률은 차폐막을 사용했을 때가 96.0%, 사용하지 않았을 때가 85.2%로 꽤 현저한 차이를 보였다.

2019년의 한 메타분석에서는 열개 결손을 수복할 때 입자형 이식재에 흡수성 차폐막을 적용하는 것이 적용하지 않는 것에 비해 결손 높이의 감소에 얼마나 영향을 미치는지 평가했다.[88] 그 결과 차폐막을 적용했을 때가 적용하지 않았을 때보다 결손 높이의 감소량이 평균 1 mm가량(0.97 mm, 95% CI 0.31-1.64) 더 많았고 이는 유의한 차이를 보이는 것이었다. 결론적으로 열개 결손을 수복함에 있어 흡수성 차폐막을 적용하면 골증강의 폭과 높이를 모두 개선시킬 수 있음을 알 수 있다. 차폐막은 수술부를 폐쇄할 때 피판으로부터 가해지는 장력에 의해 이식재가 주변으로 흩어지는 것을 예방하여 이식재를 치유 기간 동안 골증강부에 안정적으로 유지시키는데 도움이 될 것이다. 또한 이식재의 흡수를 예방함으로써 골증강부 부피의 감소를 줄여주는 데 도움이 된다고 할 수 있다. 따라서 열개 결손을 입자형 이식재로 수복할 때 차폐막을 사용하면 결손이 더 많이 수복된다(◎ 3-18).[107] 그러나 차폐막의 이러한 효과가 임플란트 주위 조직의 건강도나 심미적 결과에 미치는 영향에 대해서는 좀 더 많은 연구가 필요하다.

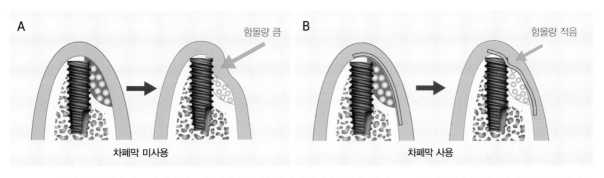

◎ **3-18** 열개 결손 수복 시 골이식재 상부에 차폐막을 적용하면 이식재의 유출을 줄여주고 이식재의 흡수를 예방하여 골증강부의 수축량을 줄여줄 수 있다.

3) 차폐막은 블록골 이식재의 흡수를 예방한다.

블록골 이식재는 그 자체가 공간 유지 기능이 있으며 치유 기간 중 형태가 변화하지 않기 때문에 차폐막의 적용 유무에 따른 이식재의 흡수 정도를 평가하는데 유리하다.[108] Donos 등은 블록골 이식술 시 ePTFE 차폐막을 적용하면 어떠한 이점이 있는지 관찰한 일련의 동물 연구를 발표했다. 이들의 한 동물 실험에서는 자가 블록골을 이식하면 차폐막 적용 여부와 관계없이 초기에 이식골 표면이 흡수되지만, ePTFE 차폐막을 적용하면 차폐막 하방에 신생골이 형성되면서 이러한 이식골의 흡수를 보상해 주었다고 했다. 반면 차폐막을 적용하지 않으면 이식골은 지속적으로 흡수되었다. 또한 차폐막을 적용하면 이식골과 수혜부 골의 연속성이 관찰됐지만, 차폐막을 적용하지 않으면 이식골과 골이식 수혜부 사이의 연속성이 거의 관찰되지 못했다고 했다(◎ 3-19).[109] 이들은 비슷한 동물 연구에서 역시 블록골 이식술 후 ePTFE 차폐막을 적용하면 이식골의 흡수를 예방할 수 있었고, 이식골과 수혜부 골 사이의 유합도 증진시킬 수 있었지만, 차폐막이 노출되면 이러한 이점은 사라졌다고 보고했다.[110,111]

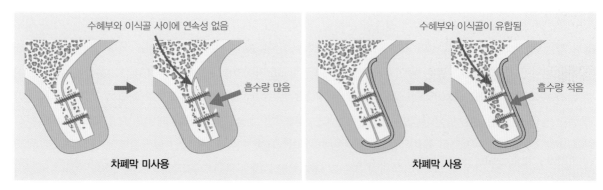

📷 **3-19** 한 동물 실험은 블록골 이식술을 시행했을 때 이식재 위에 ePTFE 차폐막을 적용하면 이식골은 수혜부 골과 더 잘 유합되고 흡수량은 줄어든다는 사실을 보여주었다.[109]

한 단일 환자군 연구에 의하면, 구강 내에서 채취한 자가 블록골은 차폐막을 적용하지 않았을 때 6개월 후 수직적으로 평균 42%, 수평적으로 평균 23.5%가 흡수됐다.[112] 한 대조 연구에서는 자가 블록골을 이용해 수직적 골증강을 시행했다. 평균 4.6개월 후, 블록골 상방에 티타늄 메쉬를 적용한 경우에는 평균 5 mm의 수직적 증강을 얻을 수 있었고 이식골 높이의 흡수율은 13.5%였다. 반면 메쉬를 적용하지 않은 경우에는 평균 3.4 mm의 증강을 얻을 수 있었고 이식골의 흡수율은 34.5%에 달했다.[113] 이는 유의한 차이였으며, 이식재 상방에 적용한 차폐막은 이식재의 흡수를 예방한다는 사실을 보여주는 것이었다. 비슷한 모델의 무작위 대조 연구에서도 자가 블록골 상방에 ePTFE 차폐막을 적용했을 때 이식골의 흡수를 유의하게 줄여줄 수 있었다.[114] 따라서 블록골 이식재 상방에 적용된 차폐막은 이식재의 흡수를 예방할 수 있을 뿐만 아니라 이식재와 수혜부 골 사이의 유착을 증진시키는데 도움이 된다는 사실을 알 수 있다(📷 **3-20**).

4) Back to the Basic

결국 상악동 결손부나 발치와 결손부 등 일부 결손부를 제외한 대부분의 결손 부위에서 차폐막 없이 이식재만을 적용하고 골막이 차폐막으로서 기능하기를 바라는 것은 옳지 못한 생각임을 알 수 있다. 차폐막은 공간 유지, 이식재와 혈병의 유지, 연조직 세포 차단 등의 기능을 하지만 골막은 이러한 기능을 제대로 수행하지 못한다. 또한 차폐막은 이식골의 흡수를 예방하는 역할도 한다. 그리고 많은 동물 연구와 임상 연구에서 골이식재 상부에 차폐막을 적용하지 않으면 이러한 기능이 사라지기 때문에 재생골의 양과 질이 저하된다는 사실을 보여주었다.

일부 임상가들은 비용을 절감하고 수술을 쉽게 수행하기 위해 치조골 결손의 수복에 차폐막 없이 골이식재만 적용하기도 한다. 그러나 "기본으로 돌아가서", 특히 공간 유지에 불리하거나 골벽수가 적은 결손부에서는 반드시 차폐막을 적용해야만 한다.

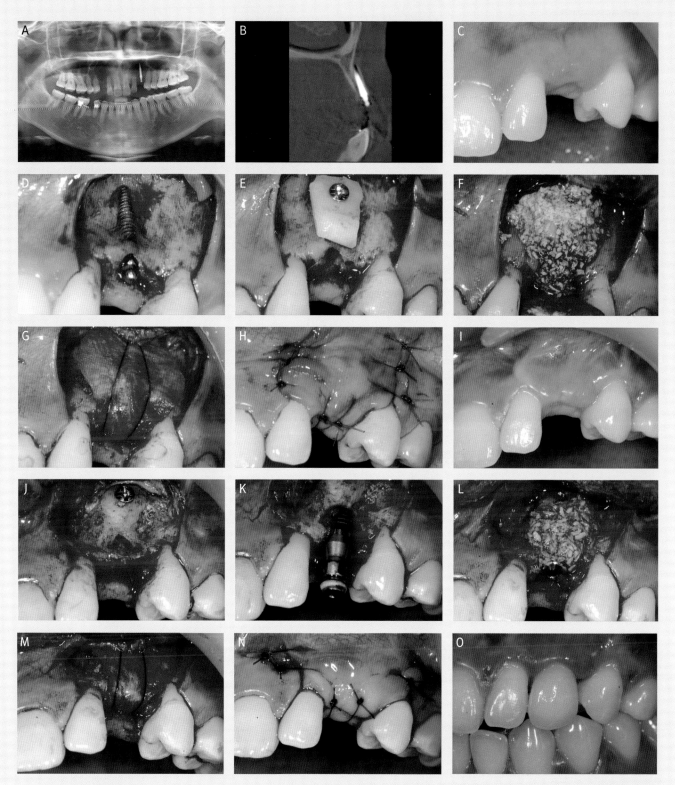

📷 **3-20** 자가 블록골 이식 시 이식골의 흡수를 최소화하고 수혜부 골과의 유착을 최대화하기 위해 천연 수산화인회석 골이식재와 차폐막을 적용하는 것은 표준 술식이 되었다.

A~H. 상악 좌우측 견치가 결손된 증례이다. 좌측은 다른 병원에서 미니 임플란트가 식립된 채로 내원했다. CT 촬영 결과 치조골은 심한 광범위한 수평적 결손 상태였고 임플란트는 치조골 외측으로 많이 돌출되어 있었다(**A~B**). 양측 결손부에 하악지에서 채취한 자가 블록골을 이식해 주었다(**E**). 블록골의 흡수를 최소화하기 위해 탈단백 우골과 교차 결합 교원질 차폐막을 함께 적용했다(**F~G**).

I~N. 약 5.5개월 후 임플란트를 식립했다. 반대쪽과는 다르게 이식골은 상당 부분 흡수된 상태였다(**J**). 특히 치관측 치조골이 심하게 흡수되었는데, 이는 아마도 기존에 식립했던 미니 임플란트로 인해 치조골이 극단적으로 얇게 남아있었기 때문인 것으로 판단됐다. 임플란트 식립 후 열개 결손이 남아있었으며 이를 동종골과 교원질 차폐막으로 재차 수복했다.

O. 대략 4개월 후 고정성 임시 보철물을 연결해 주었다. 이 사진은 보철 연결 후 대략 3.5개월이 경과했을 때 촬영한 것이다.

3.
차폐막의 종류

차폐막은 신체 내에서의 흡수 여부에 따라 흡수성 차폐막과 비흡수성 차폐막으로 분류한다. 비흡수성 차폐막, 특히 ePTFE 차폐막은 가장 사용 역사가 길고 따라서 가장 많은 문헌과 경험이 축적된 차폐막의 황금 기준이다.[115] 그러나 ePTFE 차폐막은 여타의 흡수성 차폐막에 비해 치유 과정 중 노출되는 비율이 높고 노출되면 감염과 이식 실패 등의 합병증 발생의 가능성이 높아지기 때문에 최근에는 꼭 필요한 경우가 아니라면 가급적 흡수성 차폐막을 쓰려는 경향이 강하다. Hammerle과 Jung은 흡수성 차폐막과 비흡수성 차폐막을 비교하여 각각의 장단점을 다음과 같이 정리한 바 있다(📇 3-6).[115]

📇 3-6 흡수성 차폐막과 비흡수성 차폐막의 장단점		
	흡수성 차폐막	비흡수성 차폐막
종류	교원질 차폐막, 동종 진피, 합성 중합체(PLA, PGA) 등	ePTFE, dPTFE, 티타늄 메쉬
장점	• 제거할 필요가 없음 • 수술 술식이 간단함 • 2차 수술 시 다양한 술식을 적용할 수 있음(유리 치은 이식술이나 근단 변위 판막술 등을 시행할 수 있음) • 가격이 저렴함 • 환자의 불편감 감소	• 골형성 능력이 좋음 • 공간 형성 및 유지 능력이 좋음 • 차폐막 기능 기간을 조절할 수 있음 • 흡수 과정이 없으므로 골재생에 악영향을 미칠 수 있는 부산물이 생성되지 않음 • 임상에 적용된 역사가 길기 때문에 적절한 수술 프로토콜이 정립되어 있음
단점	• 차폐막으로서 기능하는 기간을 조절할 수 없음 • 흡수 과정이 창상 치유와 골재생을 방해할 수 있음 • 차폐막 지지물(이식재)을 필요로 함	• 치유 과정 중 노출이 잘 되고 일단 노출되면 골재생에 막대한 악영향을 끼침 • 2차 수술 시 반드시 제거해야 함

또한 Omar 등은 2019년에 차폐막의 종류를 분류하여 제시했다(📇 3-7).[18]

1) ePTFE (expanded-polytetrafluoroethylene) 차폐막

물론 아직도 몇몇 회사에서 ePTFE 차폐막을 생산하고 있기는 하지만 오랫동안 모든 차폐막의 기준이었던 ePTFE 계통의 Gore-Tex 차폐막은 생산이 중지되었다. 따라서 현재 임상가들은 ePTFE 차폐막의 대용으로 dPTFE (dense PTFE) 차폐막을 광범위하게 사용하고 있다. 그러나 ePTFE 차폐막에 관한 지식을 통해 우리는 비흡수성 차폐막 전반에 대해 많은 사실을 알게 되었다. 마치 라틴어는 사라졌지만 서양 고전을 심도 깊게 이해하기 위해서는 이 언어를 배워야 하는 것처럼 차폐막에 대한 깊은 이해를 위해서는 이 차폐막에 대해 잘 알고 있어야만 한다.

■ 3-7 차폐막의 분류

종류	성분	특성	대표 상품명
합성, 비흡수성	Polytetrafluoroethylene (PTFE)	Expanded PTFE	Gore-Tex®
		Dense PTFE	Cytoplast™ TXT-200
		Dual textured expanded PTFE	NeoGen®
		Titanium-reinforced PTFE	Gore-Tex-Ti, Cytoplast™ Ti-250, NeoGen® Ti-Reinforced
		Titanium mesh	Frios® BoneShields, Ridge-Form Mesh™
천연, 흡수성	비교차 결합 교원질	1형 교원질	CollaTape®, Tutodent®
		1형, 3형 교원질	BioGide®, Botiss Jason®
		1, 2, 3, 4형 교원질 및 기타 단백질	DynaMatrix®
		교원질 및 엘라스틴(탄성 섬유)	Creos xenoprotect™
	교차 결합 교원질	교차 결합 1형 교원질	BioMend®, OSSIX® PLUS, OsseoGuard® OsseoGuard Flex®, EZ Cure™
		교차 결합 1형 및 3형 교원질	MatrixDerm™ EXT
합성, 흡수성	지방족 폴리에스테르	Poly-D, L-lactide-co-glycolide (PLA/PGA)	Resolut adapt®
		D, D-L, L polylactic acid (PLA)	Epi-Guide®
		Poly-D, L-lactide and poly-L-lactide, blended with acetyl tri-n-butyl citrate	Guidor®
		Polyglycolide, poly-D, L-lactide-co-glycosides, poly-L-lactide	BioMesh®-S

(1) ePTFE 차폐막의 개요

ePTFE 차폐막, 특히 Gore-Tex 차폐막(WL Gore&Associates, 미국)은 생산이 중지될 때까지 모든 차폐막의 황금 기준이 되어왔다(📷 3-21).[115] 골유도 재생술의 역사는 ePTFE 차폐막과 함께 시작했다고까지 할 수 있다.[1,116-118] 이 차폐막은 오래전부터 생체 적합성이 좋다는 사실이 알려져 있었으며 수많은 동물 및 임상 실험을 통해 골재생 부위로부터 연조직 및 상피 세포를 효율적으로 차단한다는 사실이 밝혀졌다. 이 차폐막은 가장 긴 사용 역사를 가진 만큼 가장 많은 임상 문헌을 보유하고 있으며, 치유 과정 중 노출되지 않으면 여타의 흡수성 차폐막들에 비해 골증강의 양과 질에 있어 가장 좋은 결과를 보인다.[41,90,118-143]

이 차폐막은 합성 중합체로, 세균과 인체 조직 세포의 효소에 의한 분해에 잘 저항하며 면역 반응을 일으키지 않는다. 이름에서 알 수 있듯이 ePTFE 차폐막은 PTFE를 물리적으로 팽창시킨 것이기 때문에 많은 미세 기공을 가지며 표면은 약간 거친 느낌을 준다. 미세 기공은 연조직 세포는 차단시킬 정도로 작지만 골형성에 필

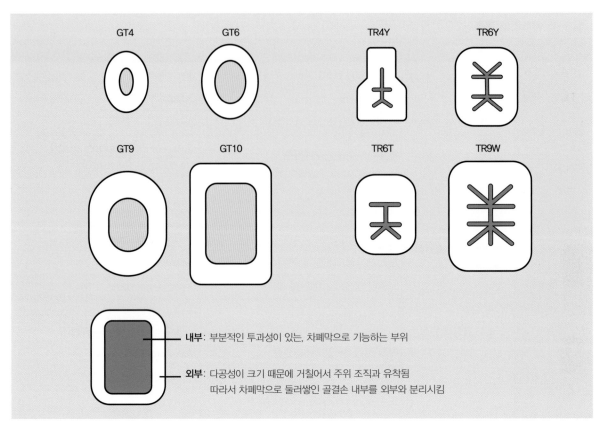

📷 3-21 e-PTFE 차폐막(Gore-Tex, WL Gore, 미국)
다양한 형태로 시판되었으며 티타늄 강화형과 비강화형이 있었다. 이 차폐막은 내부의 매끈한 부분과 외부의 거친 부분으로 이루어져 있다.

요한 양분의 이동은 방해하지 않는다고 한다. 거친 표면은 치유 과정 중 주변 연조직과 밀접하게 결합함으로써 차폐막의 이동이나 움직임을 예방한다. ePTFE 차폐막은 소공의 크기가 8 μm인 중앙의 차단부와 25 μm인 변연부로 이루어져 있다. 변연부는 초기에 빠른 혈병 형성을 촉진하고 교원질 세포의 부착을 용이하게 하여 차폐막이 조직과 안정적으로 결합되도록 한다.[144] 반면 중앙부는 연조직 세포를 선택적으로 차단하는 역할을 한다.[144]

ePTFE 차폐막을 사용하면 골재생을 완료한 후 반드시 제거해 주어야 한다.[116] 성공적인 골재생 후 제거하지 않은 ePTFE 차폐막의 예후에 관한 임상 보고는 없었지만 이는 윤리적인 이유 때문이며, 이 차폐막을 인체에 장기간 잔존시키면 감염원으로 작용할 것이다. 미용 목적으로 사용되는 Gore-Tex는 외부로 노출되지 않더라도 만성 감염을 일으킬 수 있다. 반드시 제거해주어야 한다는 점은 ePTFE을 포함한 비흡수성 차폐막의 큰 단점이 된다. 왜냐하면 2차 수술 중 근단 변위 판막술이나 유리 치은 이식술 등의 부가적인 시술을 병행하기가 어렵고 연조직과 단단히 결합되는 성질 때문에 제거 시 피판을 크게 형성하고 박리해 주어야 하기 때문이다.[2,115,145]

(2) ePTFE 차폐막을 포함한 비흡수성 차폐막을 사용한 후에는 차폐막 하방에 1–2 mm 두께의 가성 골막이 형성된다.

비흡수성 차폐막을 사용하면 차폐막과 신생골 사이에 섬유성의 결합조직 층이 1–2 mm 정도 두께로 형성되며 Dahlin 등은 이를 가성 골막(pseudo-periosteum)이라고 칭했다.[146] 가성 골막은 조직학적으로 세포와 혈관의 밀도가 낮은 조밀한 결합 조직층이다.[147-149] 가성 골막에서는 염증성 세포나 상피 조직은 관찰되지 않으며 혈관은 드물거나 존재하지 않는다.[132,143,149] 이는 비흡수성 차폐막과 티타늄 메쉬를 사용했을 때 공통적으로 나타나는 현상이며 흡수성 차폐막을 사용하면 잘 관찰되지 않는다(📷 3-22).[150-154] Cucchi 등은 가성 골막을 그 두께에 따라 세 가지 형태로 구분하고 조직학적으로 관찰했다.[154]

1형	가성 골막이 존재하지 않거나 1 mm 미만의 얇은 연조직 층이 존재
	조직 채취가 불가능하여 조직학적으로 관찰할 수 없었음
2형	1–2 mm 두께의 정상적인 연조직 층
	혈관이 존재하는, 여러 방향을 향하는 교원질 섬유로 이루어진 결합 조직 층. 작은 골조직 조각이 결합 조직 내에 흩어져 있음
3형	2 mm를 초과하는 두께의 연조직 층, 또는 비정상적인 연조직
	거의, 혹은 전혀 혈관이 존재하지 않는 불규칙적인 결합 조직 층. 이식재 조각이 흩어져 있으며 드물게 지방 조직이 관찰되기도 함

또한 위의 Cucchi 등의 연구에 의하면, 티타늄 강화 dPTFE 차폐막을 사용했을 때에는 1형 가성 골막이 가장 많았고 재생골의 임상적 밀도가 좋았던 반면 "티타늄 메쉬+교원질 차폐막"을 사용했을 때에는 3형 골막이 가장 많았고 재생골의 밀도는 상대적으로 좋지 않았다.[154]

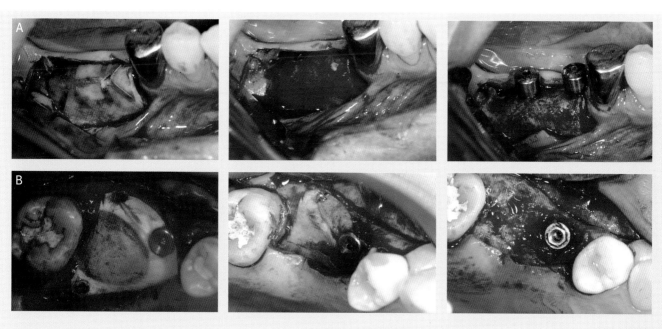

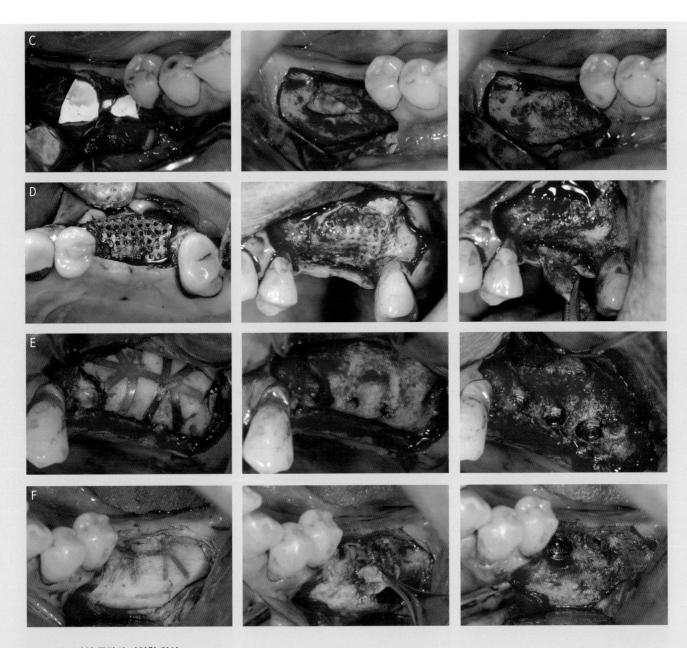

📷 **3-22 가성 골막의 다양한 양상**

A. 티타늄 강화 ePTFE 차폐막과 자가 입자골로 수직적 골증강술을 시행했다. 가성 골막은 극히 얇았으며 Cucchi 등의 분류상 1형이다. 이는 골이식재로서 자가골을 사용했으며 골결손의 크기가 크지는 않았기 때문일 것이다. **B.** ePTFE 차폐막과 탈단백 우골로 골유도 재생술을 시행했다. 이 증례에서도 가성 골막은 거의 존재하지 않았으며 이는 골결손이 치조골 내의 4벽성 결손이었기 때문일 것이다. Cucchi 등의 분류상 1형이다. **C.** dPTFE 차폐막과 동종 입자골로 임플란트 주위 결손을 수복한 증례이다. 저자의 경험 상 dPTFE 차폐막 사용 후 형성되는 가성 골막의 두께는 보통 1-2 mm 사이이다. 이 증례에서 가성 골막은 Cucchi 등의 분류 상 2형이었다. **D.** 티타늄 메쉬와 탈단백 우골로 상악동 골이식과 수직적-수평적 골증강술을 시행한 증례이다. 이 증례에서 가성 골막은 Cucchi의 분류로 2형이었다. **E.** ePTFE 차폐막과 탈단백 우골로 수직적 골증강을 시행한 증례이다. 가성 골막은 무혈관성으로 두꺼웠으며 Cucchi 분류 상 3형이었다. **F.** ePTFE 차폐막과 탈단백 우골로 역시 수직적, 수평적 골증강을 시행한 증례이다. 가성 골막은 무혈관성이며 두꺼워서 Cucchi 분류로는 3형이었다.

이러한 연조직층이 형성되는 이유로는 다음의 네 가지 이론이 제시되었다.[146,155]

① 신생골 상부에 생리적인 골막의 역할을 하는 연조직이 생성되는 것이다.

② 치유 과정 중 차폐막이 미세하게 움직이기 때문에 차폐막 직하방에는 골조직이 형성되지 못하고 연조직이 형성된다.

③ 차폐막에서 먼 기저부의 골에서부터 생성되는 신생골이 차폐막 직하방까지 이르지 못한다.

④ 차폐막의 미세 기공을 통해 상부의 연조직 세포가 이동한다.

가성 골막이 임상적으로 어떠한 의미를 지니는지, 혹은 이를 제거하거나 제거하지 않으면 임상적으로 어떠한 차이를 보이는지에 대해서는 아직 특별히 밝혀진 바는 없다.[147] 술자에 따라 이 연조직 층을 제거하기도, 또는 제거하지 않기도 한다.[148,156] 저자의 개인적인 생각으로는 골증강술과 임플란트 식립을 동시법으로 진행했는지, 아니면 단계법으로 진행했는지에 따라 이 조직의 제거 여부를 결정하는 것이 좋다고 판단된다. 임플란트 식립과 동시에 골증강술을 시행한 증례에서는 차폐막 제거 수술 시 가성 골막을 제거하지 않고 유지하는 게 좋을 것이다. 조직학적으로나 임상적으로 증명된 것은 아니지만, 이를 제거하지 않으면 다음의 장점이 있다(📷 3-23).

- 피판 거상에 의해 재생골 표면에 가해지는 외과적 외상으로부터 이를 보호해주기 때문에 차폐막 제거 후 발생하는 재생골 표면의 흡수를 예방한다.
- 1-2 mm 두께의 연조직을 재생골 상방에 제공한다. 임플란트에 보철물을 연결하면 3.5-4 mm 정도로 일정한 두께의 연조직이 임플란트 구조물을 둘러싸게 되는데 이를 생물학적 폭경이라고 한다. 임플란트 상방의 연조직 두께가 얇으면 생물학적 폭경을 확보하기 위해 임플란트 주위 치조골은 흡수된다. 가성 골막을 제거하지 않으면 임플란트 상방에 1-2 mm 두께의 연조직을 추가하는 것과 같은 효과를 갖기 때문에 치조정 골흡수를 줄여줄 수 있을 것이다.
- 특히 상악 전치부에서 이 조직이 제공해주는 추가적인 1-2 mm 두께의 조직은 임플란트 수복물의 심미적 결과를 증진시키는 데 도움이 된다.

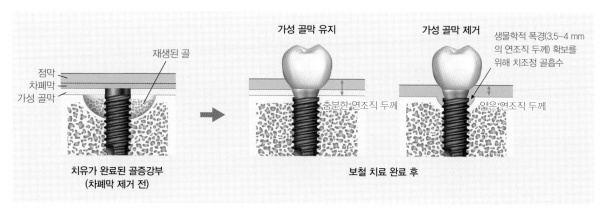

📷 **3-23** 가성 골막을 제거하지 않으면 추가적인 연조직 두께를 확보할 수 있기 때문에 치조정 골소실의 양을 줄여주고 심미적 결과도 약간이나마 향상시켜 줄 수 있을 것이다. 그러나 이에 대한 임상 연구는 아직까지 없었다.

골증강술 후 단계법으로 임플란트를 식립하는 경우에는 증강된 골의 양과 질을 확인하기 위해 가성 골막을 제거한 후 임플란트를 식립하는 것이 유리하다고 생각된다.

(3) ePTFE 차폐막은 치유 기간 중 노출되지 않도록 반드시 필요한 증례에서 확고한 외과적 원칙 하에 적용해야 한다.

이 차폐막은 여타의 흡수성 차폐막에 비해 치유 과정 중 구강 내로 노출되는 경향이 강하며 일단 노출되면 골증강의 효과에 심대한 타격을 입는다.[127,137,157] 이 차폐막은 노출되지 않았을 때에는 가장 좋은 골재생 능력을 갖지만 일단 노출되면 흡수성 차폐막보다 오히려 골증강 효과가 떨어지는 것으로 보인다.[138,157] 또한 흡수성 차폐막은 노출 시 급속히 분해되고 염증을 잘 유발하지 않기 때문에 별다른 처치를 요하지 않는 반면, 이 차폐막은 구강 내 세균이 부착하기 용이한 거친 표면을 갖기 때문에 구강 내로 노출되면 세균이 그 내부와 외부로 증식하여 염증을 유발하기 때문에 반드시 제거해 주어야 한다.[138,157]

따라서 이 차폐막은 많은 양의 골증강이 필요하고 차폐막 자체의 공간 유지 능력이 필요한 부위, 즉 크고 골벽수가 적은 결손에 선택적으로 사용할 것을 추천한다(◉ 3-24). 또한 이 차폐막은 가급적 연조직이 두껍고 각화 점막이 풍부한 부위에 사용하는 것이 좋고, 피판 설계와 폐쇄를 확고한 수술적–생물학적 원칙에 따라 시행함으로써 노출의 가능성을 최소화시켜야 한다. 이 차폐막의 적응증과 비적응증을 요약하면 ▬ 3-8과 같다.

(4) 티타늄 골격으로 강화한 ePTFE은 강한 공간 유지 능력과 높은 조작성을 보인다.

앞서 자세히 알아보았듯 공간 유지는 차폐막의 주요한 기능 중 하나이다. ePTFE 차폐막을 사용한 원래의 골유도 재생술에서는 공간 유지를 위한 특별한 처치를 하지 않았다.[116] 그러나 임상적 경험이 쌓이면서 단순히 ePTFE 차폐막만을 사용했을 때에는 상부 연조직 압력을 이기지 못하여 차폐막이 골결손부 쪽으로 붕괴되고, 결국 골증강의 결과에 악영향을 미친다는 사실이 밝혀졌다.[120,156,158] 따라서 공간 유지를 위해 ePTFE 차폐막 하방에 골이식재를 적용하는 것이 일반화되었다.

그러나 ePTFE 차폐막과 골이식재의 조합만으로도 공간 유지가 불충분한 증례가 있다. 수직적 결손이나 광범위한 수평적 결손에서는 좀 더 강한 공간 유지가 필요하다.[51] 티타늄 강화 ePTFE 차폐막은 바로 이러한 증례에 사용하기 위해 개발되었다(◉ 3-25). 조직 유도 재생술에서 티타늄 강화 ePTFE 차폐막을 사용한 임상 증례가 1994년에 처음 발표되었으며,[135] 골유도 재생술을 위해서는 역시 1994년에 수직적 골증강의 목적으로 사용된 증례가 처음 발표되었다.[143] 그 이후 티타늄 강화 ePTFE 차폐막은 주로 광범위한 수평적/수직적 골증강을 위한 골유도 재생술에서 골이식재와 함께 사용되어 매우 성공적인 골재생을 보였다.[119,121,123,125,130,134,136]

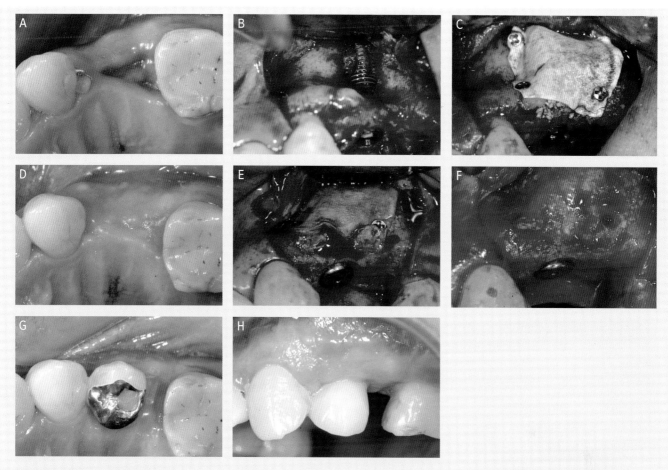

📷 3-24 ePTFE 차폐막의 적용 증례. ePTFE 차폐막을 포함한 비흡수성 차폐막은 골벽수가 적고 공간 유지 능력을 요하는 결손부에 적용하는 것이 좋다.
A~C. 심한 천공 결손 부위에 탈단백 우골을 적용하고 ePTFE 차폐막으로 피개해 주었다.
D~F. 9개월 후 2차 수술을 시행했다. 충분한 양의 골이 증강되었음을 확인할 수 있다.
G~H. 보철물 장착 후 소견

🗂 3-8 ePTFE 차폐막의 적응증과 비적응증		
	적응증	비적응증
골결손 크기	큼	작음
골결손 형태	• 골벽이 적을수록 유리 • 골외 결손에 유리	• 골벽이 많으면 불필요 • 골내 결손에서는 불필요한 경우가 많음
임플란트 식립 시기	흡수성 차폐막보다 조직학적으로 양질의 신생골을 얻을 수 있기 때문에 단계법에서 특히 유리함	골증강술과 동시에 임플란트를 식립할 수 있을 정도로 잔존골량이 충분하면 불필요할 수도 있음
일차 폐쇄 가능 여부	일차 폐쇄 가능 • 연조직 결손부가 존재하지 않는 골결손	일차 폐쇄 불가능 • 치조제 보존술 • 발치 후 즉시 임플란트 식립 시 임플란트 주위 결손
상부 연조직 두께	연조직 두께가 두꺼움	연조직 두께가 얇음
각화 점막	각화 점막이 충분한 양으로 존재함	각화 점막이 부족하거나 결손됨

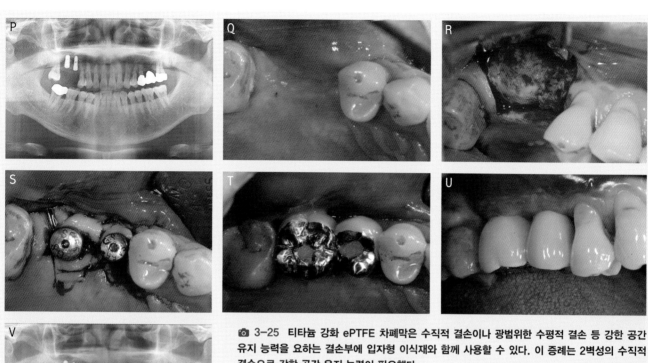

📷 3-25 티타늄 강화 ePTFE 차폐막은 수직적 결손이나 광범위한 수평적 결손 등 강한 공간 유지 능력을 요하는 결손부에 입자형 이식재와 함께 사용할 수 있다. 이 증례는 2벽성의 수직적 결손으로 강한 공간 유지 능력이 필요했다.

A~J. 하악지에서 채취한 자가 입자골과 탈단백 우골을 혼합하여 적용하고 티타늄 강화 ePTFE 차폐막으로 피개하여 골결손부를 수복했다.

K~O. 6개월 후 수술부에 진입하여 차폐막을 제거하고 임플란트를 식립했다. 재생골의 임상적 질이 불량했고 약간의 골량이 부족했기 때문에 동종 입자골과 교차 결합 교원질 차폐막으로 재차 골유도 재생술을 시행했다.

P~S. 다시 6.5개월 후 2차 수술을 시행했다. 재생골은 완전히 성숙되어 주위골과 거의 유사한 형태를 보였고 골질도 향상되어 있었다.

T~V. 약 3주 후 보철물을 연결해 주었다.

2) dPTFE (dense-polytetrafluoroethylene) 차폐막

(1) dPTFE 차폐막은 치유 기간 중 노출되어도 세균의 침투를 예방할 수 있기 때문에 노출에 취약한 부위에 사용하기 위한 목적으로 개발되었다.

dPTFE 차폐막은 ePTFE 차폐막과 동일한 성분으로 이루어져 있지만, 물리적으로 팽창시키지 않은 것이다. 이 차폐막은 ePTFE 차폐막에 비해 매우 매끈한 표면을 지니고 있다. 이 차폐막은 1993년에 처음 소개되었으며 여러 회사에서 제조하고 있는데 가장 널리 알려진 것들로는 TefGen (Lifecore, 미국)과 Cytoplast (Innova, 미국) 등이 있다(📷 3-26).[20]

ePTFE 차폐막 표면에 존재하는 5–30 μm의 소공은 골재생을 증진시켜 주지만 세균에 의한 오염에 취약하다.[159] dPTFE 차폐막은 소공의 크기를 세균보다 작은 0.2 μm로 형성해서 세균의 침투를 예방하기 위한 목적으로 개발되었다.[24,160] 게다가 dPTFE 차폐막 표면은 거친 ePTFE 차폐막과 달리 매끈하기 때문에 구강 내로 노출되더라도 세균 및 치태 침착이 적어서 골증강 효과에 커다란 악영향을 받지는 않으며, 따라서 치조제 보존술 등 수술부의 일차 폐쇄가 힘든 술식에 주로 사용되었다.[24,160–162] 그리고 실제로 dPTFE 차폐막을 사용하면 수술부의 감염이 ePTFE 차폐막을 사용했을 때보다 적게 발생한다.[163]

치조제 보존술에서 치아 관통부를 통해 의도적으로 dPTFE 차폐막을 노출시켰을 때에는 차폐막을 수술 4주 후에 제거하는 것이 일반적이며, 이때 차폐막 하부에는 섬유아세포와 염증세포가 풍부한 치밀한 염증성 결합조직이 형성된다.[164] 일련의 임상 연구에 의하면 자연적으로 치유되도록 방치한 치조골에 비해 골대체재와

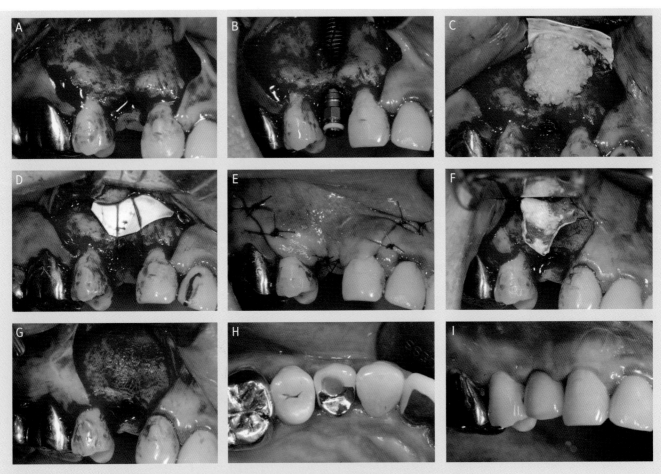

📷 **3-26 dPTFE 차폐막의 적용 증례. dPTFE 차폐막은 ePTFE 차폐막의 대체재로 사용 가능하다.**
A~E. 임플란트 식립 후 커다란 천공 결손이 확인됐고 비탈회 동종 입자골과 dPTFE 차폐막으로 골유도 재생술을 시행했다.
F~G. 대략 5.5개월 후 2차 수술을 시행하며 차폐막을 제거했다. 양질의 재생골을 확인할 수 있었다.
H~I. 다시 약 1.5개월 후 최종 보철물을 장착했다.

dPTFE 차폐막으로 치조제 보존술을 시행한 치조골의 흡수량이 현저히 적었다.[165,166] 또한 발치와 내부에 형성된 신생골은 임플란트 식립에 적절한 양질의 조직학적 상태를 보였다.[166-168] 그러나 다른 흡수성 차폐막이나 교원질 플러그를 치조제 보존술에 사용했을 때와 비교하면 dPTFE 차폐막을 사용했을 때 발치와 내에 생성된 신생골의 질은 비슷하거나 더 나빴고 치조골의 흡수를 예방하는 정도는 비슷한 것으로 나타났다.[87,168,169] 치조제 보존술의 목적으로 여타의 흡수성 차폐막보다 dPTFE 차폐막을 사용했을 때 환자의 불편감이 더 크다는 점을 고려했을 때 이 차폐막이 다른 재료보다 더 우수한 결과를 보이지 못했기 때문에 치조제 보존술에 이 차폐막을 사용하는 것은 추천할 만하지 못하다고 결론 내릴 수 있다.[169]

(2) dPTFE 차폐막은 표준적인 비흡수성 차폐막으로 자리잡고 있다.

차폐막의 황금 기준인 ePTFE 차폐막에 비해 dPTFE 차폐막에 대한 임상적 보고는 훨씬 적었으며 그마저도 대부분 치조제 보존술 시 의도적으로 노출시킨 상태로 치유를 도모하는 프로토콜(open membrane technique)과 관련된 것이었다.[170] 그러나 Gore-Tex 차폐막의 생산이 중단된 지금, dPTFE 차폐막은 티타늄 메쉬와 함께 ePTFE 차폐막의 대체재로 다시 주목받고 있다. dPTFE 차폐막은 ePTFE 차폐막과 동일한 적응증 하에 적용 가능하다.[163] 이 차폐막도 ePTFE 차폐막처럼 차폐막 하방에 연조직 층이 형성되기는 하지만 그 두께는 더 얇다(📷 3-27). 이는 이 차폐막이 ePTFE 차폐막보다 조직 유합성이 떨어지고 상부의 연조직 세포 침투를 더 효율적으로 막아주기 때문에 발생하는 것으로 보인다. 이 차폐막은 주위 연조직 세포와 잘 유합되지 않기 때문에 차폐막 제거는 ePTFE 차폐막에 비해 훨씬 더 용이하며 의도적으로 노출시킨 상태로 치유를 도모한 경우에는 마취 없이 간단히 제거가 가능하다.[20,171,172]

특히 수직적 골증강 시에는 많은 임상가들이 티타늄 강화 ePTFE 차폐막을 사용해 왔지만, Gore-Tex 차폐막의 생산이 중지된 이후 2010년대 후반부터 티타늄 강화 dPTFE 차폐막이 많이 사용되면서 그 효과가 검증되고 있다. 한 무작위 대조 연구에 의하면 티타늄 강화 dPTFE 차폐막은 수직적 골증강 시 "티타늄 메쉬+교원질 차폐막"과 비슷한 양의 신생골을 형성할 수 있었으며, 합병증 발생 빈도 또한 20% 정도로 티타늄 메쉬나 ePTFE 차폐막을 사용했을 때와 비슷한 정도를 보였다.[173] 또한 재생된 조직을 조직계측학적으로 평가했을 때 티타늄 강화 dPTFE 차폐막이나 "티타늄 메쉬+교원질 차폐막"은 모두 성공적으로 재생골을 형성할 수 있었다.[173-175] 한 전향적 단일 환자군 연구에서는 총 20부위에 "자가골+탈단백 우골"과 티타늄 강화 dPTFE 차폐막으로 수직적 골증강을 시행했다.[176] 그 결과 치유 기간 중 합병증이 전혀 발생하지 않았으며 평균 5.45 ± 1.93 mm의 수직적 골량을 증가시킬 수 있었다. 또한 조직학적으로도 재생 조직 내에는 충분한 양의 광화 조직이 포함되어 있었다. 또다른 전향적 단일 환자군 연구에서는 단일치 결손부의 수직적 골결손 10증례를 티타늄 강화 dPTFE 차폐막과 입자형 골로 수복해 주었고, 모든 증례에서 합병증 없이 4-6 mm의 수직적 골증강을 얻을 수 있었다고 보고했다.[177]

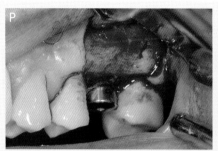
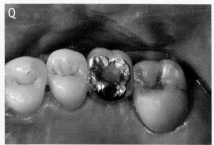
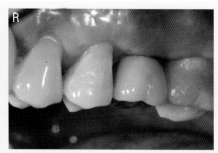

📷 3-27 dPTFE 차폐막 하방의 가성 골막은 ePTFE 차폐막 하방의 가성 골막보다 대체적으로 두께가 더 얇게 형성된다.
A~K. 외측 접근 상악동 골이식 증례이다. 임플란트 식립부 주변의 골 돌출부에서 채취한 자가골과 탈단백 우골을 혼합하여 적용하고 dPTFE 차폐막으로 피개해 주었다.
L~P. 약 4개월 3주 후 차폐막을 제거했다. 가성 골막은 얇게 형성되어 있었다(**O**).
Q~R. 다시 약 1개월 후 보철물을 연결하여 치료를 완료했다.

3) 티타늄 메쉬

티타늄 메쉬는 Boyne이 악골의 커다란 결손을 수복하기 위한 재료로 1969년에 처음 소개했다.[178,179] 그러나 1996년 von Arx가 임플란트 식립부에 골증강을 시행할 목적으로 자가골 이식재와 더불어 티타늄 메쉬를 처음 사용하였고[180] 그 이후 일련의 성공적인 임상 결과를 발표하면서 임플란트 식립을 위한 골증강술에 널리 이용되게 되었다.[181,182182,183]

티타늄 메쉬의 장점은 다음과 같다.[20,28,183-190]

① 최상의 공간 유지 능력(수직 결손이나 광범위한 수평적 결손 등 공간 유지 능력이 필요한 부위에 사용하기 좋음)
② 골막으로부터 유래하는 혈류를 풍부하게 골증강부로 공급하는 능력
③ 가소성이 있기 때문에 원하는 재생골의 형태를 만들어 주기 용이함(임상적으로 다루기 쉬움)
④ 치유 기간 중 노출되기 쉽지만 노출되더라도 처리하기 쉽고 조기에 제거할 필요성이 낮음

(1) 티타늄 메쉬는 연조직 세포 차단 효과가 없지만 양질의 신생골 형성을 유도할 수 있다.

티타늄 메쉬는 연조직 세포 차단이라는 차폐막의 본질적인 기능은 없다. 그러나 티타늄 메쉬는 공간 형성과 이식재 및 혈병 유지라는 차폐막의 다른 기능들은 지니고 있기 때문에 일반적으로 차폐막의 일종으로 간주한다.[20] 티타늄 메쉬의 골형성 능력은 다른 차폐막에 떨어지지 않을 정도로 우수하다.[20] 티타늄 메쉬 하방에 이식재를 적용하면 차폐막을 추가 적용하지 않더라도 조직학적으로 양질의 신생골을 얻을 수 있음이 임상 연구를 통해 밝혀졌다.[191] 심지어 메쉬 하방에 어떠한 이식재도 적용하지 않아도 현저한 양의 신생골을 형성할 수

있다.[39] 한 동물 연구에서는 1 mm 이상의 큰 구멍이 존재하는 티타늄 메쉬가 미세 기공을 지닌 티타늄 메쉬보다 골재생 능력이 더 좋고 연조직 침투 방지 능력이 더 좋았다고 보고했다.[192] 이는 티타늄 메쉬의 성공적인 임상 결과를 지지해주는 결과이다. 티타늄 메쉬의 구멍은 골증강부로의 혈류 공급을 증진시키고, 세포외 양분을 원활하게 공급하며, 연조직의 유착을 도와 치유 기간 중 메쉬가 유동성 없이 안정적으로 유지될 수 있도록 돕는다.[24,193,194]

그러나 티타늄 메쉬는 연조직 세포 차단 효과가 없는 것이 사실이며 주로 광범위한 결손에 사용되기 때문에 임상가들은 티타늄 메쉬 하방에 주로 자가골 이식재를 적용해왔다.[28,180-182,195,196] 한 체계적 문헌 고찰에 의하면, 티타늄 메쉬와 가장 많이 이용되는 이식재는 자가골 이식재였다.[197] 또한 골대체재, 특히 탈단백 우골을 자가골과 혼합하여 적용하는 이들도 많으며 최근의 임상 연구들에 의하면 자가골과 탈단백 우골의 혼합 이식재 또한 티타늄 메쉬와 함께 성공적으로 이용할 수 있음이 밝혀졌다.[186-188,191,198,199] 2001년의 단일 환자군 연구에서는 자가 입자골과 탈단백 우골을 1:1로 혼합한 이식재를 티타늄 메쉬와 함께 사용한 결과를 처음 보고했고, 조직학적, 임상적으로 성공적인 골증강을 얻을 수 있었다고 했다.[200] 한 대조 연구에서는 티타늄 메쉬 하방에 100% 자가골(대조군)과 "자가골+탈단백 우골"의 혼합 이식재(실험군)를 적용하고 8-9개월 후 골증강부에서 골편을 채취해 조직계측학적으로 평가했다.[191] 그 결과 신생 조직 내의 광화 조직 비율(대조군 62.38±13.02% vs 실험군 52.88±11.47%)에 있어 유의하지 않은 차이를 보였다. 티타늄 메쉬와 "자가골+탈단백 우골" 혼합 이식재로 광범위한 골결손을 수복했을 때 6개월 후 신생 조직 내의 광화 조직 비율은 36.47%로 우수한 결과를 보였다.[153]

최근에는 티타늄 메쉬 하방에 자가골 이식재 없이 아예 골대체재만을 적용하는 임상가들도 늘고 있다(📷 3-28). 일찍이 2003년에 Artzi 등은 수직적 결손을 티타늄 메쉬와 탈단백 우골로 수복했다.[103] 그 결과 9개월 후 평균 5.2±0.79 mm의 수직적 골량을 증가시킬 수 있었고 조직학적으로나 임상적으로 임플란트를 식립하기에 적절한 신생골을 얻을 수 있었다고 보고했다. 한 단일 환자군 연구에서는 티타늄 메쉬 하방에 동결 건조 동종 입자골만을 적용한 수직적 골증강술의 결과를 보고했다.[201] 이 연구에서 골증강 5개월 후 재생 조직 중 광화 조직의 비율은 32.6±4.9%로, 자가골을 사용했을 때와 큰 차이가 없는 결과를 보였다. 이에 저자들은 중등도 이하의 수직 결손 시에는 티타늄 메쉬와 골대체재만으로도 성공적인 골재생을 이룰 수 있다고 결론 내렸다. 2010년의 대조 연구에서는 총 43부위를 티타늄 메쉬와 탈단백 우골로 골증강해 주었고, 역시 3 mm 이상의 수직적, 수평적 골증강을 얻을 수 있었으며, 조직학적으로도 탈단백 우골이 골전도성 골대체재로서 양질의 신생골을 형성할 수 있었다고 보고했다.[202] 따라서 저자들은 티타늄 메쉬 하방에 탈단백 우골만 적용하더라도 임플란트 식립에 충분한 정도의 골증강을 얻을 수 있다고 결론 내렸다.

최근에는 연조직 세포를 완전히 차단시키거나 피판의 치유를 돕기 위해 티타늄 메쉬 상방에 흡수성 차폐막을 적용하는 임상가들도 있다(📷 3-29). 그리고 이러한 방법으로 충분한 양과 질의 수직적 골증강을 성공적으로 얻을 수 있었다는 보고가 있었다.[173,174,203-205] 그러나 티타늄 메쉬만 단독으로 사용했을 때와 티타늄 메쉬

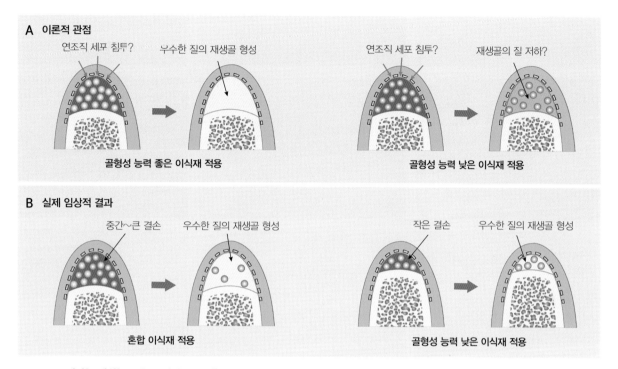

📷 3-28 **티타늄 메쉬는 보통 골재생에 불리한 결손에 적용하므로 자가골 이식재와 함께 적용하는 것이 일반적이다.**
A. 티타늄 메쉬는 특히 연조직 세포 차단 효과가 여타 차폐막에 비해 떨어지므로 골형성 능력이 낮은 골대체재를 사용하면 재생골의 질이 저하될 수 있다. **B.** 그러나 임상 연구들의 결과 자가골과 골대체재의 혼합 이식재 또한 자가골 이식재만을 단독으로 사용했을 때와 비슷하게 성공적인 결과를 보였고, 비교적 크기가 작은 결손에서는 티타늄 메쉬 하방에 100% 골대체재만 사용해도 역시 성공적인 결과를 보였다.

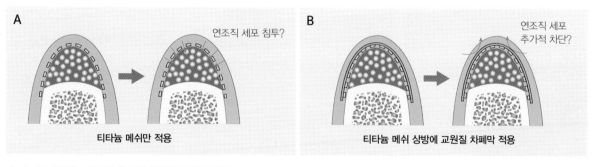

📷 3-29 **티타늄 메쉬와 흡수성 차폐막의 동시 적용**
A. 티타늄 메쉬만 사용하면 연조직 세포 차단 효과는 떨어질 수 있다. **B.** 티타늄 메쉬 상방에 흡수성 차폐막을 적용하면 세포 차단 효과를 기대할 수 있으며, 따라서 재생골의 질 또한 향상될 것으로 예상할 수 있다.

상방에 흡수성 차폐막을 추가적으로 사용했을 때의 결과를 직접 비교한 대조 연구는 없었기 때문에 이러한 술식이 얼마나 도움이 되는가에 대해서는 명확한 결론을 내리기 힘들다. 독립적인 연구 결과들을 비교했을 때, 티티늄 메쉬만 사용한 경우보다 메쉬 상방에 교원질 차폐막을 사용한 경우에 신생 조직 내 광화 조직의 비율이 더 높긴 했지만 그 차이는 유의미한 정도는 아니었다.[174,201,206] 저자는 큰 결손부에 골대체재만으로 골증강을

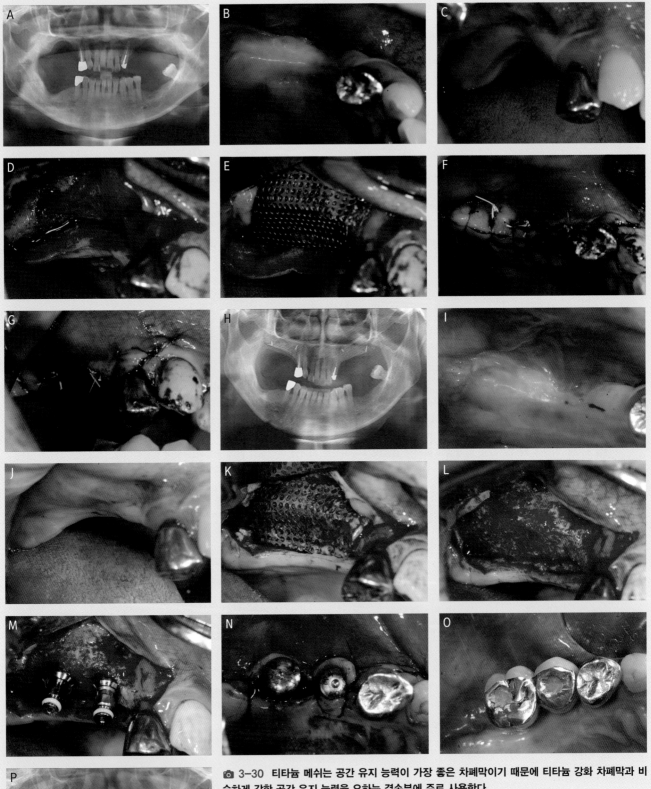

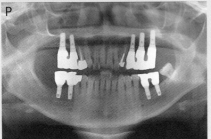

📷 **3-30** 티타늄 메쉬는 공간 유지 능력이 가장 좋은 차폐막이기 때문에 티타늄 강화 차폐막과 비슷하게 강한 공간 유지 능력을 요하는 결손부에 주로 사용한다.

A~G. 심한 수직적 결손을 보이는 증례이다. 여기에서는 상악 우측 구치부의 수복 과정을 보여주도록 한다. 우선 상악 결절에서 채취한 자가골과 탈단백 우골을 혼합하여 결손부에 적용하고 티타늄 메쉬로 피개했다.

H~N. 9개월 후 티타늄 메쉬를 제거하고 임플란트를 식립했다. 제1대구치 부위의 추가적인 수직적 증강을 위해 임플란트 식립 시 치조정 접근 상악동 골이식을 시행했다. 골증강 전의 치조골 높이(**D**)와 골증강 후의 높이(**L**)를 비교해보면 수직적으로 골이 증강된 사실을 확인할 수 있다.

O~P. 임플란트 식립 5개월 후 최종 보철물을 연결하고 치료를 완료했다.

시행할 때 차폐막으로 디디늄 메쉬와 교원질 차폐막을 이중으로 적용하고 있다. 그러나 개인적인 경험으로 흡수성 차폐막을 티타늄 메쉬 상방에 적용하는 것이 골재생의 결과에 큰 영향을 미치지는 않는 것 같다.

(2) 티타늄 메쉬는 강한 공간 유지를 요하는 광범위한 골결손부에 주로 사용하며 이를 사용하는 술자들이 늘고 있는 추세이다.

티타늄 메쉬는 금속으로 만들어진 재료이기 때문에 여타의 다른 차폐막에 비해 물리적으로 강하다. 따라서 공간 유지 능력이 가장 좋은 차폐막 중의 하나이다. 결국 티타늄 메쉬의 적응증은 다음과 같다.

티타늄 메쉬 사용의 적응증(📷 3-30)[197,205,207]

- 수직적 결손
- 광범위한 수평적 결손
- (주로 심미 부위의) 심한 열개 결손

지금까지 보고된 임상 연구들에 의하면 티타늄 메쉬를 이용하여 골증강을 시행했을 때 대략 6-9개월 후 수직적으로 평균 2.65-5.8 mm의 골증강을, 수평적으로 평균 3.71-4.16 mm의 골증강을 이룰 수 있었다.[28,181,183,186-189,198] 최근의 체계적 문헌 고찰에서는 이식재로 자가골, 탈단백 우골, 자가골+우골, 혈병(이식재를 사용하지 않음)을 사용하고 이를 티타늄 메쉬로 피개했을 때 수직적으로 평균 4.91 mm(2.56-8.6 mm), 수평적으로 평균 4.36 mm(3.75-5.65 mm)의 골증강을 얻을 수 있었다고 했다.[197]

티타늄 메쉬는 자가골 이식재의 초기 흡수를 효율적으로 예방해주며 장기간의 흡수 또한 막아준다는 사실이 밝혀졌다.[187-189] 자가 블록골을 메쉬로 피개해주면 수술 후 평균 4.6개월이 경과했을 때 13.5%의 이식재가 흡수된 반면, 메쉬를 적용하지 않았을 때에는 34.7%의 이식재가 흡수되었다.[189] 또한 자가 블록골을 메쉬로 피개하면 이식 6개월 후에는 대략 15% 정도의 이식재가 흡수되었고 그 이후로는 더 이상 흡수되는 양상을 보이지 않았다.[187,188] 지기골 이식재, 혹은 자가골 이식재 및 이종골 이식재로 이루어진 혼합 이식재와 티타늄 메쉬로 증강된 치조골에 식립한 임플란트는 골이식을 시행하지 않은 부위에 식립한 임플란트와 유사한 성공을 보이는 것으로 알려졌다.[186,208] 최근의 체계적 문헌 고찰들에 의하면 티타늄 메쉬로 증강된 부위에 식립한 임플란트의 생존율은 100%, 성공률은 89.9-93.2%에 이를 정도로 높았다고 했으며, 이는 티타늄 메쉬가 치유 기간 중 노출되더라도 재생골에 미치는 악영향이 적기 때문일 것이라고 결론 내렸다.[197,209]

(3) 티타늄 메쉬는 치유 기간 중 잘 노출되는 경향이 있지만 노출되더라도 신생골 형성이 심하게 저하되지는 않는다.

이렇게 티타늄 메쉬는 공간 유지 능력이 좋고, 따라서 많은 양의 신생골을 형성시킬 수 있다는 장점이 있지만 단점 또한 존재한다. 티타늄 메쉬의 가장 큰 단점은 재료 자체의 특성인 견고성에 기인한다. 즉, 골이식 수혜부의 형태에 맞추어 원하는 형태로 다듬어 주기가 용이하지 않기 때문에 초보자가 사용하기에 힘든 측면이 있으며 수술 후 구강 내로 노출되는 경향이 강하다. 티타늄 메쉬를 이용한 골증강술 후 가장 흔한 합병증이 바로 티타늄 메쉬의 노출이다.[197] 메쉬의 노출은 특히 점막 두께가 얇은 하악에서 현저하다. 많은 임상 연구에서 티타늄 메쉬는 10% 미만의 증례에서만 노출되었다고 하였지만 한 연구에서는 50% 이상의 하악 증례에서 티타늄 메쉬가 노출되었다고 했으며[184] 심지어 66–70.58%의 증례에서 메쉬가 노출됐다는 보고도 있었다.[183,210]

상업적으로 시판되는 티타늄 메쉬의 두께는 0.1–0.3 mm 사이이다. 두께가 얇아질수록 수혜부에 더 잘 적합할 수 있고 형태를 수정해주기가 쉽지만, 치유 기간 중 공간 유지 능력이 떨어진다는 단점이 있다. 반대로 두께가 두꺼워지면 공간 유지 능력은 좋아지지만 수술 중 다루기가 힘들어지고 치유 기간 중 노출될 가능성은 커진다.[210] Roccuzzo 등은 경험에 기반하여 티타늄 메쉬의 두께가 0.2 mm일 때가 가장 좋은 결과를 보인다고 했다.[211] 한 단일 환자군 연구에서도 0.2 mm 두께의 티타늄 메쉬를 사용하여 충분한 양의 수직적, 수평적 골증강을 얻을 수 있었으며 평균 6.25% 밖에 되지 않는 노출 빈도를 보였다고 보고했다.[205]

ePTFE 차폐막이 노출되면 세균막이 형성되면서 골증강부가 오염되고, 따라서 결과적으로 재생골의 양과 질이 심하게 불량해진다.[127,137,157,212] 그러나 티타늄 메쉬는 치유 기간 중 노출되더라도 ePTFE 차폐막과는 다르게 골재생의 결과가 아주 심하게 저하되지는 않는다.[113,180,188,204,206,211] 티타늄 메쉬는 매끈한 표면의 비활성 물질이기 때문에 세균막/치태의 침착을 유발하지 않기 때문이다.[20] 메쉬의 노출 정도가 크지 않으면 노출된 메쉬 하방으로 연조직이 형성되면서 상피화되고, 따라서 노출 부위는 조직학적으로 안정된다.[153,202,206,213] 따라서 감염의 증거가 존재하지 않으면 치유 기간 중 티타늄 메쉬가 노출되더라도 제거할 필요는 없다. 한 체계적 문헌 고찰에 의하면, 포함된 문헌들에서 전체 티타늄 노출 증례 중 20%에서만 노출된 티타늄을 치유 기간 중간에 제거해야 했다.[197] 이 문헌 고찰에서는 티타늄 메쉬를 이용한 수평적, 수직적 골결손의 수복 결과에 대해서도 분석했다.[197] 포함된 일차 연구에서 메쉬는 평균 16.1%의 증례에서 노출되었지만 이러한 경우에도 이식골의 상실된 양은 적었기 때문에 거의 대부분 골증강부에 성공적으로 임플란트를 식립할 수 있었다. 따라서 티타늄 메쉬의 노출 빈도는 ePTFE 차폐막의 노출 빈도와 별다른 차이가 없었지만, 일단 노출된 후에는 골재생의 결과에 미치는 악영향이 더 적다고 결론 내릴 수 있었다.

티타늄 메쉬가 노출되면 일단 자주 경과 관찰을 하면서 치유 양상을 확인하고 클로르헥시딘 젤 등으로 소독을 시행한다. 많은 경우 추가적인 감염 없이 연조직이 메쉬 하방에 형성되면서 치유된다. 이러한 경우, 메쉬를 빠르게 제거할 필요는 없다.[204] 그러나 드물게 노출 부위가 감염되거나 노출량이 지속적으로 증가하면 메쉬는 제거해 주어야 한다.[113,206,207] 한 단일 환자군 연구에서는 광범위한 골결손을 입자 이식재와 티타늄 메쉬로 수복해 주었을 때 70.58%의 증례에서 메쉬가 노출되었다고 보고했다.[183] 이 연구에서는 치유 기간 중 티타늄 메쉬 노출 시 다음의 방법으로 처치해 주었다(📷 3–31).

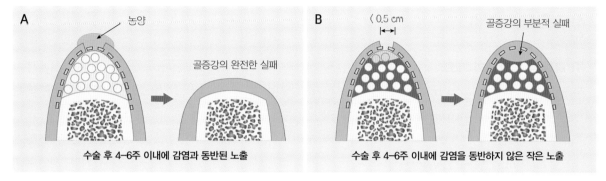

📷 **3-31 티타늄 메쉬 노출 시의 진단과 처치**
A. 수술 후 4-6주 이내에 감염과 동반된 노출: 완전한 실패이며, 이식재와 티타늄 메쉬를 모두 제거한다. **B.** 수술 후 4-6주 이내에 감염을 동반하지 않은 작은 노출(<0.5 cm): 이식재를 소파해 내고 클로르헥시딘 젤을 적용한다. 골증강은 부분적인 실패를 보인다.

- **수술 후 4-6주 이내에 감염과 동반된 노출**: 완전한 실패이며, 이식재와 티타늄 메쉬를 모두 제거한다.
- **수술 후 4-6주 이내에 감염을 동반하지 않은 작은 노출(<0.5 cm)**: 이식재를 소파해 내고 클로르헥시딘 젤을 적용한다. 골증강은 부분적인 실패를 보인다.
- **수술 4-6주 이후의 노출**: 클로르헥시딘 젤을 노출 부위에 적용하고 메쉬 하방의 연조직 치유를 도모한다. 노출된 부위는 약간의 골증강 실패를 보인다.

티타늄 메쉬는 강도가 높은 데다가 그 변연을 수술부에 맞춰서 잘라주면 아주 예리해지기 때문에 변연부의 노출도 흔히 발생한다. 따라서 변연을 최대한 부드럽게 잘라주도록 최대한 주의해야 한다.[20] 또한 메쉬의 변연부는 연조직보다는 골 쪽을 향하도록 해준다(📷 3-32). ePTFE 차폐막에서와 동일하게 골결손부를 피개하는 점막의 두께와 질도 중요하다. 점막이 너무 얇거나 각화 점막이 상실되어 있는 경우에는 연조직 증강술을 미리 시행하여 메쉬가 치유 기간 중 노출될 가능성을 최소화시킨다.

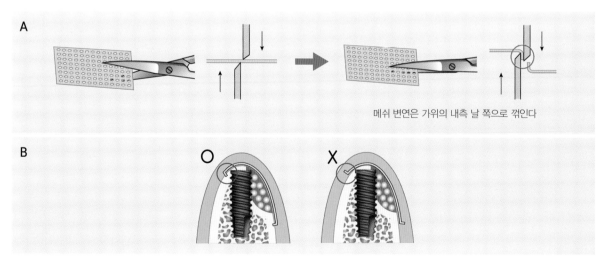

메쉬 변연은 가위의 내측 날 쪽으로 꺾인다

📷 **3-32 메쉬 적용 시 주의점**
A. 메쉬를 가위로 자르면 절단면 변연이 구부러진다. 메쉬 적용 시 구부러진 방향에 주의해야 한다. **B.** 메쉬의 변연부는 연조직보다는 골 쪽을 향하도록 해준다.

4) 교원질 차폐막

(1) 교원질 차폐막의 개요

시판되고 있는 차폐막 중 가장 많은 제품이 출시되어 있으며 임상가들이 가장 많이 사용하는 차폐막은 바로 교원질 차폐막이다. 이렇게 교원질 차폐막이 선호되는 이유는 다음과 같다.[2,214]

- 생체 적합성이 좋고 감염 가능성이 낮음
- 창상 내부에서 유동성이 거의 없음
- 지혈 능력
- 섬유아세포(fibroblast)에 대한 화학 주성이 있기 때문에 일차 치유를 유도하고 창상 치유를 안정화함
- 생체 내에서 안정적으로 흡수되어 제거가 불필요함
- 임상적으로 조작이 쉬움

시판되고 있는 주요 교원질 차폐막과 차폐막 대체재를 📑 3-9에 정리하였다.

📑 3-9 교원질 차폐막

제품	제조, 혹은 판매사	원천	교차 결합 처치	교원질 종류	흡수기간
CollaTape	Integra LifeSciences, 미국	소 인대	No	1형 교원질	10–14일
Lyoplant	B Braun, 독일	소 심장막	No	1형 교원질	1–3개월
Bio-Gide	Geistlich, 스위스	돼지 진피	No	1,3형 교원질	16주
CopiOs	Zimmer Biomet, 미국	소 심장막	No	1형 교원질	8–16주
OsseoGuard	Zimmer Biomet, 미국	소 인대	Yes	1형 교원질	6–9개월
OsseoGuard Flex	Zimmer Biomet, 미국	소 진피	Yes	1, 3형 교원질	6–9개월
BioMend	Zimmer Biomet, 미국	소 인대	Yes	1형 교원질	8주
BioMend Extend	Zimmer Biomet, 미국	소 인대	Yes	1형 교원질	18주
RCM6	Ace Surgical, 미국	소 인대	Yes	1형 교원질	26–38주
Cytoplast RTM Collagen	Osteogenics Biomedical, 미국	소 인대	Yes	1형 교원질	26–38주
OSSIX Plus	Datum Dental, 이스라엘	돼지 인대	Yes	1형 교원질	4–6개월

이상적인 조건 하에서는 비흡수성 차폐막이 교원질 차폐막에 비해 공간 유지 효과와 세포 차단 효과가 더 확실하기 때문에 더 양호한 골증강 효과를 보인다. 이는 동물 실험과 임상 연구 모두에서 지적된 바이다.[157,215] 그러나 많은 전향적 대조 연구들에서는 차폐막 하방에 이식재를 적용했을 때 적어도 골재생의 양은 흡수성 차폐막을 사용한 경우나 비흡수성 차폐막을 사용한 경우가 비슷하다고 보고한 바 있다.[122,138,157] 이는 비흡수성

차폐막을 사용한 경우에는 차폐막 노출이 골증강의 결과에 현저한 악영향을 미치는 반면, 교원질 차폐막을 사용한 경우에는 차폐막 노출이 골증킹의 결과에 아주 커다란 악영향은 끼치지 않기 때문인 것으로 생각된다. 유명한 Zitzmann 등의 전향적 대조 연구에 의하면 Bio-Gide와 Bio-Oss를 사용한 경우에는 비노출 시 평균 94%의 골충전, 노출 시 평균 87%의 골충전을 보인 반면, ePTFE 차폐막과 Bio-Oss를 사용했을 때에는 비노출 시 평균 98%의 골충전, 노출 시 평균 65% 골충전을 보인다고 하였다. 결과적으로 Bio-Gide를 사용했을 때에는 차폐막 노출과 비노출을 통틀어 92%의 골충전을 보였고 ePTFE를 사용했을 때에는 통틀어 78%의 골충전을 보였다고 했다.[157] 또 다른 연구 기관에서 시행한 후향적 코호트 연구에서도 차폐막이 노출되지 않으면 교원질 차폐막보다 ePTFE 차폐막을 이용했을 때가 골충전 양이 약간 더 컸지만 차폐막이 일단 노출되면 교원질 차폐막을 이용했을 때가 ePTFE 차폐막을 이용했을 때보다 유의하게 더 큰 골충전을 얻을 수 있다고 하였다.[138]

(2) 차폐막의 흡수 속도는 신생골 형성에 중요한 영향을 미친다.

흡수성의 교원질 차폐막은 대체적으로 비흡수성 차폐막에 비해 공간 유지 능력이 떨어진다. 따라서 공간 유지를 위해 차폐막의 강도를 요하는 결손부에는 잘 사용하지 않는 것이 원칙이다.[155,157] 교원질 차폐막은 또한 연조직 세포를 차단시킬 수 있는 기간이 짧다. 비흡수성 차폐막은 제거할 때까지 연조직 세포 차단 효과를 유지하는 반면, 흡수성 차폐막은 치유 기간 중 생체 내에서 흡수되어 없어지기 때문에 세포 차단 기간이 더 짧아지며 또한 세포를 차단할 수 있는 기간을 술자가 조절할 수 없게 된다.[115] 이는 흡수성 차폐막에 대한 매우 중요한 고려 사항이다. 즉, "차폐막은 어느 기간 동안 세포 차단성을 유지해야 하는가"는 중요한 문제인 것이다. 세포 차단 효과는 한 편으로 적어도 상피 세포와 연조직 세포가 이동하고 증식하여 창상 치유를 완료하는 데 소요되는 시간과 골형성 세포가 결손 부위로 이동하여 골을 형성하는 데 소요되는 시간보다는 길게 유지되어야 할 것이며, 다른 한편으로는 생성된 신생골이 상방의 골막과 접촉하여 성숙해지는 것을 방해하지 않도록 너무 길지는 않는 것이 좋을 것이다(📷 3-33). 가장 적절한 흡수 속도에 대한 직접적인 근거는 없지만 전임상 실험에 의해 밝혀진 바를 정리해 보도록 하겠다.

쥐를 이용한 실험에 의하면 조직 유도 재생술에서 상피 세포의 증식과 하방 이동은 초기 14일 동안 이루어진다.[216,217] 한 실험실 연구에 의하면 조직 유노 재생술에서 골과 치주 인대 세포의 이주는 수술 2-7일 후 최고조에 이르고 이후 증식 활성도가 점차 감소하여 3주 후에는 정상 정도로까지 감소한다고 하였다.[218] 따라서 작은 골결손부에서 골형성 세포는 수술 후 3-4주 이내에는 골결손부에 도착하는 것으로 보인다. 한편 인간과 대사가 좀 더 비슷한 원숭이를 이용한 실험에서는 하악골 결손부에 ePTFE 차폐막을 적용하고 수술 1, 2, 3, 6, 12개월 후에 이를 제거하여 골재생의 정도를 평가하였다.[219] 그 결과 수술 2개월 이후에 차폐막을 제거한 경우에는 재생된 골의 양에 차이를 보이지 않았지만 수술 1개월 후에 제거한 경우에는 현저하게 적은 양의 신생골을 형성했다고 하였다. 이 연구들은 모두 동물 실험이었으며 그 종도 달랐기 때문에 확고한 결론을 내리기는 힘들지만, 대략 수술 후 1-2개월 정도의 기간만 차폐막이 기능하면 상피 세포 및 연조직 세포를 차단하기에 충분하고 본격적인 골형성이 이루어지기 시작하는 것으로 판단할 수 있다. 한 후향적 분석에 의하면, ePTFE차폐막을 사용하고 이식재를 적용하지 않았을 때 3개월 미만의 기간에 차폐막이 노출되면, 3-6개월 후에 노출된

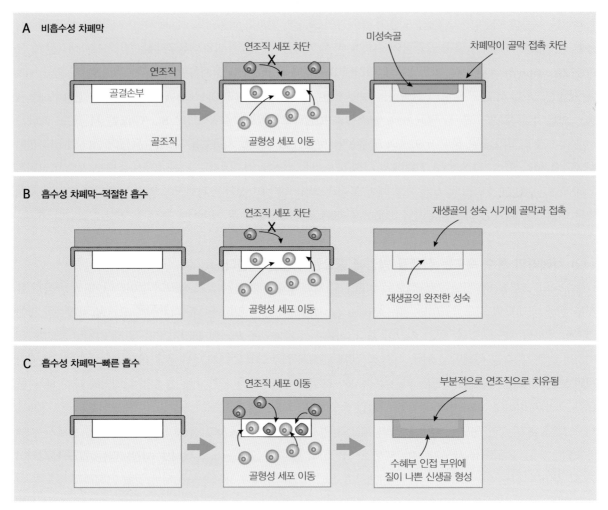

A 비흡수성 차폐막

연조직 세포 차단

미성숙골

차폐막이 골막 접촉 차단

연조직

골결손부

골조직

골형성 세포 이동

B 흡수성 차폐막-적절한 흡수

연조직 세포 차단

재생골의 성숙 시기에 골막과 접촉

골형성 세포 이동

재생골의 완전한 성숙

C 흡수성 차폐막-빠른 흡수

연조직 세포 이동

부분적으로 연조직으로 치유됨

골형성 세포 이동

수혜부 인접 부위에 질이 나쁜 신생골 형성

📷 **3-33 재생골 골질의 관점에서 차폐막은 적절한 기간 동안 기능을 유지하는 것이 좋다. 아직 그 기간에 대한 합의는 없는 상태이지만 대략 2-3개월 정도가 적당한 것으로 보인다.**
A. 비흡수성 차폐막을 적용했을 때의 모식도. 비흡수성 차폐막은 연조직 세포뿐만 아니라 연조직에서 기원하는 혈관의 이동도 방해하기 때문에 재생골의 성숙도는 떨어진다. **B.** 적절한 시기에 흡수되는 차폐막은 초기 연조직세포의 이동을 효율적으로 막아서 골조직만 증식하도록 해준다. 그러나 일단 골형성세포의 이동이 완료되면 흡수가 시작되어 연조직에서 기원한 혈관의 성장을 도모한다. 따라서 재생된 골은 성숙도가 높다. **C.** 흡수성 차폐막이 너무 빨리 흡수되면 연조직세포가 골결손부 내부로 이동하기 때문에 골결손부는 골조직뿐만 아니라 연조직도 형성된다. 또한 일부 재생된 골조직의 질도 불량하다.

경우에 비해 신생골 양이 현저히 적었다.[220] 이들 결과들을 종합해 볼 때 비록 환자의 치유 능력, 국소적 골결손 상태, 사용된 이식재와 차폐막의 종류에 따른 차이는 있겠지만 차폐막이 흡수되지 않고 기능해야 하는 최소 기간은 대략 2-3개월 정도로 추측해 볼 수 있다.

전통적으로 차폐막의 세포 차단 효과는 길수록 좋은 것으로 생각되었다. 비흡수성 차폐막은 인위적으로 제거해주기 전에는 세포 차단 효과를 지속적으로 보이기 때문에 이상적인 차폐막으로 생각되었다. 그러나 세포 차단 효과가 오래 동안 지속될수록 더 좋다는 생각에 점차 의문이 생기기 시작하였다. 차폐막이 차단 효과는 상피 세포와 연조직 세포의 이수를 막아줄 뿐만 아니라 차폐막 상부의 연조직과 골막에서 유래하는 혈액 및 영양 공급과 혈관의 내성장까지도 방해하기 때문이다.[221] 일부 임상가들은 필요 이상으로 차폐막의 세포 차단 효과가 잔존하면 이러한 혈관 형성을 방해하고, 따라서 신생골의 성숙을 방해한다고 생각한다.[221,222] 쥐를 이용한 동물 실험에서는 ePTFE 차폐막을 수술 4주 후 제거한 경우가 12주 후에 제거한 경우에 비해 더 두터운 치밀골을 형성한다고 하였으며 차폐막을 제거하면 1주 후에 신생골 상부 표면에서 골아세포가 관찰된다고 하였다.[221] 상부 연조직과 골막에서 유래한 혈관의 성장과 혈관화 정도는 차폐막의 흡수 속도와 비례한다.[223,224] 따라서 차폐막이 세포 차단 효과가 중요한 초기 2–3개월만 기능하고 그 이후에는 흡수됨으로써 혈관 형성을 촉진하여 더 성숙한 재생골을 형성한다고 생각할 수도 있는 것이다(📷 3–34).

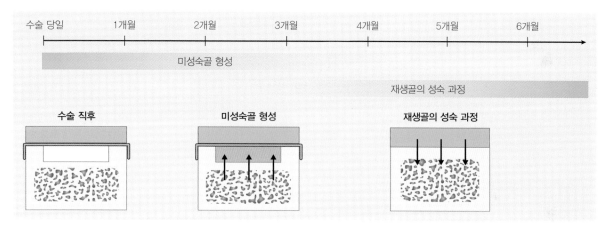

📷 3–34 골재생 술식을 시행하고 2–3개월 후까지 결손부 내부에 미성숙 골이 형성되며 이때까지는 차폐막의 세포 차단 효과가 결정적으로 중요하다. 그러나 그 이후에 재생골이 성숙되는 과정에서는 차폐막이 흡수되어 존재하지 않을 때 신생골은 골막과 접촉하는 것이 더 유리할 수도 있다.

(3) 천연 교원질 차폐막은 흡수성 차폐막의 기준이다.

Bio-Gide는 교원질로 이루어진 차폐막으로, 교원질을 인위적으로 교차결합 시키지 않았기 때문에 천연 교원질 차폐막(native collagen membrane)이라고 불린다. 다른 대부분의 차폐막들이 소의 (아킬레스건) 인대에서 교원질을 채취하는 반면, 이 차폐막은 돼지의 진피에서 교원질을 채취한다. 따라서 대부분의 교원질 차폐막이 순수한 1형 교원질만으로 이루어진 반면, 이 차폐막은 1형과 3형 교원질이 혼합되어 있다. 또한 이 차폐막은 교차 결합을 하지 않았기 때문에 교차 결합된 교원질 차폐막들에 비해 생체 내에서 빠른 속도로 흡수된다.[223-225] 제조사에서는 Bio-Gide가 적용 16주 후에 완전히 흡수된다고 한다.[226,227] 이 차폐막은 매끈한 외면과 거친 내면이 구분된다. 외면에는 "UP"이라는 단어가 인쇄되어 있어 이를 구분해 줄 수 있다(📷 3–35). 교원질이 밀집된 매끈한 외면은 연조직 세포를 차단하는 효과를 보이고 거친 내면은 골아세포의 이주를 유도한다는 것이 제조사의 주장이다.

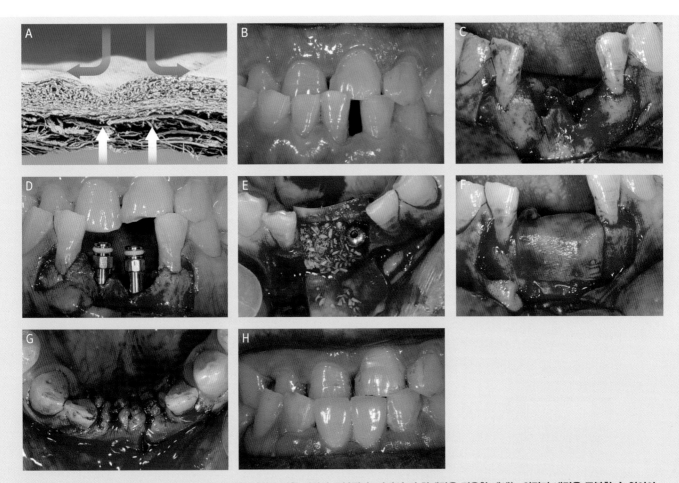

📷 3-35 천연 교원질 차폐막인 Bio-Gide는 치밀한 외면과 거친 내면이 구분된다. 따라서 이 차폐막을 적용할 때에는 외면과 내면을 구분할 수 있어야 한다.

A. 이 차폐막의 치밀한 외면은 연조직 세포를 차단하며 성기고 거친 내면은 골형성 세포의 이주를 유도한다고 한다.

B~G. 하악 절치 발치 후 즉시 임플란트 식립 증례이다. 외면에는 "UP"이라고 인쇄가 되어 있다(**F**).

H. 약 4개월 후 보철물을 연결해 주었다.

이 차폐막은 수화되면 뻣뻣한 성질이 없이 굉장히 부드러워지는데, 이는 이 차폐막의 장점이자 단점이 될 수 있다. 즉, 이 차폐막은 적용 부위에 자발적으로 잘 부착되기 때문에 조작성이 매우 좋고 골증강부 내의 입자형 이식재가 주위 조직으로 유출되는 것을 잘 막아준다. 그러나 다른 한편으로는 공간 유지 능력이 매우 떨어진다.[56,58,59,228] 또한 교차 결합 교원질 차폐막에 비해 흡수 속도도 빠르기 때문에 차폐막으로 기능하는 기간도 짧다.[229-231] 그러나 흡수 과정 중 세포 독성이 있는 부산물을 형성하지 않는다는 장점이 있다.[223-225]

이 차폐막은 교차 결합 차폐막이나 ePTFE 차폐막보다는 치유 기간 중 노출되는 경향이 적다.[226] 또한 일단 노출되어도 감염 등의 합병증을 유발하지 않으며 골재생의 결과가 ePTFE 차폐막이 노출되었을 때처럼 아주 심대하게 나빠지지는 않는다.[2,138,226] ePTFE 차폐막은 노출 시 열개된 연조직이 다시 재생되지 않는 반면, 이 차폐막은 노출되더라도 노출된 부위가 다시 상피화되면서 자발적으로 폐쇄될 수 있다 [232,233] 이는 이 차폐막이 또 다른 장점으로, 사폐막이 노출되어도 수술적인 처치를 추가적으로 시행하지 않아도 된다.[53]

앞서 길게 설명했지만 이 차폐막은 공간 유지 능력이 거의 없기 때문에 입자형 이식재와 함께 사용하면 상부 연조직의 압력에 의해 잘 붕괴된다. 골증강부 상부의 연조직을 폐쇄하기 전에 피판의 장력을 충분히 이완시키지 못한 증례를 가정해보자. 이러한 경우 골증강부는 두 가지 시나리오 중 하나로 진행될 것이다(📷 3-36).

- 피판 변연이 장력을 견디는 힘이 차폐막과 이식재의 공간 유지 능력보다 크면 골증강부는 피판으로부터 가해지는 압력에 굴복하고, 결국 골이식재는 골증강부 주변으로 유출되면서 차폐막은 붕괴할 것이다.
- 차폐막의 공간 유지 능력이 강하고 골이식재가 유출되지 않으면 피판 변연은 강한 장력에 저항하지 못하고 결국 열개될 것이다.

약한 흡수성 차폐막, 특히 천연 교원질 차폐막은 주로 전자의 시나리오를 따르게 될 것이다. 따라서 피판의 장력을 충분히 이완시키지 못한 채 수술부를 폐쇄하면 천연 교원질 차폐막을 이용한 골증강부는 피판이 열개되기보다는 골증강부가 붕괴되면서 최종적인 골증강의 양이 현저히 축소될 것이다. 이는 흡수성 차폐막을 사용했을 때 수술부의 열개나 차폐막 노출이 줄어드는 주요한 이유가 될 것이다.

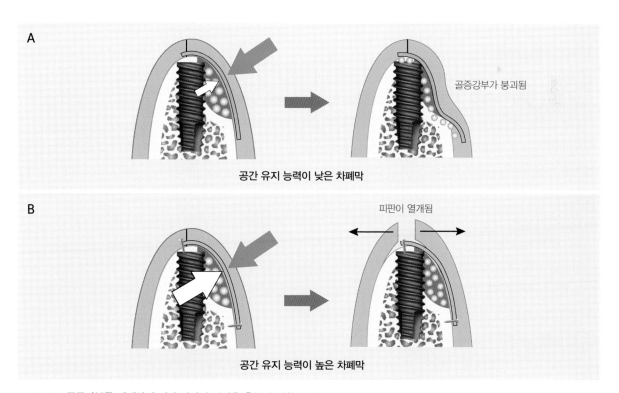

공간 유지 능력이 낮은 차폐막

공간 유지 능력이 높은 차폐막

📷 3-36 **골증강부를 폐쇄하기 전에 피판의 장력을 충분히 이완시키지 못하면 두 가지 문제가 발생 가능하다.**
A. 피판 변연이 장력을 견디는 힘이 차폐막과 이식재의 공간 유지 능력보다 크면 골증강부는 피판으로부터 가해지는 압력에 굴복하고, 결국 골이식재는 골증강부 주변으로 유출되면서 골증강부는 붕괴한다. **B.** 차폐막의 공간 유지 능력이 강하고 골이식재가 유출되지 않으면 피판 변연은 강한 장력에 저항하지 못하고 결국 열개된다.

천연 교원질 차폐막은 가장 많은 임상 문헌의 지지를 받는 흡수성 차폐막이다. 따라서 공간 유지 기능이 중요치 않거나 작은 골결손부에서는 표준적으로 사용되는 차폐막으로 자리잡았다.[234] 이 차폐막은 작은 열개나 천공 결손에 골이식재와 함께 적용하면 ePTFE 차폐막과 유사한 골증강 효과를 얻을 수 있음이 높은 근거 수준의 임상 연구들에 의해 밝혀진 바 있다.[2,138,157,235] 이 차폐막의 적응증은 다음과 같다.

천연 교원질 차폐막의 적응증(📷 3-37)

- 작은 열개나 천공 결손
- 골벽수가 많은 결손부나 상악동 결손 등 차폐막의 공간 유지 능력이 많이 필요치 않은 부위
- 치조제 보존술 등 치유 중 차폐막 노출의 가능성이 높은 술식

많은 전문가들이 Bio-Gide의 빠른 흡수를 보상하기 위해 이 차폐막을 두 층으로 적용할 것을 주장한 바 있다(double layer technique)(📷 3-38).[4,236] 차폐막을 두 층으로 적용함으로써 Bio-Gide의 장점인 생체 적합성과 낮은 노출 빈도는 유지하면서도 흡수 속도는 늦춰 골재생 능력을 향상시킨다는 주장은 매우 설득력 있는 것으로 보인다. 최근의 한 동물 실험에 의하면 자가 블록골 이식 후 Bio-Gide를 한 장만 적용했을 때에 비해 두 장을 적용했을 때에는 이식골의 흡수량이 적었고 재생골의 밀도도 더 높았다고 하였다.[237] 또한 한 층만 적용했을 때에는 수술 4개월 후 부분적인, 혹은 완전한 차폐막 흡수가 관찰된 반면 두 층을 적용했을 때에는 6개월이 경과한 후에도 차폐막이 잔존했다.

(4) 교차 결합 교원질 차폐막은 천천히 흡수되고 더 높은 강도를 보인다.

교차 결합된 교원질로 이루어진 차폐막은 물리적 강도가 커지기 때문에 공간 유지 효과가 비교차 결합 교원질 차폐막보다 더 양호할 뿐만 아니라 흡수 속도도 느리기 때문에 차폐막의 이상적 요구 조건에 좀 더 가까운 성질을 지니고 있다. 교차 결합은 자외선, hexamethylenediisocyanate (HMDIC), glutaraldehyde, 방사선, diphenylphosphorylazide를 이용하여 시행하며 이중 glutaraldehyde를 이용한 방법이 가장 일반적이다.[238]

교차 결합되지 않은 자연 교원질은 생체 내에서 급속하게 흡수되어 없어진다.[239] 일반적으로 교차 결합의 정도가 커질수록 흡수 속도는 느려진다.[217,240] 따라서 차폐막으로 기능하는 기간도 길어지게 된다. 또한 교차 결합의 정도가 커질수록 치유 기간 중 구강 내에 노출되더라도 세균에 의한 분해에 더 잘 저항한다.[241] 그러나 교차 결합된 차폐막은 흡수 과정에서 수술부에 유해한 영향을 미칠 수 있다는 간접적인 근거들도 축적되어 있다. 한 동물 실험에서는 교차 결합의 정도가 증가할수록 교원질 차폐막은 조직 유합성이 떨어지고 이물 반응이 증가했다.[240] 몇몇 동물 실험에 의하면 glutaraldehyde로 교차 결합을 시행한 교원질 차폐막은 흡수되면서 세포 독성이 있는 부산물을 남긴다.[223,225,242] 또한 교차 결합 교원질 차폐막의 흡수에는 염증 세포가 관여한다.[240,243] 일부 동물 연구에서는 교차 결합 차폐막을 사용하면 연조직 치유가 저하되면서 열개가 발생할 가능성이 높아지고, 감염의 빈도가 증가한다고 보고했다.[240,243]

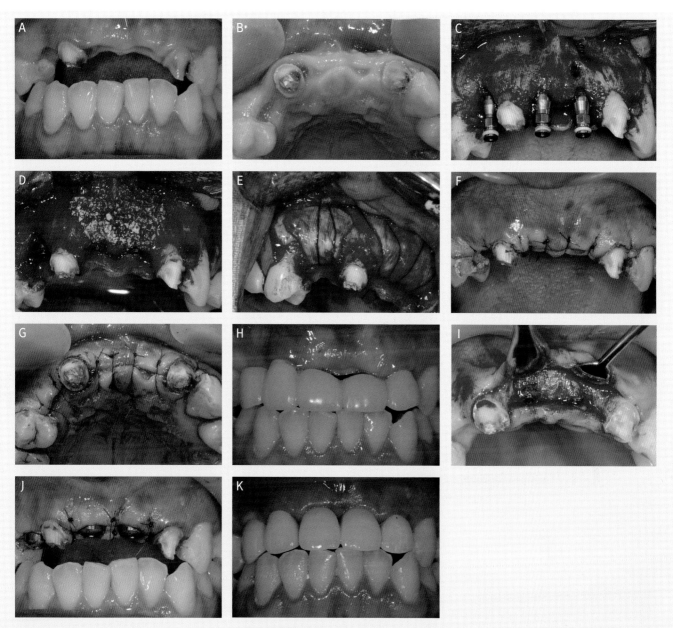

📷 **3-37** 천연 교원질 차폐막의 적용 증례. 천연 교원질 차폐막은 흡수가 빠르고 공간 유지 능력이 낮기 때문에 작은 결손과 골벽수가 많은, 골재생에 유리한 결손에 주로 이용한다.

A~G. 상악 좌우 중절치와 우측 견치에 임플란트를 식립했다. 임플란트 식립부의 치조골은 두께가 잘 유지되어 있었고, 따라서 약간의 열개와 천공 결손만이 존재했다. 탈단백 우골과 천연 교원질 차폐막으로 이를 수복해 주었다.

H~J. 4.5개월 후 2차 수술을 시행했다. 임플란트 식립부의 조직량은 비교적 잘 유지되고 있었다.

K. 약 1.5개월 후 최종 보철물을 연결해 주었다. 고정성 임시 보철물을 사용하지 않고도 보철물 연결 직후 임플란트 주위 점막의 형태가 좋다. 따라서 심미적 예후가 좋을 것으로 예상 가능하다.

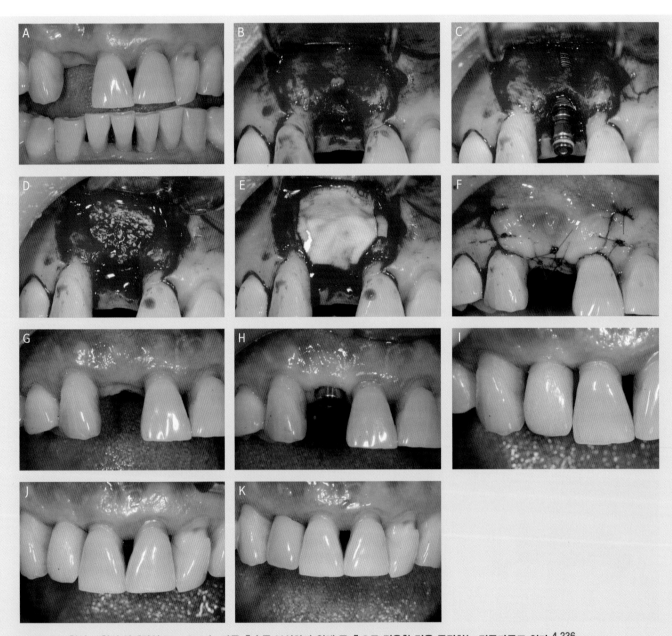

📷 **3-38** 천연 교원질 차폐막인 Bio-Gide는 빠른 흡수를 보상하기 위해 두 층으로 적용할 것을 주장하는 전문가들도 있다.[4,236]

A~F. 상악 측절치 부위에 임플란트를 식립했다. 열개와 천공 결손이 형성됐고 이를 탈단백 우골과 천연 교원질 차폐막으로 수복해 주었다. 천연 교원질 차폐막은 두 층으로 적용했다(**E**).

G~J. 4개월 후 하이스피드 다이아몬드 버로 임플란트를 노출하여 인상을 채득한 후 치유 지대주를 연결해 주었다. 고정성 임시 보철물은 다음날 장착했다.

K. 다시 3개월 후 최종 보철물을 연결했다.

그러나 이러한 전임상 연구에서 드러난 교차 결합 차폐막의 장점과 단점이 실제 임상에서 어떠한 결과를 초래하는가에 대해서는 아직까지도 명확한 결론을 내리기 힘든 상태이다. 다른 동물 연구와 임상 연구에서는 교차 결합 차폐막은 조직 유합성이 우수하고 골증강 부위에 적용 시 비교차결합 차폐막에 비해 더 우수한 골증강 결과를 얻을 수 있었다고 보고한 바 있다.[244-247] 더구나 교차 결합 차폐막이 노출되더라도 골재생에 악영향이 없으며 노출 부위는 자발적으로 상피화되면서 폐쇄될 수 있음이 보여진 바 있다.[233,244,245] 한 메타분석에서는 입자형 골이식재와 함께 사용된 교차 결합 교원질 차폐막과 비교차 결합 교원질 차폐막의 노출 빈도를 분석했다.[248] 그 결과 교차 결합 교원질 차폐막의 노출 빈도는 28.62%(95% CI 14.14-49.32%), 비교차 결합 교원질 차폐막(Bio-Gide)의 노출 빈도는 20.74%(95% CI 11.16-36.19%)였다. 비록 차폐막 노출 빈도는 통계학적으로 유의한 차이를 보이지는 않았지만, 비교차결합 교원질 차폐막(천연 교원질 차폐막)의 노출 빈도가 확실히 더 적긴 했다.

교차 결합된 많은 교원질 차폐막들은 glutaraldehyde를 이용한 것들이며, 이렇게 교차 결합에 glutaraldehyde를 많이 이용하는 이유는 이를 이용한 교차 결합 과정이 비교적 쉽게 시행 가능하기 때문이다(📷 3-39).

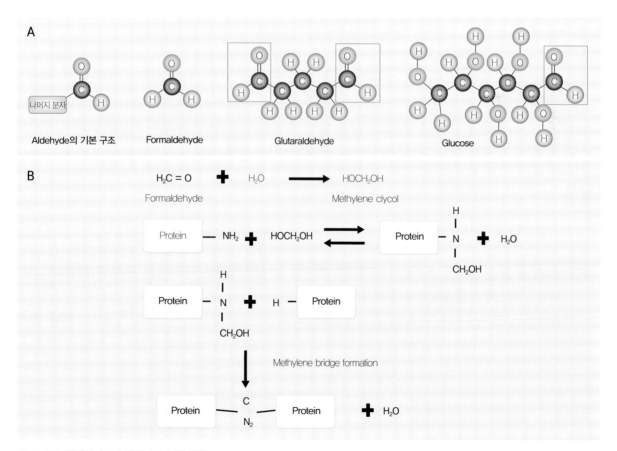

📷 **3-39 알데하이드와 단백질의 교차 결합**
A. 알데하이드는 기본적으로 CHO에 나머지 분자가 결합된 구조를 갖는다. 가장 간단한 알데하이드는 formaldehyde이다. Glutaraldehyde나 glucose는 모두 알데하이드에 속하는 분자이다. **B.** 가장 간단한 구조의 알데하이드인 formaldehyde가 단백질 분자를 교차 결합시키는 과정이다. 알데하이드는 물과 결합하여 methylene glycol을 이루고, methylene glycol은 단백질의 교차 결합을 촉매한다.

이 범주에 속하는 차폐막으로는 BioMend, BioMend Extend, Bio-Arm, Cytoplast RTM Collagen 등이 있다. BioMend는 8주 후에 흡수되도록 설계된 것이기 때문에 골유도 재생술보다는 조직 유도 재생술에 적합한 차폐 막이며 BioMend Extend는 BioMend의 흡수 기간을 연장 시킨 것으로 골유도 재생술에 적합한 차폐막이다.[249] BioMend Extend를 이용한 동물 실험에 의하면, 이 차폐막은 비록 비흡수성 차폐막에는 미치지 못하더라도 골 재생에 커다란 역할을 하는 것으로 보인다.[145,215] 또한 BioMend Extend는 동물 실험에서 열개 결손부에 적 용했을 때, Bio-Gide를 적용했을 때에 비해 재생골과 임플란트 간의 접촉을 유의하게 향상시킬 수 있었다.[105] 전술한 바와 같이 glutaraldehyde로 교차 결합을 시행할 경우 차폐막이 흡수되면서 세포 독성이 있는 부산물 을 남긴다는 보고가 있었지만 이것이 임상적 결과에 현저한 영향을 미치지는 않는 것으로 보인다(📷 3-40, 41).[223,225,242]

OSSIX Plus는 예전에 생산되던 OSSIX라는 차폐막의 후속 제품으로 교원질의 원천을 소에서 돼지로 바꾼 것이다. 이 차폐막은 교원질을 glycation이라는 방법으로 교차 결합한 것으로, 다른 교차 결합 차폐막들보다 훨 씬 치밀한 구조를 보인다(📷 3-42). 이 차폐막은 생체 내에서 아주 오랜 기간 흡수되지 않고 남아있다는 것이 동물 실험에 의해 밝혀졌으며, 실제 임상에서도 2차 수술 시 차폐막이 거의 흡수되지 않고 그대로 남아있다 (📷 3-43). 즉, 이 차폐막은 교원질로 이루어졌음에도 불구하고 매우 치밀하게 교차 결합이 되어있기 때문에 비 흡수성 차폐막처럼 2차 수술 시까지 차폐막으로서 그 기능을 계속 유지한다. OSSIX는 비흡수성 차폐막에 버 금가는 연조직 차단 능력을 지녔음이 밝혀졌을 뿐만 아니라, 노출 시에는 흡수되어 없어짐으로써 굳이 제거할 필요가 없다는 부가적인 장점까지 있다. 또한 생체 내에서 세포에 유해한 분해 산물을 형성하지는 않는 것으로 보인다. 한 무작위 대조 연구에서는 수평적 결손에 탈단백 우골을 적용하고, OSSIX와 ePTFE 차폐막으로 피개 한 조직을 7개월 후 채취하여 조직계측학적으로 분석하고 비교했다.[233] 그 결과, OSSIX 사용군과 Gore-Tex 사 용군에서 광화 조직($42\pm18\%$ vs $39\pm15\%$), 연조직($44\pm15\%$ vs $46\pm12\%$), 잔존 이식재($14\pm9\%$ vs $15\pm12\%$)의 비율에 거의 차이를 보이지 않았다. 이 차폐막은 항상 좋은 결과를 보여주기 때문에 저자가 가장 선호하는 교 원질 차폐막으로, 일반적인 비흡수성 차폐막과 거의 비슷한 정도의 효과를 보인다.

(5) 무세포성 동종 진피는 흡수성 차폐막으로 기능할 수 있으며 연조직 두께를 함께 증강시켜야 하는 증례나 치조제 보존술에서 사용한다.

무세포성 동종 진피(acellular dermal matrix)는 사체에서 채취한 진피에 화학적 처리와 동결 건조 처리를 가 하여 세포, 불순물, 그리고 수분을 제거한 것이다.[13] 무세포성 동종 진피는 세포외 기질을 구성하는 교원질 및 탄성 섬유로 이루어져 있으며 TGF-β (transforming growth factor-β) 등의 성장 인자를 함유하고 있다.[250]

이 재료는 원래 화상 등의 이유로 피부 이식이 필요한 때에 자가 피부를 대체할 목적으로 개발된 것이다. 피 부 결손부에 적용 시 무세포성 동종 진피는 염증 없이 신생 혈관 형성과 피부 재생을 유도한다.[251] 동종 진피는 몇 가지 장점이 있기 때문에 최근에는 골유도 재생술용 차폐막으로 많이 사용되고 있다. 동종 진피는 차폐막으 로써 다음의 장점을 지닌다(📷 3-44).[2,252,253]

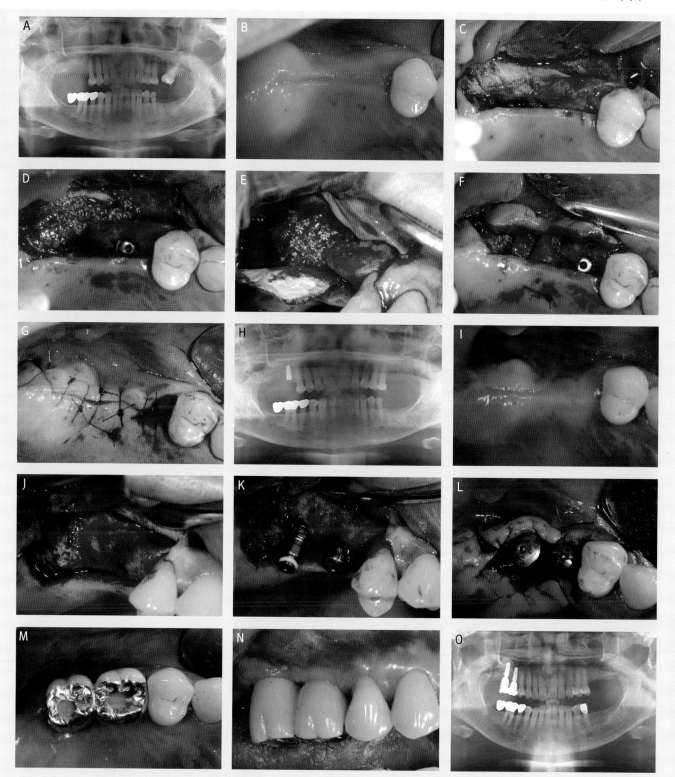

📷 **3-40** **교차 결합 교원질 차폐막의 임상 증례로, 좁은 수직적 결손의 수복과 상악동 골이식을 교원질 차폐막과 탈단백 우골로 시행했다.**

A~H. 상악 우측 제2소구치와 제1대구치 부위에 상악동 골이식과 임플란트 식립을 계획했던 증례이다. 그러나 피판 거상 후 제1대구치 부위에서 골조직이 아닌 연조직이 형성되어 있음을 확인했고**(C)**, 이 조직을 완전히 소파해 주었다**(D)**. 이로 인해 확인된 2벽성 수직 결손은 전후방 폭이 좁았기 때문에 흡수성 차폐막과 골대체재로 수복이 가능할 것으로 판단되었다. 따라서 교차 결합 교원질 차폐막과 탈단백 우골로 골유도 재생술을 시행했다**(E~F)**. 임플란트는 제2소구치 부위에만 식립했다.

I~L. 약 5.5개월 후에 수술부를 다시 노출시켜 골증강부의 상태를 확인하고 제1대구치 부위에 추가적인 임플란트를 식립해 주었다. 신생골은 주위골과 유사한 정도의 밀도를 보였다**(J)**.

M~O. 다시 약 4.5개월 후 최종적인 보철물을 장착해 주었다.

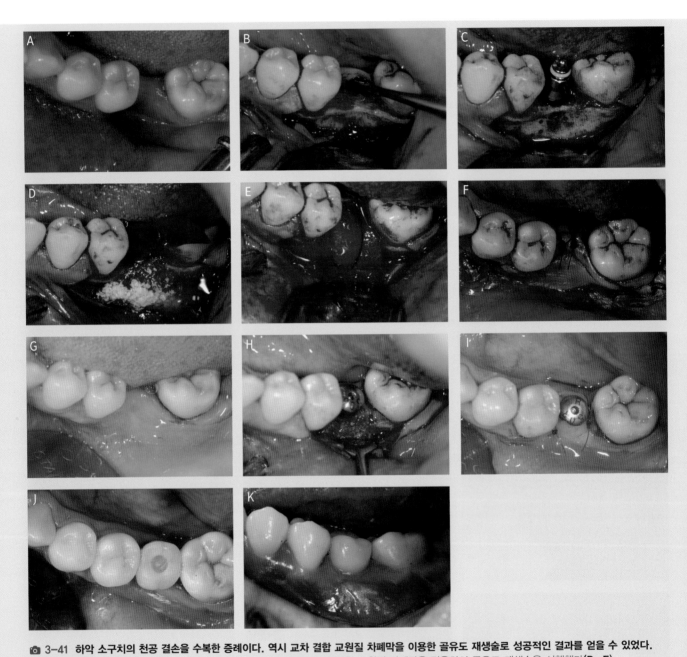

📷 **3-41 하악 소구치의 천공 결손을 수복한 증례이다. 역시 교차 결합 교원질 차폐막을 이용한 골유도 재생술로 성공적인 결과를 얻을 수 있었다.**
A~F. 임플란트를 식립하며 형성된 천공 결손**(C)**에 탈단백 우골과 교차 결합 교원질 차폐막을 적용하여 골유도 재생술을 시행했다**(D~E)**.
G~I. 약 4개월 3주 후 2차 수술을 시행했다. 골결손부는 재생골로 완전히 수복되어 있었다**(H)**.
J~K. 다시 약 1.5개월 후 보철물을 연결하여 치료를 완료했다. 보철물 연결 6개월 후 임플란트 주위 점막은 어느 정도 안정적인 형태를 보였다**(K)**.

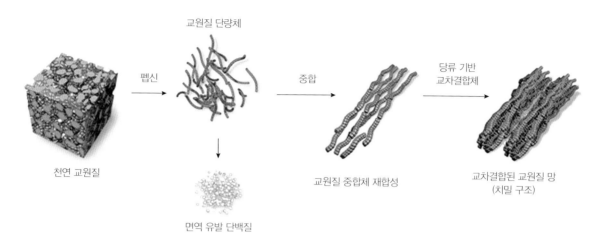

교원질 단량체

펩신

중합

당류 기반
교차결합제

천연 교원질

교원질 중합체 재합성

교차결합된 교원질 망
(치밀 구조)

면역 유발 단백질

📷 3-42 OSSIX Plus의 제조 과정

OSSIX Plus는 당류를 이용해 교원질을 교차 결합한 차폐막이다. 이 차폐막은 흡수성 차폐막이지만 구조가 치밀하고 상당히 오랜 기간 흡수되지 않고 남아있기 때문에 비흡수성 차폐막에 버금가는 임상적 효과를 보인다.

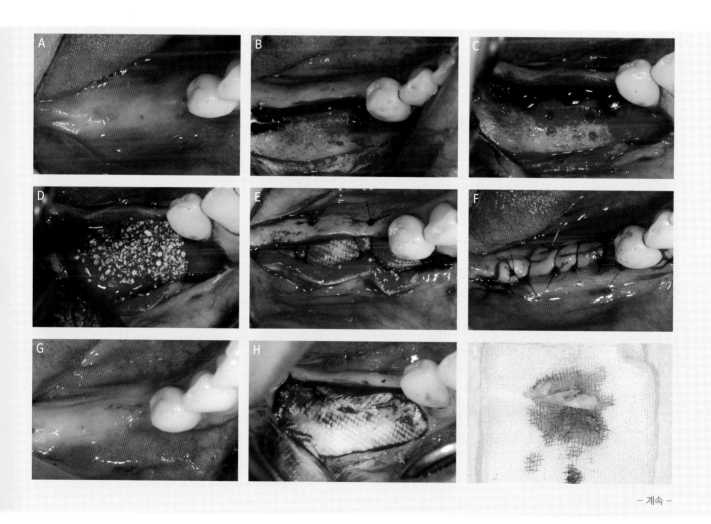

- 계속 -

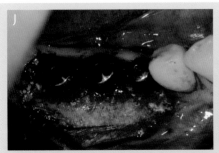

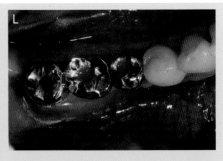
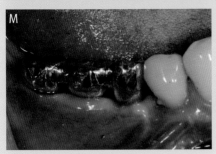

📷 **3-43** OSSIX Plus의 사용 증례이다. 이 차폐막은 흡수성 차폐막이지만 임상적으로 비흡수성 차폐막의 성질도 보이는 굉장히 독특한 차폐막이다. 개인적으로 가장 선호하는 차폐막 중 하나이다.
A~F. 하악 구치부에 임플란트를 식립하고 협측의 열개 결손과 임플란트 주위 결손을 수복하고 협측 치조골 두께를 증가시키기 위해 탈단백 우골과 OSSIX Plus로 골유도 재생술을 시행했다.
G~K. 약 4개월 3주 후에 2차 수술을 시행했다. 차폐막은 거의 흡수되지 않고 잔존해 있었으며**(H)** 이를 제거해 주었다**(I)**. 흡수성 차폐막인 OSSIX Plus를 사용했음에도 불구하고 차폐막 하방에는 가성 골막이 두껍게 형성되어 있었다**(J)**.
L~M. 약 1개월 후 최종 보철물을 장착했다.

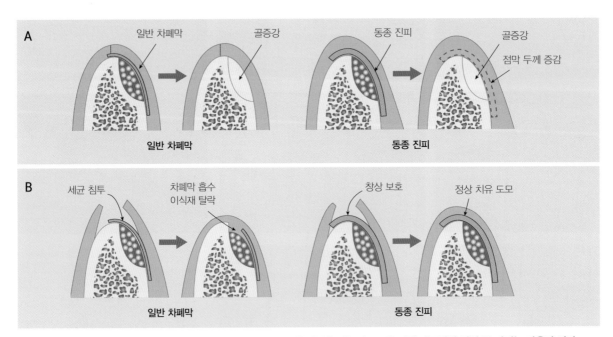

📷 **3-44 무세포성 동종 진피는 차폐막으로 사용 시 몇 가지 독특한 장점을 갖는다. 그 중 가장 대표적인 장점 두 가지는 다음과 같다.**
A. 일반적인 차폐막은 골조직만 증강시키지만 무세포성 동종 진피는 그 자체가 점막 두께를 증가시키는 역할을 한다. 따라서 골유도 재생술에 무세포성 동종 진피를 이용하면 골조직과 연조직을 동시에 증강시킬 수 있다. **B.** 일반 차폐막을 사용하면 피판 열개 시 골증강부가 오염되어 골재생의 결과가 심하게 저하되지만 무세포성 동종 진피는 그 상방으로 연조직의 2차 치유를 도모하기 때문에 피판의 열개에도 불구하고 골증강부를 잘 보호하는 역할을 하며 추가적인 술식을 불필요하게 해준다.

① 생체 적합성이 좋고 안전하다.

② 일차 폐쇄가 반드시 필요하지는 않다.

③ 노출 시 감염되지 않는다.

④ 마치 자가 연조직 이식재처럼 작용하기 때문에 심미적이고 예지성이 좋다.

⑤ 수혜부 연조직에 유착됨으로써 결과적으로 점막 두께를 증강시킬 수 있다.

⑥ 적어도 2개월 이상 차폐막으로 기능한다는 장점이 있다.

한 무작위 대조 연구에서는 이종골 이식재를 적용하면 무세포성 동종 진피인 Alloderm이 교원질 차폐막인 BioMend Extend와 비슷한 정도의 골증강을 이룰 수 있음을 보였다.[2] 또한 다른 무작위 대조 연구에서는 치조제 보존술 시 치아 관통부를 동종 진피로 피개했을 때 치유 기간 중 별다른 합병증 없이 골의 흡수를 현저히 막아줄 수 있었다고 보고했다.[254] 이 재료는 몇 가지 적응증에 효율적으로 사용 가능하다.[252-256]

무세포성 동종 진피의 적응증(📷 3-45, 46, 47)

• 연조직 증강과 골조직 증강을 동시에 시행해야 하는 경우(주로 상악 전치부)
• 골증강부의 연조직이 불량하여 치유 기간 중 수술부의 열개 가능성이 높은 경우
• 치조제 보존술 시 의도적 노출

(6) 교원질 차폐막 대체재

일부 임상가들은 매우 저렴한 가격 때문에 CollaTape을 차폐막 대용으로 사용하기도 한다. 이 제품은 지혈 및 혈병 유지 효과가 있으나 생체 내에서 10-14일 이내에 흡수가 완료된다. 따라서 CollaTape은 세포 차단이나 공간 유지 능력이 거의 없기 때문에 차폐막으로 사용하는 데에는 부적합하다. 다만 제조사에서는 이 제품을 상악동 골이식 중 상악동 점막이 천공된 경우나 골이식 공여부에 적용할 것을 추천한다. 또는 구개 점막 이식 시의 공여부나 부분층 근단 변위 판막술을 시행한 부위에서 노출된 결합조직을 드레싱하는데 이용할 수 있다. 교원질 플러그인 CollaPlug는 치조제 보존술에서 치아 관통부를 폐쇄하는 목적으로 사용되고 있으며, 많은 임상 연구에서 이 재료는 여타의 교원질 차폐막과 비슷한 정도의 성공적인 효과를 보였다고 보고한 바 있다.[86,87,257]

Lyoplant는 원래 뇌경막(dura)이 천공된 경우에 이를 복구할 목적으로 개발된 것이다. Lyoplant는 소의 심장막(pericardium)에서 채취한 고밀도의 순수한 1형 교원질로, 제조사에서는 적용 1-3개월 후에 흡수된다고 주장한다. 이 차폐막은 흡수 중 생체 내에서 별다른 이물 반응이나 염증 반응을 유발하지는 않는다.[258,259] 이 차폐막은 원래 골유도 재생술의 용도로 개발된 것이 아니기 때문에 이와 관련된 문헌은 매우 적은 편이다. 토끼를 이용한 한 동물 실험에 의하면 이 차폐막은 적용 10주 후 PTFE 차폐막과 골형성에 있어 차이를 보이지 않았다.[260] 저자의 생각으로는, 이 차폐막의 유지 기간은 차폐막으로서 필요한 유지 기간에 약간 못 미치기 때문에 작은 열개/천공 결손, 5벽성 결손, 혹은 상악동 결손 등 골형성 능력이 좋은 부위에만 선택적으로 사용하는 것이 좋을 것이다(📷 3-48).[257]

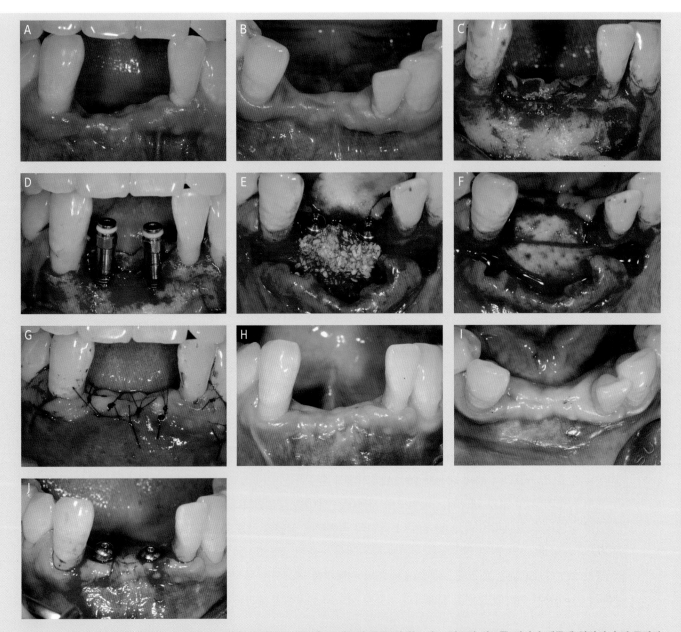

📷 **3-45** 무세포성 동종 진피를 차폐막으로 사용한 증례이다. 두꺼운 무세포성 동종 진피는 어느 정도의 강도를 지니기 때문에 약간의 수직 증강이 가능하다. 또한 점막의 두께가 얇은 부위에 사용하면 피판 열개 시 골증강부를 보호해준다.

A~G. 하악 전치부 치아 상실부에 임플란트를 식립하며 약간의 수직 결손과 수평 결손을 비탈회 동종골과 무세포성 동종 진피로 수복해 주었다. 하악 우측 측절치 부위가 반대측에 비해 수직적으로 상당히 결손된 상태임을 확인할 수 있다(**A**). 이를 골이식재로 수복하고(**D**) 무세포성 동종 진피를 두 층으로 적용하여 수직적·수평적 증강을 꾀했다(**F**).

H~J. 약3개월 후 2차 수술을 시행했다. 수술 전 상태(**A**)에 비해 수술 후 우측의 수직적 결손은 많이 수복되었고(**H**) 수평적으로도 증강된 상태를 확인할 수 있다(**B, I**).

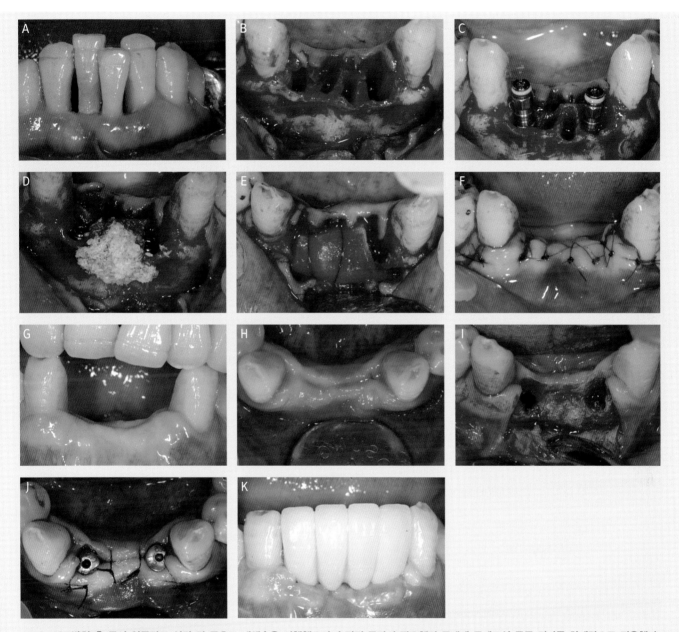

📷 3-46 발치 후 즉시 임플란트 식립 및 골유도 재생술을 시행했으며 수직적 증강이 필요했던 증례에 무세포성 동종 진피를 차폐막으로 적용했다. 이는 차폐막이 노출되더라도 골증강의 결과에 미치는 악영향을 최소화하고 약간의 수직적 증강 효과를 얻기 위함이었다.

A~F. 하악 절치들은 심한 치주염에 이환된 상태로 발치 후 임플란트 식립을 계획했다. 특히 좌우 중절치 부위에 수직적 결손이 심했다**(A)**. 발치 후 즉시 임플란트를 식립했고**(C)** 두 중절치 부위의 치조제 보존술. 두 중절치 부위의 수직적 증강, 순측 치조골의 수평적 증강을 위해 동종골 이식재를 적용하였으며**(D)** 무세포성 동종 진피를 차폐막으로 이용했다**(E)**.

G~J. 4개월 후 2차 수술을 시행했다. 수술 전에 비해**(A)** 중절치 부위의 조직은 약간이나마 수직적으로 증강되어 있었고**(G)** 골증강부의 골은 원하는 형태로 잘 형성되어 있었다**(I)**.

K. 다시 1개월 후 보철 치료를 완료한 직후이다. 중절치 부위에 추가적인 수직적 연조직 증강술을 시행했다면 좀 더 심미적인 결과를 얻을 수 있었을 것이다.

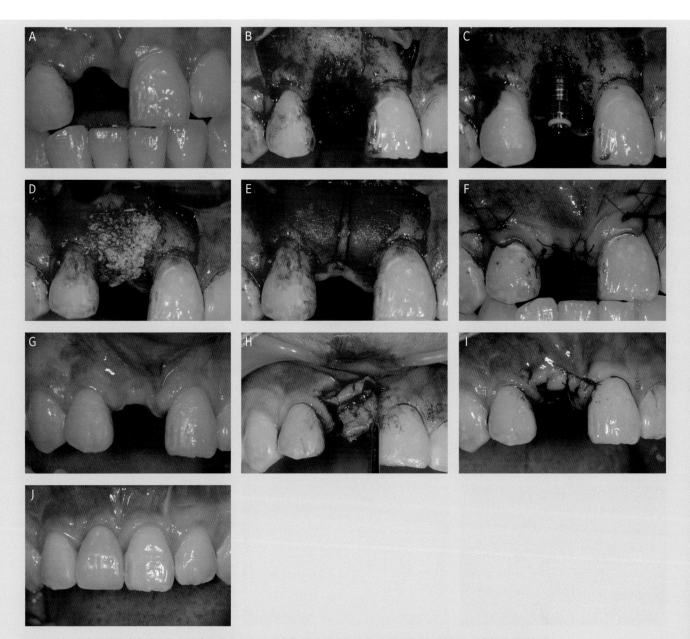

📷 **3-47** 상악 전치부에서 약간의 수직적 증강과 연조직 증강을 위해 무세포성 동종 진피를 차폐막으로 이용했던 증례이다.
A~F. 상악 우측 중절치 부위에 임플란트를 식립하고 열개 및 약간의 수직적 결손부에 동종골 이식재와 무세포성 동종 진피로 골유도 재생술을 시행했다.
G~I. 약 4.5개월 후 2차 수술을 시행했다. 수술 전(**A**)과 비교하여 수술 후(**G**) 임플란트 식립부의 조직 높이가 높아졌음을 확인할 수 있다.
J. 약 3개월 간 고정성 임시 보철물을 연결해준 후 다시 최종 보철물을 연결해 주었다. 임플란트 주위 조직의 수평적 폭은 약간 부족한 느낌이지만 점막 변연과 치간 유두 점막의 높이는 이상적이다.

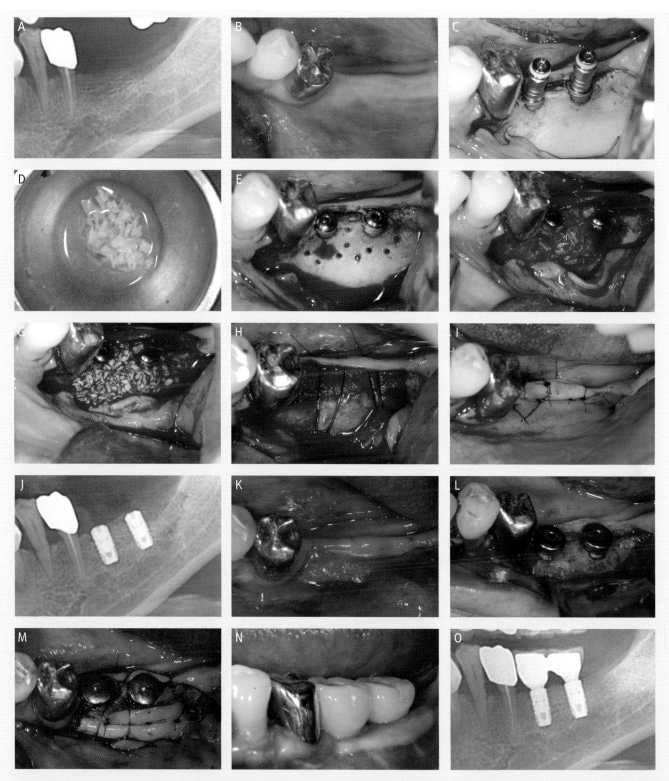

📷 **3-48 Lyoplant를 이용한 골유도 재생술 증례이다.**

A~I. 하악 좌측 구치부에 임플란트를 식립했고 열개 결손 수복 및 협측 골의 수평적 증강을 위해 임플란트 식립부 후방의 하악지에서 자가골을 채취하여 적용하였으며**(D~F)**. 다시 동종골로 샌드위치 골증강술을 시행했다**(G)**. 골이식재 상부에 Lyoplant를 두 층으로 적용했다**(H)**.

J~M. 4개월 후 2차 수술을 시행하며 부족한 각화 점막을 증진시키기 위해 유리 치은 이식술(Free Gingival Graft, FGG)을 시행했다**(M)**.

N~O. 보철물은 2개월 후 연결해 주었다. 이 사진은 보철 부하 4개월 후 촬영한 것이다.

5) 흡수성 합성 차폐막

(1) 흡수성 합성 차폐막의 개요

흡수성 차폐막은 그 재료의 기원에 따라 천연 고분자와 합성 고분자 차폐막으로 나눌 수 있다. 이중 천연 고분자로는 대부분 교원질이 이용되고 있으며, 다른 천연 고분자 재료인 키토산, 젤라틴, 실크 피브로인(silk fibroin) 등은 아직 임상에 일상적으로 사용되고 있지는 못하지만 이에 대한 전임상 연구가 활발하게 진행되고 있다.[261] 합성 고분자 차폐막은 polyglycolic acid계열, polycaprolactone, polyethylene glycol 등이 소개되었다.[249]

교원질 차폐막이 뛰어난 생체 적합성, 안전성, 생분해성, 세포 유도성, 풍부한 임상적 근거 등의 여러 가지 장점을 지니면서 임상에 광범위하게 사용되고 있기는 하지만, 단점 또한 존재한다. 전염성 질환을 전파할 수 있는 가능성은 항상 존재하며 제조 과정의 복잡성이나 낮은 공간 유지 능력 등이 단점이 된다.[262-264] 또한 동물이나 사체에서 교원질을 채취하는 과정이 윤리적으로 문제가 될 수도 있다.[265] 따라서 이러한 단점을 극복하기 위해 합성 고분자를 이용해서 순수하게 비생체 유래의 차폐막을 제조하려는 시도가 계속되어 왔다. 합성 차폐막은 화학적 성분이나 물리적 구조를 조절함으로써 생체 적합성을 높일 수 있고, 흡수 속도를 조절할 수 있으며, 재료의 조작성을 향상시킬 수 있다.[266,267]

현재 시판되고 있는 흡수성 합성 차폐막은 대부분 지방족 폴리에스테르(aliphatic polyester) 계열이다. 대표적인 지방족 폴리에스테르에는 polylactic acid (PLA), polyglycolic acid (PGA), poly ε-caprolactone (PCL), polyhydroxyl valeric acid, polyhydroxyl butyric acid 등과, 이들 성분의 공중합체(copolymer)가 있다(**3-10**).[261]

3-10 대표적인 합성 중합체 차폐막[261]

상품명	성분	성질	기능 기간	흡수 기간
Guidor (Sunstar Americas, Inc. 미국)	Poly-D,L-lactide and Poly-L-lactide, blended with Acetyl tri-n-butyl Citrate	이중 층	6주	13개월
Resolut Adapt (W.L. Gore and ASSOC, 미국)	Poly-D,L-lactide/Co-glycolide	공간 유지 효과 좋음	8-10주	5-6개월
Resolut Adapt LT (W.L. Gore and ASSOC, 미국)	Poly-D,L-lactide/Co-glycolide	공간 유지 효과 좋음	16-24주	5-6개월
Epi-Guide (Curasan, 독일)	Poly-D,L-lactic acid	3중 층, 공간 유지 효과	20주	6-12개월
Vivosorb (Polyganics, 네덜란드)	Poly (D,L-lactide-ε-caprolactone)	신경 조직의 유도, 성장도 가능	10주	24개월

(2) Polylactic acid (PLA) 계열의 차폐막은 합성 흡수성 차폐막 중 가장 널리 이용된다.

Polylactic acid (PLA)는 생분해성의 생체 친화적 중합체로, 의료계뿐만 아니라 전체 산업 전반에 걸쳐 매우 주목받고 있는 화합물이다. 이 물질은 적절한 물리적 성질과 생체 친화성 때문에 골유도 재생술을 위한 차폐 막의 합성 성분으로 가장 널리 사용되고 있다.[261] PLA의 성질을 개선시키기 위해, 특히 친수성을 부여하고 생 체 내에서의 흡수 속도를 조절하기 위해 lactide, ε–caprolactone, glycolide 등과 함께 공중합체로 많이 사용된다. Resolut Adapt, Vicryl, Epi–Guide, Vivosorb 차폐막 등은 모두 PLA나 PLA/PGA 계통의 차폐막이며 개별 차폐 막에 따라 성분과 물리적/생물학적 특성에 차이를 보인다. PLA/PGA 계열의 차폐막은 꽤나 많은 동물 및 임상 연구가 이루어 진 바 있으며 그 결과도 대체로 만족스러웠다.[268-272] 그러나, 당연하다고 할 수 있지만, ePTFE 차폐막을 사용했을 때보다는 골증강의 결과가 떨어졌다.[272,273] 이 계통의 차폐막은 구강 내로 노출되면 3–4주 이내에 완전히 분해되며 별다른 염증 반응을 야기하지 않는다(🄾 3–49, 50).[274] PLA, PLA/PGA 계열의 차폐막 은 세포 독성이 없고 생체 내에서 분해되지만, 분해 산물인 저중합체(oligomer)와 산성 부산물이 생체 내에서 염증과 이물 반응을 일으킬 수 있으며, 특정 골이식재의 화학적 분해를 촉진할 수도 있다.[275,276]

아무런 처치도 가하지 않은 PLA와 PLA/PGA는 차폐막으로 사용하기에는 경도가 높기 때문에[275] N–methyl–2–pyrrolidone (NMP) 가소제(plasticizer)로 물성을 부드럽게 변형시킨 PLA/PGA 공중합체 차폐막 (INION GTR™ Membrane, Curasan)이 소개되기도 했다. 이 차폐막은 적용 전에는 부드럽지만 생체 내에 적 용하면 NMP가 배출되면서 단단해지는 성질의 차폐막이다. 이 차폐막은 생체 내에서 강도를 갖기 때문에 여 타 흡수성 차폐막에 비해 공간 유지 기능이 뛰어나긴 하지만, 연조직의 압력을 견딜 정도는 아니기 때문에 이 식재와 병용해야 한다.[275] 제조사에 따르면 이 차폐막은 8–12주간 차폐막으로 기능한 후 흡수된다. 차폐막 흡 수 후 이물 반응은 보이지 않으며 주위 조직에 미치는 영향은 거의 없다.[277] 한 동물 실험에서 이 차폐막은 열개 결손부에서 탈단백 우골과 함께 적용하면 비교차결합 교원질 차폐막과 비슷한 정도의 결과를 보였다.[275] 또한 매복 지치 발치 후 이 차폐막이나 천연 교원질 차폐막을 적용하고 그 조직학적 결과를 비교한 무작위 대 조 연구에서는 두 차폐막을 사용했을 때 발치와에서 비슷한 정도의 골재생을 얻을 수 있었다고 보고했다.[278] 최근의 한 무작위 대조 연구에서는 열개 결손부에 이 차폐막과 티타늄 강화 ePTFE 차폐막을 적용하고 6개월 후 골증강의 양과 신생골의 조성을 비교했다.[279] 그 결과 수평적, 수직적 골증강 양은 모두 ePTFE 차폐막이 우 수하였고, 치유 기간 중 연조직 합병증 또한 ePTFE 차폐막이 더 적게 발생했다. 신생골의 조직학적 조성은 두 차폐막을 적용했을 때 별다른 차이를 보이지 않았다.

(3) PLA 이외의 다른 다양한 성분으로 이루어진 차폐막을 이용할 수 있다.

Polyethylene glycol 성분의 차폐막(MembraGel, Straumann)은 최근에 소개된 흥미로운 성질의 차폐막이다. 이 차폐막은 두 개의 시린지에 담긴 젤 형태로 사용하는데, 각 시린지에 별도로 담긴 차폐막 성분과 활성제를 혼합한 후 수술부에 적용하면 90초 정도 후에 탄력성 있는 고형 물질로 중합된다. 따라서 이 차폐막은 스스로 원위치에 형태를 유지하면서 잘 고정된다. 이는 이 차폐막의 가장 큰 장점이 된다. 생체 내에서 polyethylene glycol은 가수 분해(hydrolysis)에 의해 분해되며 주위 조직에 이물 반응을 일으키지 않는다.[280,281] 제조사에서는

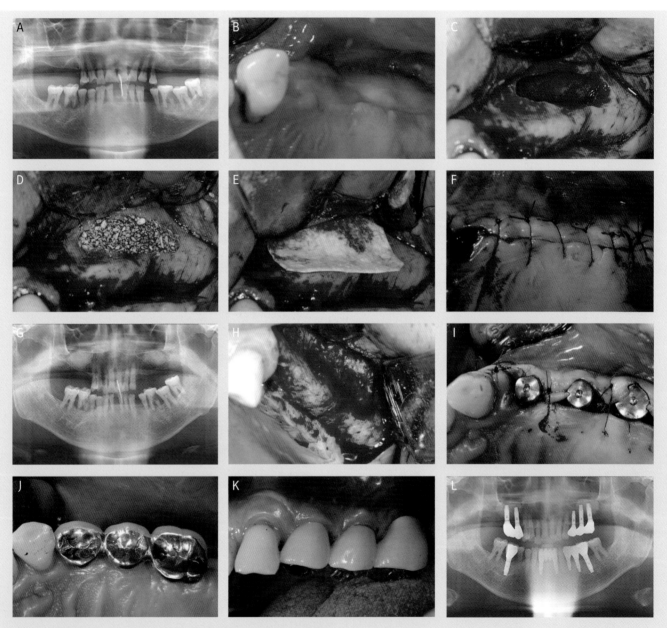

📷 **3-49 합성 흡수성 차폐막(Epi-Guide, Curasan, 독일)의 사용 증례**

A~G. 양측 상악 구치부에 상악동 골이식을 시행했다. 이식재로는 탈단백 우골과 3인산칼슘을 혼합하여 적용했고**(D)**, 외측 골창을 합성 차폐막으로 피개했다**(E)**.

H~I. 6개월 후 임플란트를 식립했다.

J~L. 임플란트 식립 7개월 후 최종 보철물을 연결해 주었다.

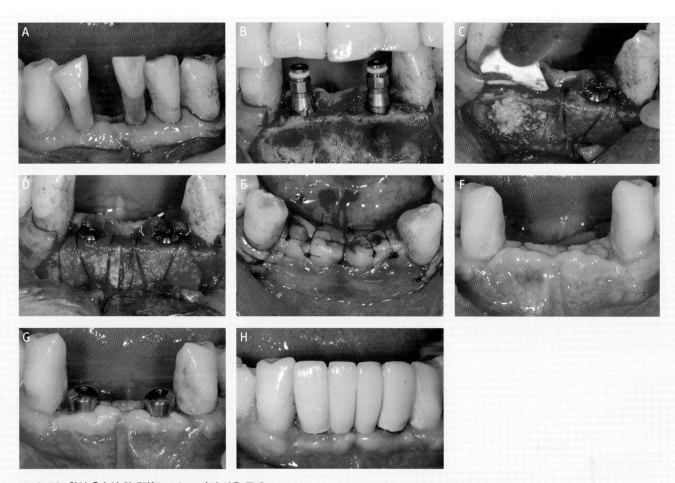

◎ 3-50 합성 흡수성 차폐막(Epi-Guide)의 사용 증례

A~E. 하악 절치를 발거하고 즉시 임플란트를 식립했으며 순측 치조골이 굉장히 얇았기 때문에 동종골과 합성 차폐막으로 골유도 재생술을 시행했다.

F~G. 두 임플란트 매식체의 커버 스크루는 치유 기간 중 노출되었다. 많은 치태가 침착됐으나 골증강부나 임플란트 자체는 특별한 문제를 보이지 않았으며 커버 스크루를 치유 지대주로 교체해 주었다.

H. 환자는 고정성 임시 보철물을 거의 1년 가까이 사용했으며 최종 보철물은 약 11.5개월 후 장착해 주었다.

분해 전 4-6개월 간 차폐막으로 기능할 수 있다고 주장한다. 그러나 한 동물 연구에서는 이 차폐막이 3개월 이내에 잔존물 없이 흡수되었다.[282] 다른 동물 연구에서 이 차폐막은 ePTFE 차폐막이나 polylactic acid 차폐막과 동일한 정도의 골형성 능력이 있다고 보고되었다.[283,284] 한 무작위 대조 연구에서는 열개 결손부에 탈단백 우골을 적용하고 Polyethylene glycol 차폐막이나 천연 교원질 차폐막으로 피개하며 6개월 후 결손부의 수직적 수복량을 평가했다.[285] 그 결과, Polyethylene glycol 차폐막으로 피개한 부위는 평균 94.9%, 천연 교원질 차폐막으로 피개한 부위는 평균 96.4%의 비슷한 수직적 골충전 양을 보였다. 비록 Polyethylene glycol 차폐막을 적용했을 때 연조직 합병증이 더 많이 발생하긴 했지만, 모든 부위가 별다른 문제없이 회복됐다고 했다.

2019년의 한 메타분석에서는 비록 통계학적 유의성을 보이진 않았지만 다른 종류의 차폐막에 비해 합성 차폐막이 치유 기간 중 더 많이 노출되는 경향을 보였으며, 특히 polydioxanone /polylactide/polyglycolide 계통의 차폐막은 현저히 노출되는 경향을 보였다고 보고했다.[88] 천연 교원질 차폐막은 평균 16.83%가 노출되어 가장 적은 빈도로 노출되었고, 이후 교차 결합 교원질 차폐막 22.64%, ePTFE 차폐막 29.30%, polyethylene glycol 차폐막 31.58%, polydioxanone /polylactide/polyglycolide 차폐막 39.43%의 순서였다. 따라서 합성 차폐막을 사용할 때에는 차폐막의 노출에 더 많은 주의를 기울여야 할 것이다.

합성 차폐막은 여러 가지 긍정적인 가능성이 있음에도 불구하고 현재 임상에서는 그리 많이 사용되지 않고 있다. 이는 교원질 차폐막에 비해 제조가 더 어렵고 제조 원가도 더 높은데 반해, 실제 골증강술에 적용했을 때의 결과는 이에 미치지 못했기 때문일 것이다. 그러나 합성 흡수성 차폐막은 교원질 차폐막이 가질 수 없는 여러 가지 독특한 성질을 부여할 수 있기 때문에 향후 좀 더 많은 발전이 있을 것으로 예상할 수 있다.

참고문헌

1. Dahlin C, Linde A, Gottlow J, Nyman S. Healing of bone defects by guided tissue regeneration. Plast Reconstr Surg. 1988;81(5):672-676.

2. Park SH, Lee KW, Oh TJ, Misch CE, Shotwell J, Wang HL. Effect of absorbable membranes on sandwich bone augmentation. Clin Oral Implants Res. 2008;19(1):32-41.

3. Tawil G, Mawla M. Sinus floor elevation using a bovine bone mineral (Bio-Oss) with or without the concomitant use of a bilayered collagen barrier (Bio-Gide): a clinical report of immediate and delayed implant placement. Int J Oral Maxillofac Implants. 2001;16(5):713-721.

4. von Arx T, Buser D. Horizontal ridge augmentation using autogenous block grafts and the guided bone regeneration technique with collagen membranes: a clinical study with 42 patients. Clin Oral Implants Res. 2006;17(4):359-366.

5. Wallace SS, Froum SJ. Effect of maxillary sinus augmentation on the survival of endosseous dental implants. A systematic review. Ann Periodontol. 2003;8(1):328-343.

6. Ferrigno N, Laureti M. Surgical advantages with ITI TE implants placement in conjunction with split crest technique. 18-month results of an ongoing prospective study. Clin Oral Implants Res. 2005;16(2):147-155.

7. Buser D, Dahlin C, Schenk RK. Guided bone regeneration in implant dentistry. Chicago: Quintessence Pub. Co., Inc.; 1994.

8. Scantlebury TV. 1982-1992: a decade of technology development for guided tissue regeneration. J Periodontol. 1993;64(11 Suppl):1129-1137.

9. Gottlow J. Guided tissue regeneration using bioresorbable and non-resorbable devices: initial healing and long-term results. J Periodontol. 1993;64(11 Suppl):1157-1165.

10. Wang HL, Boyapati L. "PASS" principles for predictable bone regeneration. Implant Dent. 2006;15(1):8-17.

11. Dahlin C, Linde A, Gottlow J, Nyman S. Healing of bone defects by guided tissue regeneration. Plast Reconstr Surg. 1988;81(5):672-676.

12. Retzepi M, Donos N. Guided Bone Regeneration: biological principle and therapeutic applications. Clin Oral Implants Res. 2010;21(6):567-576.

13. Elgali I, Omar O, Dahlin C, Thomsen P. Guided bone regeneration: materials and biological mechanisms revisited. Eur J Oral Sci. 2017;125(5):315-337.

14. Kuru L, Griffiths GS, Petrie A, Olsen I. Alkaline phosphatase activity is upregulated in regenerating

human periodontal cells. J Periodontal Res. 1999;34(2):123–127.

15. Wakabayashi RC, Iha DK, Niu JJ, Johnson PW. Cytokine production by cells adherent to regenerative membranes. J Periodontal Res. 1997;32(2):215–224.

16. Taguchi Y, Amizuka N, Nakadate M, et al. A histological evaluation for guided bone regeneration induced by a collagenous membrane. Biomaterials. 2005;26(31):6158–6166.

17. Turri A, Elgali I, Vazirisani F, et al. Guided bone regeneration is promoted by the molecular events in the membrane compartment. Biomaterials. 2016;84:167–183.

18. Omar O, Elgali I, Dahlin C, Thomsen P. Barrier membranes: More than the barrier effect? J Clin Periodontol. 2019;46 Suppl 21(Suppl Suppl 21):103–123.

19. Lundgren AK, Sennerby L, Lundgren D. Guided jaw–bone regeneration using an experimental rabbit model. Int J Oral Maxillofac Surg. 1998;27(2):135–140.

20. Rakhmatia YD, Ayukawa Y, Furuhashi A, Koyano K. Current barrier membranes: titanium mesh and other membranes for guided bone regeneration in dental applications. J Prosthodont Res. 2013;57(1):3–14.

21. Salzmann DL, Kleinert LB, Berman SS, Williams SK. The effects of porosity on endothelialization of ePTFE implanted in subcutaneous and adipose tissue. J Biomed Mater Res. 1997;34(4):463–476.

22. Schmid J, Hämmerle CH, Olah AJ, Lang NP. Membrane permeability is unnecessary for guided generation of new bone. An experimental study in the rabbit. Clin Oral Implants Res. 1994;5(3):125–130.

23. Oh SH, Kim JH, Kim JM, Lee JH. Asymmetrically porous PLGA/Pluronic F127 membrane for effective guided bone regeneration. J Biomater Sci Polym Ed. 2006;17(12):1375–1387.

24. Bartee BK, Carr JA. Evaluation of a high–density polytetrafluoroethylene (n–PTFE) membrane as a barrier material to facilitate guided bone regeneration in the rat mandible. The Journal of oral implantology. 1995;21(2):88–95.

25. Taylor DF, Smith FB. Porous methyl methacrylate as an implant material. J Biomed Mater Res. 1972;6(1):467–479.

26. Yannas IV. Tissue regeneration by use of collagen–glycosaminoglycan copolymers. Clin Mater. 1992;9(3–4):179–187.

27. Sanz M, Ferrantino L, Vignoletti F, de Sanctis M, Berglundh T. Guided bone regeneration of non–contained mandibular buccal bone defects using deproteinized bovine bone mineral and a collagen membrane: an experimental in vivo investigation. Clin Oral Implants Res. 2017;28(11):1466–1476.

28. Roccuzzo M, Ramieri G, Spada MC, Bianchi SD, Berrone S. Vertical alveolar ridge augmentation by

means of a titanium mesh and autogenous bone grafts. Clin Oral Implants Res. 2004;15(1):73–81.

29. Kostopoulos L, Karring T. Augmentation of the rat mandible using guided tissue regeneration. Clin Oral Implants Res. 1994;5(2):75–82.

30. Mir-Mari J, Wui H, Jung RE, Hämmerle CHF, Benic GI. Influence of blinded wound closure on the volume stability of different GBR materials: an in vitro cone-beam computed tomographic examination. Clin Oral Implants Res. 2016;27(2):258–265.

31. Mertens C, Braun S, Krisam J, Hoffmann J. The influence of wound closure on graft stability: An in vitro comparison of different bone grafting techniques for the treatment of one-wall horizontal bone defects. Clin Implant Dent Relat Res. 2019;21(2):284–291.

32. Fu J-H, Rios H, Al-Hezaimi K, Oh T-J, Benavides E, Wang H-L. A randomized clinical trial evaluating the efficacy of the sandwich bone augmentation technique in increasing buccal bone thickness during implant placement. II. Tomographic, histologic, immunohistochemical, and RNA analyses. Clin Oral Implants Res. 2015;26(10):1150–1157.

33. Fu J-H, Oh T-J, Benavides E, Rudek I, Wang H-L. A randomized clinical trial evaluating the efficacy of the sandwich bone augmentation technique in increasing buccal bone thickness during implant placement surgery: I. Clinical and radiographic parameters. Clin Oral Implants Res. 2014;25(4):458–467.

34. Jonker BP, Wolvius EB, van der Tas JT, Pijpe J. The effect of resorbable membranes on one-stage ridge augmentation in anterior single-tooth replacement: A randomized, controlled clinical trial. Clin Oral Implants Res. 2018;29(2):235–247.

35. Wessing B, Urban I, Montero E, et al. A multicenter randomized controlled clinical trial using a new resorbable non-cross-linked collagen membrane for guided bone regeneration at dehisced single implant sites: interim results of a bone augmentation procedure. Clin Oral Implants Res. 2017;28(11):e218–e226.

36. Meloni SM, Jovanovic SA, Urban I, Canullo L, Pisano M, Tallarico M. Horizontal Ridge Augmentation using GBR with a Native Collagen Membrane and 1:1 Ratio of Particulated Xenograft and Autologous Bone: A 1-Year Prospective Clinical Study. Clin Implant Dent Relat Res. 2017;19(1):38–45.

37. Beitlitum I, Sebaoun A, Nemcovsky CE, Slutzkey S. Lateral bone augmentation in narrow posterior mandibles, description of a novel approach, and analysis of results. Clin Implant Dent Relat Res. 2018;20(2):96–101.

38. Haney JM, Nilveus RE, McMillan PJ, Wikesjo UM. Periodontal repair in dogs: expanded polytetrafluoroethylene barrier membranes support wound stabilization and enhance bone regeneration.

J Periodontol. 1993;64(9):883–890.

39. Weng D, Hurzeler MB, Quinones CR, Ohlms A, Caffesse RG. Contribution of the periosteum to bone formation in guided bone regeneration. A study in monkeys. Clin Oral Implants Res. 2000;11(6):546–554.

40. Liu J, Kerns DG. Mechanisms of guided bone regeneration: a review. Open Dent J. 2014;8:56–65.

41. Schenk RK, Buser D, Hardwick WR, Dahlin C. Healing pattern of bone regeneration in membrane–protected defects: a histologic study in the canine mandible. Int J Oral Maxillofac Implants. 1994;9(1):13–29.

42. Kostopoulos L, Karring T. Augmentation of the rat mandible using guided tissue regeneration. Clin Oral Implants Res. 1994;5(2):75–82.

43. Wallkamm B, Schmid J, Hammerle CH, Gogolewski S, Lang NP. Effect of bioresorbable fibres (Polyfibre) and a bioresorbable foam (Polyfoam) on new bone formation. A short term experimental study on the rabbit skull. Clin Oral Implants Res. 2003;14(6):734–742.

44. Hämmerle CHF, Jung RE, Yaman D, Lang NP. Ridge augmentation by applying bioresorbable membranes and deproteinized bovine bone mineral: a report of twelve consecutive cases. Clin Oral Implants Res. 2008;19(1):19–25.

45. Meijndert L, Raghoebar GM, Meijer HJA, Vissink A. Clinical and radiographic characteristics of single–tooth replacements preceded by local ridge augmentation: a prospective randomized clinical trial. Clin Oral Implants Res. 2008;19(12):1295–1303.

46. Thoma DS, Dard MM, Hälg G–A, Ramel CF, Hämmerle CHF, Jung RE. Evaluation of a biodegradable synthetic hydrogel used as a guided bone regeneration membrane: an experimental study in dogs. Clin Oral Implants Res. 2012;23(2):160–168.

47. Mir–Mari J, Benic GI, Valmaseda–Castellón E, Hämmerle CHF, Jung RE. Influence of wound closure on the volume stability of particulate and non–particulate GBR materials: an in vitro cone–beam computed tomographic examination. Part II. Clin Oral Implants Res. 2017;28(6):631–639.

48. Jiang X, Zhang Y, Di P, Lin Y. Hard tissue volume stability of guided bone regeneration during the healing stage in the anterior maxilla: A clinical and radiographic study. Clin Implant Dent Relat Res. 2018;20(1):68–75.

49. Jiang X, Zhang Y, Chen B, Lin Y. Pressure Bearing Device Affects Extraction Socket Remodeling of Maxillary Anterior Tooth. A Prospective Clinical Trial. Clin Implant Dent Relat Res. 2017;19(2):296–305.

50. Garaicoa C, Suarez F, Fu J–H, et al. Using Cone Beam Computed Tomography Angle for Predicting

the Outcome of Horizontal Bone Augmentation. Clin Implant Dent Relat Res. 2015;17(4):717-723.

51. Troeltzsch M, Troeltzsch M, Kauffmann P, et al. Clinical efficacy of grafting materials in alveolar ridge augmentation: A systematic review. J Craniomaxillofac Surg. 2016;44(10):1618-1629.

52. Kuchler U, von Arx T. Horizontal ridge augmentation in conjunction with or prior to implant placement in the anterior maxilla: a systematic review. Int J Oral Maxillofac Implants. 2014;29 Suppl:14-24.

53. Benic GI, Hämmerle CHF. Horizontal bone augmentation by means of guided bone regeneration. Periodontol 2000. 2014;66(1):13-40.

54. Gultekin BA, Bedeloglu E, Kose TE, Mijiritsky E. Comparison of Bone Resorption Rates after Intraoral Block Bone and Guided Bone Regeneration Augmentation for the Reconstruction of Horizontally Deficient Maxillary Alveolar Ridges. Biomed Res Int. 2016;2016:4987437-4987437.

55. Benic GI, Eisner BM, Jung RE, Basler T, Schneider D, Hämmerle CHF. Hard tissue changes after guided bone regeneration of peri-implant defects comparing block versus particulate bone substitutes: 6-month results of a randomized controlled clinical trial. Clin Oral Implants Res. 2019;30(10):1016-1026.

56. Zellin G, Gritli-Linde A, Linde A. Healing of mandibular defects with different biodegradable and non-biodegradable membranes: an experimental study in rats. Biomaterials. 1995;16(8):601-609.

57. Mellonig JT, Nevins M, Sanchez R. Evaluation of a bioabsorbable physical barrier for guided bone regeneration. Part I. Material alone. Int J Periodontics Restorative Dent. 1998;18(2):139-149.

58. Strietzel FP, Khongkhunthian P, Khattiya R, Patchanee P, Reichart PA. Healing pattern of bone defects covered by different membrane types—a histologic study in the porcine mandible. J Biomed Mater Res B Appl Biomater. 2006;78(1):35-46.

59. Schwarz F, Herten M, Ferrari D, et al. Guided bone regeneration at dehiscence-type defects using biphasic hydroxyapatite + beta tricalcium phosphate (Bone Ceramic) or a collagen-coated natural bone mineral (BioOss Collagen): an immunohistochemical study in dogs. Int J Oral Maxillofac Surg. 2007;36(12):1198-1206.

60. Lorenzoni M, Pertl C, Keil C, Wegscheider WA. Treatment of peri-implant defects with guided bone regeneration: a comparative clinical study with various membranes and bone grafts. Int J Oral Maxillofac Implants. 1998;13(5):639-646.

61. Naenni N, Schneider D, Jung RE, Hüsler J, Hämmerle CHF, Thoma DS. Randomized clinical study assessing two membranes for guided bone regeneration of peri-implant bone defects: clinical and histological outcomes at 6 months. Clin Oral Implants Res. 2017;28(10):1309-1317.

62. Tanaka S, Matsuzaka K, Sato D, Inoue T. Characteristics of newly formed bone during guided bone regeneration: analysis of cbfa-1, osteocalcin, and VEGF expression. J Oral Implantol. 2007;33(6):321-326.

63. Matsuzaka K, Shimono M, Inoue T. Characteristics of newly formed bone during guided bone regeneration: observations by immunohistochemistry and confocal laser scanning microscopy. Bull Tokyo Dent Coll. 2001;42(4):225-234.

64. Amar S, Chung KM, Nam SH, Karatzas S, Myokai F, Van Dyke TE. Markers of bone and cementum formation accumulate in tissues regenerated in periodontal defects treated with expanded polytetrafluoroethylene membranes. J Periodontal Res. 1997;32(1 Pt 2):148-158.

65. Lima LL, Gonçalves PF, Sallum EA, Casati MZ, Nociti FH, Jr. Guided tissue regeneration may modulate gene expression in periodontal intrabony defects: a human study. J Periodontal Res. 2008;43(4):459-464.

66. Calciolari E, Mardas N, Dereka X, Anagnostopoulos AK, Tsangaris GT, Donos N. Protein expression during early stages of bone regeneration under hydrophobic and hydrophilic titanium domes. A pilot study. J Periodontal Res. 2018;53(2):174-187.

67. Omar O, Dahlin A, Gasser A, Dahlin C. Tissue dynamics and regenerative outcome in two resorbable non-cross-linked collagen membranes for guided bone regeneration: A preclinical molecular and histological study in vivo. Clin Oral Implants Res. 2018;29(1):7-19.

68. Zimmermann M, Caballé-Serrano J, Bosshardt DD, Ankersmit HJ, Buser D, Gruber R. Bone-Conditioned Medium Changes Gene Expression in Bone-Derived Fibroblasts. The International journal of oral & maxillofacial implants. 2015;30(4):953-958.

69. Caballé-Serrano J, Sawada K, Miron RJ, Bosshardt DD, Buser D, Gruber R. Collagen barrier membranes adsorb growth factors liberated from autogenous bone chips. Clinical oral implants research. 2017;28(2):236-241.

70. Lee J-h, Lee YJ, Cho H-j, Kim DW, Shin H. The incorporation of bFGF mediated by heparin into PCL/gelatin composite fiber meshes for guided bone regeneration. Drug Deliv Transl Res. 2015;5(2):146-159.

71. Lee YJ, Lee J-H, Cho H-J, Kim HK, Yoon TR, Shin H. Electrospun fibers immobilized with bone forming peptide-1 derived from BMP7 for guided bone regeneration. Biomaterials. 2013;34(21):5059-5069.

72. Ji W, Yang F, Ma J, et al. Incorporation of stromal cell-derived factor-1α in PCL/gelatin electrospun membranes for guided bone regeneration. Biomaterials. 2013;34(3):735-745.

73. Hong KS, Kim E-C, Bang S-H, et al. Bone regeneration by bioactive hybrid membrane containing FGF2 within rat calvarium. J Biomed Mater Res A. 2010;94(4):1187-1194.

74. Jo JY, Jeong SI, Shin YM, et al. Sequential delivery of BMP-2 and BMP-7 for bone regeneration using a heparinized collagen membrane. Int J Oral Maxillofac Surg. 2015;44(7):921-928.

75. Lai C-H, Zhou L, Wang Z-L, Lu H-B, Gao Y. Use of a collagen membrane loaded with recombinant human bone morphogenetic protein-2 with collagen-binding domain for vertical guided bone regeneration. J Periodontol. 2013;84(7):950-957.

76. Piao Z-G, Kim J-S, Son J-S, et al. Osteogenic evaluation of collagen membrane containing drug-loaded polymeric microparticles in a rat calvarial defect model. Tissue Eng Part A. 2014;20(23-24):3322-3331.

77. Kütan E, Duygu-Çapar G, Özçakir-Tomruk C, et al. Efficacy of doxycycline release collagen membrane on surgically created and contaminated defects in rat tibiae: A histopathological and microbiological study. Arch Oral Biol. 2016;63:15-21.

78. Xue J, He M, Niu Y, et al. Preparation and in vivo efficient anti-infection property of GTR/GBR implant made by metronidazole loaded electrospun polycaprolactone nanofiber membrane. Int J Pharm. 2014;475(1-2):566-577.

79. Li J, Zuo Y, Man Y, et al. Fabrication and biocompatibility of an antimicrobial composite membrane with an asymmetric porous structure. J Biomater Sci Polym Ed. 2012;23(1-4):81-96.

80. Choi KS, Kan JY, Boyne PJ, Goodacre CJ, Lozada JL, Rungcharassaeng K. The effects of resorbable membrane on human maxillary sinus graft: a pilot study. Int J Oral Maxillofac Implants. 2009;24(1):73-80.

81. Barone A, Ricci M, Grassi RF, Nannmark U, Quaranta A, Covani U. A 6-month histological analysis on maxillary sinus augmentation with and without use of collagen membranes over the osteotomy window: randomized clinical trial. Clin Oral Implants Res. 2013;24(1):1-6.

82. García-Denche JT, Wu X, Martinez PP, et al. Membranes over the lateral window in sinus augmentation procedures: a two-arm and split-mouth randomized clinical trials. J Clin Periodontol. 2013;40(11):1043-1051.

83. Thalmair T, Fickl S, Schneider D, Hinze M, Wachtel H. Dimensional alterations of extraction sites after different alveolar ridge preservation techniques — a volumetric study. J Clin Periodontol. 2013;40(7):721-727.

84. Araújo MG, da Silva JCC, de Mendonça AF, Lindhe J. Ridge alterations following grafting of fresh extraction sockets in man. A randomized clinical trial. Clin Oral Implants Res. 2015;26(4):407-412.

85. Cosyn J, Pollaris L, Van der Linden F, De Bruyn H. Minimally Invasive Single Implant Treatment (M.I.S.I.T.) based on ridge preservation and contour augmentation in patients with a high aesthetic risk profile: one-year results. J Clin Periodontol. 2015;42(4):398-405.

86. Natto ZS, Parashis A, Steffensen B, Ganguly R, Finkelman MD, Jeong YN. Efficacy of collagen matrix seal and collagen sponge on ridge preservation in combination with bone allograft: A randomized controlled clinical trial. J Clin Periodontol. 2017;44(6):649-659.

87. Duong M, Mealey BL, Walker C, Al-Harthi S, Prihoda TJ, Huynh-Ba G. Evaluation of healing at molar extraction sites with and without ridge preservation: A three-arm histologic analysis. J Periodontol. 2020;91(1):74-82.

88. Thoma DS, Bienz SP, Figuero E, Jung RE, Sanz-Martín I. Efficacy of lateral bone augmentation performed simultaneously with dental implant placement: A systematic review and meta-analysis. J Clin Periodontol. 2019;46 Suppl 21:257-276.

89. Elbeshir EI. Spontaneous regeneration of the mandibular bone following hemimandibulectomy. Br J Oral Maxillofac Surg. 1990;28(2):128-130.

90. Jovanovic SA, Schenk RK, Orsini M, Kenney EB. Supracrestal bone formation around dental implants: an experimental dog study. Int J Oral Maxillofac Implants. 1995;10(1):23-31.

91. Linde A, Thoren C, Dahlin C, Sandberg E. Creation of new bone by an osteopromotive membrane technique: an experimental study in rats. J Oral Maxillofac Surg. 1993;51(8):892-897.

92. Yu Z, Geng J, Gao H, Zhao X, Chen J. Evaluations of guided bone regeneration in canine radius segmental defects using autologous periosteum combined with fascia lata under stable external fixation. J Orthop Traumatol. 2015;16(2):133-140.

93. Dahlin C, Gottlow J, Linde A, Nyman S. Healing of maxillary and mandibular bone defects using a membrane technique. An experimental study in monkeys. Scand J Plast Reconstr Surg Hand Surg. 1990;24(1):13-19.

94. Cohen J, Lacroix P. Bone and cartilage formation by periosteum; assay of experimental autogenous grafts. J Bone Joint Surg Am. 1955;37-A(4):717-730.

95. Melcher AH, Accursi GE. Osteogenic capacity of periosteal and osteoperiosteal flaps elevated from the parietal bone of the rat. Arch Oral Biol. 1971;16(6):573-580.

96. Engdahl E. Bone regeneration in maxillary defects. An experimental investigation on the significance of the periosteum and various media (blood, surgicel, bone marrow and bone grafts) on bone formation and maxillary growth. Scand J Plast Reconstr Surg. 1972;8:1-79.

97. Reid CA, McCarthy JG, Kolber AB. A study of regeneration in parietal bone defects in rabbits. Plast

Reconstr Surg. 1981;67(5):591−596.

98. Byars LT, Schatten WE. Subperiosteal segmental resection of the mandible. Plast Reconstr Surg Transplant Bull. 1960;25:142−145.

99. Cocke WM, Norton C. Regeneration of tibial segment from periosteum. Case report. Plast Reconstr Surg. 1974;53(6):675−676.

100. Elbeshir EI. Spontaneous regeneration of the mandibular bone following hemimandibulectomy. Br J Oral Maxillofac Surg. 1990;28(2):128−130.

101. Melcher AH. Role of the periosteum in repair of wounds of the parietal bone of the rat. Arch Oral Biol. 1969;14(9):1101−1109.

102. Yamada Y, Nanba K, Ito K. Effects of occlusiveness of a titanium cap on bone generation beyond the skeletal envelope in the rabbit calvarium. Clin Oral Implants Res. 2003;14(4):455−463.

103. Artzi Z, Dayan D, Alpern Y, Nemcovsky CE. Vertical ridge augmentation using xenogenic material supported by a configured titanium mesh: clinicohistopathologic and histochemical study. Int J Oral Maxillofac Implants. 2003;18(3):440−446.

104. Mordenfeld A, Johansson CB, Albrektsson T, Hallman M. A randomized and controlled clinical trial of two different compositions of deproteinized bovine bone and autogenous bone used for lateral ridge augmentation. Clin Oral Implants Res. 2014;25(3):310−320.

105. Oh T−J, Meraw SJ, Lee E−J, Giannobile WV, Wang H−L. Comparative analysis of collagen membranes for the treatment of implant dehiscence defects. Clin Oral Implants Res. 2003;14(1):80−90.

106. Janner SFM, Bosshardt DD, Cochran DL, et al. The influence of collagen membrane and autogenous bone chips on bone augmentation in the anterior maxilla: a preclinical study. Clin Oral Implants Res. 2017;28(11):1368−1380.

107. Chen ST, Beagle J, Jensen SS, Chiapasco M, Darby I. Consensus statements and recommended clinical procedures regarding surgical techniques. Int J Oral Maxillofac Implants. 2009;24 Suppl:272−278.

108. Verdugo F, D'Addona A, Pontón J. Clinical, tomographic, and histological assessment of periosteal guided bone regeneration with cortical perforations in advanced human critical size defects. Clin Implant Dent Relat Res. 2012;14(1):112−120.

109. Donos N, Kostopoulos L, Karring T. Augmentation of the mandible with GTR and onlay cortical bone grafting. An experimental study in the rat. Clin Oral Implants Res. 2002;13(2):175−184.

110. Donos N, Kostopoulos L, Karring T. Augmentation of the rat jaw with autogeneic cortico−cancellous bone grafts and guided tissue regeneration. Clin Oral Implants Res. 2002;13(2):192−202.

111. Donos N, Kostopoulos L, Karring T. Alveolar ridge augmentation by combining autogenous mandibular

bone grafts and non—resorbable membranes. Clin Oral Implants Res. 2002;13(2):185—191.

112. Cordaro L, Amadé DS, Cordaro M. Clinical results of alveolar ridge augmentation with mandibular block bone grafts in partially edentulous patients prior to implant placement. Clin Oral Implants Res. 2002;13(1):103—111.

113. Roccuzzo M, Ramieri G, Bunino M, Berrone S. Autogenous bone graft alone or associated with titanium mesh for vertical alveolar ridge augmentation: a controlled clinical trial. Clin Oral Implants Res. 2007;18(3):286—294.

114. Antoun H, Sitbon JM, Martinez H, Missika P. A prospective randomized study comparing two techniques of bone augmentation: onlay graft alone or associated with a membrane. Clin Oral Implants Res. 2001;12(6):632—639.

115. Hammerle CH, Jung RE. Bone augmentation by means of barrier membranes. Periodontol 2000. 2003;33:36—53.

116. Buser D, Bragger U, Lang NP, Nyman S. Regeneration and enlargement of jaw bone using guided tissue regeneration. Clin Oral Implants Res. 1990;1(1):22—32.

117. Dahlin C, Sennerby L, Lekholm U, Linde A, Nyman S. Generation of new bone around titanium implants using a membrane technique: an experimental study in rabbits. Int J Oral Maxillofac Implants. 1989;4(1):19—25.

118. Nyman S, Lang NP, Buser D, Bragger U. Bone regeneration adjacent to titanium dental implants using guided tissue regeneration: a report of two cases. Int J Oral Maxillofac Implants. 1990;5(1):9—14.

119. Akimoto K, Becker W, Donath K, Becker BE, Sanchez R. Formation of bone around titanium implants placed into zero wall defects: pilot project using reinforced e—PTFE membrane and autogenous bone grafts. Clin Implant Dent Relat Res. 1999;1(2):98—104.

120. Buser D, Dula K, Hirt HP, Schenk RK. Lateral ridge augmentation using autografts and barrier membranes: a clinical study with 40 partially edentulous patients. J Oral Maxillofac Surg. 1996;54(4):420—432; discussion 432—423.

121. Canullo L, Malagnino VA. Vertical ridge augmentation around implants by e—PTFE titanium—reinforced membrane and bovine bone matrix: a 24— to 54—month study of 10 consecutive cases. Int J Oral Maxillofac Implants. 2008;23(5):858—866.

122. Carpio L, Loza J, Lynch S, Genco R. Guided bone regeneration around endosseous implants with anorganic bovine bone mineral. A randomized controlled trial comparing bioabsorbable versus non—resorbable barriers. J Periodontol. 2000;71(11):1743—1749.

123. Cornelini R, Cangini F, Covani U, Andreana S. Simultaneous implant placement and vertical ridge

augmentation with a titanium-reinforced membrane: a case report. Int J Oral Maxillofac Implants. 2000;15(6):883-888.

124. Feuille F, Knapp CI, Brunsvold MA, Mellonig JT. Clinical and histologic evaluation of bone-replacement grafts in the treatment of localized alveolar ridge defects. Part 1: Mineralized freeze-dried bone allograft. Int J Periodontics Restorative Dent. 2003;23(1):29-35.

125. Fontana F, Santoro F, Maiorana C, Iezzi G, Piattelli A, Simion M. Clinical and histologic evaluation of allogeneic bone matrix versus autogenous bone chips associated with titanium-reinforced e-PTFE membrane for vertical ridge augmentation: a prospective pilot study. Int J Oral Maxillofac Implants. 2008;23(6):1003-1012.

126. Hammerle CH, Chiantella GC, Karring T, Lang NP. The effect of a deproteinized bovine bone mineral on bone regeneration around titanium dental implants. Clin Oral Implants Res. 1998;9(3):151-162.

127. Jovanovic SA, Spiekermann H, Richter EJ. Bone regeneration around titanium dental implants in dehisced defect sites: a clinical study. Int J Oral Maxillofac Implants. 1992;7(2):233-245.

128. Knapp CI, Feuille F, Cochran DL, Mellonig JT. Clinical and histologic evaluation of bone-replacement grafts in the treatment of localized alveolar ridge defects. Part 2: bioactive glass particulate. Int J Periodontics Restorative Dent. 2003;23(2):129-137.

129. Merli M, Migani M, Bernardelli F, Esposito M. Vertical bone augmentation with dental implant placement: efficacy and complications associated with 2 different techniques. A retrospective cohort study. Int J Oral Maxillofac Implants. 2006;21(4):600-606.

130. Merli M, Migani M, Esposito M. Vertical ridge augmentation with autogenous bone grafts: resorbable barriers supported by ostheosynthesis plates versus titanium-reinforced barriers. A preliminary report of a blinded, randomized controlled clinical trial. Int J Oral Maxillofac Implants. 2007;22(3):373-382.

131. Schwarz F, Rothamel D, Herten M, et al. Immunohistochemical characterization of guided bone regeneration at a dehiscence-type defect using different barrier membranes: an experimental study in dogs. Clin Oral Implants Res. 2008;19(4):402-415.

132. Simion M, Dahlin C, Rocchietta I, Stavropoulos A, Sanchez R, Karring T. Vertical ridge augmentation with guided bone regeneration in association with dental implants: an experimental study in dogs. Clin Oral Implants Res. 2007;18(1):86-94.

133. Simion M, Fontana F, Rasperini G, Maiorana C. Vertical ridge augmentation by expanded-polytetrafluoroethylene membrane and a combination of intraoral autogenous bone graft and deproteinized anorganic bovine bone (Bio Oss). Clin Oral Implants Res. 2007;18(5):620-629.

134. Simion M, Jovanovic SA, Tinti C, Benfenati SP. Long-term evaluation of osseointegrated implants

inserted at the time or after vertical ridge augmentation. A retrospective study on 123 implants with 1-5 year follow-up. Clin Oral Implants Res. 2001;12(1):35-45.

135. Tinti C, Vincenzi GP. Expanded polytetrafluoroethylene titanium-reinforced membranes for regeneration of mucogingival recession defects. A 12-case report. J Periodontol. 1994;65(11):1088-1094.

136. Trombelli L, Farina R, Marzola A, Itro A, Calura G. GBR and autogenous cortical bone particulate by bone scraper for alveolar ridge augmentation: a 2-case report. Int J Oral Maxillofac Implants. 2008;23(1):111-116.

137. Becker W, Dahlin C, Becker BE, et al. The use of e-PTFE barrier membranes for bone promotion around titanium implants placed into extraction sockets: a prospective multicenter study. Int J Oral Maxillofac Implants. 1994;9(1):31-40.

138. Moses O, Pitaru S, Artzi Z, Nemcovsky CE. Healing of dehiscence-type defects in implants placed together with different barrier membranes: a comparative clinical study. Clin Oral Implants Res. 2005;16(2):210-219.

139. Buser D, Dula K, Hess D, Hirt HP, Belser UC. Localized ridge augmentation with autografts and barrier membranes. Periodontol 2000. 1999;19:151-163.

140. Buser D, Ingimarsson S, Dula K, Lussi A, Hirt HP, Belser UC. Long-term stability of osseointegrated implants in augmented bone: a 5-year prospective study in partially edentulous patients. Int J Periodontics Restorative Dent. 2002;22(2):109-117.

141. Nevins M, Mellonig JT. Enhancement of the damaged edentulous ridge to receive dental implants: a combination of allograft and the GORE-TEX membrane. Int J Periodontics Restorative Dent. 1992;12(2):96-111.

142. Selvig KA, Kersten BG, Chamberlain AD, Wikesjo UM, Nilveus RE. Regenerative surgery of intrabony periodontal defects using ePTFE barrier membranes: scanning electron microscopic evaluation of retrieved membranes versus clinical healing. J Periodontol. 1992;63(12):974-978.

143. Simion M, Trisi P, Piattelli A. Vertical ridge augmentation using a membrane technique associated with osseointegrated implants. Int J Periodontics Restorative Dent. 1994;14(6):496-511.

144. Garg A. Barrier membranes—materials review, Part I of II. Dent Implantol Update. 2011;22(9):61-64.

145. Oh TJ, Meraw SJ, Lee EJ, Giannobile WV, Wang HL. Comparative analysis of collagen membranes for the treatment of implant dehiscence defects. Clin Oral Implants Res. 2003;14(1):80-90.

146. Dahlin C, Simion M, Nanmark U, Sennerby L. Histological morphology of the e-PTFE/tissue interface in humans subjected to guided bone regeneration in conjunction with oral implant treatment. Clin Oral

Implants Res. 1998;9(2):100−106.

147. Lim HC, Lee JS, Choi SH, Jung UW. The effect of overlaying titanium mesh with collagen membrane for ridge preservation. J Periodontal Implant Sci. 2015;45(4):128−135.

148. Simion M, Jovanovic SA, Trisi P, Scarano A, Piattelli A. Vertical ridge augmentation around dental implants using a membrane technique and autogenous bone or allografts in humans. Int J Periodontics Restorative Dent. 1998;18(1):8−23.

149. Lim HC, Kim MS, Yang C, et al. The Effectiveness of a Customized Titanium Mesh for Ridge Preservation with Immediate Implantation in Dogs. Clin Implant Dent Relat Res. 2015;17 Suppl 2:e652−660.

150. Buser D, Dula K, Hirt HP, Schenk RK. Lateral ridge augmentation using autografts and barrier membranes: a clinical study with 40 partially edentulous patients. J Oral Maxillofac Surg. 1996;54(4):420−433.

151. Simion M, Jovanovic SA, Trisi P, Scarano A, Piattelli A. Vertical ridge augmentation around dental implants using a membrane technique and autogenous bone or allografts in humans. Int J Periodontics Restorative Dent. 1998;18(1):8−23.

152. Proussaefs P, Lozada J. The use of resorbable collagen membrane in conjunction with autogenous bone graft and inorganic bovine mineral for buccal/labial alveolar ridge augmentation: a pilot study. J Prosthet Dent. 2003;90(6):530−538.

153. Proussaefs P, Lozada J. Use of titanium mesh for staged localized alveolar ridge augmentation: clinical and histologic−histomorphometric evaluation. J Oral Implantol. 2006;32(5):237−247.

154. Cucchi A, Sartori M, Aldini NN, Vignudelli E, Corinaldesi G. A Proposal of Pseudo−periosteum Classification After GBR by Means of Titanium−Reinforced d−PTFE Membranes or Titanium Meshes Plus Cross−Linked Collagen Membranes. Int J Periodontics Restorative Dent. 2019;39(4):e157−e165.

155. Schenk RK, Buser D, Hardwick WR, Dahlin C. Healing pattern of bone regeneration in membrane−protected defects: a histologic study in the canine mandible. Int J Oral Maxillofac Implants. 1994;9(1):13−29.

156. Buser D, Dula K, Belser UC, Hirt HP, Berthold H. Localized ridge augmentation using guided bone regeneration. II. Surgical procedure in the mandible. Int J Periodontics Restorative Dent. 1995;15(1):10−29.

157. Zitzmann NU, Naef R, Scharer P. Resorbable versus nonresorbable membranes in combination with Bio−Oss for guided bone regeneration. Int J Oral Maxillofac Implants. 1997;12(6):844−852.

158. Buser D, Dula K, Belser U, Hirt HP, Berthold H. Localized ridge augmentation using guided bone

regeneration. 1. Surgical procedure in the maxilla. Int J Periodontics Restorative Dent. 1993;13(1):29–45.

159. Bartee BK. The use of high–density polytetrafluoroethylene membrane to treat osseous defects: clinical reports. Implant Dent. 1995;4(1):21–26.

160. Bartee BK. Evaluation of a new polytetrafluoroethylene guided tissue regeneration membrane in healing extraction sites. Compend Contin Educ Dent. 1998;19(12):1256–1264.

161. Barber HD, Lignelli J, Smith BM, Bartee BK. Using a dense PTFE membrane without primary closure to achieve bone and tissue regeneration. J Oral Maxillofac Surg. 2007;65(4):748–752.

162. Bartee BK. Evaluation of a new polytetrafluoroethylene guided tissue regeneration membrane in healing extraction sites. Compend Contin Educ Dent. 1998;19(12):1256–1258, 1260, 1262–1254.

163. Phillips DJ, Swenson DT, Johnson TM. Buccal bone thickness adjacent to virtual dental implants following guided bone regeneration. J Periodontol. 2019;90(6):595–607.

164. Laurito D, Cugnetto R, Lollobrigida M, et al. Socket Preservation with d–PTFE Membrane: Histologic Analysis of the Newly Formed Matrix at Membrane Removal. Int J Periodontics Restorative Dent. 2016;36(6):877–883.

165. Walker CJ, Prihoda TJ, Mealey BL, Lasho DJ, Noujeim M, Huynh–Ba G. Evaluation of Healing at Molar Extraction Sites With and Without Ridge Preservation: A Randomized Controlled Clinical Trial. J Periodontol. 2017;88(3):241–249.

166. Sun DJ, Lim HC, Lee DW. Alveolar ridge preservation using an open membrane approach for sockets with bone deficiency: A randomized controlled clinical trial. Clin Implant Dent Relat Res. 2019;21(1):175–182.

167. Laurito D, Lollobrigida M, Gianno F, Bosco S, Lamazza L, De Biase A. Alveolar Ridge Preservation with nc–HA and d–PTFE Membrane: A Clinical, Histologic, and Histomorphometric Study. Int J Periodontics Restorative Dent. 2017;37(2):283–290.

168. Fotek PD, Neiva RF, Wang HL. Comparison of dermal matrix and polytetrafluoroethylene membrane for socket bone augmentation: a clinical and histologic study. J Periodontol. 2009;80(5):776–785.

169. Hassan M, Prakasam S, Bain C, Ghoneima A, Liu SS. A Randomized Split–Mouth Clinical Trial on Effectiveness of Amnion–Chorion Membranes in Alveolar Ridge Preservation: A Clinical, Radiologic, and Morphometric Study. Int J Oral Maxillofac Implants. 2017;32(6):1389–1398.

170. Carbonell JM, Martín IS, Santos A, Pujol A, Sanz–Moliner JD, Nart J. High–density polytetrafluoroethylene membranes in guided bone and tissue regeneration procedures: a literature review. Int J Oral Maxillofac Surg. 2014;43(1):75–84.

171. Crump TB, Rivera-Hidalgo F, Harrison JW, Williams FE, Guo IY. Influence of three membrane types on healing of bone defects. Oral Surg Oral Med Oral Pathol Oral Radiol Endod. 1996;82(4):365-374.

172. Ronda M, Rebaudi A, Torelli L, Stacchi C. Expanded vs. dense polytetrafluoroethylene membranes in vertical ridge augmentation around dental implants: a prospective randomized controlled clinical trial. Clin Oral Implants Res. 2014;25(7):859-866.

173. Cucchi A, Vignudelli E, Napolitano A, Marchetti C, Corinaldesi G. Evaluation of complication rates and vertical bone gain after guided bone regeneration with non-resorbable membranes versus titanium meshes and resorbable membranes. A randomized clinical trial. Clin Implant Dent Relat Res. 2017;19(5):821-832.

174. Cucchi A, Sartori M, Parrilli A, Aldini NN, Vignudelli E, Corinaldesi G. Histological and histomorphometric analysis of bone tissue after guided bone regeneration with non-resorbable membranes vs resorbable membranes and titanium mesh. Clin Implant Dent Relat Res. 2019;21(4):693-701.

175. Urban IA, Montero E, Monje A, Sanz-Sánchez I. Effectiveness of vertical ridge augmentation interventions: A systematic review and meta-analysis. J Clin Periodontol. 2019;46 Suppl 21:319-339.

176. Urban IA, Lozada JL, Jovanovic SA, Nagursky H, Nagy K. Vertical ridge augmentation with titanium-reinforced, dense-PTFE membranes and a combination of particulated autogenous bone and anorganic bovine bone-derived mineral: a prospective case series in 19 patients. Int J Oral Maxillofac Implants. 2014;29(1):185-193.

177. Herzberg R. Vertical Guided Bone Regeneration for a Single Missing Tooth Span with Titanium-Reinforced d-PTFE Membranes: Clinical Considerations and Observations of 10 Consecutive Cases with up to 36 Months Follow-up. Int J Periodontics Restorative Dent. 2017;37(6):893-899.

178. Boyne PJ. Restoration of osseous defects in maxillofacial casualities. J Am Dent Assoc. 1969;78(4):767-776.

179. Boyne PJ, Cole MD, Stringer D, Shafqat JP. A technique for osseous restoration of deficient edentulous maxillary ridges. J Oral Maxillofac Surg. 1985;43(2):87-91.

180. von Arx T, Hardt N, Wallkamm B. The TIME technique: a new method for localized alveolar ridge augmentation prior to placement of dental implants. Int J Oral Maxillofac Implants. 1996;11(3):387-394.

181. von Arx T, Kurt B. Implant placement and simultaneous ridge augmentation using autogenous bone and a micro titanium mesh: a prospective clinical study with 20 implants. Clin Oral Implants Res. 1999;10(1):24-33.

182. von Arx T, Wallkamm B, Hardt N. Localized ridge augmentation using a micro titanium mesh: a report on 27 implants followed from 1 to 3 years after functional loading. Clin Oral Implants Res. 1998;9(2):123-130.

183. Lizio G, Mazzone N, Corinaldesi G, Marchetti C. Reconstruction of Extended and Morphologically Varied Alveolar Ridge Defects with the Titanium Mesh Technique: Clinical and Dental Implants Outcomes. Int J Periodontics Restorative Dent. 2016;36(5):689-697.

184. Louis PJ, Gutta R, Said-Al-Naief N, Bartolucci AA. Reconstruction of the maxilla and mandible with particulate bone graft and titanium mesh for implant placement. J Oral Maxillofac Surg. 2008;66(2):235-245.

185. Maiorana C, Santoro F, Rabagliati M, Salina S. Evaluation of the use of iliac cancellous bone and anorganic bovine bone in the reconstruction of the atrophic maxilla with titanium mesh: a clinical and histologic investigation. Int J Oral Maxillofac Implants. 2001;16(3):427-432.

186. Pieri F, Corinaldesi G, Fini M, Aldini NN, Giardino R, Marchetti C. Alveolar ridge augmentation with titanium mesh and a combination of autogenous bone and anorganic bovine bone: a 2-year prospective study. J Periodontol. 2008;79(11):2093-2103.

187. Proussaefs P, Lozada J. Use of titanium mesh for staged localized alveolar ridge augmentation: clinical and histologic-histomorphometric evaluation. J Oral Implantol. 2006;32(5):237-247.

188. Proussaefs P, Lozada J, Kleinman A, Rohrer MD, McMillan PJ. The use of titanium mesh in conjunction with autogenous bone graft and inorganic bovine bone mineral (bio-oss) for localized alveolar ridge augmentation: a human study. Int J Periodontics Restorative Dent. 2003;23(2):185-195.

189. Roccuzzo M, Ramieri G, Bunino M, Berrone S. Autogenous bone graft alone or associated with titanium mesh for vertical alveolar ridge augmentation: a controlled clinical trial. Clin Oral Implants Res. 2007;18(3):286-294.

190. Sumi Y, Miyaishi O, Tohnai I, Ueda M. Alveolar ridge augmentation with titanium mesh and autogenous bone. Oral Surg Oral Med Oral Pathol Oral Radiol Endod. 2000;89(3):268-270.

191. Corinaldesi G, Pieri F, Marchetti C, Fini M, Aldini NN, Giardino R. Histologic and histomorphometric evaluation of alveolar ridge augmentation using bone grafts and titanium micromesh in humans. J Periodontol. 2007;78(8):1477-1484.

192. Gutta R, Baker RA, Bartolucci AA, Louis PJ. Barrier membranes used for ridge augmentation: is there an optimal pore size? J Oral Maxillofac Surg. 2009;67(6):1218-1225.

193. Linde A, Thorén C, Dahlin C, Sandberg E. Creation of new bone by an osteopromotive membrane technique: an experimental study in rats. J Oral Maxillofac Surg. 1993;51(8):892-897.

194. Weng D, Hürzeler MB, Quiñones CR, Ohlms A, Caffesse RG. Contribution of the periosteum to bone formation in guided bone regeneration. A study in monkeys. Clin Oral Implants Res. 2000;11(6):546–554.

195. Malchiodi L, Scarano A, Quaranta M, Piattelli A. Rigid fixation by means of titanium mesh in edentulous ridge expansion for horizontal ridge augmentation in the maxilla. Int J Oral Maxillofac Implants. 1998;13(5):701–705.

196. Degidi M, Scarano A, Piattelli A. Regeneration of the alveolar crest using titanium micromesh with autologous bone and a resorbable membrane. J Oral Implantol. 2003;29(2):86–90.

197. Rasia–dal Polo M, Poli P–P, Rancitelli D, Beretta M, Maiorana C. Alveolar ridge reconstruction with titanium meshes: a systematic review of the literature. Med Oral Patol Oral Cir Bucal. 2014;19(6):e639–e646.

198. Artzi Z, Dayan D, Alpern Y, Nemcovsky CE. Vertical ridge augmentation using xenogenic material supported by a configured titanium mesh: clinicohistopathologic and histochemical study. Int J Oral Maxillofac Implants. 2003;18(3):440–446.

199. Corinaldesi G, Pieri F, Marchetti C, Fini M, Aldini NN, Giardino R. Histologic and histomorphometric evaluation of alveolar ridge augmentation using bone grafts and titanium micromesh in humans. J Periodontol. 2007;78(8):1477–1484.

200. Maiorana C, Santoro F, Rabagliati M, Salina S. Evaluation of the use of iliac cancellous bone and anorganic bovine bone in the reconstruction of the atrophic maxilla with titanium mesh: a clinical and histologic investigation. Int J Oral Maxillofac Implants. 2001;16(3):427–432.

201. Chan H–L, Benavides E, Tsai C–Y, Wang H–L. A Titanium Mesh and Particulate Allograft for Vertical Ridge Augmentation in the Posterior Mandible: A Pilot Study. Int J Periodontics Restorative Dent. 2015;35(4):515–522.

202. Torres J, Tamimi F, Alkhraisat MH, et al. Platelet–rich plasma may prevent titanium–mesh exposure in alveolar ridge augmentation with anorganic bovine bone. J Clin Periodontol. 2010;37(10):943–951.

203. Park Y–H, Choi S–H, Cho K–S, Lee J–S. Dimensional alterations following vertical ridge augmentation using collagen membrane and three types of bone grafting materials: A retrospective observational study. Clin Implant Dent Relat Res. 2017;19(4):742–749.

204. Levine RA, McAllister BS. Implant Site Development Using Ti–Mesh and Cellular Allograft in the Esthetic Zone for Restorative–Driven Implant Placement: A Case Report. Int J Periodontics Restorative Dent. 2016;36(3):373–381.

205. Zhang T, Zhang T, Cai X. The application of a newly designed L–shaped titanium mesh for GBR with

simultaneous implant placement in the esthetic zone: A retrospective case series study. Clin Implant Dent Relat Res. 2019;21(5):862–872.

206. Proussaefs P, Lozada J, Kleinman A, Rohrer MD, McMillan PJ. The use of titanium mesh in conjunction with autogenous bone graft and inorganic bovine bone mineral (bio-oss) for localized alveolar ridge augmentation: a human study. Int J Periodontics Restorative Dent. 2003;23(2):185–195.

207. Pieri F, Corinaldesi G, Fini M, Aldini NN, Giardino R, Marchetti C. Alveolar ridge augmentation with titanium mesh and a combination of autogenous bone and anorganic bovine bone: a 2-year prospective study. J Periodontol. 2008;79(11):2093–2103.

208. Assenza B, Piattelli M, Scarano A, Lezzi G, Petrone G, Piattelli A. Localized ridge augmentation using titanium micromesh. J Oral Implantol. 2001;27(6):287–292.

209. Ricci L, Perrotti V, Ravera L, Scarano A, Piattelli A, Iezzi G. Rehabilitation of deficient alveolar ridges using titanium grids before and simultaneously with implant placement: a systematic review. J Periodontol. 2013;84(9):1234–1242.

210. Ciocca L, Lizio G, Baldissara P, Sambuco A, Scotti R, Corinaldesi G. Prosthetically CAD-CAM-Guided Bone Augmentation of Atrophic Jaws Using Customized Titanium Mesh: Preliminary Results of an Open Prospective Study. J Oral Implantol. 2018;44(2):131–137.

211. Roccuzzo M, Ramieri G, Spada MC, Bianchi SD, Berrone S. Vertical alveolar ridge augmentation by means of a titanium mesh and autogenous bone grafts. Clin Oral Implants Res. 2004;15(1):73–81.

212. Simion M, Baldoni M, Rossi P, Zaffe D. A comparative study of the effectiveness of e-PTFE membranes with and without early exposure during the healing period. Int J Periodontics Restorative Dent. 1994;14(2):166–180.

213. von Arx T, Hardt N, Wallkamm B. The TIME technique: a new method for localized alveolar ridge augmentation prior to placement of dental implants. The International journal of oral & maxillofacial implants. 1996;11(3):387–394.

214. Parodi R, Santarelli G, Carusi G. Application of slow-resorbing collagen membrane to periodontal and peri-implant guided tissue regeneration. Int J Periodontics Restorative Dent. 1996;16(2):174–185.

215. McGinnis M, Larsen P, Miloro M, Beck FM. Comparison of resorbable and nonresorbable guided bone regeneration materials: a preliminary study. Int J Oral Maxillofac Implants. 1998;13(1):30–35.

216. Kodama T, Minabe M, Hori T, Watanabe Y. The effect of various concentrations of collagen barrier on periodontal wound healing. J Periodontol. 1989;60(4):205–210.

217. Minabe M, Kodama T, Kogou T, et al. Different cross-linked types of collagen implanted in rat palatal gingiva. J Periodontol. 1989;60(1):35–43.

218. Iglhaut J, Aukhil I, Simpson DM, Johnston MC, Koch G. Progenitor cell kinetics during guided tissue regeneration in experimental periodontal wounds. J Periodontal Res. 1988;23(2):107–117.

219. Fritz ME, Jeffcoat MK, Reddy M, et al. Guided bone regeneration of large mandibular defects in a primate model. J Periodontol. 2000;71(9):1484–1491.

220. Mattout P, Mattout C. Conditions for success in guided bone regeneration: retrospective study on 376 implant sites. J Periodontol. 2000;71(12):1904–1909.

221. Ohnishi H, Fujii N, Futami T, Taguchi N, Kusakari H, Maeda T. A histochemical investigation of the bone formation process by guided bone regeneration in rat jaws. Effect of PTFE membrane application periods on newly formed bone. J Periodontol. 2000;71(3):341–352.

222. Grevstad HJ. Effect of subperiosteally implanted polytetrafluoroethylene (PTFE) material on alveolar bone in the rat. Scand J Dent Res. 1993;101(4):224–228.

223. Rothamel D, Schwarz F, Sager M, Herten M, Sculean A, Becker J. Biodegradation of differently cross-linked collagen membranes: an experimental study in the rat. Clin Oral Implants Res. 2005;16(3):369–378.

224. Schwarz F, Rothamel D, Herten M, Sager M, Becker J. Angiogenesis pattern of native and cross-linked collagen membranes: an immunohistochemical study in the rat. Clin Oral Implants Res. 2006;17(4):403–409.

225. Rothamel D, Schwarz F, Sculean A, Herten M, Scherbaum W, Becker J. Biocompatibility of various collagen membranes in cultures of human PDL fibroblasts and human osteoblast-like cells. Clin Oral Implants Res. 2004;15(4):443–449.

226. Tal H, Kozlovsky A, Artzi Z, Nemcovsky CE, Moses O. Long-term bio-degradation of cross-linked and non-cross-linked collagen barriers in human guided bone regeneration. Clin Oral Implants Res. 2008;19(3):295–302.

227. Zubery Y, Goldlust A, Alves A, Nir E. Ossification of a novel cross-linked porcine collagen barrier in guided bone regeneration in dogs. J Periodontol. 2007;78(1):112–121.

228. Hürzeler MB, Kohal RJ, Naghshbandi J, et al. Evaluation of a new bioresorbable barrier to facilitate guided bone regeneration around exposed implant threads. An experimental study in the monkey. Int J Oral Maxillofac Surg. 1998;27(4):315–320.

229. Miller N, Penaud J, Foliguet B, Membre H, Ambrosini P, Plombas M. Resorption rates of 2 commercially available bioresorbable membranes. A histomorphometric study in a rabbit model. J Clin Periodontol. 1996;23(12):1051–1059.

230. Owens KW, Yukna RA. Collagen membrane resorption in dogs: a comparative study. Implant Dent.

2001;10(1):49-58.

231. Zhao S, Pinholt EM, Madsen JE, Donath K. Histological evaluation of different biodegradable and non-biodegradable membranes implanted subcutaneously in rats. J Craniomaxillofac Surg. 2000;28(2):116-122.

232. Friedmann A, Strietzel FP, Maretzki B, Pitaru S, Bernimoulin JP. Observations on a new collagen barrier membrane in 16 consecutively treated patients. Clinical and histological findings. J Periodontol. 2001;72(11):1616-1623.

233. Friedmann A, Strietzel FP, Maretzki B, Pitaru S, Bernimoulin J-P. Histological assessment of augmented jaw bone utilizing a new collagen barrier membrane compared to a standard barrier membrane to protect a granular bone substitute material. Clin Oral Implants Res. 2002;13(6):587-594.

234. Hämmerle CHF, Jung RE. Bone augmentation by means of barrier membranes. Periodontol 2000. 2003;33:36-53.

235. Tawil G, El-Ghoule G, Mawla M. Clinical evaluation of a bilayered collagen membrane (Bio-Gide) supported by autografts in the treatment of bone defects around implants. Int J Oral Maxillofac Implants. 2001;16(6):857-863.

236. Buser D, Martin W, Belser UC. Optimizing esthetics for implant restorations in the anterior maxilla: anatomic and surgical considerations. Int J Oral Maxillofac Implants. 2004;19 Suppl:43-61.

237. Kim SH, Kim DY, Kim KH, Ku Y, Rhyu IC, Lee YM. The efficacy of a double-layer collagen membrane technique for overlaying block grafts in a rabbit calvarium model. Clin Oral Implants Res. 2009.

238. Bunyaratavej P, Wang HL. Collagen membranes: a review. J Periodontol. 2001;72(2):215-229.

239. Tatakis DN, Promsudthi A, Wikesjo UM. Devices for periodontal regeneration. Periodontol 2000. 1999;19:59-73.

240. Rothamel D, Schwarz F, Sager M, Herten M, Sculean A, Becker J. Biodegradation of differently cross-linked collagen membranes: an experimental study in the rat. Clin Oral Implants Res. 2005;16(3):369-378.

241. Sela MN, Kohavi D, Krausz E, Steinberg D, Rosen G. Enzymatic degradation of collagen-guided tissue regeneration membranes by periodontal bacteria. Clin Oral Implants Res. 2003;14(3):263-268.

242. Speer DP, Chvapil M, Eskelson CD, Ulreich J. Biological effects of residual glutaraldehyde in glutaraldehyde-tanned collagen biomaterials. J Biomed Mater Res. 1980;14(6):753-764.

243. Bornstein MM, Bosshardt D, Buser D. Effect of two different bioabsorbable collagen membranes on guided bone regeneration: a comparative histomorphometric study in the dog mandible. J Periodontol.

2007;78(10):1943-1953.

244. Friedmann A, Gissel K, Soudan M, Kleber B-M, Pitaru S, Dietrich T. Randomized controlled trial on lateral augmentation using two collagen membranes: morphometric results on mineralized tissue compound. J Clin Periodontol. 2011;38(7):677-685.

245. Moses O, Pitaru S, Artzi Z, Nemcovsky CE. Healing of dehiscence-type defects in implants placed together with different barrier membranes: a comparative clinical study. Clin Oral Implants Res. 2005;16(2):210-219.

246. Schwarz F, Rothamel D, Herten M, et al. Immunohistochemical characterization of guided bone regeneration at a dehiscence-type defect using different barrier membranes: an experimental study in dogs. Clin Oral Implants Res. 2008;19(4):402-415.

247. von Arx T, Broggini N, Jensen SS, Bornstein MM, Schenk RK, Buser D. Membrane durability and tissue response of different bioresorbable barrier membranes: a histologic study in the rabbit calvarium. Int J Oral Maxillofac Implants. 2005;20(6):843-853.

248. Wessing B, Lettner S, Zechner W. Guided Bone Regeneration with Collagen Membranes and Particulate Graft Materials: A Systematic Review and Meta-Analysis. Int J Oral Maxillofac Implants. 2018;33(1):87-100-187-100.

249. Garg AK. Bone biology, harvesting, grafting for dental implants: rationale and clinical applications. Chicago: Quintessence Pub. Co.; 2004.

250. Bondioli E, Fini M, Veronesi F, et al. Development and evaluation of a decellularized membrane from human dermis. J Tissue Eng Regen Med. 2014;8(4):325-336.

251. Wainwright DJ. Use of an acellular allograft dermal matrix (AlloDerm) in the management of full-thickness burns. Burns. 1995;21(4):243-248.

252. Batista EL, Jr., Batista FC, Novaes AB, Jr. Management of soft tissue ridge deformities with acellular dermal matrix. Clinical approach and outcome after 6 months of treatment. J Periodontol. 2001;72(2):265-273.

253. Henderson RD, Greenwell H, Drisko C, et al. Predictable multiple site root coverage using an acellular dermal matrix allograft. J Periodontol. 2001;72(5):571-582.

254. Fernandes PG, Novaes AB, Jr., de Queiroz AC, et al. Ridge preservation with acellular dermal matrix and anorganic bone matrix cell-binding peptide P-15 after tooth extraction in humans. J Periodontol. 2011;82(1):72-79.

255. Fowler EB, Breault LG, Rebitski G. Ridge preservation utilizing an acellular dermal allograft and demineralized freeze-dried bone allograft: Part II. Immediate endosseous implant placement. J

Periodontol. 2000;71(8):1360–1364.

256. Fowler EB, Breault LG, Rebitski G. Ridge preservation utilizing an acellular dermal allograft and demineralized freeze–dried bone allograft: Part I. A report of 2 cases. J Periodontol. 2000;71(8):1353–1359.

257. Sclar AG. Strategies for management of single–tooth extraction sites in aesthetic implant therapy. J Oral Maxillofac Surg. 2004;62(9 Suppl 2):90–105.

258. Meyer T, Meyer B, Schwarz K, Hocht B. Immune response to xenogeneic matrix grafts used in pediatric surgery. Eur J Pediatr Surg. 2007;17(6):420–425.

259. Meyer T, Schwarz K, Ulrichs K, Hocht B. A new biocompatible material (Lyoplant) for the therapy of congenital abdominal wall defects: first experimental results in rats. Pediatr Surg Int. 2006;22(4):369–374.

260. Thomaidis V, Kazakos K, Lyras DN, et al. Comparative study of 5 different membranes for guided bone regeneration of rabbit mandibular defects beyond critical size. Med Sci Monit. 2008;14(4):BR67–73.

261. Wang J, Wang L, Zhou Z, et al. Biodegradable Polymer Membranes Applied in Guided Bone/Tissue Regeneration: A Review. Polymers (Basel). 2016;8(4):115.

262. Ferreira AM, Gentile P, Chiono V, Ciardelli G. Collagen for bone tissue regeneration. Acta Biomater. 2012;8(9):3191–3200.

263. Döri F, Huszár T, Nikolidakis D, Arweiler NB, Gera I, Sculean A. Effect of platelet–rich plasma on the healing of intra–bony defects treated with a natural bone mineral and a collagen membrane. J Clin Periodontol. 2007;34(3):254–261.

264. Hoogeveen EJ, Gielkens PFM, Schortinghuis J, Ruben JL, Huysmans MCDNJM, Stegenga B. Vivosorb as a barrier membrane in rat mandibular defects. An evaluation with transversal microradiography. Int J Oral Maxillofac Surg. 2009;38(8):870–875.

265. Bunyaratavej P, Wang HL. Collagen membranes: a review. J Periodontol. 2001;72(2):215–229.

266. Donos N, Kostopoulos L, Karring T. Alveolar ridge augmentation using a resorbable copolymer membrane and autogenous bone grafts. An experimental study in the rat. Clin Oral Implants Res. 2002;13(2):203–213.

267. Stavropoulos F, Dahlin C, Ruskin JD, Johansson C. A comparative study of barrier membranes as graft protectors in the treatment of localized bone defects. An experimental study in a canine model. Clin Oral Implants Res. 2004;15(4):435–442.

268. Mayfield L, Skoglund A, Nobreus N, Attstrom R. Clinical and radiographic evaluation, following delivery of fixed reconstructions, at GBR treated titanium fixtures. Clin Oral Implants Res.

1998;9(5):292–302.

269. Stavropoulos F, Dahlin C, Ruskin JD, Johansson C. A comparative study of barrier membranes as graft protectors in the treatment of localized bone defects. An experimental study in a canine model. Clin Oral Implants Res. 2004;15(4):435–442.

270. Lundgren D, Sennerby L, Falk H, Friberg B, Nyman S. The use of a new bioresorbable barrier for guided bone regeneration in connection with implant installation. Case reports. Clin Oral Implants Res. 1994;5(3):177–184.

271. Mayfield L, Nobréus N, Attström R, Linde A. Guided bone regeneration in dental implant treatment using a bioabsorbable membrane. Clin Oral Implants Res. 1997;8(1):10–17.

272. Simion M, Misitano U, Gionso L, Salvato A. Treatment of dehiscences and fenestrations around dental implants using resorbable and nonresorbable membranes associated with bone autografts: a comparative clinical study. Int J Oral Maxillofac Implants. 1997;12(2):159–167.

273. Simion M, Scarano A, Gionso L, Piattelli A. Guided bone regeneration using resorbable and nonresorbable membranes: a comparative histologic study in humans. Int J Oral Maxillofac Implants. 1996;11(6):735–742.

274. Simion M, Maglione M, Iamoni F, Scarano A, Piattelli A, Salvato A. Bacterial penetration through Resolut resorbable membrane in vitro. An histological and scanning electron microscopic study. Clin Oral Implants Res. 1997;8(1):23–31.

275. Jung RE, Kokovic V, Jurisic M, Yaman D, Subramani K, Weber FE. Guided bone regeneration with a synthetic biodegradable membrane: a comparative study in dogs. Clin Oral Implants Res. 2011;22(8):802–807.

276. van Leeuwen AC, Huddleston Slater JJR, Gielkens PFM, de Jong JR, Grijpma DW, Bos RRM. Guided bone regeneration in rat mandibular defects using resorbable poly (trimethylene carbonate) barrier membranes. Acta Biomater. 2012;8(4):1422–1429.

277. Nieminen T, Kallela I, Keränen J, et al. In vivo and in vitro degradation of a novel bioactive guided tissue regeneration membrane. Int J Oral Maxillofac Surg. 2006;35(8):727–732.

278. Zwahlen RA, Cheung LK, Zheng L–W, et al. Comparison of two resorbable membrane systems in bone regeneration after removal of wisdom teeth: a randomized–controlled clinical pilot study. Clin Oral Implants Res. 2009;20(10):1084–1091.

279. Schneider D, Weber FE, Grunder U, Andreoni C, Burkhardt R, Jung RE. A randomized controlled clinical multicenter trial comparing the clinical and histological performance of a new, modified polylactide–co–glycolide acid membrane to an expanded polytetrafluorethylene membrane in guided

bone regeneration procedures. Clin Oral Implants Res. 2014;25(2):150−158.

280. Herten M, Jung RE, Ferrari D, et al. Biodegradation of different synthetic hydrogels made of polyethylene glycol hydrogel/RGD−peptide modifications: an immunohistochemical study in rats. Clin Oral Implants Res. 2009;20(2):116−125.

281. Wechsler S, Fehr D, Molenberg A, Raeber G, Schense JC, Weber FE. A novel, tissue occlusive poly(ethylene glycol) hydrogel material. J Biomed Mater Res A. 2008;85(2):285−292.

282. Zambon R, Mardas N, Horvath A, Petrie A, Dard M, Donos N. The effect of loading in regenerated bone in dehiscence defects following a combined approach of bone grafting and GBR. Clin Oral Implants Res. 2012;23(5):591−601.

283. Jung RE, Zwahlen R, Weber FE, Molenberg A, van Lenthe GH, Hammerle CHF. Evaluation of an in situ formed synthetic hydrogel as a biodegradable membrane for guided bone regeneration. Clin Oral Implants Res. 2006;17(4):426−433.

284. Thoma DS, Halg G−A, Dard MM, Seibl R, Hammerle CHF, Jung RE. Evaluation of a new biodegradable membrane to prevent gingival ingrowth into mandibular bone defects in minipigs. Clin Oral Implants Res. 2009;20(1):7−16.

285. Jung RE, Hälg GA, Thoma DS, Hämmerle CHF. A randomized, controlled clinical trial to evaluate a new membrane for guided bone regeneration around dental implants. Clin Oral Implants Res. 2009;20(2):162−168.

4

CHAPTER

골이식재

1.
골증강술에서 골이식재는 공간 유지와 골형성 촉진을 위해 사용한다.

1) 골이식재는 차폐막 하방에서 차폐막의 붕괴를 막아주기 때문에 공간을 유지시키는 데 기여한다.

골유도 재생술의 개념이 처음 적용되기 시작할 때에는 그 개념에 따라 오로지 차폐막만을 적용하여 결손된 골의 재생을 도모했다.[1-3] 그러나 차폐막 하방에 골이식재를 적용하면 이식재와 차폐막의 상승 효과에 의해 더 우수한 골재생이 이루어짐이 밝혀졌고, 따라서 현재 골유도 재생술을 시행할 때에는 골이식재를 적용하는 것이 일반화되었다.[4] 골이식재를 적용하는 이유는 크게 두 가지이다(📷 4-1).[5-7]

- 차폐막 하방의 골이식재는 차폐막을 내부로부터 지지해주기 때문에 차폐막의 붕괴를 막아준다.
- 골이식재 자체의 골형성 능력을 통해 차폐막 하방을 단순히 혈병으로만 충전시켰을 때보다 더 우수한 질의 골을 재생시킬 수 있다.

골재생부에 차폐막만을 단독으로 적용하면 치유 기간 중 상부의 점막으로부터 가해지는 압력을 견디지 못하고 골결손 부위 쪽으로 붕괴하는 경향이 있기 때문에 몇 가지 방법을 단독으로, 혹은 함께 이용하여 차폐막의 붕괴를 예방한다(📷 4-2).

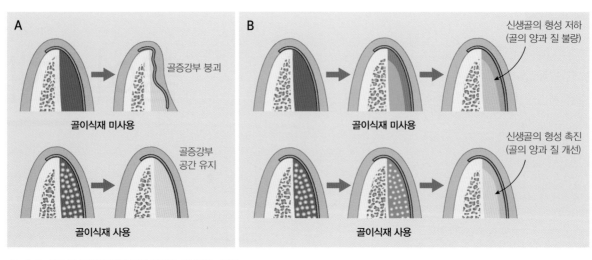

📷 **4-1 골유도 재생술에서 골이식재를 사용하는 이유**

A. 골이식재는 골증강부의 공간 유지를 위해 사용된다. 골이식재를 사용하지 않으면 차폐막은 상부 연조직의 압력에 의해 붕괴되지만 골이식재를 차폐막 하방에 적용하면 차폐막의 붕괴를 예방해준다. **B.** 골이식재를 사용하면 골이식재 자체의 골형성 촉진 능력(골형성, 골유도, 골전도 등)에 의해 차폐막만 사용했을 때보다 양질의 재생골이 형성될 수 있도록 해준다.

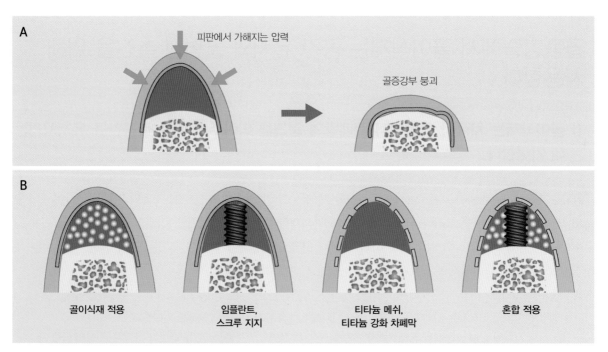

📷 **4-2 차폐막의 붕괴 원인과 이를 예방하는 방법들**

A. 골증강술 후 골증강부 상부의 연조직은 원래 길이보다 더 연장될 수밖에 없다. 피개해야 하는 조직의 양이 증가하기 때문이다. 따라서 치유 기간 중 연조직, 즉 피판은 원래 형태로 돌아가려고 할 것이며 이 과정에서 그 하방의 골증강부에 지속적인 압력을 가하게 된다. 차폐막만을 단독으로 적용하면 이러한 압력에 대응하지 못하고 붕괴될 것이다. **B.** 차폐막의 붕괴를 예방하기 위해 다양한 수술적 방법을 적용할 수 있다. 이중 가장 자주 사용되는 방법은 골이식재를 적용하는 방법이다.

① 나사나 임플란트를 식립하여 텐트 기둥처럼 차폐막을 지지해준다.[8-10]

② 차폐막 자체에 금속을 첨가하거나(티타늄 강화 e-PTFE 차폐막) 전적으로 금속만으로 이루어진 차폐막(티타늄 메쉬)을 이용한다.[11,12]

③ 차폐막 하방에 골이식재를 적용한다.[7,13,14]

이 중 골이식재를 적용하는 방법은 적용하기가 가장 쉽고 골이식재 자체의 골형성 촉진 효과까지도 기대할 수 있기 때문에 가장 널리 쓰이고 있다.[5] 어떠한 종류의 차폐막을 사용하더라도 이를 지지해 줄 수 있는 골이식재의 사용은 거의 필수적인 과정이 되었다.[11,14]

2) 골이식재는 골형성, 골유도, 골전도 효과를 통해 신생골 형성을 유도한다.

발생 과정에서 골은 세포 요소(cellular factor), 체액 요소(humoral factor), 물리적 요소(mechanical factor)들의 상호 작용에 의해 형성된다. 이는 성인에서의 골치유, 혹은 골재생 과정에서도 동일하게 반복된다.[15,16]

① **체액 요소:** 다양한 국소 단백질이 분비되어 골형성 세포나 미분화 줄기 세포(undifferentiated stem cell)를 이 부위로 이동하도록 유도하고 골아세포(osteoblast)로 분화하도록 지시한다.

② **세포 요소:** 골아세포는 골기질을 분해하고 이를 광화시킴으로써 골조직을 형성한다.

③ **물리적 요소:** 골아세포는 물리적 기질, 즉 비계(scaffold)의 유도에 따라 이동하고 비계로 정의된 3차원적 공간 내부로 골조직을 침착함으로써 골치유를 완성한다(물리적 요소).

따라서 모든 골재생 물질, 즉 골이식재는 이러한 세 가지 요소 중 적어도 한 가지 이상의 성질을 가지고 있어야만 한다. 골이식재가 세포 요소를 지니고 있을 때에는 골형성(osteogenesis) 능력이 있다고 하고, 체액 요소를 지니고 있을 때에는 골유도(osteoinduction) 성질이 있다고 하며, 물리적 요소로서의 성질을 지니고 있을 때에는 골전도(osteoconduction) 능력이 있다고 말한다(📷 4-3).[17]

(1) 골이식재에 골형성세포가 포함되어 있으며 이 세포가 골을 직접 형성할 때 이 이식재는 골형성(osteogenesis) 능력이 있다고 한다.

골형성 능력이 있는 이식재는 골을 형성할 수 있는 세포, 즉 골아세포나 골아세포로 분화할 능력이 있는 세포를 지닌 이식재를 의미한다(📷 4-4). 자가 해면골(autogenous cancellous bone)은 골형성 능력이 있는 가장 대표적인 골이식재로, 완전히 분화된 골아세포와 미분화 세포를 모두 포함하고 있다.[18] 최근에는 자가 골수 및 골막에서 추출한 골아세포와 줄기 세포를 체외에서 농축시키거나 증식시키고, 이를 운반체(carrier)와 함께 골이식에 적용하려는 시도가 이루어지고 있다. 그러나 이 방법은 아직까지 과정이 복잡하고 비용이 높다는 단점이 있으며 임상적 결과 또한 예지성이 높지는 않다.[19,20] 자가골 이식재는 유일하게 골형성 능력을 지닌 골이식재일 뿐만 아니라 골전도 및 골유도 효과까지도 보이기 때문에, 가장 오래된 이식재이지만 아직까지도 골이식재의 황금 기준(gold standard)으로 받아들여지고 있다.

📷 **4-3 골이식재가 신생골을 형성하는 세 가지 기전**

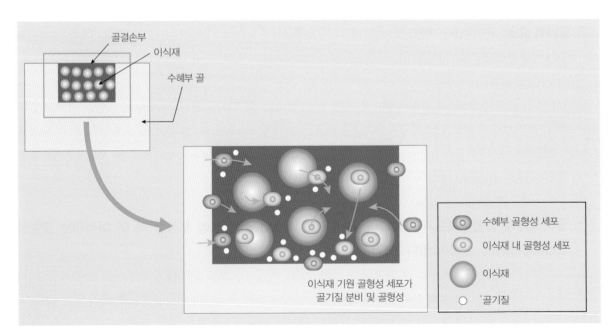

📷 **4-4** 골형성 능력이 있는 이식재는 이식재 자체 내에 골을 형성할 능력이 있는 세포, 즉 골아세포나 골아세포로 분화할 수 있는 골전구세포를 포함한다. 골이식재를 수혜부에 적용한 후 이식재 내의 이들 세포는 골결손부에 신생골을 직접 형성하게 된다.

(2) 수혜부로 골형성 세포가 이주하도록 해주고 이 세포의 분화를 촉진하는 단백질을 포함하는 이식재를 골유도(osteoinduction)성 이식재라고 한다.

골의 치유 및 형성 과정에 있어 여러 가지 단백질 분자는 매우 중요한 역할을 한다. 이들 분자는 골형성 세포를 골치유 부위로 이주시키고, 미분화 세포를 골아세포로 분화시키며, 분화된 골아세포의 골형성 작용을 촉진시키는 역할을 한다.[21] 이러한 분자들 중 특히 골형성 단백질(Bone Morphogenetic Protein, BMP)은 일반적인 상황에서는 자발적으로 골이 형성되지 않는 신체 부위에서도 골을 형성할 수 있는 능력이 있는데, 골유도란 바로 BMP의 이 능력을 일컫는 말이다.[22,23] 따라서 골유도성 골이식재는 BMP를 포함하고 있는 이식재를 의미한다(📷 4-5). BMP는 미분화된 줄기 세포와 골아세포에 대한 화학 주성(chemotaxis)이 있을 뿐만 아니라 줄기 세포를 골아세포로 분화시키기 때문에 발생 과정 중 골의 형태를 결정지어주고 생후 골치유 과정에서도 매우 본질적인 역할을 하는 것으로 알려져 있다.[21] 골유도 능력을 지닌 이식재로는 자가골 이식재와 탈회 동종골 이식재(demineralized allogenic bone graft)가 있다.

골이란 조직은 유기 단백질 골격(주로 1형 교원질)을 중심으로 광화 물질(주로 수산화인회석)이 침착된 것이라고 생각할 수 있다.[17] 따라서 골에 탈회 처리를 가하면 유기 단백질 골격만이 남게 되며, 유기 단백질 골격 내에 잔존해 있는 BMP가 외부로 노출되어 작용할 수 있게 된다.[24] 탈회 동종골 이식재는 조직 유도 재생술에 적용 시 예지성 있는 좋은 결과를 보였기 때문에[25,26] 골유도 재생술 초기에도 많이 사용되었으나 골유도 재생

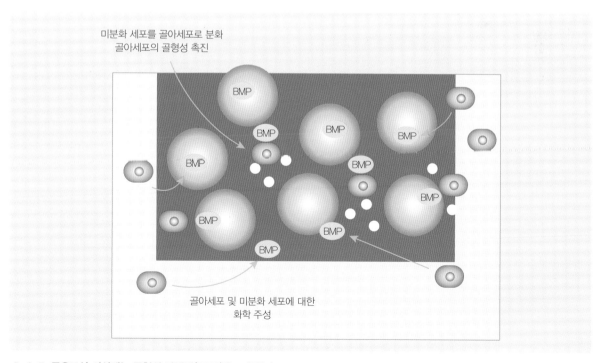

📷 **4-5 골유도성 이식재는 골형성 단백질(BMP)을 포함한다.**
골유도성 이식재 자체가 신생골을 형성하는 것은 아니지만 이식재 내의 골형성 단백질은 골이식 수혜부 주위의 골형성 세포를 골결손부로 이동시키도록 유도하고 이들 세포가 신생골을 형성하도록 유도한다. 결과적으로 골이식부에서 신생골 형성이 촉진된다.

술 또는 상악동 골이식에서는 다른 골전도성 이식재들에 비해 좋지 않은 결과를 보였기 때문에 현재는 많이 사용되지 않고 있다.[27-29] 최근에는 재조합 기술로 제조한 순수 BMP를 골이식재 대용으로 적용하려는 많은 시도가 있었다.[30,31] 그러나 기존의 골이식재에 비해 오히려 골재생의 결과가 좋지 않았기 때문에 아직까지도 일상적인 골증강 술식에 광범위하게 이용되지는 못하고 있다. 이에 대해서는 뒤에서 다시 논하도록 한다.

(3) 골전도(osteoconduction)성 이식재는 골형성 세포가 그 내부로 이동하여 골을 형성하게 해주는 기질로써 작용한다.

골전도성 이식재는 미분화 줄기 세포나 골아세포가 그 내부로 이동하여 증식할 수 있도록 해주는 기질로써 기능한다(📷 4-6).[15] 골전도성 이식재의 종류에는 합성 중합체, 천연 중합체, 생활성 유리질, 세라믹 등이 있으며 일반적으로는 세라믹계 이식재를 가장 많이 이용한다.[32] 세라믹계 이식재로는 인산 칼슘계 물질들인 합성 수산화인회석, 천연 수산화인회석(탈단백 동종골이나 이종골), 그리고 3 인산칼슘(tricalcium phosphate, TCP) 등이 있으며 현재 시판 중인 대부분의 이식재는 이 범주에 포함된다. 이렇게 인산 칼슘계 이식재가 가장 많이 이용되는 이유는 골의 구성 성분인 수산화인회석과 화학 조성이 같거나 유사하기 때문에 생체 내에서 특별한 독성 반응이나 염증 반응을 유발하지 않고, 골과 물리적 성질이 비슷하며, 골전도성을 위해 필수적인 요소인 다공성을 부여할 수 있기 때문이다.[33]

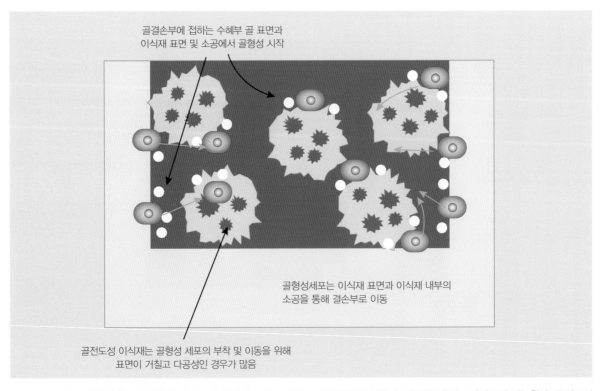

📷 4-6 골전도성 이식재는 미분화 줄기 세포나 골아세포가 그 내부로 이동하여 증식할 수 있도록 해주는 기질로써 기능한다. 골전도성 이식재는 골형성세포가 직접 부착하여 이동하는 장소가 되기 때문에 표면의 기하학적 구조가 매우 중요하다. 골전도성 이식재의 표면은 적당히 거칠어야 하며 다공성 구조를 갖는 것이 유리하다.

골전도성 이식재의 효과를 결정짓는 요소는 화학적, 물리적, 기하학적 성질이다. 대부분의 골전도성 이식재가 인산 칼슘계이므로 골이식재의 화학적, 물리적 성질이 서로 유사하다는 점을 고려한다면, 결국 현재 상업적으로 사용 가능한 이식재의 성질을 결정짓는 요소는 기하학적 성질이라고 할 수 있다. 기하학적 성질에는 이식재의 3차원적 형태, 다공성, 표면 거칠기, 이식재 입자 크기 등이 포함된다.[34] 이들 요소 중 다공성과 표면 거칠기는 골전도성 이식재의 성공에 있어 가장 중요한 요소 중 하나로 지적되고 있다. 다공성이 없는 합성 수산화인회석 이식재에서는 골조직이 형성되지 않는다.[35] 이렇게 이식재 내부에 많은 구멍이 있어야만 골조직이 형성되는 이유는, 골조직이 형성되기 전에 선행되는 미세 혈관의 내증식을 위해서는 이식재 내부에 미세 혈관이 자라 들어갈 수 있는 통로가 있어야만 하기 때문이라고 생각되고 있다.[36] 따라서 구멍의 크기가 매우 중요한 요소로 생각되며 골형성을 위해서 구멍의 최소 크기는 모세 혈관의 직경인 50 μm 보다는 반드시 커야 한다.[36] 또한 일련의 동물 실험에 의하면 구멍 크기가 300–400 μm를 넘으면 골형성 능력이 급속히 감퇴되기 때문에, 결국 구멍 크기는 50–300 μm 사이가 가장 적당하다는 것이 일반적인 의견이다.[33,35–37] 이식재의 표면 거칠기는 특히 이식재 흡수에 중요한 역할을 하는 것으로 보이며 더 거친 표면의 입자일수록 골의 재형성에 기여하는 파골세포의 활성과 부착을 활성화시키는 것으로 알려졌다.[38]

3) 골이식재의 분류

골이식재는 그 기원에 따라 다음과 같이 분류할 수 있다.[17,39,40]

- **자가골 이식재(autograft)**: 동일 개체의 한 부위에서 채취하여 다른 부위로 옮긴 이식재
- **동종골 이식재(allograft)**: 같은 종의 다른 개체(주로 사체)에서 채취한 이식재
- **이종골 이식재(xenograft)**: 다른 종에서 채취한 이식재
- **합성골 이식재(alloplast)**: 생물에서 채취하지 않은 비유기성, 합성, 비활성 이물 이식재

많은 문헌에서는 마치 골형성 능력이 자가골 이식재–동종골 이식재–이종골 이식재–합성골 이식재의 순서를 따르는 것처럼 기술하지만,[17] 실제로 반드시 이러한 순서를 따르지는 않는다. 전술한 바와 같이 자가골 이식재와 탈회 동종골 이식재를 제외하고는 시판되고 있는 거의 대부분의 이식재는 인산 칼슘계의 골전도성 이식재이기 때문에 화학적 조성이나 물리적 성질은 매우 비슷하다고 할 수 있다. 따라서 이들 골전도성 이식재의 신생골 형성 효과는 거의 전적으로 그 3차원적 구조(입자 크기, 다공성, 형태 등)에 의해 결정된다.

2.
자가골 이식재

1) 자가골 이식재는 골이식재의 황금 기준이다.

(1) 자가골 이식재는 골대체재에 비해 우수한 질의 골을 빠르고 일관되게 형성할 수 있다.

자가골 이식재는 사용된 역사가 가장 길고, 치유 속도가 빠르며, 골형성 효과가 좋기 때문에 여전히 골이식재의 황금 기준(gold standard)으로 간주된다.[41-43] 일련의 동물 실험에 의하면 자가골 이식재는 골결손부에 적용됐을 때 골대체재(자가골 이외의 골이식재)에 비해 치유 초기에 골재생을 더 빠르게 유도하고, 최종적으로는 주위골과 조직학적으로 좀 더 유사한 골조직을 재생시킨다.[44-47] 자가골 이식재의 가장 큰 장점은, 골재생의 결과가 개별 증례에 따라 크게 다르지 않기 때문에 예지성이 높은 골재생을 얻을 수 있다는 점이다.[48] 골대체재를 사용하면 여러 가지 조건에 따라 심지어 유사한 증례들에서도 그 결과에 차이가 큰 반면, 자가골은 대체로 변이가 적은 유사한 결과를 보인다.

그러나 자가골 이식재에도 단점은 존재한다. 골이식 공여부 합병증 발생 가능성, 예측 불가능한 이식골 흡수, 제한적인 골량, 골채취를 위한 추가적인 수술부의 필요성, 자가골 채취술의 높은 난이도 등이 대표적인 단점이다.[43] 따라서 이러한 자가골 이식재의 단점을 극복하기 위해 동종골, 이종골, 합성골 등의 골대체재들이 다양하게 사용되고 있다. 골대체재에 대한 경험과 근거가 축적되고 있기 때문에 임플란트를 위한 골증강술에서 골대체재의 사용은 점차 증가하고 있는 추세이다. 자가골 이식재와 골대체재의 장단점은 🖿 4-1과 같다.[39,49]

🖿 4-1 자가골 이식재와 골대체재의 장·단점

	자가골 이식재	골대체재
장점	• 가장 많은 임상적, 과학적 근거가 존재한다. • 가장 오랜 기간 성공적으로 사용되어 왔다. • 골치유 속도가 빠르다. • 재생골이 조직학적으로 수혜부 골과 유사하다. • 개별 증례에 따른 변이가 적고 예지성이 높다. • 전염성 질환에 이환될 가능성이 없다.	• 골채취를 위한 추가적인 수술이 필요하지 않기 때문에 수술이 간단하고 빠르다. • 공여부 합병증 발생 가능성이 없다. • 골대체재의 종류에 따라 이식골의 흡수량을 조절 가능하다. • 무제한적인 양의 이식골을 사용할 수 있다.
단점	• 골이식 공여부에서 합병증이 발생 가능하다. • 이식골이 예측 불가능하게 많이 흡수될 수 있다. • 채취할 수 있는 골량이 제한적이다. • 골채취를 위해 추가적으로 골공여부에 대한 수술이 필요하다. • 자가골 채취술 자체가 수술의 난이도가 높다.	• 다양한 골이식재가 지속적으로 소개되고 있지만 많은 이식재가 임상적, 과학적 근거를 결여하고 있다. • 골치유 속도가 느리다. • 골재생의 결과가 환자의 전신적 상태, 술자의 능력, 골이식 수혜부의 형태/크기 등에 따라 큰 변이를 보인다. • 동종골과 이종골은 전염성 질환을 전파할 수 있다. • 재생된 골의 질이 자가골 이식재를 사용했을 때보다 대체적으로 불량하다.

자가골 이식재는 소위 잠행성 치환(creeping substation), 즉 파골세포에 의한 이식재 흡수 후 곧바로 이어지는 골아세포에 의한 신생골 형성의 과정에 의해 완전한 골조직으로 대체된다.[50] 이는 임플란트 식립을 위한 골이식재로써는 매우 중요한 성질이다. 즉, 천연이건 합성이건 수산화인회석계 골이식재는 생체 내에서 잘 흡수가 되지 않는데[51,52] 이렇게 잔존한 골이식재는 임플란트의 골유착을 방해할 수 있기 때문이다(📷 4-7).[53,54]

자가골 이식재는 채취 부위에 따라 구강 내 공여부에서 채취한 골과 구강 외 공여부에서 채취한 골, 발생 기원에 따라서는 막성골(intramembraneous bone)과 연골성골(endochondral bone), 골의 조직학적 형태에 따라서는 피질골과 해면골, 그리고 그 형태에 따라서는 블록골(block bone)과 입자골(particulated bone)로 구분할 수 있다.

📷 **4-7 이상적으로는 이식재가 흡수되면서 신생골이 형성되어야 하지만 수산화인회석 계통의 이식재는 생체 내에서 잘 흡수되지 않는다. 잔존한 이식재는 잠재적으로 골유착을 방해할 수도 있다.**
A. 흡수되지 않는 수산화인회석계 이식재를 이용하여 골증강술을 시행하면 골재생 후에도 이식재 자체가 남아있다. 이는 잠재적으로 골유착을 방해할 수 있다. **B.** 자가골 이식재와 같이 잠행성 치환으로 흡수되는 이식재는 골재생 후 없어지기 때문에 임플란트는 순수한 골에만 접촉하게 된다. 따라서 잔존한 이식재가 골유착을 방해하는 일은 없다.

2) 하악에서 채취한 피질골이 자가골 이식재 중 가장 우수한 성질을 보인다.

(1) 구강 내에서 채취한 자가골이 가장 우수한 성질의 재생골을 형성한다.

구강 내 공여부로는 많은 양의 이식재가 필요할 때에는 주로 하악지와 하악 정중부를 이용하며, 이외에도 전비극(anterior nasal spine) 하방, 관골, 구개골, 상악 결절, 골융기(torus) 등을 이용할 수 있다(📷 4-8).[17,41] 적은 양의 이식재는 임플란트 식립부 주변, 임플란트 식립을 위한 골삭제 시 삭제되는 골(트레핀 드릴, 석션 트랩, 골채취가 가능한 형태의 드릴 등을 이용), 또는 bone scraper를 이용하여 채취할 수 있다. 구강 외 공여부로는 주로 장골(iliac bone)과 경골 과두(tibia condyle)를 이용한다.[55] 구강 외에서 채취한 골은 임플란트 식립을 위해 거의 무한대의 양을 채취할 수 있다는 장점이 있지만, 장골이나 두개골 등을 채취하기 위해서는 전신 마취를 요하고 수술 시간과 범위가 너무 커진다.[56] 특히 장골과 경골은 50%를 넘는 이식재가 흡수되기 때문에 일상적인 임플란트 시술에서는 추천할 만하지 못하다.[57,58] 결론적으로 자가골은 구강 내에서 채취한 골을 항상 첫 번째 선택 옵션으로 생각해야 하며 아주 많은 양의 골이 필요한 경우에만 한정적으로 구강 외에서 채취한 골을 사용한다.[39]

구강 내 공여부 중 하악지와 하악 정중부는 일상적인 임플란트 시술 시 필요한 골량을 충분히 채취할 수 있는 부위이며(최대 약 5 cc) 피질골 함량이 충분하여 공간 유지 능력이 좋고 흡수에 잘 저항하기 때문에 가장 추천할 만한 부위이다.[17] 반면 골삭제 시 삭제되는 골을 이용하는 방법, 특히 석션 트랩(suction trap)이나 드릴을 이용하는 방법은 그다지 추천할 만하지 못하다. 그 이유는 다음과 같다.

① 이들 방법을 통해 얻은 골이식재는 매우 미세한 입자로 이루어지기 때문에 물리적 안정성이 떨어지고 파골세포에 의해 빨리 흡수되는 경향이 있다.[59,60]

② 드릴링 과정으로 얻어진 작은 입자의 자가 이식재는 일반적인 채취 과정으로 얻어진 자가 이식재에 비해 골형성 세포의 함량이 매우 적기 때문에 골형성 능력이 떨어진다.[61]

③ 석션 트랩을 이용하는 경우에는 이식재가 구강 내 타액에 의해 세균에 오염되기 때문에 술 후 감염을 유발시킬 수 있다는 치명적인 단점이 있다.[62,63]

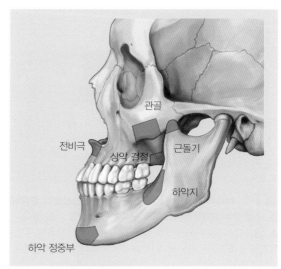

📷 4-8 **구강 내 골 공여부**

(2) 막성골은 연골성골보다 치유 속도가 빠르고 치유 기간 중 흡수가 적다.

발생학적으로 볼 때, 두경부 골은 막성골이며 그 이외 부위의 장골(long bone)들은 모두 연골성골이다. 구강 내 수혜부에 이식했을 때 막성골은 연골성골에 비해 치유 속도가 빠르며 이식재의 흡수량이 적다는 사실은 이미 잘 알려져 있다.[64-66] Misch는 다음의 이유 때문에 막성골이 연골성골보다 흡수가 적다고 했다.[67]

- 막성골은 재혈관화가 빠르다.
- 골이식 수혜부인 치조골 또한 막성골이기 때문에 수혜부 골과 이식골 내부의 교원질이 생화학적으로 유사하다.
- 막성골은 피질골 함량이 더 많다.

따라서 구강 외 공여부에서 채취한 골로 골증강술을 시행할 때에는 반드시 골증강에 필요한 양보다 훨씬 더 많은 양의 이식재를 적용해야 한다. 이러한 사실에 기초하더라도 구강 내에서 채취한 자가골 이식재가 구강 외에서 채취한 골보다 유리하다. 막성골의 장점을 요약하면 다음과 같다.

- 이식골의 흡수량이 연골성 골보다 적다.[68]
- 이식골의 재혈관화가 빠르다.[68,69]
- 이식골의 유합과 치유가 빠르다.[70]

(3) 피질골은 흡수에 더 잘 저항하고 밀도가 더 높기 때문에 해면골보다 이식재로써 유리하다.

골은 구조적으로 부하-지지를 담당하는 외부의 피질골과, 골의 생리적 대사에 관여하는 내부의 해면골로 이루어져 있다. 피질골은 석회화도가 높고 골 기질 내부에 BMP 등의 단백질이 포함되어 있기 때문에 골전도 및 골유도 효과가 있는 것으로 생각된다. 반면 해면골은 그 내부의 골수에 골형성 세포와 줄기 세포가 풍부하게 포함되어 있기 때문에 골형성 효과가 있지만, 석회화도가 낮기 때문에 골전도 및 골유도 효과는 피질골보다는 떨어진다.[61] 구강 외 공여부, 즉 장골과 경골에서 채취한 이식재는 거의 해면골로만 이루어져 있다. 구강 내 공여부 중 하악에서 채취한 이식재는 피질골 함량이 높으며 특히 하악지에서 채취한 골은 거의 전적으로 피질골로만 이루어져 있다(📷 4-9).[67] 피질골과 해면골 중 어느 것이 더 골이식재로써 우수한가에 대해서는 아직까지 논란의 여지가 있다.[71,72] 그러나 많은 이들의 경험상 피질골은 석회화 정도가 크기 때문에 공간 유지 능력 및 골전도 효과가 더 우수하며, 이식재 치유 후 신생골의 밀도가 해면골을 이용하였을 때보다 더 높기 때문에 피질골을 더 선호한다.[72] 하악 정중부, 하악지, 그리고 상악 결절에서 채취한 자가골 이식재를 이용하여 골유도 재생술을 시행하였던 한 대조 연구에 의하면 주로 피질골로 이루어진 하악골 이식재에 비해 해면골 비율이 높은 상악 결절을 이용한 경우 이식골의 흡수가 훨씬 많이 발생했다(📷 4-10).[73]

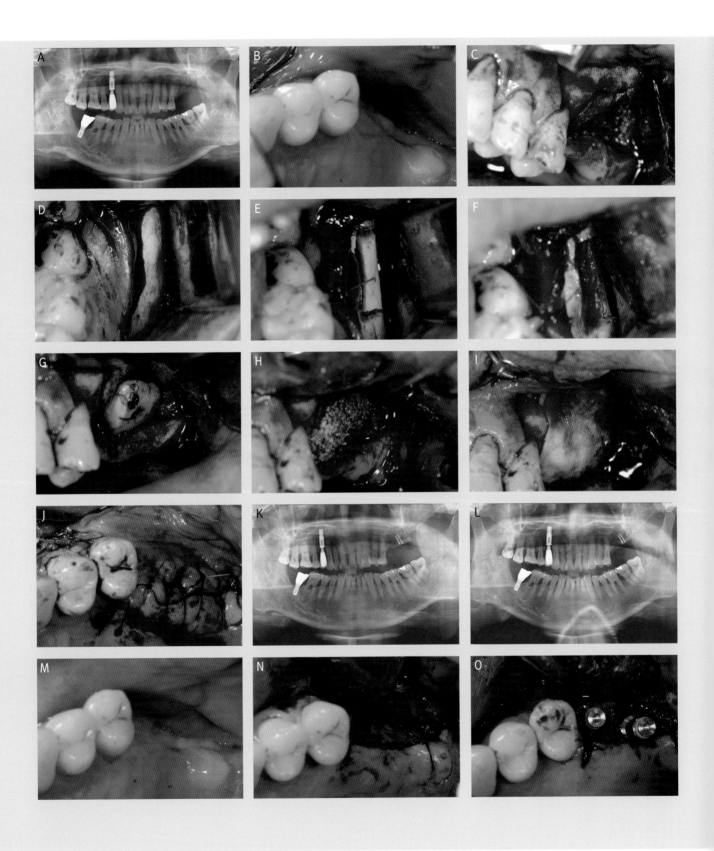

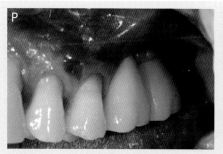
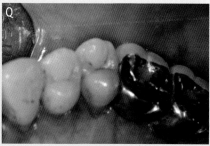
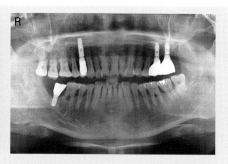

📷 **4-9** **하악골, 특히 하악지 부위에서 채취한 골은 거의 전적으로 피질골로만 이루어져 있다. 따라서 이식골의 흡수는 최소화시킬 수 있지만 이식골이 수혜부와 잘 유착되지 않을 수도 있다는 단점이 있다.**

A~K. 상악 좌측 대구치들이 결손되어 있었다. 특이하게도 치아 결손부는 원심측으로 갈수록 급격히 치조골정의 높이가 감소하는 형태를 보였다. 하악지에서 블록골을 채취하여 이식하고 탈단백 우골과 천연 교원질 차폐막을 추가적으로 적용했다. 하악지에서 채취한 블록골은 완전히 피질골로만 이루어져 있다**(G)**.

L~O. 6개월 후 골증강부에 임플란트를 식립했다. 이식골은 수혜부 골과 잘 유착되어 있었다.

P~R. 6개월 후 최종 보철물을 연결해 주었다. 이 사진들은 보철 부하 3개월 후의 모습을 보여주는 것이다**(P~Q)**.

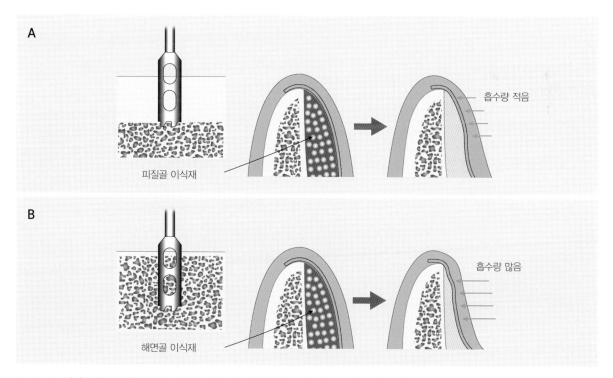

📷 **4-10** 피질골에서 채취한 입자형 자가골 이식재는 해면골에서 채취한 입자형 자가골 이식재보다 치유 기간 중 흡수에 더 잘 저항한다.

315

(4) 블록골과 입자골은 골결손부의 형태에 따라 선택한다.

자가골 이식재의 가장 큰 장점 중 하나는 이식재의 형태를 블록형과 입자형 중 술자가 원하는 대로 선택 가능하다는 점이다. 블록골 이식재는 공간 유지 능력이 좋고 흡수에 잘 저항하기 때문에 이식 시의 형태와 크기를 잘 유지할 수 있다.[74,75] 앞서 설명했지만 골증강부를 피개하는 연조직, 특히 치조정 부위의 연조직은 골증강부로 강한 압력을 가하기 때문에 이 부위에 골증강술을 시행할 때에는 이 압력에 저항할 수 있는 전략을 마련해야 한다. 이 때에는 블록형 이식재(+흡수성 차폐막)를 사용하거나, 입자형 이식재와 공간 유지 능력이 좋은 차폐막을 사용한다.[75]

그러나 골유도 재생술의 도입과 더불어 자가골 이식재는 입자형으로도 많이 이용되고 있는데 그 이유는 차폐막이 이식골의 형태를 유지해 주고 입자골의 흡수를 예방해 주기 때문이다.[76] 더구나 피질골 함량이 높은 하악골에서 채취한 블록형 이식재는 수혜부에 맞추어 그 형태를 다듬기가 용이하지 않기 때문에 이식재를 수혜부에 정확히 접합시키기가 용이하지 않고, 재혈관화가 느려 치유 기간이 연장되며,[77] 골형성 능력이 입자골보다 낮다.[78] 따라서 이식골의 무혈관성 괴사나 이식재 탈락 등의 합병증이 발생할 가능성이 있다(📷 4-11).

반면 입자형 자가골 이식재는 특히 치유 초기에 빠르게 신생골 형성을 유도한다.[44-47] 골이식재를 입자형으로 만들면 골이식재 전체의 표면-부피비가 증가하기 때문에 물리적-생물학적으로 유리할 뿐만 아니라 골이식재 내부의 성장 인자들도 골재생부로 쉽게 유리될 수 있다.[79] 더불어 필요한 양보다 적은 양의 자가골 이식재를 채취하더라도 골전도성의 동종골이나 이종골/합성골 이식재를 병용하여 그 양을 늘릴 수 있기 때문에 입자형 골이식재는 여러 가지로 유리하다고 할 수 있다. 블록골과 입자골의 장단점과 적응증은 📁 4-2와 같다(📷 4-12).

3) 자가골 이식재는 반드시 필요한 증례에만 한정적으로 사용한다.

자가골 이식재는 우수한 생물학적, 임상적 결과를 보임에도 불구하고 골채취 과정이 필요하며 골채취로 인해 환자의 불편감, 술자의 부담감, 합병증 발생 가능성, 수술 시간의 연장 등 여러 가지 문제를 야기할 수 있다. 따라서 자가골 이식재 사용의 제1원칙은 "반드시 필요한 경우에만 사용한다"는 것이다.

결국 많은 양의 골증강이 필요하거나 불리한 형태의 결손부에 한해 자가골 이식재를 사용해야 한다.[17,41,80] 뒤에서 다시 다루겠지만 자가골은 주로 광범위한 수평적 결손과 중등도 이상의 수직적 결손 시에 사용한다. 또한 많은 이들이 골벽수가 3개 미만인 경우에 자가골 이식재를 사용할 것을 추천했다. 반면 상악동 골이식, 치조제 보존술, 발치 후 즉시 임플란트 식립 시 임플란트 주위 결손 수복, 중등도 이하의 열개/천공 결손부에서는 자가골 이식재보다 골형성 능력이 낮고 흡수가 느린 골대체재를 더 추천하는 전문가들도 많다(📷 4-13).

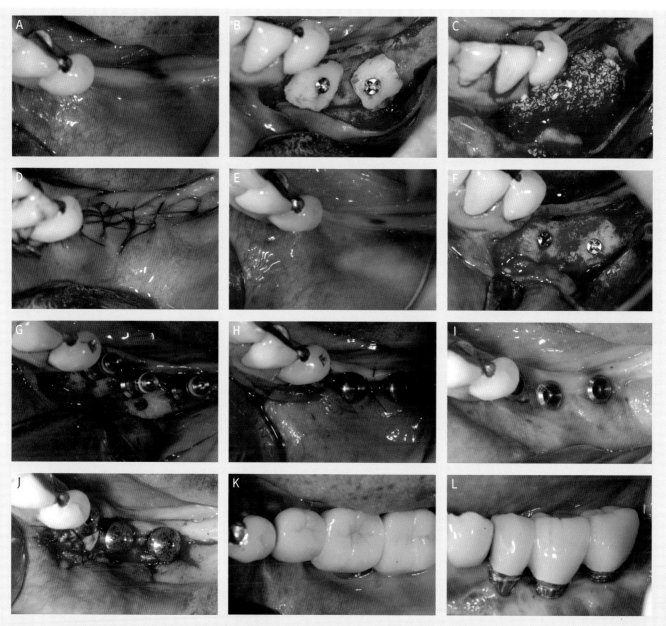

📷 **4-11** 피질골로 이루어진 하악에서 채취한 블록골 이식재는 수혜부와 밀접하게 유합되지 못하고 탈락하거나 괴사하는 경우도 있다. 이를 예방하기 위해 수혜부의 피질골을 충분히 천공시키고 이식골과 수혜부 골이 밀접하게 접촉할 수 있도록 최선을 다해야 한다.

A~D. 하악지에서 채취한 블록골로 수평적 골증강을 시행하고 탈단백 우골 및 교원질 차폐막을 적용했다.

E~H. 5개월 후 임플란트를 식립했다. 중간 임플란트에 약간의 열개 결손이 잔존했지만 임플란트 식립 중 그 외의 다른 이상 소견을 발견하지 못했다.

I~J. 임플란트 식립 3개월 3주 후이다. 환자는 수술부에 이물감을 호소했다. 가장 근심측 임플란트의 원심측에서 골의 노출이 관찰됐다**(I)**. 이식골의 부분적 괴사로 판단했으며 환자의 증상이 심하진 않았기 때문에 노출된 이식골 부위를 출혈될 때까지 삭제하고 결합 조직을 이식해 주었다**(J)**.

K~L. 약 2개월 후 최종 보철물을 연결했다**(K)**. 보철물 연결 1년 후까지 방사선학적, 임상적으로 임플란트 주위 질환의 징후를 보이지는 않았지만 협측 조직이 보철 연결 직후에 상당히 퇴축됐고 이 상태가 지속됐다**(L)**. 아마도 협측 이식골 중 상당한 부분이 흡수된 것으로 예측할 수 있다.

4-2 블록골과 입자골의 장·단점		
	블록골	**입자골**
장점	• 골이식재 자체가 공간 유지 능력이 있다. • 흡수가 상대적으로 적다.	• 신생골을 빠르게 형성할 수 있다(치유가 빠르다). • 골대체제와 혼합하여 부피를 증강시킬 수 있다. • 임플란트 수술부 주변에서 채취 가능하므로 비교적 간단하다.
단점	• 채취하는 수술 과정이 어렵다. • 합병증 발생 가능성이 높다. • 수혜부와 밀접한 접촉을 이루기 힘들다. • 이식재 탈락이나 표면 괴사 가능성이 있다.	• 자체의 공간 유지 능력이 없기 때문에 골결손부의 형태에 따라서는 차폐막의 공간 유지 능력을 필요로 한다. • 흡수가 상대적으로 많다.
적응증	• 광범위한 수평적 결손 • 광범위한 수직적 결손	• 모든 증례에 적용 가능하지만 광범위한 수평적 결손 시에는 블록골을 선호한다.

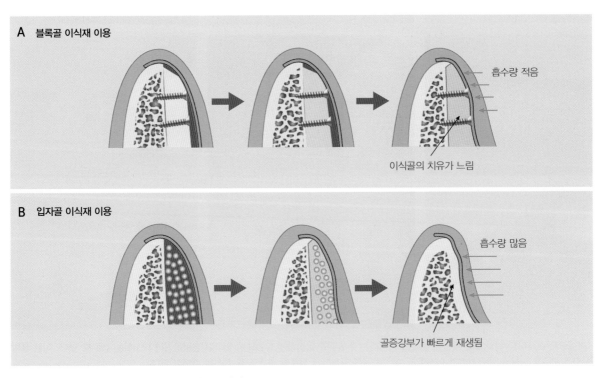

📷 **4-12 입자형 골과 블록형 골의 대표적인 장·단점**
A. 특히 피질골로 이루어진 블록골 이식재는 치유가 느리지만 골증강부의 붕괴에 잘 저항하고 흡수가 적기 때문에 이식 시의 부피와 형태를 비교적 잘 유지한다. **B.** 입자골 이식재는 치유가 빠르지만 공간 유지 기능이 떨어지고 치유 기간 중 흡수되는 양이 많다.

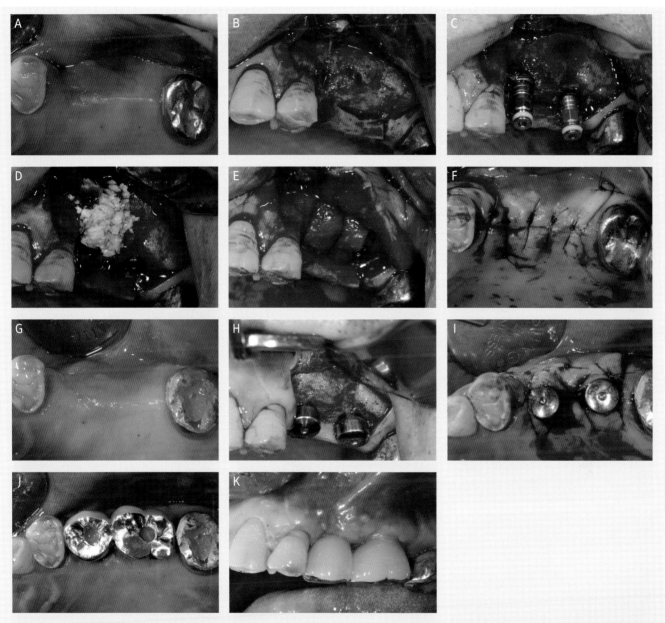

📷 **4-13 골대체재의 임상적 적용.** 골대체재는 골재생에 유리한 결손부나 이식재가 흡수되지 않고 유지되는 것이 더 유리한 결손부에 주로 사용한다.
열개 결손부는 골대체재가 가장 자주 사용되는 결손부라고 할 수 있다.

A~F. 상악 구치부 임플란트 식립부에 열개 결손이 존재했다. 동종골 이식재와 교차 결합 교원질 차폐막으로 이를 수복했다.

G~I. 대략 5개월 후 2차 수술을 시행했다. 골결손부는 신생골로 잘 수복되어 있었다.

J~K. 약 1개월 1주 후 보철물을 연결해 주었다.

(1) 자가골은 수혜부에 가장 가까운 공여부에서 채취하는 것이 좋다.

자가골 채취 부위를 선택하는 제1원칙은 수혜부에서 가장 가까운 공여부를 선택한다는 것이다. 수혜부에서 가까운 부위에서 골을 채취하면 골 공여부와 수혜부에 따로 접근할 필요가 없어 수술 부위를 하나로 제한할 수 있기 때문이다. 구강 내 각 위치에서 가까운 골 공여부는 다음과 같다(📷 4-8, 📷 4-14, 📑 4-3).

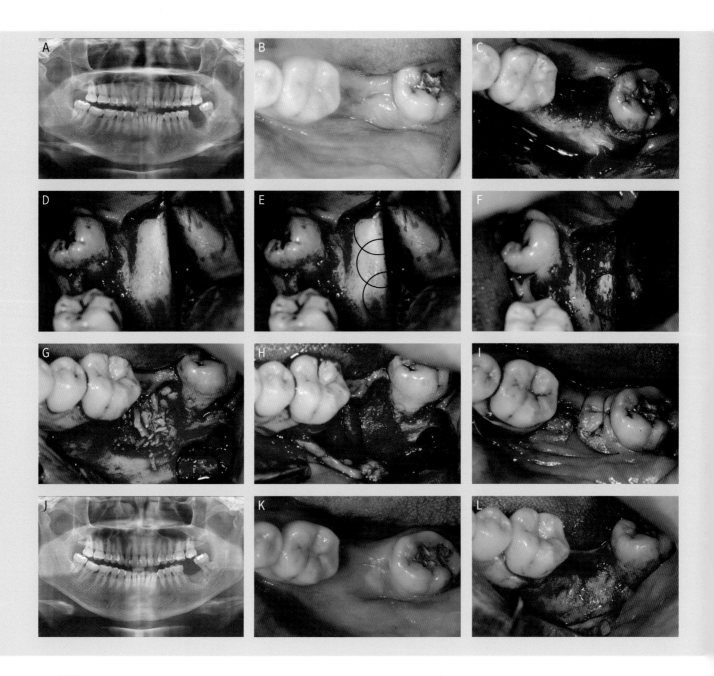

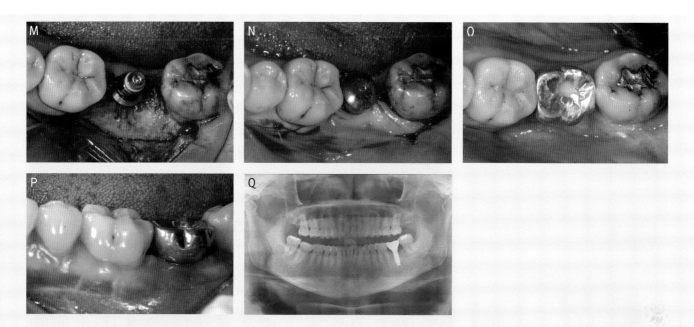

📷 **4-14** 자가골 이식재는 가급적 골이식 수혜부에서 가까운 곳에서 채취하는 것이 편리하다. 이 증례에서는 골이식 수혜부가 하악 구치부였기 때문에 하악지에서 골을 채취했다.

A~J. 하악 좌측 제2대구치 부위에 발치와 결손과 수직적 결손이 동반되어 존재했다. 골이식 수혜부 직후방의 하악지에서 트레핀 드릴로 골을 채취한 후 본크러셔(bone crusher)로 이를 입자화해 주었다**(D~G)**. 골이식부에 교차 결합 교원질 차폐막을 적용하고 수술부를 일차 폐쇄해 주었다.

K~N. 6개월 후 수술부에 재진입하여 임플란트를 식립했다. 표면에 약간의 입자골이 잔존한 것을 제외하고는 이식골이 수혜부 골과 구분이 불가능할 정도로 완전히 유합된 것을 확인할 수 있다**(L~M)**. 이는 입자형 자가골 이식재만이 보일 수 있는 결과이다.

O~Q. 대략 3.5개월 후 보철 치료를 완료했다. 방사선학적으로도 이식골은 수혜부 골과 구분할 수 없을 정도로 잘 유합되어 있었다**(Q)**.

▤ 4-3 골이식 수혜부와 가까운 공여부

골이식 수혜부	골이식 공여부	입자골 채취 기구
상악 구치부	상악동 외측벽	Bone scraper
	상악 결절	론저(bone rongeur), 치즐(chisel) 등
	관골	Bone scraper, 치즐, 트레핀 드릴 등
상악 전치부	전비극	론저
하악 전치부	하악 정중부 골	트레핀 드릴
하악 구치부	하악지	트레핀 드릴, bone scraper 등

또한 골융기(torus)는, 존재하기만 한다면, 피질골 함량이 높고 제거하더라도 정상적인 해부학적 구조물에는 어떠한 영향도 미치지 않기 때문에 가장 이상적인 골공여부가 될 수 있다(📷 4-15, 16).

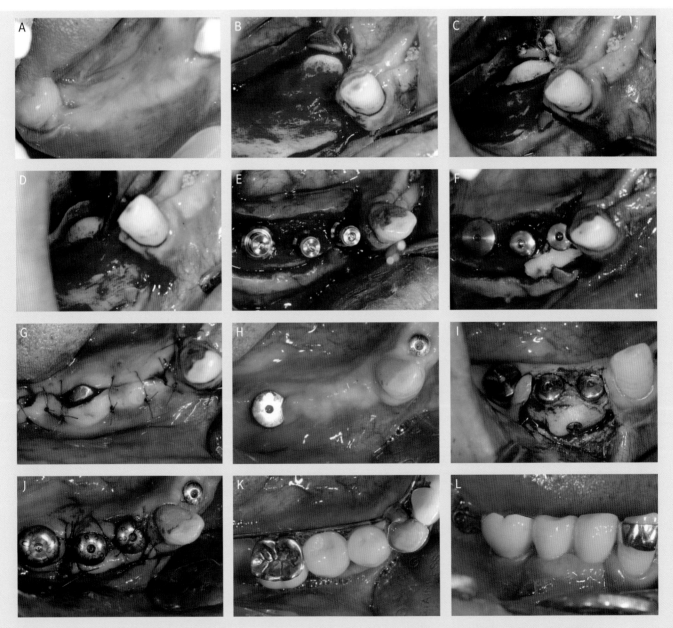

📷 4-15 **특히 하악 설측에 골융기부가 존재하면 이는 최상의 자가골 공여부가 될 수 있다. 풍부한 양의 피질골을 얻을 수 있기 때문이다.**
A~G. 하악 우측 구치부에 복수의 임플란트를 식립하면서 임플란트 식립부 설측의 골융기부를 블록 형태로 채취했다(**B~D**). 그리고 협측의 열개 결손을 골융기부에서 채취한 골로 수복해 주었다(**F**).
H~J. 대략 3개월 1주 후 2차 수술을 시행했다. 이식골은 거의 흡수되지 않은 채 잘 유지되고 있었다.
K~L. 임플란트 2차 수술 1개월 후 보철 치료를 완료했다. 사진은 보철 완료 2개월 후 소견이다.

📷 **4-16** 흔하진 않지만 상악에서도 골융기를 이용할 수 있다. 이 증례에서는 협측에 광범위한 골융기가 존재하여 이를 제거 후 이종골과 혼합하여 이용했다.

A~I. 상악 좌측 제1, 2대구치 부위에 외측 접근법을 이용한 상악동 골이식술 후 임플란트를 식립했다. 수술부 자체 내의 골융기부를 절제하여 많은 양의 자가골을 얻을 수 있었고 이를 탈단백 우골과 혼합하여 적용했다**(D, E, G)**.

J~L. 대략 6개월 후 보철물을 연결해 주었다.

가장 높은 밀도의 자가골을 가장 많이 채취할 수 있는 구강 내 골 공여부는 단연 하악지와 하악 정중부이다. 따라서 골이식 수혜부에 관계없이 많은 양의 자가골이 필요한 경우에는 이들 부위에서 골을 채취한다. 많은 이들이 가장 선호하는 공여부는 하악지인데, 왜냐하면 시술이 간단하고, 충분한 양의 골을 얻을 수 있으며, 합병증 발생 빈도가 낮기 때문이다. 하악 정중부는 거의 전적으로 피질골로만 이루어진 하악지에 비해 골형성 세포가 포함된 해면골을 함께 채취할 수 있다는 장점이 있지만[67] 합병증(하악 전치의 감각 이상) 발생 빈도가 높고 환자의 거부감이 크기 때문에 하악 전치가 결손된 경우 이외에는 거의 사용하지 않는다.[81]

(2) 자가 입자골은 입자 크기가 1–2 mm 정도일 때 가장 좋은 결과를 보인다.

자가골은 채취 방법에 따라 그 입자 크기가 크게 두 가지로 나뉜다. 석션 트랩이나 임플란트 골삭제 시 채취한 골은 입자 크기가 대략 0.1–0.3 mm 사이이고 bone scraper나 트래핀 드릴로 채취한 후 본밀/본크러셔(bone crusher)로 으깬 골은 1–2 mm 사이이다.[79,82] 입자 크기가 0.1–0.3 mm 사이인 골은 걸쭉한 죽과 같은 형태를 보이는데, 이를 "골 슬러리(bone slurry)"라고 부른다. 동물 연구에서 입자 크기가 1–2 mm 사이인 골은 0.1–0.3 mm 사이인 골보다 이식골 내 세포의 수가 더 많고 세포가 더 많이 생존하며 세포 활성도가 더 높았다.[79,82] 또한 골형성과 연관된 성장인자, 특히 BMP2와 VEGF는 역시 1–2 mm 크기의 입자골에서 0.1–0.3 mm 크기의 입자골에서보다 유의하게 더 높은 발현도를 보였다. 한 대조 연구에서는 제3대구치 발치 시 주위 치조골을 채취했다.[83] 채취한 골은 입자 형태와 슬러리 형태였으며, 이들 이식재가 실험실 환경에서 인간 골아세포 유사 세포주(human osteoblastlike cell)의 성장에 미치는 영향을 평가했다. 그리고 그 결과 입자 형태에서 이 세포는 더 우수한 성장 양상을 보였다. 한 동물 연구에서는 더 작은 크기의 이식골이 큰 크기의 이식골보다 훨씬 빨리 흡수됐다.[84] 한 전향적 대조 연구에서는 석션 트랩과 임플란트 식립을 위한 드릴링 시 얻어진 자가골로 골증강술을 시행하였을 때 골이식을 시행하지 않은 경우와 비교하여 임플란트 주위 결손의 재생에 아무런 차이도 보이지 않았다는 결과를 보였다.[63] 이는 결국 자가 입자골은 bone scraper로 채취한 경우나, 혹은 트레핀 드릴로 채취한 골을 본밀이나 본크러셔로 분쇄한 경우에만 이식재로써 진정한 효과를 보인다는 의미이다(📷 4–17, 18).

4) 자가골 이식재의 양이 부족할 때에는 골대체재와 혼합하여 사용할 수 있다.

자가골 이식재를 사용해야 하는 증례에서 채취한 자가골 이식재의 양이 수혜부 골결손 양에 비해 부족하다면 골전도성 이식재와의 혼합 사용을 고려할 수 있다. 혼합 사용은 주로 두 가지 방법을 이용한다(📷 4–19).

① 전통적으로는 자가골 이식재와 골전도성 이식재를 균일하게 혼합하여 사용한다. 이 책에서는 이를 "고전적 혼합 이식재"라고 부르겠다.
② 최근에는 하부의 임플란트 및 골과 접하는 부위에는 자가골 이식재를 적용하고 그 상부는 흡수가 느린 골전도성 이식재를 적용하는 "샌드위치 골증강술(sandwich bone augmentation, SBA)"을 적용하는 이들도 많다.

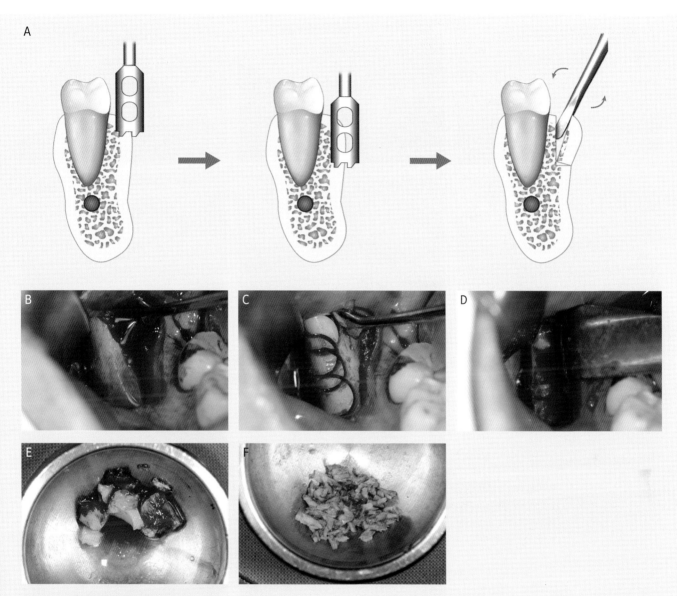

📷 **4-17 하악지에서 입자골을 채취하는 과정**

A. 하악지, 혹은 협측 골선반에 트레핀 드릴을 적용한다. 충분히 깊게 드릴을 삽입한 후 #9 Molt periosteal elevator 등으로 이식골을 분리해낸다. **B.** 트레핀 드릴 적용 전 하악지. **C.** 트레핀 드릴을 서로 겹치게 여러 번 적용한다. 이는 이식골의 분리를 용이하게 하기 위함이다. **D.** 이식골을 분리해낸 후 골 공여부의 모습이다. **E.** 하악지에서 분리한 이식골 **F.** 본 크러셔를 이용해 채취한 골을 완전히 입자화한 후의 모습이다.

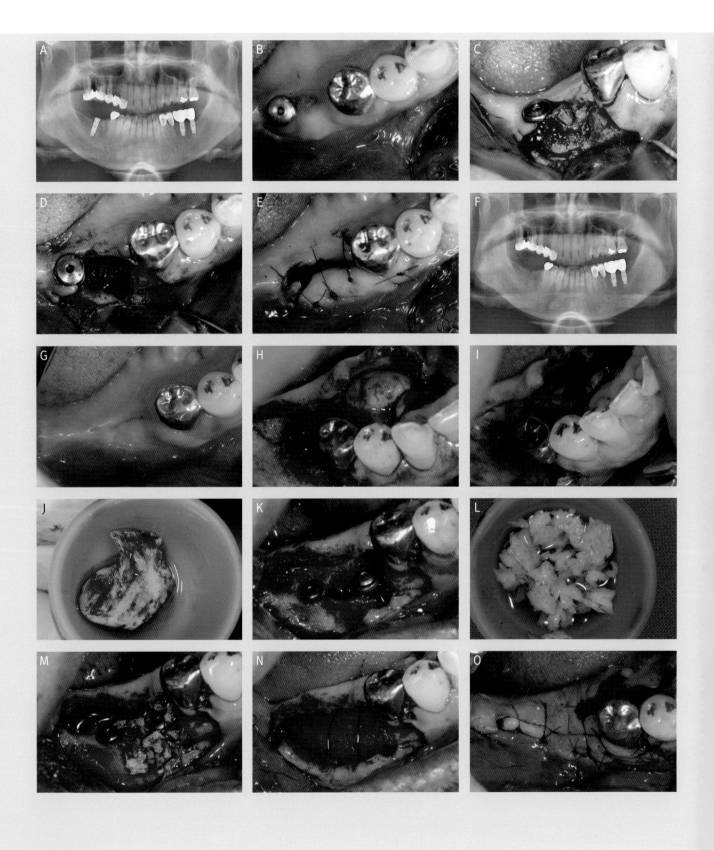

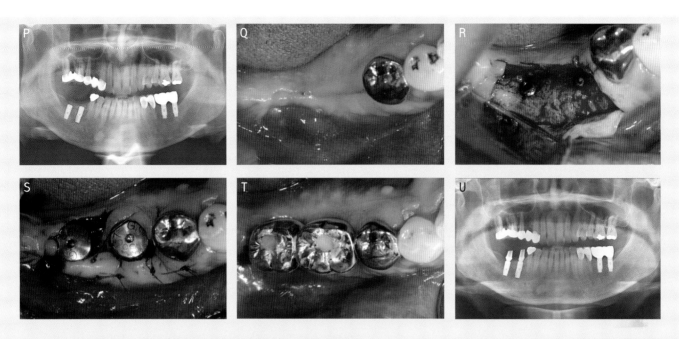

📷 **4-18 하악 골융기에서 채취한 골을 본크러셔로 입자화하여 이식한 증례이다.**

A~E. 식립했던 임플란트가 탈락하고 임플란트 식립부의 염증이 재발하여 의뢰된 증례이다. 제1대구치 부위에 잔존 치근이 관찰된다**(A)**. 잔존 치근을 제거하고**(C, D)** 식립되어 있던 임플란트 또한 제거했다**(E)**.

F~P. 4.5개월 후 임플란트 식립과 골증강을 시행했다. 설측의 골융기가 워낙 컸기 때문에 이 부위의 골을 채취하여 이식하기로 했다**(G, H)**. 블록 형태로 채취한 골은 본 크러셔를 이용해 입자골로 만들어 주었다**(J, L)**. 열개 결손과 임플란트 주위 결손을 입자형 자가골로 수복하고 교차 결합 교원질 차폐막으로 피개해 주었다**(N)**.

Q~S. 약 5.5개월 후 2차 수술을 시행했다. 역시 이식골은 수혜부 골과 구분이 가지 않을 정도로 잘 유합된 상태였다**(R)**.

T~U. 다시 2.5개월 후 보철물 연결을 완료했다.

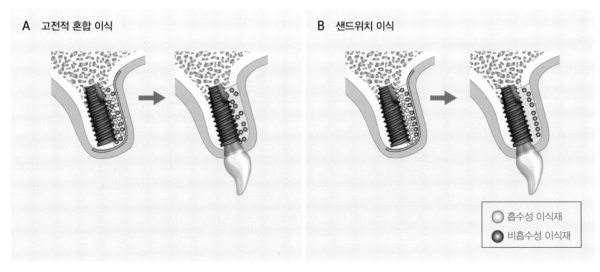

📷 **4-19 혼합 이식재의 두 가지 적용 방법**
A. 고전적 혼합 이식 **B.** 샌드위치 이식

(1) 고전적 혼합 이식재는 널리 사용되는 방법이지만 이 이식재가 골대체재를 단독으로 사용했을 때 보다 우수한 결과를 보인다는 직접적인 근거는 아직 부족하다.

고전적 혼합 이식재는 자가골 이식재의 양이 부족할 때 부피를 늘려주기 위한 목적, 혹은 자가골 이식재의 빠른 흡수를 보상해주기 위한 목적으로 사용한다(📷 4-20). 상식적으로 생각했을 때 혼합 이식재 내의 자가골 함량이 높아질수록 재생골의 질은 좋아지고 치유 속도는 빨라진다고 생각할 수 있으며 동물 연구에서는 실제로 그러한 결과를 보였다.[85] 그러나 신생골 형성에 골이식재 뿐만이 아니라 골결손부의 형태, 크기, 위치 등 국소적 해부학적 요소와 술자의 시술 능력이나 사용한 차폐막 등 다른 여러 가지 요소들이 함께 영향을 미치기 때문에 이러한 효과가 임상 연구에서는 잘 보이지 않았다. 뿐만 아니라 다양한 이식재 조성을 적용하고 그 결과를 직접 비교한 대조 연구는 거의 없는 실정이다.[86]

한 무작위 대조 연구에서는 자가골:탈단백 우골을 1:4로 혼합한 이식재와 100% 탈단백 우골 이식재를 상악동 골이식에 적용하고 4개월 후 재생골의 상태를 평가했는데, 조직계측학적으로 신생 조직 중 광화 조직의 비율은 양 군에서 각각 25.73%와 24.19%로 별다른 차이를 보이지 않았다.[87] 광범위한 수평적 결손부에 탈단백 우골과 자가골을 각각 60:40과 90:10으로 혼합하여 이식하고 교원질 차폐막으로 피개한 후의 결과를 비교한 무작위 대조 연구에서는[88] 7.5개월 후 골증강 부위에서 채취한 조직을 조직계측학적으로 분석했을 때, 두 조합은 잔존 우골 이식재(28.3±8.9% vs 30.1±6.7%), 광화 조직(신생골)(20.0±9.1% vs 22.7±12.4%), 연조직(51.6±10.9% vs 47.3±12.7%)의 함량에 있어 별다른 차이를 보이지 않았다. 한 체계적 문헌 고찰에서는 광범위한 수평적 결손을 100% 탈단백 우골로 수복했을 때에는 신생 조직 중 광화 조직의 비율이 31~42%였고, 탈단백 우골과 자가골의 혼합 이식재로 수복했을 때에는 광화 조직의 비율이 20~31%였으며 서로 유의한 차이를 보이지 않았다고 했다(수치가 거꾸로 된 것이 아니다!).[86] 그러나 포함된 일차 연구들이 서로 이질적이었고, 대조 연구가 없었기 때문에 확정적인 결론을 내리기는 힘들다고 했다. 결과적으로 얼마 되지 않는 임상 연구들에서는 혼합 이식재를 적용했을 때가 골대체재만을 적용했을 때보다 더 우수한 결과를 보인다는 직접적인 근거를 아직 제시하지 못한 상황이다.

혼합 이식재의 적응증은 광범위한 수평적 결손과 수직적 결손이다.

① 광범위한 수평적 결손

광범위한 수평적 결손은 공간 유지와 골형성 능력을 고려해야 하기 때문에 입자골 이식재와 흡수성 차폐막 조합으로는 골증강을 잘 해주지 않는다. 광범위한 수평적 결손의 첫 번째 치료 옵션은 자가 블록골 이식이며, 입자형 이식재를 사용할 때에는 보통 신생골의 질을 개선시키기 위해 자가골이나 자가골+골대체재의 혼합 이식재를 공간 유지 기능이 좋은 차폐막과 함께 사용한다.[86,89,90] 2017년의 한 체계적 문헌 고찰에 의하면 자가골과 탈단백 우골을 50:50으로 혼합하여 골증강하고 식립한 임플란트의 3년 생존율은 96%였다.[86]

📷 **4-20 고전적 혼합 이식을 적용한 임상 증례**

A~I. 하악지에서 채취한 블록골로 수평적 증강을 시행하고**(E)** 광범위한 골내 결손부는 탈단백 우골과 자가 입자골의 혼합 이식재로 수복해 주었다**(F, G)**.
J~L. 대략 5.5개월 후 임플란트를 식립했다. 이식골은 잘 유합되어 있었지만 100% 자가골을 사용했을 때보다는 더 많은 잔존 이식재가 관찰되며 재생골의
질도 약간은 더 불량한 상태였다**(J, K)**.
M~N. 약 2개월 후 보철 치료를 완료했다.

② 수직적 결손

　　수직적 결손 또한 혼합 이식재가 많이 쓰이는 결손부이다(📷 4-21). 수직적 골증강술은 이식골과 수혜부 골의 접촉 면적이 적고, 수혜부에서 골재생부 변연까지의 거리가 멀기 때문에 이식재의 높은 골형성 능력을 요한다. 따라서 임상가들은 100% 자가골 이식재의 사용을 선호한다.[49] 그러나 자가골 이식재의 양이 부족한 경우에는 부피를 늘리기 위해 혼합 이식재를 사용하기도 한다. 아직 혼합 이식재와 100% 자가골 이식재의 직접적인 비교는 거의 없었지만, 혼합 이식재도 수직적 골증강술에 사용했을 때 조직학적, 임상적으로 성공적인 결과를 얻을 수 있었다는 많은 근거가 축적되었다.[91-94]

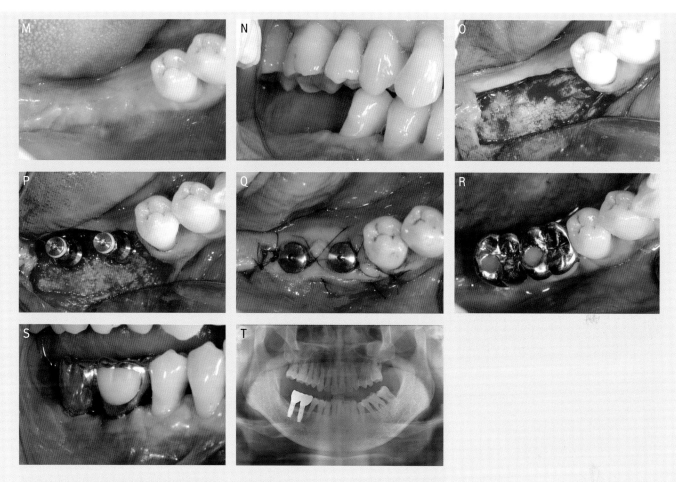

📷 4-21 혼합 이식재를 수직적 결손의 수복에 사용한 증례

A~L. 우측 하악 구치부에 수직적 결손이 존재했다. 골결손부 직후방의 하악지에서 입자형 골을 채취했다**(E, F, G).** 탈단백 우골과 자가골을 혼합했고 **(H)** 이를 골결손부에 적용한 후 교차 결합 교원질 차폐막으로 피개했다**(I, J).**

M~Q. 약 6개월 후 임플란트를 식립했다. 재생골은 임플란트 식립 시 특별한 문제를 보이지 않았다**(O, P).**

R~T. 보철물 장착 후의 소견이다. 재생골은 보철 연결 6개월 후까지 정상적으로 유지되고 있었다**(T).**

(2) 샌드위치 골증강술은 자가골을 내측에, 골대체재를 외측에 두 층으로 적용하는 술식이다.

2004년 Wang 등은 "샌드위치 골증강술"이라는 술식을 소개했다.[95] 이 방법은 임플란트 주위의 골결손부에 이식재를 내층과 외층으로 분할하여 적용하는 것이다(📷 4-22, 23).

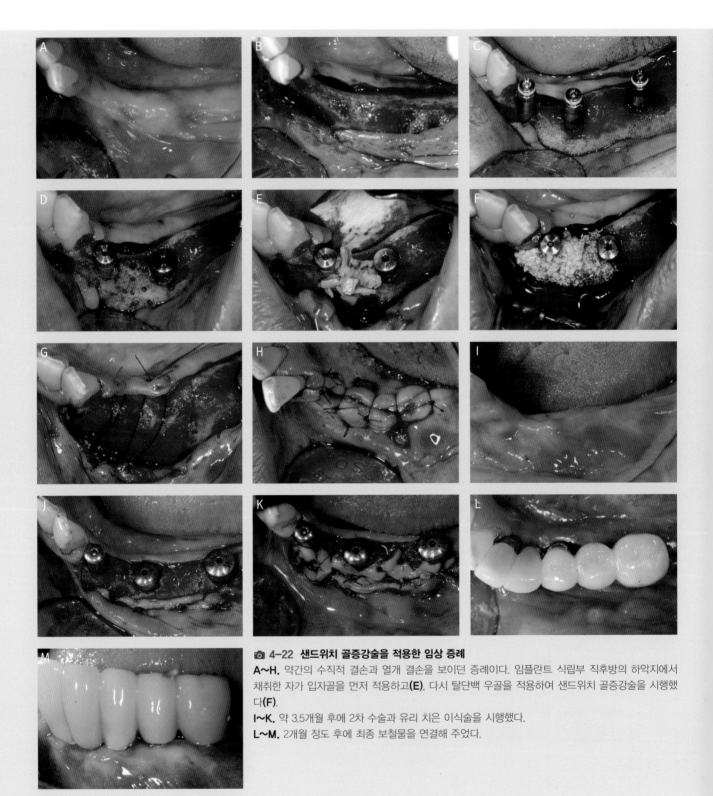

📷 4-22 샌드위치 골증강술을 적용한 임상 증례

A~H. 약간의 수직적 결손과 열개 결손을 보이던 증례이다. 임플란트 식립부 직후방의 하악지에서 채취한 자가 입자골을 먼저 적용하고**(E)**, 다시 탈단백 우골을 적용하여 샌드위치 골증강술을 시행했다**(F)**.

I~K. 약 3.5개월 후에 2차 수술과 유리 치은 이식술을 시행했다.

L~M. 2개월 정도 후에 최종 보철물을 연결해 주었다.

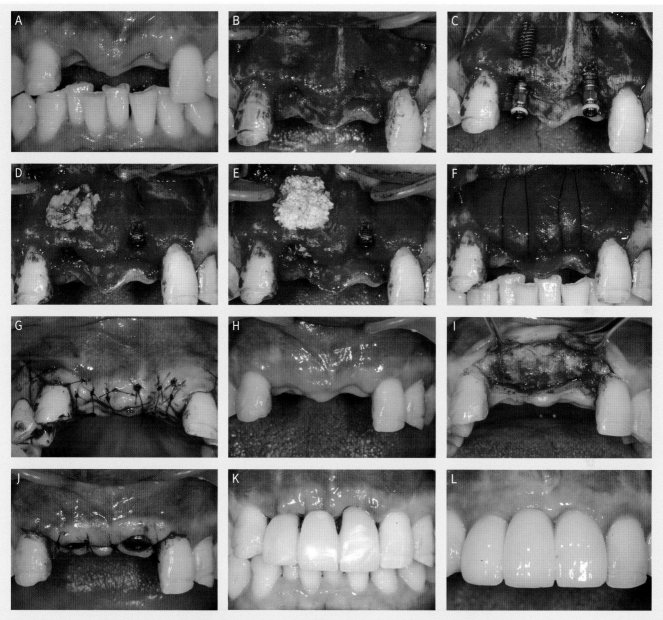

📷 **4-23 상악 전치부에 샌드위치 골증강술을 시행했다.**

A~G. 상악 전치부는 열개와 천공이 빈발하는 부위로, 샌드위치 골증강술을 가장 많이 적용하게 되는 부위이다. 이 증례에서는 우측 측정치의 큰 천공 결손에 전비극에서 채취한 자가골을 먼저 적용하고**(D)**, 다시 그 상방에 탈단백 우골을 적용했다**(E)**.

H~J. 4개월 후 2차 수술을 시행했다.

K~L. 임시 보철물을 2차 수술 1주 후 연결해 주었고 다시 2개월 후 최종 보철물로 교체해 주었다.

- 임플란트와 접하는 내층은 자가골 이식재나 흡수가 빠른 동종골 이식재(해면골)를 적용한다. 이는 점진 대체(creeping substitution)를 통해 이식재가 빠르게 신생골로 전환되도록 하여 골-임플란트 간 접촉이 증진되도록 한다.[96]

- 외층은 흡수가 느린 동종골(피질골)이나 이종골(탈단백 우골)을 적용한다. 이 두 번째 층은 내층의 골이식재를 보호하면서 공간을 장기간 유지하는 기능을 한다.[97]

한 동물 연구에서는 열개 결손에 수산화인회석과 3인산칼슘이 혼합된 합성골과 자가골을 세 가지 방법으로 적용하고 그 결과를 12주 후 평가했다(📷 4-24).[98] 그 결과 골증강량은 자가골을 내측이나 외측에 적용한 샌드위치 골증강술을 시행했을 때가 합성골만을 적용했을 때보다 2배 정도 더 많았으며 이는 유의한 차이를 보이는 것이었다. 또한 골-임플란트간 접촉은 샌드위치 골증강술을 적용했을 때(내측에 자가골 적용 48.17%, 외측에 자가골 적용 49.51%)가 합성골만 적용했을 때(36.58%)보다 더 높았다. 자가골을 내측에, 합성골을 외측에 적용하는 것은 Wang 등의 샌드위치 골증강술 개념과 동일한 것으로, 일반적인 예측에 부합하는 결과를 보이는 것이다. 그러나 자가골을 외측에, 합성골을 내측에 적용했을 때에도 골-임플란트간 접촉이나 골증강량이 모두 합성골만을 적용했을 때보다 개선되었는데, 저자들은 외측의 자가골 이식재가 원래 신생골 형성이 느린 외측에서 빠르게 신생골로 대체되면서 일종의 보호막으로 작용하여 내측 합성골 적용 부위의 골재생을 돕는 것으로 추측했다. 또 다른 동물 연구에서는 열개 결손부에 임플란트를 식립하고 골증강술을 시행했다.[48] 한 군에서는 내측에 자가골, 외측에 탈단백 우골을 적용하여 샌드위치 골증강술을 시행해 주었고, 다른 군에서는 탈단백 우골만으로 골증강술을 시행해 주었다. 그 결과 초기에는 샌드위치 골증강술 적용 군에서 전체 골증강 부위 내의 광화 조직(신생골) 함량과 골-임플란트간 접촉도가 탈단백 우골만 적용한 군보다 우수했다. 그러나 12주 후에는 이러한 차이가 사라졌다. 따라서 샌드위치 골증강술을 적용하면 빠른 골치유를 유도할 수 있음을 알 수 있다. 또한 샌드위치 골증강술을 적용하더라도 탈단백 우골만 적용했을 때와 비슷한 정도의 재생골 양을 얻을 수 있었다.

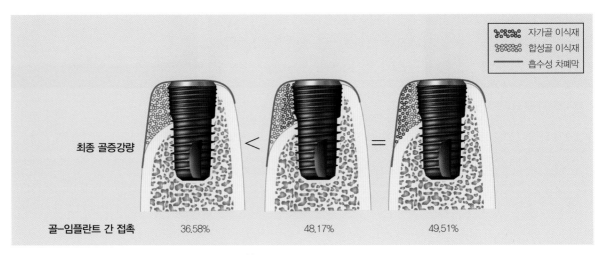

📷 **4-24 샌드위치 골증강술에 대한 동물 실험의 결과[98]**
일반적인 샌드위치 골증강술은 합성골 등의 골대체재를 외부에, 자가골을 임플란트와 접한 내부에 적용하지만 이식재를 이와 반대로 적용하더라도 비슷하게 향상된 결과를 보였다.

샌드위치 골증강술에 관한 몇 건의 임상 연구가 있었지만 이 연구들에서는 열개 결손에 대해 샌드위치 골증강술 시 차폐막 적용 유무가 골증강 결과에 미치는 영향을 평가한 것들이었다.[99-101] 그리고 당연하지만, 차폐막을 적용했을 때 유의하게 더 많은 양의 골증강을 얻을 수 있었다고 보고했다. 따라서 샌드위치 골증강술은 이론적 이점에도 불구하고 아직까지 임상적 근거가 충분히 축적된 술식은 아니라고 결론 내릴 수 있다.

3.
비자가 골이식재

비자가 골이식재에는 동종골, 이종골, 합성골이 포함된다. 골대체재 (bone substitute)에는 생체 유래 골이식재 (자가, 동종, 이종 이식재), 합성 이식재, 골의 성장 인자 등이 모두 포함된다. 그러나 좁게는 자가 이식재를 제외한 골이식재를 의미한다. 이 책에서는 골대체재를 후자의 의미로 사용하도록 한다. 골증강술 술식의 발전과 차폐막의 개선 등으로 임플란트 골증강술에서 자가골 이식재를 사용하는 빈도는 현저히 줄어들었다.

비자가 골이식재에 관한 문헌은 엄청나게 많다. 그러나 뭔가 실제적으로 쓸모 있는 문헌은 또 매우 적다. 따라서 여기에서는 각각의 골이식재에 관해 너무 많은 내용을 담기보다는 주요한 내용을 간단하게 요약할 것이다. 또한 상품화된 개별 브랜드의 이식재는 그 종류도 너무 많고 자주 바뀌기 때문에 아주 중요한 이식재(Bio-Oss)를 제외하고는 다루지 않겠다.

1) 동종골 이식재

(1) 동종골 이식재는 주로 사체에서 채취한 골을 동결 건조하여 제조한다.

동종골 이식재는 항원성과 혹시 존재할지도 모르는 감염성을 없애 주기 위해 보통 동결 건조(freeze-drying) 과정을 거친다. 동종골은 일반적으로 사망 12시간 이내의 사체 장골(long bone)에서 채취하며, 피질골은 해면골에 비해 항원성이 낮고 골유도 단백질을 더 많이 포함하기 때문에 주로 피질골을 이용한다.[102,103] 그러나 해면골이 더 다공성 구조를 보이기 때문에 더 골전도성이 높을 수 있다. 따라서 최근에는 동종 해면골을 이용한 입자골도 시판되고 있다. 무작위 대조 연구에 의하면 100% 동결 건조 동종 피질골, 100% 동결 건조 동종 해면골, 50:50 동결 건조 동종 피질-해면골을 치조제 보존술에 사용했을 때 18-20주 후 신생 조직 내 광화 조직의 비율에는 거의 차이를 보이지 않았다.[104] 그러나 잔존 이식재는 100% 피질골 이식재를 사용했을 때 유의하게 더 많이 남아 있었다. 이는 해면 동종골이 피질 동종골과 유사한 골전도 효과를 보이지만 흡수는 더 빠르게 진행된다는 사실을 보여주는 것이다.

동종골 이식재를 제조하기 위해 채취한 골을 거칠게 분쇄한 후 여러 번 세척하고, 골 내 지방 제거와 바이러스 비활성화를 위해 에탄올 용액에 담근다.[105] 이러한 준비 과정 후 동결-건조를 시행하는데, 이는 액체 질소 내에서 동결시킨 골 내부의 수분을 바로 기화시킴으로써 제거해주는 과정이다.[106] 이렇게 동결-건조 시킨 골을 잘게 부수고, 이를 염산에 담가 골의 석회화 물질을 제거해주면 탈회 동결 건조 동종골(demineralized freeze-dried bone allograft, DFDBA)이 되고 석회화 물질을 제거하지 않으면 비탈회 동결 건조 동종골(freeze-dried bone allograft, FDBA)이 된다. 탈회 동종골은 수산화인회석이 제거됨으로써 주로 교원질로 이루어진 골의 기질 단백질만이 남게 되며, 이때 기질 단백질에 소량 함유된 골유도 단백질(bone morphogenic protein, BMP)이 노출된다.[107] 따라서 탈회 동결 건조 동종골은 이론적으로 골유도성과 약간의 골전도성을 갖게 된다. 한편, 비탈회된 동결 건조골은 골의 석회화물인 수산화인회석과 기질 단백질을 모두 포함하나, 기질 단백질 내부의 BMP는 수산화인회석으로 가로막혀서 외부로 노출되지는 않는다. 수산화인회석은 이식재가 활발히 골화되는 치유 초기에는 내부의 기질 단백질이 노출될 정도까지는 흡수되지 않는다. 따라서 비탈회된 동종골은 주로 골전도성을 갖는다.

지금까지 탈회/비탈회 동결-건조 동종골 이식재에 의한 전염성 질환의 전파는 한 번도 보고된 바 없음에도 불구하고 환자나 술자 모두가 이에 대한 두려움을 갖고 있는 것이 현실이다. 그러나, 정상적인 동결-건조 과정을 거친 동종 이식재는 후천성 면역 결핍증, 간염, 광우병 등을 전염시킬 가능성은 거의 없는 것으로 알려져 있다.[108] 비탈회 동결 건조골과 탈회 동결 건조골이 HIV (human Immunodeficiency Virus)에 오염되어 있을 가능성은 각각 800만분의 1과 280만분의 1에 지나지 않는다.[109,110]

(2) 탈회 동종골은 임플란트 관련 골증강술에 사용하지 않는다.

탈회 동결 건조 동종골은 그 사용 역사가 긴 편이므로 조직 유도 재생술에서 광범위하게 사용되었으며[111] 그 결과 또한 양호하였기 때문에 골유도 재생술의 역사에서 초기 단계부터 자가골 이식재와 더불어 가장 많이 사용된 이식재이다.[8,112,113] 그러나, 많은 동물 실험과 임상 연구에서 탈회 동결 건조 동종골은 골유도 재생술에 적용했을 때 항상 성공적인 결과를 보이진 못했기 때문에 이 이식재가 과연 골이식재로서 적합한가에 대한 의문이 제기되었다.[114-118] 이 이식재는 넓은 결손부에서 골유도 효과를 나타낼 정도로 BMP를 충분히 포함하지 않으며[119,120] 그나마도 공여자나 제조 방법에 따라 달라질 수 있다는 지적이 있었다.[119,121] 탈회 동결 건조 동종골이 골유도 효과를 보이지 않았으며 단지 미약한 골전도 효과만 보였다는 조직계측학적 연구는 이러한 생각을 뒷받침한다.[116,122] 게다가 골전도성도 탈회 동결 건조 동종골은 비탈회 동종 이식재보다 떨어지며 공간 유지 능력 또한 떨어진다.[122-124] 일부 실험에서는, 골결손부에 차폐막만 적용하는 것이 탈회 동결 건조 동종골과 차폐막을 함께 적용하는 것보다 오히려 더 좋은 결과를 보인다고까지 하였다.[125]

2015년의 한 무작위 대조 연구에서는 100% 비탈회 동종골과 70:30 비탈회-탈회 동종골을 치조제 보존술에 적용하고 18-20주 후 결과를 평가했다.[126] 그 결과 치조골의 흡수량에는 차이가 없었지만 발치와 내 신생 조직 중 광화된 골조직이 차지하는 비중은 혼합 이식재(36.16%)를 적용했을 때가 100% 비탈회 골(24.69%)만을 적용했을 때보다 유의하게 더 높았다. 이는 탈회 동종골을 부분적으로만 적용하면 재생골의 질을 향상시키는 데 도움을 줄 수 있다는 점을 보여주는 결과이다. 그러나 이에 관해서는 많은 후속 연구를 요한다.

탈회 동종골의 골유도 능력은 조직 공여자의 연령, 이식재 입자의 크기, 탈회의 정도에 따라 심한 변이를 나타내는 것으로 보이며, 심지어 동일한 브랜드의 상품도 큰 차이를 보인다.[6] 따라서 탈회 동결 건조 동종골은 작은 치주 결손에만 선택적으로 사용하는 것이 좋다는 의견이 있었다.[127] 많은 임상가들이 현재는 탈회 동결 건조 동종골을 사용하지 않는 추세이다.[17,117]

(3) 비탈회 동결 건조 동종골은 임플란트 골증강술에 사용했을 때 대체적으로 우수한 결과를 보인다.
탈회되지 않은 동종골은 3가지 방법, 즉 동결 건조, 방사선 조사, 또는 용매 보존(solvent-preserved method)의 방법으로 살균되어 시판되고 있다. 이들 비탈회 동종골은 모두 골의 단백 기질과 수산화인회석을 포함하고 있지만 전술한 바와 같이 단백 기질은 수산화인회석 내부에 위치하기 때문에 주로 골전도성만을 갖는다.[116]

동결 건조 동종골은 탈회하지 않은 동종골 중 가장 오래 이용된 형태이며 탈회 동결 건조 동종골과 더불어 가장 다양한 상품이 출시된 비자가 골이식재이다. 동결 건조 동종골은 발치 후 즉시 식립 시 임플란트 주위 결손 수복, 발치와 보존술, 국소적 치조골 결손의 수복, 그리고 상악동 골이식 등 다양한 결손부에 적용되어 예지성 있는 결과를 보였다(📷 4-25, 26).[128-130] 최근 비탈회 동결 건조 동종골은 치조제 보존술에 많이 사용되고 있다. 다수의 임상 연구에 의하면 이 이식재는 치조제 보존술에 사용되면 치조골의 흡수를 현저히 줄여줄 수 있고 조직학적으로 양질의 신생골을 형성할 수 있다.[126,130-135] 한 메타분석에 의하면 치조제 보존술에서 비탈회 동종골은 탈단백 우골과 더불어 치조골의 흡수를 줄여주는 데 가장 효과적이었다.[136] 다른 체계적 문헌 고찰에서도 동결 건조 동종골이 치조제 보존술에 사용되는 골이식재 중 치조골의 수직적 흡수를 가장 많이 줄여준다고 했다.[137]

인체 연구에 의하면 동결-건조 이식재를 골유도 재생술에 사용했을 때 이식 부위의 대략 30-50%는 재생된 광화 조직으로 점유되었으며, 10-50%는 잔존 이식재가 차지하고 있는 것으로 나타났다.[128,130,138] 인체 내에서 동결 건조 동종골의 흡수 정도나 속도에 대해서는 명확히 밝혀진 바가 없으며 완전히 흡수되는지 여부 또한 알려지지 않았다. 다만 비탈회 동결-건조 동종골은 주로 피질골을 사용하며 피질골은 다공성이 적어 잘 흡수되지 않는 양상을 보인다.[95]

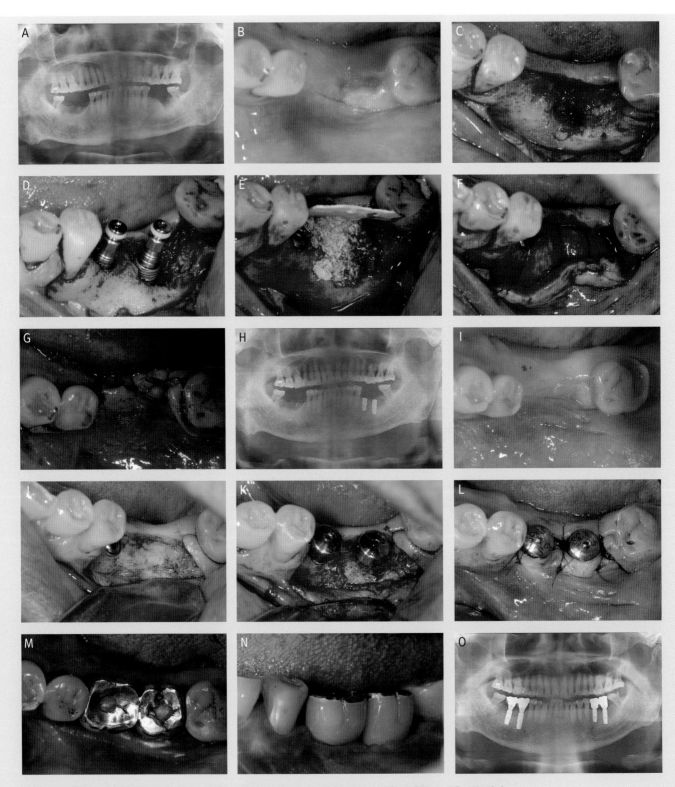

📷 **4-25 동결 건조 동종골의 적용 증례. 탈단백 우골을 포함한 여타 골대체재와 비슷한 적응증에 사용 가능하다.**
A~H. 임플란트를 식립하고 임플란트 주위 결손에 동결 건조 동종골과 교차 결합 교원질 차폐막으로 골유도 재생술을 시행했다.
I~L. 4개월 후 2차 수술을 시행했다. 골결손부는 완전한 골내 결손이었기 때문에 골이식술은 매우 성공적인 결과를 보였다.
M~O. 약 1.5개월 후 보철물을 장착했다.

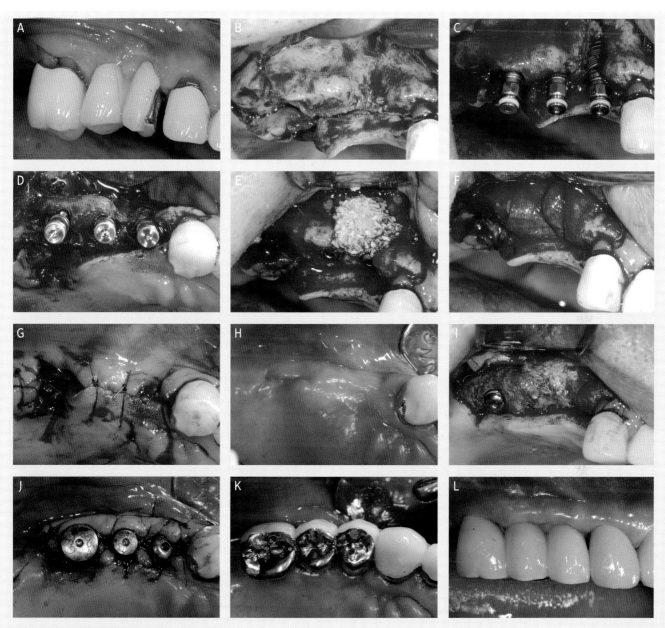

📷 **4-26 동결 건조 동종골 이식재의 적용 증례이다.**

A~G. 상악 우측 제1소구치 부위의 열개 결손에 동결 건조 동종골을 적용하고 교차 결합 교원질 차폐막으로 이를 피개했다.

H~J. 4개월 후 2차 수술을 시행했다. 골결손부는 골내 결손이었기 때문에 골재생의 결과가 매우 양호했다.

K~L. 보철 치료 완료 후 소견이다.

(4) 용매 보존형 동종골은 우수한 임상적 결과를 보인다.

Tutoplast (Tutogen Medical, 독일·미국에서는 Puros라는 상품명 사용)는 동결 건조가 아닌, 용매 보존법 (solvent-preserved method)이라는 다소 독특한 방법으로 수분을 제거한 동종골 이식재이다. 이 이식재의 처리 과정은 다음과 같다. 우선 사체에서 채취한 골을 초음파 아세톤 수조(ultrasonic acetone bath)에 담가 지방 성분을 없애고 항원성을 낮추기 위해 다양한 농도의 식염수와 증류수에 교차로 담가 삼투 처리(osmotic treatment) 한다. 이후 초음파 아세톤 수조(ultrasonic acetone bath)에 담가 지방 성분을 없앤 후, 3% 과산화수소 용액에 담 가 산화시킴으로써 항원성 단백질과 바이러스 잔유물을 제거하고, 순차적인 농도의 아세톤 수조에 담갔다가 빼내는 과정을 반복함으로써 수분을 제거(여기서 "용매 보존"이라는 용어가 유래한 것이다)한다. 마지막으로 저용량의 감마선(17.8Gy)을 이용하여 멸균을 시행한다.[139,140] 이러한 처리 과정은 광우병과 후천성 면역 결핍 증의 원인 물질을 비롯한 모든 감염원을 효율적으로 제거하는 것으로 알려져 있다.[141]

이 이식재는 피질골과 해면골이 입자형과 블록골 형태로 시판되고 있지만 가장 대표적인 형태는 입자형 해 면골이다. 따라서 주로 피질골을 이용하는 동결 건조된 동종 이식재와는 다르게 다공성이 풍부하기 때문에 골 전도성이 더 좋고 비교적 빨리 자가골로 대체되며 흡수될 것으로 추측된다.[140,142,143] 주로 상악동 골이식에서 시행한 조직계측학적 연구에 의하면 이 이식재는 수술 6-8, 10개월 후에 각각 평균 28.25%, 40.33%의 광화 조 직과 7.65%, 4.67%의 잔류 이식재로 치유되었다.[144,145] 또한 발치 직후에 발치와 보존술의 목적으로 사용하였 을 때에는 4개월 후 평균 6%의 신생 광화 조직과 17%의 잔류 이식재로 치유되었다.[146] 두 연구 모두 이종골 이식재(Bio-Oss)를 이용한 경우를 대조군으로 이용하였는데 잔존 이식재는 두 연구 모두에서 Tutoplast가 Bio-Oss보다 현저하게 적었다. 이는 Tutoplast가 시간이 경과함에 따라 잘 흡수되는 이식재라는 근거가 될 수 있을 것이다. 또한 임상 연구 결과에 의하면 이 이식재는 상악동 골이식, 발치와 보존술, 열개 결손, 치아 주위 치조 골 결손에 사용하였을 때 충분히 성공적인 결과를 보였다(📷 4-27).[145-151]

2) 이종골인 탈단백 우골은 비자가 골이식재의 황금 기준이다.

이종골 이식재는 인간 이외의 다른 생물종에서 얻은 이식재를 의미한다. 이종골 이식재의 원천으로 많이 이 용되는 생물 종에는 소, 말, 돼지, 산호, 해조류 등이 있다. 이종골 이식재는 종간 차이에 의한 항원성을 제거해 야 하기 때문에 동종골 이식재와는 다르게 골 내의 모든 유기 성분을 제거하고 순수한 칼슘 세라믹으로 만들 어야 한다. 따라서 화학적 조성을 보았을 때(이론적으로) 유기물이 전혀 포함되어 있지 않은 인산 칼슘염이므 로 어떤 문헌에서는 이종골 이식재를 합성골 이식재의 하나로 보기도 한다.[17] 이종골 이식재는 과거부터 꾸준 히 개발이 시도되어 왔으나 항원성을 완전히 제거하는 데 어려움이 있었기 때문에 널리 사용되지 않았다. 그 러나 최근 단백질을 제거하는 기술이 발전되면서 널리 사용되고 있으며, 특히 우골(소뼈)을 이용한 이종골인 Bio-Oss의 엄청난 성공에 힘입어 치과용 골대체재 시장에서 가장 널리 사용되고 있다.[152,153] 심지어 일부 임상 가들은 Bio-Oss를 비자가 골이식재의 황금 기준으로 생각한다.[154]

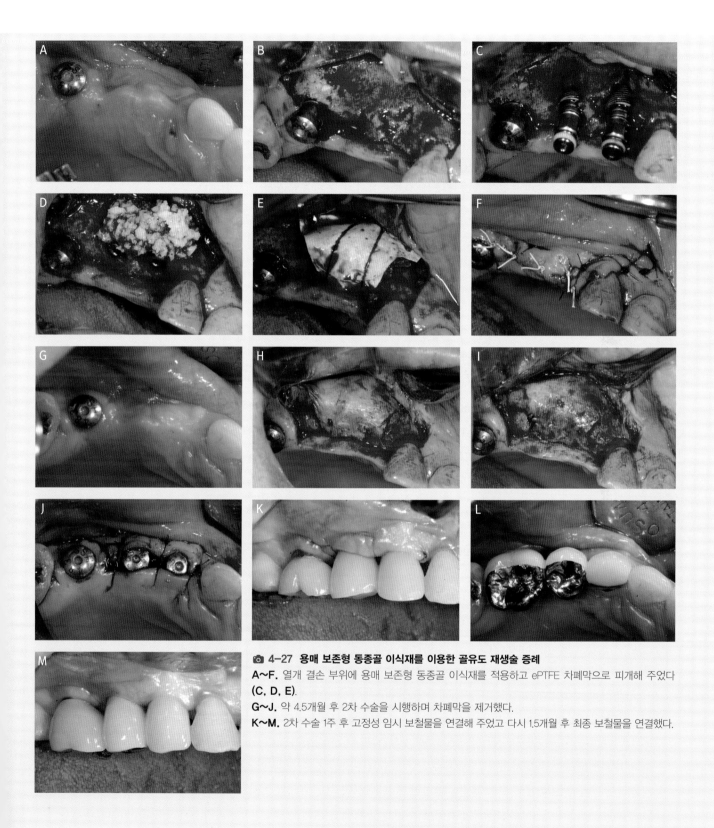

📷 **4-27 용매 보존형 동종골 이식재를 이용한 골유도 재생술 증례**

A~F. 열개 결손 부위에 용매 보존형 동종골 이식재를 적용하고 ePTFE 차폐막으로 피개해 주었다 **(C, D, E)**.

G~J. 약 4.5개월 후 2차 수술을 시행하며 차폐막을 제거했다.

K~M. 2차 수술 1주 후 고정성 임시 보철물을 연결해 주었고 다시 1.5개월 후 최종 보철물을 연결했다.

동종골이나 이종골 이식재에 관한 거의 대부분의 연구는 탈단백 우골에 관한 것이었다. 사실 대부분의 동종골과 이종골 이식재는 천연 수산화인회석이기 때문에 많은 생물학적 성질을 공유할 것이다. 따라서 탈단백 우골이 임상적으로 보이는 결과는 합성골 이식재를 제외한 다른 비자가 이식재에서도 비슷하게 나타날 가능성이 높다.

(1) 탈단백 우골은 광우병을 전염시킬 가능성이 거의 없다.

기존의 이종골 이식재는 유기 성분을 완전히 제거하기 위해 1,000℃ 이상의 고온으로 열처리하였는데, 이러한 열처리는 자연골의 다공성을 없앰으로써 골전도성을 감소시키게 된다.[155] 이에 반해 탈단백 우골(Deproteinized Bovine Bone Mineral, 많은 문헌에서 Bio-Oss라는 상품명 대신 이 용어를 이용한다)은 고열로 인한 골의 물리적 형태 변화를 없애기 위해 비교적 낮은 온도에서의 열처리와 화학적 처리를 함께 시행하는데, 그 순서는 다음과 같다.[156]

① pH 13 정도의 강염기성 용액으로 처리
② 300℃ 이상에서 15시간 이상 열처리
③ 지방을 제거하기 위해 유기 용매(organic solvent)로 처리

이렇게 만들어진 탈단백 우골은 높은 다공성(70–75%)을 보이고 크기가 300–1500 μm인 미세 기공을 갖는 소주골 구조를 유지하기 때문에, 혈관 및 골세포의 침투를 용이하게 하여 신생골 침착이 용이해진다. 골아 세포는 탈단백 우골 표면에서 층을 형성하고, 이어 유골(osteoid)과 층판골(lamellar bone)을 단계적으로 만들어낸다.[157]

탈단백 우골의 이러한 탈단백 과정은 기존의 고온을 이용한 방법과는 다르기 때문에 과연 이러한 탈단백 과정이 완전한가, 그리고 잔존 단백질, 특히 광우병 원인 인자인 프리온(prion)을 완전히 제거해줄 수 있는가에 대한 의문이 수 차례 제기된 바 있다.[158-160] 이는 탈단백 우골을 사용하는 데 있어 매우 중요하게 고려할 사항이므로 자세히 살펴보도록 하겠다. Hönig 등은 Bio-Oss spongiosa block을 이부(chin)에 이식한 환자에서 술 후 10개월에 감염이 발생하였으며, 이를 제거하여 조직학적으로 검사하였다. 이때 잔존 단백질의 유무를 확인할 수 있는 Coomassie blue 염색 결과에서 양성으로 확인되었으며, 따라서 탈단백 우골에 단백질이 잔존할 수도 있다는 가능성을 최초로 제기하였다.[158] 또한 Schwartz 등은 탈단백 우골 추출물을 280 nm의 자외선으로 조사한 spectrophotometry 결과, 평균 11 μg/g의 단백질이 탈단백 우골 내에 포함되어 있으며, 특히 미량의 TGF-β와 BMP-2가 있어서 탈단백 우골이 골유도능을 갖는다고 결론 내린 바 있다.[159] 마지막으로, Taylor 등은 탈단백 우골이 제1형 교원질 면역조직화학 검사 결과에서 양성이었고, 그 표면이 질소를 포함하며, 단백질을 매개로 접근하는 파골세포에 의해 흡수되는 것으로 보아서 단백질을 함유하고 있을 가능성이 높다고 결론지었다.[160] 따라서 이러한 문제 제기를 확인하는 실험이 이루어 졌으며, Benke 등은 이를 2001년에 보고하였다.[161] 우선 탈단백 우골 내의 단백질 유무를 확인하기 위해 민감한 단백질 검출 실험인 Bio-Rad protein assay와 SDS-PAGE and silver staining을 시행하였으며, 그 결과 단백질은 검출되지 않았다고 하였다. 또한 탈단백

우골이 단백질 검출 염색인 Coomassie blue에 강하게 양성 반응을 보이는 것은 맞지만, 이는 탈단백 우골 내에 단백질이 있어서가 아니라 탈단백 우골의 주요 성분 중 하나인 carbonate (약 7%) 또한 Coomassie blue에 염색되기 때문이라고 결론지었다. 마지막으로, TGF-β를 검출하기 위한 Western blotting을 하였을 때 발견되는 면역 염색체는 artifact이기 때문에, 이 단백질 또한 존재하지 않는다고 결론지었다.

탈단백 우골 사용 시 광우병 전염 가능성을 이론적으로 평가한 결과, 독일 연방 보건성(German Federal Ministry of Health) 기준으로는 광우병 안전 기준보다 10^{10}배 안전하고, 미국 제약 협회(Pharmaceutical Research and Manufacturers of America, PhRMA) 기준으로는 1 g의 이식재를 사용하였을 때 감염될 확률이 $1/1.3×10^{18}$이라고 하였다.[162] 또 다른 보고에서는 탈단백 우골 자체의 광우병 감염 위험성을 German Federal Health Authority 방법으로 검증하였으며, 그 결과 최소 안전 기준보다 10^6에서 $10^{18.7}$배 더 안전하다고 하였다.[156] 이상의 결과들로 미루어, 탈단백 우골은 단백질 잔류여부와는 별도로 광우병 감염에 대해서는 매우 안전한 이식재라고 결론 내릴 수 있다.

(2) 탈단백 우골은 골증강술 시 골전도 효과를 보인다.

탈단백 우골의 골형성 기전은 골전도 효과에 의한 것이다. 그러나 탈단백 우골의 골전도 효과가 재생골을 효율적으로 형성시키는데 현저한 도움이 되는가에 대해서는 논란의 여지가 남아있다. 일련의 동물 실험에서는 골의 외측 피질골 상부에 PTFE 돔을 적용하여 확고하게 공간을 유지해 주었을 때 골재생부에 탈단백 우골을 적용하면 혈병만 적용했을 때에 비해 오히려 신생골 형성이 저하된다고 보고했다.[163,164] 또한 교원질 차폐막 하방에서도 탈단백 우골은 골결손부 내의 재생골 형성에 도움이 되지 못한다는 보고가 있었다.[7,165] 이는 탈단백 우골의 초기 치유 능력이 높지 않기 때문에 탈단백 우골을 적용하면 치유의 속도가 저하될 수 있음을 의미하는 것이다.[166] 또는 탈단백 우골의 골재생 효과는 골증강부의 국소적 환경에 민감하게 좌우될 수 있음을 보여주는 것이다.

그러나 탈단백 우골이 차폐막 하방의 재생골 양과 질을 모두 향상시켰다는 실험 결과는 훨씬 더 많았다. 특히 순측 치조골 결손의 수복에 탈단백 우골을 이용하고 14-80개월이 경과했을 때 탈단백 우골 입자 표면에 골형성 세포가 접해 있으며, 이식재 입자 표면 전체 길이의 70%가 신생골과 접하고 있었다는 사실은 이 이식재의 골전도 효과에 대한 직접적인 근거가 될 수 있다.[167] 이식골의 치유가 완료된 후 전체 이식재 표면 길이에 대한 신생골과 접하고 있는 길이의 비율을 골전도 지수(osteoconduction index)라고 하는데, 탈단백 우골은 대체적으로 높은 골전도 지수를 보인다.[167-171]

실험실 연구와 동물 연구를 통해 탈단백 우골은 골아세포의 이주, 분화, 골기질 분비를 유도한다는 사실이 밝혀졌다.[172-177] 탈단백 우골에 관한 임상 연구는, 특히 ITI group의 절대적인 지지에 힘입어 이미 한 사람이 모두 읽기 힘들 정도로까지 많아졌다. 따라서 탈단백 우골은 가장 많은 임상 문헌의 지지를 받는, 가장 높은 근거를 가지고 사용할 수 있는 비자가 이식재라고 생각할 수 있다.[178] 탈단백 우골은 모든 종류의 임플란트 주위 골결손, 즉 열개, 천공, 발치와, 수평, 수직, 그리고 상악동 내의 골결손에 단독으로, 혹은 자가골 이식재와 함께 사용했을 때 임상적으로나 조직학적으로 성공적인 골재생 결과를 보였다(📷 4-28, 29).[179-187]

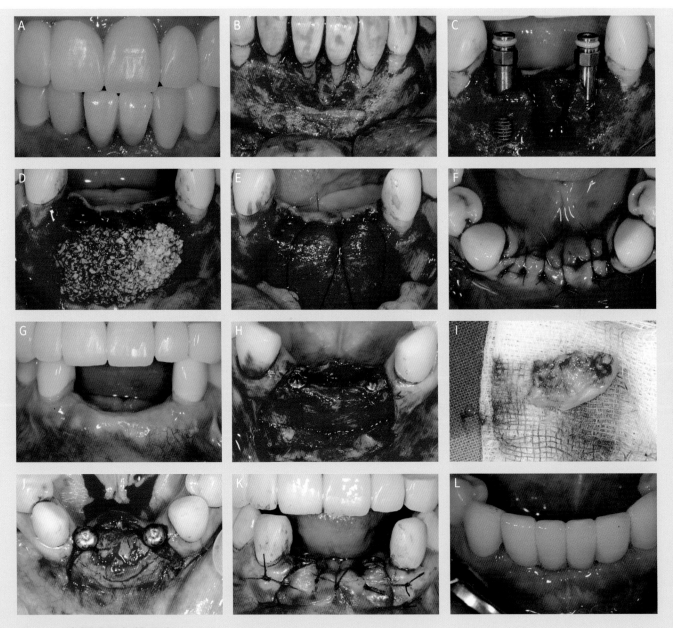

📷 **4-28 탈단백 우골의 적용 증례**

A~F. 하악 전치를 모두 발거하고 임플란트를 즉시 식립했다. 기존의 치근단 주위 질환으로 치조골은 상당히 흡수가 진행되어 있었으며**(B~C)** 골증강부 노출의 가능성이 높았기 때문에 탈단백 우골을 이식재로 선택했다**(D)**.

G~K. 약 3.5개월 후 2차 수술을 시행했다. 원래 치조골 파괴가 심했던 중절치 부위는 조직이 수직적으로 심하게 흡수되어 있어서 결합 조직 이식을 통해 점막을 수직적으로 증강시켰다**(G~J)**.

L. 다시 약 1.5개월 후 보철물을 연결해 주었다.

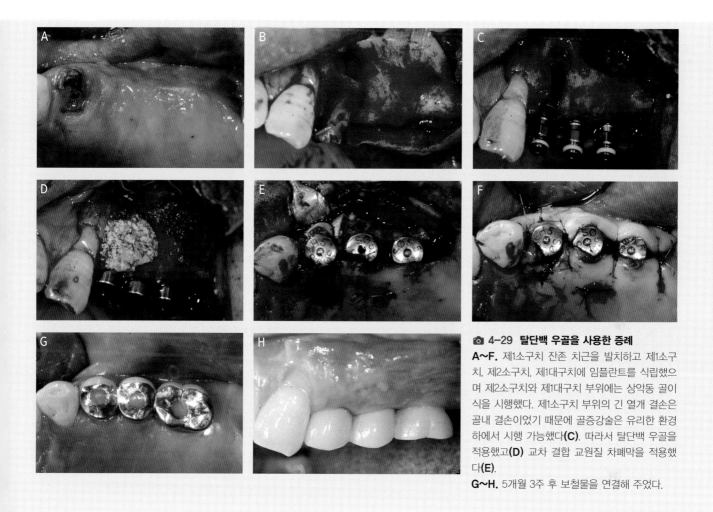

📷 **4-29 탈단백 우골을 사용한 증례**

A~F. 제1소구치 잔존 치근을 발치하고 제1소구치, 제2소구치, 제1대구치에 임플란트를 식립했으며 제2소구치와 제1대구치 부위에는 상악동 골이식을 시행했다. 제1소구치 부위의 긴 열개 결손은 골내 결손이었기 때문에 골증강술은 유리한 환경하에서 시행 가능했다**(C)**. 따라서 탈단백 우골을 적용했고**(D)** 교차 결합 교원질 차폐막을 적용했다**(E)**.

G~H. 5개월 3주 후 보철물을 연결해 주었다.

탈단백 우골은 주로 입자형으로 많이 이용되고 있지만 블록형으로도 시판되고 있다. 블록형 탈단백 우골이 수평적 골결손을 수복하는 데 효과적으로 사용 가능했다고 보고한 임상적 연구와 동물 연구가 있었다.[75,188,189] 그러나 조직학적으로는 블록형 탈단백 우골이 신생골 형성을 유도한다기보다는 연조직 형성을 유도하는 경향을 보였기 때문에 최근에는 거의 사용되지 않고 있다.[189-191]

(3) 탈단백 우골은 생체 내에서 잘 흡수되지 않는다.

동물 연구에 의하면 골증강부의 국소적 환경에 따라 탈단백 우골은 파골세포에 의한 다양한 흡수 양상을 보일 수 있다.[192,193] 이 이식재는 자가골 이식재에 비해 골증강부의 국소적 환경에 더 민감하게 반응한다. 특히 골증강부가 치유 기간 중 움직이거나 이식재가 골증강부 주위의 연조직으로 유출되면 광범위한 흡수 양상을 보인다. 한 동물 실험에서는 공증강부를 치유 기간 중 안정적으로 유지시키지 못했는데, 이 때 사용된 탈단백 우골은 다형핵 세포에 의해 광범위하게 흡수되는 양상을 보였으며 골증강부는 상당 부분 연조직으로 충전되면서 치유되었다.[194] 또 다른 동물 연구에서도 탈단백 우골이 치유 기간 중 물리적으로 안정되지 못하고 주위 연조직으로 유출되면 파골세포에 의해 광범위하게 흡수되는 양상을 보였고, 연조직으로 둘러싸이게 됐다고 보고했다.[48] 따라서 탈단백 우골을 사용하는 경우에는 차폐막을 확고하게 고정해 주어야 하고 차폐막 변연을 골과 밀접하게 접촉할 수 있도록 해주어야 한다(📷 4-30).

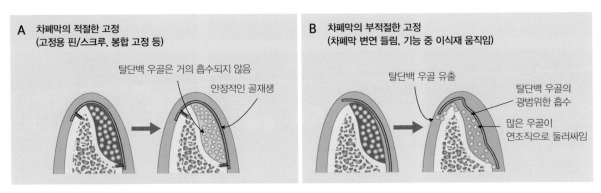

📷 **4-30 탈단백 우골 등의 골대체재를 사용할 때에는 차폐막을 안정적으로 고정하여 치유 기간 중 골이식재가 움직이거나 주위 조직으로 유출되지 않도록 해주는 과정이 매우 중요하다.**
A. 차폐막을 안정적으로 고정해주면 골재생 기간 중 탈단백 우골의 흡수는 거의 없으며 골증강부 내에서는 안정적으로 신생골이 형성된다.
B. 차폐막을 안정적으로 고정해 주지 못하면 이식재는 주위 조직으로 유출되거나 연조직으로 둘러싸이게 된다. 결국 골증강부 내에서 신생골은 매우 제한적으로만 형성된다.

그러나 치유 기간 중 안정적으로 유지시킨 탈단백 우골은 거의 흡수되지 않는 것으로 보인다.[195] 상악동 골이식 후 신생골 형성 부위를 채취하여 조직계측학적으로 평가했던 연구들은 이에 대한 직접적인 근거를 제공한다(📷 4-31).

① 탈단백 우골을 이식한 부위의 신생 조직에서 초기 3-8개월간 광화 조직의 양은 유의하게 늘고 연조직의 양은 유의하게 줄지만 탈단백 우골 입자의 비율은 큰 변화 없이 유지된다.[196] 상악동 골이식 6-12개월 후 탈단백 우골 이식재는 신생 조직 내에서 20-30%의 부피를 차지한다.[197-201] 탈단백 우골은 매우 다공성이 큰 구조이기 때문에 결손부를 모두 탈단백 우골만으로 채운다고 하더라도 실제로 차지하는 공간은 25-30% 정도라는 점을 고려한다면, 이는 탈단백 우골이 수술 1년 이내에는 거의 흡수되지 않는다고 생각할 수 있는 근거가 된다.[157]

② 상악동 골이식에 사용된 탈단백 우골이 파골세포에 의해 흡수되는 양상은 조직학적으로 거의 관찰되지 않는다.[199-203]

③ 탈단백 우골은 수술에 적용하고 10년 이상 경과한 후에도 상당한 양이 잔존해 있다. 장기간의 증례 연구에서는, 한 명의 환자에게 100% 탈단백 우골로 상악동 골이식을 시행하고 그 부위의 조직을 술 후 8개월, 20개월, 그리고 10년에 채취하여 조직계측학적으로 분석하였다. 그 결과 잔존하는 탈단백 우골의 양은 수술 8개월 후에 70.2%, 20개월에 30.3%, 그리고 10년에 13.3%라고 하였다. 즉, 탈단백 우골은 적어도

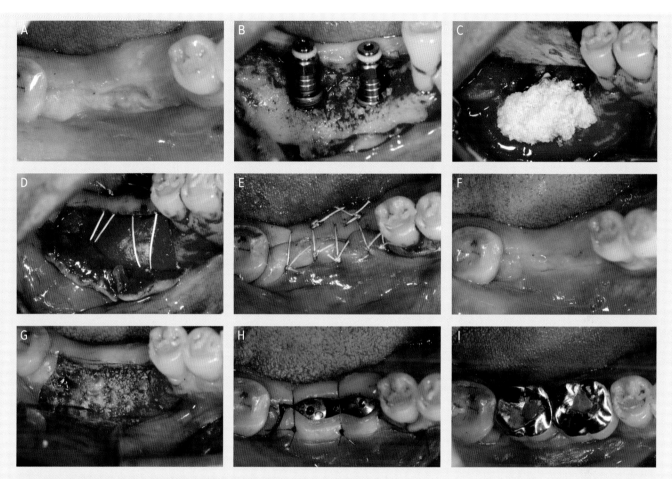

📷 **4-31** **탈단백 우골 등 천연 수산화인회석계 이식재는 치유 기간 중 거의 흡수되지 않는 것으로 보인다. 이들 이식재를 사용한 부위를 2차 수술 시에 확인해보면 이식재는 거의 흡수되지 않은 채 신생골과 혼합된 상태로 관찰된다(G).**
A~E. 약간의 열개 결손을 수복해주기 위해 탈단백 우골과 교차 결합 교원질 차폐막으로 골유도 재생술을 시행했다. 차폐막은 봉합법을 통해 안정적으로 고정할 수 있었다**(D).**
F~H. 약 4개월 후 2차 수술을 시행했다. 골재생은 성공적으로 이루어졌지만 골이식재는 거의 흡수되지 않은 채 유지되고 있었다**(G).**
I. 최종 보철물을 1개월 후 연결해 주었다.

10년 이상 인체 내 수술 부위에 잔존하는 것이 확인되었으며, 그 흡수의 속도는 시간이 경과할수록 더 느려짐을 시사하는 것이었다.[51] 더 최근의 증례 연구에서는 상악동 골이식 14년 후에도 탈단백 우골이 이식부 부피의 22.1%를 차지한다고 보고한 바 있다.[52]

최근에는 상악동 골이식부가 아닌 치조골 결손에 탈단백 우골을 적용하고 장기간의 흡수 양상을 보고한 연구도 있었다. 여기에서는 상악 전치부에서 순측 치조골 결손을 탈단백 우골과 교원질 차폐막으로 수복하고 14-80개월이 경과한 후, 다시 재생골을 채취하여 이를 조직계측학적으로 분석했다.[167] 이 연구에서는 수술 후 채취 시기에 따라 탈단백 우골의 비율이 특별히 변화하지 않는 양상을 보였다고 했다. 즉, 수술 80개월 후까지 탈단백 우골의 흡수 양상은 거의 관찰되지 않았던 것이다.

(4) 천연 수산화인회석계 이식재의 잘 흡수되지 않는 성질은 장점이자 단점이 될 수 있다.

탈단백 우골이 이렇게 잘 흡수되지 않는 성질을 가진 것은 장점이자 단점이 될 수 있다. 잔존한 이식재 입자가 신생골 형성을 방해하거나 이 부위에 식립한 임플란트의 골유착을 방해할 수 있다는 점은 단점이 된다. 반면 이식재가 흡수되지 않고 남아있으면 골증강부의 부피를 장기간 안정적으로 유지할 수 있다는 점에서 장점이 될 수 있다.

한 동물 실험에서는, 골유도 재생술 시 차폐막 하방에 탈단백 우골을 적용하면 차폐막의 붕괴를 예방함으로써 골충전(bone fill)양은 증가하지만, 골-임플란트 간 결합은 오히려 차폐막만 적용한 경우에 비해 저하될 수 있음을 보인 바 있다.[96] 심지어 어떤 이들은 차폐막의 강도와 폐쇄성만 충분하다면 차라리 아무런 이식재도 적용하지 않는 편이 탈단백 우골을 적용하는 것보다 골재생에 더 효과적이라고까지 하였다.[53,204] 하지만 상악동 골이식에 관한 임상 연구에서는 골이식 후 흡수되지 않고 잔존한 탈단백 우골은 골-임플란트 간 결합을 방해하지 않았다.[199,203,205] McAllister 등은 그 이유가 임플란트에 바로 인접한 조직은 재개조(remodeling)가 잘 되기 때문에, 임플란트 식립 시 이와 접촉해 있던 탈단백 우골 분말이 활발히 신생골로 대체되어 없어지기 때문일 것이라고 추측하였다(📷 4-32).[206] 실제로 상악동 골이식 시 자가골을 이용한 부위, 탈단백 우골을 이용한 부위, 그리고 아무런 골이식도 시행하지 않은 부위에 임플란트를 식립하면 골-임플란트 간 접촉에 차이가 없었다.[199,203,205] 그러나 다른 골증강 술식에서 탈단백 우골이 동일한 효과를 보이는지에 대해서는 아직 확실히 알려진 바가 없다.

그러나 탈단백 우골의 잘 흡수되지 않는 성질은 많은 장점을 제공하기도 한다. "특히 재생골의 양과 형태가 재생골의 질보다 중요한 경우에는 자가골 이식재보다 탈단백 우골을 포함한 천연 수산화인회석을 더 선호한다."

① 상악 전치부

심미가 중요한 상악 전치부에서는 순측의 열개/천공 결손, 발치 후 즉시 식립 시 임플란트 주위 결손, 치조제 보존술에서 탈단백 우골을 포함한 천연 수산화인회석 이식재를 사용하면 골형성 부위의 수축을 예방해 줄 수

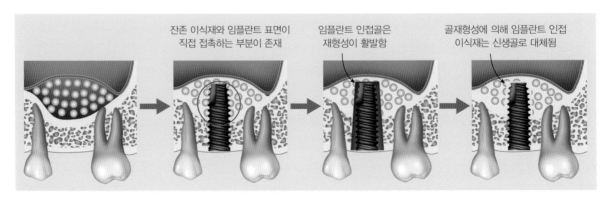

잔존 이식재와 임플란트 표면이 직접 접촉하는 부분이 존재

임플란트 인접골은 재형성이 활발함

골재형성에 의해 임플란트 인접 이식재는 신생골로 대체됨

📷 **4-32** 탈단백 우골은 상악동 골이식 후 잘 흡수되지 않고 신생골 사이에 존재하지만 임플란트 식립 후 임플란트에 직접 접촉하는 이식재는 신생골로 대체되면서 흡수되는 것으로 보인다. 이는 임플란트 인접골은 활발하게 재형성되기 때문인 것으로 보인다.

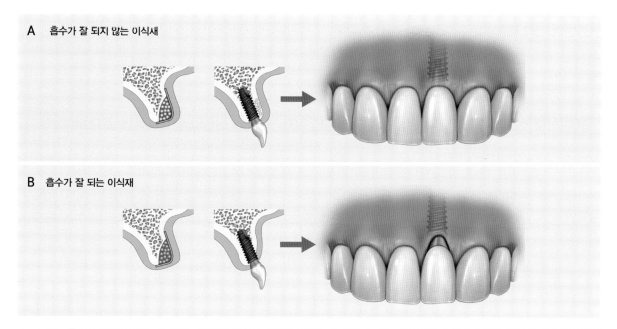

A 흡수가 잘 되지 않는 이식새

B 흡수가 잘 되는 이식재

📷 4-33 **흡수가 잘 되지 않는 이식재는 점막의 흡수나 퇴축을 막아줄 수 있으며, 이는 심미성이 중요한 부위에 사용 시 중요한 장점이 된다.**
A. 흡수가 잘 되지 않는 이식재를 순측의 열개나 수평 결손에 사용하면 재생골과, 재생골에 의해 지지되는 점막의 흡수를 효과적으로 막아준다. 따라서 순측 점막 변연의 퇴축을 예방하여 심미적인 결과를 얻을 수 있도록 해준다. **B.** 흡수가 잘 되는 이식재는 치유 기간 중 스스로 흡수되면서 상부의 점막 또한 축소되도록 한다. 따라서 축소된 골증강부를 따라 순측 점막 변연이 퇴축되어 심미적 결과에 악영향을 미치게 될 수도 있다.

있으며, 따라서 순측 점막의 퇴축을 효과적으로 막아줄 수 있다(📷 4-33). 상악 전치부에서 탈단백 우골을 이용해 열개 결손을 수복해주면 골증강 부위는 수술 13-41개월 후까지 축소되지 않고 그 형태와 양을 잘 유지한다.[207] 수술 15년 후의 결과를 평가한 연구에 의하면 발치 후 즉시 임플란트 식립 시 임플란트 주위 결손을 탈단백 우골과 교원질 차폐막으로 수복한 경우에, 자가 입자골과 교원질 차폐막으로 수복한 경우보다 협측 치조골의 높이와 두께는 0.3-0.4 mm 가량 더 높고 두꺼웠다.[208] 한 전향적 단일 환자군 연구에서는 상악 전치부에서 임플란트 식립 시 탈단백 우골과 교원질 차폐막으로 열개 결손을 수복했을 때 5-9년 후까지도 순측 치조골 두께는 평균 2.2 mm로 잘 유지되었다고 보고했다.[209]

② 상악동 골이식

상악동 골이식 부위는 흡기 시 가해지는 압력에 의해 지속적으로 압력을 받게되고 이로 인해 그 부피가 줄어든다.[210] 자가골 이식재를 상악동 골이식에 사용하면 골이식 높이가 이식 직후에 비해 40-50% 정도가 감소한다.[211,212] 반면 탈단백 우골을 상악동 골이식에 이용하면 오랜 시간이 경과한 후에도 전체 이식재의 9.3-16.5%만 흡수되며, 초기 6개월 이내의 재함기화 이후로는 거의 부피 변화 없이 유지되는 것으로 보고되었다.[205,213-216] 한 체계적 문헌 고찰에서는 이식재의 종류에 따른 상악동 재함기화의 정도를 평가했다.[217] 자가골 이식재만 사용했을 때에는 수술 6개월-2년 후 대략 45%의 이식골 부피가 감소한 반면, 골대체재나 혼합 이식재를 사용했을 때에는 대략 18-22%의 이식골 부피만이 감소했다. 미니 피그를 이용한 한 흥미로운 동물 실험에서는, 자가 입자골과 탈단백 우골의 혼합 비율에 따른 상악동 골이식술 12주 후의 이식골 흡수량을 평가했다.[218] 그리고 그 결과 탈단백 우골의 함량이 증가함에 비례하여 이식골의 부피 감소는 선형적으로 감소했다 (📷 4-34).

③ 이식재 선택의 일반 원칙; 임플란트 표면적의 50% 이상이 잔존골과 접촉하면 골대체재만을 사용한다.

골이식재 선택의 기준은 아직 모호한 채 남아있다. 다만 골재생에 불리한 형태와 크기의 결손부(광범위한 수평적 결손, 수직적 결손)에서는 가급적 자가골을 단독으로, 혹은 골대체재와 혼합하여 사용하는 것이 원칙이다.[17,80] 반대로 결손부의 크기가 작거나, 혹은 결손부가 크지만 골재생에 유리한 형태(상악동 골이식부, 발치와, 임플란트 주위 결손 등)를 보이면 골대체재를 사용하는 것이 원칙이다. 여기에서 우리가 참고할 수 있는 경험적 일반 원칙 하나를 제시하고자 한다.

"상악동 내 결손과 4벽성 결손을 제외한 일반적인 치조골 결손부에서 식립할 임플란트 표면적의 50% 이하만이 잔존골과 접촉할 수 있거나, 잔존골에서 임플란트의 충분한 일차 안정을 얻을 수 없다면 골대체재만으로 골증강술을 시행하지 말아야 한다(📷 4-35)."

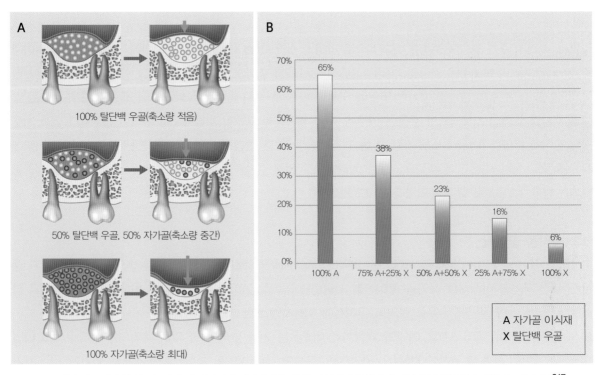

📷 **4-34 미니 피그에서 상악동 골이식 시 자가골과 탈단백 우골 혼합 이식재의 혼합비에 따른 골증강부 축소량(수술 12주 후)**[217]
A. 자가골 함량이 늘수록 골이식부의 부피는 더 많이 감소한다. **B.** 100% 탈단백 우골만 사용했을 때에는 골이식 부피의 6%만이 감소한 반면, 100% 자가골만 이용했을 때에는 65%의 부피가 감소했다.

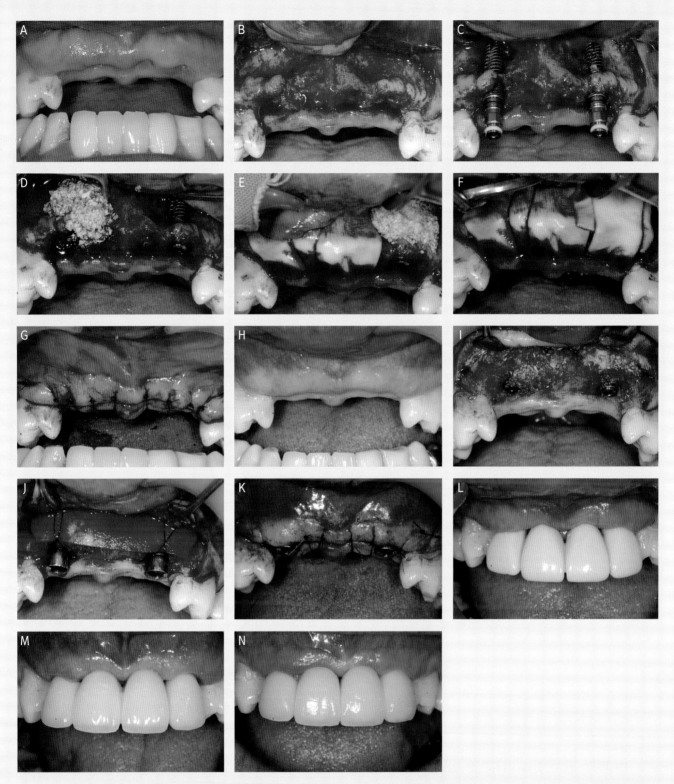

📷 4-35 상악동 골이식 및 4벽성 골내 결손의 수복 증례를 제외한 일반적인 골증강 증례에서, 임플란트가 잔존골에서 충분한 일차 안정을 얻을 수 있거나 전체 임플란트 표면적의 50% 이상이 잔존골과 접촉하고 있을 때에만 100% 골대체재를 사용한다. 잔존골에서 충분한 일차 안정을 얻기가 불가능하여 골증강술 후 임플란트를 단계적으로 식립할 계획이라면 자가골과 골대체제의 혼합골이나 자가골 이식재로만 골증강술을 시행하는 것이 안전하다.

A~G. 좌우 측절치 부위에 임플란트를 식립했다. 양측 임플란트 모두 치관측 4–5 mm 부위에서만 골과 접촉하고 있었으며, 특히 우측 측절치 부위의 임플란트는 치관측에서도 골과 접촉하는 면적이 좁았다(C). 이 증례에서는 100% 탈단백 우골과 천연 교원질 차폐막으로 골유도 재생술을 시행했다(D~F). 사실 이러한 증례에서는 자가골 이식재를 포함한 이식재를 사용하고 골증강술과 임플란트 식립을 단계법으로 시행하는 것이 안전하다. 골증강술 및 임플란트 실패의 가능성을 감수한 꽤 위험한 증례였다고 할 수 있다.

H~K. 약 4개월 후 2차 수술을 시행했다. 다행히 재생골은 잘 형성되었다(I). 순측 조직의 추가적인 증강을 위해 무세포성 동종 진피를 이식해 주었다(J).

L~N. 1주 후 고정성 임시 보철물을(L), 2개월 후 최종 보철물을 연결했고(M) 약 6.5개월 후 임플란트 주위 조직이 안정적으로 형성되어 있었다(N).

골대체재로 재생된 신생골은 자가골을 사용했을 때 형성되는 골보다 질이 더 불량하고, 따라서 임플란트와 의 조직학적 유착 정도가 떨어질 수밖에 없다.[95,204,219] 그러나 이러한 경우에도 임플란트의 안정에 필요한 골 유착은 잔존골에서 충분히 얻을 수 있는 경우가 많으며, 따라서 골대체재만으로 골증강술을 시행하는 것이 허용될 수 있다. 우리가 마주치는 대부분의 골결손 증례는 상악동 함기화에 의한 결손이나 치조골의 부분적 결손이다. 따라서 탈단백 우골, 나아가 천연 수산화인회석 이식재는 우리가 마주치는 골결손 증례 중 대다수의 경우에 단독으로 사용 가능할 것으로 판단된다.

탈단백 우골은 현재 임플란트를 위한 골증강술/골보존술에서 흡수성 교원질 차폐막과 조합하여 가장 많이 사용되고 있다.[195,220-224] 특히 부분적인 수평적 결손(천공/열개 결손)을 수복하는 데 있어서 이들 재료의 조합은 표준이 되었다고 할 수 있다.[49,195] 탈단백 우골, 혹은 천연 수산화인회석 이식재의 적응증을 요약해보면 🗃 4-4와 같다.

3) 합성골 이식재

합성골 이식재는 생체에서 얻지 않고 순수하게 공업적으로 제조한 이식재를 의미한다. 전통적으로 합성 골 이식재로는 수산화인회석을 이용하였으나, 현재에는 생활성 유리(bioactive glass), 수산화인회석, 3인산칼슘 (tricalcium phosphate), 소석고(calcium sulfate) 등, 칼슘과 여타 원자가 결합한 다양한 물질들이 사용되어 왔다. 이들 재료는 그 성분에 따라 다양한 생체 내 반응을 보이지만 모두 골전도성에 의해 신생골을 형성한다는 공통점을 지니고 있다. 골전도성은 이식재의 다공도와 표면 거칠기 등 물리적 성질에 좌우되는데, 아직까지는 이들 합성 재료가 생체에서 얻은 자가골, 동종골, 또는 이종골 이식재에 비해 이러한 물리적 성질이 떨어진다는 것이 중론이다. 따라서 이들 재료의 임상 적용에는 신중을 기해야 할 것이다. 그러나 합성골 이식재는 광우병, 후천성 면역 결핍증, 혹은 알려지지 않은 질환 전염의 가능성이 전무하며 거의 무한대로 제조가 가능하기 때문에 골전도성 이식재의 궁극적 목표가 되고 있다.[108] 따라서 이에 대한 연구는 골유도성 분자나 골형성 세포와 더불어 미래의 조직 공학적 생체 재료의 일부로써 매우 활발하게 이루어지고 있다.[17]

(1) 베타 3인산칼슘 이식재는 상악동 골이식에 성공적으로 사용할 수 있다.

합성골 이식재 중에서 가장 자주 이용되었고 가장 많은 연구가 이루어진 것은 3인산칼슘(tricalcium phosphate, TCP)이며, 이 중에서도 Cerasorb (Curasan, 독일)에 대해 가장 많은 것들이 알려져 있다. 따라서 여기에서는 이에 초점을 맞추어 설명할 것이다. 칼슘과 인산의 비율이 5:2인 수산화인회석의 분자식은 $Ca_5[OH(PO_4)_3]$이다. TCP 역시 칼슘과 인산으로 이루어진 화합물이며 그 화학식은 $Ca_3(PO_4)_2$로, 칼슘과 인산의 비율이 3:1이기 때문에 3인산칼슘이라고 하는 것이다. TCP는 알파 상(alpha phase)과 베타 상(beta phase)의 두 가지 상으로 존재한다.[244] 이중 알파 TCP는 신생골이 이를 대체하기 이전에 빠르게 분해되면서 비흡수성 수산화인회석 결정으로 대체되기 때문에 골이식재로는 적합하지 않다. 베타 TCP는 알파 TCP에 비해 더

🗂 4-4 탈단백 우골(흑은 천연 수산화인회석계 이식재)의 적응증

결손의 종류	골증강 술식	골이식재에 대한 고려
발치와 결손	치조제 보존술	어떠한 종류의 이식재를 치조제 보존술에 사용하더라도 발치와 내부에 형성되는 골의 질에는 별다른 차이를 보이지 않는다.[225] 흡수가 많은 자가골보다는 흡수가 적은 동종골, 이종골 이식재가 치조골의 외형을 더 잘 보존하므로 이들 이식재를 더 선호한다.[136,226]
임플란트 주위 결손 (📷 4-36)	골이식재 충전	흡수가 많은 자가골보다는 흡수가 적은 이종골 이식재가 치조골의 외형을 더 잘 보존하므로 이를 더 선호한다.[227,228]
열개/천공 결손 (📷 4-37)	골유도 재생술	잔존골에서 임플란트의 일차 안정을 얻을 수 있다면 골대체재를 이용하는 것을 선호한다. 이는 이식골의 흡수로 인한 점막의 퇴축을 예방할 수 있기 때문이다. 특히 심미 부위에서 자가골로만 골증강술을 시행한 부위는 치유 기간 중 현저한 흡수를 보이지만 탈단백 우골로만 골증강술을 시행한 부위는 증강된 부피를 장기간 잘 유지한다.[229,230]
상악동 함기화에 의한 결손(📷 4-38)	상악동 골이식술	어떠한 증례에서도 100% 탈단백 우골로 성공적인 골증강이 가능하다. 여러 체계적 문헌 고찰들에서는 한결같이 비자가 골이식재, 즉 동종골, 이종골, 합성골을 상악동 골이식에 이용하면 자가골 이식재를 이용했을 때와 동일한 정도의 성공을 보인다고 하였다.[231-235] Cochrane Systematic Review에서는 골대체재, 특히 탈단백 우골과 3인상칼슘은 상악동 골이식에서 자가골 이식재와 비슷한 효과를 보인다는 확고한 근거가 있기 때문에 이를 대체할 수 있다고까지 결론지은 바 있다.[233]
광범위한 수평적 결손	골유도 재생술	광범위한 수평적 결손을 수복할 때에는 자가 블록골 이식술이 첫 번째 치료 옵션이다.[195,224] 입자골을 이용하는 경우에는 자가골 함량이 높은 입자골과 티타늄 강화 차폐막/티타늄 메쉬를 조합하여 적용하는 것이 원칙이다.[86,89] 이러한 증례에서는 잔존골에서 임플란트의 일차 안정을 얻기가 불가능하고 공간 유지가 중요하기 때문이다. 광범위한 수평적 결손에서 100% 탈단백 우골과 교원질 차폐막을 조합하여 조직학적으로 만족할 만한 양질의 재생골을 형성시킬 수 있었다는 임상 연구가 있었지만 이는 일반화시킬 수 있는 결과는 아니며 대부분의 전문가들은 자가골과의 혼합 이식재를 선호한다.[236,237]
수직적 결손	수직적 골유도 재생술	수직적 결손 시에는 강한 공간 유지 능력이 있는 차폐막/티타늄 메쉬와 자가골 함량이 높은 입자형 골이식재를 사용해 골유도 재생술을 시행하는 것이 첫 번째 치료 옵션이며, 자가 블록골 이식이 두 번째로 선호하는 골증강 술식이다.[238,239] 수직적 골결손은 신생골 형성에 매우 불리한 형태의 결손이기 때문에 100% 골대체재를 사용하는 이들은 많지 않다.[49] 소수의 임상 연구에서 100% 동종골, 혹은 100% 탈단백 우골과 티타늄 강화 ePTFE 차폐막/티타늄 메쉬로 수직적 골증강을 시행했을 때 5-12개월 후 신생 조직 내 광화 조직의 비율은 25.3-38.56%로 양질의 신생골을 얻을 수 있었다고 보고했다.[240-243] 잔존골 내에 임플란트 매식체가 5 mm 이상 위치할 수 있는 증례, 즉 수직적 결손 양이 3 mm 이내인 증례에 한하여 수직적 골증강에 100% 골대체재를 사용할 수 있다.[240-243]

안정적이기 때문에 골형성 세포가 신생골을 충분히 형성한 이후 분해되어 흡수된다. 따라서 골이식재로는 베타 TCP가 적합하다.[245] 현재 시장에는 99% 이상 순도의 베타 TCP가 출시되고 있다.[108] 베타 TCP는 골전도 효과에 의해 신생골을 형성하며 상악동 결손, 낭종이나 종양 등에 의한 악골 결손, 치주 조직 결손, 임플란트 주변의 작은 치조골 결손에서 성공적으로 이용되었다.[246] 골전도 능력은 문헌에 따라 탈단백 우골보다 좋다고 하기도 하고 나쁘다고 하기도 하지만 기본적으로 탈단백 우골과 별다른 차이는 없는 것으로 보인다.[247-250]

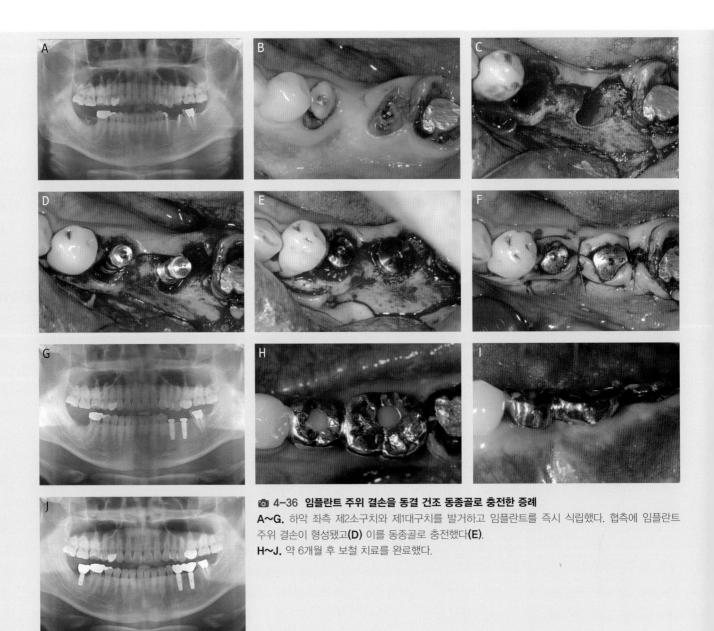

📷 **4-36** 임플란트 주위 결손을 동결 건조 동종골로 충전한 증례
A~G. 하악 좌측 제2소구치와 제1대구치를 발거하고 임플란트를 즉시 식립했다. 협측에 임플란트 주위 결손이 형성됐고**(D)** 이를 동종골로 충전했다**(E)**.
H~J. 약 6개월 후 보철 치료를 완료했다.

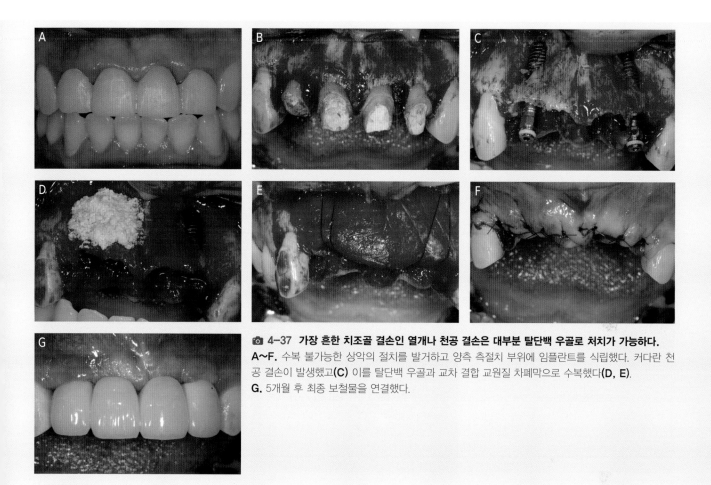

📷 **4-37 가장 흔한 치조골 결손인 열개나 천공 결손은 대부분 탈단백 우골로 처치가 가능하다.**
A~F. 수복 불가능한 상악의 절치를 발거하고 양측 측절치 부위에 임플란트를 식립했다. 커다란 천공 결손이 발생했고**(C)** 이를 탈단백 우골과 교차 결합 교원질 차폐막으로 수복했다**(D, E)**.
G. 5개월 후 최종 보철물을 연결했다.

베타 TCP가 수산화인회석 계통의 이식재와 결정적으로 다른 점은, 신생골이 형성되면서 이식재가 완전히 흡수되어 없어진다는 점이다. 임상적으로 보았을 때, 탈단백 우골 등의 잘 흡수되지 않는 이식재를 적용한 부위는 시간이 경과함에 따라서 방사선 불투과성이 증가하는 반면, 베타 TCP를 적용한 부위는 시간이 경과함에 따라 점차 불투과성이 낮아지면서 결국 주변골 밀도와 비슷해진다(📷 4-39). 또한 골증강술을 시행한 부위를 다시 노출시켰을 때 수산화인회석 계통의 비흡수성 이식재를 적용한 부위에서는 흡수되지 않고 잔존한 이식재 분말이 재생골 내부에서 보이는 반면, 베타 TCP를 적용한 부위에서는 이식재 분말이 거의 관찰되지 않는다(📷 4-33, 📷 4-35). 연구에 따라 다르기는 하지만, 이 이식재는 골이식 후 1-2년이 경과하면 생체 내에서 완전히 흡수된다.[246,247,250] 이는 이 이식재의 장점이자 단점이 될 수 있다. 완전히 흡수됨으로써 얻을 수 있는 장점은 잔존한 이식재가 일으킬 수 있는 문제를 사전에 예방할 수 있다는 점이다. 앞서 이야기했지만 흡수되지 않고 잔존한 골이식재는 임플란트와 생활골 계면에서 임플란트와 골간의 직접 결합, 즉 골유착을 방해할 수도 있으며 신생골의 정상적인 성장을 방해할 수도 있다. 반면 이식재가 완전히 흡수되면 재생된 골의 부피도 유지하기 힘들어지기 때문에 상악동 재함기화를 예방하기 힘들며, 자가골 이식재의 흡수 예방이나 심미적인 부위에서 부피 유지를 위한 목적으로는 사용하기 힘들다. 또한 임플란트 식립 시 느껴지는 골밀도가 높게 느껴지지 않는다.[250-252]

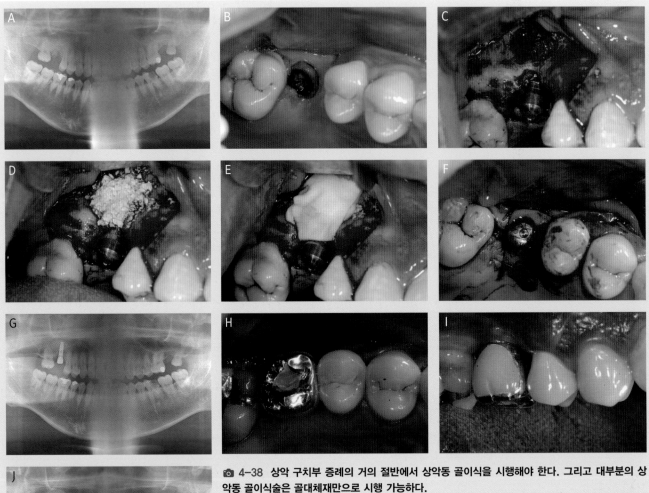

📷 **4-38** 상악 구치부 증례의 거의 절반에서 상악동 골이식을 시행해야 한다. 그리고 대부분의 상악동 골이식술은 골대체재만으로 시행 가능하다.

A~G. 제1대구치 잔존 치근을 발거하고 임플란트를 식립했다. 외측 접근 상악동 골이식(**C**)과 열개 결손을 탈단백 우골과 천연 교원질 차폐막으로 수복했다(**D, E**). 발치 후 즉시 임플란트를 식립했기 때문에 골증강술을 시행했음에도 불구하고 수술부를 일차 폐쇄하지 않고 치유 지대주를 연결한 채로 치유를 도모했다(**F**).

H~J. 약 6개월 후 보철 치료를 완료했다.

이 이식재는 수산화인회석계 이식재에 비해 물리적 강도가 약하다. 따라서 제조사에서는 이식재의 물리적 형태를 유지하기 위해 이 이식재를 적용할 때에는 절대로 강한 힘으로 적용하지 말고 약한 힘으로만 적용할 것을 추천한다. 또한 골형성 능력을 증진시키기 위해 가능하면 혈소판 풍부 혈장(Platelet-Rich Plasma, PRP), 혹은 정맥혈과 혼합한 후에 사용할 것을 추천한다. 한 임상 연구에서는 상악동 골이식 시 베타 TCP를 PRP와 혼합한 후 적용하면 베타 TCP만 적용한 경우에 비해 수술 6개월 후 신생 조직 내 광화 조직의 비율이 8-10% 높았다고 하였다.[253]

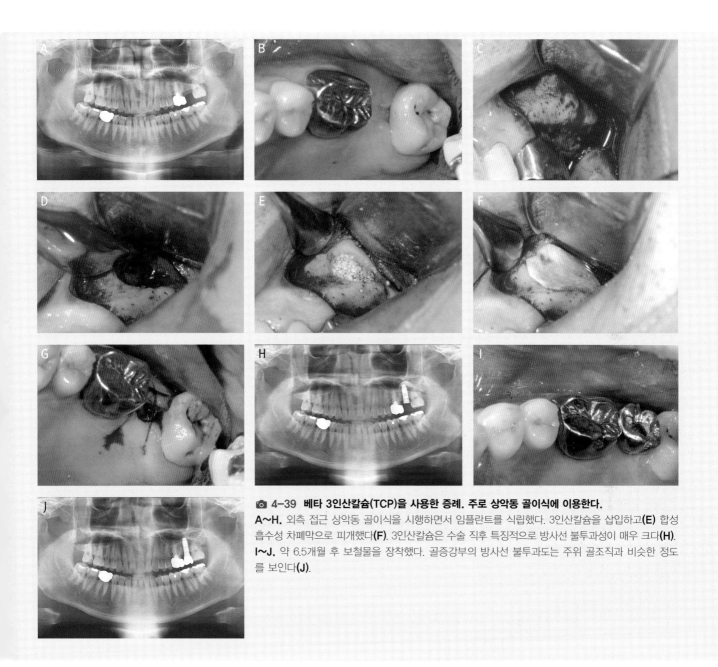

📷 4-39 **베타 3인산칼슘(TCP)을 사용한 증례. 주로 상악동 골이식에 이용한다.**
A~H. 외측 접근 상악동 골이식을 시행하면서 임플란트를 식립했다. 3인산칼슘을 삽입하고**(E)** 합성 흡수성 차폐막으로 피개했다**(F)**. 3인산칼슘은 수술 직후 특징적으로 방사선 불투과성이 매우 크다**(H)**. **I~J.** 약 6.5개월 후 보철물을 장착했다. 골증강부의 방사선 불투과도는 주위 골조직과 비슷한 정도를 보인다**(J)**.

이 이식재를 상악동 골이식에 적용한 증례는 비교적 많이 보고되었으며, 그 임상적 결과 또한 좋았다.[246,248,249,251-253] 그러나 상악동 골이식 이외의 골결손에 적용된 증례는 매우 드물다. 저자의 경험에 의하면 이 이식재는 수산화인회석 계통의 이식재에 비해 공간 유지 능력이 낮으며 세균 오염에 의한 감염에 취약한 것으로 보인다. 따라서 이 이식재는 상악동 골이식에 한정하여 적용할 것을 추천한다(📷 4-40).

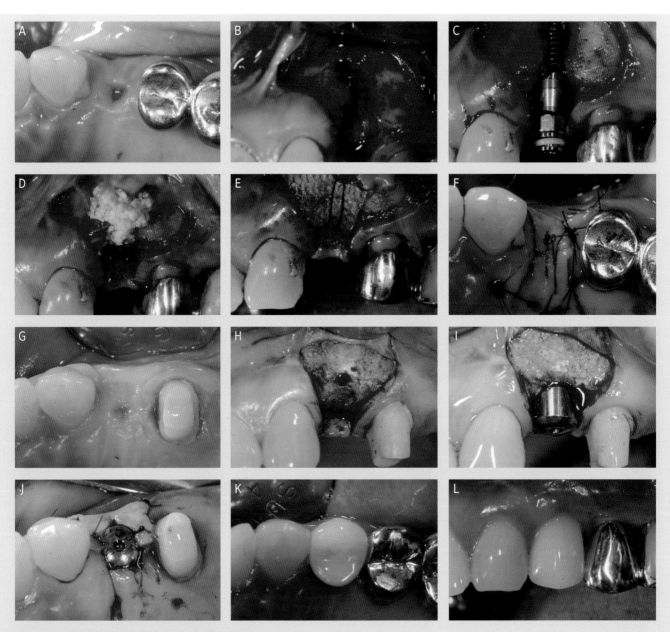

📷 **4-40 베타 3인산칼슘을 열개 결손에 적용한 증례**

A~F. 열개 결손에 베타 3인산칼슘을 적용하고**(D)** 이를 OSSIX 차폐막으로 피개했다**(E)**.

G~J. 약 6개월 후 2차 수술을 시행했다. 치관 변연측에 약간의 잔존 이식재가 하얗게 관찰되긴 했지만**(H, I)**, 대부분의 이식재는 신생골로 대체되어 주위골과 거의 구분이 되지 않는 상태였다. 이는 이 이식재의 특성이라고 할 수 있다.

K~L. 약 두 달 후 보철물을 연결했다.

(2) 수산화인회석과 3인산칼슘을 혼합한 이상형 인산칼슘은 3인산칼슘의 단점을 보완하기 위한 합성골 이식재이다.

최근에는 수산화인회석의 비흡수성과 3인산칼슘의 빠른 흡수성을 동시에 이용하기 위한 목적으로 이 두 성분의 이상형 복합체(biphasic compound)가 소개되었다. 수산화인회석은 천연 인산칼슘염 중에서 가장 용해성이 낮으며, 따라서 생리학적으로 잘 흡수되지 않는다.[254] 반면 3인산칼슘은 빠르게 흡수되면서 인체 조직으로 대체된다.[255] 따라서 복합체는 수산화인회석의 공간 유지와 3인산칼슘의 조직 대체 성질을 동시에 이용하여 상승 효과를 얻기 위한 목적으로 개발된 것이다(📷 4-41).[46,256] 일련의 동물 연구들에서 이상형 복합체 이식재는 탈단백 우골과 비슷한 정도의 골형성 능력과 흡수 정도를 보였다.[257-259] 또한 상악동 골이식, 치조제 보존술, 열개 결손 수복에 있어 이 재료는 탈단백 우골과 비슷한 정도의 임상적, 조직학적 성공을 보였다는 임상 연구들이 있었다.[260-263]

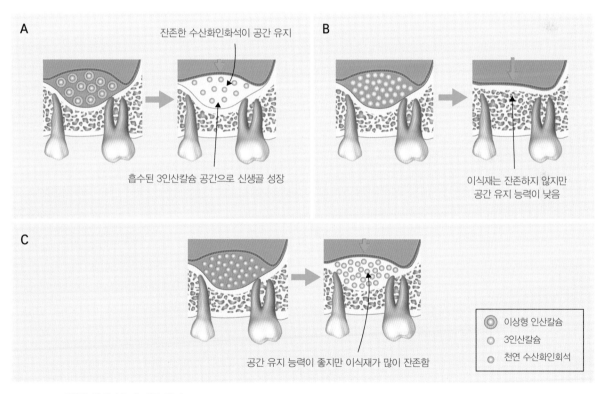

📷 4-41 이상형 인산칼슘의 적용 원리
A. 수산화인회석과 3인산칼슘의 복합체인 이상형 인산칼슘은 수산화인회석의 공간 유지와 3인산칼슘의 재생골로 대체되면서 흡수되는 성질을 동시에 이용하기 위해 개발된 합성 이식재이다. **B.** 3인산칼슘은 이식 후 신생골로 대체되면서 빠르게 흡수되는 장점이 있지만 공간 유지 능력이 약하다. **C.** 천연 수산화인회석 이식재는 공간 유지 능력이 좋기 때문에 이식 직후의 골증강부 부피를 잘 유지하지만 잔존 이식재가 신생골의 성장이나 임플란트의 골유착을 잠재적으로 방해할 수도 있다.

4.
피브린과 성장 인자

골재생의 결과를 향상시키기 위해 혈액 내 단백질인 피브린이나 각종 성장 인자를 이용하기도 한다. 이들 재료는 골증강술의 필수 요소는 아니지만 재생골의 질과 양을 향상시킬 수 있다는 생각에서 꾸준히 사용되고 있다. 그러나 지금까지 개발된 혈소판 농축물이나 성장 인자들은 임플란트 관련 골증강술에 사용 시 골증강의 결과를 현저히 개선시키지는 못하는 것으로 보인다. 저자는 이들 재료에 대한 경험이 부족하기 때문에 주로 임상 문헌 근거에 기초해서 논의를 진행할 것이다.

1) 피브린 글루

피브린 글루는 수술 시 보통 지혈 효과나 접착 효과를 위해 사용된다. 피브린 글루에는 혈액은행의 혈장에서 추출한 피브리노겐(fibrinogen), 지혈 인자 13(factor XIII), 피브로넥틴(fibronectin), 트롬빈(thrombin)에 염화 칼슘(calcium chloride) 및 섬유소 용해 억제재(inhibitors of fibrinolysis)가 첨가되어 있다.[264] 피브린 글루는 기본적으로 동종 혈액 제제이기 때문에 가능성이 아주 낮긴 하지만 바이러스성 질환의 전염 가능성이 존재한다.[265] 그리고 이러한 전염 가능성은 피브린 글루를 일상적인 진료에 사용하는 데 있어 가장 큰 제한 요소가 된다.[266]

골증강술 시 피브린 글루는 입자형 골이식재의 조작성을 향상시키고 이식재의 붕괴를 막기 위해 사용되어 왔다. 그러나 Carmagnola 등의 일련의 동물 실험에서는 탈단백 우골과 피브린 글루를 혼합하여 골결손부에 적용하면 골재생에 악영향을 미친다고 보고했다.[267,268] 탈단백 우골을 피브린 글루와 혼합하여 사용하면 이 이식재만을 사용하였을 때보다 골-이식재 간 접촉이 적어지고 재생골 내 결합조직의 비율이 높아졌다. 그러나 몇몇 단일 환자군 연구들에서는 상악동 결손, 수평적 결손, 수직적 결손에서 피프린 글루를 사용했을 때 입자형 이식재의 조작성을 향상시킬 수 있었고 조직학적, 임상적으로 성공적인 골증강을 얻을 수 있었다고 보고했다.[88,269-271] 특히 탈단백 우골에 피브린을 적용해 이식재를 고정시키고 그 상부에 천연 교원질 차폐막을 적용해 평균 4 mm에 가까운 수직적 골증강을 얻을 수 있었으며 신생 조직 내의 골조직 함량은 평균 $30.46 \pm 11.50\%$로 조직학적으로도 만족할 만한 결과를 보였다는 보고도 있었다.[271] 그러나 피브린 글루와 관련된 대조 연구가 부재한 상황이기 때문에 이 재료가 골증강술에 도움이 된다는 확실한 근거는 아직까지 없다고 할 수 있다.

2) 골형성 단백질(Bone morphogenetic proteins, BMP)

BMP는 TGF (Transforming Growth Factor)–beta superfamily의 일원으로, 지금까지 20종류 이상의 BMP가 발견되었다. BMP는 골아세포 발생 및 골형성을 결정적으로 조절하는 여러 과정을 조절한다.[272,273] 1965년 Urist는 골형성 과정에 있어 BMP의 기능을 처음으로 발견했다.[274] 그는 탈회된 골기질은 골전구 세포를 골아세포로 분화시키고, 골격 외 조직으로 이식하면 신생골을 형성한다는 사실을 발견했다. BMP가 골유도 효과를 갖는다는 사실이 알려진 이후 BMP–2, 4, 6, 7, 9, 14 등은 전임상 연구와 인체 연구에서 골재생 능력을 갖는다는 사실이 밝혀졌다.[275] 또한 BMP–2는 임플란트 주위 결손을 수복하고 임플란트 골유착을 증진시킨다는 사실이 알려졌다.[276]

최근에는 DNA 재조합 기술을 통해 여러 BMP 단백질의 기능이 좀 더 상세하게 알려졌으며, INFUSE (Medtronic, Memphis, TN)라는 상품명의 재조합 인간 BMP–2 (recombinant humanBMP–2, rhBMP–2)는 임상적인 사용이 허가되어 상품화되었다.[277] INFUSE는 rhBMP–2 1.5 mg/mL와 소에서 채취한 교원질 스폰지 매개체로 이루어졌다. 2007년 FDA는 INFUSE를 치조제 보존술과 상악동 골이식 등 치조골 증강술의 용도로 사용을 허가했다. rhBMP–2는 이러한 용도로 사용이 승인된 최초의 골유도 단백질이다.[31,278] 이후 rhPDGF (GEM21S, BioMinetics Therapeutics)도 FDA로부터 치과용으로 사용이 허가되었으며 rhBMP–7 (OP–1, Stryker Biotech)은 유럽과 호주로부터 사용을 승인받았다.[279]

(1) BMP–2는 상악동 골이식의 결과에 거의 도움이 되지 못한다.

1997년 상악동 골이식에 rhBMP–2를 처음으로 적용한 임상 연구가 발표됐다. 이 증례 연구에서는 12명의 환자에서 외측 접근법으로 상악동 막을 거상하고 rhBMP–2를 적용한 흡수성 교원질 스폰지를 삽입했다.[280] 16주 후 11명의 환자에서 상악동저는 평균 8.51 mm 거상됐으며, 임플란트 식립 시 채취한 골편에서는 신생골 형성이 명확히 이루어지고 있는 모습이 관찰되었다. 이후 이와 관련된 많은 임상 연구가 있었다. 2016년에는 상악동 골이식에 rhBMP–2를 적용한 군과 rhBMP 없이 골이식재만 적용한 대조군을 비교한 무작위 대조 연구 6개를 그 대상으로 포함한 메타분석이 발표됐다.[281] 분석 결과 수직적 골증강량, 골증강부에 식립된 임플란트의 생존율, 방사선학적 골밀도, 조직학적으로 평가한 신생골 함량에 있어 rhBMP–2 첨가군은 비첨가군과 유의한 차이를 보이지 않았다. 재미있는 점은 거의 대부분의 지표에 있어 rhBMP–2 첨가군보다는 골이식재만 적용한 군에서 (유의하지는 않지만) 더 우수한 결과를 보였다는 점이다. 다른 메타분석들에서도 상악동 골이식에서 rhBMP를 적용하면 골이식재만을 적용할 때보다 골증강의 양이 유의하게 적었다고 보고했다.[282,283]

BMP는 초기 3일 동안 매개체에서 40% 이상이 분비되고 21일 후까지 낮은 농도로 분비된다.[284] BMP–2와 이종골 이식재를 동시에 상악동 골이식에 이용하고 그 조직학적 결과를 3개월 후에 평가한 연구에서는 BMP–2 사용 군에서 신생 조직 내 광화 조직 비율이 월등히 높게 나타났다($16.10 \pm 10.52\%$ vs $8.25 \pm 9.47\%$).[285] 결국 BMP–2의 효과는 치유 초기에 집중되지만 대부분의 술자들은 상악동 골이식술 후 5–6개월 이상의 치유 기간을 부여하므로 BMP의 이점이 희석되는 것으로 보인다. 게다가 교원질 스폰지 매개체는 공간 유지 능력이 약하기 때문에 충분한 양의 골을 증강시키기 위해서는 BMP-2를 골이식재와 함께 적용해야 한다.[286] 결국 BMP-2를 사용하려면 기존의 골이식재를 함께 사용해야 되고, 이렇게 골이식재에 BMP-2를 첨가해도 충분한 치유 기간을 부여하면 골이식재만을 적용했을 때보다 더 양호한 결과를 보이지 못한다. 결론적으로 추가적인 비용과 여러 가지 합병증을 생각한다면 상악동 골이식술에 BMP-2를 적용하는 것은 그다지 추천할 만하지 못하다고 결론 내릴 수 있다.

(2) 치조골 증강술이나 치조제 보존술에서 BMP-2는 거의 도움이 되지 못한다.

치조골 증강술에 BMP-2를 사용하고 그 결과를 평가한 임상 연구 중 실제 진료에 참고하여 도움이 될 수 있을 만한 연구는 거의 없다.[287,288] 2003년에는 열개 결손을 탈단백 우골과 천연 교원질 차폐막으로 수복하면서 실험군에서는 rhBMP-2를 첨가한 무작위 대조 연구가 발표됐다. 6개월 후 열개 결손의 수직적 수복량은 rhBMP-2 적용군이 대조군보다 유의하게 많았다(96% vs 91%). 이 때 채취한 재생 조직 내 광화 조직 비율(37% vs 30%), 광화 조직 내 층판골 비율(76% vs 56%), 이식재 표면 중 신생골과 접하는 표면의 비율(57% vs 30%) 모두 rhBMP-2 적용 군에서 더 우수한 결과를 보였다.[289] 그러나 이 연구의 후속 연구에서는 두 군에 식립된 임플란트는 모두 성공적이었으며, 임플란트 주위 조직의 건강도와 치조정 골소실은 모두 무시할 만한 차이만을 보였다고 보고했다.[290] 다른 무작위 대조 연구에서는 상악 전치부의 광범위한 수평적 골결손 부위에 rhBMP-2/교원질 스폰지(실험군), 혹은 자가 입자골(대조군)을 적용하고 티타늄 메쉬로 이를 피개했다.[291] 6개월 후 수평적 골증강량은 rhBMP-2 적용군에서 3.2 mm, 자가 입자골 적용 군에서 3.7 mm였지만 유의한 차이를 보이는 것은 아니었다. 결국 치조골 증강술에서 BMP-2의 임상적 적용과 그 효과에 대해서는 아직 별로 알려진 바가 없다. 다만 골이식재는 공간의 유지를 위해 필수적으로 필요하지만 골이식재에 BMP-2를 첨가하는 것은 임상적으로 크게 도움이 되지는 않는 것으로 보인다. 따라서 치조골 증강술에서 BMP-2의 사용은 그다지 추천할 만하지는 않다.

치조제 보존술에 "입자형 이식재±차폐막"을 적용하면 치조골의 흡수를 현저히 줄여줄 수 있다는 사실은 이미 잘 밝혀졌다. 그렇다면 "입자형 이식재±차폐막"과 BMP-2를 함께 적용했을 때 치조골의 보존량은 더 향상될 수 있을까? 아쉽게도 이를 직접 비교한 임상 연구는 거의 존재하지 않는다. 2019년의 메타분석에서는 BMP-2와 각종 이식재의 조합이 치조제 보존술의 결과에 어떤 영향을 미치는가에 대해 분석했다.[226] 저자들은 치조제 보존술은 치조골의 수평적 흡수를 평균 2 mm 가량 줄여줄 수 있는 효율적인 치료법이지만, 어떤 치료법이 가장 효율적인 치료법이었는가에 대한 결론은 내릴 수 없었다고 결론지었다. 그러나 치조골 폭의 흡수를 예방할 수 있는 가장 효율적인 방법은 입자형 이종골/동종골을 적용하고 교원질 차폐막이나 교원질 스폰지로 치아 관통부를 피개하는 방법이었다고 했다. 한 무작위 대조 연구에서는 치조제 보존술에 탈회 동종골을 단독으로 적용하거나 BMP-2와 함께 적용했을 때 3개월 후의 치조골은 서로 차이를 보이지 않았다고 했다.[292] 결국 치조제 보존술에서 BMP-2의 효과는 확실히 밝혀지지는 못했지만 가용한 근거를 기초로 판단했을 때 이것이 치조제 보존술의 결과에 유의한 이점을 제공하리라고는 생각되지 않는다.

(3) BMP-2의 합병증이나 단점을 고려했을 때 골증강술에서 이를 사용하는 것은 추천할 만하지 못하다.

BMP-2는 골증강부 자체나 그 주변에 염증이 존재하는 경우, 골증강부에 종양이 존재했거나 존재하는 경우, 성장기 환자, 동정맥 기형(arteriovascular malformation) 환자에게는 적용하지 말아야 한다.[293,294] BMP-2는 면역 반응, 염증, 이소적 골형성(ectopic bone formation), 감염, 과도한 부종, 골용해, 골내 낭종 형성, 지방 형성, 종양 발생 등의 일반 합병증을 유발할 수 있다.[283,293,295,296] 또한 인접 자연치의 치근 흡수/강직증, 안면 부종, 통증, 반상 출혈, 홍반 등의 국소적 합병증이 나타날 수 있다.[283,297] 특히 안면 부종은 BMP-2를 적용하면 나타나는 가장 흔한 특이적 반응이다.[287] 한 전향적 대조 연구에서는 상악동 골이식 시 rhBMP-2/교원질 스폰지를 적용했을 때에는 82%의 환자에서, 자가골을 적용했을 때에는 38%의 환자에서 안면 부종이 발생했다고 보고했다.[31] 이는 BMP-2를 적용한 부위로 체액과 세포가 유입되기 때문인 것으로 생각된다.[298] BMP-2는 저농도(0.75 mg/ml)보다는 고농도(1.50 mg/ml)에서 일관되게 더 좋은 골재생 결과를 보였지만, 안면 부종은 저농도로 적용할 때보다 고농도로 적용할 때에 수술 4개월 후까지 유의하게 더 심했다.[279]

우리는 아직도 임플란트 관련 골증강술에서 BMP-2의 효용에 대한 근거의 부족 상태에 있다. 치과 임플란트 영역에서 BMP-2를 이용한 골재생과 관련된 연구의 절대적인 수는 매우 많다. 2020년 5월에 PubMed에서 단순히("Alveolar Ridge Augmentation" OR "Sinus Floor Augmentation") AND "Bone Morphogenetic Protein 2"로만 검색해도 160건의 논문이 검색된다. 그러나 이중 무작위 대조 연구는 18건에 불과하고, 이 무작위 대조 연구들에서 우리가 실제로 궁금해하는 주제에 관련된 것은 거의 없었다.

3) 혈소판 농축물

혈소판은 혈액 내에서 적혈구에 이어 두 번째로 많은 세포로, 창상 부위에 응집되면서 다양한 성장 인자를 분비하여 자연적인 치유 과정을 촉진한다.[299] 따라서 채혈된 전혈에서 혈소판을 인위적으로 농축시키고 이를 수술 부위에 적용하려는 시도가 지속되었다. 이렇게 인위적으로 혈소판을 농축시킨 것을 혈소판 농축물(platelet concentrate, PC)이라고 하며, 주로 원심 분리를 통해 얻는다.[300] 1970년 Matras는 피부의 창상 치유를 촉진할 목적으로 혈소판 농축물을 사용할 것을 최초로 주장했다.[301] 그리고 Whitman 등은 1997년 구강악안면 영역에 이를 처음 소개했다. 그러나 구강악안면 영역이나 치과 임플란트 관련 수술에 혈소판 농축물을 본격적으로 사용한 것은 1990년대 말과 2000년대 초에 Marx가 혈소판 풍부 혈장(platelet rich plasma, PRP)을 이용하고 그 결과를 보고한 이후부터였다.[302,303]

혈소판 농축물은 그 채취 방법에 따라 1세대와 2세대로 나뉜다(📷 4-42). 1세대와 2세대 혈소판 농축물 모두 혈액을 원심 분리하는 데 1세대 농축물은 항응고제를 첨가하고 2세대 농축물은 첨가하지 않는다는 차이가 있다. 1세대 혈소판 농축물은 원심 분리로 형성된 성장 인자 풍부 혈장(plasma rich in growth factor, PRGF), 혹은 이를 한 번 더 원심 분리로 농축하여 혈소판 농도를 높인 PRP이다. 1세대 혈소판 농축물은 채혈 시 혈액 응고를

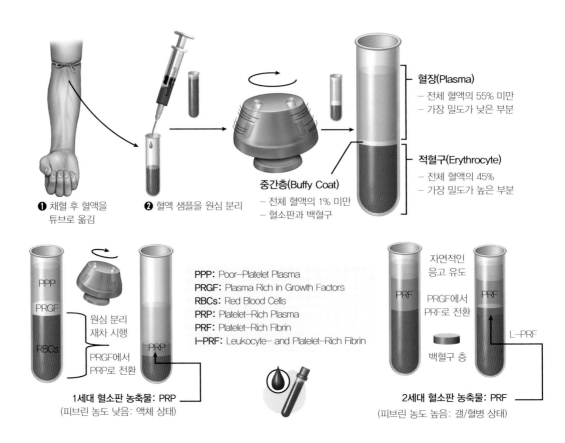

혈장(Plasma)
- 전체 혈액의 55% 미만
- 가장 밀도가 낮은 부분

중간층(Buffy Coat)
- 전체 혈액의 1% 미만
- 혈소판과 백혈구

적혈구(Erythrocyte)
- 전체 혈액의 45%
- 가장 밀도가 높은 부분

❶ 채혈 후 혈액을 튜브로 옮김

❷ 혈액 샘플을 원심 분리

PPP
PRGF
RBCs

원심 분리 재차 시행

PRGF에서 PRP로 전환

PRP

1세대 혈소판 농축물: PRP
(피브린 농도 낮음: 액체 상태)

PPP: Poor-Platelet Plasma
PRGF: Plasma Rich in Growth Factors
RBCs: Red Blood Cells
PRP: Platelet-Rich Plasma
PRF: Platelet-Rich Fibrin
I-PRF: Leukocyte- and Platelet-Rich Fibrin

PRF

자연적인 응고 유도

PRGF에서 PRF로 전환

백혈구 층

PRF

L-PRF

2세대 혈소판 농축물: PRF
(피브린 농도 높음: 겔/혈병 상태)

📷 **4-42 1세대 혈소판 농축물과 2세대 혈소판 농축물의 채취 방법**

예방하기 위해 항응고제를 필요로 하기 때문에 혈액 내의 피브린은 중합도가 낮은 약한 네트워크를 형성한다.[304] 따라서 1세대 농축물은 액체 형태로 사용하기도 하고, 혹은 트롬빈이나 염화 칼슘을 차후에 첨가한 후 젤 형태로 사용하기도 한다.

1세대 혈소판 농축물을 추출하는 과정은 기술적으로 복잡하고 상대적으로 높은 비용과 긴 시간을 필요로 한다. 또한 임상적인 결과가 일정하지 못했기 때문에 2세대 혈소판 농축물이 개발되었다.[305] 2세대 혈소판 농축물인 혈소판 풍부 피브린(platelet rich fibrin, PRF)은 Choukroun과 Dohan 등이 2001년에 처음 소개한 후 2000년대 중반 이후로 사용이 일반화되었다.[304,306,307] PRF를 만들 때에는 트롬빈, 항응고제, 염화 칼슘 등의 부가적인 물질을 첨가할 필요가 없기 때문에 간단하고 쉽게 추출이 가능하다.[308] PRF를 형성할 때에는 단순히 채혈한 전혈을 일정 속도로 1회만 원심 분리를 시행하면 된다. 보통 9-10 mL의 혈액을 유리, 혹은 유리가 코팅된 플라스틱 튜브에 채혈한 후 이를 즉시 2,700 rpm으로 12분간, 혹은 3,000 rpm으로 10분간 원심분리해 준다.[308] 혈액은 실리카 표면과 접촉하면 응고를 시작하기 때문에 튜브 표면이 유리여야 하는 것이다.[309] 이때 중요한 점은 채혈 후 최대한 빠르게 원심 분리를 시작해야 한다는 것이다.[306] 혈액 응고가 진행되어 버리면 피브린 망상체 내에는 혈소판이 제대로 응집될 수 없기 때문이다.

채혈한 전혈을 고속으로 원심 분리하면 혈액 내 성분은 그 밀도에 따라 세 층으로 분리되는데, 가장 윗층인 혈소판 결핍 혈장(platelet poor plasma), 중간층, 아래층인 적혈구로 구분된다.[304,305] 중간층은 "buffy coat"라고도 불리는데, buffy coat 내에서도 상부에는 혈소판, 하부에는 백혈구가 주로 존재하며, 백혈구 층에는 비중이 적은 적혈구가 일부 섞여 있기 때문에 다소 붉은 빛깔을 띈다.[304] 원심 분리 시 항응고제를 첨가하지 않으면 피브린이 네트워크를 형성하면서 중간층은 자연스럽게 PRF로 전이된다. PRF에는 백혈구 층이 포함되기 때문에 문헌에 따라서는 PRF를 L-PRF (leukocyte and platelet rich fibrin)라고도 한다.[310] 결국 PRF는 적혈구가 제거된 농축된 혈병과 같다고 생각하면 될 것이다.

4) 혈소판 풍부 혈장은 골증강의 결과에 별다른 도움이 되지 못한다.

PRP는 1세대 혈소판 농축물(platelet concentrate)로, Marx는 PRP를 "적은 양의 혈장에 농축된 자가 혈소판"으로 정의했다.[311] Marx는 1998년 하악골 결손을 재건하기 위한 목적으로 자가골과 함께 PRP를 사용하면서 이를 처음으로 소개했으며, PRP를 첨가하면 첨가하지 않을 때에 비해 방사선학적으로 빠른 골재생을 보였고 조직학적으로 재생골의 밀도가 유의하게 높았다고 했다.[303] 이후 골증강술 시 골이식재와 함께 PRP를 적용하는 경우에 더 빠르고 완전한 골재생이 일어난다는 결과와,[312-314] 그렇지 않다는 결과[315,316]가 혼재되어 보고되었다.

PRP에는 다음 요소들이 포함되어 있다.[317,318]

- PDGF, TGF-β1, TGF-β2, VEGF, EGF, IGF-I, bFGF 등의 성장 인자
- Fibrin, fibronectin, vitronectin 등의 세포 부착 분자(골전도 능력을 향상)

PRP는 피브리노겐(fibrinogen)을 포함하기 때문에 혈액 응고제를 첨가하면 지혈 효과가 있고, 조직을 밀폐시킬 수 있으며, 창상을 안정시킬 수 있다. 또한 응고시킨 PRP는 겔과 유사한 성질을 보이기 때문에 이식재와 혼합하여 사용할 경우 이식재 모양을 원하는 대로 형성할 수 있도록 돕고 결손부에 이식재가 잘 부착될 수 있도록 해준다.[17] 따라서 일반적으로 골전도성만 지닌 입자형 이식재에 PRP를 적용함으로써 풍부한 골형성 성장 인자들을 이용하여 골재생을 더 촉진시키고 재료의 조작성을 향상시키려는 시도가 많이 있었다.[312-316,319]

그러나 2008년의 체계적 문헌 고찰에 의하면 골증강술 시 PRP의 효용성과 관련된 연구들은 대부분 근거 수준이 낮았고 서로 매우 이질적인 결과를 보였다.[320] 또한 치주 결손 수복 시에는 PRP를 첨가하는 것이 임상 부착 수준 개선에 유의하게 도움이 됐지만 상악동 골이식술 시에는 도움이 된다는 약한 근거만이 있었고, 나머지 골증강술에서는 PRP가 도움이 되는가에 대한 근거가 부재하다고 했다. 한 문헌 고찰에서는 가용한 근거가 매우 적은 데다가 골재생에 도움이 된다는 확실한 근거가 부족하기 때문에 PRP를 상악동 골이식 시 첨가할 것

을 추천하지 않는다고 했다.[321] 2016년의 문헌 고찰에서는 지금까지의 근거에 의하면 PRP는 골증강술에 도움이 되지 않기 때문에 구강 내 수술에 PRP를 사용하는 것을 추천하지 않는다고 했다.[265] 결국 응고화시킨 후 적용한 PRP의 효과는 단순히 피브린 글루를 적용할 때에도 큰 차이 없이 얻을 수 있다고까지 생각된다.[322] 이는 PRP 내 혈소판에서 분비되는 성장 인자는 임상적으로 거의 아무런 효과도 보이지 못함을 의미한다.

전임상 연구에서 보여준 PRP의 골형성 세포에 대한 유의한 자극 효과가 실제 임상에서 보이지 않는 가장 큰 이유는 아마도 혈소판에서 분비되는 성장 인자가 너무 빠르게 소진되기 때문인 것으로 생각된다. 이러한 이유로 혈소판 유래 성장 인자는 골형성 세포보다는 상피 세포의 성장을 오히려 자극할 수도 있다.[265] 이외에도 PRP는 다음의 문제가 있다.[265]

- 성장 인자의 과도하게 빠른 분비와 소진
- 부적합하고 변이가 큰 혈소판 농도
- 술자마다 현저한 차이를 보이는 PRP 형성 방법과 이에 따른 변이가 큰 효과
- PRF에 비해 복잡하고 더 많은 비용을 필요로 하는 제조 방법
- 실제로 임상에 PRP를 첨가하지 않았을 때와 골재생에 있어 별다른 차이를 보이지 않음

결국 현재 혈소판 풍부 혈장을 사용하는 술자는 거의 없는 상태이며 전문가들의 관심은 2세대 혈소판 농축물인 혈소판 풍부 피브린으로 완전히 옮겨지게 되었다.

5) 혈소판 풍부 피브린은 골증강술의 결과를 유의미하게 증진시키지는 못하는 것으로 보인다.

PRF는 2세대 혈소판 농축물로, PRP를 대체하면서 치과 영역에서 성장 인자 관련 재료로써 현재 가장 광범위하게 사용 중이다. PRF에는 채혈한 혈액 내 혈소판의 95% 이상, 백혈구의 50% 이상, 상당한 양의 단핵구 및 줄기 세포가 포함되어 있다. 또한 PRF를 제조할 때에는 항응고제를 첨가하지 않기 때문에 완전한 응고 반응에 의해 PRF 내에는 피브린 네트워크가 형성된다. 결국 PRP에 대한 PRF의 장점은 거의 대부분 피브린이 형성한 3차원적 비계(scaffold)에 의한 것이다.[323,324]

① 혈소판과 백혈구는 피브린 네트워크에 갇혀서 PRF 적용 부위에서 여타 부위로 유출되지 않고 유지된다.[324]
② 혈소판과 백혈구에서 분비된 성장 인자 또한 피브린 네트워크에 흡수됐다가 서서히 유리된다.[324]
③ PRF 내의 성장 인자는 신생 혈관 형성을 유도한다.[323]
④ PRF 적용 주위 세포에서 피브린 부착 단백질인 integrin avb3의 발현을 유도한다.[325]
⑤ 피브린의 분해 산물은 그 자체가 중성구의 이주를 자극한다.[323]

⑥ 피브린 네트워크 내의 중성구는 세균과 병원체를 제거하여 창상 감염을 예방한다.[326]

⑦ 피브린 네트워크 내의 탐식세포는 골형성 중 염증 반응을 치유 반응으로 전환하는 데 주요한 역할을 한다.[326]

⑧ PRF를 추출할 때 사용된 재료나 방법은 PRF의 조성이나 형태에 유의한 차이를 유발하지 않는다.[327]

PRF의 알려진 생물학적 기능에는 다음과 같은 것들이 있다.[308]

- 국소적 환경을 자극하여 줄기 세포와 전구 세포의 증식과 분화를 촉진한다.[306]
- PRF 내의 백혈구와 혈소판은 조직 재생을 유도하는 PDGF, TGF, VEGF, IGF 등의 성장 인자를 7–14일 이상 지속적으로 분비하면서 염증을 억제한다.[306,307,328]
- 혈소판 및 백혈구에서 분비되는 물질에 의해 항세균 작용을 나타낸다.[329]

PRF 내에서는 피브린이 완전한 네트워크를 형성할 수 있기 때문에 특화된 기구로 압축시켜 1 mm 두께의 치밀한 막을 만들 수 있다.[327] 이렇게 피브린 네트워크를 이용해 성장 인자를 풍부하게 배출할 수 있는 세포를 포함하는 안정적인 막을 만들 수 있다는 점은 PRF의 가장 큰 장점이다.[330] 결국 PRF는 두 가지 방법으로 사용 가능하다.[304,308]

- **PRF 혈병(PRF clot):** PRF는 혈병 형태 그대로 사용할 수 있다. 혈병 형태의 PRF는 입자형 이식재와 혼합하여 사용 가능하다.
- **PRF 막(PRF membrane):** 전용 기구로 납작하게 압착시켜서 혈청(serum)을 제거하고 얇은 막의 형태로 이용한다. 이 때 PRF는 일종의 차폐막 대체재로 사용하거나 뭉쳐서 이식재의 일종으로 사용한다.

(1) 치주 결손의 재생에 PRF는 현저한 도움이 된다.

구강 내 재생 술식에 있어 PRF가 가장 많이 사용되었고, 따라서 가장 많은 임상 연구가 축적된 분야는 치주 재생 술식이다.[323,331] 2017년에는 치주 치료에서 PRF의 효과를 평가한 체계적 문헌 고찰이 발표됐다.[331] 우선 골내 결손이 존재할 때 개방성 소파술(open flap debridement)만 시행한 경우와 개방성 소파술 후 PRF를 적용한 경우를 비교하면, 탐침 깊이 감소(평균 1.10 mm 차이), 임상 부착 수준 개선(평균 1.24 mm 차이), 수직적 골충전량(평균 1.65 mm 차이)이 모두 PRF를 적용했을 때 유의하게 우수한 결과를 보였다. 이개부 결손 시에도 개방형 소파술에 PRF를 추가적으로 적용하면 임상 부착 수준 개선(평균 1.25 mm 차이)과 수직적 골충전량(평균 1.52 mm 차이)이 유의하게 개선됐다. 그러나 치은 퇴축이나 치근 노출 시 치관 변위 판막술과 함께 PRF를 적용하는 것은 치관 변위 판막술만 시행하는 것보다 유의한 개선 효과를 보이지 못했다. 따라서 깊은 치주낭 형성에 의한 골내 결손이나 치근 이개부 결손의 개선에는 PRF가 유의하게 긍정적인 영향을 미친다고 결론 내릴 수 있다.

(2) 치조제 보존술에서 PRF는 골량을 증가시키고 통증 및 감염 발생을 억제하는 데 약간의 도움이 된다.

한 무작위 대조 연구에서는 일부 환자의 발치와에 2–5개의 PRF 혈병을 삽입하고 2–3개의 PRF 막으로 그 상부를 폐쇄한 후 8자형 봉합을 시행했고(실험군), 나머지 환자의 발치와는 아무런 처치도 가하지 않고 봉합만 시행했다(대조군).[332] 3개월 후 협측골의 수직적 감소량(PRF 적용군 0.5±2.3 mm vs PRF 비적용군 1.5±1.3 mm), 치조정 높이에서 치조골의 수평적 폭 감소량(PRF 적용군 22.84% vs PRF 비적용군 51.92%), 발치와 내 방사선학적 골충전(PRF 적용군 94.7% vs PRF 비적용군 63.3%)이 PRF 적용군에서 모두 유의하게 우수한 결과를 보였다. 또한 통증의 정도도 발치 3–5일 후 PRF 적용군에서 유의하게 적었다. 또 다른 무작위 대조 연구에서도 발치와에 PRF 막 2–7개를 삽입하면 삽입하지 않은 경우에 비해 발치 후 24–96시간 동안 통증을 유의하게 감소시켰으며 연조직의 치유 또한 발치 후 7–21일에 걸쳐 더 우수한 결과를 유도했다고 보고했다.[333] "탈회 동결 건조 동종골+PRF 혈병"이나 "탈회 동결 건조 동종골"로 발치와를 충전하고 교원질 차폐막으로 피개하여 치조제 보존술을 시행한 무작위 대조 연구에서는 PRF 첨가군과 비첨가군의 발치 180일 후까지 치조골 폭 감소량이 각각 0.75±0.49 mm와 1.36±0.70 mm로 유의한 차이를 보였다고 했다.[334]

그러나 체계적 문헌 고찰이나 메타분석의 결과에 의하면, 치조제 보존술에서 PRF의 이점은 위의 연구들처럼 아주 명확하지는 않은 것 같다. 2020년의 메타분석에서는 발치와에 PRF를 적용하면 자연 발치와에 비해 치조골의 수직적 흡수(평균 0.28 mm 차이)와 수평적 흡수(평균 1.73 mm 차이)를 줄여줄 수는 있었지만, 이 차이가 통계학적으로 유의하지는 못했다고 했다.[335] 결국 저자들은 PRF가 치조제의 흡수를 줄여주는 데 있어 임상적으로 현저한 도움이 되지는 못한다고 결론 내렸다. 이는 하악 제3대구치 발거 후 PRF를 발치와에 삽입하는 것이 도움이 되는가를 평가한 2019년의 메타분석과도 어느 정도 유사한 결과였다.[336] 이 메타분석에서는 제3대구치 발거 후 PRF를 삽입하면 통증, 부종, 술 후 감염(건조와; dry socket)은 유의하게 줄여줄 수 있었지만, 발치와 내 골형성과 발치와 상부의 연조직 치유에는 유의한 영향을 미치지 못했다고 결론 내린 바 있다. 다른 체계적 문헌 고찰에서도 치조제 보존술에서 PRF의 효용성은 아직 명확한 결론을 내리기는 힘든 상태이며, 다만 제3대구치 발치와에서는 건조와의 발생 가능성을 1/10 가량으로 줄여줄 수 있었다고 결론 내렸다.[323] 결국 일부 연구에서 PRF가 자연 발치와보다 치조골의 흡수를 유의하게 줄여줄 수 있으며 발치 후 불편감이나 감염 빈도를 낮출 수 있었다고 했지만 이것이 임상적으로 유의미한 도움이 되는지는 아직까지 명확하지 못하다고 할 수 있다. 또한 확실한 효과를 얻기 위해서는 상당히 많은 양의 PRF를 추출하여 적용해야만 한다.[332]

(3) 상악동 골이식에서 PRF는 별다른 도움이 되지 못한다.

몇몇 임상가들은 골이식재 없이 상악동저 거상술을 시행한 후 PRF로 거상된 상악동 막 하방을 충전했다. 소수의 단일 환자군 연구에서 외측 접근법 후 임플란트를 식립하며 골이식재 없이 PRF 혈병만을 충전하여 평균 7.52–10.1 mm의 수직적 증강을 얻을 수 있었다고 보고했다.[337,338] 그러나 PRF 자체는 공간 유지 능력이 거의 없기 때문에 임상가들은 이를 단독으로 적용하기 보다는 거의 입자형 이식재와 혼합하여 사용한다.[339] 2018년의 한 무작위 대조 연구에서는 외측 접근 상악동 골이식을 시행하고 6개월 후 임플란트를 식립하면서 재생골을 채취하여 조직학적으로 평가했다. 실험군에서는 탈단백 우골을 PRF 막 1-2개와 혼합한 후 골이식부에 충전해 주었고, 대조군에서는 탈난백 우골만을 충전했으며 골창 부위는 천연 교원질 차폐막으로 피개해 주었다. 그 결과 두 군에서 재생 조직 내 광화 조직, 잔존 이식재, 연조직 함량에 거의 차이를 보이지 않았고 골이식 높이나 식립된 임플란트의 성공에도 아무런 차이를 보이지 않았다.[340]

2019년에는 상악동 골이식에서 PRF의 효용성에 관한 메타분석이 발표됐다. 여기에서는 5개의 무작위 대조 연구를 대상으로 포함했는데, 상악동 골이식 시 PRF를 첨가했을 때 방사선학적, 조직학적인 재생골의 상태나 골증강된 부위에 식립한 임플란트의 성공은 유의미하게 개선되지 못한다는 결론을 얻을 수 있었다.[341] 2020년의 메타분석에서도 동일하게 상악동 골이식술 시에 PRF를 첨가하는 것은 어떠한 도움도 되지 못한다고 결론내렸다.[339]

(4) 기타 골증강 술식에서 PRF의 효과는 아직 잘 밝혀지지 못했다.

치조골의 수평적/수직적 증강을 위한 골유도 재생술에서 PRF의 임상적 효용성에 관해서는 사실 거의 알려진 바가 없다.[342,343] 이와 관련된 전향적 대조 연구나 무작위 대조 연구가 거의 없었기 때문이다.[323,342] 따라서 좀 더 높은 근거 수준의 임상 연구가 절실히 요구되는 상황이다.

참고문헌

1. Dahlin C, Linde A, Gottlow J, Nyman S. Healing of bone defects by guided tissue regeneration. Plast Reconstr Surg. 1988;81(5):672–676.

2. Dahlin C, Gottlow J, Linde A, Nyman S. Healing of maxillary and mandibular bone defects using a membrane technique. An experimental study in monkeys. Scand J Plast Reconstr Surg Hand Surg. 1990;24(1):13–19.

3. Schenk RK, Buser D, Hardwick WR, Dahlin C. Healing pattern of bone regeneration in membrane–protected defects: a histologic study in the canine mandible. Int J Oral Maxillofac Implants. 1994;9(1):13–29.

4. Donos N, Mardas N, Chadha V. Clinical outcomes of implants following lateral bone augmentation: systematic assessment of available options (barrier membranes, bone grafts, split osteotomy). J Clin Periodontol. 2008;35(8 Suppl):173–202.

5. Jonker BP, Wolvius EB, van der Tas JT, Pijpe J. The effect of resorbable membranes on one–stage ridge augmentation in anterior single–tooth replacement: A randomized, controlled clinical trial. Clin Oral Implants Res. 2018;29(2):235–247.

6. Omar O, Elgali I, Dahlin C, Thomsen P. Barrier membranes: More than the barrier effect? J Clin Periodontol. 2019;46 Suppl 21(Suppl Suppl 21):103–123.

7. Sanz M, Ferrantino L, Vignoletti F, de Sanctis M, Berglundh T. Guided bone regeneration of non–contained mandibular buccal bone defects using deproteinized bovine bone mineral and a collagen membrane: an experimental in vivo investigation. Clin Oral Implants Res. 2017;28(11):1466–1476.

8. Buser D, Dula K, Belser U, Hirt HP, Berthold H. Localized ridge augmentation using guided bone regeneration. 1. Surgical procedure in the maxilla. Int J Periodontics Restorative Dent. 1993;13(1):29–45.

9. Buser D, Dula K, Belser UC, Hirt HP, Berthold H. Localized ridge augmentation using guided bone regeneration. II. Surgical procedure in the mandible. Int J Periodontics Restorative Dent. 1995;15(1):10–29.

10. Simion M, Trisi P, Piattelli A. Vertical ridge augmentation using a membrane technique associated with osseointegrated implants. Int J Periodontics Restorative Dent. 1994;14(6):496–511.

11. Hammerle CH, Jung RE. Bone augmentation by means of barrier membranes. Periodontol 2000. 2003;33:36–53.

12. von Arx T, Kurt B. Implant placement and simultaneous ridge augmentation using autogenous bone

and a micro titanium mesh: a prospective clinical study with 20 implants. Clin Oral Implants Res. 1999;10(1):24-33.

13. Buser D, Dula K, Hess D, Hirt HP, Belser UC. Localized ridge augmentation with autografts and barrier membranes. Periodontol 2000. 1999;19:151-163.

14. Strietzel FP, Khongkhunthian P, Khattiya R, Patchanee P, Reichart PA. Healing pattern of bone defects covered by different membrane types—a histologic study in the porcine mandible. J Biomed Mater Res B Appl Biomater. 2006;78(1):35-46.

15. Kraus KH, Kirker-Head C. Mesenchymal stem cells and bone regeneration. Vet Surg. 2006;35(3):232-242.

16. Cancedda R, Dozin B, Giannoni P, Quarto R. Tissue engineering and cell therapy of cartilage and bone. Matrix Biol. 2003;22(1):81-91.

17. Garg AK. Bone biology, harvesting, grafting for dental implants : rationale and clinical applications. Chicago: Quintessence Pub. Co.; 2004.

18. Yoo JU, Johnstone B. The role of osteochondral progenitor cells in fracture repair. Clin Orthop Relat Res. 1998(355 Suppl):S73-81.

19. Schimming R, Schmelzeisen R. Tissue-engineered bone for maxillary sinus augmentation. J Oral Maxillofac Surg. 2004;62(6):724-729.

20. Schmelzeisen R, Schimming R, Sittinger M. Making bone: implant insertion into tissue-engineered bone for maxillary sinus floor augmentation-a preliminary report. J Craniomaxillofac Surg. 2003;31(1):34-39.

21. Lieberman JR, Daluiski A, Einhorn TA. The role of growth factors in the repair of bone. Biology and clinical applications. J Bone Joint Surg Am. 2002;84-A(6):1032-1044.

22. Urist MR. Bone: formation by autoinduction. Science. 1965;150(698):893-899.

23. Urist MR. Bone: formation by autoinduction. 1965. Clin Orthop Relat Res. 2002(395):4-10.

24. Lane JM. Bone graft substitutes. West J Med. 1995;163(6):565-566.

25. Caplanis N, Lee MB, Zimmerman GJ, Selvig KA, Wikesjo UM. Effect of allogeneic freeze-dried demineralized bone matrix on regeneration of alveolar bone and periodontal attachment in dogs. J Clin Periodontol. 1998;25(10):801-806.

26. Anderegg CR, Martin SJ, Gray JL, Mellonig JT, Gher ME. Clinical evaluation of the use of decalcified freeze-dried bone allograft with guided tissue regeneration in the treatment of molar furcation invasions. J Periodontol. 1991;62(4):264-268.

27. Caplanis N, Sigurdsson TJ, Rohrer MD, Wikesjo UM. Effect of allogeneic, freeze-dried, demineralized

bone matrix on guided bone regeneration in supra—alveolar peri—implant defects in dogs. Int J Oral Maxillofac Implants. 1997;12(5):634—642.

28. Haas R, Haidvogl D, Donath K, Watzek G. Freeze—dried homogeneous and heterogeneous bone for sinus augmentation in sheep. Part I: histological findings. Clin Oral Implants Res. 2002;13(4):396—404.

29. Haas R, Haidvogl D, Dortbudak O, Mailath G. Freeze—dried bone for maxillary sinus augmentation in sheep. Part II: biomechanical findings. Clin Oral Implants Res. 2002;13(6):581—586.

30. Lutz R, Park J, Felszeghy E, Wiltfang J, Nkenke E, Schlegel KA. Bone regeneration after topical BMP—2—gene delivery in circumferential peri—implant bone defects. Clin Oral Implants Res. 2008;19(6):590—599.

31. Boyne PJ, Lilly LC, Marx RE, et al. De novo bone induction by recombinant human bone morphogenetic protein—2 (rhBMP—2) in maxillary sinus floor augmentation. J Oral Maxillofac Surg. 2005;63(12):1693—1707.

32. Sachlos E, Czernuszka JT. Making tissue engineering scaffolds work. Review: the application of solid freeform fabrication technology to the production of tissue engineering scaffolds. Eur Cell Mater. 2003;5:29—39; discussion 39—40.

33. Silva RV, Camilli JA, Bertran CA, Moreira NH. The use of hydroxyapatite and autogenous cancellous bone grafts to repair bone defects in rats. Int J Oral Maxillofac Surg. 2005;34(2):178—184.

34. Jin QM, Takita H, Kohgo T, Atsumi K, Itoh H, Kuboki Y. Effects of geometry of hydroxyapatite as a cell substratum in BMP—induced ectopic bone formation. J Biomed Mater Res. 2000;52(4):491—499.

35. Kuboki Y, Takita H, Kobayashi D, et al. BMP—induced osteogenesis on the surface of hydroxyapatite with geometrically feasible and nonfeasible structures: topology of osteogenesis. J Biomed Mater Res. 1998;39(2):190—199.

36. Tsuruga E, Takita H, Itoh H, Wakisaka Y, Kuboki Y. Pore size of porous hydroxyapatite as the cell—substratum controls BMP—induced osteogenesis. J Biochem. 1997;121(2):317—324.

37. Ono I, Tateshita T, Nakajima T. Evaluation of a high density polyethylene fixing system for hydroxyapatite ceramic implants. Biomaterials. 2000;21(2):143—151.

38. Blair HC, Schlesinger PH, Ross FP, Teitelbaum SL. Recent advances toward understanding osteoclast physiology. Clin Orthop Relat Res. 1993(294):7—22.

39. Chen ST, Beagle J, Jensen SS, Chiapasco M, Darby I. Consensus statements and recommended clinical procedures regarding surgical techniques. Int J Oral Maxillofac Implants. 2009;24 Suppl:272—278.

40. Hoexter DL. Bone regeneration graft materials. J Oral Implantol. 2002;28(6):290—294.

41. Misch CE, Dietsh F. Bone—grafting materials in implant dentistry. Implant Dent. 1993;2(3):158—167.

42. van Steenberghe D. A retrospective multicenter evaluation of the survival rate of osseointegrated fixtures supporting fixed partial prostheses in the treatment of partial edentulism. J Prosthet Dent. 1989;61(2):217—223.

43. Chiapasco M, Casentini P, Zaniboni M. Bone augmentation procedures in implant dentistry. Int J Oral Maxillofac Implants. 2009;24 Suppl:237—259.

44. Jensen SS, Broggini N, Hjørting—Hansen E, Schenk R, Buser D. Bone healing and graft resorption of autograft, anorganic bovine bone and beta—tricalcium phosphate. A histologic and histomorphometric study in the mandibles of minipigs. Clin Oral Implants Res. 2006;17(3):237—243.

45. Broggini N, Bosshardt DD, Jensen SS, Bornstein MM, Wang C—C, Buser D. Bone healing around nanocrystalline hydroxyapatite, deproteinized bovine bone mineral, biphasic calcium phosphate, and autogenous bone in mandibular bone defects. J Biomed Mater Res B Appl Biomater. 2015;103(7):1478—1487.

46. Jensen SS, Bornstein MM, Dard M, Bosshardt DD, Buser D. Comparative study of biphasic calcium phosphates with different HA/TCP ratios in mandibular bone defects. A long—term histomorphometric study in minipigs. J Biomed Mater Res B Appl Biomater. 2009;90(1):171—181.

47. Jensen SS, Yeo A, Dard M, Hunziker E, Schenk R, Buser D. Evaluation of a novel biphasic calcium phosphate in standardized bone defects: a histologic and histomorphometric study in the mandibles of minipigs. Clin Oral Implants Res. 2007;18(6):752—760.

48. Janner SFM, Bosshardt DD, Cochran DL, et al. The influence of collagen membrane and autogenous bone chips on bone augmentation in the anterior maxilla: a preclinical study. Clin Oral Implants Res. 2017;28(11):1368—1380.

49. Jensen SS, Terheyden H. Bone augmentation procedures in localized defects in the alveolar ridge: clinical results with different bone grafts and bone—substitute materials. Int J Oral Maxillofac Implants. 2009;24 Suppl:218—236.

50. Zipfel GJ, Guiot BH, Fessler RG. Bone grafting. Neurosurg Focus. 2003;14(2):e8.

51. Sartori S, Silvestri M, Forni F, Icaro Cornaglia A, Tesei P, Cattaneo V. Ten—year follow—up in a maxillary sinus augmentation using anorganic bovine bone (Bio—Oss). A case report with histomorphometric evaluation. Clin Oral Implants Res. 2003;14(3):369—372.

52. Iezzi G, Degidi M, Scarano A, Petrone G, Piattelli A. Anorganic bone matrix retrieved 14 years after a sinus augmentation procedure: a histologic and histomorphometric evaluation. J Periodontol. 2007;78(10):2057—2061.

53. Hockers T, Abensur D, Valentini P, Legrand R, Hammerle CH. The combined use of bioresorbable membranes and xenografts or autografts in the treatment of bone defects around implants. A study in beagle dogs. Clin Oral Implants Res. 1999;10(6):487–498.

54. Polyzois I, Renvert S, Bosshardt DD, Lang NP, Claffey N. Effect of Bio–Oss on osseointegration of dental implants surrounded by circumferential bone defects of different dimensions: an experimental study in the dog. Clin Oral Implants Res. 2007;18(3):304–310.

55. Thorwarth M, Srour S, Felszeghy E, Kessler P, Schultze–Mosgau S, Schlegel KA. Stability of autogenous bone grafts after sinus lift procedures: a comparative study between anterior and posterior aspects of the iliac crest and an intraoral donor site. Oral Surg Oral Med Oral Pathol Oral Radiol Endod. 2005;100(3):278–284.

56. Cordaro L, Amade DS, Cordaro M. Clinical results of alveolar ridge augmentation with mandibular block bone grafts in partially edentulous patients prior to implant placement. Clin Oral Implants Res. 2002;13(1):103–111.

57. Hardesty RA, Marsh JL. Craniofacial onlay bone grafting: a prospective evaluation of graft morphology, orientation, and embryonic origin. Plast Reconstr Surg. 1990;85(1):5–14; discussion 15.

58. Zins JE, Whitaker LA. Membranous versus endochondral bone: implications for craniofacial reconstruction. Plast Reconstr Surg. 1983;72(6):778–785.

59. Ullmark G. Bigger size and defatting of bone chips will increase cup stability. Arch Orthop Trauma Surg. 2000;120(7–8):445–447.

60. Pallesen L, Schou S, Aaboe M, Hjorting–Hansen E, Nattestad A, Melsen F. Influence of particle size of autogenous bone grafts on the early stages of bone regeneration: a histologic and stereologic study in rabbit calvarium. Int J Oral Maxillofac Implants. 2002;17(4):498–506.

61. Springer IN, Terheyden H, Geiss S, Harle F, Hedderich J, Acil Y. Particulated bone grafts—effectiveness of bone cell supply. Clin Oral Implants Res. 2004;15(2):205–212.

62. Young MP, Carter DH, Worthington H, Korachi M, Drucker DB. Microbial analysis of bone collected during implant surgery: a clinical and laboratory study. Clin Oral Implants Res. 2001;12(2):95–103.

63. Chen ST, Darby IB, Adams GG, Reynolds EC. A prospective clinical study of bone augmentation techniques at immediate implants. Clin Oral Implants Res. 2005;16(2):176–184.

64. Lu M, Rabie AB. Microarchitecture of rabbit mandibular defects grafted with intramembranous or endochondral bone shown by micro–computed tomography. Br J Oral Maxillofac Surg. 2003;41(6):385–391.

65. Wong RW, Rabie AB. A quantitative assessment of the healing of intramembranous and endochondral

autogenous bone grafts. Eur J Orthod. 1999;21(2):119–126.

66.   Gordh M, Alberius P. Some basic factors essential to autogeneic nonvascularized onlay bone grafting to the craniofacial skeleton. Scand J Plast Reconstr Surg Hand Surg. 1999;33(2):129–146.

67.   Misch CM. Comparison of intraoral donor sites for onlay grafting prior to implant placement. Int J Oral Maxillofac Implants. 1997;12(6):767–776.

68.   Phillips JH, Rahn BA. Fixation effects on membranous and endochondral onlay bone graft revascularization and bone deposition. Plast Reconstr Surg. 1990;85(6):891–897.

69.   Kusiak JF, Zins JE, Whitaker LA. The early revascularization of membranous bone. Plast Reconstr Surg. 1985;76(4):510–516.

70.   Rabie AB, Dan Z, Samman N. Ultrastructural identification of cells involved in the healing of intramembranous and endochondral bones. Int J Oral Maxillofac Surg. 1996;25(5):383–388.

71.   Girdler NM, Hosseini M. Orbital floor reconstruction with autogenous bone harvested from the mandibular lingual cortex. Br J Oral Maxillofac Surg. 1992;30(1):36–38.

72.   Chen NT, Glowacki J, Bucky LP, Hong HZ, Kim WK, Yaremchuk MJ. The roles of revascularization and resorption on endurance of craniofacial onlay bone grafts in the rabbit. Plast Reconstr Surg. 1994;93(4):714–722; discussion 723–714.

73.   Veis AA, Tsirlis AT, Parisis NA. Effect of autogenous harvest site location on the outcome of ridge augmentation for implant dehiscences. Int J Periodontics Restorative Dent. 2004;24(2):155–163.

74.   Branemark PI, Lindstrom J, Hallen O, Breine U, Jeppson PH, Ohman A. Reconstruction of the defective mandible. Scand J Plast Reconstr Surg. 1975;9(2):116–128.

75.   Benic GI, Eisner BM, Jung RE, Basler T, Schneider D, Hämmerle CHF. Hard tissue changes after guided bone regeneration of peri–implant defects comparing block versus particulate bone substitutes: 6–month results of a randomized controlled clinical trial. Clin Oral Implants Res. 2019;30(10):1016–1026.

76.   Buser D, Dula K, Hirt HP, Schenk RK. Lateral ridge augmentation using autografts and barrier membranes: a clinical study with 40 partially edentulous patients. J Oral Maxillofac Surg. 1996;54(4):420–432; discussion 432–423.

77.   Enneking WF, Eady JL, Burchardt H. Autogenous cortical bone grafts in the reconstruction of segmental skeletal defects. J Bone Joint Surg Am. 1980;62(7):1039–1058.

78.   Marciani RD, Gonty AA, Synhorst JB, 3rd, Page LR. Cancellous bone marrow grafts in irradiated dog and monkey mandibles. Oral Surg Oral Med Oral Pathol. 1979;47(1):17–24.

79.   Miron RJ, Gruber R, Hedbom E, et al. Impact of bone harvesting techniques on cell viability and the

release of growth factors of autografts. Clin Implant Dent Relat Res. 2013;15(4):481–489.

80. Smiler D, Soltan M. The bone–grafting decision tree: a systematic methodology for achieving new bone. Implant Dent. 2006;15(2):122–128.

81. Joshi A. An investigation of post–operative morbidity following chin graft surgery. Br Dent J. 2004;196(4):215–218; discussion 211.

82. von See C, Rücker M, Kampmann A, Kokemüller H, Bormann KH, Gellrich NC. Comparison of different harvesting methods from the flat and long bones of rats. Br J Oral Maxillofac Surg. 2010;48(8):607–612.

83. Pradel W, Tenbieg P, Lauer G. Influence of harvesting technique and donor site location on in vitro growth of osteoblastlike cells from facial bone. The International journal of oral & maxillofacial implants. 2005;20(6):860–866.

84. Fonseca RJ, Clark PJ, Burkes EJ, Jr., Baker RD. Revascularization and healing of onlay particulate autologous bone grafts in primates. J Oral Surg. 1980;38(8):572–577.

85. Thorwarth M, Schlegel KA, Wehrhan F, Srour S, Schultze–Mosgau S. Acceleration of de novo bone formation following application of autogenous bone to particulated anorganic bovine material in vivo. Oral Surg Oral Med Oral Pathol Oral Radiol Endod. 2006;101(3):309–316.

86. Aludden HC, Mordenfeld A, Hallman M, Dahlin C, Jensen T. Lateral ridge augmentation with Bio–Oss alone or Bio–Oss mixed with particulate autogenous bone graft: a systematic review. Int J Oral Maxillofac Surg. 2017;46(8):1030–1038.

87. Pikdöken L, Gürbüzer B, Küçükodacı Z, Urhan M, Barış E, Tezulaş E. Scintigraphic, histologic, and histomorphometric analyses of bovine bone mineral and autogenous bone mixture in sinus floor augmentation: a randomized controlled trial—results after 4 months of healing. J Oral Maxillofac Surg. 2011;69(1):160–169.

88. Mordenfeld A, Johansson CB, Albrektsson T, Hallman M. A randomized and controlled clinical trial of two different compositions of deproteinized bovine bone and autogenous bone used for lateral ridge augmentation. Clin Oral Implants Res. 2014;25(3):310–320.

89. Troeltzsch M, Troeltzsch M, Kauffmann P, et al. Clinical efficacy of grafting materials in alveolar ridge augmentation: A systematic review. J Craniomaxillofac Surg. 2016;44(10):1618–1629.

90. Meloni SM, Jovanovic SA, Urban I, Canullo L, Pisano M, Tallarico M. Horizontal Ridge Augmentation using GBR with a Native Collagen Membrane and 1:1 Ratio of Particulated Xenograft and Autologous Bone: A 1–Year Prospective Clinical Study. Clin Implant Dent Relat Res. 2017;19(1):38–45.

91. Simion M, Fontana F, Rasperini G, Maiorana C. Vertical ridge augmentation by expanded–

polytetrafluoroethylene membrane and a combination of intraoral autogenous bone graft and deproteinized anorganic bovine bone (Bio Oss). Clinical oral implants research. 2007;18(5):620−629.

92. Proussaefs P, Lozada J, Kleinman A, Rohrer MD, McMillan PJ. The use of titanium mesh in conjunction with autogenous bone graft and inorganic bovine bone mineral (bio−oss) for localized alveolar ridge augmentation: a human study. Int J Periodontics Restorative Dent. 2003;23(2):185−195.

93. Urban IA, Lozada JL, Jovanovic SA, Nagursky H, Nagy K. Vertical ridge augmentation with titanium−reinforced, dense−PTFE membranes and a combination of particulated autogenous bone and anorganic bovine bone−derived mineral: a prospective case series in 19 patients. Int J Oral Maxillofac Implants. 2014;29(1):185−193.

94. Cucchi A, Sartori M, Parrilli A, Aldini NN, Vignudelli E, Corinaldesi G. Histological and histomorphometric analysis of bone tissue after guided bone regeneration with non−resorbable membranes vs resorbable membranes and titanium mesh. Clin Implant Dent Relat Res. 2019;21(4):693−701.

95. Wang HL, Misch C, Neiva RF. "Sandwich" bone augmentation technique: rationale and report of pilot cases. Int J Periodontics Restorative Dent. 2004;24(3):232−245.

96. Hammerle CH, Chiantella GC, Karring T, Lang NP. The effect of a deproteinized bovine bone mineral on bone regeneration around titanium dental implants. Clin Oral Implants Res. 1998;9(3):151−162.

97. Maiorana C, Beretta M, Salina S, Santoro F. Reduction of autogenous bone graft resorption by means of bio−oss coverage: a prospective study. Int J Periodontics Restorative Dent. 2005;25(1):19−25.

98. Lee I−K, Lim H−C, Lee J−S, Hong J−Y, Choi S−H, Jung U−W. Layered approach with autogenous bone and bone substitute for ridge augmentation on implant dehiscence defects in dogs. Clin Oral Implants Res. 2016;27(5):622−628.

99. Fu J−H, Oh T−J, Benavides E, Rudek I, Wang H−L. A randomized clinical trial evaluating the efficacy of the sandwich bone augmentation technique in increasing buccal bone thickness during implant placement surgery: I. Clinical and radiographic parameters. Clin Oral Implants Res. 2014;25(4):458−467.

100. Fu J−H, Rios H, Al−Hezaimi K, Oh T−J, Benavides E, Wang H−L. A randomized clinical trial evaluating the efficacy of the sandwich bone augmentation technique in increasing buccal bone thickness during implant placement. II. Tomographic, histologic, immunohistochemical, and RNA analyses. Clin Oral Implants Res. 2015;26(10):1150−1157.

101. Oh T−J, Meraw SJ, Lee E−J, Giannobile WV, Wang H−L. Comparative analysis of collagen membranes for the treatment of implant dehiscence defects. Clin Oral Implants Res. 2003;14(1):80−90.

102. Quattlebaum JB, Mellonig JT, Hensel NF. Antigenicity of freeze—dried cortical bone allograft in human periodontal osseous defects. J Periodontol. 1988;59(6):394—397.

103. Urist MR, Jurist JM, Jr., Dubuc FL, Strates BS. Quantitation of new bone formation in intramuscular implants of bone matrix in rabbits. Clin Orthop Relat Res. 1970;68:279—293.

104. Demetter RS, Calahan BG, Mealey BL. Histologic Evaluation of Wound Healing After Ridge Preservation With Cortical, Cancellous, and Combined Cortico—Cancellous Freeze—Dried Bone Allograft: A Randomized Controlled Clinical Trial. J Periodontol. 2017;88(9):860—868.

105. Aspenberg P, Thoren K. Lipid extraction enhances bank bone incorporation. An experiment in rabbits. Acta Orthop Scand. 1990;61(6):546—548.

106. Flosdorf EW, Hyatt GW. The preservation of bone grafts by freeze—drying. Surgery. 1952;31(5):716—719.

107. Urist MR, Strates BS. Bone morphogenetic protein. J Dent Res. 1971;50(6):1392—1406.

108. Jensen OT. The sinus bone graft. 2nd ed. Chicago: Quintessence Pub. Co.; 2006.

109. Buck BE, Malinin TI, Brown MD. Bone transplantation and human immunodeficiency virus. An estimate of risk of acquired immunodeficiency syndrome (AIDS). Clin Orthop Relat Res. 1989(240):129—136.

110. Scarborough NL, White EM, Hughes JV, Manrique AJ, Poser JW. Allograft safety: viral inactivation with bone demineralization. Contemp Orthop. 1995;31(4):257—261.

111. Reynolds MA, Aichelmann—Reidy ME, Branch—Mays GL, Gunsolley JC. The efficacy of bone replacement grafts in the treatment of periodontal osseous defects. A systematic review. Ann Periodontol. 2003;8(1):227—265.

112. Libin BM, Ward HL, Fishman L. Decalcified, lyophilized bone allografts for use in human periodontal defects. J Periodontol. 1975;46(1):51—56.

113. Mellonig JT. Decalcified freeze—dried bone allograft as an implant material in human periodontal defects. Int J Periodontics Restorative Dent. 1984;4(6):40—55.

114. Yukna RA, Vastardis S. Comparative evaluation of decalcified and non—decalcified freeze—dried bone allografts in rhesus monkeys. I. Histologic findings. J Periodontol. 2005;76(1):57—65.

115. Paul BF, Horning GM, Hellstein JW, Schafer DR. The osteoinductive potential of demineralized freeze—dried bone allograft in human non—orthotopic sites: a pilot study. J Periodontol. 2001;72(8):1064—1068.

116. Piattelli A, Scarano A, Corigliano M, Piattelli M. Comparison of bone regeneration with the use of mineralized and demineralized freeze—dried bone allografts: a histological and histochemical study in

man. Biomaterials. 1996;17(11):1127–1131.

117. Becker W. Treatment of small defects adjacent to oral implants with various biomaterials. Periodontol 2000. 2003;33:26–35.

118. Becker W, Urist M, Becker BE, et al. Clinical and histologic observations of sites implanted with intraoral autologous bone grafts or allografts. 15 human case reports. J Periodontol. 1996;67(10):1025–1033.

119. Schwartz Z, Mellonig JT, Carnes DL, Jr., et al. Ability of commercial demineralized freeze-dried bone allograft to induce new bone formation. J Periodontol. 1996;67(9):918–926.

120. Shigeyama Y, D'Errico JA, Stone R, Somerman MJ. Commercially-prepared allograft material has biological activity in vitro. J Periodontol. 1995;66(6):478–487.

121. Schwartz Z, Somers A, Mellonig JT, et al. Ability of commercial demineralized freeze-dried bone allograft to induce new bone formation is dependent on donor age but not gender. J Periodontol. 1998;69(4):470–478.

122. Groeneveld EH, van den Bergh JP, Holzmann P, ten Bruggenkate CM, Tuinzing DB, Burger EH. Mineralization processes in demineralized bone matrix grafts in human maxillary sinus floor elevations. J Biomed Mater Res. 1999;48(4):393–402.

123. Shanaman RH. A retrospective study of 237 sites treated consecutively with guided tissue regeneration. Int J Periodontics Restorative Dent. 1994;14(4):293–301.

124. Browaeys H, Bouvry P, De Bruyn H. A literature review on biomaterials in sinus augmentation procedures. Clin Implant Dent Relat Res. 2007;9(3):166–177.

125. Becker W, Schenk R, Higuchi K, Lekholm U, Becker BE. Variations in bone regeneration adjacent to implants augmented with barrier membranes alone or with demineralized freeze-dried bone or autologous grafts: a study in dogs. Int J Oral Maxillofac Implants. 1995;10(2):143–154.

126. Borg TD, Mealey BL. Histologic healing following tooth extraction with ridge preservation using mineralized versus combined mineralized-demineralized freeze-dried bone allograft: a randomized controlled clinical trial. J Periodontol. 2015;86(3):348–355.

127. von Arx T, Cochran DL, Hermann JS, Schenk RK, Buser D. Lateral ridge augmentation using different bone fillers and barrier membrane application. A histologic and histomorphometric pilot study in the canine mandible. Clin Oral Implants Res. 2001;12(3):260–269.

128. Cammack GV, 2nd, Nevins M, Clem DS, 3rd, Hatch JP, Mellonig JT. Histologic evaluation of mineralized and demineralized freeze-dried bone allograft for ridge and sinus augmentations. Int J Periodontics Restorative Dent. 2005;25(3):231–237.

129. Fagan MC, Owens H, Smaha J, Kao RT. Simultaneous hard and soft tissue augmentation for implants in the esthetic zone: report of 37 consecutive cases. J Periodontol. 2008;79(9):1782–1788.

130. Iasella JM, Greenwell H, Miller RL, et al. Ridge preservation with freeze–dried bone allograft and a collagen membrane compared to extraction alone for implant site development: a clinical and histologic study in humans. J Periodontol. 2003;74(7):990–999.

131. Natto ZS, Parashis A, Steffensen B, Ganguly R, Finkelman MD, Jeong YN. Efficacy of collagen matrix seal and collagen sponge on ridge preservation in combination with bone allograft: A randomized controlled clinical trial. J Clin Periodontol. 2017;44(6):649–659.

132. Fotek PD, Neiva RF, Wang HL. Comparison of dermal matrix and polytetrafluoroethylene membrane for socket bone augmentation: a clinical and histologic study. J Periodontol. 2009;80(5):776–785.

133. Froum S, Cho SC, Rosenberg E, Rohrer M, Tarnow D. Histological comparison of healing extraction sockets implanted with bioactive glass or demineralized freeze–dried bone allograft: a pilot study. J Periodontol. 2002;73(1):94–102.

134. Beck TM, Mealey BL. Histologic analysis of healing after tooth extraction with ridge preservation using mineralized human bone allograft. J Periodontol. 2010;81(12):1765–1772.

135. Sun DJ, Lim HC, Lee DW. Alveolar ridge preservation using an open membrane approach for sockets with bone deficiency: A randomized controlled clinical trial. Clin Implant Dent Relat Res. 2019;21(1):175–182.

136. Avila–Ortiz G, Elangovan S, Kramer KW, Blanchette D, Dawson DV. Effect of alveolar ridge preservation after tooth extraction: a systematic review and meta–analysis. J Dent Res. 2014;93(10):950–958.

137. Ten Heggeler JM, Slot DE, Van der Weijden GA. Effect of socket preservation therapies following tooth extraction in non–molar regions in humans: a systematic review. Clin Oral Implants Res. 2011;22(8):779–788.

138. Feuille F, Knapp CI, Brunsvold MA, Mellonig JT. Clinical and histologic evaluation of bone–replacement grafts in the treatment of localized alveolar ridge defects. Part 1: Mineralized freeze–dried bone allograft. Int J Periodontics Restorative Dent. 2003;23(1):29–35.

139. Gunther KP, Scharf HP, Pesch HJ, Puhl W. Osteointegration of solvent–preserved bone transplants in an animal model. Osteologie. 1996;5:4–12.

140. Moreau MF, Gallois Y, Basle MF, Chappard D. Gamma irradiation of human bone allografts alters medullary lipids and releases toxic compounds for osteoblast–like cells. Biomaterials. 2000;21(4):369–376.

141. Keith JD, Jr., Petrungaro P, Leonetti JA, et al. Clinical and histologic evaluation of a mineralized block allograft: results from the developmental period (2001–2004). Int J Periodontics Restorative Dent. 2006;26(4):321–327.

142. Tadic D, Beckmann F, Donath T, Epple M. Comparison of different methods for the preparation of porous bone substitution materials and structural investigations by synchrotron u–computer tomography. Werkstofftech. 2004;35(4):240–244.

143. Tadic D, Epple M. A thorough physicochemical characterisation of 14 calcium phosphate–based bone substitution materials in comparison to natural bone. Biomaterials. 2004;25(6):987–994.

144. Froum SJ, Wallace SS, Elian N, Cho SC, Tarnow DP. Comparison of mineralized cancellous bone allograft (Puros) and anorganic bovine bone matrix (Bio–Oss) for sinus augmentation: histomorphometry at 26 to 32 weeks after grafting. Int J Periodontics Restorative Dent. 2006;26(6):543–551.

145. Noumbissi SS, Lozada JL, Boyne PJ, et al. Clinical, histologic, and histomorphometric evaluation of mineralized solvent–dehydrated bone allograf (Puros) in human maxillary sinus grafts. J Oral Implantol. 2005;31(4):171–179.

146. Thompson DM, Rohrer MD, Prasad HS. Comparison of bone grafting materials in human extraction sockets: clinical, histologic, and histomorphometric evaluations. Implant Dent. 2006;15(1):89–96.

147. Minichetti JC, D'Amore JC, Hong AY. Three–year analysis of Tapered Screw–Vent implants placed into extraction sockets grafted with mineralized bone allograft. J Oral Implantol. 2005;31(6):283–293.

148. Park SH, Wang HL. Clinical significance of incision location on guided bone regeneration: human study. J Periodontol. 2007;78(1):47–51.

149. Browning ES, Mealey BL, Mellonig JT. Evaluation of a mineralized cancellous bone allograft for the treatment of periodontal osseous defects: 6–month surgical reentry. Int J Periodontics Restorative Dent. 2009;29(1):41–47.

150. Park SH, Wang HL. Management of localized buccal dehiscence defect with allografts and acellular dermal matrix. Int J Periodontics Restorative Dent. 2006;26(6):589–595.

151. Vastardis S, Yukna RA. Evaluation of allogeneic bone graft substitute for treatment of periodontal osseous defects: 6–month clinical results. Compend Contin Educ Dent. 2006;27(1):38–44.

152. Knöfler W, Barth T, Graul R, Krampe D. Retrospective analysis of 10,000 implants from insertion up to 20 years–analysis of implantations using augmentative procedures. Int J Implant Dent. 2016;2(1):25.

153. Cha HS, Kim JW, Hwang JH, Ahn KM. Frequency of bone graft in implant surgery. Maxillofac Plast Reconstr Surg. 2016;38(1):19.

154. Turhani D, Weissenbock M, Watzinger E, et al. Invitro study of adherent mandibular osteoblast–like cells on carrier materials. Int J Oral Maxillofac Surg. 2005;34(5):543–550.

155. Lin FH, Liao CJ, Chen KS, Sun JS. Preparation of a biphasic porous bioceramic by heating bovine cancellous bone with Na4P2O7.10H2O addition. Biomaterials. 1999;20(5):475–484.

156. Wenz B, Oesch B, Horst M. Analysis of the risk of transmitting bovine spongiform encephalopathy through bone grafts derived from bovine bone. Biomaterials. 2001;22(12):1599–1606.

157. Boyne PJ, Peetz M. Osseous reconstruction of the maxilla and the mandible : surgical techniques using titanium mesh and bone mineral. Chicago: Quintessence Pub. Co.; 1997.

158. Honig JF, Merten HA, Heinemann DE. Risk of transmission of agents associated with Creutzfeldt–Jakob disease and bovine spongiform encephalopathy. Plast Reconstr Surg. 1999;103(4):1324–1325.

159. Schwartz Z, Weesner T, van Dijk S, et al. Ability of deproteinized cancellous bovine bone to induce new bone formation. J Periodontol. 2000;71(8):1258–1269.

160. Taylor JC, Cuff SE, Leger JP, Morra A, Anderson GI. In vitro osteoclast resorption of bone substitute biomaterials used for implant site augmentation: a pilot study. Int J Oral Maxillofac Implants. 2002;17(3):321–330.

161. Benke D, Olah A, Mohler H. Protein–chemical analysis of Bio–Oss bone substitute and evidence on its carbonate content. Biomaterials. 2001;22(9):1005–1012.

162. Sogal A, Tofe AJ. Risk assessment of bovine spongiform encephalopathy transmission through bone graft material derived from bovine bone used for dental applications. J Periodontol. 1999;70(9):1053–1063.

163. Stavropoulos A, Kostopoulos L, Mardas N, Nyengaard JR, Karring T. Deproteinized bovine bone used as an adjunct to guided bone augmentation: an experimental study in the rat. Clin Implant Dent Relat Res. 2001;3(3):156–165.

164. Stavropoulos A, Kostopoulos L, Nyengaard JR, Karring T. Deproteinized bovine bone (Bio–Oss) and bioactive glass (Biogran) arrest bone formation when used as an adjunct to guided tissue regeneration (GTR): an experimental study in the rat. J Clin Periodontol. 2003;30(7):636–643.

165. Elgali I, Turri A, Xia W, et al. Guided bone regeneration using resorbable membrane and different bone substitutes: Early histological and molecular events. Acta Biomater. 2016;29:409–423.

166. Mordenfeld A, Aludden H, Starch–Jensen T. Lateral ridge augmentation with two different ratios of deproteinized bovine bone and autogenous bone: A 2–year follow–up of a randomized and controlled trial. Clin Implant Dent Relat Res. 2017;19(5):884–894.

167. Jensen SS, Bosshardt DD, Gruber R, Buser D. Long–term stability of contour augmentation in the esthetic zone: histologic and histomorphometric evaluation of 12 human biopsies 14 to 80 months after

augmentation. J Periodontol. 2014;85(11):1549-1556.

168. Klinge B, Alberius P, Isaksson S, Jönsson J. Osseous response to implanted natural bone mineral and synthetic hydroxylapatite ceramic in the repair of experimental skull bone defects. J Oral Maxillofac Surg. 1992;50(3):241-249.

169. Quiñones CR, Hürzeler MB, Schüpbach P, Arnold DR, Strub JR, Caffesse RG. Maxillary sinus augmentation using different grafting materials and dental implants in monkeys. Part IV. Evaluation of hydroxyapatite-coated implants. Clin Oral Implants Res. 1997;8(6):497-505.

170. Piattelli M, Favero GA, Scarano A, Orsini G, Piattelli A. Bone reactions to anorganic bovine bone (Bio-Oss) used in sinus augmentation procedures: a histologic long-term report of 20 cases in humans. Int J Oral Maxillofac Implants. 1999;14(6):835-840.

171. Hallman M, Sennerby L, Lundgren S. A clinical and histologic evaluation of implant integration in the posterior maxilla after sinus floor augmentation with autogenous bone, bovine hydroxyapatite, or a 20:80 mixture. Int J Oral Maxillofac Implants. 2002;17(5):635-643.

172. Spector M. Anorganic bovine bone and ceramic analogs of bone mineral as implants to facilitate bone regeneration. Clin Plast Surg. 1994;21(3):437-444.

173. Stephan EB, Jiang D, Lynch S, Bush P, Dziak R. Anorganic bovine bone supports osteoblastic cell attachment and proliferation. J Periodontol. 1999;70(4):364-369.

174. Tapety FI, Amizuka N, Uoshima K, Nomura S, Maeda T. A histological evaluation of the involvement of Bio-Oss in osteoblastic differentiation and matrix synthesis. Clin Oral Implants Res. 2004;15(3):315-324.

175. Jung RE, Kokovic V, Jurisic M, Yaman D, Subramani K, Weber FE. Guided bone regeneration with a synthetic biodegradable membrane: a comparative study in dogs. Clin Oral Implants Res. 2011;22(8):802-807.

176. De Angelis N, Felice P, Pellegrino G, Camurati A, Gambino P, Esposito M. Guided bone regeneration with and without a bone substitute at single post-extractive implants: 1-year post-loading results from a pragmatic multicentre randomised controlled trial. Eur J Oral Implantol. 2011;4(4):313-325.

177. Artzi Z, Kozlovsky A, Nemcovsky CE, et al. Histomorphometric evaluation of natural mineral combined with a synthetic cell-binding peptide (P-15) in critical-size defects in the rat calvaria. Int J Oral Maxillofac Implants. 2008;23(6):1063-1070.

178. Esposito M, Grusovin MG, Kwan S, Worthington HV, Coulthard P. Interventions for replacing missing teeth: bone augmentation techniques for dental implant treatment. Cochrane Database Syst Rev. 2008(3):CD003607.

179. Carpio L, Loza J, Lynch S, Genco R. Guided bone regeneration around endosseous implants with anorganic bovine bone mineral. A randomized controlled trial comparing bioabsorbable versus non-resorbable barriers. J Periodontol. 2000;71(11):1743-1749.

180. Chen ST, Darby IB, Reynolds EC. A prospective clinical study of non-submerged immediate implants: clinical outcomes and esthetic results. Clin Oral Implants Res. 2007;18(5):552-562.

181. Felice P, Marchetti C, Iezzi G, et al. Vertical ridge augmentation of the atrophic posterior mandible with interpositional bloc grafts: bone from the iliac crest vs. bovine anorganic bone. Clinical and histological results up to one year after loading from a randomized-controlled clinical trial. Clin Oral Implants Res. 2009.

182. Froum S, Cho SC, Elian N, Rosenberg E, Rohrer M, Tarnow D. Extraction sockets and implantation of hydroxyapatites with membrane barriers: a histologic study. Implant Dent. 2004;13(2):153-164.

183. Froum SJ, Tarnow DP, Wallace SS, Rohrer MD, Cho SC. Sinus floor elevation using anorganic bovine bone matrix (OsteoGraf/N) with and without autogenous bone: a clinical, histologic, radiographic, and histomorphometric analysis—Part 2 of an ongoing prospective study. Int J Periodontics Restorative Dent. 1998;18(6):528-543.

184. Fulmer NL, Bussard GM, Gampper TJ, Edlich RF. Anorganic bovine bone and analogs of bone mineral as implants for craniofacial surgery: a literature review. J Long Term Eff Med Implants. 1998;8(1):69-78.

185. Simion M, Fontana F, Rasperini G, Maiorana C. Vertical ridge augmentation by expanded-polytetrafluoroethylene membrane and a combination of intraoral autogenous bone graft and deproteinized anorganic bovine bone (Bio Oss). Clin Oral Implants Res. 2007;18(5):620-629.

186. Valentini P, Abensur DJ. Maxillary sinus grafting with anorganic bovine bone: a clinical report of long-term results. Int J Oral Maxillofac Implants. 2003;18(4):556-560.

187. Wallace SS, Froum SJ, Cho SC, et al. Sinus augmentation utilizing anorganic bovine bone (Bio-Oss) with absorbable and nonabsorbable membranes placed over the lateral window: histomorphometric and clinical analyses. Int J Periodontics Restorative Dent. 2005;25(6):551-559.

188. Hämmerle CHF, Jung RE, Yaman D, Lang NP. Ridge augmentation by applying bioresorbable membranes and deproteinized bovine bone mineral: a report of twelve consecutive cases. Clin Oral Implants Res. 2008;19(1):19-25.

189. De Santis E, Lang NP, Scala A, Viganò P, Salata LA, Botticelli D. Healing outcomes at implants installed in grafted sites: an experimental study in dogs. Clin Oral Implants Res. 2012;23(3):340-350.

190. Schwarz F, Ferrari D, Balic E, Buser D, Becker J, Sager M. Lateral ridge augmentation using equine-

and bovine–derived cancellous bone blocks: a feasibility study in dogs. Clin Oral Implants Res. 2010;21(9):904–912.

191. Schwarz F, Rothamel D, Herten M, Ferrari D, Sager M, Becker J. Lateral ridge augmentation using particulated or block bone substitutes biocoated with rhGDF–5 and rhBMP–2: an immunohistochemical study in dogs. Clin Oral Implants Res. 2008;19(7):642–652.

192. Jensen SS, Gruber R, Buser D, Bosshardt DD. Osteoclast–like cells on deproteinized bovine bone mineral and biphasic calcium phosphate: light and transmission electron microscopical observations. Clin Oral Implants Res. 2015;26(8):859–864.

193. Araújo MG, Liljenberg B, Lindhe J. Dynamics of Bio–Oss Collagen incorporation in fresh extraction wounds: an experimental study in the dog. Clin Oral Implants Res. 2010;21(1):55–64.

194. Busenlechner D, Tangl S, Arnhart C, et al. Resorption of deproteinized bovine bone mineral in a porcine calvaria augmentation model. Clin Oral Implants Res. 2012;23(1):95–99.

195. Benic GI, Hämmerle CHF. Horizontal bone augmentation by means of guided bone regeneration. Periodontol 2000. 2014;66(1):13–40.

196. John HD, Wenz B. Histomorphometric analysis of natural bone mineral for maxillary sinus augmentation. Int J Oral Maxillofac Implants. 2004;19(2):199–207.

197. Hallman M, Cederlund A, Lindskog S, Lundgren S, Sennerby L. A clinical histologic study of bovine hydroxyapatite in combination with autogenous bone and fibrin glue for maxillary sinus floor augmentation. Results after 6 to 8 months of healing. Clin Oral Implants Res. 2001;12(2):135–143.

198. Piattelli M, Favero GA, Scarano A, Orsini G, Piattelli A. Bone reactions to anorganic bovine bone (Bio–Oss) used in sinus augmentation procedures: a histologic long–term report of 20 cases in humans. Int J Oral Maxillofac Implants. 1999;14(6):835–840.

199. Valentini P, Abensur D, Densari D, Graziani JN, Hammerle C. Histological evaluation of Bio–Oss in a 2–stage sinus floor elevation and implantation procedure. A human case report. Clin Oral Implants Res. 1998;9(1):59–64.

200. Yildirim M, Spiekermann H, Biesterfeld S, Edelhoff D. Maxillary sinus augmentation using xenogenic bone substitute material Bio–Oss in combination with venous blood. A histologic and histomorphometric study in humans. Clin Oral Implants Res. 2000;11(3):217–229.

201. Yildirim M, Spiekermann H, Handt S, Edelhoff D. Maxillary sinus augmentation with the xenograft Bio–Oss and autogenous intraoral bone for qualitative improvement of the implant site: a histologic and histomorphometric clinical study in humans. Int J Oral Maxillofac Implants. 2001;16(1):23–33.

202. Hallman M, Lundgren S, Sennerby L. Histologic analysis of clinical biopsies taken 6 months and 3

years after maxillary sinus floor augmentation with 80% bovine hydroxyapatite and 20% autogenous bone mixed with fibrin glue. Clin Implant Dent Relat Res. 2001;3(2):87−96.

203. Hallman M, Sennerby L, Lundgren S. A clinical and histologic evaluation of implant integration in the posterior maxilla after sinus floor augmentation with autogenous bone, bovine hydroxyapatite, or a 20:80 mixture. Int J Oral Maxillofac Implants. 2002;17(5):635−643.

204. Stavropoulos A, Kostopoulos L, Nyengaard JR, Karring T. Deproteinized bovine bone (Bio−Oss) and bioactive glass (Biogran) arrest bone formation when used as an adjunct to guided tissue regeneration (GTR): an experimental study in the rat. J Clin Periodontol. 2003;30(7):636−643.

205. Schlegel KA, Fichtner G, Schultze−Mosgau S, Wiltfang J. Histologic findings in sinus augmentation with autogenous bone chips versus a bovine bone substitute. Int J Oral Maxillofac Implants. 2003;18(1):53−58.

206. McAllister BS, Margolin MD, Cogan AG, Buck D, Hollinger JO, Lynch SE. Eighteen−month radiographic and histologic evaluation of sinus grafting with anorganic bovine bone in the chimpanzee. Int J Oral Maxillofac Implants. 1999;14(3):361−368.

207. Levine RA, McAllister BS. Implant Site Development Using Ti−Mesh and Cellular Allograft in the Esthetic Zone for Restorative−Driven Implant Placement: A Case Report. Int J Periodontics Restorative Dent. 2016;36(3):373−381.

208. Benic GI, Bernasconi M, Jung RE, Hämmerle CHF. Clinical and radiographic intra−subject comparison of implants placed with or without guided bone regeneration: 15−year results. J Clin Periodontol. 2017;44(3):315−325.

209. Buser D, Chappuis V, Bornstein MM, Wittneben J−G, Frei M, Belser UC. Long−term stability of contour augmentation with early implant placement following single tooth extraction in the esthetic zone: a prospective, cross−sectional study in 41 patients with a 5− to 9−year follow−up. J Periodontol. 2013;84(11):1517−1527.

210. Asai S, Shimizu Y, Ooya K. Maxillary sinus augmentation model in rabbits: effect of occluded nasal ostium on new bone formation. Clin Oral Implants Res. 2002;13(4):405−409.

211. Johansson B, Grepe A, Wannfors K, Hirsch JM. A clinical study of changes in the volume of bone grafts in the atrophic maxilla. Dentomaxillofac Radiol. 2001;30(3):157−161.

212. Sbordone C, Toti P, Guidetti F, Califano L, Bufo P, Sbordone L. Volume changes of autogenous bone after sinus lifting and grafting procedures: a 6−year computerized tomographic follow−up. J Craniomaxillofac Surg. 2013;41(3):235−241.

213. 김종식, 박태일, 서현수, et al. 탈단백 우골과 제3인산칼슘을 이용한 상악동 골이식 후 이식재의 높이

변화 – 파노라마 방사선 사진을 이용한 후향적 대조 연구. 대한구강악안면외과학회지. 2008;34:468–474.

214. Wanschitz F, Figl M, Wagner A, Rolf E. Measurement of volume changes after sinus floor augmentation with a phycogenic hydroxyapatite. Int J Oral Maxillofac Implants. 2006;21(3):433–438.

215. Hatano N, Shimizu Y, Ooya K. A clinical long–term radiographic evaluation of graft height changes after maxillary sinus floor augmentation with a 2:1 autogenous bone/xenograft mixture and simultaneous placement of dental implants. Clin Oral Implants Res. 2004;15(3):339–345.

216. Gultekin BA, Borahan O, Sirali A, Karabuda ZC, Mijiritsky E. Three–Dimensional Assessment of Volumetric Changes in Sinuses Augmented with Two Different Bone Substitutes. Biomed Res Int. 2016;2016:4085079.

217. Shanbhag S, Shanbhag V, Stavropoulos A. Volume changes of maxillary sinus augmentations over time: a systematic review. Int J Oral Maxillofac Implants. 2014;29(4):881–892.

218. Jensen T, Schou S, Svendsen PA, et al. Volumetric changes of the graft after maxillary sinus floor augmentation with Bio–Oss and autogenous bone in different ratios: a radiographic study in minipigs. Clin Oral Implants Res. 2012;23(8):902–910.

219. Stavropoulos A, Kostopoulos L, Nyengaard JR, Karring T. Fate of bone formed by guided tissue regeneration with or without grafting of Bio–Oss or Biogran. An experimental study in the rat. J Clin Periodontol. 2004;31(1):30–39.

220. Wessing B, Lettner S, Zechner W. Guided Bone Regeneration with Collagen Membranes and Particulate Graft Materials: A Systematic Review and Meta–Analysis. Int J Oral Maxillofac Implants. 2018;33(1):87–100–187–100.

221. Thoma DS, Bienz SP, Figuero E, Jung RE, Sanz–Martín I. Efficacy of lateral bone augmentation performed simultaneously with dental implant placement: A systematic review and meta–analysis. J Clin Periodontol. 2019;46 Suppl 21:257–276.

222. Sanz–Sánchez I, Carrillo de Albornoz A, Figuero E, et al. Effects of lateral bone augmentation procedures on peri–implant health or disease: A systematic review and meta–analysis. Clin Oral Implants Res. 2018;29 Suppl 15:18–31.

223. Machtei EE. The effect of membrane exposure on the outcome of regenerative procedures in humans: a meta–analysis. J Periodontol. 2001;72(4):512–516.

224. Sanz–Sánchez I, Ortiz–Vigón A, Sanz–Martín I, Figuero E, Sanz M. Effectiveness of Lateral Bone Augmentation on the Alveolar Crest Dimension: A Systematic Review and Meta–analysis. J Dent Res. 2015;94(9 Suppl):128S–142S.

225. De Risi V, Clementini M, Vittorini G, Mannocci A, De Sanctis M. Alveolar ridge preservation techniques: a systematic review and meta-analysis of histological and histomorphometrical data. Clin Oral Implants Res. 2015;26(1):50-68.

226. Avila-Ortiz G, Chambrone L, Vignoletti F. Effect of alveolar ridge preservation interventions following tooth extraction: A systematic review and meta-analysis. J Clin Periodontol. 2019;46 Suppl 21:195-223.

227. Araújo MG, Lindhe J. Ridge alterations following tooth extraction with and without flap elevation: an experimental study in the dog. Clin Oral Implants Res. 2009;20(6):545-549.

228. Fickl S, Zuhr O, Wachtel H, Bolz W, Huerzeler M. Tissue alterations after tooth extraction with and without surgical trauma: a volumetric study in the beagle dog. J Clin Periodontol. 2008;35(4):356-363.

229. Benic GI, Ge Y, Gallucci GO, Jung RE, Schneider D, Hämmerle CH. Guided bone regeneration and abutment connection augment the buccal soft tissue contour: 3-year results of a prospective comparative clinical study. Clin Oral Implants Res. 2017;28(2):219-225.

230. Jemt T, Lekholm U. Single implants and buccal bone grafts in the anterior maxilla: measurements of buccal crestal contours in a 6-year prospective clinical study. Clin Implant Dent Relat Res. 2005;7(3):127-135.

231. Pjetursson BE, Tan WC, Zwahlen M, Lang NP. A systematic review of the success of sinus floor elevation and survival of implants inserted in combination with sinus floor elevation. J Clin Periodontol. 2008;35(8 Suppl):216-240.

232. Chiapasco M, Zaniboni M, Boisco M. Augmentation procedures for the rehabilitation of deficient edentulous ridges with oral implants. Clin Oral Implants Res. 2006;17 Suppl 2:136-159.

233. Esposito M, Grusovin MG, Coulthard P, Worthington HV. The efficacy of various bone augmentation procedures for dental implants: a Cochrane systematic review of randomized controlled clinical trials. Int J Oral Maxillofac Implants. 2006;21(5):696-710.

234. Del Fabbro M, Testori T, Francetti L, Weinstein R. Systematic review of survival rates for implants placed in the grafted maxillary sinus. Int J Periodontics Restorative Dent. 2004;24(6):565-577.

235. Wallace SS, Froum SJ. Effect of maxillary sinus augmentation on the survival of endosseous dental implants. A systematic review. Ann Periodontol. 2003;8(1):328-343.

236. Friedmann A, Strietzel FP, Maretzki B, Pitaru S, Bernimoulin J-P. Histological assessment of augmented jaw bone utilizing a new collagen barrier membrane compared to a standard barrier membrane to protect a granular bone substitute material. Clin Oral Implants Res. 2002;13(6):587-594.

237. Zitzmann NU, Schärer P, Marinello CP, Schüpbach P, Berglundh T. Alveolar ridge augmentation with Bio-Oss: a histologic study in humans. Int J Periodontics Restorative Dent. 2001;21(3):288-295.

238. Elnayef B, Monje A, Gargallo-Albiol J, Galindo-Moreno P, Wang H-L, Hernández-Alfaro F. Vertical Ridge Augmentation in the Atrophic Mandible: A Systematic Review and Meta-Analysis. Int J Oral Maxillofac Implants. 2017;32(2):291-312.

239. Urban IA, Montero E, Monje A, Sanz-Sánchez I. Effectiveness of vertical ridge augmentation interventions: A systematic review and meta-analysis. J Clin Periodontol. 2019;46 Suppl 21:319-339.

240. Fontana F, Santoro F, Maiorana C, Iezzi G, Piattelli A, Simion M. Clinical and histologic evaluation of allogeneic bone matrix versus autogenous bone chips associated with titanium-reinforced e-PTFE membrane for vertical ridge augmentation: a prospective pilot study. The International journal of oral & maxillofacial implants. 2008;23(6):1003-1012.

241. Todisco M. Early loading of implants in vertically augmented bone with non-resorbable membranes and deproteinised anorganic bovine bone. An uncontrolled prospective cohort study. Eur J Oral Implantol. 2010;3(1):47-58.

242. Canullo L, Trisi P, Simion M. Vertical ridge augmentation around implants using e-PTFE titanium-reinforced membrane and deproteinized bovine bone mineral (bio-oss): A case report. Int J Periodontics Restorative Dent. 2006;26(4):355-361.

243. Chan H-L, Benavides E, Tsai C-Y, Wang H-L. A Titanium Mesh and Particulate Allograft for Vertical Ridge Augmentation in the Posterior Mandible: A Pilot Study. Int J Periodontics Restorative Dent. 2015;35(4):515-522.

244. Merten HA, Wiltfang J, Grohmann U, Hoenig JF. Intraindividual comparative animal study of alpha- and beta-tricalcium phosphate degradation in conjunction with simultaneous insertion of dental implants. J Craniofac Surg. 2001;12(1):59-68.

245. Zerbo IR, Bronckers AL, de Lange G, Burger EH. Localisation of osteogenic and osteoclastic cells in porous beta-tricalcium phosphate particles used for human maxillary sinus floor elevation. Biomaterials. 2005;26(12):1445-1451.

246. Horch HH, Sader R, Pautke C, Neff A, Deppe H, Kolk A. Synthetic, pure-phase beta-tricalcium phosphate ceramic granules (Cerasorb) for bone regeneration in the reconstructive surgery of the jaws. Int J Oral Maxillofac Surg. 2006;35(8):708-713.

247. Jensen SS, Broggini N, Hjorting-Hansen E, Schenk R, Buser D. Bone healing and graft resorption of autograft, anorganic bovine bone and beta-tricalcium phosphate. A histologic and histomorphometric study in the mandibles of minipigs. Clin Oral Implants Res. 2006;17(3):237-243.

248. Artzi Z, Kozlovsky A, Nemcovsky CE, Weinreb M. The amount of newly formed bone in sinus grafting procedures depends on tissue depth as well as the type and residual amount of the grafted material. J Clin Periodontol. 2005;32(2):193−199.

249. Ozyuvaci H, Bilgic B, Firatli E. Radiologic and histomorphometric evaluation of maxillary sinus grafting with alloplastic graft materials. J Periodontol. 2003;74(6):909−915.

250. Artzi Z, Weinreb M, Givol N, et al. Biomaterial resorption rate and healing site morphology of inorganic bovine bone and beta−tricalcium phosphate in the canine: a 24−month longitudinal histologic study and morphometric analysis. Int J Oral Maxillofac Implants. 2004;19(3):357−368.

251. Szabo G, Huys L, Coulthard P, et al. A prospective multicenter randomized clinical trial of autogenous bone versus beta−tricalcium phosphate graft alone for bilateral sinus elevation: histologic and histomorphometric evaluation. Int J Oral Maxillofac Implants. 2005;20(3):371−381.

252. Zijderveld SA, Zerbo IR, van den Bergh JP, Schulten EA, ten Bruggenkate CM. Maxillary sinus floor augmentation using a beta−tricalcium phosphate (Cerasorb) alone compared to autogenous bone grafts. Int J Oral Maxillofac Implants. 2005;20(3):432−440.

253. Wiltfang J, Schlegel KA, Schultze−Mosgau S, Nkenke E, Zimmermann R, Kessler P. Sinus floor augmentation with beta−tricalciumphosphate (beta−TCP): does platelet−rich plasma promote its osseous integration and degradation? Clin Oral Implants Res. 2003;14(2):213−218.

254. Govindaraj S, Costantino PD, Friedman CD. Current use of bone substitutes in maxillofacial surgery. Facial Plast Surg. 1999;15(1):73−81.

255. Artzi Z, Weinreb M, Givol N, et al. Biomaterial resorption rate and healing site morphology of inorganic bovine bone and beta−tricalcium phosphate in the canine: a 24−month longitudinal histologic study and morphometric analysis. Int J Oral Maxillofac Implants. 2004;19(3):357−368.

256. Daculsi G, LeGeros RZ, Nery E, Lynch K, Kerebel B. Transformation of biphasic calcium phosphate ceramics in vivo: ultrastructural and physicochemical characterization. J Biomed Mater Res. 1989;23(8):883−894.

257. Mihatovic I, Becker J, Golubovic V, Hegewald A, Schwarz F. Influence of two barrier membranes on staged guided bone regeneration and osseointegration of titanium implants in dogs. Part 2: augmentation using bone graft substitutes. Clin Oral Implants Res. 2012;23(3):308−315.

258. Schmidlin PR, Nicholls F, Kruse A, Zwahlen RA, Weber FE. Evaluation of moldable, in situ hardening calcium phosphate bone graft substitutes. Clin Oral Implants Res. 2013;24(2):149−157.

259. Schwarz F, Mihatovic I, Golubovic V, Hegewald A, Becker J. Influence of two barrier membranes on staged guided bone regeneration and osseointegration of titanium implants in dogs: part

1. Augmentation using bone graft substitutes and autogenous bone. Clin Oral Implants Res. 2012;23(1):83-89.

260. Cordaro L, Bosshardt DD, Palattella P, Rao W, Serino G, Chiapasco M. Maxillary sinus grafting with Bio-Oss or Straumann Bone Ceramic: histomorphometric results from a randomized controlled multicenter clinical trial. Clin Oral Implants Res. 2008;19(8):796-803.

261. Froum SJ, Wallace SS, Cho S-C, Elian N, Tarnow DP. Histomorphometric comparison of a biphasic bone ceramic to anorganic bovine bone for sinus augmentation: 6- to 8-month postsurgical assessment of vital bone formation. A pilot study. Int J Periodontics Restorative Dent. 2008;28(3):273-281.

262. Mardas N, Chadha V, Donos N. Alveolar ridge preservation with guided bone regeneration and a synthetic bone substitute or a bovine-derived xenograft: a randomized, controlled clinical trial. Clin Oral Implants Res. 2010;21(7):688-698.

263. Van Assche N, Michels S, Naert I, Quirynen M. Randomized controlled trial to compare two bone substitutes in the treatment of bony dehiscences. Clin Implant Dent Relat Res. 2013;15(4):558-568.

264. Whitman DH, Berry RL, Green DM. Platelet gel: an autologous alternative to fibrin glue with applications in oral and maxillofacial surgery. J Oral Maxillofac Surg. 1997;55(11):1294-1299.

265. Jovani-Sancho MD, Sheth CC, Marqués-Mateo M, Puche-Torres M. Platelet-Rich Plasma: A Study of the Variables that May Influence Its Effect on Bone Regeneration. Clin Implant Dent Relat Res. 2016;18(5):1051-1064.

266. Wilson S, Pell P, Donegan E. HIV-1 transmission following the use of cryoprecipitated fibrinogen as gel/adhesive. Transfusion. 1991;31(8 Suppl):51S.

267. Carmagnola D, Berglundh T, Araújo M, Albrektsson T, Lindhe J. Bone healing around implants placed in a jaw defect augmented with Bio-Oss. An experimental study in dogs. J Clin Periodontol. 2000;27(11):799-805.

268. Carmagnola D, Berglundh T, Lindhe J. The effect of a fibrin glue on the integration of Bio-Oss with bone tissue. A experimental study in labrador dogs. J Clin Periodontol. 2002;29(5):377-383.

269. Hallman M, Nordin T. Sinus floor augmentation with bovine hydroxyapatite mixed with fibrin glue and later placement of nonsubmerged implants: a retrospective study in 50 patients. Int J Oral Maxillofac Implants. 2004;19(2):222-227.

270. Corrente G, Abundo R, Cardaropoli G, Martuscelli G, Trisi P. Supracrestal bone regeneration around dental implants using a calcium carbonate and a fibrin-fibronectin sealing system: clinical and histologic evidence. Int J Periodontics Restorative Dent. 1997;17(2):170-181.

271. Cardaropoli D, Gaveglio L, Cardaropoli G. Vertical ridge augmentation with a collagen membrane,

bovine bone mineral and fibrin sealer: clinical and histologic findings. Int J Periodontics Restorative Dent. 2013;33(5):583–589.

272. Komori T, Yagi H, Nomura S, et al. Targeted disruption of Cbfa1 results in a complete lack of bone formation owing to maturational arrest of osteoblasts. Cell. 1997;89(5):755–764.

273. Hassan MQ, Tare RS, Lee SH, et al. BMP2 commitment to the osteogenic lineage involves activation of Runx2 by DLX3 and a homeodomain transcriptional network. J Biol Chem. 2006;281(52):40515–40526.

274. Urist MR. Bone: formation by autoinduction. Science. 1965;150(3698):893–899.

275. Salazar VS, Gamer LW, Rosen V. BMP signalling in skeletal development, disease and repair. Nat Rev Endocrinol. 2016;12(4):203–221.

276. Bowers G, Felton F, Middleton C, et al. Histologic comparison of regeneration in human intrabony defects when osteogenin is combined with demineralized freeze-dried bone allograft and with purified bovine collagen. J Periodontol. 1991;62(11):690–702.

277. Even J, Eskander M, Kang J. Bone morphogenetic protein in spine surgery: current and future uses. J Am Acad Orthop Surg. 2012;20(9):547–552.

278. Fiorellini JP, Howell TH, Cochran D, et al. Randomized study evaluating recombinant human bone morphogenetic protein-2 for extraction socket augmentation. J Periodontol. 2005;76(4):605–613.

279. Shimono K, Oshima M, Arakawa H, Kimura A, Nawachi K, Kuboki T. The effect of growth factors for bone augmentation to enable dental implant placement: A systematic review. Japanese Dental Science Review. 2010;46(1):43–53.

280. Boyne PJ, Marx RE, Nevins M, et al. A feasibility study evaluating rhBMP-2/absorbable collagen sponge for maxillary sinus floor augmentation. Int J Periodontics Restorative Dent. 1997;17(1):11–25.

281. Lin GH, Lim G, Chan HL, Giannobile WV, Wang HL. Recombinant human bone morphogenetic protein 2 outcomes for maxillary sinus floor augmentation: a systematic review and meta-analysis. Clin Oral Implants Res. 2016;27(11):1349–1359.

282. Freitas RM, Spin-Neto R, Marcantonio Junior E, Pereira LA, Wikesjö UM, Susin C. Alveolar ridge and maxillary sinus augmentation using rhBMP-2: a systematic review. Clin Implant Dent Relat Res. 2015;17 Suppl 1:e192–201.

283. Kelly MP, Vaughn OL, Anderson PA. Systematic Review and Meta-Analysis of Recombinant Human Bone Morphogenetic Protein-2 in Localized Alveolar Ridge and Maxillary Sinus Augmentation. J Oral Maxillofac Surg. 2016;74(5):928–939.

284. Yon J, Lee JS, Lim HC, et al. Pre-clinical evaluation of the osteogenic potential of bone morphogenetic

protein-2 loaded onto a particulate porcine bone biomaterial. J Clin Periodontol. 2015;42(1):81-88.

285. Kim HJ, Chung JH, Shin SY, et al. Efficacy of rhBMP-2/Hydroxyapatite on Sinus Floor Augmentation: A Multicenter, Randomized Controlled Clinical Trial. J Dent Res. 2015;94(9 Suppl):158s-165s.

286. Stavropoulos A, Wikesjö UM. Growth and differentiation factors for periodontal regeneration: a review on factors with clinical testing. J Periodontal Res. 2012;47(5):545-553.

287. Marx RE, Armentano L, Olavarria A, Samaniego J. rhBMP-2/ACS grafts versus autogenous cancellous marrow grafts in large vertical defects of the maxilla: an unsponsored randomized open-label clinical trial. Int J Oral Maxillofac Implants. 2013;28(5):e243-251.

288. Pieri F, Corinaldesi G, Fini M, Aldini NN, Giardino R, Marchetti C. Alveolar ridge augmentation with titanium mesh and a combination of autogenous bone and anorganic bovine bone: a 2-year prospective study. J Periodontol. 2008;79(11):2093-2103.

289. Jung RE, Glauser R, Schärer P, Hämmerle CH, Sailer HF, Weber FE. Effect of rhBMP-2 on guided bone regeneration in humans. Clin Oral Implants Res. 2003;14(5):556-568.

290. Jung RE, Windisch SI, Eggenschwiler AM, Thoma DS, Weber FE, Hämmerle CH. A randomized-controlled clinical trial evaluating clinical and radiological outcomes after 3 and 5 years of dental implants placed in bone regenerated by means of GBR techniques with or without the addition of BMP-2. Clin Oral Implants Res. 2009;20(7):660-666.

291. de Freitas RM, Susin C, Spin-Neto R, et al. Horizontal ridge augmentation of the atrophic anterior maxilla using rhBMP-2/ACS or autogenous bone grafts: a proof-of-concept randomized clinical trial. J Clin Periodontol. 2013;40(10):968-975.

292. Kim YJ, Lee JY, Kim JE, Park JC, Shin SW, Cho KS. Ridge preservation using demineralized bone matrix gel with recombinant human bone morphogenetic protein-2 after tooth extraction: a randomized controlled clinical trial. J Oral Maxillofac Surg. 2014;72(7):1281-1290.

293. Herford AS, Miller M, Signorino F. Maxillofacial Defects and the Use of Growth Factors. Oral Maxillofac Surg Clin North Am. 2017;29(1):75-88.

294. Shah P, Keppler L, Rutkowski J. Bone morphogenic protein: an elixir for bone grafting—a review. J Oral Implantol. 2012;38(6):767-778.

295. James AW, LaChaud G, Shen J, et al. A Review of the Clinical Side Effects of Bone Morphogenetic Protein-2. Tissue Eng Part B Rev. 2016;22(4):284-297.

296. Hunziker EB, Enggist L, Küffer A, Buser D, Liu Y. Osseointegration: the slow delivery of BMP-2 enhances osteoinductivity. Bone. 2012;51(1):98-106.

297. Ribeiro Filho SA, Francischone CE, de Oliveira JC, Ribeiro LZ, do Prado FZ, Sotto—Maior BS. Bone augmentation of the atrophic anterior maxilla for dental implants using rhBMP—2 and titanium mesh: histological and tomographic analysis. Int J Oral Maxillofac Surg. 2015;44(12):1492—1498.

298. Triplett RG, Nevins M, Marx RE, et al. Pivotal, randomized, parallel evaluation of recombinant human bone morphogenetic protein—2/absorbable collagen sponge and autogenous bone graft for maxillary sinus floor augmentation. J Oral Maxillofac Surg. 2009;67(9):1947—1960.

299. Harrison P. Platelet function analysis. Blood Rev. 2005;19(2):111—123.

300. Dohan Ehrenfest DM, Andia I, Zumstein MA, Zhang CQ, Pinto NR, Bielecki T. Classification of platelet concentrates (Platelet—Rich Plasma—PRP, Platelet—Rich Fibrin—PRF) for topical and infiltrative use in orthopedic and sports medicine: current consensus, clinical implications and perspectives. Muscles Ligaments Tendons J. 2014;4(1):3—9.

301. Matras H. [Effect of various fibrin preparations on reimplantations in the rat skin]. Osterr Z Stomatol. 1970;67(9):338—359.

302. Marx RE. Platelet—rich plasma (PRP): what is PRP and what is not PRP? Implant Dent. 2001;10(4):225—228.

303. Marx RE, Carlson ER, Eichstaedt RM, Schimmele SR, Strauss JE, Georgeff KR. Platelet—rich plasma: Growth factor enhancement for bone grafts. Oral Surg Oral Med Oral Pathol Oral Radiol Endod. 1998;85(6):638—646.

304. Dohan DM, Choukroun J, Diss A, et al. Platelet—rich fibrin (PRF): a second—generation platelet concentrate. Part I: technological concepts and evolution. Oral Surg Oral Med Oral Pathol Oral Radiol Endod. 2006;101(3):e37—44.

305. Borie E, Oliví DG, Orsi IA, et al. Platelet—rich fibrin application in dentistry: a literature review. Int J Clin Exp Med. 2015;8(5):7922—7929.

306. Dohan DM, Choukroun J, Diss A, et al. Platelet—rich fibrin (PRF): a second—generation platelet concentrate. Part II: platelet—related biologic features. Oral Surg Oral Med Oral Pathol Oral Radiol Endod. 2006;101(3):e45—50.

307. Dohan DM, Choukroun J, Diss A, et al. Platelet—rich fibrin (PRF): a second—generation platelet concentrate. Part III: leucocyte activation: a new feature for platelet concentrates? Oral Surg Oral Med Oral Pathol Oral Radiol Endod. 2006;101(3):e51—55.

308. Zumarán CC, Parra MV, Olate SA, Fernández EG, Muñoz FT, Haidar ZS. The 3 R's for Platelet—Rich Fibrin: A "Super" Tri—Dimensional Biomaterial for Contemporary Naturally—Guided Oro—Maxillo—Facial Soft and Hard Tissue Repair, Reconstruction and Regeneration. Materials (Basel). 2018;11(8).

309. O'Connell SM. Safety issues associated with platelet—rich fibrin method. Oral Surg Oral Med Oral Pathol Oral Radiol Endod. 2007;103(5):587; author reply 587—593.

310. Singer AJ, Clark RA. Cutaneous wound healing. N Engl J Med. 1999;341(10):738—746.

311. Marx RE. Platelet—rich plasma: evidence to support its use. J Oral Maxillofac Surg. 2004;62(4):489—496.

312. Camargo PM, Lekovic V, Weinlaender M, Vasilic N, Madzarevic M, Kenney EB. A reentry study on the use of bovine porous bone mineral, GTR, and platelet—rich plasma in the regenerative treatment of intrabony defects in humans. Int J Periodontics Restorative Dent. 2005;25(1):49—59.

313. Hanna R, Trejo PM, Weltman RL. Treatment of intrabony defects with bovine—derived xenograft alone and in combination with platelet—rich plasma: a randomized clinical trial. J Periodontol. 2004;75(12):1668—1677.

314. Lekovic V, Camargo PM, Weinlaender M, Vasilic N, Kenney EB. Comparison of platelet—rich plasma, bovine porous bone mineral, and guided tissue regeneration versus platelet—rich plasma and bovine porous bone mineral in the treatment of intrabony defects: a reentry study. J Periodontol. 2002;73(2):198—205.

315. Froum SJ, Wallace SS, Tarnow DP, Cho SC. Effect of platelet—rich plasma on bone growth and osseointegration in human maxillary sinus grafts: three bilateral case reports. Int J Periodontics Restorative Dent. 2002;22(1):45—53.

316. Furst G, Gruber R, Tangl S, et al. Sinus grafting with autogenous platelet—rich plasma and bovine hydroxyapatite. A histomorphometric study in minipigs. Clin Oral Implants Res. 2003;14(4):500—508.

317. Tözüm TF, Demiralp B. Platelet—rich plasma: a promising innovation in dentistry. J Can Dent Assoc. 2003;69(10):664.

318. Sánchez AR, Sheridan PJ, Kupp LI. Is platelet—rich plasma the perfect enhancement factor? A current review. Int J Oral Maxillofac Implants. 2003;18(1):93—103.

319. Aghaloo TL, Moy PK, Freymiller EG. Evaluation of platelet—rich plasma in combination with anorganic bovine bone in the rabbit cranium: a pilot study. Int J Oral Maxillofac Implants. 2004;19(1):59—65.

320. Plachokova AS, Nikolidakis D, Mulder J, Jansen JA, Creugers NH. Effect of platelet—rich plasma on bone regeneration in dentistry: a systematic review. Clin Oral Implants Res. 2008;19(6):539—545.

321. Boyapati L, Wang HL. The role of platelet—rich plasma in sinus augmentation: a critical review. Implant Dent. 2006;15(2):160—170.

322. Dohan Ehrenfest DM, Rasmusson L, Albrektsson T. Classification of platelet concentrates: from pure platelet—rich plasma (P—PRP) to leucocyte— and platelet—rich fibrin (L—PRF). Trends Biotechnol.

2009;27(3):158-167.

323. Miron RJ, Zucchelli G, Pikos MA, et al. Use of platelet-rich fibrin in regenerative dentistry: a systematic review. Clin Oral Investig. 2017;21(6):1913-1927.

324. Toffler M TN, Holtzclaw D, Corso M, Dohan D. Introducing Choukroun's platelet rich fibrin (PRF) to the reconstructive surgery milieu. u J Implant Adv Clin Dent. 2009(1):22-31.

325. Choukroun J, Diss A, Simonpieri A, et al. Platelet-rich fibrin (PRF): a second-generation platelet concentrate. Part IV: clinical effects on tissue healing. Oral Surg Oral Med Oral Pathol Oral Radiol Endod. 2006;101(3):e56-60.

326. Clark RA. Fibrin and wound healing. Ann N Y Acad Sci. 2001;936:355-367.

327. Dohan Ehrenfest DM, Del Corso M, Diss A, Mouhyi J, Charrier JB. Three-dimensional architecture and cell composition of a Choukroun's platelet-rich fibrin clot and membrane. J Periodontol. 2010;81(4):546-555.

328. Schär MO, Diaz-Romero J, Kohl S, Zumstein MA, Nesic D. Platelet-rich concentrates differentially release growth factors and induce cell migration in vitro. Clin Orthop Relat Res. 2015;473(5):1635-1643.

329. Yang LC, Hu SW, Yan M, Yang JJ, Tsou SH, Lin YY. Antimicrobial activity of platelet-rich plasma and other plasma preparations against periodontal pathogens. J Periodontol. 2015;86(2):310-318.

330. Khorshidi H, Raoofi S, Bagheri R, Banihashemi H. Comparison of the Mechanical Properties of Early Leukocyte- and Platelet-Rich Fibrin versus PRGF/Endoret Membranes. Int J Dent. 2016;2016:1849207.

331. Castro AB, Meschi N, Temmerman A, et al. Regenerative potential of leucocyte- and platelet-rich fibrin. Part A: intra-bony defects, furcation defects and periodontal plastic surgery. A systematic review and meta-analysis. J Clin Periodontol. 2017;44(1):67-82.

332. Temmerman A, Vandessel J, Castro A, et al. The use of leucocyte and platelet-rich fibrin in socket management and ridge preservation: a split-mouth, randomized, controlled clinical trial. J Clin Periodontol. 2016;43(11):990-999.

333. Marenzi G, Riccitiello F, Tia M, di Lauro A, Sammartino G. Influence of Leukocyte- and Platelet-Rich Fibrin (L-PRF) in the Healing of Simple Postextraction Sockets: A Split-Mouth Study. Biomed Res Int. 2015;2015:369273.

334. Thakkar DJ, Deshpande NC, Dave DH, Narayankar SD. A comparative evaluation of extraction socket preservation with demineralized freeze-dried bone allograft alone and along with platelet-rich fibrin: A clinical and radiographic study. Contemp Clin Dent. 2016;7(3):371-376.

335. Lin CY, Chen Z, Pan WL, Wang HL. Effect of Platelet-Rich Fibrin on Ridge Preservation in Perspective of Bone Healing: A Systematic Review and Meta-analysis. Int J Oral Maxillofac Implants. 2019;34(4):845-854.

336. Xiang X, Shi P, Zhang P, Shen J, Kang J. Impact of platelet-rich fibrin on mandibular third molar surgery recovery: a systematic review and meta-analysis. BMC Oral Health. 2019;19(1):163.

337. Tajima N, Ohba S, Sawase T, Asahina I. Evaluation of sinus floor augmentation with simultaneous implant placement using platelet-rich fibrin as sole grafting material. Int J Oral Maxillofac Implants. 2013;28(1):77-83.

338. Mazor Z, Horowitz RA, Del Corso M, Prasad HS, Rohrer MD, Dohan Ehrenfest DM. Sinus floor augmentation with simultaneous implant placement using Choukroun's platelet-rich fibrin as the sole grafting material: a radiologic and histologic study at 6 months. J Periodontol. 2009;80(12):2056-2064.

339. Ortega-Mejia H, Estrugo-Devesa A, Saka-Herrán C, Ayuso-Montero R, López-López J, Velasco-Ortega E. Platelet-Rich Plasma in Maxillary Sinus Augmentation: Systematic Review. Materials (Basel). 2020;13(3).

340. Nizam N, Eren G, Akcalı A, Donos N. Maxillary sinus augmentation with leukocyte and platelet-rich fibrin and deproteinized bovine bone mineral: A split-mouth histological and histomorphometric study. Clin Oral Implants Res. 2018;29(1):67-75.

341. Liu R, Yan M, Chen S, Huang W, Wu D, Chen J. Effectiveness of Platelet-Rich Fibrin as an Adjunctive Material to Bone Graft in Maxillary Sinus Augmentation: A Meta-Analysis of Randomized Controlled Trails. Biomed Res Int. 2019;2019:7267062.

342. Strauss FJ, Stähli A, Gruber R. The use of platelet-rich fibrin to enhance the outcomes of implant therapy: A systematic review. Clin Oral Implants Res. 2018;29 Suppl 18(Suppl Suppl 18):6-19.

343. Castro AB, Meschi N, Temmerman A, et al. Regenerative potential of leucocyte- and platelet-rich fibrin. Part B: sinus floor elevation, alveolar ridge preservation and implant therapy. A systematic review. J Clin Periodontol. 2017;44(2):225-234.

Remaking
the bone

골증강술의 외과적 원칙

골증강술은 외과적 처치이다. 따라서 우리는 골증강술의 이론적 원칙과 실제 처치 과정에 모두 친숙해져야만 한다. 실제 처치 과정도 단순히 수술도를 쥐는 법, 골막 기자로 피판을 박리하는 법, 니들 홀더로 봉합을 하는 법 등 전적으로 술기와 연관된 부분이 있고 절개선의 위치 설정 방법과 그 이유에 대한 이해, 피판의 장력을 이완해야 하는 이유와 어느 정도로 이완시켜야 하는가에 대한 지식, 차폐막을 고정하는 이유와 방법의 선택등 근거 중심적 지식을 요하는 부분도 있다. 술기에만 전적으로 관련된 부분을 향상시키는 데에는 전문가의 대면 교육과 술자의 연습이 가장 효율적이다. 여기에서는 골증강술과 관련된 술식 전반에 대한 근거 중심 치의학적 배경 지식과 실제 적용 방법에 대해 설명하도록 하겠다.

1.
절개와 피판 형성

골증강술의 시작과 끝은 치조골과 골증강 재료를 피개하는 점막을 절개하고 폐쇄하는 과정이다. 골증강부는 치유 기간동안 점막의 보호를 받고 있어야 하므로 절개와 폐쇄는 매우 중요하다. 적절한 이식 재료(골이식재, 차폐막)를 선택하여 적용하는 것도 매우 중요하지만, 사실 성공적인 골증강을 위해 가장 중요한 요소는 치유 기간 중 피판이 열개되어 수술 부위가 노출되는 것을 막는 것이다. 피판 변연이 열개되어 골증강부가 노출되는 것은 골증강술 후 가장 흔할 뿐만 아니라 골증강의 결과에 가장 악영향을 미치는 합병증이다.[1-5]

피판이 열개되지 않도록 하기 위해서는 봉합 시 피판 변연에서 발생하는 장력을 없애 주는 과정이 가장 중요하긴 하지만 수술 전에 점막의 상태를 면밀하게 진단하고 절개 및 피판 형성을 외과적 원칙에 따라 형성해 주는 과정 또한 중요하다.

1) 피판의 형성과 폐쇄를 위한 점막의 진단

수술 전 확인해야 하는 점막의 상태에는 다음과 같은 것들이 있다(📂 1-1, 📷 1-1).[6]

📂 1-1 수술 전 확인해야 하는 점막의 상태		
피판 열개의 위험도	낮음	높음
협측 각화 점막의 폭	2–3 mm 이상	2–3 mm 미만
점막의 두께	두꺼움(1 mm 이상)	얇음(1 mm 미만)
구강 전정 깊이	깊음	얕음
소대 부착	없음	높게 부착됨

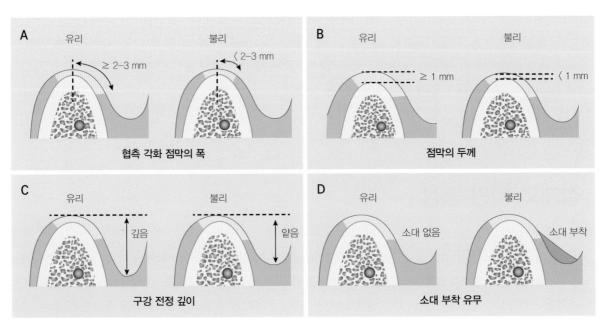

📷 1-1 골증강술 전 확인해야 하는 수술부 점막의 상태
A. 협측 각화 점막의 폭 **B.** 점막의 두께 **C.** 구강 전정 깊이 **D.** 소대 부착 유무

(1) 피판의 협설측으로 각각 2 mm 이상의 각화 점막이 존재하는 것이 좋다.

임플란트 식립부의 점막은 치조정 주위의 각화 점막(저작 점막)과 치근단측의 비각화 점막(이장 점막)으로 나눌 수 있다. 이 두 종류의 점막의 특징은 📑 1-2와 같다(📷 1-2).[7]

	저작 점막(masticatory mucosa)	이장 점막(lining mucosa)
상피	각화 상피	비각화 상피
결합 조직	• 치밀하고 교원질이 풍부함 • 탄성 섬유는 존재하지 않음 • 고유층은 골막과 단단히 결합됨 • 점막하 조직은 얇거나 없음	• 교원질이 상대적으로 적음 • 많은 양의 탄성 섬유 존재 • 고유층 하방의 점막하 조직은 근육이나 골막과 느슨하게 결합됨
기능	경구개, 치은과 같이 유동성이 없는 부위에서 저작 등의 기능 시에 하방의 조직을 보호하는 역할을 함	하방 조직(주로 근육)의 수축과 신장에 따라 같이 움직이며 쿠션과 같은 역할을 함

📑 **1-2 각화 점막(저작 점막)과 비각화 점막(이장 점막)의 특징**

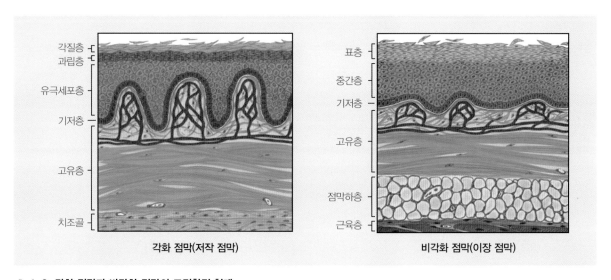

📷 **1-2 각화 점막과 비각화 점막의 조직학적 형태**

자연치 상실 후에는 치조골의 광범위한 흡수가 뒤따른다. 치조골이 흡수되면 치조정에서 치은 점막 경계까지의 수직적 거리가 줄어들기 때문에 각화 점막의 수직적 폭도 뒤따라 줄어들게 된다.[8] 임플란트 치과학에서는 임플란트 주위 각화 점막의 수직적 폭이 2 mm 미만이면 치료가 완료된 임플란트 주위에 염증성 질환이 발생할 수 있다는 일정 정도의 근거가 존재하기 때문에 각화 점막의 폭은 많은 관심을 받아왔다.[9] 각화 점막의 존재와 임플란트 주위 질환과의 관계는 이 책의 주제와 직접적인 상관성은 없지만 최신 연구들의 연구 결과를 요약하면 다음과 같다.[9-13]

① 각화 점막이 결손되면 잇솔질 시 통증이 유발되며 이로 인해 환자는 구강 위생 관리 능력이 저하된다. 따라서 각화 점막이 결손된 임플란트 주위에서는 더 많은 치태가 침착되고 더 많은 임플란트 주위 점막염에 이환된다. 이는 특히 구강 위생이 불량한 환자에서 더 문제가 될 수 있다.

② 약한 임플란트 주위 염증성 질환(임플란트 주위 점막염)은 각화 점막이 결손된 부위에서 확실히 더 자주 발생하지만 심한 임플란트 주위 염증성 질환(임플란트 주위염)은 각화 점막이 결손되어 있더라도 더 자주 발생하지 않는다.

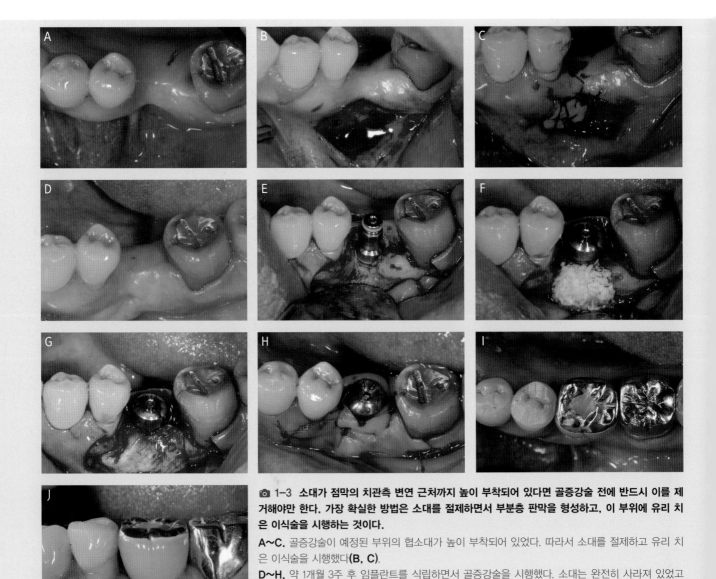

📷 1-3 **소대가 점막의 치관측 변연 근처까지 높이 부착되어 있다면 골증강술 전에 반드시 이를 제거해야만 한다. 가장 확실한 방법은 소대를 절제하면서 부분층 판막을 형성하고, 이 부위에 유리 치은 이식술을 시행하는 것이다.**

A~C. 골증강술이 예정된 부위의 협소대가 높이 부착되어 있었다. 따라서 소대를 절제하고 유리 치은 이식술을 시행했다(**B, C**).
D~H. 약 1개월 3주 후 임플란트를 식립하면서 골증강술을 시행했다. 소대는 완전히 사라져 있었고 각화 점막이 두텁게 형성되어 있었다(**D**). 작은 열개 결손은 동결 건조 동종골과 천연 교원질 차폐막으로 수복해 주었다(**F, G**).
I~J. 약 5개월 후 최종 보철물을 장착했다.

③ 임플란트 주위 각화 점막의 "적절한" 폭은 일반적으로 2 mm 이상으로 생각된다. 그러나 이는 엄정한 과학적인 근거에 의한 것은 아니며, 아직까지도 논쟁의 여지가 남아있다.

④ 치료가 완료된 임플란트 주위에 각화 점막이 결손되어 있다고 해서 반드시 각화 점막 증진술을 시행할 필요는 없다. 그러나 임플란트 주위 점막이 심하게 퇴축되거나, 다른 원인 없이 반복적인 염증이 발생하거나, 소대가 높이 부착돼서 점막 변연이 심하게 움직이거나, 환자가 양치 시에 많은 불편감을 호소하면 즉시 각화 점막 증강술을 시행하는 것이 좋다(📷 1-3).

한편 봉합 시 설측과 협측 피판 변연부에는 모두 충분한 양의 각화 점막이 존재하는 것이 좋다.[14] 그 이유는 다음과 같다(📷 1-4).

① 비각화 점막은 봉합 시 가해지는 장력에 저항성이 약하고, 따라서 열개가 발생할 가능성이 높다.[15,16]
② 비각화 점막은 각화 점막에 비해 혈관이 더 풍부하게 존재하기 때문에 술 후 부종과 염증이 발생할 가능성이 높다.[17]
③ 비각화 점막에 함입된 구강 주위 근육 섬유나 소대(frenum)는 기능 중 피판을 견인하기 때문에 창상 열개의 가능성을 더욱 높여줄 수 있다.
④ 비각화 점막은 각화 점막에 비해 봉합사 주변에 더 심한 염증 반응을 유발할 수 있다.[18,19] 비각화 점막을 통과하는 봉합사 주변으로는 세균과 염증 세포가 더 많이 침윤된다.[19]

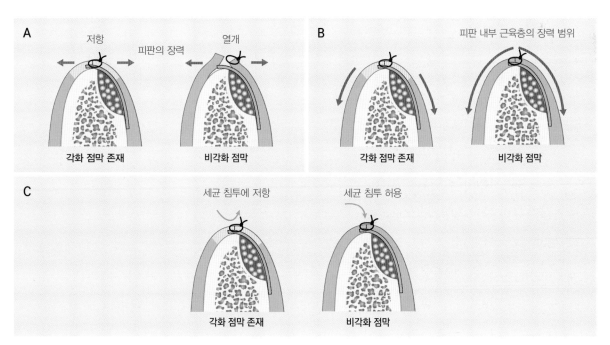

📷 **1-4 골증강부 폐쇄 시 각화 점막이 존재할 때의 유리한 점들**
A. 각화 점막은 비각화 점막에 비해 피판 변연에 가해지는 장력에 더 잘 저항할 수 있으며, 따라서 피판 열개의 가능성을 줄여줄 수 있다.
B. 각화 점막에는 근육이 부착되어 있지 않기 때문에 구강 기능 중 점막에 장력이 가해지지 않고 안정적으로 유지될 수 있다.
C. 각화 점막은 비각화 점막에 비해 세균 침투에 더 잘 저항한다.

  Chao 등은 각화 점막의 폭이 3 mm 이상이어야 창상 열개의 위험성을 줄여줄 수 있다고 했다.[6] 이들은 각화 점막의 폭이 3 mm 미만이면 폭이 3 mm 이상일 때보다 절개부의 열개 발생 빈도가 거의 두 배 가까이 증가했다고 했다. 저자의 개인적인 경험으로는 협설측 피판 변연에 각각 최소 2 mm 이상의 각화 점막은 존재하는 것이 좋다고 생각된다.

  각화 점막의 폭이 협설측에서 모두 2 mm 미만이면서 다음 조건 중 하나를 만족할 때에는 골증강술 2-3개월 전에 미리 유리 치은 이식술(free gingival graft, FGG)을 시행한다(📷 1-5).

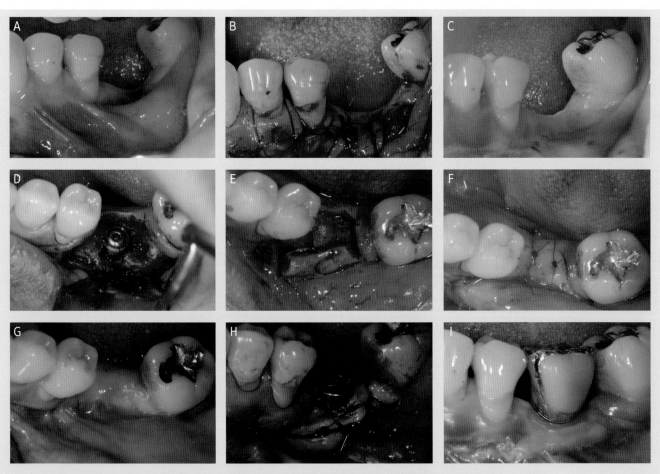

📷 **1-5 몇몇 극단적인 경우에는 골증강술 2-3개월 전에 미리 각화 점막의 폭을 늘려주기 위해 유리 치은 이식술을 시행한다.**
A~B. 이전에 실패한 골증강술에 의해 구강 전정이 극단적으로 낮아지고 소대가 높이 부착되어 있던 증례이다. 일차적으로 유리 치은 이식술을 시행했다.
C~F. 약 2개월 1주 후 임플란트 식립과 골유도 재생술을 시행했다. 골증강술 전에 소대는 확실히 제거가 되어 있었지만 전정의 깊이는 여전히 매우 낮은 편이었다(**C**).
G~H. 약 4개월 10일 후 2차 수술을 시행하면서 전정 깊이를 늘리기 위해 재차 유리 치은 이식술과 근단 변위 판막술을 시행했다(**H**).
I. 다시 2개월 후의 모습이다. 임플란트 보철물 주위에 충분한 양의 각화 점막이 형성되었고 전정의 깊이 또한 충분히 깊어졌다.

- 소대가 거의 치조정 부근까지 높게 부착된 경우
- 수직적 결손이나 광범위한 수평적 결손 등, 골증강 후 피판에 큰 장력이 가해지고 피판의 광범위한 치관측 이동이 예상되는 경우
- 이전의 골증강 실패로 인해 피판이 반흔화하여 유동성이 저하된 경우

일반적으로 전치부보다는 구치부에서 각화 점막의 폭은 더 좁으며, 따라서 구치부에서 임플란트 주위 염증성 질환이 더 많이 발생한다.[20] 또한 상악 구치부보다는 하악 구치부에서 각화 점막이 결여된 경우가 훨씬 더 많다. 한 단면 연구에 의하면 임플란트 치료가 완료된 환자군 중, 하악 구치부에서는 53.8%의 증례에서 각화 점막 폭이 2 mm 미만이었던 반면, 상악 구치부에서는 17.6%만이 각화 점막 폭의 2 mm 미만이었다.[21] 다른 단면 연구에서도, 특히 하악 구치부에서 각화 점막이 결손될 가능성이 높다는 점을 지적한 바 있다.[12]

각화 점막을 증진시킬 수 있는 가장 확실한 방법은 근단 변위 판막술 후 환자의 경구개나 상악 결절부에서 채취한 유리 치은을 이식하는 것이다(📷 1-6).[22] 유리 치은 이식술은 여전히 각화 점막을 증진시키는 방법의 황금 기준이다.[23,24] 한 메타분석에 의하면 유리 치은 이식술을 적용하면 각화 점막의 폭을 최종적으로 평균 2.5 mm 증가시킬 수 있었다.[25] 다른 메타분석에서는 원래 각화 점막의 폭이 2 mm 미만인 증례에서는 유리 치은 이식술을 통해 각화 점막의 폭을 최종적으로 평균 2.61 mm 증가시킬 수 있다고 했다.[26] 이식된 각화 치은은 수술 3개월 후까지 수축되다가 이후 안정된다.[26] 한 연구에서 이식된 각화 점막의 폭은 1개월 후 평균 59.7% 수축됐기 때문에 2-3 mm의 각화 점막 폭을 확보하기 위해서는 적어도 6-7 mm 폭의 각화 점막을 이식해야만 한다.[25]

(2) 점막의 두께가 얇으면 골증강술 시 많은 주의를 기울여야 한다.

점막의 두께 또한 중요한 고려 요소이다. 골증강술에 있어 두꺼운 점막의 장점은 다음과 같다.

① 점막이 두꺼워지면 기계적인 강도가 증가하기 때문에 피판에 가해지는 장력에 더 잘 저항할 수 있다.[16]
② 점막이 두꺼우면 수술 후 재혈관화가 빠르다.[27]
③ 골재생을 증진시킨다.[28] 장력이 가해지는 조건에서 점막의 두께가 술식의 성공에 중요한 요소라는 점은, 치관 변위 판막술에 의한 치근 피복의 성공이 점막 피판의 두께에 영향을 받는다는 임상 연구들의 결과로 알 수 있다.[29,30]

최근에 발표된 한 전향적 증례 연구에서는 임플란트 수술부의 피판 열개와 장력 간의 상관관계에 대해 매우 의미 있는 결과를 도출했다. 이 연구에서는 골증강술을 동반하거나 동반하지 않은 임플란트 수술을 시행한 60명의 환자에서 피판 변연에 가해지는 장력과 피판 변연의 두께를 측정하고, 이것이 수술 7일 후 수술부 열개의 발생 유무에 미치는 영향을 평가했다.[31] 피판 변연에 가해지는 장력이 0.10 N 이하일 때에는 열개가 거의 발생하지 않았고, 피판의 두께 또한 열개 발생에 영향을 미치지 않았다. 그러나 장력의 크기가 0.10 N을 초과하면 열개의 발생 빈도가 현저히 증가했고, 0.15 N을 초과하면 피판 두께 1 mm를 기준으로 그 이상일 때보다 미만

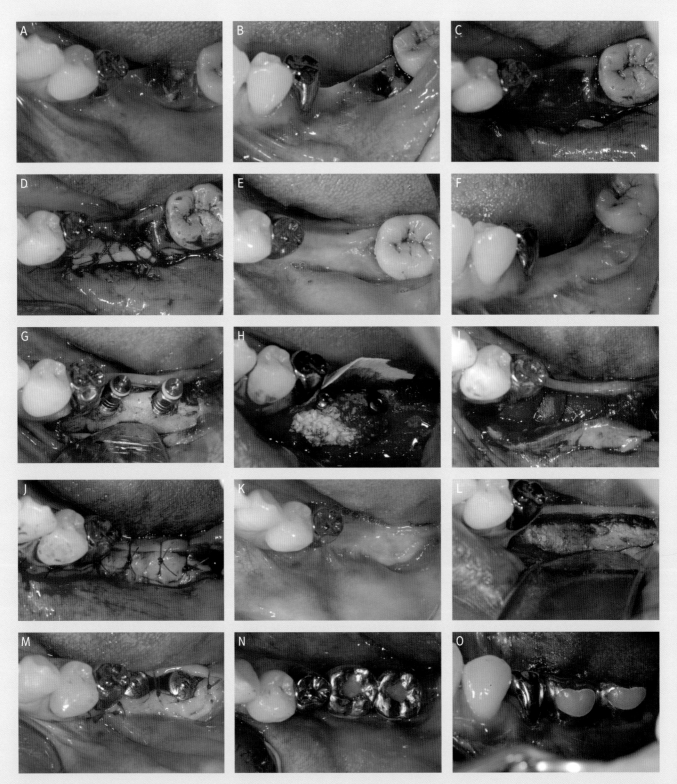

📷 1-6 각화 점막의 폭을 증진시킬 수 있는 가장 확실한 방법은 점막 이식 수혜부에 근단 변위 판막술을 시행한 후 노출된 골막에 상악에서 채취한 유리 치은을 이식하는 것이다.

A~D. 임플란트 식립부의 각화 점막은 결손되어 있었고 소대 또한 치조정 근처까지 높이 부착되어 있었다. 따라서 잔존 치근을 발거하면서 각화 점막 증진술을 시행했다. 부분층 피판 거상 및 근단 변위 판막술을 시행한 후**(C)** 구개에서 채취한 유리 치은을 이식했다**(D)**.

E~J. 유리 치은 이식술 시행 2개월 후 임플란트를 식립했다. 유리 치은 이식 전과 비교하여 각화 점막의 폭은 현저히 증가했으며 소대 또한 근단측으로 이동했다**(A, B**와 **E, F** 비교**)**. 약간의 열개 결손이 발생했으며 이를 동결 건조 동종골과 교차 결합 교원질 차폐막으로 수복했다.

K~M. 4개월 후 2차 수술을 시행했다. 임플란트 식립 시 골증강술을 시행하면서 협측 점막은 치관측으로 변위됐기 때문에 각화 점막의 폭은 약간 감소했다**(K)**. 골결손부는 완전히 수복된 상태였다**(L)**.

N~O. 2개월 후 최종 보철물을 연결했다.

일 때 열개의 발생 빈도가 유의하게 더 많이 발생했다. 이는 수술부 열개이 발생에 있어서 피판 변연에 가해지는 장력이 가장 중요하게 작용하지만, 일정 정도 이상의 장력(> 0.15 N)이 가해지는 상태에서는 피판의 두께(1 mm 기준)가 보조적으로 열개 발생에 유의하게 영향을 미친다는 사실을 보여주는 것이다(📷 1-7).

점막이 얇은 환자에서 골증강술 전에 점막 두께를 증가시킬 수 있도록 유리 결합 조직 이식이나 무세포성 동종/이종 진피 이식을 고려할 수도 있긴 하지만, 이러한 목적으로 점막 증강술을 시행하는 경우가 흔하지는 않다. 따라서 점막의 두께가 1 mm 미만으로 얇은 증례에서는 골증강술 중 많은 주의를 기울여야 한다.

① 피판 형성 중 의도치 않게 피판이 찢어질 수 있기 때문에 절개와 피판 거상에 최대한 주의한다.
② 블록골이나 티타늄 메쉬 등의 변연이 예리하면 치유 기간 중 점막이 천공될 수 있으므로 단단한 이식 재료를 사용할 때에는 반드시 그 변연을 부드럽게 처리해야 한다.
③ 골증강술 후 폐쇄 시에 점막에 가해지는 장력을 없앨 수 있도록 최선의 노력을 기울여야 한다.

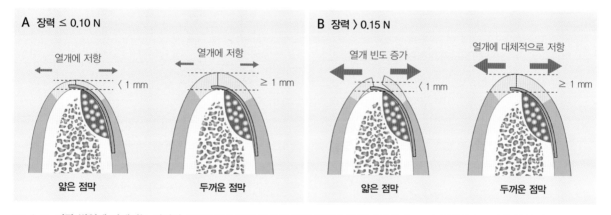

📷 1-7 **피판 변연에 가해지는 장력이 골증강부의 열개 발생에 있어 가장 중요한 요소이다. 그러나 장력의 크기가 일정 정도를 넘으면 점막의 두께도 약간의 영향을 미칠 수 있다.**
A. 피판 변연에서의 장력이 0.10 N 이하이면 점막의 두께와 상관없이 거의 열개가 발생하지 않는다.
B. 피판 변연에서의 장력이 0.15 N을 초과하면 점막 두께 1 mm를 기준으로 그 이상일 때가 미만일 때보다 열개에 더 잘 저항한다.

(3) 구강 전정의 깊이가 낮으면 수술부를 폐쇄하기가 어렵다.

특히 치조골이 수직적으로 흡수가 심하면 구강 전정의 깊이는 낮아진다. 또한 구강 전정 깊이가 낮으면 각화 점막의 폭도 유의하게 줄어든다. 한 단면 연구에 의하면, 전정 깊이가 4 mm 이하인 곳에 식립된 임플란트 주위의 각화 점막은 그 폭이 평균 1.24 mm였던 반면, 전정 깊이가 4 mm를 초과하는 곳에 식립된 임플란트 주위의 각화 점막은 그 폭이 평균 2.38 mm였으며 이는 서로 유의한 차이를 보이는 것이었다.[32] 즉, 골의 결손이 심할수록 전정 깊이는 낮아지고, 전정 깊이가 낮을수록 각화 점막의 폭도 줄어드는 것이다(📷 1-8). 따라서 전정 깊이가 낮으면 수술부를 폐쇄하는 데 있어서 여러 가지 어려움을 초래할 수 있다.[33]

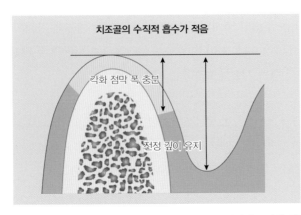
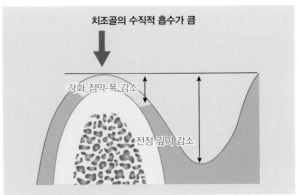

📷 1-8 골의 수직적 흡수가 클수록 전정 깊이는 낮아지고 각화 점막의 폭은 좁아진다.

① 구강 전정 깊이가 낮을 때 일차 폐쇄를 얻기 힘든 이유(📷 1-9)

- 수직적 골결손의 양과 구강 전정 깊이는 반비례하는 경향이 있기 때문에 구강 전정 깊이가 낮으면 일차 폐쇄를 위해 피판을 치관측으로 변위시켜야 하는 양이 커진다.

- 구강 전정 깊이가 낮으면 각화 점막의 폭이 좁아지는 경향이 있다. 앞서 설명한 바와 같이 각화 점막이 좁거나 결손되어 있으면 일차 폐쇄를 이루더라도 다시 열개될 가능성이 높아진다.[14]

- 구강 전정이 낮으면 점막의 높이도 낮으며, 이에 따라 피판의 수직적 길이가 짧아진다. 따라서 피판의 유동성도 적어지기 때문에 일차 폐쇄를 이루기 위해서는 피판을 더 광범위하게 거상해야 하고 피판 폐쇄 시에는 더 많은 장력을 가해야 한다.[6,34]

- 피판의 수직적 길이가 짧아지기 때문에 피판의 저부는 구륜근(orbicularis oris muscle)이나 협근(buccinator muscle)에 가까워지거나 이 근육층을 포함하게 된다. 이러한 근육은 치유 기간 중 피판에 장력을 가해서 피판 열개를 유발할 수 있다. 따라서 이러한 근육의 영향을 없애기 위해 골막 절개보다 더 깊게 근육층까지 이완 절개를 가해야 한다.[6,35]

구강 전정의 깊이가 극단적으로 낮은 증례는 수직적 결손이 심한 하악 구치부에서 자주 마주칠 수 있다. 극단적인 증례에서는 수술부를 일차 폐쇄하면 협점막이 치조정에 직접 부착된 느낌이 들 수도 있을 정도이다. 이러한 증례는 크게 세 가지 방법으로 극복한다.[6,34,35]

- 각화 점막의 결손이 심하면 골증강술 전에 "유리 치은 이식+전정 성형술(근단 변위 판막술)"을 통해 각화 점막을 증진하고 전정 깊이를 증가시킨다(📷 1-10).

- 피판의 치관측 전위량이 많기 때문에 이를 측방에서 보상해 주어야 한다. 따라서 피판을 좌우로 넓게 형성한다.

- 골막 이완 절개를 가할 때 골막을 넘어 그 하방의 근육층까지 피판에서 분리해 주어야 한다.

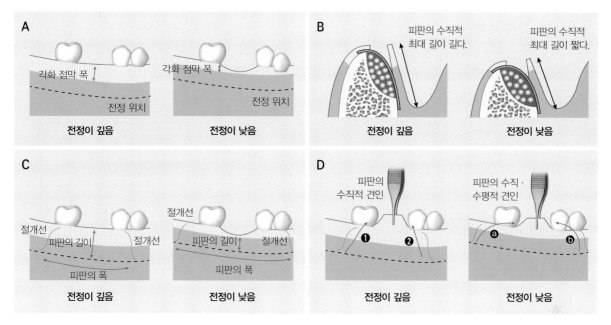

📷 **1-9 골증강부 폐쇄 시 전정 깊이에 따른 고려 사항**

A. 전정이 깊을수록 각화 점막의 폭은 넓어지는 경향을 보인다. 따라서 수술부 폐쇄에 더 유리하다. **B.** 전정이 깊을수록 피판의 수직적 길이 또한 더 길어진다. 피판의 수직적 길이가 길어질수록 일차 폐쇄에 더 유리해진다. **C.** 전정이 깊으면 피판의 수직적 길이가 길어지므로 피판의 폭을 넓게 형성할 필요가 없다. 반면 전정이 낮으면 피판의 수직적 길이가 짧아지므로 피판의 유동성을 위해 피판의 폭을 넓게 형성해야 한다. 즉, 수직적 절개선을 수술부 전후방으로 더 멀리 형성해 주어야 한다. **D.** 전정이 낮으면 피판의 치관측 변위를 위해 전후방 피판을 수평적으로 변위시켜야 한다. 즉, 전정이 깊은 부위에서 피판의 수직적 이동량인 ❶은 전정이 낮은 부위에서 피판의 수직적, 수평적 이동량인 ⓐ와 같아지도록 피판을 전후방으로 넓게 형성해야 한다. ❷와 ⓑ도 같은 원리로 동일한 길이가 되도록 해야 한다.

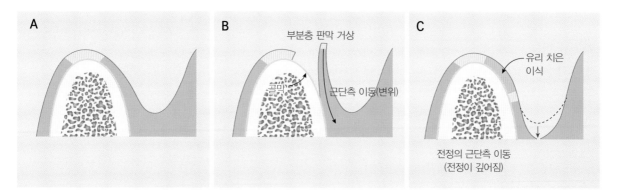

📷 **1-10** 구강 전정의 깊이가 너무 낮으면 골증강술 2-3개월 전에 각화 점막 증진술과 전정 성형술을 동시에 시행해 주는 것이 좋다. 이는 각화 점막 증진 술식과 사실상 동일한 술식이다.

411

2) 피판 설계의 원칙

(1) 구강 점막은 협측과 설측에서 서로 완전히 분리된 혈류 공급을 받는다.

피판을 형성하는 데 있어 가장 중요하게 고려해야 할 요소는 피판으로의 안정적인 혈류 공급이다.[36] 따라서 임플란트 수술 시 형성할 피판을 설계하기 위해서는 구강 점막으로의 혈류 공급에 대한 이해가 선행되어야만 한다. 1970년대에 행해진 일련의 형광 물질 혈관 조영술(fluorescein angiography) 연구들을 통해 생체에서 구강 점막 내로의 혈류 공급에 대한 이해가 가능해졌다. 치주 수술을 시행한 치주 조직에서의 혈류 변화는 다음과 같았다.[37]

- 치은으로의 혈류 공급은 수평 방향이 아닌 수직 방향으로 이루어진다.
- 피판을 거상하면 24시간 후 혈류량이 50%로 감소하지만 96시간 후에는 절개선 부위를 제외하고는 혈류량이 거의 정상적으로 회복된다.
- 치은 점막 경계(mucogingival junction)를 넘어 치근단측으로 너무 길게 수직 절개를 가하면 피판에 공급되는 혈류는 현저히 감소한다.
- 피판의 저부(base)가 좁으면 치유 초기에 혈류량이 크게 감소한다.

또한 2005년에 발표된 Kleinheinz 등의 주목할 만한 사체 연구에 의해 구강 점막으로의 혈류 공급에 대한 완전한 이해가 가능해졌다.[38] 이 연구에 의하면 구강 내 점막은 협측과 설측에서 각각 분리된 혈류 공급을 받는데 각 부위에서 혈액을 공급하는 동맥은 📑 1-3과 같다.

📑 1-3 구강 내 점막으로의 혈류 공급

상악/하악	전후 위치	협측(순측)	설측(구개측)
상악	전치부	• 안면동맥(facial artery) • 부분적으로 안와하동맥(infraorbital artery)	• 하행구개동맥(2/3 영역) • 전상치조동맥(1/3 영역)
	구치부	안와하동맥	하행구개동맥(descending palatine artery)
하악	전치부	• 50%의 인구에서 전적으로 하순동맥 (inferior labial artery) • 50%의 인구에서 하순동맥과 부분적으로 이동맥(mental artery)	• 73%의 인구에서 전적으로 이하동맥 (submental artery) • 27%의 인구에서 이하동맥과 부분적으로 설하동맥(sublingual artery)
	구치부	안면동맥	

이 연구 결과들에서 특히 주목하고 반드시 기억해야 할 점은 다음 사실들이다(📷 1-11).

① 구강 점막으로 혈류를 공급하는 동맥은 항상 후방에서 전방으로 주행한다.
② 주요 동맥은 치조정선과 평행하게 주행하며 중간중간 치은 가지(gingival branch)가 치조정 쪽으로 분지한다.

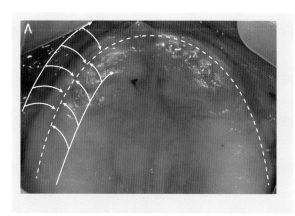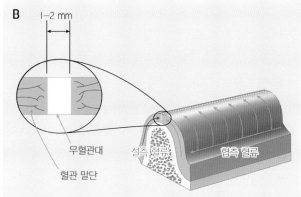

📷 **1-11 구강 점막의 혈류 공급**
A. 협측과 설측은 치조정을 중심으로 서로 완전히 분리된 혈류를 공급받으며 동맥은 후방에서 전방을 향한다. **B.** 무치악 치조정에는 1–2 mm 폭의 무혈관대가 존재한다. 각각 치조정으로 향하는 협측과 설측의 동맥은 이 무혈관대를 경계로 하여 서로 분리되어 있다.

③ 무치악 치조정에는 1–2 mm 폭의 무혈관대(avascular zone)가 존재한다. 각각 치조정으로 향하는 협측과 설측의 동맥은 이 무혈관대를 경계로 하여 서로 분리되어 있다.

(2) 피판을 설계할 때 가장 중요한 것은 피판으로의 혈류 공급을 최대화하는 것이다.

임플란트 골증강술에 있어 기본적인 피판의 형태는 하나의 수평 절개와 전후방 수직 절개로 이루어진, 치관측보다 근단측이 넓은 사다리꼴이다(📷 **1-12**). 사다리꼴 피판은 형성하기 쉽고, 간단하며, 예지성 높은 결과를 보인다.[39-41] 피판을 거상했다가 봉합을 통해 재위치시키면 피판 내 혈류량은 현저히 감소한다. 치아가 존재하는 상태에서 피판을 거상하면 수술 3일 후에는 혈류량이 현저하게 감소하며, 7일 후에는 치아의 협측 중앙부 점막은 혈류량이 수술 전과 비슷하게 회복되지만 치간부는 감소한 혈류량이 회복되지 못하고 유지된다.[42]

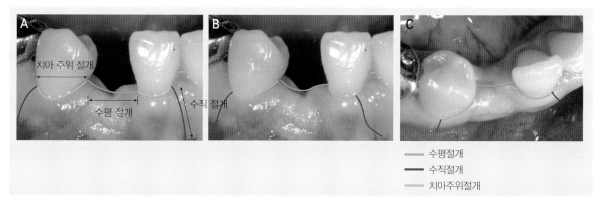

📷 **1-12 임플란트 수술 시 절개선의 구분과 그 위치**
임플란트 수술 시 절개선은 기본적으로 수평 절개, 치아 주위 절개, 수직 절개로 구분할 수 있다.

피판 형성을 해부학적 고려 없이 부적절하게 해주면 이렇게 감소한 혈류량이 회복되지 못하고 피판은 결국 열개될 것이다. 피판으로의 혈류량이 감소하면 피판의 열개 가능성은 확실하게 증가한다.[43] 이러한 면에서 피판의 길이와 폭의 비율은 피판의 생존을 위해 중요한 고려 사항으로 생각되었다. 피판 저부가 넓을수록 포함되는 혈관의 수도 많아지는 것은 사실이며 큰 혈관도 포함될 가능성이 커지기 때문에 가능하면 피판 저부를 넓게, 즉 피판의 길이에 비해 폭을 가급적 크게 형성하는 것이 좋다.[44] 과거에는 구강 내 수술 시 피판의 크기와는 관계없이 피판의 길이와 폭의 비율이 2–2.5:1 이하이면 안전하다고 간주해 왔다(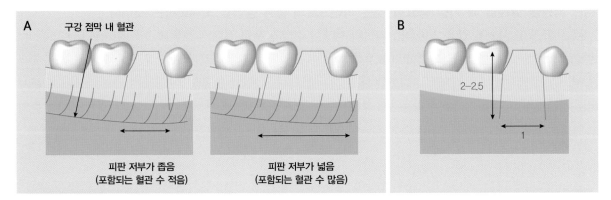 1–13).[37,44,45] 그러나 성형외과 영역에서는 이미 피판의 길이—폭 비율과 피판의 생존이 비례할 것이라는 단순한 개념은 파기되었다. 피판의 길이와 폭의 비율보다 더 중요한 것은 바로 피판으로 얼마나 혈류를 잘 공급할 수 있는가이다. 한 연구에 의하면 피부 피판의 생존은 단순히 피판의 폭이 아니라 피판 저부에 포함된 혈관의 수와 관계되었다(물론 피판 저부가 넓으면 포함된 혈관의 수가 많아질 가능성도 증가할 것이다).[46]

임플란트 골증강술의 피판 설계 시 또 한 가지 고려할 사항은 골증강 재료와 피판 변연, 즉 절개선과의 거리이다. 절개선은 골증강부로부터 충분한 거리가 떨어져 있어야 한다. 수평 절개는 어차피 골증강부 상부에 가해야 하기 때문에 어쩔 수 없지만, 수직 절개는 차폐막 변연으로부터 최소 2–3 mm 정도는 떨어져 있는 것이 좋다. 결국 골증강술에서의 수직 절개선 위치는 임플란트만 식립할 때보다 전후방으로 더 멀리 가해야 한다.

📷 **1–13 피판 저부의 폭**
A. 피판 저부의 폭이 넓어지면 당연히 포함되는 혈관의 수도 많아지기 때문에 피판의 생존과 치유에 유리해진다. **B.** 지금도 틀리다고는 할 수 없지만 과거에는 구강 내 수술 시 피판의 크기와는 관계없이 피판의 길이와 폭의 비율이 2–2.5:1 이하이면 안전하다고 단순하게 간주해 왔다.

3) 수평 절개

(1) 임플란트 골증강술 시 수평 절개의 종류

임플란트 식립을 위한 수평 절개는, 절개선의 위치에 따라서는 설측(구개측) 절개, 치조정 절개, 전정 절개 등으로 구분할 수 있으며 피판의 두께에 따라서는 전층 절개와 부분층—전층 절개로 나눌 수 있다(📷 1–14).

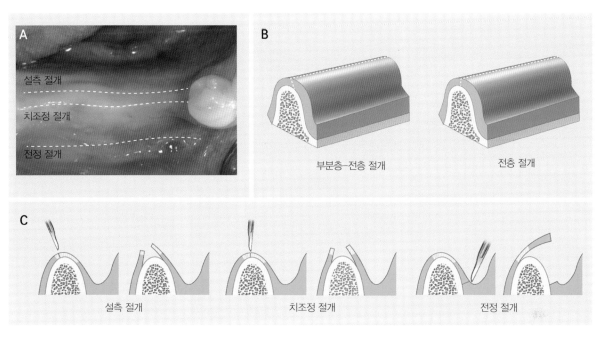

📷 **1-14 수평 절개의 구분**

① 전정 절개(vestibular incision)

Branemark의 고전적 프로토콜에서는 수평 절개를 구강 전정부에 가했다. 따라서 임플란트 식립을 위한 수평 절개의 시초는 바로 전정 절개라고 할 수 있다.[47] Branemark이 전정 절개를 시행한 가장 근본적인 이유는 임플란트 매식체 상방에 절개선을 형성하지 않음으로써 "수술 부위 직상방에 절개선을 두지 않는다"는 일반적인 절개의 원칙을 지키기 위해서였다. 전정 절개의 부가적인 장점으로는 시야 확보가 매우 좋다는 점, 임플란트 식립이 용이하다는 점, 봉합이 쉽다는 점 등이 있다.[48] 전정 절개의 단점으로는 치유 과정 중의 창상 수축에 의해 구강 전정 높이가 낮아진다는 점, 절개가 가해지는 가동성 점막에 반흔이 형성되어 환자가 불편해할 수 있다는 점, 그리고 발사(stitch out)가 어렵다는 점 등이 있다.[49] 전정 절개를 가하면 협측 피판으로의 혈류 공급이 매우 불량해지기 때문에 현재는 거의 사용되지 않고 있다.

② 치조정 절개(crestal incision, 또는 midcrestal incision)

치조정 절개는 골증강술 시 가장 많이 사용되고 있는 절개 방법이다. 현재 대부분의 전문가들은 골증강술 시행 여부와 관계없이 수평 절개를 치조정 상에 가하고 있다. 이 방법에서는 치조정에 위치한 각화 점막에 절개를 가하게 되기 때문에 출혈이 적고, 시술 중/시술 후 환자의 동통과 불편감이 적으며, 수술 부위를 빠르게 노출 시킬 수 있다는 장점이 있다(📷 **1-15**).[50] 반면 임플란트 매식체와 골이식 부위의 바로 상방에 절개가 가해지기 때문에 피판에 가해지는 장력을 완전히 없애지 못하거나 일부 치조정 부위에서 매식체나 골이식 재료가 돌출되면 치유 과정 중 수술부가 외부로 노출될 수 있다는 점이 단점이다.[49]

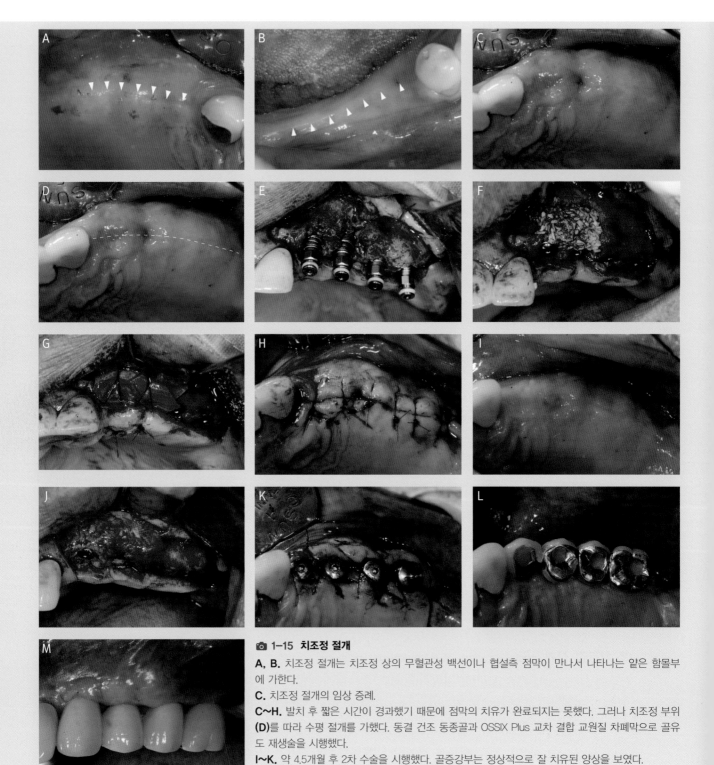

📷 **1-15 치조정 절개**

A, B. 치조정 절개는 치조정 상의 무혈관성 백선이나 협설측 점막이 만나서 나타나는 얕은 함몰부에 가한다.

C. 치조정 절개의 임상 증례.

C~H. 발치 후 짧은 시간이 경과했기 때문에 점막의 치유가 완료되지는 못했다. 그러나 치조정 부위 **(D)**를 따라 수평 절개를 가했다. 동결 건조 동종골과 OSSIX Plus 교차 결합 교원질 차폐막으로 골유도 재생술을 시행했다.

I~K. 약 4.5개월 후 2차 수술을 시행했다. 골증강부는 정상적으로 잘 치유된 양상을 보였다.

L~M. 다시 약 1개월 후 보철 치료를 완료했다.

③ 설측(구개측) 절개

전정 절개나 치조정 절개가 대부분 전층 절개로 피판을 형성하는 반면, 설측(구개측) 절개는 특히 상악에서 부분층-전층 피판을 거상하기 위한 목적으로 사용된다.[41,49,51,52] 다만 하악에서는 설측 점막이 얇기 때문에 설측 절개 시에도 전층으로 형성한다.[49] 설측 절개는 절개선이 전정보다는 치조정 절개에 가깝기 때문에 그 장점은 치조정 절개와 유사하다. 설측 절개는 이와 함께 몇 가지 부가적인 장점이 있다.

- 설측 절개를 전층으로 가하면 치조정에서 설측 방향으로 수 밀리미터의 골이 노출되기 때문에 임플란트 식립 시 시야 확보가 용이하고 설측 피판을 견인할 필요가 없다(📷 1-16).
- 상악에서 설측 절개를 비스듬하게 부분층으로 가하면 협측과 설측 각각에 형성된 피판의 변연은 부분층이기 때문에 봉합 시 서로 겹쳐짐으로써(overlapping) 수술부 노출 등의 합병증 발생 가능성을 줄일 수 있다.
- 절개선이 수술부의 직상방에 위치하지 않는다.

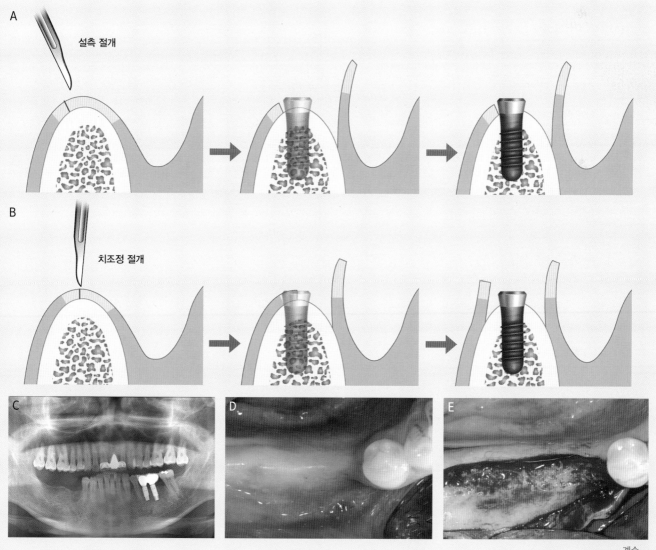

A

설측 절개

B

치조정 절개

C   D   E

- 계속 -

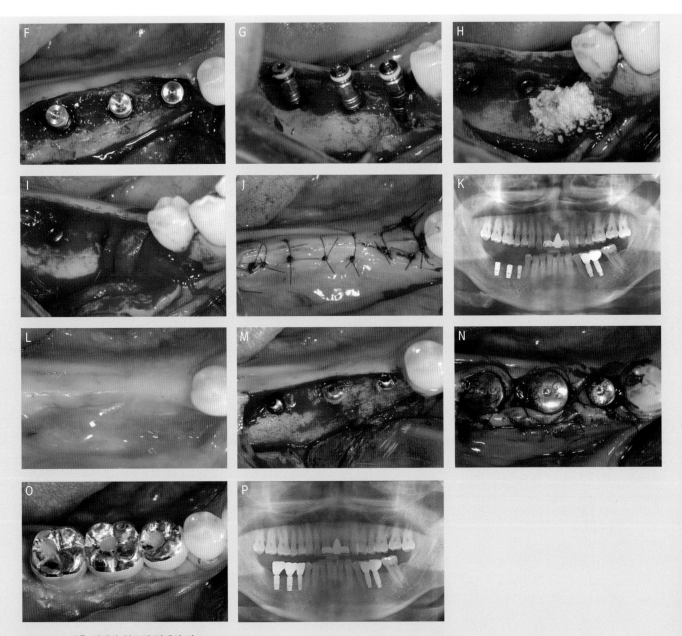

📷 **1-16 설측 절개와 치조정 절개의 비교**

A. 설측 절개를 전층으로 가하면 치조정에서 설측 방향으로 수 밀리미터의 골이 노출되기 때문에 임플란트 식립 시 시야 확보가 용이하고 설측 피판을 견인할 필요가 없다.

B. 치조정 절개를 가하고 임플란트를 식립하려면 반드시 설측 피판도 거상해 주어야 한다.

C. 설측 피판의 임상 증례.

C~J. 설측 절개는 골증강술을 시행할 필요가 없거나 최소한의 골증강술이 필요한 것으로 판단되는 경우, 임플란트 식립을 용이하게 하기 위해 적용한다. 이 증례에서는 설측 절개 후 설측 피판의 거상 없이 임플란트를 식립했으며 협측의 작은 열개 결손을 수복해 주었다.

K~N. 약 3개월 1주 후 2차 수술을 시행했다. 수술부는 아무런 문제없이 잘 치유됐다.

O~P. 1개월 3주 후 보철물을 연결해 주었다.

(2) 가장 좋은 수평 절개의 위치는 치조정 상의 백선(무혈관대)이다.

아직까지 수평 절개의 위치에 따른 골증강술의 예후를 비교한 대규모의 전향적 연구는 없었고 적은 환자들을 대상으로 전정 절개와 치조정 절개를 시행하여 그 결과를 비교한 전향적 대조 연구들만이 있었다.[53,54] 이들 연구에 의하면 치조정 절개와 전정 절개가 수술 결과에 별다른 영향을 끼치지 못했다. 그러나 두 연구에서 모두 골증강술을 시행하지는 않았으며 대상 환자수도 너무 적었다. 따라서 Esposito 등은 체계적 문헌 고찰에서 어떠한 절개선 위치가 더 좋다는 임상적 근거가 아직까지는 결여된 상태라고 결론 내린 바 있다.[55]

하지만 최근의 연구 결과들을 종합해 보면 골증강술을 시행할 때에는 치조정 절개가 가장 적합하다는 결론에 도달하게 된다. 앞에서 살펴본 바와 같이 구강 점막은 치조정을 중심으로 협측과 설측이 서로 독립된 혈류를 공급받으며 이들은 치조정을 중심으로 서로 분리되어 있다.[38] 따라서 이론적으로 생각했을 때 피판이 치조정을 넘어 형성되면 이 부위는 일종의 유리 점막(free mucosa)과 같은 상태가 된다고 생각할 수 있다(📷 1-17).

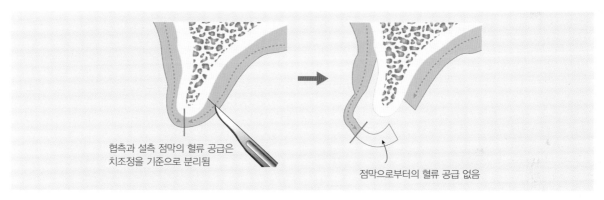

협측과 설측 점막의 혈류 공급은
치조정을 기준으로 분리됨

점막으로부터의 혈류 공급 없음

📷 **1-17** 골증강술 시 치조정이 아닌 설측에 치우친 위치에 수평 절개를 가하면 피판에 대한 혈류 공급의 측면에서 불리해진다. 협측과 설측의 혈류 공급은 각각 분리되어 있기 때문에 설측 절개 시 치조정보다 설측에 존재하는 점막은 피판 저부에서 혈류 공급을 받을 수 없게 된다.

단순히 임플란트만을 식립하면 피판 변연부는 점막 내의 혈관, 그리고 부가적으로 피판 하부의 골과 반대측 피판 변연에서 동시에 혈류를 공급받는 반면, 골증강술을 시행하게 되면 피판 하부의 골로부터는 혈류를 공급받을 수 없기 때문에 피판은 전적으로 점막 내의 혈관과 반대측 피판 변연에서만 혈류 공급을 받게 된다(📷 1-18). 따라서 치조정을 넘는 피판을 형성하면 일종의 유리 점막이 되는 피판 변연부는 극심하게 저하된 혈류만을 공급받을 수 있고, 이는 결과적으로 피판 변연의 괴사 및 수술부 노출 등의 합병증으로 연결될 수 있다. 여러 절개 방법 중 치조정 절개가 최소의 골흡수를 보였다는 동물 실험과[56] 치조정에 가깝게 수평 절개를 시행할수록 골유도 재생술 후 피판 열개가 적어진다는 임상 연구는 이를 뒷받침하는 근거이다.[57]

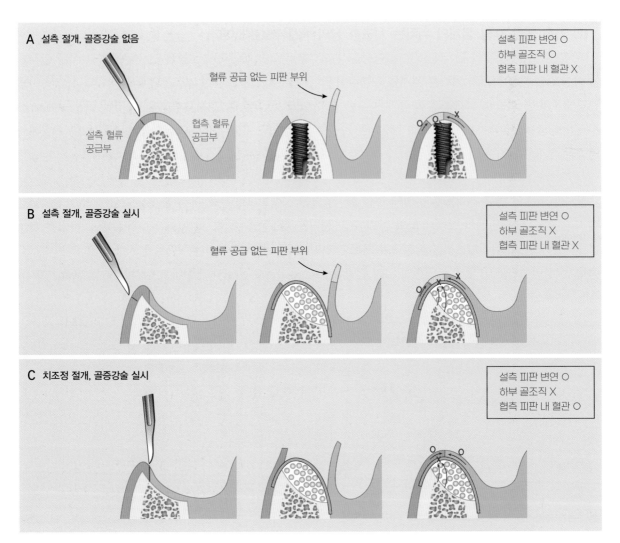

A 설측 절개, 골증강술 없음

혈류 공급 없는 피판 부위

설측 혈류 공급부

협측 혈류 공급부

설측 피판 변연 〇
하부 골조직 〇
협측 피판 내 혈관 X

B 설측 절개, 골증강술 실시

혈류 공급 없는 피판 부위

설측 피판 변연 〇
하부 골조직 X
협측 피판 내 혈관 X

C 치조정 절개, 골증강술 실시

설측 피판 변연 〇
하부 골조직 X
협측 피판 내 혈관 〇

📷 **1-18 골증강술 시 설측 절개를 가하면 치조정보다 설측에 위치한 피판 부위는 굉장히 불량한 혈류 공급을 받게 된다.**
A. 골증강술을 시행하지 않고 설측 절개를 가하면 치조정을 넘는 피판 부위는 설측 피판 변연과 하부 골조직에서 혈류 공급을 받기 때문에 치유 시 별다른 문제를 일으키지 않는다. **B.** 골증강술을 시행하면서 설측 절개를 가하면 치조정을 넘는 피판 부위는 설측 피판 변연으로부터만 혈류 공급을 받는다. 하부 골조직으로부터의 혈류 공급은 차폐막과 이식재에 의해 차단되기 때문이다. 따라서 피판 변연의 치유가 좋지 않을 가능성이 증가한다. **C.** 골증강술 시에는 치조정 절개를 가하는 것이 가장 유리하다. 피판 내에 협측 피판 저부에서 유래한 혈류 공급을 받지 못하는 부위가 존재하지 않기 때문이다.

결국 수평 절개의 위치는 치조정 상에 가하는 것으로 전문가들의 의견이 수렴되었다. 현재 골증강술과 관련된 거의 대부분의 문헌에서 술자들은 수평 절개의 방법으로 치조정 절개를 택하고 있다. 골증강술을 시행하는 경우에는 거상된 피판 변연으로 공급되는 혈류량이 감소하기 때문에 구강 점막의 혈류 공급에 대한 고려가 중요하며 이러한 견지에서 치조정 절개가 가장 적합한 방법이다.

4) 수직 절개

(1) 전후방 수직 절개의 위치

앞서 살펴본 바와 같이 피판의 저부는 일반적으로 넓을수록 유리한 것은 사실이기 때문에 피판의 혈류 공급의 측면에서는 전후방 수직 절개는 서로 더 멀리 떨어져 있을수록, 치관측보다는 치근단측이 멀수록 유리하다. 그러나 수직 절개를 수술부에서 너무 멀리 가하면 피판의 혈류 공급에 추가적인 도움을 거의 주지 못할 뿐만 아니라 수술 범위가 너무 광범위해져서 환자에게 가해지는 불편감과 치주 및 점막 조직의 외상이 증가한다.

수직 절개의 전후방적 위치는 골증강부의 크기에 따라 결정한다. 수직 절개부는 치유 과정 중 이식재의 노출과 감염을 예방하기 위해 향후 위치할 골이식재, 혹은 차폐막의 최외곽 변연과 최소한 2–3 mm, 충분히는 5 mm 정도 떨어져 있어야만 한다(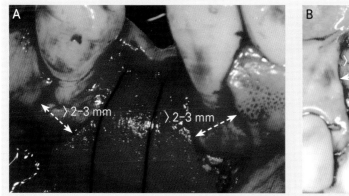 1–19).[58,59] 일반적인 골결손부를 수복할 때에는 수직 절개를 임플란트 식립부 인접 자연치의 먼 쪽 선각부(line angle)에 가한다. 즉, 근심 수직 절개는 근심측 치아의 근심 선각에, 원심 수직 절개는 원심측 치아의 원심 선각에 행하는 것이다. 그러나 수직 증강을 시행하거나 증강의 양이 많은 경우에는 임플란트 식립부에서 두 번째 떨어진 치아의 근원심 선각에 가한다(1–20).[34]

(2) 수직 절개는 치은 점막 경계를 넘으면 최소한의 길이로만 연장시킨다.

수직 절개를 필요 이상으로 길게 가하면 치주 점막에 많은 반흔을 형성하고 구강 점막을 관통하는 동맥을 절단하여 피판으로 공급되는 혈류량을 감소시킬 수 있기 때문에 가급적 적게 가하는 것이 좋다.[55] 수직 절개를 길게 가하면 피판의 재혈관화는 악영향을 받게 된다.[37] 그러나 수직 절개를 너무 적게 가하면 수술부가 충분히 노출될 수 없기 때문에 이 두 가지 점을 고려하여 "가능한 적게, 하지만 수술부는 충분히 노출시킬 수 있는 정도로" 가해야 한다.

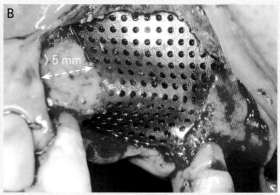

📷 **1–19 치유 기간 중 차폐막의 노출을 예방하기 위해 수직 절개부는 차폐막과 충분히 떨어져 있어야 한다.**
A. 흡수성 차폐막과는 최소 2–3 mm 이상 떨어진 부위에 수직 절개를 형성한다. **B.** 비흡수성 차폐막 사용 시에는 가급적 절개선과 차폐막 변연 사이의 거리가 5 mm 이상 되도록 해주는 것이 좋다.

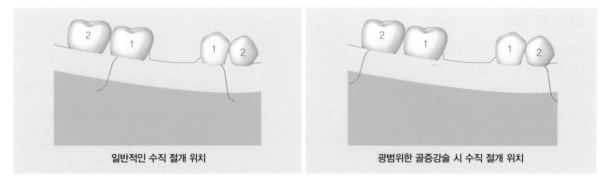

| 일반적인 수직 절개 위치 | 광범위한 골증강술 시 수직 절개 위치 |

📷 **1-20** 일반적인 골증강술 시에는 골증강부 인접 자연치의 먼 쪽 선각부(line angle)에 가한다. 수직 증강을 시행하거나 증강의 양이 많은 경우에는 임플란트 식립부에서 두 번째 떨어진 치아의 근원심 선각에 수직 절개를 가한다.

수직 절개는 기본적으로 피판을 충분히 유동성 있게 해주기 위해서 치근단측으로 점막 치은 경계는 넘도록 해주어야 한다. 수직 절개가 점막 치은 경계를 넘지 못하면 차후 골막 이완 절개를 가하기 힘들 뿐만 아니라 피판 자체의 유동성도 많이 저하된다. 그러나 수직 절개가 치은 점막 경계를 넘어 더 연장될수록 출혈이 많아지고, 치유 후 반흔 형성이 많아지며, 피판 내부로 들어가는 혈류량이 감소할 수 있다. 이에 Park과 Wang[60], 그리고 Fugazzotto[41]는 수직 절개의 형태를 변형할 것을 주장하였다. 즉, 치조정측에서 하방으로 향하는 수직 절개가 치은점막 경계, 혹은 이보다 1-2 mm 정도 치근단측에 다다르면 절개의 방향을 수평으로 전환한다는 것이다(📷 **1-21**). 이들은 이를 통해 충분한 피판의 유동성을 얻을 수 있고, 출혈 가능성을 최소화할 수 있으며, 절개선을 해부학적 구조물인 치은 점막 경계 내에 둠으로써 "위장(camouflage)"의 효과를 얻을 수 있고 따라서 반흔 형성량을 줄일 수 있다고 주장하였다.

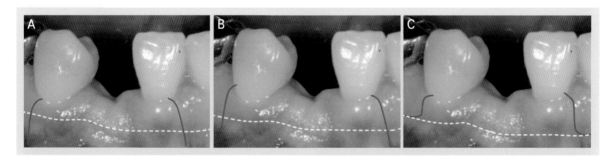

📷 **1-21 여러 가지 수직 절개 방법**
A. 일반적인 형태의 수직 절개. 치은-점막 절개를 지나 가동성 점막 하방으로 직선적으로 절개를 연장한다. 피판을 수직적으로 많이 거상해 줄 수 있지만 출혈이 많고 술 후 반흔이 크게 형성될 수 있다. **B. Fugazzotto의 변형법.**[41] 치은-점막 경계보다 약간 더 치근단측으로 수직 방향으로 절개를 가한 후 수평 방향으로 전환하여 3-4 mm 정도 연장한다. 많은 양의 골증강이 필요한 경우에 적용한다. **C. Park과 Wang의 변형법.**[60] 수직 절개를 치은 점막 경계부에서 완만하게 수평 방향으로 전환시킨다. 출혈량과 반흔 형성을 최소화시킬 수 있는 방법이다. 골증강의 양이 적은 경우에 적용 가능하다.

수술부로의 접근성은 후방보다는 전방 수직 절개가 더 많이 좌우한다. 또한 지조골을 이장하는 구강 점막의 혈류 공급은 후방에서 전방을 향하므로 후방 수직 절개는 치은 점막 경계에서 1~2 mm 이상 근단측으로 연장되지 않도록 철저히 제한한다(📷 1-22).[38]

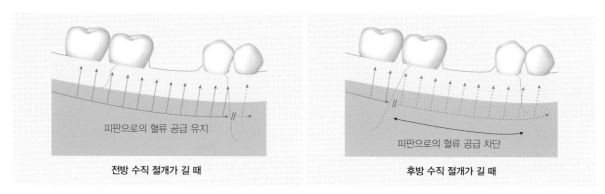

전방 수직 절개가 길 때   **후방 수직 절개가 길 때**

📷 **1-22** 수직 절개 중 후방의 수직 절개가 길어지면 피판으로의 혈류 공급 전체가 저하될 수 있다. 또한 수술부로의 접근성은 후방보다는 전방 수직 절개에 의해 더 많이 좌우된다. 따라서 후방 수직 절개는 최소한으로만 가하는 것이 좋다. 일반적으로 치은 점막 경계에서 근단측으로 1~2 mm 이상 더 연장시키지 않는다.

5) 치아 주위 절개

임플란트 식립부 근원심에 자연치가 존재하면 치아 주위 절개를 통해 수직 절개와 수평 절개를 연결한다. 치아 주위 절개는 치은구 절개(sulcular incision)와, 치은구를 보존하여 치아 주위 점막을 1~1.5 mm 정도 남기고 가하는 유두 보존 절개(papilla preservation incision)로 구분할 수 있다(📷 1-23).[61] 두 방법의 적응증은 📑 1-4와 같다.

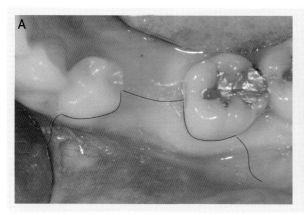
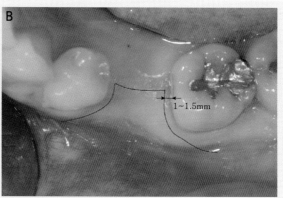

📷 **1-23 치아 주위 절개의 두 가지 방법**
A. 치은구 절개 **B.** 유두 보존 절개

📑 1-4 치은구 절개와 유두 보존 절개의 적응증	
치은구 절개	유두 보존 절개
• 치조정 부위에 많은 양의 골증강술 시행	• 치조정 부위에 골증강 없거나 최소임
• 치아 주위 점막 두께가 두꺼움	• 치아 주위 점막 두께가 얇음(수술 후 퇴축 방지)
• 인접 치아가 보철 치료를 받지 않은 건전한 자연치	• 인접 치아가 임플란트이거나 보철적으로 수복됨

(1) 치아 주위 절개의 표준은 치은구 절개이다.

치은구 절개는 피판의 크기를 최대화할 수 있는 방법이기 때문에 차폐막이나 골이식재를 최대한 피개할 수 있도록 해준다. 또한 치은구 내로 가하는 절개는 향후 반흔을 형성하지 않기 때문에 반흔 형성의 가능성을 최소화시킬 수 있다는 장점이 있다(📷 1-24). 치은구 절개는 표준적인 절개법이다. 피판의 거상이 더 용이할 뿐만 아니라 수술 부위에 대한 확실한 시야를 얻을 수 있고 골이식재나 차폐막을 더 확실히 피개할 수 있기 때문이다. 다만 치은구 절개 시에는 인접 자연치의 치은 변연이 퇴축될 수 있기 때문에 치아 주위 점막이 얇거나 인접 자연치가 보철물로 수복되어 있는 경우에는 유두 보존 절개가 더 유리한 측면이 있다(📷 1-25).

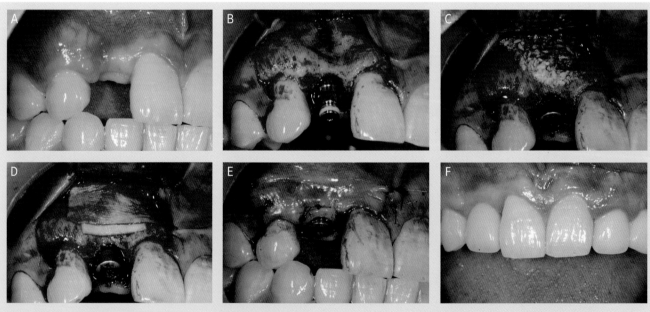

📷 **1-24** 치은구 절개는 골증강술 시의 표준 절개법이다**(B)**. 절개선과 차폐막/이식재의 거리를 최대화할 수 있고**(D)**, 수직 절개부를 제외하고는 반흔을 형성하지 않는다는 장점이 있다.

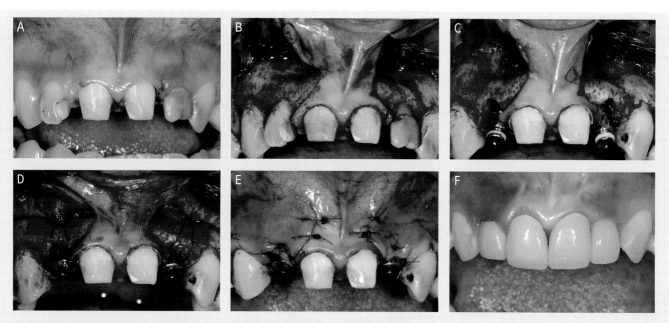

📷 **1-25** **이 증례에서는 수복이 불가능한 좌우의 측절치를 발거하고 즉시 임플란트를 식립했다.**

A~E. 중절치 부위는 두 가지 이유로 수술 후 치은 변연의 심한 퇴축이 예상됐다. 우선 점막 표현형이 얇은 표현형이었고 두 중절치는 모두 금관으로 수복된 상태였다**(A)**. 따라서 중절치 주위에서는 유두 보존 절개를 시행했다**(B)**. 임플란트 식립 후**(C)** 임플란트 주위 결손 및 천공 결손부를 동결 건조 동종골과 교원질 차폐막으로 수복했다**(D)**.

F. 고정성 임시 보철물을 거쳐 최종 보철물을 연결했다. 유두 보존 절개에도 불구하고 특히 우측 중절치 치은 변연은 약간 퇴축된 양상을 보였다. 그러나 만약 치은구 절개를 가했더라면 심한 퇴축을 보였을 수도 있는 증례였다.

(2) 유두 보존 절개는 골증강술을 시행하지 않거나 적은 양만 시행하는 경우 더 선호하는 절개법이다.

유두 보존 절개는 몇 가지 장점을 지니고 있다.

① 민감한 조직인 치간 유두를 거상하지 않음으로써 향후 발생할 수 있는 치간 유두의 퇴축을 예방할 수 있다.[61]

② 임플란트 식립부에 인접한 치간 유두를 남겨둠으로써 소위 "위험 지역(danger zone)" 내부로 임플란트가 식립되지 않도록 유도해 줄 수 있다(📷 **1-26**).[60] 임플란트 식립 후 매식체–지대주 연결부(fixture–abutment junction) 주변골은 수직적으로 뿐만 아니라 수평적으로도 대략 1–1.5 mm 정도의 치조골이 흡수된다는 사실은 이미 잘 알려졌으며 이를 "임플란트 주위의 접시 모양 결손(peri–implant saucer)"이라고 한다.[62] 따라서 임플란트를 식립할 때에는 적어도 인접 자연치에서 수평적으로 1.5 mm 이상의 간격을 두어야 하는데, 유두 보존 절개를 가하면 피판 거상 후 인접 자연치 주변에 남아있는 치간 유두 연조직이 임플란트를 식립할 때 침범하지 말아야 할 부위를 알려주는 일종의 '가이드' 역할을 해주게 되는 것이다.

③ 실험적으로 검증된 사항은 아니지만 피판으로 공급되는 혈류량이 치은구 절개보다 크기 때문에 피판의

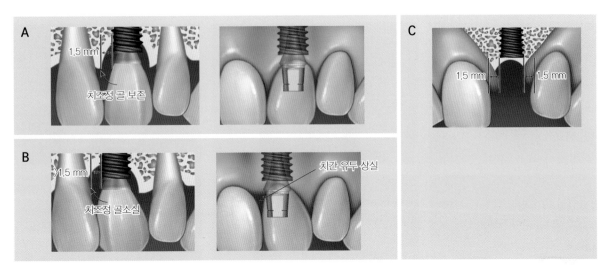

📷 1-26 유두 보존 절개는 임플란트의 수평적 식립 위치를 가이드 해준다.
A. 임플란트에 보철 부하를 가하면 임플란트 주위로 접시 모양 골흡수가 최대 1.5 mm 범위로 발생한다. 따라서 임플란트 매식체와 인접 자연치 사이의 거리가 1.5 mm 이상이면 골흡수에 의해 자연치측의 인접면 치조골정이 흡수되지 않으며 결국 치간 유두를 원래 높이대로 보존해준다. **B.** 인접 치아의 근원심 변연에서 임플란트까지의 거리가 1.5 mm에 이르지 못하면 임플란트와 치아 사이의 치간 유두를 지지해 주는 치간골정이 흡수되면서 치간 유두가 위축되거나 상실될 수 있다. **C.** 유두 보존 절개 시에는 치아 주변에 남은 점막 조직이, 임플란트가 인접 자연치에 근접되지 못하도록 "가이드" 역할을 해준다.

생존 가능성을 높여줄 수 있다.[41,60] 치은구 절개를 가한 경우에는 피판 변연이 무혈관성의 치아 구조물과 만나게 되지만 유두 보존 절개를 가한 경우에는 치아 주변에 남아있는 연조직과 접하게 됨으로써 더 많은 혈류를 공급받을 수 있게 되는 것이다.

따라서 이 방법은 골증강술 없이 임플란트만 식립할 때에는 유리한 측면이 많다. 그러나 골증강술을 시행할 때에는 피판 변연과 차폐막 변연의 거리를 충분히 부여하기 힘들기 때문에 작은 열개나 천공 결손 수복 시에만 한정적으로 적용하는 것이 좋다(📷 1-27).

6) 절개와 피판 형성의 임상 과정

지금까지 알아본 절개와 피판 형성의 원리에 기초해 실제 임상에서는 이를 어떻게 시행해야 하는지 간단히 알아보도록 한다.

(1) 절개 과정

① 수술 전 진단을 통해 각화 점막의 폭, 전정 깊이, 점막의 두께, 소대 부착 등의 상태를 확인한다. 각화 점막 증진술, 전정 성형술(근단 변위 판막술 및 각화 치은 이식술), 결합 조직 이식술 등 필요한 연조직 수술

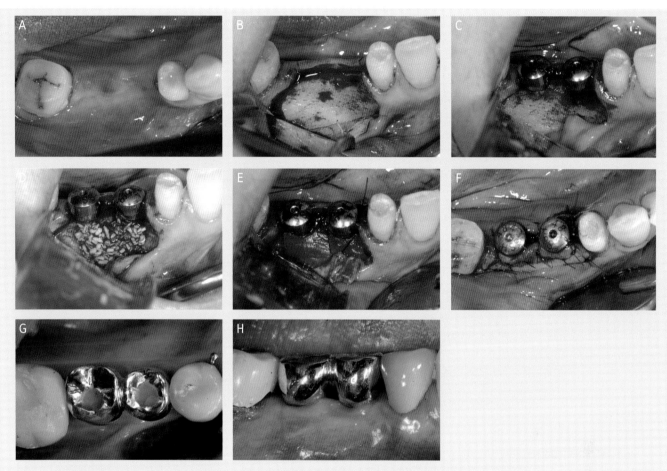

📷 1-27 유두 보존 절개를 가하면 피판 변연에서 차폐막/이식재까지 충분한 거리를 확보하기 힘들기 때문에 노출에 민감한 비흡수성 차폐막을 이용해야 하는 증례에서는 가급적 피하는 것이 좋다.

A~F. 골증강술이 필요치 않거나 적은 양의 골증강만이 필요한 것으로 판단되어(**A**) 유두 보존 절개를 가했다(**B**). 작은 열개 결손을 동결 건조 동종골과 교차 결합 교원질 차폐막으로 복구해 주었다(**C, D, E**).

G~H. 약 4개월 후 보철 치료를 완성했다.

이 있다면 수술 3개월 전에 미리 시행한다. 치태 및 치석을 제거하고 환자의 구강 위생 능력을 확인한다. 임플란트 식립부 주변 자연치에 존재하는 치주 질환을 조절해준다.

② 절개는 수평 절개부터 시작한다. 15번, 혹은 15c번 수술도로 치조정 상방의 백선 부위, 혹은 약간 함몰된 부위에서 한 번에 골표면에 이를 수 있도록 충분한 힘을 주며 점막 표면을 수직으로 절개한다. 구치부에서는 인접 자연치 때문에 근심측 수평 절개를 가하기 쉽지 않을 수 있으며 이러한 경우에는 원심은 15번, 근심은 12번 수술도로 절개를 시행한다(📷 1-28).

③ 수평 절개 후 치아 주위 절개를 가한다. 15번이나 12번 수술도로 예상되는 수직 절개 부위까지 수평 절개를 연장한다.

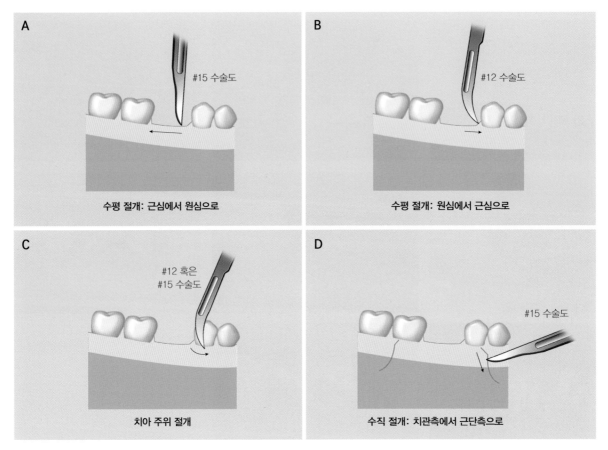

📷 **1-28 절개의 일반적인 순서**

A. 절개는 무치악부의 치조정에 수평 절개를 가함으로써 시작한다. 보통 15번, 혹은 15c 수술도를 근심에서 원심으로, 혹은 원심에서 근심으로 가한다. **B.** 수평 절개의 가장 근심부는 자연치 때문에 15번 수술도로 접근이 불가능한 경우가 있다. 이러한 때에는 12번 수술도를 이용한다. **C.** 치아 주위 절개를 가한다. 술자의 선호도에 따라 15(15c)번이나 12번 수술도를 이용한다. **D.** 근심과 원심의 수직 절개를 15(15c)번 수술도로 가한다. 보통 치관측에서 근단측 방향으로 진행한다.

④ 수직 절개 또한 15번, 혹은 15c번 수술도로 시행한다. 수직 절개 또한 점막 표면에 수직으로 한 번에 골막에 이르기까지 가한다. 수직 절개의 치조정측 변연은, 치유 후 조직의 열개를 예방하기 위해 치아의 최대 풍융부를 피하고 치간 유두의 퇴축을 방지하기 위해 치간 유두부를 피해야 한다. 따라서 수직 절개는 수술부 인접 치아의 먼 근원심 선각(line angle) 부위에서 시작하는 것이 좋다.[63] 앞서 설명했지만 광범위한 골증강이 필요하다면 한 치아에서 더 먼 치아, 즉 수술부에서 두 번째 치아에 수직 절개를 가한다. 이 때 인접 자연치의 치간 유두는 피판에 포함된다.

⑤ 수직 절개가 가해지는 각화 점막 변연부가 예각이 되면 향후 조직 괴사 및 퇴축으로 연결될 수 있기 때문에 점막 변연에 대해서 수직 방향으로 절개를 시작하는 것이 좋다. 따라서 수직 절개부의 형태는 뒤집어진 "J"자, 혹은 뒤집어진 하키 스틱 형태를 보여야 한다(📷 1-29).

⑥ 수직 절개는 치조정측으로 향하는 혈관을 손상시키지 않기 위해 수직 절개의 저부(base)는 첨부보다 넓어

지게 해야 한다. 대개는 치근단측으로 약간 넓어지는 형태로 형성하고 치은 점막 경계를 지나면 수평적으로 방향을 전환해 준다. 수직 절개는 항상 전방으로는 충분히, 후방으로는 치은 점막 경계부까지만 최소로 가한다.

(2) 피판 거상 과정

① 각화 점막은 유동성 점막에 비해 골과 분리하기가 더 힘들다. 각화 점막 내의 Sharpey 섬유는 골과 단단히 결합되어 있기 때문이다. 몰트 9번 골막 기자 등으로 근원심 자연치를 받침점으로 하는 지렛대의 원리를 이용하여 협측의 피판을 거상하기 시작한다(📷 1-30). 이 때 골막 기자의 끝은 항상 골과 접촉하고 있어야만 한다.

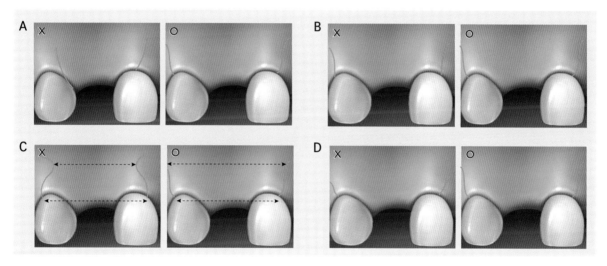

📷 **1-29 수직 절개 시 주의할 점들**
A. 수직 절개의 치조정측 변연은 치아의 최대 풍융부와 치간 유두부를 피해야 한다. 따라서 수직 절개는 수술부 인접 치아의 근원심 선각 부위에서 시작하는 것이 좋다. **B.** 수직 절개가 가해지는 각화 점막 변연부가 예각이 되면 향후 조직 괴사 및 퇴축으로 연결될 수 있기 때문에 점막 변연에 대해서 수직 방향으로 절개를 시작한다. **C.** 치조정측으로 향하는 혈관을 손상시키지 않기 위해 수직 절개의 저부(base)는 첨부보다 넓어지게 해야 한다. **D.** 골증강술을 시행하는 경우, 판막을 충분히 유동성 있게 해주기 위해서 치근단측으로 점막치은 경계까지 연장시켜야 한다.

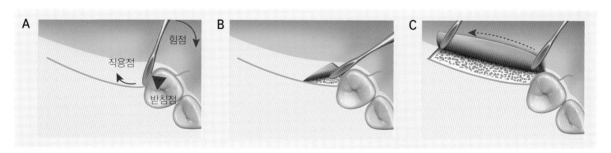

📷 **1-30 피판 거상 과정**
A. 근심측의 치아 주위 절개와 수평 절개가 만나는 부위에서 박리를 시작한다. 인접 자연치가 건전한 상태라면 이를 지지대로 이용하여 골막 기자로 협측의 판막을 거상하기 시작한다. **B.** 근심 수평 절개부에서 완전한 전층 피판이 거상된 것을 확인한다. **C.** 이후 피판 거상을 후방으로 진행한다.

② 일단 피판이 처음 거상된 이후에는 비교적 쉽게 나머지 부위를 박리할 수 있다. 박리는 치조정측에서 치근단측으로 진행한다. 치은 점막 경계를 지나면 치아 주위 절개와 수직 절개부까지 박리를 연장하여 피판을 형성해준다. 이후 박리를 골증강부보다 5 mm 정도 더 치근단측까지 연장한다(📷 1-31).[34] 이보다 박리가 덜 되면 골막 이완 절개와 차폐막을 고정하기 위한 봉합부의 위치를 확보하는 데 어려움이 있을 수 있다.

③ 상악과 하악 전치부는 근육 부착부가 존재하기 때문에 박리된 골표면 상방에 연조직 잔사가 남아있을 수 있다. 이러한 연조직 잔사는 몰트 큐렛이나 큰 다이아몬드 버 등으로 깨끗이 제거해준다.

④ 협측 피판 거상을 완료한 후 설측 피판을 박리해준다. 일단 협측 피판을 거상한 후이므로 치조정 부위의 박리를 더 손쉽게 시행할 수 있기 때문에 설측 피판 거상은 더 용이하다. 설측 피판은 협측 피판처럼 크게 형성할 필요는 없으므로 가급적 수직 절개 없이 치조정에서 치근단측으로 4-5 mm 정도만 형성한다. 추후 협측 피판의 골막 이완만으로 충분한 장력 제거가 불가능하면 설측에 추가적인 수직 절개를 가하고 박리를 치근단측으로 더 연장한다.

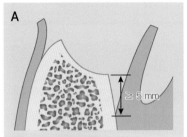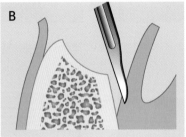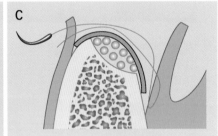

📷 **1-31 피판은 치근단측으로 충분히 거상한다.**
A. 일반적으로 박리를 골증강부보다 5 mm 정도 더 치근단측까지 연장한다. **B.** 이렇게 치근단측으로 연장하는 이유는 두 가지이다. 첫 번째는 골막 이완 절개를 위한 공간을 부여하기 위함이다. **C.** 두 번째는 차폐막을 봉합 고정할 골막을 확보하기 위해서이다.

2.
피질골 천공

수혜부의 피질골을 천공시키는 술식은, 골유도 재생술의 표준 프로토콜 과정 중 하나로 여겨진다(📷 1-32).[64] 피질골 천공(Cortical Bone Perforation) 술식 자체는 매우 간단한 과정이지만, 실제로 이 술식이 골재생에 도움이 되는가에 대해서는 아직까지 확정적인 결론을 내리기 힘든 상태이다.

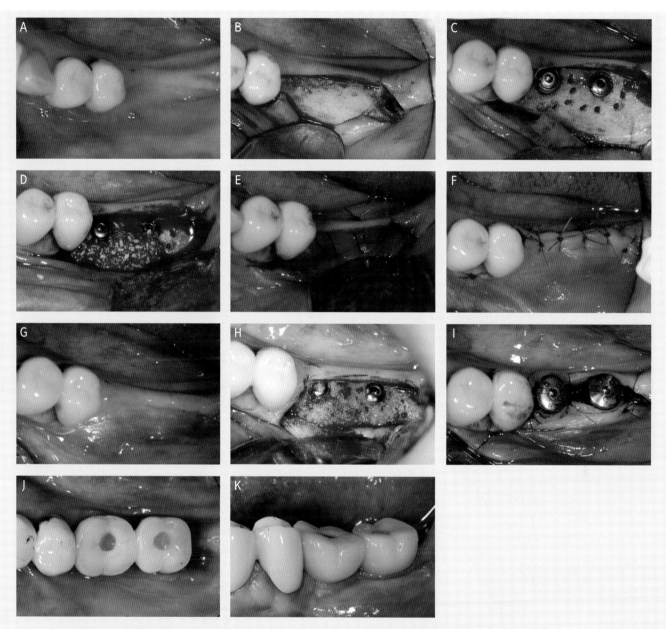

📷 1-32 **골증강술 시 피질골의 천공**

A~F. 하악 구치부에 임플란트를 식립했으며 협측에 열개 결손이 존재했다. 이식재와 차폐막을 적용하기에 앞서 골이식 수혜부를 라운드 버로 천공시켰다(**C**). 이후 동종골 이식재와 교원질 차폐막으로 골유도 재생술을 시행했다(**D, E**).

G~I. 약 3.5개월 후 2차 수술을 시행했다. 골증강부에는 재생골이 성공적으로 형성됐다(**H**).

J~K. 약 2개월 후 보철물 연결 후의 모습이다.

1) 피질골 천공은 이론적으로 분명한 이점이 있다.

골유도 재생술은 골결손 부위 상부에 차폐막을 위치시킴으로써 연조직 세포가 결손부 내로 이동하지 못하게 하고, 골조직으로부터 유래한 골형성 세포만이 이동하게 함으로써 골조직이 재생되도록 하는 것이다. 따라서 차폐막으로 피개된 공간은 수혜부의 피질골만을 접하게 될 것이다. 한편 골형성 세포의 주요한 원천은 골막, 골내막, 그리고 골수이다.[65] 골막은 차폐막에 의해 골결손부로부터 분리되고, 골내막과 골수는 피질골에 의해 골결손부로부터 분리되기 때문에 피질골을 인위적으로 천공시켜서 그 내부의 골수를 노출시키지 않으면 골형성 세포가 골결손 부위로 이동하는 데에는 여러 가지 어려움이 발생할 것이다. 따라서 피질골 천공의 일차적 목표는 골재생 부위 내로 골형성 세포를 빠르게 이동시키기 위함이다(📷 1-33).

피질골 천공의 또 다른 주요 목적은 신생 혈관 형성을 촉진하기 위함이다. 골증강부 내로의 혈액 공급과 신생 혈관 형성은 골증강술의 결과에 지대한 영향을 미친다고 생각된다.[66] 피질골을 천공시키지 않으면 수혜부 피질골이 부분적으로 흡수된 후 골수로부터 신생 혈관이 골형성부 내부로 성장해 들어가야 하지만, 인위적으로 천공시켜 주면 피질골이 흡수되는 기간이 생략되기 때문에 신생 혈관이 더 빠르게 많이 형성될 수 있다. 쥐의 대퇴골을 천공시키고 교원질 스폰지를 적용하면 천공시키지 않았을 때에 비해 스폰지 내부로의 신생 혈관 형성과 골형성 세포 이동이 더 활발했고, 14일 후와 28일 후의 신생골 형성량도 유의하게 더 많았다.[67]

이외에도 골증강을 시행하는 부위의 피질골을 천공하는 이론적 이유는 📋 1-5와 같다.[64,68]

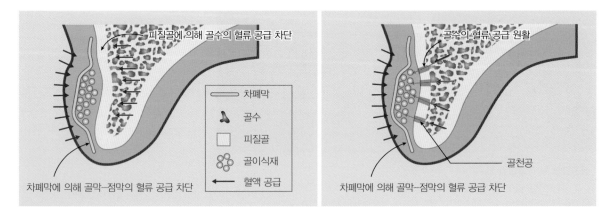

📷 **1-33** 골막–점막으로부터 기원하여 골증강부 내부로 공급되는 혈류는 차폐막에 의해 차단된다. 또한 골수로부터의 혈류 및 골형성 세포 공급은 피질골에 의해 차단된다. 그러나 피질골을 천공시키면 골증강부를 향한 골수로부터의 혈류 및 골형성 세포 공급이 원활해지기 때문에 골재생에 유리한 환경이 조성된다.

📂 1-5 피질골 천공의 이론적 이유

1. 신생 혈관 형성(angiogenesis)을 촉진함

피질골 천공을 통해 골수가 노출되면 골재생부로 신생 혈관이 빠르게 침투하여 신생 혈관 형성을 증진시킨다.[69] 골재생 술식에서 신생 혈관 형성은 중요한 과정으로 생각되는데, 신생 혈관을 통해 골형성 세포와 골의 기질을 이루는 광물질이 공급되기 때문이다.[68]

2. 혈관이 풍부한 골수로부터 혈액을 공급받음

골증강부로 더 많은 전구 세포와 시토킨(cytokine)이 공급된다.[45]

3. 국소적 가속 현상(regional acceleratory phenomenon) 이용

피질골 천공은 일종의 유해 자극이며, 이는 국소적 가속 현상을 일으켜 골치유를 촉진시킨다.[70,71]

4. 블록골 이식 후 수혜부 골과 이식골 사이의 기계적 결합도를 증가시킴

블록골 이식을 시행했을 때에는 치유 기간 후 임플란트를 식립할 때 가해지는 압력을 이기지 못하고 분리될 수 있다. 수혜부 골을 천공시키면 이식골과 수혜부 골의 기계적 결합도가 증가하여 이러한 현상을 예방할 수 있다.[72-74]

2) 피질골 천공이 임상적인 이점이 있는지는 아직 명확히 밝혀지지 못했다.

(1) 동물 연구에서는 골천공 시 신생골 형성은 빨라졌지만 충분한 치유 기간 후 신생골의 질에는 차이가 없었다.

지금까지 피질골 천공이 골증강의 결과에 미치는 영향에 대해서는 거의 동물 실험에 의해서만 알려져 있는 실정이다. 이 주제와 관련해서는, 토끼나 쥐의 두개골을 수술적으로 노출시키고 피질골을 천공시키거나 시키지 않은 후 티타늄이나 e-PTFE 돔을 고정하고 그 결과를 비교하는 방법을 가장 많이 이용했다. 이러한 처치를 가하고 일정 시간이 경과한 후 돔 내부의 상태를 조직학적으로 평가하여 피질골 천공이 신생골 형성에 어떠한 영향을 미치는지 평가한다. 따라서 동물 실험의 조건은 우리가 임상에서 마주치는 조건과는 다르기 때문에 동물 실험의 결과가 임상적인 효과와 직결된다고 보기는 힘들다. 더구나 지금까지 발표된 동물 실험의 결과는 매우 혼란스러웠다. 즉, 피질골 천공이 골재생에 현저한 도움이 된다는 보고들이 있었던 반면,[75,76] 별다른 도움이 되지 못한다는 보고들도 있었다.[77-79]

토끼/쥐의 두개골 모형을 이용했을 때, 피질골에 천공을 하지 않으면 골재생은 다음의 과정을 따랐다 (📷 1-34).[66,76,77]

① 피질골의 어느 특정한 부위가 흡수된다.

② 골수 내부로부터 유래한 혈관이 차폐막으로 형성된 공간 내부로 자라 들어간다.

③ 이 혈관은 작은 가지들로 분지되며 골형성은 이 분지된 혈관들 주변에서부터 시작된다.

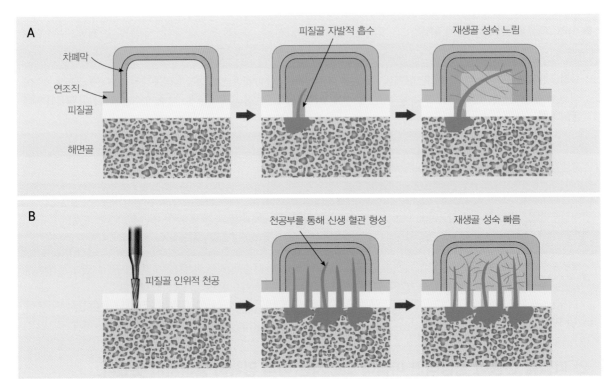

📷 **1-34 골천공의 동물 모델**
A. 골천공을 시행하지 않은 부위에서는 특정한 피질골 부위가 자발적으로 흡수되면서 골수가 노출되고, 이 부위로부터 신생 혈관이 차폐막 내부 공간으로 성장해 간다. 따라서 재생골이 형성되고 성숙해지는 데 더 오랜 시간을 필요로 한다. **B.** 골천공을 시행한 부위에서는 이 부위를 통해 신생 혈관이 차폐막 내부로 자라 들어간다. 따라서 골형성 속도가 더 빠르고 효율적일 것으로 생각될 수 있다.

이를 통해 우리는 몇 가지 사실을 알 수 있다. 골형성을 위해서는 골수로부터 혈관이 자라 들어와야 한다는 점과 피질골 천공을 시행하지 않더라도 자발적으로 피질골이 흡수되며 골수가 노출된다는 점이다. 골막으로부터 피질골 내부로 연결되는 혈관이 존재하는데 피판을 거상하면 이 혈관은 끊어지고, 이것이 추후 자발적인 피질골 흡수가 발생하는 장소가 된다.[69,76] 따라서 골증강술을 시행할 때 피질골을 인위적으로 천공시키는 것이 골재생을 위해 필수적인 과정은 아니라는 결론에 도달할 수 있는 것이다.

그러나 다른 한편으로는 인위적으로 피질골을 천공시키면 자발적인 피질골 흡수가 발생하기까지의 기간이 생략되기 때문에 골치유 속도는 빨라진다고 생각할 수 있다. 토끼를 이용한 한 실험에 의하면, 피질골 천공을 시행한 부위는 시행하지 않은 부위에 비해 수술 2주 후에는 골증강부 내의 신생골 양이 유의하게 더 많았지만, 4주와 8주 후에는 유의한 차이를 보이지 않았다.[80] 또한 개의 척추골에 골이식을 시행할 때에도 수혜부에 피질골 천공을 시행하면 1-3개월 후까지는 이식골의 유합이 더 우수했지만, 6개월 후에는 피질골 천공을 시행하지 않았을 때에 별다른 차이를 보이지 않았다.[81]

골재생이 완성되기 이전의 치유 기간 동안에는 피질골 천공을 시행한 부위는 그렇지 않은 부위에 비해 골충전의 속도와 골화의 정도에 있어 유의하게 더 우수하였다.[66,75] 피질골 천공을 시행한 부위와 그렇지 않은 부위에서 비슷한 정도의 골재생을 이룰 수 있었다고 언급한 실험은 이미 골재생이 완성되었을 정도로 충분한 치유기간을 부여하였다는 점을 고려한다면 피질골 천공의 효과는 더 완벽한 골재생의 정도보다는 더 빠른 골재생속도에 기여한다는 점이 좀 더 분명하게 드러난다.[77]

다만 이러한 동물 모델을 해석하는 데 있어서는 몇 가지 주의할 점이 있다.

- 가장 흔한 동물 모델인 토끼와 쥐의 두개골에는, 하악이나 상악골에는 존재하지 않는 소공이 존재한다.[82] 이 소공은 재혈관화를 돕고 골형성을 개선시킬 수 있기 때문에 실험 결과에 편향을 유발할 수 있다. 즉, 쥐나 토끼의 두개골에서는 골재생 술식을 시행할 때 피질골 천공을 시행하지 않더라도 자연적으로 존재하는 소공 때문에 하악골/상악골보다 신생골 형성이 더 원활하게 이루어질 수 있는 것이다.

- 피질골 천공의 효과를 측정하기 위한 동물 실험은 주로 쥐와 토끼에 집중되었는데, 이들 동물은 대사가 빠르고 골형성 능력이 좋다.[68] 따라서 피질골 천공 여부와 관계없이 골재생과 관련된 실험의 결과는 좋게 나타날 가능성이 높다. 이에 대사 속도나 골형성 능력이 사람에 좀 더 가까운 개 또는 원숭이와 같은 큰 동물을 이용한 실험이 필요한 실정이지만 아직까지는 이들 동물종을 이용한 실험은 거의 이루어지지 않고 있다.[73,83]

- 동물 실험도 임상 연구와 같이 근거 수준이 있다. 잘 설계된 동물 실험은 당연히 편향의 가능성은 낮고 근거 수준은 높을 것이다. 그러나 이 주제와 관련된 동물 실험들은 모두 중등도에서 높은 정도의 편향성을 보였기 때문에 근거로써의 가치는 높지 않다.[84]

(2) 임상 연구 및 문헌 고찰

이 주제와 관련하여 유일하게 의미 있는 임상 연구가 2017년에 발표된 바 있다. 이 연구는 하악 부분 무치악 증례 중 수평적 결손(잔존골 폭이 2–5 mm 사이)이 존재하는 총 18명의 환자를 대상으로 한 전향적 대조 연구였다.[85] 골증강의 방법으로는 탈단백 우골과 교원질 치폐막을 이용한 골유도 재생술을 시행했는데, 이 중 9명에서는 피질골을 천공했고 9명은 천공하지 않았다(📷 **1–35**). 평균 7.4개월 후 수술부에 재접근하여 3.5×10 mm 크기의 원통형 골편을 채취하고 이를 조직학적으로 분석했다. 그 결과는 다음과 같았다.

- 골증강부 내의 광화 조직, 잔존 이식재, 연조직 양은 두 군에서 유의한 차이를 보이지 않았다. 피질골 천공을 시행한 환자군에서 신생골, 연조직, 잔존 이식재의 양은 각각 평균 27.77±11.32%, 37.44±14.93%, 34.78±16.24%이었고, 피질골을 천공하지 않은 환자군에서는 각각 평균 25.33±11.5%, 47±15%, 27.67±10%이었다.

- mm² 당 미세 혈관의 수는 피질골 천공을 시행한 부위에서는 10.11±2.86개, 피질골 천공을 시행하지 않은 부위에서는 5.44±3.54개로 피질골 천공을 시행한 부위가 유의하게 더 많았다.

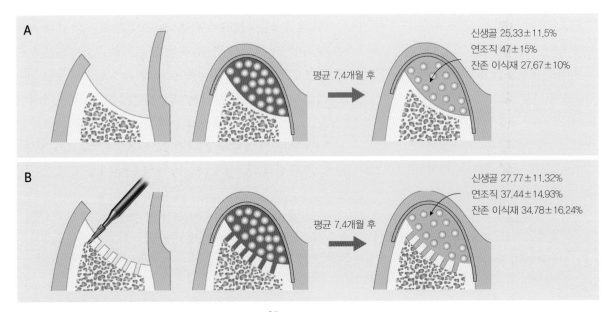

신생골 25.33±11.5%
연조직 47±15%
잔존 이식재 27.67±10%

신생골 27.77±11.32%
연조직 37.44±14.93%
잔존 이식재 34.78±16.24%

평균 7.4개월 후

📷 **1-35 골천공이 평균 7.4개월 후 골형성에 미치는 영향[85]**
골천공 여부는 조직계측학적으로 신생 조직 내 광화 조직의 비율에 거의 영향을 미치지 못했다. 이는 신생골이 충분히 성숙할 수 있는
기간(7.4개월)이 경과한 후에는 골천공 여부가 신생골의 질에 영향을 미치지 못함을 보여주는 결과이다.

이 연구의 결과는 앞의 동물 실험의 결과를 어느 정도 입증해 준다고 생각된다. 하악의 수평 결손에 골유도
재생술 시 피질골 천공을 시행하면 골재생 부위로의 신생 혈관 형성을 촉진한다는 사실을 보여주며, 따라서 골
재생 초기에 골형성이 빠르게 이루어질 수 있음을 보여준다. 그러나 이 연구에서와 같이 7개월 이상의 충분한
치유 기간이 주어지면 신생골의 최종적인 질에는 별다른 영향을 미치지 못함을 보여주는 것이다. 한 단일 환자
군 연구에서는 치조골 증강의 목적으로 골이식 수혜부에 피질골 천공을 시행한 이후에 탈단백 우골을 적용했
으며 26주 후 트레핀 버로 원통형 골편을 채취해서 조직학적 분석을 시행했다.[86] 그 결과 광화 조직, 잔존 이식
재, 연조직 양은 각각 26.9%, 47.4%, 25.6%였다. 이는 위의 대조 연구 결과와 매우 유사한 결과로, 탈단백 우골
과 흡수성 차폐막으로 수평적 결손이나 작은 치조골 결손을 수복하면 수혜부 골의 천공 여부와는 관계없이 충
분한 시간이 경과한 후 골증강부 내의 광화 조직 비율이 25-28% 정도임을 보여주는 것이다.

피질골 천공이 골증강술의 결과에 미치는 영향에 관한 주요한 문헌 고찰은, 2008년 7월까지의 일차 문헌을
대상으로 2009년에 발표된 것과 2008년 7월부터 2018년 12월까지의 일차 문헌을 대상으로 2019년에 발표된
것이 있다. 2009년의 문헌 고찰에서는 골유도 재생술 시 피질골 천공이 도움이 되는가에 대해서는 혼란스러운
정보와 충분치 못한 연구만이 존재한다고 결론 내렸다.[68] 2019년의 체계적 문헌 고찰에서도 피질골 천공이 골
유도 재생술이나 블록골 이식술 시 골형성을 증진시키는가에 대한 근거는 매우 제한적일 뿐이라고 했다.[84]

2017년의 다른 메타분석에서는 교원질 차폐막과 입자형 골이식재로 골증강술을 시행했을 때의 결과를 분석했다.[87] 그리고 분석의 하나로 피질골 천공 여부가 골증강의 양에 미치는 영향을 평가했다. 그 결과 피질골을 천공했을 때와 천공하지 않았을 때 수직적 골량은 각각 3.05±0.88 mm와 3.25±2.05 mm, 수평적 골량은 각각 2.98±1.63 mm와 0.85±0.35 mm가 증가했다. 따라서 저자들은 비록 통계학적인 유의성은 없었지만 골천공이 골증강의 수직적 양보다는 수평적 양의 증가에 더 많은 영향을 미치는 것으로 보인다고 결론 내렸다. 그러나 포함된 연구 중 골천공의 효과를 비교한 일차 연구가 없었고, 피질골 천공을 시행하지 않은 연구 수가 너무 적었기 때문에 확실한 결론을 내리기는 힘들다고 했다. 결국 아직까지도 피질골 천공의 임상적 효과는 확실히 알려지지 않았다고 할 수 있는 것이다.

3) 피질골 천공의 시술 과정

피질골 천공의 임상적 과정을 요약하면 다음과 같다(📷 1-36).

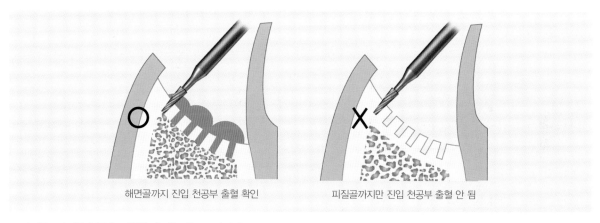

해면골까지 진입 천공부 출혈 확인   피질골까지만 진입 천공부 출혈 안 됨

📷 **1-36** 피질골 천공을 시행한 후에는 천공부에서 출혈이 이루어지는 것을 확인해야 한다. 만약 천공부에서 출혈이 이루어지지 않으면 골천공은 골수까지 충분한 깊이로 시행되지 못한 것이다.

① 하이 스피드나 로우 스피드 핸드 피스에 연결한 1-2 mm 폭의 피셔 버 또는 라운드 버로 골이식 수혜부의 피질골에 천공을 가하여 골수가 노출될 때까지 진행한다. 골의 천공부에서 출혈이 이루어지는 것이 확인되면 골천공은 적절한 깊이까지 진행된 것이다.
② 골 천공 부위의 범위는 골결손부 전체에 걸쳐 넓게 잡는다. 한 동물 실험에 의하면 피질골 천공 부위를 넓게 형성하면 좁게 형성했을 때보다 초기 치유 기간 중 신생골 형성 속도가 더 빨랐다.[66]
③ 이때 인접 자연치나 골증강부에 식립한 임플란트 매식체에 손상이 가해지지 않도록 주의를 기울인다.

앞서 설명했듯이 피질골 천공은 필수적인 과정은 아니며 결손의 크기, 결손의 형태, 수혜부 골의 피질골 상태, 이식재의 형태에 따라 그 필요성을 결정한다(📑 1-6).

📑 1-6 피질골 천공의 필요성을 결정짓는 요소

고려 요소	고려 요소의 상태	피질골 천공의 필요성
결손의 크기	크다(임플란트 매식체 표면의 절반 이상이 재생골과 접촉)	크다
	작다(임플란트 매식체 표면의 절반 이하가 재생골과 접촉)	적다
결손의 형태	수직적 결손	매우 크다
	광범위한 수평적 결손	매우 크다
	열개/천공 결손	낮다
	상악동 함기화에 의한 결손/발치와	불필요하다
수혜부 골의 피질골 상태	만성 결손(피질골 존재)	크다
	급성 결손(해면골 노출)	불필요하다
이식재 형태	블록골	크다
	입자골	나머지 요소에 따라 결정

(1) 결손의 크기와 형태

결손의 크기와 형태는 피질골 천공 여부를 결정 짓는 가장 중요한 고려 요소이다. 예컨대 한두 치아 범위의 결손부에서 작은 열개나 천공 결손이 존재할 때에는 골유도 재생술 시 피질골 천공의 필요성은 높지 않다 (📷 1-37). 그러나 광범위한 수평적 결손을 블록골 이식으로 수복하거나 수직적 결손을 골유도 재생술로 수복할 때에는 반드시 넓은 부위에 골천공을 시행해야 한다. 상악동 내부나 발치와는 자발적인 골형성 능력이 높기 때문에 피질골 천공이 불필요하다.[88]

(2) 수혜부 골의 피질골 상태

수혜부 골의 피질골 상태도 중요한 고려 요소이다. 골의 결손이 발생한 직후에는 피질골 없이 해면골이 외부로 직접 노출되는데, 이를 급성 골결손(acute defect)이라 한다. 반면 결손이 발생하고 많은 시간이 경과하면 결손부가 피질골로 피개되어 안정되는데, 이를 만성 골결손(chronic defect)이라 한다. 급성 골결손에서는 이미 해면골이 노출되어 있기 때문에 피질골 천공이 필요치 않다.[89] 발치 직후의 발치와 내부나 피질골이 결여되어 있는 상악의 골결손부는 급성 결손이기 때문에 피질골 천공이 불필요하다. 그러나 발치 후 상당한 시간이 경과하여 피질골로 완전히 피개된 하악 결손부의 경우에는 피질골 천공을 시행하는 것이 좋을 것이다(📷 1-38). 하악에 비해서 상악이, 그리고 높은 밀도보다는 낮은 밀도의 골에서 더 좋은 골재생 결과를 얻을 수 있었다는 임상연구는 이러한 생각을 뒷받침하는 근거가 될 수 있다.[90] 또한 한 메타분석에서도 심하게 흡수된 하악골은 피질골이 두껍고 해면골이 수축되어 있으며 이로 인해 골증강술의 예후가 좋지 않다고 결론 내렸다.[91]

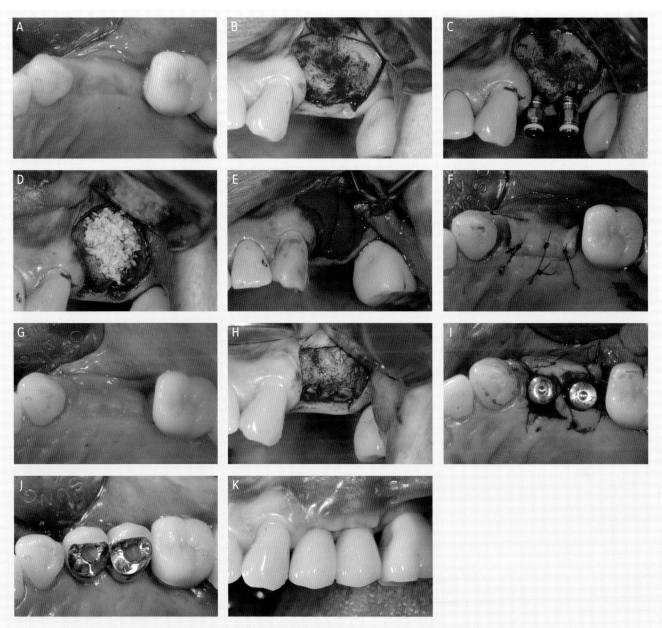

📷 **1-37 한두 치아 범위의 작은 결손에서는 피질골 천공이 필수적이지 않다.**

A~F. 상악 제1소구치 및 제2소구치 부위에 임플란트를 식립했고 작은 천공 결손이 존재했다**(C)**. 골천공 없이 동종골 이식재와 교차 결합 교원질 차폐막으로 골결손부를 수복해 주었다**(D, E)**.

G~I. 4개월 후 2차 수술을 시행했다. 골천공을 시행하지 않았지만 재생골은 주위골과 잘 유합되어 있었다.

J~K. 다시 1개월 후 최종 보철 치료를 완료했다.

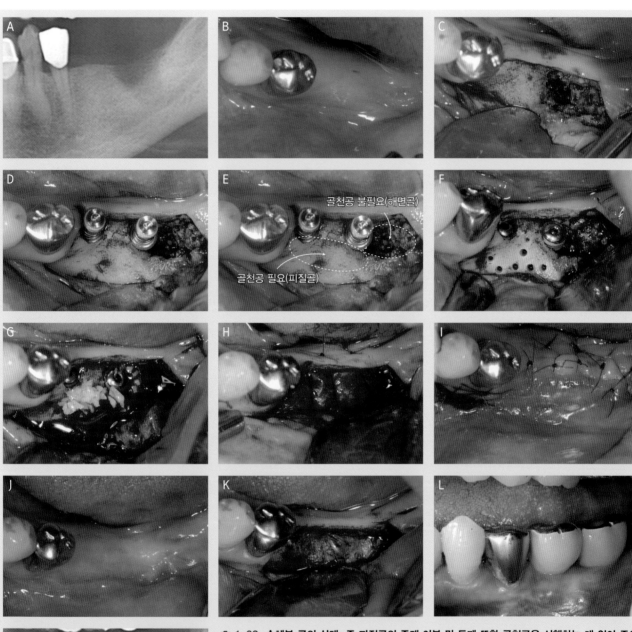

골천공 불필요(해면골)

골천공 필요(피질골)

📷 1-38 수혜부 골의 상태, 즉 피질골의 존재 여부 및 두께 또한 골천공을 시행하는 데 있어 중요하게 고려해야 할 요소이다.

A~I. 제1대구치는 발치 후 오랜 시간이 경과했기 때문에 피질골로 완전히 피개된 만성 골결손의 상태였지만, 제2대구치는 발치 후 아직 발치와의 치유가 완료되지 못했다**(C)**. 따라서 이 부위는 급성 골결손으로 분류할 수 있었기 때문에 제1대구치 협측골에만 골천공을 시행했다**(E, F)**. 자가 입자골과 교원질 차폐막으로 골유도 재생술을 시행했다**(G, H)**.

J~K. 약 4개월 후 2차 수술을 시행했다. 신생골은 수혜부 골과 구분되지 않을 정도로 잘 형성되어 있었다.

L~M. 보철 완료 후의 모습이다.

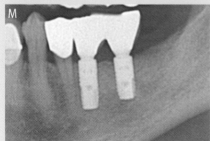

(3) 이식재 형태

광범위한 수평적 골결손 시 골증강의 첫 번째 선택지는 블록골 이식술이다. 블록골 이식 후 수개월이 경과하고 임플란트를 단계적으로 식립하면 이식골의 탈락이 발생할 수 있다. 피질골을 천공하면 수혜부 골과 이식골의 유합을 증진시키기 때문에 이러한 현상을 예방할 수 있는 것으로 생각된다(📷 1-39, 40).[72-74]

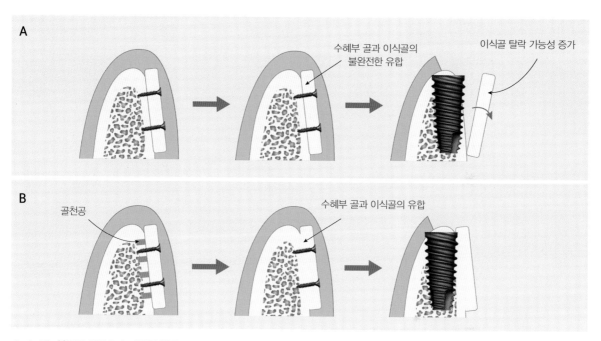

📷 1-39 **블록골 이식술과 피질골 천공**
A. 블록골 이식술 시 수혜부의 피질골을 천공하지 않으면 이식골과 수혜부 골의 유합이 불충분하여 임플란트 식립 시 이식골이 탈락할 수도 있다. **B.** 블록골 이식술 시 수혜부 피질골을 천공하면 이식골과 수혜부 골 사이의 유합 정도가 증가하기 때문에 이식골이 잘 탈락하지 않는다.

3.
골증강술 시의 임플란트 식립

1) 보철적으로 이상적인 위치에 임플란트를 식립할 수 있다면 골증강술과 동시에 임플란트를 식립한다.

골이식을 위한 준비가 완료된 후 임플란트의 식립 여부를 결정한다. 일반적으로 골증강술과 동시에 임플란트를 식립하면 치료 기간의 단축, 수술 횟수의 감소, 비용 절감 등 여러 가지로 유리한 점이 많고, 실제 식립된 임플란트의 생존율도 별 차이가 없었기 때문에 전문가들은 가능하기만 하다면 골증강술과 동시에 임플란트를 식립할 것을 추천한다.[87,92,93]

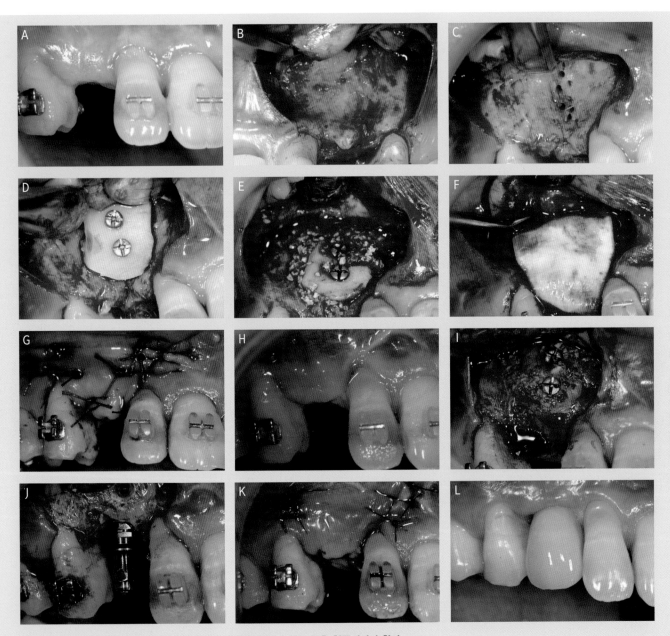

📷 **1-40 블록골 이식술 시에는 수혜부 골과의 유합을 위해 수혜부 골을 천공시켜야 한다.**

A~G. 광범위한 수평적 결손을 보이는 부위에 하악지에서 채취한 자가 블록골을 이식해 주었다**(D)**. 수혜부 골과 이식골의 유합을 위해 수혜부 골에 천공을 시행했다**(C)**.

H~K. 약 5개월 후 임플란트를 식립했다.

L. 보철 완료 후 약 6개월이 경과했을 때의 모습이다.

동시법의 적응증은 "임플란트를 보철적으로 이상적인 위치에 식립하여 잔존골에서 충분한 정도의 일차 안정을 얻을 수 있을 때"이다(📷 1-41).[92] 또는 식립한 임플란트 표면의 절반 이상이 잔존골과 접촉하고 있어야 한다. 임상가들이 이를 명시적으로 표현하지는 않지만 일반적인 열개/천공 결손이나 적은 양(<3 mm)의 수직적 결손 시에는 동시법을, 큰 수직적 결손(≥3 mm)과 광범위한 수평적 결손, 혹은 커다란 열개나 천공 결손 시에는 단계법으로 임플란트를 식립한다(📷 1-42).

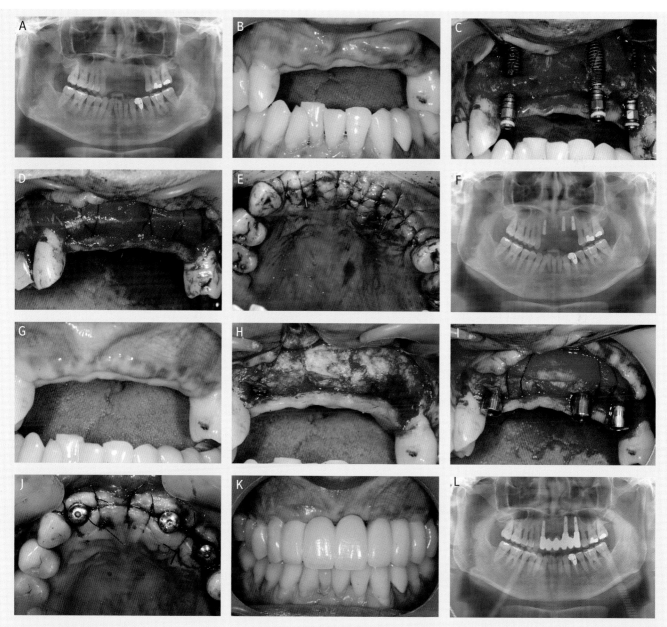

📷 **1-41 골증강술과 임플란트 동시 식립. 골증강술과 임플란트 식립을 동시에 시행할 때의 적응증은 100% 골대체재로 골증강술을 시행할 때의 적응증과 사실상 거의 동일하다.**

A~E. 상악 전치부 치아 결손부에 임플란트를 식립하고 골증강술을 시행했다. 이 증례는 골증강술과 임플란트 식립에 있어 동시법/단계법의 경계선 상에 위치했다고 볼 수 있다. 특히 좌측 측절치 부위의 골결손이 심하긴 했지만 임플란트의 일차 안정은 충분하다고 판단했기 때문에 동시법으로 진행했다(**C**).

F~J. 4개월 1주 후 2차 수술을 시행하면서 무세포성 동종 진피로 순측 조직을 증강시켰다(**I**).

K~L. 고정성 임시 보철물을 거쳐 4개월 후 최종 보철물을 연결해 주었다.

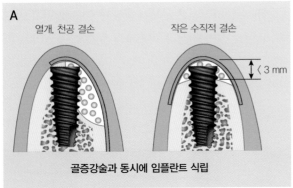
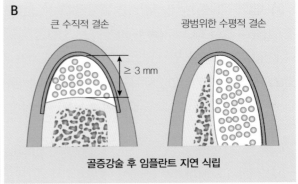

A		B	
열개, 천공 결손	작은 수직적 결손	큰 수직적 결손	광범위한 수평적 결손
< 3 mm		≥ 3 mm	
골증강술과 동시에 임플란트 식립		골증강술 후 임플란트 지연 식립	

📷 **1-42 동시법과 단계법의 적응증**
A. 대부분의 열개 및 천공 결손과 작은 수직적 결손 시에는 동시법을 적용한다.
B. 큰 수직적 결손과 광범위한 수평적 결손 시에는 단계법을 적용한다.

위의 원칙에만 충실하다면 골증강술 시 임플란트의 식립 시기는 임플란트의 최종적인 결과에 별다른 영향을 미치지 않는다. 한 메타분석에서는 입자형 골이식재와 교원질 차폐막으로 골증강술을 시행할 때 임플란트 식립 시기가 임플란트의 생존율에 미치는 영향을 평가했다.[87] 그 결과, 골증강술과 동시에 임플란트를 식립했을 때에는 평균 99.75%, 골증강술 후 임플란트를 지연 식립했을 때에는 평균 98.30%의 생존율을 보였으며 이는 임상적으로나 통계학적으로 유의하지 않은 차이였다. 또 다른 체계적 문헌 고찰에서는 상악 전치부에서 골증강술과 더불어 임플란트를 동시 식립했을 때와 지연 식립 했을 때의 결과를 비교했다.[92] 포함된 일차 연구의 수가 매우 적고, 측정된 결과 지표가 매우 제한적이라 확정적인 결론을 내리기는 힘들었지만, 두 방법 모두에서 임플란트의 생존율과 성공률은 높게 나타났다. 따라서 근거 수준이 낮긴 하지만 두 방법 모두 성공적으로 적용 가능하다고 결론 내렸다.

대부분의 골결손부에서는 주로 설측보다는 협측이 더 많이 결손되어 있다. 따라서 임플란트 식립 시에는 이러한 점을 잘 고려해야만 한다. 협측 치조골이 더 많이 결손되어 있으면 임플란트는 이상적인 위치보다 더 설측으로 식립될 것 같지만 역설적으로 더 협측으로 식립되는 경우가 많다. 설측은 피질골이 두껍고 길게 남아있기 때문에 임플란트 식립을 위한 골삭제 시, 또는 임플란트 식립 시 드릴과 매식체는 협측으로 밀리기 때문이다. 따라서 이러한 점을 잘 고려하여 임플란트를 식립한다.

임플란트 식립을 단계법으로 계획한 경우에는 이식골의 조성에 주의를 기울인다. 임플란트를 동시에 식립하는 것이 불가능한 정도의 결손부는 골결손량이 크고 결손의 형태가 불리한 경우가 많기 때문에 자가골 함량을 높여주는 것이 좋다. 단계법 시 임플란트는 보통 골증강술 4–6개월 후 식립한다.[94] 이식골 내 자가골의 함량이 적거나 없는 경우에는 골대체재의 치유 속도가 느리기 때문에 6개월 이상 충분히 기다리는 것이 좋을 것이다.

2) 열개 결손 수복 시 임플란트를 동시에 식립한 경우 점막 관통 치유는 수술 결과에 어떤 영향을 미치는가?

골증강부의 완전한 폐쇄는 그 예후를 결정짓는 중요한 요소 중 하나이다. 그러나 발치 후 즉시 임플란트 식립 시 임플란트 주위 결손을 수복하거나 치조제 보존술을 시행하는 경우에는 골이식부를 의도적으로 노출시키기도 한다(📷 1-43). 일찍이 1994년 Lang 등은 발치 후 즉시 임플란트 식립 시 점막 관통 치유를 도모하고 ePTFE 차폐막을 적용하여 치아 주위 결손부 내에서 골유도 재생술이 가능한지 임상적으로 평가했다.[95] 치유 기간 중 철저한 치태 관리를 시행한 결과, 모든 증례에서 감염 없이 안정적으로 치유되었으며 5–7개월 후 차폐막 제거 시 대부분의 증례(20/21)에서 완전한 골재생을 관찰할 수 있었다. 이 연구의 결과는, 점막 관통 치유를 도모하더라도 임플란트 주위 골결손에 대한 골유도 재생술을 예지성 있게 시행 가능함을 보여준 것이었다. 이후 일련의 임상 연구들에서는 발치 후 즉시 임플란트 식립 시 점막 관통 치유를 도모하더라도 차폐막을 적용하여 임플란트 주위 결손에 골재생을 성공적으로 이룰 수 있음을 보여주었다.[96] 그러나 발치와는 골형성 능력이 극도로 좋은 결손부이며 완전한 골내 결손이기 때문에 골이식재가 치유 기간 중 붕괴되거나 골이식부 외부로 잘 유출되지 않는다.

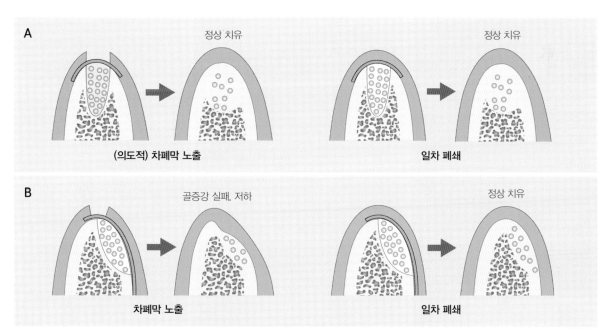

📷 **1-43 골증강부의 일차 폐쇄가 결과에 미치는 영향**
A. 치조제 보존술 시에는 차폐막을 노출시키더라도 일차 폐쇄 시와 유사한 정도의 골증강 효과를 얻을 수 있다. 그러나 이는 다른 결손부에 골증강술을 시행했을 때와는 다른 결과이다. 발치와 결손부는 순수한 골내 결손이고 4벽성 결손이기 때문에 골재생에 가장 이상적인 환경을 제공하기 때문에 차폐막 노출이 골재생의 결과에 영향을 적게 미치는 것으로 생각된다. **B.** 골결손부가 치조정 부위를 포함하는 결손(열개, 수직, 광범위한 수평 결손)에서는 치유 기간 중 피판이 열개되어 차폐막이 노출되면 골증강이 실패하거나 결과가 나빠진다.

(1) 열개 결손 수복 및 임플란트 식립 후 점막 관통 치유를 도모하면 이론적으로 치유가 저하될 수 있다.

상악동 골이식 부위나 천공 결손 수복부는 점막 절개부와 골증강부가 떨어져 있다. 따라서 이러한 결손에서는 골증강술과 동시에 임플란트를 식립하고 점막 관통 치유를 도모하더라도 수술부 일차 폐쇄의 원칙은 지킬 수 있다(📷 1-44). 그렇다면 작은 열개 결손을 수복하면서 점막 관통 치유를 도모하면 어떤 결과를 보일까?

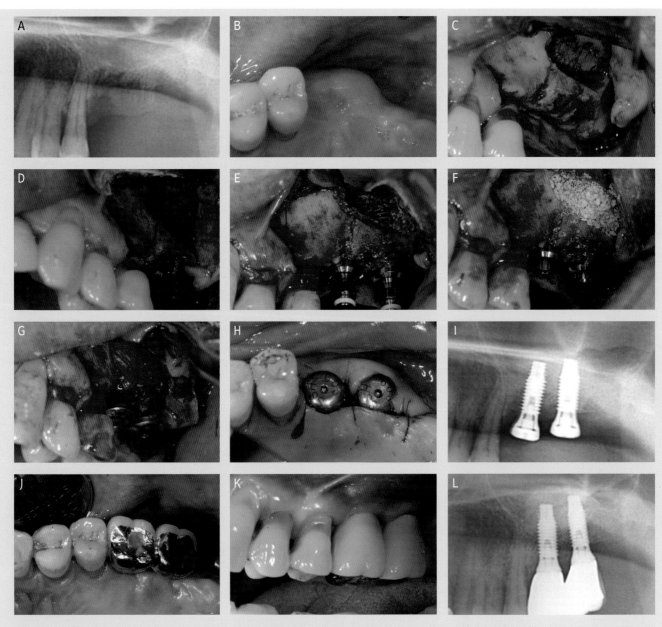

📷 **1-44** 상악동 골이식부나 천공 결손 수복부는 절개선과 떨어져 있다. 따라서 이들 술식을 시행하고 동시에 임플란트를 식립한 경우에는 점막 관통 치유를 도모하더라도 골증강부는 외부로 노출되지 않는다. 결국 이러한 증례에서는 1단계 수술이 시행 가능하다.

A~I. 상악동 골이식과 동시에 임플란트를 식립했다. 골증강부는 절개선과 떨어져 있었기 때문에 임플란트에 치유 지대주를 연결하여 점막 관통 치유를 도모했다(**G~I**).

J~L. 6개월 3주 후 보철물을 연결해 주었다.

이는 임플란트의 점막 관통부(치유 지대주)와 점막이 접촉한 부분은 열개 결손 수복 후 골증강의 양이나 재생 골의 질에 악영향을 미치는지, 혹은 이 접촉부가 일차 폐쇄된 피판 변연부와 비슷한 폐쇄 효과를 보이는지에 대한 문제가 된다(📷 1-45). 그리고 이론적인 관점에서 봤을 때 이는 몇 가지 문제가 있을 수 있다.

① 점막 관통부에서 점막과 지대주의 접합 정도는 점막과 치아의 접합 정도에 비해 떨어진다.

임플란트 지대주와 임플란트 주위 점막의 접촉부는 치아와 치주점막의 결합과 유사한 조직학적 상태로 치유된다. 이 부위는 열구 상피 및 접합 상피로 이루어진 상피 접합과 결합 조직 접합으로 이루어져 있다(📷 1-46). 상피 접합은 2 mm 정도, 결합 조직 접합은 1-1.5 mm 정도이며 이들의 합인 생물학적 폭경은 3-3.5 mm 정도이다.[97,98] 상피 접합은 치아와 임플란트 주변에서 큰 차이가 없는 반면, 임플란트 주위의 결합 조직 접합은 치아 주위의 접합보다 훨씬 약하다. 치아 주위 결합 조직 내에는 치아의 백악질로 직접 함유되는 수직 방향으로

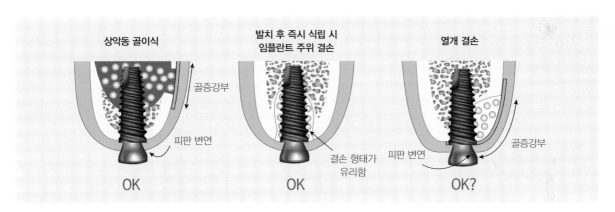

📷 **1-45 골증강의 위치에 따른 점막 관통 치유의 영향**
상악동 골이식 후에는 점막 관통 치유를 도모하더라도 골증강부는 정상적으로 치유된다. 발치 후 즉시 임플란트를 식립한 경우에도 골결손부는 치조정을 포함하지만 결손부가 워낙 골재생에 유리하기 때문에 점막 관통 치유를 도모하더라도 좋은 결과를 보인다. 그렇다면 열개 결손은 점막 관통 치유 시 어떤 치유 결과를 보일까? 작은 열개 결손은 골대체재와 흡수성 교원질 차폐막으로 수복 시 점막 관통 치유를 도모하더라도 정상적인 치유를 보인다.

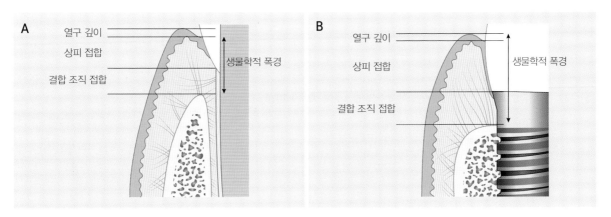

📷 **1-46 자연치와 임플란트 주위에서 점막과 치아(임플란트) 구조물 사이의 접합**
A. 자연치와 치주 점막 사이의 결합 **B.** 임플란트와 임플란트 주위 점막의 결합. 치주 조직보다 상피 접합의 길이가 전반적으로 길다는 점을 제외하면 비슷한 상태를 보인다.

배열된 교원질 섬유가 존재하는 반면, 임플란트 주위 결합 조직에는 임플란트 표면에 평행한 교원질 섬유만이 존재하기 때문이다.[99,100] 이는 이론적으로 치유 기간 중 임플란트의 지대주와 점막 간의 결합이, 치아–치주 결합에 비해 외부의 자극이나 세균의 침투에 대해 저항력이 떨어질 수 있음을 의미하는 것이다(📷 1–47).[101]

② 임플란트 주위 점막의 치유는 치주 조직에서보다 느리다.

임플란트 식립 후 점막 관통 치유를 도모하면 임플란트 주위 점막은 초기의 염증 과정을 거쳐 점차 성숙해 간다. 임플란트 주위의 상피 접합을 이루는 상피 세포는 수술 1–2주 후부터 형성되기 시작하여 6–8주 후에 성숙해진다.[102,103] 이러한 임플란트 주위 점막 조직의 치유 속도는, 치아 주위에 있는 치주 점막 조직의 치유 속도에 비해 느린 것이다. 한 동물 연구에 의하면 치아 주위의 치주 점막을 절제하면 4주 후까지 치유가 완료되었던 반면, 임플란트 주위 점막을 절제하면 4–12주 후에 치유가 완료됐다.[104] 저자들은 임플란트에는 창상에 세포와 혈액을 공급해 줄 수 있는 치주 인대가 없고, 창상 내 결합 조직의 교원질 섬유가 삽입되는 백악질이 결손되어 있기 때문에 임플란트 주위 점막의 치유가 더 느리다고 생각했다.

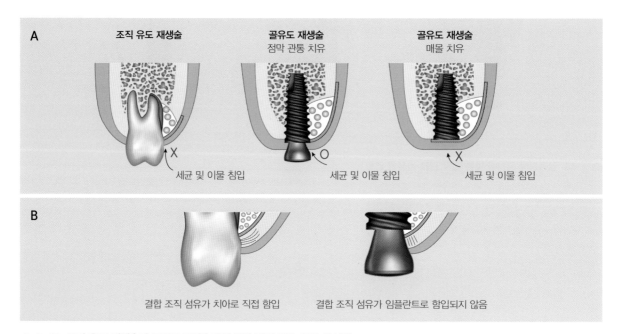

📷 **1–47 조직 유도 재생술과 골유도 재생술에서 점막 관통 치유 시의 차이점**
A. 조직 유도 재생술 시에는 치아가 존재하기 때문에 점막 관통 치유만 시도할 수 있다. 반면 임플란트 주위에서 골유도 재생술을 시행할 때에는 점막 관통 치유뿐만 아니라 점막 하 매몰 치유도 가능하다. 매몰 치유 시에는 세균 및 이물 침투를 확실하게 예방할 수 있기 때문에 좀 더 예지성 높은 결과를 얻을 수 있을 것으로 예상 가능하다. **B.** 치주 조직 내의 결합 조직에는 치아의 백악질로 직접 함입되는 섬유가 존재한다. 이는 조직 유도 재생술 시 점막 관통부를 좀 더 완전하게 보호해 줄 수 있을 것이다. 반면 임플란트 주위의 결합 조직에서는 임플란트 구조물로 직접 함입되는 섬유가 존재하지 않는다. 따라서 임플란트 구조물과 점막 변연부는 치아 주변에서와 같이 서로 밀접하게 접촉하기는 힘들다.

③ 임플란트 주위 점막은 치유 과정 중 더 많은 염증 산물을 분비한다.

게다가 치주 조직과 비교했을 때 임플란트 주위 점막은 임상적으로 특별한 문제가 없이 치유되더라도 훨씬 더 많은 염증 관련 물질을 분비한다.[105,106] 이러한 현상이 임상적으로 어떠한 관련성을 갖는가에 대해서는 명확히 해석하기 힘들지만, 적어도 치아 주변에서 조직 유도 재생술을 시행할 때와, 점막을 관통시킨 상태의 임플란트 주변에서 골유도 재생술을 시행할 때의 결과는 다를 수 있음을 보여주는 것이다.

(2) 아직 많은 임상 근거가 축적되지는 못했지만 열개 결손 수복 시 점막 관통 치유는 골증강의 결과에 크게 악영향을 미치지는 않는 것으로 보인다.

1995년 한 증례 보고에서는 기능 부하 후 협측에 심한 골결손을 보인 두 점막 관통형 임플란트에 ePTFE 차폐막으로 골유도 재생술을 시행했다.[107] 각각 4.5개월과 6개월 후 차폐막을 제거했는데, 1.5 mm와 3.6 mm 높이의 골을 재생시킬 수 있었으며 이후 임플란트는 성공적으로 기능했다고 보고했다. 2001년에 한 증례 연구에서는, 열개 결손과 임플란트 주위 결손을 보이는 점막 관통 임플란트 주위를 탈단백 우골과 천연 교원질 차폐막으로 수복해 주었다.[108] 총 10증례 중 한 증례에서만 치유 기간 중 감염 소견을 보였으며, 골결손부는 수직적으로 평균 86±33%가 수복되었다. 따라서 탈단백 우골과 교원질 차폐막의 조합은 임플란트 주위 열개 결손을 점막 관통 치유의 환경 하에서도 성공적으로 이룰 수 있음을 보여주었다.

2018년의 무작위 대조 연구에서는 임플란트 식립 후의 열개 결손에 탈단백 우골과 천연 교원질 차폐막을 적용하고 점막 관통 치유와 매몰 치유를 시행했을 때 골증강 양의 변화를 비교했다.[109] 그 결과 수술 중, 수술 직후, 수술 6개월 후의 골증강 양에 있어 두 방법을 적용했을 때 어떠한 차이도 보이지 않았다. 즉, 점막 관통 치유를 적용하더라도 매몰 치유를 적용했을 때에 비해 골증강 양이 더 줄어들지는 않았던 것이다. 물론 조직학적으로 신생골의 질을 비교하지는 않았지만 이는 적어도 열개 결손 시 점막 관통 치유를 도모하더라도 골증강의 양은 저하되지 않는다는 사실을 보여주는 것이다.

결론적으로 작은 열개 결손부를 수복한 경우에도 가급적이면 수술부를 완전히 일차 폐쇄하는 것이 예지성 있는 결과를 얻는 데에는 더 유리할 것이다. 그러나 이론적인 불리함에도 불구하고 작은 열개 결손 수복 시 임플란트 식립과 동시에 천연 교원질 차폐막과 탈단백 우골을 적용하여 점막 관통 치유를 도모하면 특별한 문제 없이 현저한 양의 골을 증강시킬 수 있다(📷 1-27, 📷 1-48). Benic과 Hämmerle은 다음의 경우에는 열개 결손 수복 후 반드시 매몰 치유를 도모할 것을 추천했다.[93]

- 임플란트의 일차 안정이 좋지 않을 때
- 점막에 의해 지지되는 임시 보철물이 임플란트에 부하를 가할 수 있을 때
- 차후에 연조직 증강술이 예정되어 있을 때

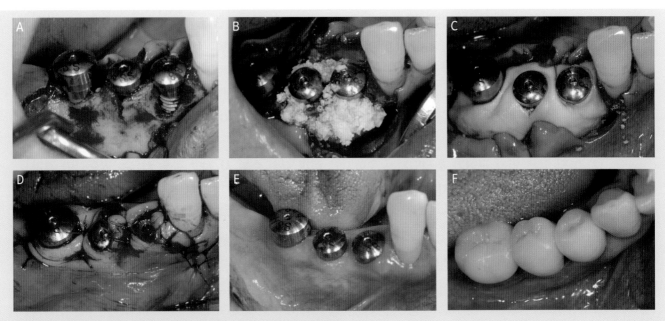

📷 **1-48 열개 결손 수복 시 일차 폐쇄가 아닌 점막 관통 치유를 도모한 증례**

A~D. 열개 결손을 탈단백 우골과 천연 교원질 차폐막으로 수복했다.

E. 임플란트 주위 점막은 정상적인 형태로 치유되었고 골증강부에는 어떠한 문제도 발생하지 않았다.

F. 수술 3개월 1주 후 보철물을 연결했다. 점막 관통 치유의 가장 큰 장점은 2차 수술이 필요 없다는 것이다. 또한 2차 수술 시 수술부에 가해질 수 있는 잠재적인 외과적 외상을 줄여줄 수 있다.

4.
골이식재와 차폐막의 적용

절개 및 피판 형성, 피질골 천공, (필요시) 임플란트 식립까지 마치고 난 후 이식재와 차폐막을 적용한다. 이식재와 차폐막을 적용하는 데 있어 가장 중요한 과정은 우리가 처한 그 증례에 가장 적합한 종류의 이식재와 차폐막을 선택하는 것이다. 적합한 이식 재료만 선택하면 차폐막을 봉합 고정하는 과정을 제외한다면 이를 적용하는 것 자체는 크게 어렵지 않다.

1) 이식재와 차폐막의 선택

이식재와 차폐막의 선택에 대해서는 앞서 자세히 설명한 바 있다. 현재 골증강술에서 가장 많이 이용되는 이식재와 차폐막은 천연 수산화인회석계 입자형 골대체재(동종골, 이종골)와 교원질계 흡수성 차폐막이다.

이식재와 차폐막은 골증강술의 두 가지 주요한 목적인 공간 형성 및 유지(신생골의 양)와 신생골 형성 능력(신생골의 질)을 결정하는 데 있어 서로 영향을 미친다. 따라서 이들 두 재료를 선택할 때에는 서로 주고받는 영향을 고려해야 한다. 저자의 경험과 임상적 근거에 따라 골결손에 따른 골이식재와 차폐막의 선택 기준은 📑 1-7 과 같다(📷 1-49).[110-113] 이 표에서 같은 칸에 있는 재료는 임상적인 상황과 술자의 선호도에 따라 선택할 수 있는 옵션이다.

📑 **1-7 결손의 상태에 따른 이식재와 차폐막의 선택**

골증강 술식	결손의 분류	골이식재의 선택	차폐막의 선택
치조골 증강술	작은 열개/천공 결손 (골내 결손, 매식체 길이의 1/2 미만 노출)	입자형 골대체재	흡수성 차폐막
	커다란 열개/천공 결손 (골외 결손, 매식체 길이의 1/2 이상 노출)	입자형 골대체재 입자형 혼합골(자가골+골대체재)	티타늄 메쉬(±흡수성 차폐막) 비흡수성 차폐막(±티타늄 강화)
	광범위한 수평적 결손	자가 블록골(±골대체재)	흡수성 차폐막
		입자형 혼합골(자가골+골대체재) 골대체재	티타늄 메쉬(±흡수성 차폐막) 티타늄 강화 비흡수성 차폐막 흡수성 차폐막
	작은 수직적 결손 (결손량≤3 mm)	입자형 골대체재 입자형 혼합골(자가골+골대체재)	티타늄 메쉬(±흡수성 차폐막) 티타늄 강화 비흡수성 차폐막
	큰 수직적 결손 (결손량>3 mm)	입자형 자가골 입자형 혼합골(자가골+골대체재)	티타늄 메쉬(±흡수성 차폐막) 티타늄 강화 비흡수성 차폐막
		자가 블록골(±골대체재)	흡수성 차폐막 비흡수성 차폐막(±티타늄 강화)
상악동 골이식	외측 접근법	입자형 골대체재	흡수성 차폐막 차폐막을 적용하지 않음
	치조정 접근법	입자형 골대체재	차폐막이 필요 없음
치조골의 보존	치조제 보존술	입자형 골대체재	흡수성 차폐막 dPTFE 차폐막 차폐막을 적용하지 않음
	발치 후 즉시 식립 시 임플란트 주위 결손	입자형 골대체재	차폐막이 필요 없음 흡수성 차폐막

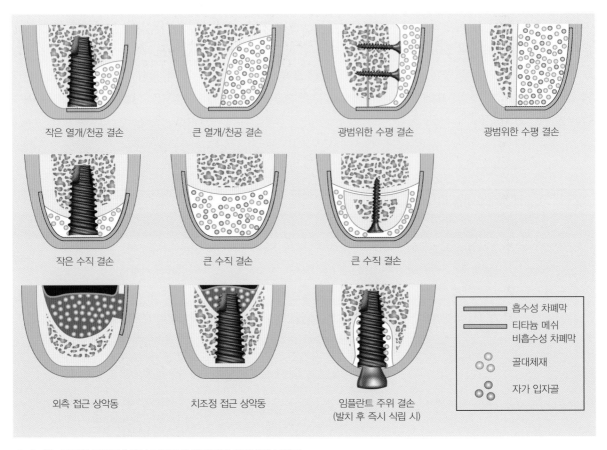

작은 열개/천공 결손   큰 열개/천공 결손   광범위한 수평 결손   광범위한 수평 결손

작은 수직 결손   큰 수직 결손   큰 수직 결손

외측 접근 상악동   치조정 접근 상악동   임플란트 주위 결손
(발치 후 즉시 식립 시)

흡수성 차폐막
티타늄 메쉬
비흡수성 차폐막
골대체재
자가 입자골

📷 **1-49** **다양한 골증강술에서 표준적인 차폐막과 이식재의 조합들**

2) 입자형 이식재의 적용 과정

(1) 필요한 이식재의 양

사용할 이식재를 선택하고 나서 이식재를 실제로 적용할 때에는 과연 어느 정도의 이식재 양이 필요한가도 중요한 고려 요소가 된다. 대부분의 이식재는 gram이나 cc 단위로 포장되어 시판되는데 중요한 것은 이식재의 질량보다는 부피이기 때문에 질량 단위로 포장되어 시판되는 이식재는 몇 cc로 환산되는지 반드시 알고 있어야 한다. 참고로 Bio-Oss는 대략 "질량×2"가 cc 단위의 부피가 된다. 경험상 치조골 증강술 시 필요한 이식재의 양은 🔖 **1-8**과 같다.

(2) 특히 결손부의 치관측 변연에서 입자형 이식재는 필요한 양보다 더 많이 적용해야 한다.

골증강 부위는 수술 완료 후 치유가 완료될 때까지 부피가 축소하는 경향이 있기 때문에 입자형 이식재는 항상 이상적으로 필요한 양보다는 20-30% 정도 더 과도하게 적용하는 것이 좋다.[114] 이는 특히 치관측 변연부에서 더 중요하다. 열개 결손을 수복한다고 했을 때 결손의 치관측 변연부를 2 mm 정도 수평적으로 더

1-8 결손부의 크기와 형태에 따라 필요한 입자형 이식재의 양	
결손부의 크기와 형태	필요한 이식재
단일 치아 결손부의 작은 열개/천공 결손	0.2–0.3 cc
단일 치아 결손부의 큰 열개/천공 결손	0.4–0.5 cc
2–3치아 결손부의 작은 열개/천공 결손	
3치아 이상 결손부의 커다란 열개/천공 결손	1 cc

과도하게, 그리고 치조골 상부에 1 mm 정도 수직적으로 과도하게 이식재를 적용한다(📷 1-50).[115] 그 이유는 다음과 같다.[116]

① 차폐막 직하방, 즉 이식재의 최상부 1–2 mm는 대부분 골조직이 아닌 연조직 층으로 치유되기 때문에 이 층의 두께를 보상한다.

② 앞서 설명했지만 아무리 피판의 장력을 확실히 줄여주더라도 피판의 치관측 변연은 골증강부에 압력을 가하며, 이로 인해 입자형 이식재와 흡수성 차폐막으로 골증강술을 시행하면 치관측의 골증강부는 수술 직후부터 이미 붕괴되기 시작한다.

③ 특히 자가골 이식재나 흡수성 이식재를 이용하면 치유 과정 중 이식재 자체의 부피가 축소한다.

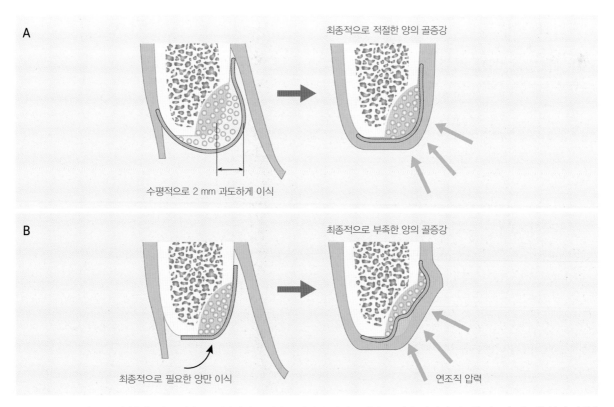

A

최종적으로 적절한 양의 골증강

수평적으로 2 mm 과도하게 이식

B

최종적으로 부족한 양의 골증강

최종적으로 필요한 양만 이식

연조직 압력

📷 1-50 골증강부의 치관측은 치유 기간 중 피판에서 가해지는 압력에 의해 붕괴될 수 있다. 따라서 필요한 양보다 과도한 양의 이식재를 적용하는 것이 좋다.

이식재와 차폐막은 임플란트 식립과 골천공 등의 처치가 끝난 후 적용하며, 골막 이완 절개가 필요하다면 이를 시행한 후에 적용하는 것이 편하다. 또한 골막 절개 후 일어나는 출혈은 삼투압에 의해 이식재를 적셔주기 때문에 이식재를 위치시키기가 편해지고 치유 과정 중 이식재 내부에서 치유를 돕는 혈병을 형성시킬 수 있다는 부가적인 장점이 있다. 이식재는 차폐막을 설측 피판 하방에 미리 삽입한 상태에서 적용하면 편하다(📷 1-51).

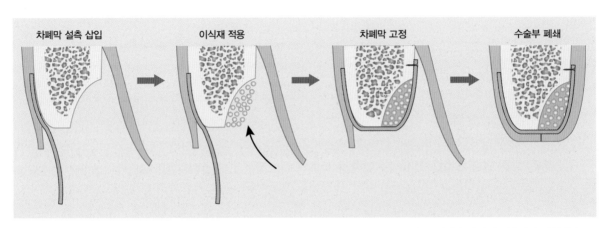

📷 **1-51** 이식재를 적용하기에 앞서 차폐막 설측을 먼저 고정하거나 설측 피판 하부에 차폐막을 삽입하면 이식재 적용이 손쉬워진다.

3) 차폐막의 적용 과정

차폐막이 골유도 재생술의 결과에 미치는 영향에 있어 차폐막의 선택이 절반의 중요성을 차지한다면, 나머지 절반은 이를 임상적으로 적용하는 과정이 차지한다고 생각된다. 임상가들이 가장 어려워하는 과정은 수술부 폐쇄이고 두 번째로 어려워하는 과정은 차폐막을 적용하는 과정이다. 이제부터 차폐막을 적용하는 과정에 대해 살펴볼 것이다.

(1) 차폐막 형태의 디자인

차폐막 변연은 골증강부 변연 외측으로 2-3 mm 정도 더 크게 형성해 주는 것이 원칙이다. 많은 골결손부가 협측에 한정되어 있기 때문에 협측에 위치할 차폐막 부분은 대체적으로 꼭지점이 둥근 직사각형이나 정사각형 형태로 만들어 주어야 한다. 설측으로 연장된 부분은 차폐막 자체의 기능보다는 설측 피판 하방에 삽입되어 차폐막을 안정적으로 유지시켜주는 역할을 하기 때문에 긴 직사각형 형태를 보이도록 만들어준다. 결국 차폐막은 대개 서양배 모양으로 만들어준다. 만약 결손이 협설측에 걸쳐 있다면 아령 모양으로 협측과 설측의 직사각형을 연결해준다. 협측에 한정된 결손부에 적용할 차폐막 형태를 디자인하는 과정은 다음과 같다(📷 1-52).

① 직사각형 형태로 시판되는 차폐막 중 골결손부보다 약간 큰 크기의 것을 선택한다.

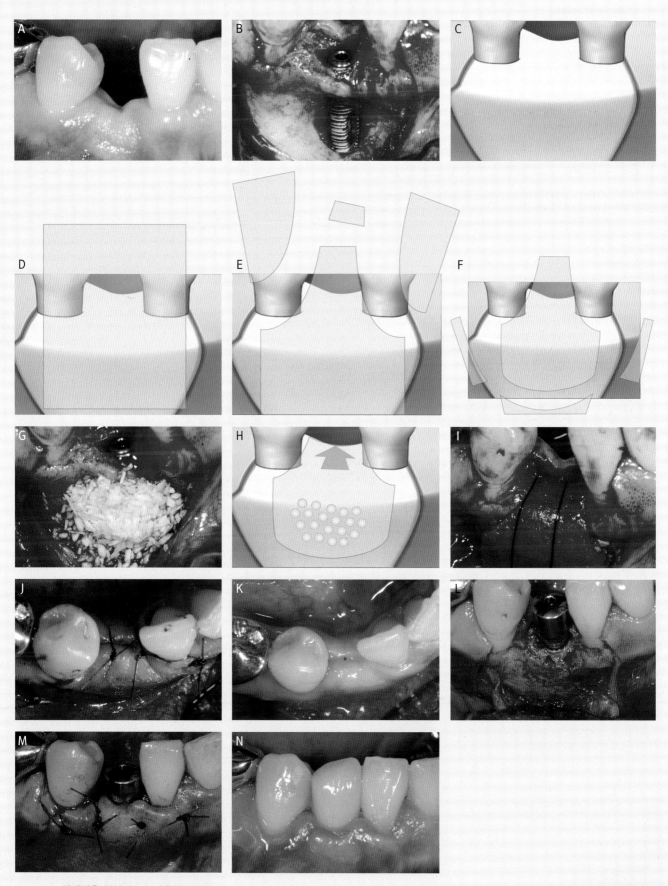

📷 1-52 차폐막을 임상적으로 적용하는 과정

② 치아 사이와 설측에 위치할 부분을 만들어준다. 수술용 가위를 이용, 차폐막이 전후 인접 자연치의 치경선에서 1–2 mm 정도 내측으로 지나갈 수 있도록 부드러운 곡선의 형태로 잘라준다.

③ 협측에 위치할 부분을 형성해준다. 골증강이 필요한 부위보다 2–3 mm 이상 크게 근심, 원심, 치근단 쪽을 잘라준다.

④ 이렇게 형성된 차폐막을 골결손부에 적용해보고 최종적인 형태를 디자인한다. 이 때 차폐막에 예리한 꼭지점이 생기지 않도록 차폐막의 전체 외형을 부드러운 곡선 형태로 만들어준다. 이는 특히 비흡수성 차폐막이나 티타늄 메쉬를 사용할 때 중요하다.

천연 교원질 차폐막처럼 흡수가 빠른 차폐막의 경우에는 차폐막을 두 층으로 적용하기도 한다(two–layer technique).[62,117] 이 때에는 각각 두 개의 직사각형 형태의 차폐막을 만든 후 이를 수평 및 수직 방향으로 "⊥"자 형태로 적용하면 된다(📷 1–53).

(2) 차폐막의 효과를 극대화시키기 위해서는 이를 적절한 방법으로 고정해 주어야 한다.

차폐막 고정의 중요성은 앞에서 설명한 바 있다. 이를 다시 정리하면 다음과 같다(📷 1–54).[115,118,119]

① 차폐막 변연을 골에 밀접시킴으로써 연조직 세포의 침투를 막아준다.
② 이식재의 유출을 차단함으로써 골증강부가 치유 기간 중 상부 연조직의 압박에 의해 붕괴되는 것을 예방해준다.
③ 차폐막과 이식재를 치유 기간 중 움직임 없이 안정적으로 유지시켜준다.

골증강 부위는 피판 폐쇄 후 상부 연조직으로부터 가해지는 압력에 직면하게 된다. 따라서 차폐막 변연을 적절히 고정해주지 않으면 압력에 의해 특히 치조정 부위의 이식골이 붕괴되면서 주위 조직으로 유출된다.

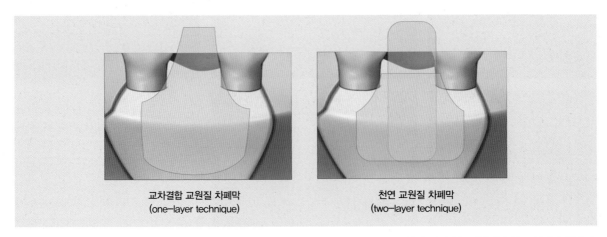

교차결합 교원질 차폐막
(one–layer technique)

천연 교원질 차폐막
(two–layer technique)

📷 **1–53** 교차 결합 교원질 차폐막은 한 층으로만 적용해도 오랜 기간 유지되지만 천연 교원질 차폐막은 빠른 흡수를 보상하기 위해 수직–수평으로 교차되도록 두 층으로 적용할 수 있다.

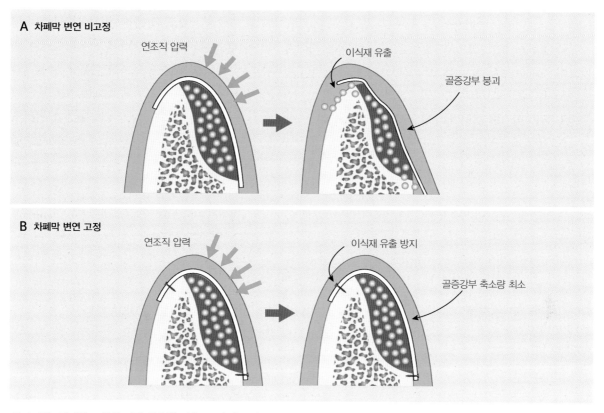

📷 1-54 차폐막 고정의 가장 중요한 이유 중 하나는 상부 연조직의 압력에 의해 이식재가 주위 조직으로 유출되지 않도록 하기 위함이다.

최근의 실험들에 의하면 흡수성 차폐막을 사용했을 때에도 고정용 핀으로 차폐막의 변연을 고정해주면 고정하지 않았을 때에 비해 이식재의 유출을 예방하여 골증강부의 수축을 유의하게 막아줄 수 있었다.[116,120]

구강 내 골증강부를 피개하는 연조직은 기능 중 움직이게 된다. 만약 이식재가 치유 기간 중 안정적이게 유지되지 못하고 상부 연조직의 움직임에 따라 함께 움직이면 신생골 형성을 유도하지 못하고 연조직의 성장을 유도하게 된다.[121,122]

차폐막을 고정하면 임상적인 결과가 개선된다. 한 임상 연구에 의하면 비흡수성 차폐막을 고정했을 때에는 고정하지 않았을 때에 비해 차폐막 노출 등의 합병증이 유의하게 적게 발생하였을 뿐만 아니라 골증강의 양도 증가했다.[119] 또한 광범위한 수평적 골증강술 시 입자형 이식재와 흡수성 차폐막을 사용할 때에는 차폐막을 핀으로 고정해 줄 때 성공적인 결과를 얻을 수 있었다.[121] 무작위 대조 연구/전향적 대조 연구만을 대상으로 포함한 메타분석에서는 교원질 차폐막과 입자형 이식재로 골증강술을 시행할 때 차폐막의 고정(봉합/핀)이 골증강 양에 미치는 영향을 평가했다.[87] 그 결과 (열개 결손에서) 수직적 골량 증가는 차폐막 고정 시 평균 4.25 mm, 비고정 시 평균 2.94 mm였다. 따라서 저자들은 이로부터 차폐막을 고정하면 골증강부의 축소를 예방하는 데 도움이 될 것이라고 언급했다. 또 다른 후향적 연구에서는 dPTFE 차폐막과 비탈회 동결 건조 동종골로 수평적 골증강을 시행했을 때 증강된 골의 수평적 폭은 차폐막 고정 여부에 따라 유의한 차이를 보였다고 보고했다(고정 2.31±0.96 mm vs 비고정 1.15±1.25 mm).[123] 이 연구에서는 수술 전 치조골의 폭과 차폐막 고정 여부를 제외한 다른 어떠한 요소도 골증강의 양에 유의한 영향을 미치지 못했다고 하였다. 즉, 차폐막 고정이 골증강 양을 유지하는 데 가장 중요한 요소였던 것이다.

차폐막의 고정 방법은 세 가지이다(📷 **1-55**).

① 고정용 핀, 스크루, 혹은 커버스크루를 이용한 고정
② 매트리스 봉합을 이용한 고정
③ 차폐막이 수화되면서 표면 장력에 의해 이식재에 저절로 부착되어 고정

① 고정용 핀/스크루

고정용 핀이나 스크루는 차폐막을 고정시킬 수 있는 가장 쉽고도 확실한 방법이다. 특히 고정용 핀은 사용이 쉽고 차폐막 고정 효과가 확실하기 때문에 비흡수성 차폐막 고정의 방법으로 가장 널리 사용된다. 비록 흡수성 차폐막, 특히 천연 교원질 차폐막(Bio-Gide)을 적용했을 때에는 봉합으로 고정하는 것이 일반적이기는 하지만 결손의 위치와 크기에 따라 핀고정을 시행하는 술자들이 늘고 있다.[93,109,124]

광범위한 수평적 골결손부는 골외 결손이기 때문에 골재생의 예후가 불량하다. 따라서 이러한 결손부를 골증강할 때에는 흡수성 차폐막과 골대체재의 조합을 잘 사용하지 않는다. 그러나 최근에는 광범위한 수평적 결손부에 입자형 이식재(주로 100% 탈단백 우골이나 탈단백 우골+자가 입자골)와 흡수성 차폐막만으로 골증강을 시행하는 술자들이 많아지고 있으며, 이들은 차폐막의 고정을 위해 고정용 핀을 많이 사용하고 있다.[108,121,124-127] 그리고 흡수성 차폐막에 고정용 핀을 적용하면 이식재가 잘 유출되지 않기 때문에 골증강의 결과가 긍정적이다. 게다가 크지 않은 열개 결손부에서도 골결손부의 붕괴와 이식재 유출을 예방하기 위해 흡

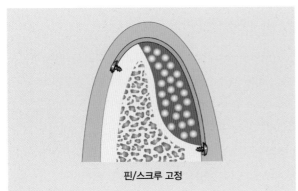

핀/스크루 고정

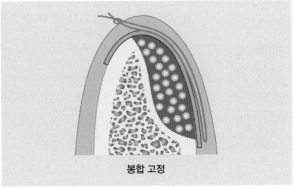

봉합 고정

📷 **1-55** 일반적인 차폐막 고정은 핀/스크루를 이용하는 방법과 봉합 고정을 이용하는 방법 등, 크게 두 가지 방법으로 시행한다.

수성 차폐막을 핀으로 고정하는 술자가 늘고 있는 추세이다.[109,118]

핀의 고정 부위는 보통 협측 차폐막 치근단 변연의 근원심부이다(📷 1-56). 이는 이식재가 주로 치근단측으로 유출되는 현상을 예방하기 위함이다.[109,128] 그러나 필요에 따라 협측 치근단 중앙부나 설측에 고정을 추가하기도 한다.[118,124,127]

② 매트리스 봉합 고정

고정용 핀을 이용한 고정은 차폐막을 고정시킬 수 있는 가장 확실한 방법이긴 하지만, 인접치 치근, 하치조 신경, 상악동 등 인접한 해부학적 구조물에 손상을 가할 수 있다. 또한 흡수성 차폐막을 금속 핀으로 고정하면 대개는 차후에 이를 제거하지 않지만 이로 인해 문제가 발생하면 반드시 제거해 주어야 한다.[124,129] 따라서 흡수성 차폐막을 사용할 때에는 주로 봉합을 이용하여 고정해준다.[58,118] 봉합의 방법으로는 설측에서 시작되는 수평이나 수직 매트리스 봉합법을 이용한다.[115,118] 봉합을 이용한 차폐막의 고정 방법은 다음과 같다(📷 1-57).[115]

A. 봉합사는 5-0 이상의 가는 봉합사를 이용하면 더 쉽게 시행할 수 있다. 술자의 편의에 따라 봉합사를 선택한다.

B. 봉합 시 가해지는 장력에 의해 특히 치조정 근처의 이식재는 치근단측으로 이동할 수 있다. 따라서 이식재를 치관측, 협측에 1 mm 이상 과도하게 적용한다.

C. 봉합 방법은 일종의 매트리스 봉합으로 생각하면 되는데, 설측 피판을 외측에서 내측으로 전층 통과하고 나서 협측 골막을 부분층으로만 통과한 후, 다시 설측 피판을 내측에서 외측으로 전층 통과하는 순서를 따르면 된다.

D. 협측 골막을 통과할 때에는 반드시 골막 이완 절개보다 더 치근단측에서 통과하도록 해야 한다. 골막 이완 절개보다 치관측에서 골막을 통과시키면 피판 폐쇄 시 고정 봉합이 느슨해진다.

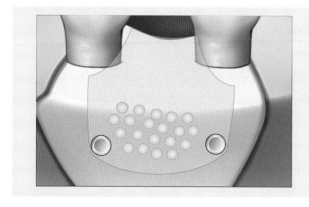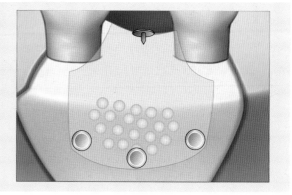

📷 **1-56 핀/스크루 고정 시 고정 부위**
보통 협측의 근원심 치근단 부위에 고정을 시행한다. 차폐막의 설측 부위는 설측 피판 하방에 삽입하는 것만으로 고정할 수도 있지만 필요하다면 설측 중앙부와 협측 치근단측 변연 중앙부에 추가적인 고정을 시행할 수 있다.

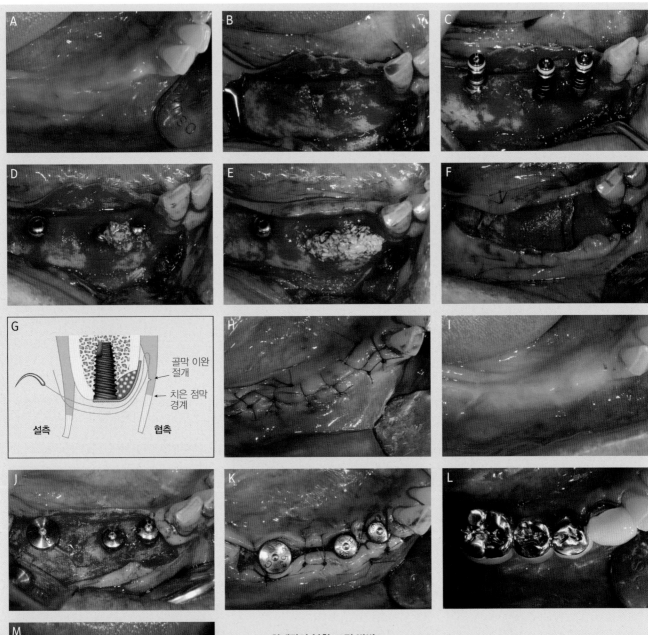

📷 1-57 **차폐막의 봉합 고정 방법**

A~H. 하악에서 협측에 작은 열개 결손이 존재했으며 자가골과 동종골을 이용한 샌드위치 골증강술을 시행했다(**D, E**). 교차 결합 교원질 차폐막으로 골증강부를 피개했다. 차폐막을 봉합 고정하는 방법은 설측 피판·협측 골막·설측 피판 순으로 봉합사를 이동시켜 설측에서 봉합하는 것이다(**G**).

I~K. 4.5개월 후 2차 수술을 시행했다.

L~M. 보철 완료 후 모습이다.

E. 봉합 고정 시 과도한 힘을 가하면 차폐막과 이식재가 붕괴될 수 있기 때문에 매듭을 형성할 때에는 힘을 석게 가한다.

F. 수술 부위의 범위에 따라 봉합을 여러 번 시행할 수도 있다

G. 매듭을 완성한 후 차폐막의 위치나 형태가 틀어진 경우에는 차폐막의 변연을 당겨서 차폐막의 최종적인 위치와 형태를 잡아준다.

③ 비고정

특히 천연 교원질 차폐막(Bio-Gide)은 수화되면 하부 조직에 압착되는 성질이 있다. 따라서 크지 않은 골결손부에 이 차폐막을 적용한 경우에는 특별한 고정이 필요 없다(📷 1-58).

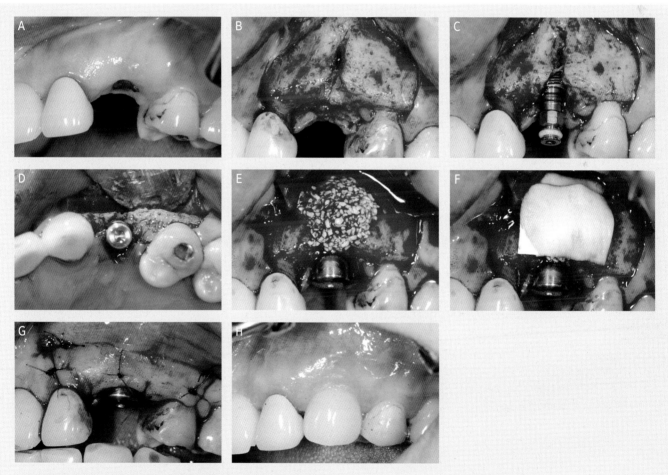

📷 **1-58 작은 결손 수복 시 천연 교원질 차폐막은 고정할 필요가 없다.**

A~G. 발치 후 즉시 임플란트 식립 증례이다. 임플란트 식립 후 형성된 열개 결손에 탈단백 우골을 적용하고 천연 교원질 차폐막을 두 층으로 적용했다**(F)**. 차폐막 자체가 수화되면 하방 조직에 잘 부착되기 때문에 차폐막을 추가적인 방법으로 고정하지는 않았다.

H. 4.5개월 후 고정성 임시 보철물을 연결해 주었고, 3개월 후 최종 보철물을 연결했다. 사진은 최종 보철물 연결 6개월 후 모습이다.

5.
수술부 폐쇄

1) 골증강술 성공에 있어 가장 중요한 요소는 "점막의 열개 없는 치유"이다.

골증강술의 성공에는 여러 가지 요소가 영향을 미치지만, 이 중 단 하나의 가장 중요한 요소를 꼽으라면 단연 "치유 기간 중 수술부의 완전한 폐쇄 유지(일차 창상 폐쇄; primary wound closure)"가 될 것이다.[41,65,130] 일차 폐쇄가 유지되면 다음의 과정을 통해 골재생 술식의 결과가 향상된다.[4,31,130,131]

- 골이식재가 유출되거나 이동되지 않고 제자리에 위치하도록 해준다.
- 수술부에 혈액과 세포를 공급한다.
- 골이식부로 세균이 침투하지 못하도록 방어해준다.
- 외부에서 가해지는 여러 가지 물리적, 화학적 자극에서 골이식부를 보호해준다.

부적절한 창상 폐쇄로 인해 피판이 열개되어 수술부가 노출되면 치유 기간이 연장되고,[132] 이식골의 추가적인 흡수가 발생하며,[133] 치유 결과가 저하된다.[134] 심한 경우에는 수술부가 감염되거나 골증강술이 완전히 실패하게 된다.[131] 특히 골벽수가 적은 결손에서 일차 폐쇄에 실패하여 차폐막이 노출되면 골증강의 결과는 현저하게 저하된다.

(1) 피판의 완전한 폐쇄를 위해서는 골증강부의 연조직과 골조직의 특성을 정확히 진단해야 한다.

수술부의 일차 폐쇄를 위해서는 우선 수술 전과 수술 중에 일차 폐쇄에 영향을 미칠 수 있는 해부학적 요소 및 수술적 요소를 잘 평가하고, 이에 따라 적절한 외과적 술식을 선택하고 시행해야 한다. 일차 폐쇄에 영향을 미칠 수 있는 진단 요소는 다음과 같다(🗂 1-9).[6]

🗂 1-9 일차 폐쇄에 영향을 줄 수 있는 요소

요소	수술부 열개 가능성	
	낮음	높음
각화 점막 폭	≥3 mm	< 3 mm
점막 두께	>1 mm	≤ 1 mm
구강 전정 깊이	깊음	얕음
피판 유동성	큼	적음
골결손 유형	수평적	수직적, 복합적
골결손 크기	< 3 mm	≥3 mm
사용된 차폐막	흡수성 차폐막	비흡수성 차폐막, 티타늄 메쉬

이 중에서 각화 점막의 폭, 점막의 두께, 구강 전정 깊이는 앞에서 살펴보았으므로 여기에서는 피판의 유동성, 골결손 유형, 골결손 크기, 사용된 차폐막과 관련된 요소들을 살펴보기로 한다.

2) 수술부의 일차 폐쇄를 유지하는 데 있어 가장 중요한 요소는 피판의 유동성이다.

구강 점막의 유동성은 탄성 섬유의 수, 골막의 두께, 세포외 기질의 조성에 따라서 개인별, 부위별로 차이가 난다.[135,136] 임상가들은 피판의 유동성에 영향을 미칠 수 있는 몇 가지 해부학적 요소를 언급한 바 있다.

- 협근이 단단한 환자들은 연조직 유동성이 적다.[137]
- 상악 전치부 피판은 유동성이 적다.[137]
- 남성이 여성에 비해 점막 유동성이 적다.[138]

이러한 점을 참고하여 술 전에 수술의 난이도를 예측하고 수술 중 피판을 이완해야 할 정도를 예측하는 데 활용할 수 있을 것이다. 골증강술을 시행하면 피판 하방의 조직 부피가 증가하기 때문에 술자가 피판에 아무런 수술적 처치도 가하지 않으면 점막의 유동성에도 불구하고 피판 변연에 장력이 가해지게 된다. 골증강술을 마친 후 수술부를 폐쇄하기 전에 협측과 설측 피판을 조직 겸자로 잡고 잡아당겨서 서로 접촉시켜 본다고 생각해보자. 피판 하방의 조직은 골이식재와 차폐막의 부피만큼 증가되기 때문에 양측 피판 변연은 수동적으로는 접촉되지 않고 힘을 주어 잡아당겨야 접촉할 수 있게 될 것이다. 이 때 조직 겸자를 잡아당기는 힘이 수술부 폐쇄 시에 피판 변연에 가해지는 장력이 된다. 그리고 이 장력을 수술적 방법으로 없애는 것이 골증강 부위의 열개를 예방하는 데 있어 가장 핵심적인 요소가 된다(📷 1-59). 창상 열개를 예방하기 위해 가장 중요한 단 한 가지 요소를 꼽으라면 단연 "무장력 폐쇄(tension-free closure)"라고 할 수 있는 것이다. 많은 임상가들은 경험에 근거하여 피판의 무장력화가 수술부 폐쇄에 있어 가장 중요한 요소라고 결론 내린 바 있다.[16,41,45,65,139]

(1) 피판 변연에 가해지는 장력이 열개 발생에 미치는 영향
① 피판 변연은 허혈성 상태에 빠지고, 따라서 부분적으로 괴사될 수 있다.
② 피판 변연부와 봉합사는 여기에 가해지는 장력에 물리적으로 저항하지 못하고 찢어지거나 끊어질 수 있다.

① 피판 변연은 허혈성 상태에 빠지고, 따라서 부분적으로 괴사될 수 있다.
장력이 존재하는 상태에서 수술부를 폐쇄하면 피판 변연으로의 혈류량이 감소하고 산소 분압이 낮아지며 신생 혈관 형성이 저하될 수 있다. 이는 결국 피판의 부분적 괴사와 창상의 열개를 초래하게 된다(📷 1-60).[140-144]

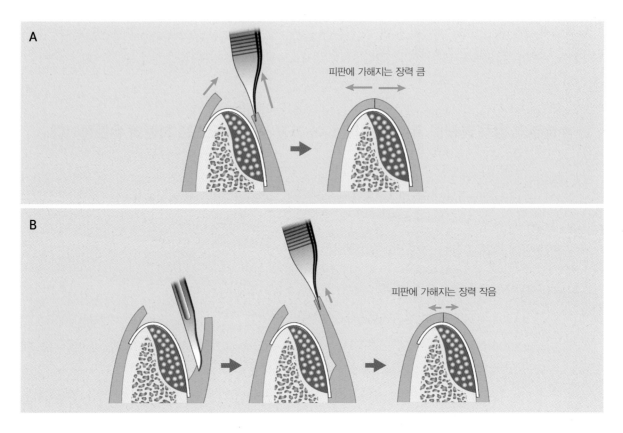

📷 **1-59 골증강부에서 피판에 가해지는 장력 이완의 중요성**

A. 피판에 가해지는 장력을 이완시키지 않고 수술부를 봉합하면 피판 변연은 지속적인 장력을 받게 되고 이는 수술부 열개로 이어진다.

B. 피판에 가해지는 장력을 골막 이완 절개를 통해 없애주면 피판 변연은 치유 기간 중 최소한의 장력만을 받게 되고 결국 수술부는 정상적으로 치유된다.

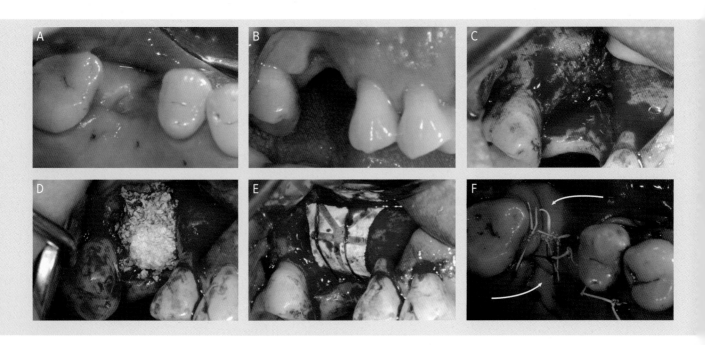

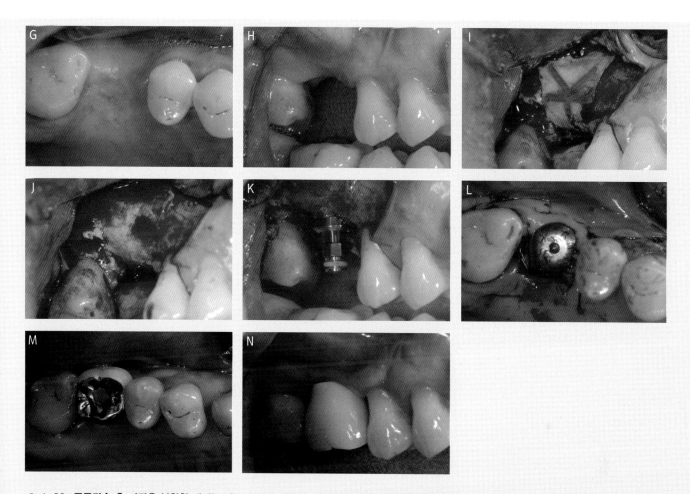

📷 1-60 　골증강술 후 피판을 봉합할 때에는 반드시 피판 변연에 장력이 가해지지 않도록 이를 완전히 없애 주어야 한다. 또한 장력 이완이 부족하여 봉합 후 피판이 하얗게 허혈성 상태에 놓이게 되면 피판 변연의 괴사와 골증강부 노출, 그리고 골이식 실패까지 이어질 수 있다.

A~F. 2벽성의 수직적 결손부를 탈단백 우골과 자가골의 혼합 이식재로 수복하고 티타늄 강화 ePTFE 차폐막으로 피개했다. 수직적 결손이기 때문에 피판에 가해지는 장력이 컸다. 특히 원심측 피판의 장력 이완이 충분하지 못했고, 따라서 피판은 허혈성 상태에 놓였다**(F)**. 이러한 경우 봉합을 다시 풀고 피판을 완전히 이완해 준 후 다시 봉합을 시행하는 것이 좋다. 그러나 이 증례에서는 이대로 수술을 완료했다.

G~L. 약 6개월 후 임플란트를 식립했다. 이 증례에서는 다행히 수술 후 피판의 열개가 발생하지 않았다. 따라서 골은 성공적으로 재생됐고 이 부위에 임플란트를 식립할 수 있었다.

M~N. 약 4개월 후 보철 수복을 완료했다.

② 피판 변연부와 봉합사는 여기에 가해지는 장력에 물리적으로 저항하지 못하고 찢어지거나 끊어질 수 있다.

피판 변연에 과도한 장력이 가해지면 피판 변연과 봉합사가 물리적으로 이를 견뎌낼 수 없을 수 있다. 이에 따라 피판 조직이 찢어지거나 봉합사가 끊어져서 수술부가 열개될 수 있다. 한 시험관 연구(in vitro study)에서는 돼지에서 채취한 직사각형 형태의 구강 점막을, 한쪽은 기계에 고정시키고 다른 한쪽엔 각각 3-0, 5-0, 7-0 봉합사를 연결한 후 0 N부터 20 N까지 서서히 힘을 증가시키면서 잡아당겼고, 조직이 찢어지거나 봉합사가 끊어질 때의 힘을 측정했다(📷 1-61).[16] 그 결과 3-0 봉합사를 이용했을 때에는 평균 14.8 N의 힘이 가해질 때 조직 찢어짐/봉합사 끊어짐이 발생했고(대부분 조직 찢어짐), 5-0 봉합사를 이용했을 때에는 평균 14.6 N의 힘에서 조직 찢어짐/봉합사 끊어짐이 발생했으며(조직 찢어짐과 봉합사 끊어짐의 빈도가 비슷), 7-0 봉합사를 이용했을 때에는 평균 3.7 N의 힘에서 조직 찢어짐/봉합사 끊어짐이 발생했다(봉합사 끊어짐만 발생). 3-0 봉합사를 이용했을 때에는 8 N에서, 5-0 봉합사를 이용했을 때에는 7 N에서 조직 찢어짐/봉합사 끊어짐이 발생하기 시작했기 때문에, 조직이나 봉합사가 단기간 물리적으로 안전하게 견딜 수 있는 최대 장력은 7-8 N임을 알 수 있다.

앞서 언급했던 전향적 단일 환자군 연구에서는 피판에 가해지는 장력이 0.10 N 이하이면 수술 1주 후 수술부의 열개가 거의 발생하지 않는다고 보고했다.[31] 구체적으로는 장력이 0.01-0.05 N일 때에는 열개가 전혀 발생하지 않았고(0/25), 0.06-0.10 N일 때에는 10%(2/20)에서만 열개가 발생했으며, 0.11-0.15 N일 때에는 40%(4/10), 0.16-0.20 N일 때에는 67%(2/3), 0.21 N 이상일 때에는 50%(1/2)에서 열개가 발생했다(📷 1-62). 0.10 N 이하인 경우와 0.11 N이상인 경우에서 열개 발생 빈도는 유의한 차이를 보이는 것이었다. 또한 흥미롭

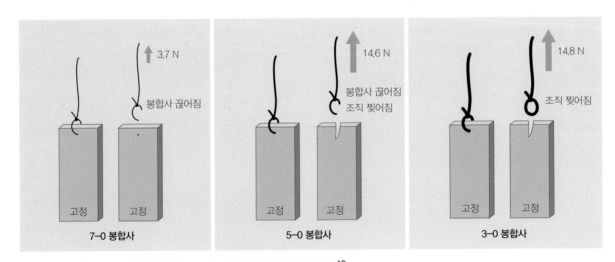

📷 1-61 **돼지의 구강 점막을 봉합사로 고정하고 장력을 가했을 때의 결과**[16]
7-0 봉합사를 적용했을 때에는 평균 3.7 N의 힘에서 봉합사가 끊어졌다. 5-0 봉합사를 적용했을 때에는 평균 14.6 N의 힘에서 봉합사가 끊어지거나 조직이 찢어졌다. 3-0 봉합사를 적용했을 때에는 평균 14.8 N의 힘에서 주로 조직이 찢어졌다. 이는 장력이 남아있는 구강 점막을 봉합할 때 7-0 봉합사는 이보다 큰 직경의 봉합사를 사용할 때보다 장력에 저항하는 능력이 낮음을 의미한다. 또한 3-0 봉합사나 5-0 봉합사를 이용했을 때 조직 찢어짐이나 봉합사 끊어짐이 비슷한 힘에서 발생했기 때문에 장력에 저항하기 위해 5-0 이상 직경의 봉합사를 사용할 필요는 없다.

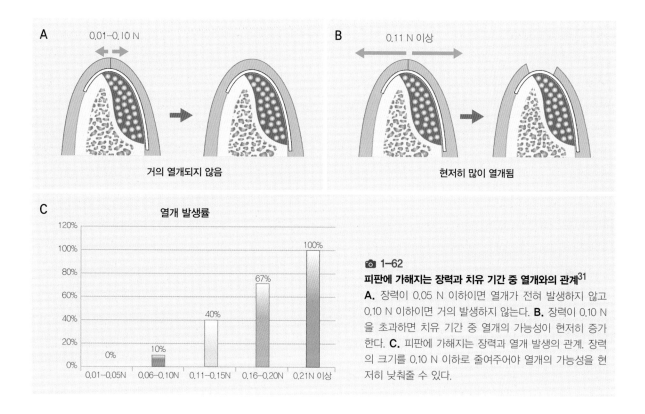

📷 1-62
피판에 가해지는 장력과 치유 기간 중 열개와의 관계[31]
A. 장력이 0.05 N 이하이면 열개가 전혀 발생하지 않고 0.10 N 이하이면 거의 발생하지 않는다. **B.** 장력이 0.10 N 을 초과하면 치유 기간 중 열개의 가능성이 현저히 증가한다. **C.** 피판에 가해지는 장력과 열개 발생의 관계. 장력의 크기를 0.10 N 이하로 줄여주어야 열개의 가능성을 현저히 낮출 수 있다.

게도 골증강술 여부, 환자의 흡연 여부, 피판의 설계 방법 등은 열개 발생에 어떠한 유의한 영향도 미치지 않았으며, 오직 측정된 피판 변연의 장력만이 피판의 열개에 유의한 영향을 미치는 결과를 보였다. 이 연구의 결과를 요약하자면 다음과 같다. 열개를 100% 예방하려면 0.05 N 이하로 최소한의 장력만 가해야 하고, 0.1 N까지의 장력은 받아들일 만하다. 0.01 N은 1 g 정도의 무게에 상응하는 힘이기 때문에 0.05 N, 즉 5 g 정도의 무게를 드는 힘 이내로 피판 장력을 줄여야 100% 열개를 예방할 수 있다는 뜻이다.

3) 골결손의 형태 및 크기와 사용된 이식 재료의 물리적 특성은 피판 열개에 영향을 미친다.

(1) 수평적 결손보다는 수직적 결손, 작은 결손보다는 큰 결손을 수복한 후 피판이 더 자주 열개된다.

일반적으로 수평적 결손보다는 수직적 결손을 수복하고 나서 일차 폐쇄를 이루기가 더 힘들다. 따라서 수직적 결손을 수복한 후 피판이 더 잘 열개되고 골증강의 예후가 저하된다.[145,146] 그 이유는 다음과 같다.

① 수직적 결손부에는 골증강 후 상부 연조직으로부터 강한 압력이 가해진다.
② 수직적 결손부는 절개선상에 위치한다.
③ 수직적 결손부에는 강한 공간 유지 능력이 있는 이식재와 차폐막을 사용하며 이들 재료에 가해지는 압력에 대한 반작용은 피판에 장력을 유발한다.

① 수직적 결손부는 수복 후 상부 연조직으로부터 강한 압력이 가해진다.

수평적 결손에서는 골증강부가 협측의 비각화 점막 및 각화 점막과 접하는 반면, 수직적 결손 시의 골증강 부위는 협설측의 각화 점막과 접하게 된다. 비각화 점막은 각화 점막에 비해 탄성 섬유가 적고 단단한 교원질 섬유가 많기 때문에 조직의 탄성이 적다.[147-149] 따라서 수직 결손을 수복한 부위는 폐쇄 후 점막 피판으로부터 강한 압력이 가해진다.[148,149] 수직적 골증강술 시 적용된 이식재와 차폐막은 이에 대한 반작용으로 다시 피판에 강한 압력을 가하게 된다. 결과적으로 피판 변연에 가해지는 장력은 증가하게 된다(📷 1-63).

몇몇 동물 연구에서 골증강술 직후 가해지는 피판의 압력은 각화 점막 내측의 치조정 부위가 가장 강하고 근단측으로 갈수록 약해지는 것으로 나타났다.[148,149] 이러한 현상은 한 무작위 대조 연구에서도 임상적으로 나타났다. 이 연구에서는 상악 전치부에서 임플란트 식립과 동시에 입자형 탈단백 우골과 교원질 차폐막으로 골증강을 시행한 환자 28명에 대해 수술 직후와 수술 6개월 후 골이식부의 수평적 폭의 변화를 측정했다.[150] 그 결과 치근단부에서 시작하여 치조정측으로 갈수록 골증강 부위의 수평적 폭은 더 많이 감소했으며 치조정 높이에서의 감소량은 치조정에서 6 mm 하방 높이에서의 감소량에 비해 유의하게 더 많았다.[150] 이렇듯 골이식부 상방의 연조직에서 골증강부로 가해지는 압력은 절개선의 치유가 완료된 이후에도 지속될 정도로 강하다.[151]

② 수직적 결손부는 절개선 상에 위치한다.

임플란트 골증강술 시 수평 절개는 치조정 상부에 가하는 것이 일반 원칙이다. 따라서 수평적 골증강 시 골증강 부위는 절개선과 떨어져 있지만 수직적 골증강을 시행했을 때에는 골증강부가 절개선 직하방에 위치하게 된다. 이로 인해 수직적 골증강 부위는 이중으로 불리한 상황에 놓이게 된다(📷 1-64).

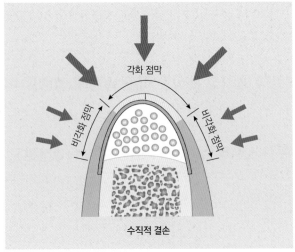
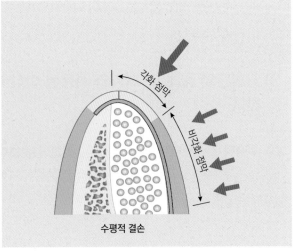

📷 **1-63** 반복적으로 말하지만 치근단측보다는 치관측에서 피판에 의해 골증강부에 가해지는 압력이 더 크다. 치관측 피판은 탄성이 적은 각화 점막으로 이루어져 있다는 사실이 그 이유 중 하나가 될 것이다. 수직적 결손부는 골증강부 대부분이 각화 점막으로 이루어진 피판 부위로 둘러싸이기 때문에 많은 압력을 받게 된다. 이는 수직적 결손 수복 후 골증강부의 예후가 불량한 중요한 이유가 된다.

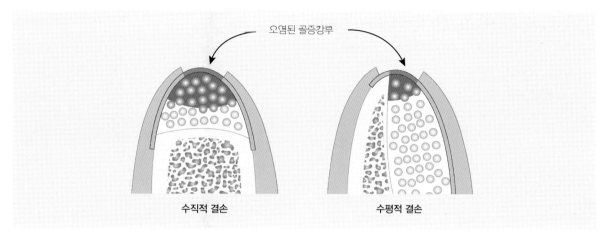

오염된 골증강부

수직적 결손   수평적 결손

📷 **1-64** 골증강부가 치유 기간 중 피판의 열개로 인해 노출되면 외부 환경과 세균에 의해 오염된다. 수직적 골증강부는 열개 직하방에 위치하므로 열개로 인해 가장 크게 악영향을 받는다.

- 절개선 부위에 약간의 열개가 발생하더라도 수평적 골증강 부위는 큰 영향을 받지 않는 반면, 수직적 골증강 부위는 바로 구강 내로 노출되면서 골이식 부위가 오염되기 시작한다. 따라서 수직적 골증강 시에는 절개선 열개에 더 커다란 악영향을 받게 된다.
- 수평적 골증강 후에는 피판의 변연이 바로 직하방의 치조골이나 차폐막과 접촉하기 때문에 혈류 공급이 원활한 반면, 수직적 골증강 후에는 피판 변연 하방에 이식재와 차폐막이 두껍게 위치하기 때문에 피판 변연으로의 혈류 공급은 매우 제한적인 상태에 놓이게 된다.

③ 수직적 결손부에는 강한 공간 유지 능력이 있는 이식재와 차폐막을 사용하며 이들 재료에 가해지는 압력에 대한 반작용은 피판에 장력을 유발한다.

수직적 골증강 시에는 피판으로부터 강한 장력이 가해지기 때문에 공간 유지 효과가 좋은 이식재나 차폐막을 사용해야 한다. 이렇게 강도가 높은 재료를 사용하면 상부 피판으로부터 가해지는 압력이 강할 때 이식 재료 자체가 붕괴되지 않고 그 형태를 유지하며, 따라서 피판 변연은 이식 재료에서 비롯된 반작용에 의해 가해지는 장력을 이기지 못하고 열개된다(📷 **1-65**).

골결손의 크기가 크면 당연히 골증강의 양도 증가하고, 이에 따라 봉합 시 피판에 가해지는 장력도 커지게 된다. 한 골결손 분류법에서는 골결손의 양과 형태에 따라 수복의 난이도를 분류하였는데, 그 기준은 3 mm였다.[152] 이 기준은 일반적인 경험에서의 느낌과도 부합하는 측면이 있다. 1-2 mm 내외의 결손은 간단한 방법으로 골증강이 가능하고 수술부 폐쇄에 있어서도 별다른 어려움이 없지만, 3 mm 이상의 결손은 좀 더 복잡한 골증강 술식을 요하며 일차 폐쇄도 난이도가 더 높다.

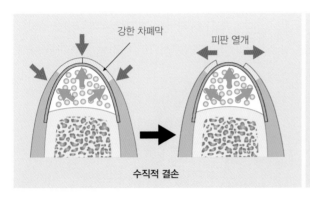
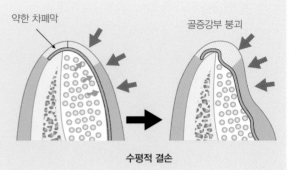

📷 **1-65** 수직적 결손부에는 공간 유지 능력이 강한 차폐막/이식재 조합을 사용한다. 이러한 경우 골증강부 상부 피판의 압력이 생리적 한계를 넘으면 차폐막이 붕괴되기보다는 피판이 열개되면서 압력을 해소한다. 반대로 공간 유지 능력이 약한 차폐막/이식재 조합을 사용했을 때 피판의 압력이 강하면 피판이 열개되기보다는 골증강부가 붕괴되면서 압력을 해소한다.

(2) 공간 유지 능력이 좋은 차폐막을 사용하면 피판이 더 잘 열개된다.

비흡수성 차폐막, 특히 티타늄 강화 차폐막이나 티타늄 메쉬는 흡수성 차폐막에 비해 치유 기간 중 피판의 열개에 취약하다. 따라서 이러한 차폐막을 사용할 때에는 피판의 열개를 예방할 수 있도록 더 철저한 수술부 폐쇄의 프로토콜을 적용해야만 한다. 티타늄 강화 차폐막, ePTFE 차폐막, 티타늄 메쉬 사용 시 열개가 더 잘되는 이유는 다음과 같다.

① 흡수성 차폐막이나 dPTFE 차폐막은 부드럽기 때문에 수술부 폐쇄 후 피판으로부터 장력이 가해지면 그에 따라 변형되면서 장력을 낮춰준다. 이에 반해 티타늄 강화형 차폐막이나 티타늄 메쉬는 피판에서 가해지는 장력에 저항할 정도로 강도가 높기 때문에, 피판의 장력이 충분히 이완되지 않았다면 피판의 열개를 유발할 수 있으며 피판이 충분히 이완되어 일차 폐쇄를 이루었다고 하더라도 치유 기간 중 점막을 천공시킬 수 있다.[153-155]

② 비흡수성 차폐막은 물리적 차단 효과가 흡수성 차폐막에 비해 더 크기 때문에 피판과 피판 하방 조직 간의 혈류 교환을 방해하며 피판 및 골재생부의 초기 혈관 문합을 늦추게 된다.[156] 따라서 비흡수성 차폐막을 이용하면 피판 및 골증강부로의 혈류 공급이 저하되고, 수술부 열개의 가능성이 증가한다.

③ 비흡수성 차폐막은 일단 수술부가 열개되면 감염에 더 취약하다.

④ 골유도 재생술의 결과에 더 치명적인 악영향을 미칠 수 있다.[157]

4) 골막 이완 절개는 피판의 장력을 없애주는 가장 효율적이고 기본적인 방법이다.

우리가 시행하는 술식은 결국 우리의 능력에 의해 그 결과가 좌우된다. 물론 환자는 모두 동일한 기계가 아니기 때문에 우리가 아무리 좋은 진단과 술식을 통해 최선의 진료를 행했다고 하더라도 그 결과가 항상 최선으로 연결되지는 않는다. 그러나 전반적인 결과는 분명 우리의 실력과 비례할 것이다. 우리의 뇌는 우리의 실수에 관대해지도록 프로그래밍 되어 있다. 따라서 우리의 실력을 최대한 객관적으로 바라보는 습관을 들여야만 한다. 또한 우리의 현재 실력에 만족하지 말고 각 술식의 과정을 정확히 이해하고 이를 실제로 수행하는 능력을 키우는 것은 대단히 중요하다.[33] 골증강부 폐쇄를 위해서 가장 중요한 수술적 전략은 다음과 같다.

① 적절한 피판 설계
② 피판의 무장력화
③ 밀접한 봉합에 의한 폐쇄
④ (상악에서) 필요 시 혈관화 피판 이용

수술부의 열개를 유발하는 가장 주요한 두 가지 요소는 피판 변연에 가해지는 장력과 피판으로의 혈류 공급의 저하다.[158] 따라서 이들 두 가지 요소를 항상 명심하면서 수술부 폐쇄를 진행해야 한다. 수술적 전략 요소 중 적절한 피판 설계에 대해서는 앞에서 살펴보았으므로 나머지 세 요소에 대해 설명하도록 한다.

(1) 피판의 열개를 예방하기 위해서는 협측 피판의 골막 이완 절개를 통한 피판의 무장력화가 가장 중요하다.

피판의 무장력화는 예지성 있는 일차 폐쇄와 수술부 열개의 예방을 위해 가장 중요한 수술적 요소이다.[65] 사다리꼴 피판 형성과 골막 이완 절개는 임플란트 식립을 위한 골증강술에서 수술부의 일차 폐쇄를 위한 표준화된 수술법이라고 할 수 있다. 특히 골막 이완 절개는 피판의 무장력화를 위해 가장 중요한 수술 과정이다.

한 전향적 단일 환자군 연구에서는 적은 양의 골유도 재생술을 시행하는 환자 30명에 대해 전후방 수직 절개와 골막 이완 절개를 시행하고, 이들 수술적 요소가 피판의 치관측 변위량에 어떠한 영향을 미치는가를 평가했다.[39] 우선 수평 절개만 시행하고 피판을 거상한 후 최소 장력(5 g≒0.05 N)[31]으로 피판을 잡아당겼을 때 피판의 수직적 길이를 측정했고 그 값은 8.3±2.6 mm였다. 이후 각각 전방 수직 절개, 후방 수직 절개, 그리고 골막 이완 절개를 순서대로 가했으며 각 처치를 가하고 나서 5 g의 힘으로 피판을 당긴 상태에서 피판의 수직적 길이의 변화를 측정했다. 그리고 그 결과 "전방 수직 절개"만 추가한 후에는 피판이 1.1±0.6 mm(13.4%) 더 수직적으로 연장됐고, "전방 수직 절개+후방 수직 절개"를 추가한 후에는 1.9±1.0 mm(24.2%)가 더 연장됐으며, "전방 수직 절개+후방 수직 절개+골막 이완 절개"를 추가한 후에는 5.5±1.5 mm(71.3%)가 더 연장됐다 (📷 1-66). 전후방 수직 절개를 가했을 때에는 최소 장력 하에서 피판의 길이가 크게 증가하지 않았지만, 골막 이완 절개를 가한 후에는 피판의 길이가 유의하게 증가한 것이었다. 이 임상 연구는 피판의 이완과 연장을 위해 골막 이완 절개가 가장 중요한 수술적 요소임을 보여주는 것이며, 골막 이완 절개만으로 피판의 길이가 70% 정도 신장될 수 있음을 보여준 것이다. 또한 이 연구에서는 수술 부위(상악/하악), 환자 성별, 술자의 숙련도 등은 골막 이완 절개 후의 피판 연장량에 별다른 영향을 미치지 않는다고 했다.

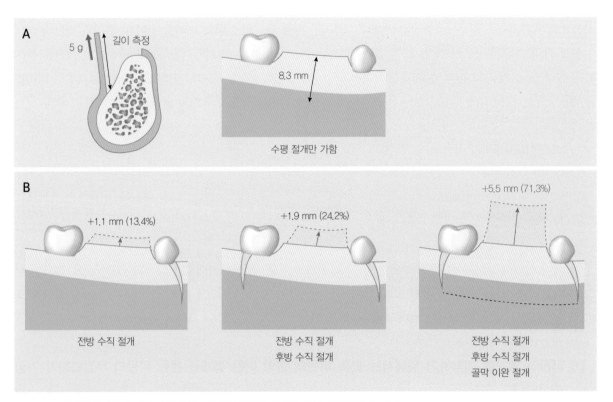

📷 1-66 절개를 추가함에 따라 피판의 장력은 감소하면서 피판은 더 길게 연장될 수 있다.

A. 한 임상 연구에서는 피판에 수평 절개만 가하고 최소 장력(5 g)으로 피판을 잡아당기면 피판의 수직적 길이가 평균 8.3±2.6 mm였다.[39] **B.** 수평 절개에 "전방 수직 절개"만 추가한 후에는 피판이 1.1±0.6 mm(13.4%)가 더 수직적으로 연장됐고, "전방 수직 절개+후방 수직 절개"를 추가한 후에는 1.9±1.0 mm(24.2%)가 더 연장됐으며, "전방 수직 절개+후방 수직 절개+골막 이완 절개"를 추가한 후에는 5.5±1.5 mm(71.3%)가 더 연장됐다. 이는 골막 이완 절개가 피판의 장력을 이완하는 데 가장 결정적으로 작용함을 보여주는 결과이다.

(2) 골막 이완 절개의 과정

골막 이완 절개는 주로 수술도, 혹은 작은 수술용 가위를 이용해 시행한다. 수술도를 이용할 때에는 반드시 새것을 이용한다. 골막 두께가 0.5 mm 이하이고 수술도 날의 폭이 1 mm이므로, 골막 이완 절개는 날의 폭 깊이까지만 시행하면 된다(📷 1-67).[40]

골막 이완 절개는 이식재를 위치시키기 전에 시행하는 것이 편하다. 일단 조직 겸자(tissue forceps)로 조직을 당겨서 피판을 전진시킬 양을 확인하고, 수술도를 협측 골면에 평행하게 수직으로 세워서 골막 이완 절개를 가한 후 다시 조직 겸자로 조직을 당겨서 이완된 양을 확인하는 순서를 따르면 된다. 아직 골이식재와 차폐막이 위치되지 않은 상태이기 때문에 피판은 치조정을 넘어 반대측으로 충분히 전진할 수 있어야 한다(📷 1-68).

골막 이완 절개는 반드시 치은 점막 경계보다 더 치근단측에 시행한다. 골막은 탄성 섬유가 결여된 단단한 결합 조직인 반면, 비각화 점막의 결합 조직은 탄성 섬유가 많고 교원질 섬유가 적어서 유동성이 크기 때문에

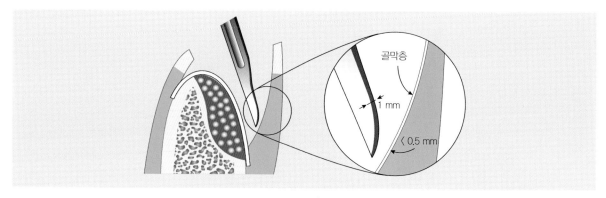

📷 **1-67** 골막 두께가 0.5 mm 이하이고 수술도 날의 폭이 1 mm이므로, 골막 이완 절개는 날의 폭 깊이까지만 시행하면 된다.

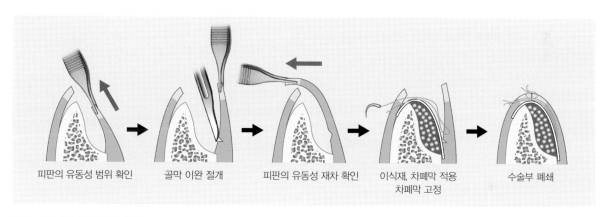

피판의 유동성 범위 확인   골막 이완 절개   피판의 유동성 재차 확인   이식재, 차폐막 적용 / 차폐막 고정   수술부 폐쇄

📷 **1-68 수술부 폐쇄의 순서**

비각화 점막 내면의 골막을 절개하면 피판은 쉽게 길이를 늘려줄 수 있다(📷 **1-69**).[45] 비각화 구강 점막의 고유층에는 탄성 섬유가 풍부하게 존재하기 때문에 피판을 치관측으로 변위시키더라도 충분히 수동적으로 신장될 수 있다.[159] 반면 골막 이완 절개는 각화 점막 내측에서 가해지지 않노록 해야 하는데, 그 이유는 각화 점막 자체가 유동성이 적어 골막 절개 후에도 피판이 잘 이완되지 않기 때문이다.

골막 이완 절개는 전방과 후방에서 수직 절개와 만나도록 가해야 하는데, 그래야 피판이 쉽게 전진하기 때문이다(📷 **1-70, 71**).[160] 한 번의 이완 절개로 피판이 충분히 전진하지 못하면 몇 가지 방법으로 추가적인 이완이 가능하다.

① 서로 평행한 골막 이완 절개를 여러 차례 가한다.
② 골막 이완 절개를 깊게 연장해서 협측 피판과 근육층을 분리한다.
③ 실패한 이전 수술로 반흔화된 골막을 제거한다.

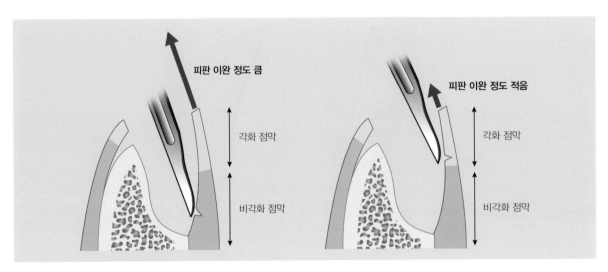

📷 **1-69 골막 이완 절개는 비각화 점막의 내면에 가해야 한다.**
비각화 점막은 탄성 섬유가 많고 교원질 섬유가 적어서 골막을 절개해주면 쉽게 신장되기 때문이다.

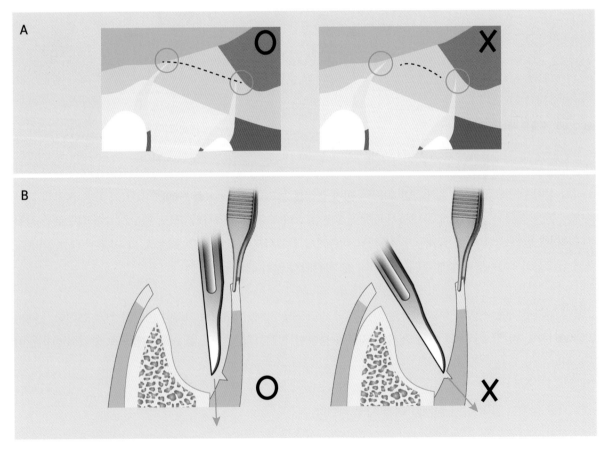

📷 **1-70 골막 이완 절개 시의 주의사항**
A. 골막 이완 절개는 전방과 후방에서 수직 절개와 만나도록 가해야 한다. **B.** 골막 이완 절개를 가할 때 수술도는 골면에 평행하게 해준다.
수술도가 외측 방향을 향하면 골막 이완 절개를 가하기가 쉽지만 그만큼 피판 천공의 가능성도 증가한다.

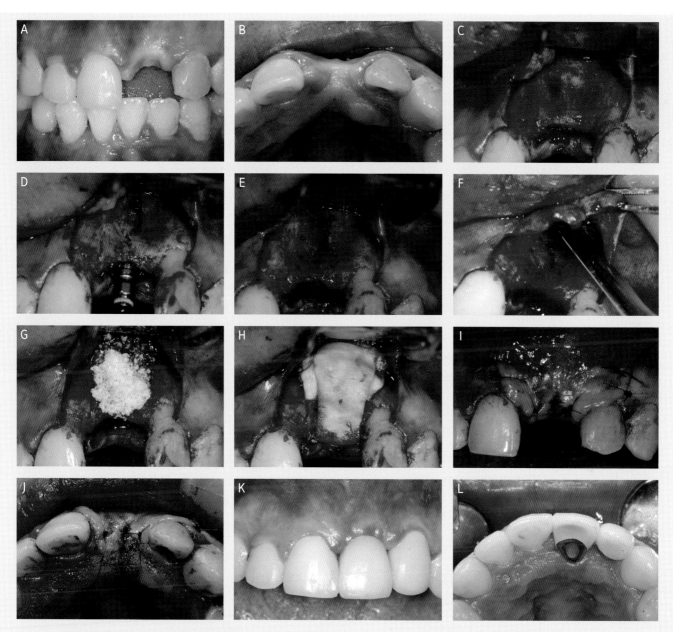

📷 **1-71 골증강술 후 골막 이완 절개를 가하는 과정**

A~J. 상악 전치부에 임플란트를 식립하고 순측 전체에 탈단백 우골과 천연 교원질 차폐막으로 골유도 재생술을 시행했다. 골외면의 부피가 증가하는 골증강술을 시행한 후에는 반드시 골막 이완 절개를 가해준다**(F)**. 수술도는 순측 골면과 평행한 상태로 적용하고 있다.

K~L. 보철 완료 3개월 후의 소견이다. 임플란트 식립부 순측 조직의 풍융도가 약간 떨어져 보이긴 하지만 특별한 문제를 보이지는 않는다.

① 골막 이완 절개를 여러 번 적용

골막은 조직학적으로 두 층으로 나뉜다. 골과 접한 내층(형성층 cambium layer)은 골과 접하는 골아세포와 이를 둘러싼 골전구세포(osteoprogenitor cell)로 이루어져 있고, 외층은 섬유아세포 및 교원질 섬유로 이루어져 있다. 골막 외층과 그 하부의 근육-결합조직층에는 혈관과 신경이 풍부하게 존재하는데, 특히 골막 외층의 혈관은 치아와 평행하게 주행하면서 치은 조직과 골막에 혈류를 공급한다.[161] 따라서 골막 이완 절개는 골막 외층과 심부 조직의 손상을 최소화하기 위해 가능한 얕게 가하는 것이 좋을 것이다. 실제로 한 동물 연구에 의하면 표준적인 사다리꼴 피판을 형성하고 골증강술을 시행한 후 골막 이완 절개를 가했을 때, 수술 직후의 피판 혈류량은 수술 전에 비해 유의하게 감소했다. 또한 이때 감소한 혈류량은 수술 2주 후의 피판 열개 발생률과 유의한 상관성을 보였다.[162] 이는 일반적인 골증강 술식을 시행할 때 가해지는 골막 이완 절개만으로도 피판의 혈류량을 감소시킬 수 있고, 이는 결국 수술부의 합병증으로 이어질 수 있음을 보여주는 것이다. 이러한 생각에서 많은 양의 장력을 이완시켜야 할 때에는 골막 이완 절개를 그 내측의 결합 조직이나 근육층까지 깊게 연장하기 보다는 얕은 깊이의 골막 이완 절개를 여러 번 가하는 것이 좋다고 생각하는 임상가들이 있다. 이때 각 골막 이완 절개는 서로 1 mm 이상의 거리를 두고 가하면 된다(📷 1-72).[160]

② 골막 이완 절개를 깊게 연장해서 협측 피판과 근육층을 분리

협측 피판을 더 확실하게 이완시켜 주려면 골막 이완 절개를 심부 조직으로 더 깊이 진행하여 피판으로부터 근육층(구치부의 협근/전치부의 구륜근)을 분리해야 한다.[6] 골막 이완 절개를 적절히 시행했다고 하더라도 피판에 포함된 근육은 치유 기간 중 지속적으로 장력을 발생시킬 수 있다.[163] 결국 피판을 치관측으로 현저히 전위시키기 위해서는 골막 이완 절개와 더불어 근육층 박리를 시행해 주어야만 한다. 근육층 분리 방법은, 지혈 겸자(hemostat), 작은 켈리, 혹은 작은 가위 등의 기구로 골막 이완 절개부에서 근단측-협측으로 둔한 부분층 박리(blunt dissection)를 시작하여 점막과 근육을 분리하는 것이다(📷 1-73).[34,163,164] 단, 골막 이완 절개를 깊이

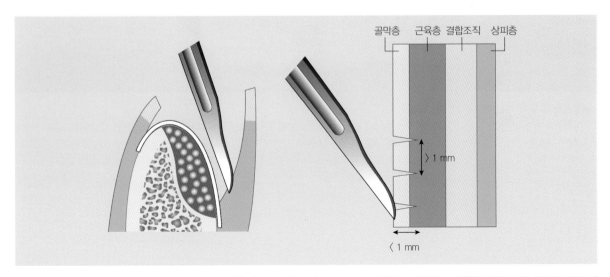

📷 **1-72** 골막 이완 절개를 가한 후에도 피판의 이완 정도가 부족하면 서로 1 mm 이상의 거리를 두고 평행한 골막 이완 절개를 여러 번 가할 수도 있다.

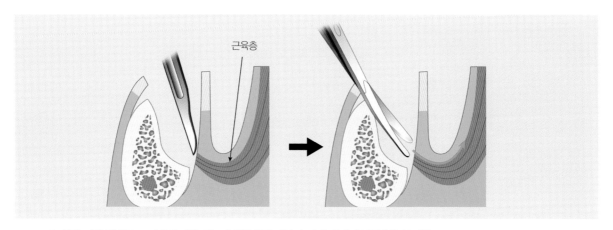

📷 1-73 골막 이완 절개로도 피판의 이완 정도가 부족하면 피판과 점막 하방의 근육층을 분리할 수도 있다.
그러나 경험이 적은 치과의사들은 이러한 심부 박리가 익숙하지 않고 수술 후 여러 가지 문제가 발생할 수 있으므로 많은 주의를 요한다.

가하면 점막하 조직이나 구강 내 근육의 혈관이 손상되어 출혈이 많아지거나 피판의 혈류 공급이 저하될 수 있기 때문에 주의를 요한다. 피판에 혈류를 공급하는 혈관이 과도하게 손상받으면 치유 기간 중 피판은 일시적인 허혈(ischemia) 상태에 놓일 수 있으며, 이는 결국 피판의 괴사로 이어질 수 있기 때문이다.[165] 근육층을 분리하면 지속적인 조직 내 출혈에 의해 수술 후 부종이 심해질 수 있으므로 꼭 필요한 경우가 아니라면 가급적 시행하지 않는 것이 좋다.

③ 골막의 부분적 제거

골증강부는 이전의 실패한 골증강술로 인해 반흔화되어 있을 수 있다. 특히 골막이 반흔화되면 단단하고 두터운 섬유화 조직으로 대치되어 피판의 변위를 힘들게 할 수 있다. 아주 드물게 마주치기는 하겠지만 이러한 경우에는 반흔화된 골막을 제거해 주어야 한다.[34]

(3) 설측 피판에는 가급적 골막 이완 절개를 가하지 않는 것이 좋다.

골막 이완 절개는 주로 협측/순측에 가하는 것이 원칙이며 설측/구개측은 가급적 가하지 않는 것이 좋다. 하악 구치부에서는 설측에 설신경이 주행하는데 평균 주행 경로가 골막 이완 절개에 의해 손상받기 쉬운 곳에 위치해 있으며, 해부학적 위치 변이도 심하다.[166,167] 하악 전치부에서는 악하 동맥이나 설하 동맥의 가지가 위치해 있을 수 있으며,[168] 박리 중이나 절개 중 이 동맥이 손상받으면 조절이 힘든 출혈이 발생할 수 있다. 상악에서는 구개부가 단단한 섬유질의 결합 조직으로 이루어져 있으므로 이완 절개를 가하더라도 피판이 잘 전진하지 못한다.

하악에서 협측 피판을 박리할 때 주의해야 할 해부학적 구조물은 이신경(mental nerve)으로, 하악 소구치부의 골막을 이완할 때에는 가능한 치관측으로 치우쳐서 골막을 절개하고 그 깊이도 최소한으로 하는 것이 좋다 (📷 1-74).

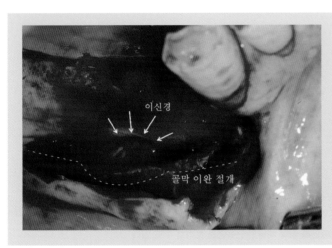

이신경

골막 이완 절개

📷 **1-74** 하악 소구치부에 골막 이완 절개를 가할 때에는 이신경이 손상받지 않도록 특별한 주의를 기울여야 한다.

수직적으로 많은 양의 골증강을 시행한 경우에는 협측 피판의 골막을 아무리 많이 이완시켜도 수술부를 장력 없이 폐쇄하기가 불가능한 경우도 있다. 이러한 때에는 구개측/설측 피판을 추가적으로 이완시켜야만 한다. 구개측/설측 피판의 이완은 협측의 골막 이완 절개와는 다른 방법을 이용하는 것이 안전하고 효율적이다. 상악에서는 혈관화 피판을, 하악에서는 악설골근 이완(mylohyoid muscle release)이나 피판의 광범위한 거상을 통해 설측 피판의 부가적인 무장력화를 얻을 수 있다.

(4) 상악에서는 구개 혈관화 피판을 통해 구개측 피판을 치관측으로 변위시킬 수 있다.

많은 임상가들이 협측 피판의 과도한 견인으로 인해 발생할 수 있는 합병증인 전정 깊이 감소와 부착 치은 감소를 예방하기 위해 상악의 구개측에서 형성한 유경 점막 피판(pedicled mucosal flap)을 이용할 것을 추천하였다. 구개 점막은 두께가 두껍고, 대구개 동맥에 의해 유지되는 동맥 공급을 확보하기가 쉬우며, 대구개 동맥 이외에 특별히 신경 쓸 해부학적 구조물이 없기 때문에 피판을 형성하기가 쉽기 때문이다. 이에 반해 하악에서는 설신경 손상을 고려해야 하고 조직의 두께도 얇기 때문에 설측에서 유경 판막을 형성하는 것은 불가능하다.

① 치관 변위 구개 활주 피판(coronally positioned palatal sliding flap)

Tinti와 Parma-Benfenati는 치관 변위 구개 활주 피판(coronally positioned palatal sliding flap)을 소개했다.[169] 이들은 ePTFE 차폐막으로 골유도 재생술을 시행하고 이 피판을 이용해 수술부를 폐쇄한 두 증례에서 성공적인 수술부 폐쇄를 이룰 수 있었다고 하였다. 개인적인 경험상, 이 피판은 형성이 용이한 편이며 예후도 좋았기 때문에 상악 구치부에서 광범위한 골증강술을 시행한 후 종종 이용하고 있다. 이 방법으로는 구개측에서 3-4 mm 정도의 피판을 치관측으로 안전하게 변위시킬 수 있다.

수술 과정(📷 1-75, 76)

- 수술부의 구개측에 근원심으로 두 개의 전층 수직 절개를 가한 후 전층 판막을 거상한다.
- 치관측에서 근단측을 향해 15번 수술도를 이용하여 2 mm 두께의 부분층 판막을 거상한다.
- 12번 수술도를 이용하여 수직 절개의 근단측을 연결하는 수평 절개를 비스듬하게 가한다.

　단면을 보았을 때 이 피판은 "ㄹ"자 모양이며 첨단을 잡아당겨 아코디언처럼 길이를 늘이는 원리이다. 이 술식에서 가장 주의해야 할 점은 치근단측의 수평 절개를 절대로 깊게 가하지 말아야 한다는 점이다. 치근단측의 수평 절개가 깊어지면 구개 동맥을 손상시키거나 피판을 천공시킬 수 있기 때문이다. 따라서 치근단측의 수평 절개는 처음에 1 mm 정도로 최소 깊이로만 시행한 후 필요에 따라 조금씩 더 깊게 진행하는 것이 좋다.

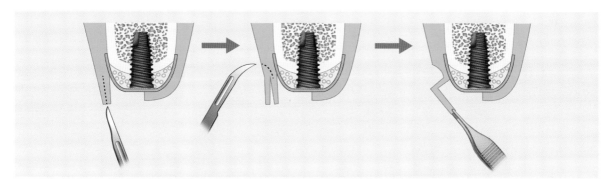

📷 1-75 **치관 변위 구개 활주 피판을 형성하는 과정**

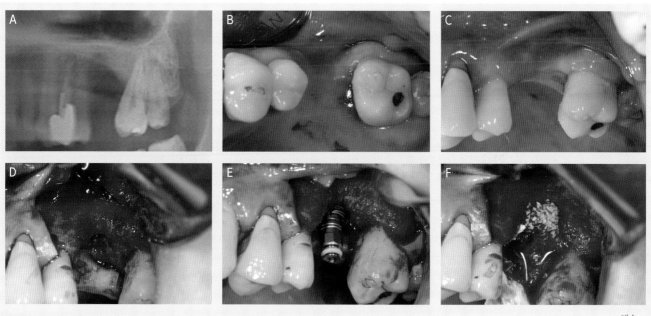

– 계속 –

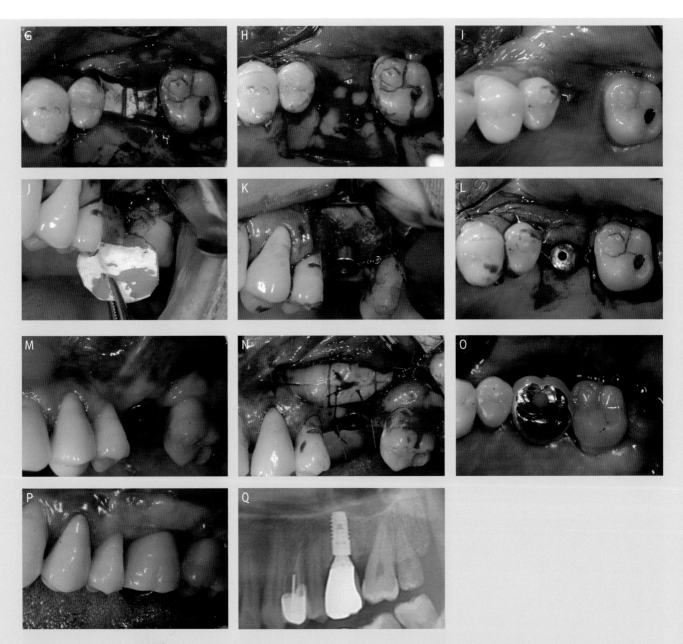

📷 1-76 치관 변위 구개 활주 피판의 임상 적용. 상악 구치부에서 수직적 결손을 수복하거나 광범위한 수평적 결손을 수복한 후 주로 적용한다. 저자의 경험으로 이 술식은 상악 구치부에서 골증강술 후 피판의 장력을 효율적으로 줄여줄 수 있었고 그 결과도 좋았다.

A~H. 약간의 수직적 결손이 존재하는 부위에 임플란트를 식립했다. 임플란트 식립 후 탈단백 우골과 dPTFE 차폐막으로 결손부를 수복했다. 구개 측에 치관 변위 구개 활주 피판을 형성했다(**H**).

I~L. 3개월 후 2차 수술을 시행하면서 차폐막을 제거했다. 2차 수술 전 수술부 점막 표면에 궤양성 병소가 존재했지만 이는 골증강술과는 무관한 구내염에 의한 것으로 판단된다.

M~N. 약 1.5개월 후 소대 제거와 각화 점막 폭 증가의 목적으로 유리 치은 이식술을 시행했다.

O~Q. 보철 치료 후의 상태이다.

② 회전 구개 피판(rotated palatal flap)

수술부 폐쇄를 위한 목적으로 전층, 혹은 부분층의 회전 구개 피판(rotated palatal flap)을 이용할 수 있다.[170-174] Nemcovsky 등은 전층, 혹은 부분층의 회전 구개 피판을 이용하여 발치 후 즉시 식립 임플란트 수술부를 폐쇄하는 술식을 소개하였고,[175] 그 결과를 평가한 일련의 논문을 발표했다.[170-172,176-178] 이들은 구개 점막의 두께가 4 mm 이하면 전층 피판을, 4 mm 이상이면 부분층 피판을 이용하였으며 경(pedicle)은 구개 동맥의 혈액 공급을 받기 위해 가급적 항상 원심측에 두어야 한다고 했다(📷 1-77). 다수의 임상 연구에서, 발치 후 즉시 임플란트 식립과 골증강술을 시행했을 때 치아 관통부를 회전 구개 피판으로 폐쇄해주면 양호한 임상 결과를 보였다(📷 1-78).[170,172,176-178] 그러나 최근에는 발치 후 즉시 임플란트 식립과 동시에 골증강술을 시행했을 때 치아 관통부를 연조직으로 폐쇄해주기보다는 치유 지대주나 임시 보철물로 처리해주는 경향이 있다. 또한 임플란트 주위의 크지 않은 열개 결손을 수복할 때 1단계 수술이나 2단계 수술 모두 별다른 차이 없이 성공적인 결과를 보이기 때문에,[150] 발치 후 즉시 임플란트 식립 시 치아 관통부를 폐쇄하기 위한 목적으로 이 술식을 이용할 필요는 없다고 생각된다.

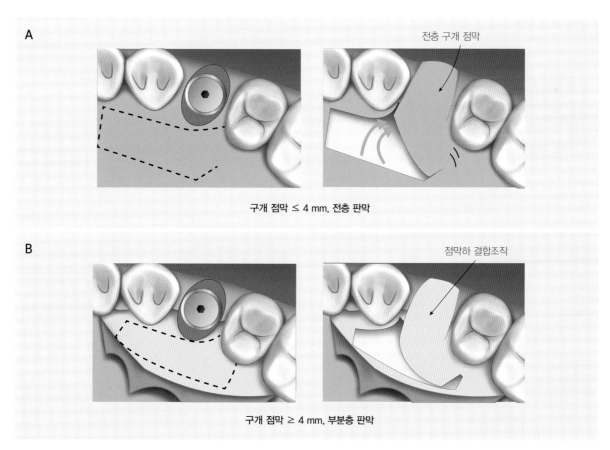

A

전층 구개 점막

구개 점막 ≤ 4 mm, 전층 판막

B

점막하 결합조직

구개 점막 ≥ 4 mm, 부분층 판막

📷 **1-77 회전 구개 피판의 모식도**
A. 구개 점막의 두께가 4 mm 이하이면 전층 판막을 형성한다.
B. 점막 두께가 4 mm 이상이면 점막 상피 하방의 부분층 판막을 형성하여 회전시킨다.

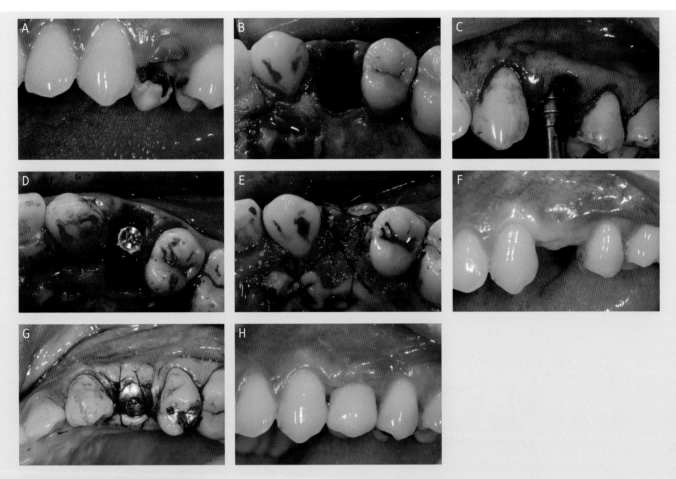

📷 **1-78 회전 구개 피판을 적용한 증례**

A~E. 상악 제1소구치를 발거하고 즉시 임플란트를 식립했다. 치조정 접근 상악동 골이식술과 발치와 내의 치아 주위 결손 수복을 시행했다. 이후 협측 피판에 골막 이완 절개를 가하지 않고 부분층 회전 구개 피판을 적용하여 치아 관통부를 폐쇄해 주었다**(E)**.
F~G. 약 6개월 3주 후 2차 수술을 시행했다. 회전 구개 피판에 의해 임플란트 식립부의 연조직은 풍융하게 유지됐고 협측 피판의 치관측 변위가 없었기 때문에 협측 조직이 자연스럽게 잘 유지됐다.
H. 보철 치료 직후의 상태이다.

회전 구개 피판은 초보자가 시행하기에는 기술적인 어려움이 있다. 하지만 이 피판은 거의 100% 생존하여 예지성이 높고, 협측 피판의 전진으로 인한 각화 점막 감소나 전정 깊이 감소 등의 합병증을 피할 수 있다는 장점이 있다. 따라서 단일치 결손부에서 협측 피판의 많은 치관측 전위가 필요하다고 판단될 때에는 사용을 고려해볼 수 있다. 또한 회전 구개 피판은 구강-상악동 누공 폐쇄에 효율적으로 이용 가능하다.

(5) 하악에서는 설측 피판의 치관측 변위를 위해 악설골근을 이완시킨다.

하악에서도 설측 피판의 이완을 위해 골막 절개를 가하는 이들이 있다. 하악 설측의 골막 이완 절개는 악설골근 선 하방까지 피판을 박리한 후 얕은 깊이로 가한다. 이는 설측 피판을 효율적으로 무장력화시킬 수 있지만 기술적으로 매우 어렵고 설신경이나 혈관, 또는 설하신의 손상을 야기할 수 있으므로 큰 주의를 요한다. 이에 전문가들은 하악 설측 점막을 하악골에 단단히 부착시키는 해부학적 구조물인 악설골근의 근외막 부착부를 하악골로부터 분리시키는 술식들을 개발했다.

① 악설골근 이완

2011년 Ronda와 Stacchi는 하악의 수직적 골증강 증례에서 골막 이완 절개 없이 설측 피판의 무장력화를 얻을 수 있는 방법을 소개했다.[179] 이들은 이 방법의 명칭을 특별히 제시하지는 않았지만 편의상 "악설골근 이완"이라고 하겠다. 이들은 평균 5.2 ± 1.8 mm에 이르는 수직적 골증강술을 69부위에 시행했으며, 협측 피판의 단순한 골막 이완 절개와 설측 피판에서의 악설골근 이완으로 수술부를 장력 없이 완전히 폐쇄할 수 있었다고 보고했다. 그 결과 수술부 열개는 단 한 증례에서도 발생하지 않았고, 단지 네 증례에서만 열개 없는 감염이 발생해 골유도 재생술이 실패했다고 했다. 이 술식은 기술적으로 쉽고 합병증 발생 가능성이 높지 않기 때문에 최근에는 하악의 수직적 골증강 시에 많이 사용되고 있다.[180] 그 방법은 다음과 같았다.

하악 설측에서 악설골근 이완의 과정(📷 1-79)

- 설측에서 악설골근 선(mylohyoid line)을 만날 때까지 전층 피판을 거상한다.

- 끝이 무딘 골막 기자로 악설골근의 근외막(epimysium)이 연장되어 악설골근 선에 부착된 결합 조직 밴드를 찾는다. 이 밴드의 위치는 근원심적으로는 제1대구치 부위에, 수직적으로는 치조정에서 5 mm 정도 치근단측에 위치하며 근원심으로 1-2 cm 정도의 폭을 갖는다.

- 근심에서 원심을 향하도록 하여 골막 기자를 이 밴드의 하방에 삽입한 후 치관측으로 부드럽게 당겨서 설측 피판으로부터 이를 분리한다.

② 하악 설측 피판의 광범위한 거상

2018년 Urban 등은 설측의 피판을 아주 광범위하게 거상하여 이를 악설골근 이완 시보다 훨씬 더 많이 치관측으로 전위시킬 수 있는 방법을 개발했다.[181] 이들은 하악 설측에서 악설골근을 거상하는 것은 해부학적으로 위험하며, 악설골근을 부분적으로만 거상하는 악설골근 이완도 얇은 설측 피판의 천공을 유발할 수 있기 때문에 악설골근을 전혀 이완시키지 않고도 설측 피판을 광범위하게 이완시킬 수 있는 방법을 개발했다고 보고했다. 이들은 하악 설측 피판을 전방, 중앙, 후방부로 나누고 각 위치에서의 피판 이완 방법을 제시했다(📷 1-80, 📚 1-10).

Urban 등은 사체에서 "악설골근 이완"법과 "광범위한 거상"법을 시행하고 설측 피판의 이완 정도를 비교했다. 그 결과 전방, 중앙, 후방부 모두에서 "광범위한 거상"법을 적용했을 때 설측 피판은 치관측으로 유의하게 더 많이 전위시킬 수 있었다. 구체적으로는 후방부에서는 8.2배, 중앙부에서는 2.5배, 전방부에서는 5.3배 더 많은 치관측 이동이 가능했다.[181]

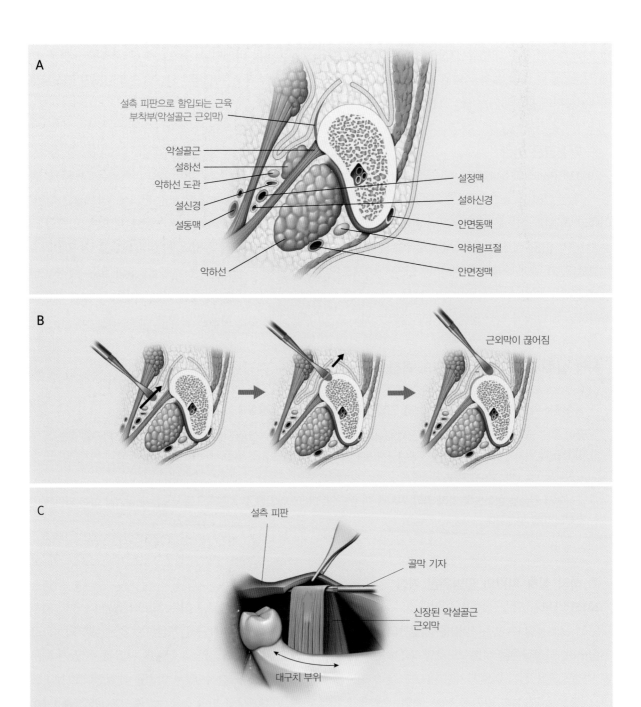

A.
- 설측 피판으로 함입되는 근육 부착부(악설골근 근외막)
- 악설골근
- 설하선
- 악하선 도관
- 설신경
- 설동맥
- 악하선
- 설정맥
- 설하신경
- 안면동맥
- 악하림프절
- 안면정맥

B.
- 근외막이 끊어짐

C.
- 설측 피판
- 골막 기자
- 신장된 악설골근 근외막
- 대구치 부위

☐ 1-79 하악 설측의 악설골근 이완

A. 악설골근의 근외막은 악설골근에서 설측 점막으로 연장된 구조물로 설측 피판의 가동성을 심하게 저하시킨다.

B. 악설골근 이완의 과정. 골막 기자를 근심에서 원심 방향으로 악설골근 근외막 하방에 삽입한다. 이후 골막 기자를 치관측으로 당겨서 근외막을 끊어준다.

C. 악설골근 근외막은 근원심적으로는 제1대구치 부위에, 수직적으로는 치조정에서 5 mm 정도 치근단측에 위치하며 근원심으로 1-2 cm 정도의 폭을 갖는다.

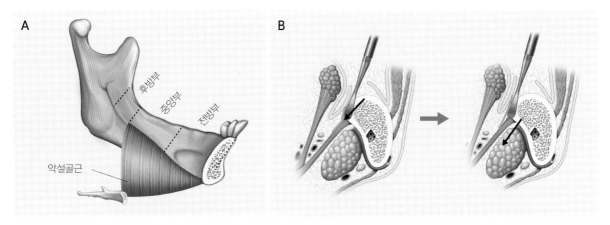

📷 **1-80 하악 설측 피판의 광범위한 거상**
A. 설측을 전방, 중앙, 후방부로 나누어 각각 다른 방법으로 이완시킨다.
B. 중앙부에 악설골근 부착부가 존재한다. 이 방법에서는 악설골근 이완에서와는 다르게 악설골근 근외막을 끊어주지 않고 악설골근에서 박리해준다.

📑 **1-10 하악 설측 피판의 광범위한 거상 방법**

분류	위치	피판 이완 방법
전방부	소구치 부위	이 부위에서는 악설골근 부착부가 치근단측에 위치하므로, 악설골근 부착부까지 피판을 거상할 필요는 없다. 대략 중앙부에서와 비슷한 정도 깊이까지 피판을 거상한 후 골막 이완 절개를 조심스럽게 가한다.
중앙부	대구치 부위	이 부위에서는 악설골근이 비교적 치관측에 부착해 있다. 일단 설측 피판을 거상해서 근육이 골에 삽입되는 부위를 확인한다. 근부착부가 확인되면 그 상방의 피판을 둔한 기구로 설측으로 밀어준다. 이를 통해 악설골근의 상부 섬유를 피판과 안전하게 분리할 수 있다.
후방부	후구치 패드	이 부위는 탄성이 매우 큰 조직으로 이루어져 있기 때문에 피판을 골에서 박리하는 것만으로도 쉽게 이완된다. 이 부위를 피판에 포함하는 이유는 더 전방의 피판 부위를 조작할 때 피판의 손상이나 천공을 피하기 위함이다.

(6) 일차 폐쇄를 위한 새로운 방법으로 조직 확장술이 시도되고 있다.

지금까지 설명한 바와 같이 일반적인 사다리꼴 피판을 형성하고 골막 이완 절개를 가한 후, 협측 피판을 치관측으로 변위시켜 수술부를 일차 폐쇄하는 방법은 골증강술 후 연조직을 폐쇄하는 표준 방법이다. 이 방법은 예지성 높게 골증강의 성공을 불러올 수 있지만, 몇 가지 단점 또한 존재한다.

① 임상적으로 증명된 것은 아니지만 이론적으로 봤을 때 골막 이완 절개로 인해 골증강부 상방의 골막은 혈류량이 저하되며, 이로 인해 골막에서 골증강부로 공급되는 혈액 및 골형성 세포의 양이 감소하여 신생골 형성의 양이 감소할 수 있다.[182,183]

② 협측 피판을 치관측으로 전위시키면 구강 전정의 깊이가 감소하고 각화 점막의 폭이 줄어든다.[184] 이는 기능 중 불편감을 야기할 수 있고 구강 위생 관리에 어려움을 초래할 수 있다. 따라서 골증강술 이후에는

전정 성형술을 동반한 각화 점막 이식술이 필요한 경우가 많다.

③ 골증강의 양이 많아서 피판을 치관측으로 광범위하게 전위시키는 경우에는 장력을 충분히 제거했음에도 불구하고 치유 기간 중 피판이 열개되는 경우가 많다.[185]

④ 골증강술을 시행한 부위는, 상부의 연조직에서 지속적으로 가해지는 장력으로 인해 이식재가 전위되거나 흡수됨으로써 부피가 줄어든다.[149]

따라서 이러한 단점을 극복하기 위해 골증강부 상방의 점막 자체를 "조직 확장술(tissue expansion)"을 통해 증가시키려는 시도가 이루어지고 있다.[186] 피부나 점막 등의 이장 조직에 물리적 힘을 가하면 조직은 세포의 증식에 의해 두께를 유지하면서 확장되는데, 이러한 성질을 이용한 것이 조직 확장술이다.[187] 조직 확장술은 주로 외상이나 화상 등으로 피부가 결손 되었을 때 결손부 주위의 피부량을 확장시켜서 결손부를 수복해 주기 위한 용도로 사용되어 왔다.[188] 골증강술 시에 수술부 열개의 가장 큰 원인은 피판에 가해지는 장력이기 때문에, 골증강술 전에 골결손부 상방의 점막을 확장시켜서 수술 시 피판에 가해지는 장력을 최소화시킬 수 있다 (📷 **1–81**). 따라서 몇몇 시험적인 임상적 시도가 이루어지고 있다.

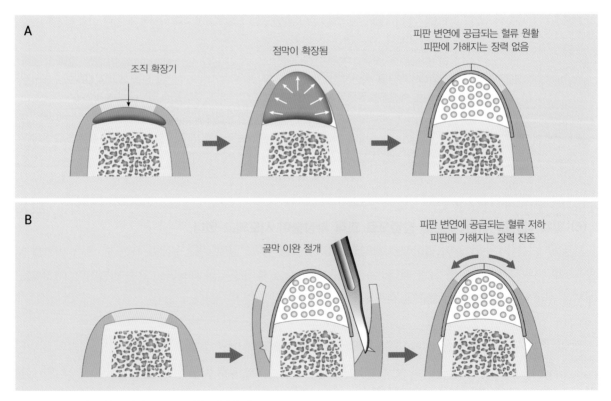

📷 **1–81 조직 확장술과 일반적인 골막 이완 절개의 비교**
A. 조직 확장술 후에 골증강술을 시행하면 피판 내로의 혈류 공급이 저하되지 않으며 피판 변연에 장력이 전혀 가해지지 않는다.
B. 골막 이완 절개로 골증강부를 폐쇄하면 피판 내로의 혈류 공급은 혈류 공급은 저하될 수 있으며 피판 변연에 장력이 잔존할 수 있다.

조직 확장기는 원래 외부로 연결된 밸브를 통해 공기를 주입하여 확장시키는 빙빕을 사용했지만 다루기가 불편하고 상부 연조직울 천공시키는 경우가 많았기 때문에 현재는 거의 사용되지 않으며, 스스로 팽창할 수 있는 삼투압을 이용한 조직 확장기가 주로 사용된다.[189] 삼투압 조직 확장기는 크기를 작게 만들 수 있기 때문에 골증강술 전에 골결손부 점막을 확장시키기 위한 용도로 사용 가능하다. 2010년대 초반에 몇몇 동물 연구를 통해 조직 확장기가 구강 점막을 효율적으로 확장시킬 수 있는지 확인한 후 2010년대에 세 건의 임상 연구가 보고된 바 있으며 대부분의 증례에서 합병증 없이 성공적인 결과를 얻을 수 있었다.[188]

한 동물 실험에서는 하악 소구치부에 인위적으로 골결손부를 형성했다. 이 중 10부위에는 결손부 상단 점막에 조직 확장술을 시행했고(실험군) 10부위는 아무런 처치도 가하지 않았다(대조군). 조직 확장이 완료된 이후 실험군에서는 수직 절개 및 골막 이완 절개를 가하지 않고 수평 절개만 가했고, 대조군에서는 수평 절개, 수직 절개, 골막 이완 절개를 가한 후 골증강술을 시행했다. 그 결과 실험군에서는 골증강술 2주 후 조직 열개가 전혀 발생하지 않은 것에 반해 대조군에서는 80%(8/10)에서 열개가 발생했으며 이는 유의한 차이를 보이는 것이었다. 이 실험에서는 도플러 장치로 피판 내 미세 혈액 순환의 정도를 수술 전부터 수술 3일 후까지 평가했는데, 두 군에서 모두 수술 후 피판의 혈류량이 감소하긴 했지만 수술 직후의 혈류량은 대조군에서 유의하게 더 많이 감소했고, 이 때의 혈류량 감소가 더 많은 열개 발생에 영향을 미치는 것으로 나타났다(📷 1–82).[162]

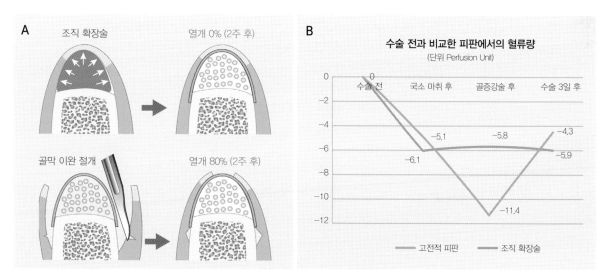

📷 1–82 **한 동물 실험에서는 조직 확장술과 골막 이완 절개 후의 창상 치유 과정과 피판 내 혈류량을 비교했다.**[162]
A. 조직 확장술 후 골증강술을 시행한 부위에서는 조직이 전혀 열개되지 않았지만 조직 확장술을 미리 시행하지 않고 골증강술 시 골막 이완 절개를 가한 부위는 80%의 증례에서 열개가 발생했다. **B.** 혈류량을 측정한 결과, 수술 직후 고전적 피판을 형성하고 골막 이완 절개를 가한 군에서 유의하게 혈류량이 감소했다. 아마도 수술 직후의 이러한 혈류량 감소가 수술부의 열개 발생에 커다란 영향을 미치는 것으로 판단된다. 그러나 실험군과 대조군의 결과가 일반적인 경험으로 미루어 판단했을 때 너무 심하게 차이가 났기 때문에 결과 해석에 주의를 요한다.

그러나 조직 확장술을 골증강술에 일반적으로 사용하기에는 무리가 있다고 생각된다. 아직 임상 근거가 충분히 축적되지 못했을 뿐만 아니라, 조직 확장술을 적용하려면 치유 기간 중 팽창된 점막에 의한 환자의 불편감, 비용 상승, 조직 확장기 삽입을 위한 추가적인 수술의 필요성, 조직 확장기의 탈락이나 점막의 천공 등 합병증 발생 가능성 등 많은 단점을 감수해야 한다. 따라서 앞으로도 이 술식을 적용하는 임상가는 많아지지 않을 것이다. 다만 하악에서 많은 양의 수직적 골증강이 필요할 때에는 선택적인 사용을 고려해 볼 수 있을 것이다.

5) 골증강술 후 봉합 시에는 조직 반응을 일으키지 않는 합성 단섬유 봉합사가 유리하다.

수술부 폐쇄의 방법은 여러 가지가 있다. 일반적으로 수술용 클램프(surgical clamp), 조직 접착제(tissue adhesive), 봉합사를 이용한 봉합(surgical suture) 등의 방법이 가장 널리 쓰이지만, 구강 내 점막 피판의 폐쇄를 위해서는 아직까지 봉합법이 거의 유일하게 적용되고 있다. 봉합법은 가장 오래되었고 가장 불편한 방법이지만, 구강 내 창상의 폐쇄에 있어서는 가장 예지성 높은 결과를 얻을 수 있기 때문이다.[190] 구강 내부는 접근이 어려운 부위이기 때문에 구강 내 창상의 봉합은 여타 부위에서의 봉합보다 어렵다. 게다가 봉합 술식은 굉장히 기술 의존적(technique sensitive)이기 때문에 성공적인 결과를 얻기 위해서는 술자의 많은 연습과 경험을 필요로 한다.[191] 여기에서는 봉합과 관련되어 필요한 간단한 지식과, 골증강술에 필요한 봉합의 방법에 대해서만 설명하도록 하겠다.

(1) 봉합사의 종류

봉합의 시작은 봉합사의 선택과 함께 시작된다. 봉합사는 몇 가지로 분류 가능하다(📷 1-83).[192]

- 재료의 기원에 따라: 자연 봉합사/합성 봉합사
- 흡수 여부에 따라: 흡수성 봉합사/비흡수성 봉합사
- 섬유의 수에 따라: 복섬유(multifilament/multithreaded) 봉합사/단섬유(monofilament) 봉합사

또한 봉합사 재료는 물리적으로나 생물학적으로 몇 가지 필요한 성질들이 있다.[193] 이에는 물리적 성질(조작 용이성, 매듭의 안정적 유지, 소독의 용이성)과 생물학적 성질(적절한 흡수 기간, 최소한의 조직 반응)이 있다. 임플란트 술식에 사용될 수 있는 대표적인 봉합사의 종류를, 그 상품명(Ethicon사의 상품명) 및 특성과 함께 정리하면 📑 1-11과 같다.[191] Ethicon사는 존슨 앤 존슨사(Johnson&Johnson)의 자회사로, 봉합사 및 창상 폐쇄 장치를 제조한다. 현재 전 세계 봉합사 시장에서 70% 정도의 점유율로 독점적인 위치에 있기 때문에 상품명은 Ethicon사의 것만을 언급하도록 하겠다.

(2) 합성 단섬유 봉합사를 사용하면 조직 반응과 세균막 침착을 최소화시킬 수 있다.

봉합사는 일종의 이물질이기 때문에 창상 내부에 봉합사가 존재하면 감염의 가능성은 증가한다.[198] 더구나 임플란트 수술 후 봉합사가 위치하게 될 구강 내부는 구강 외부와는 전혀 다른 불리한 환경을 조성한다. 구강

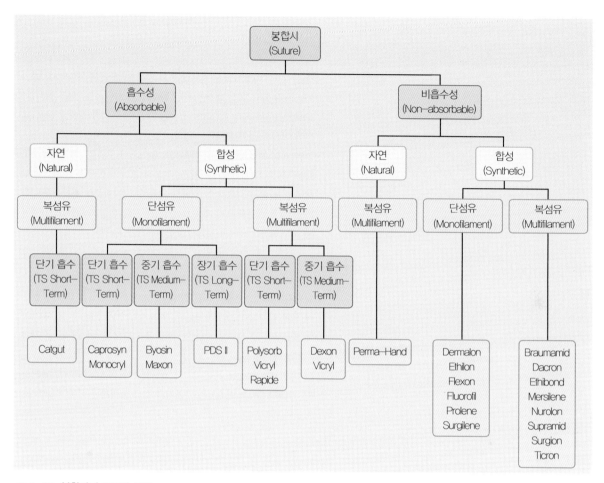

📷 1-83 **봉합사의 종류와 구분**

내부는 항상 젖어 있으며 타액, 음식물, 상주균 등에 의해 감염이 더 잘 유발된다. 동물 실험에 의하면 구강 내 점막 조직은 구강 외 피부 조직에 비해 봉합 부위에 더 심한 염증 반응을 보이게 된다.[199] 따라서 특히 구강 내 창상의 봉합 시에 봉합사의 생물학적 성질은 중요한 고려 대상이 된다.

봉합사가 관통한 조직 주변은, 조직 관통에 의한 외상과 봉합사라는 이물에 대한 반응으로 염증 반응을 보이게 된다. 이는 구강 내 환경에서 봉합사를 따라 조직 내부로 세균이 침투하기 때문이며 세균은 봉합사를 제거할 때까지 조직 내부로 지속적으로 침투한다.[199,200] 봉합사 주변의 염증은 비교적 뚜렷하게 구분되는 세 층으로 이루어진다(📷 1-84).[199]

- 봉합사 주변의 심한 세포 삼출물(cell exudate)
- 손상된 세포와 조직 단편
- 주변 결합 조직 내의 넓은 염증 세포층

⚓ 1-11 주요 봉합사의 특성

성분명	상품명	분류	임상적 특성
Silk	Silk	자연 봉합사 비흡수성 봉합사 복섬유 봉합사	• Silk는 자연 봉합사의 일종으로 면사 및 리넨과 함께 20세기에 널리 사용된 봉합사이다. 이 봉합사는 장력에 잘 저항하고, 매듭 형성 시 장력을 조절하기가 용이하며, 초보자들도 다루기가 쉽다는 장점 때문에 여전히 많이 사용되고 있다. • 그러나 이 봉합사는 조직 적합성이 떨어지고, 치유 기간 중 세균막(biofilm)이 잘 침착된다는 단점이 있기 때문에 봉합사를 장기간 유지해야 하는 술식(골증강술) 시에는 사용하지 않는 것이 좋다. 또한 매듭이 쉽게 느슨해지기 때문에 치유 기간 중 피판이 열개되지 않아야 하는 골증강술에는 사용을 추천하지 않는다.[194] • 임플란트 관련 수술 중에는 단순한 2차 수술 시에 이용 가능하다.
Catgut	Surgical gut, Chromic gut	자연 봉합사 흡수성 봉합사 복섬유 봉합사	• Catgut은 이름과 다르게 양이나 소의 장(점막하 조직)에서 추출한 교원질 섬유로 만들어진다. 이 봉합사는 봉합 6–14일 후부터 효소에 의해 흡수되어 물리적 성질을 잃게 된다.[195] Catgut은 조직 내에서 염증 반응을 일으킬 수 있기 때문에 치주 수술 시 최근에는 거의 사용하지 않고 있다.[196] • 이 봉합사는 복섬유 봉합사이기 때문에 매듭을 형성하기가 용이하다. 그러나 Silk에 비해서는 다루기가 조금 불편하고 장력에 대한 저항성이 떨어진다.
Polyamide (Nylon)	Ethilon	합성 봉합사 비흡수성 봉합사 단섬유 봉합사	• Nylon은 가장 널리 쓰이는 합성 봉합사로 조직 반응은 극히 드물게 발생한다. 또한 매끈한 표면의 단섬유 봉합사이기 때문에 세균막이 잘 침착되지 않는다. 뻣뻣한 단섬유 봉합사이기 때문에 매듭을 형성하기 힘들고 환자에게 자극이 될 수 있으며 초보자들이 다루기에는 조작성이 떨어진다는 단점이 있다. • 가격이 저렴하고 조직 반응 및 세균 침착이 최소이기 때문에 골증강술 시에 가장 선호하는 봉합사이다.
Polypropylene	Prolene	합성 봉합사 비흡수성 봉합사 단섬유 봉합사	• Prolene은 조직 적합성이 좋고 조직 반응이 최소이며 매듭이 풀리지 않고 잘 유지된다. 단점으로는 잘 끊어지고 가격이 비싸며 Nylon에 비해 다루기가 더 힘들다. 이 봉합사는 주로 피부 봉합과 혈관 수술에 많이 이용되며 구강 내 수술에는 잘 사용하지 않는다.
Polyglycolic acid/ Polylactic acid	Vicryl	합성 봉합사 흡수성 봉합사 복섬유 봉합사	• 합성 흡수성 봉합사는 흡수의 정도를 제조 과정에서 조절 가능하고 물리적 성질이 좋다는 장점이 있다. Vicryl은 복섬유이긴 하지만 Silk에 비해 주위 조직에 염증을 덜 유발하며 매듭이 풀리지 않고 잘 유지된다.[194] Vicryl은 조직 내에서 60–90일에 걸쳐 흡수되며 분해 산물은 조직 반응을 잘 일으키지 않는다.[197] • Vicryl은 부드러운 복섬유 봉합사이기 때문에 술자가 다루기 쉽고 환자의 불편감도 적다. 따라서 Nylon보다 세균막 침착이 더 많기는 하지만 골증강술 시 많이 사용되고 있다.

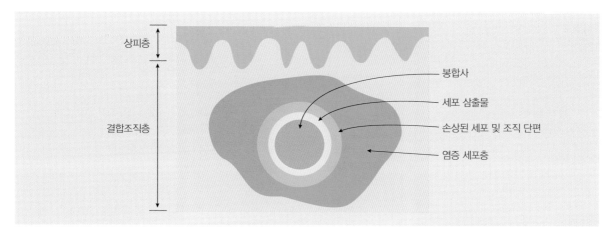

📷 1-84 봉합사가 관통하는 조직 내부에는 염증성 반응이 발생한다. 이는 봉합사 주변의 심한 세포 삼출물(cell exudate), 손상된 세포와 조직 단편, 주변 결합 조직 내의 넓은 염증 세포층 등 뚜렷한 세 층으로 구분된다.

이는 수술 후 3일째에 가장 심하고 점차 줄어드는데, 수술 2주 후에는 부분적으로 육아 조직으로 대체되면서 섬유성 막으로 둘러싸이게 된다.

대부분의 수술부 감염은 창상 내에 존재하는 봉합사 주변으로부터 시작된다.[201] 복섬유 봉합사에서는 섬유 사이의 빈 공간에서 모세관 현상이 발생한다. 세균은 이 모세관 현상에 의해 복섬유 봉합사의 내부를 통하여 창상 내로 이동하며 이를 "심지 효과(wick effect)"라고 부른다. 심지가 초를 빨아들이듯이 봉합사가 세균을 창상 내부로 빨아들이기 때문이다.[202] 결국 복섬유 봉합사를 사용하면 봉합사 표면보다는 내부를 통한 세균의 전파가 수술부 감염에 유의하게 더 많은 영향을 미친다.[203] 게다가 복섬유 봉합사는 단섬유 봉합사보다 표면이 거칠고 꼬여 있기 때문에 봉합사 내부뿐만 아니라 표면에도 세균이 더 잘 부착된다. 한 실험에 의하면 복섬유 봉합사들 표면에는 단섬유 봉합사인 나일론 봉합사 표면보다 세균이 5–8배 더 부착되었다.[204] 또한 생체 내에서 봉합사들이 유발하는 염증의 정도는 세균의 부착 정도에 비례하는 양상을 보이며 이는 합성 단섬유 봉합사를 선호하는 가장 큰 이유가 된다.[190] 게다가 복섬유 봉합사 자체는 세균을 백혈구의 탐식 작용(phagocytosis)으로부터 보호해주는 작용을 한다.[205]

실크 봉합사는 전통적으로 구강 내 창상의 폐쇄에 가장 많이 이용되어 왔다.[206] 실크는 가격이 가장 저렴한 봉합사이며 수술 중 다루기가 쉬운 재료이다. 또한 단섬유 봉합사에 비해 치유 기간 중 환자의 이질감이나 불편감이 적다.[207] 그래서 구강 내 창상에 사용된 봉합사들을 비교한 대조 연구들에서 실크는 대조군에서 많이 이용되었기 때문에 많은 연구 결과가 축적되었다. 그 결과 실크는 다른 모든 합성 봉합사들에 비해 조직 내부로 더 많은 세균을 침투시키고, 더 많은 염증 반응을 유발하며, 조직의 치유와 재생을 가장 지연시키는 결과를 보였다.[199,208–211] 또한 실크는 매듭을 잘 유지하지 못하고 치유 기간 중 느슨해지는 경향이 있다.[210] 따라서 실크는 더 이상 구강 내 점막을 봉합하는 데 있어 추천할 수 있는 봉합사가 될 수 없으며, 특히 감염에 취약한 골증강술에서는 더더욱 사용하지 않는 것이 좋다(📷 1-85).

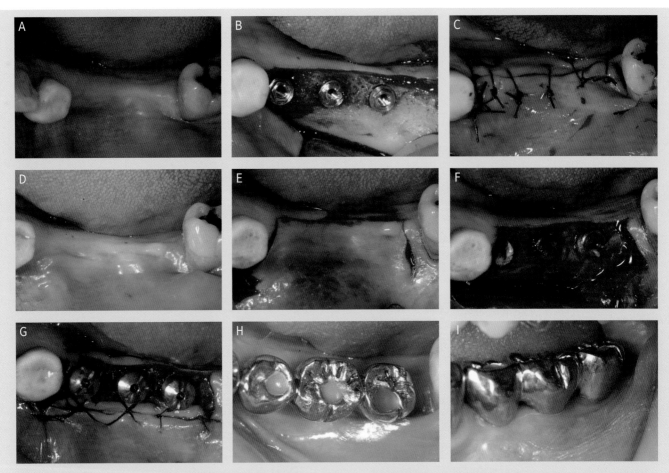

📷 **1-85** 실크는 점막에 염증 반응을 유발하고 치유 기간 중 매듭이 느슨해지기 때문에 골증강술 시에는 사용하지 말아야 한다. 2차 수술 등 골증강술과 관계없는 간단한 술식 후에만 제한적으로 이용할 것을 추천한다.

A~C. 임플란트를 식립했다. 임플란트 식립 후 봉합사는 Vicryl을 이용했다. Vicryl은 복섬유사이며 흡수성 봉합사이지만 조직에 최소한의 염증 반응을 일으키기 때문에 골증강술이나 임플란트 식립술 후 피판 폐쇄 시 사용 가능하다.

D~G. 4개월 후 2차 수술과 각화 점막의 폭을 증진시키기 위한 근단 변위 판막술을 시행했다. 이 때에는 골과 관련된 술식이 포함되지 않았기 때문에 실크로 봉합을 시행했다.

H~I. 약 1개월 후 최종 보철물을 연결해 주었다.

흡수성 봉합사는 천연 봉합사이거나 합성 봉합사이다. 인체 내에서 천연 봉합사는 단백 분해 효소(proteolytic enzyme)에 의해 분해되고, 합성 봉합사는 가수 분해(hydrolysis)에 의해 분해된다. 이러한 분해 과정에 의해 주위 조직에 염증 반응이 초래되는데,[212,213] 천연 봉합사가 분해될 때 더 많은 염증 반응이 발생하기 때문에 현재에는 천연 흡수성 봉합사를 잘 사용하지 않는다.[214] 폴리글리콜산(polyglycolic acid, PGA) 성분의 합성 봉합사인 Vicryl은 흡수될 때 염증 반응을 최소로 유발하기 때문에 현재 가장 선호되는 흡수성 봉합사이다.[194,215] 그러나 Vicryl도 구강 내 창상을 봉합하는 데 사용하고 제거하지 않으면 농양(stitch abscess)을 형성할 수 있기 때문에 봉합 후 1-2주 이내에 반드시 제거해 주어야 한다(📷 **1-86**).[216]

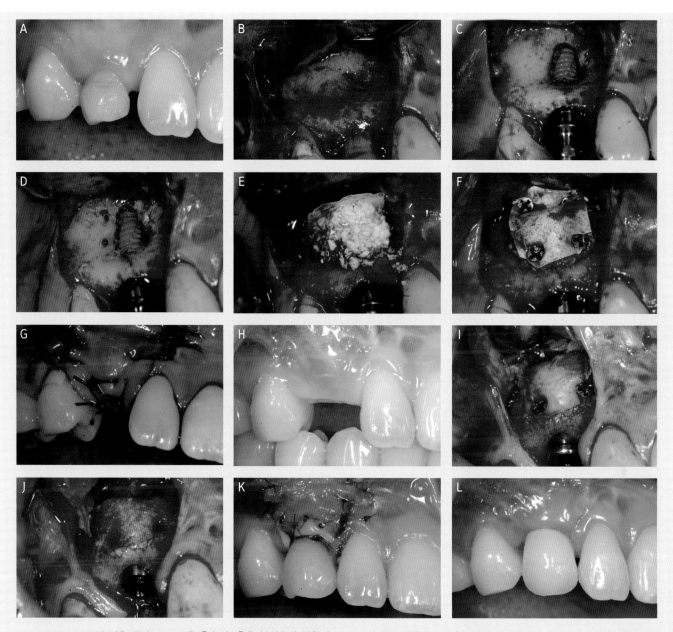

📷 1-86 Vicryl의 적용 증례. Vicryl은 흡수성, 혹은 복섬유성 봉합사 중 조직의 염증 반응을 최소한으로만 유발하지만 잠재적인 감염을 예방하기 위해 봉합 1-2주 이내에 반드시 제거해주어야 한다.

A~G. 유견치를 발거한 후 즉시 임플란트를 식립했고, 천공 결손부는 탈단백 우골과 ePTFE 차폐막으로 수복해 주었다. 봉합은 3-0 Vicryl을 이용해 시행했다. 이 증례는 2005년의 증례로, 저자는 경험의 부족으로 인해 거의 대부분의 골증강 증례에 ePTFE 차폐막을 적용하고 차폐막 고정용 스크루나 커버 스크루로 이를 고정했었다. 물론 대부분의 증례에서 성공적인 결과를 얻을 수 있긴 했지만 이는 과도한 치료 방법이라고 할 수 있다.

H~K. 약 6.5개월 후 2차 수술을 시행했다. 골증강은 성공적으로 이루어졌다. 2차 수술 당일에 고정성 임시 보철물을 연결했다.

L. 최종 보철 완료 후의 모습이다.

    세균 침투와 염증 반응은 실크 봉합사를 사용했을 때가 가장 심하고 합성 단섬유 봉합사를 사용했을 때 가장 덜하다.[199,209,210] 현재 상업적으로 시판되고 있는 합성 단섬유 봉합사들은 조직 적합성이 매우 좋다.[217] 또한 단섬유 봉합사에서는 모세관 현상이 거의 발생하지 않는다.[218] 따라서 단섬유 봉합사를 사용하면 창상 감염의 가능성을 줄여줄 수 있다.[19,205,219] 한 문헌 고찰에 의하면 구강 내 점막의 봉합에 사용됐을 때 나일론은 다른 봉합사 재질에 비해 조직 염증 반응은 최소화시킨 반면, 조직의 치유는 가장 빠르게 유도했다.[211] 결국 나일론은 골증강술 시 가장 많이 사용되는 합성 단섬유 봉합사가 되었다. 나일론은 장력에 잘 저항하고 염증이나 감염을 최소한으로 유발한다. 단섬유 봉합사의 최대 단점은 기술적으로 다루기 힘들다는 점이다. 단섬유 봉합사는 표면이 매끈하기 때문에 매듭을 형성하기 힘들고, 일단 매듭을 형성한 후에도 잘 풀리는 경향이 있다. 또한 뻣뻣하기 때문에 치유 기간 중 환자에게 자극이 될 수 있다. 물론 일상적인 골증강술 시 사용하기에는 너무 가늘지만 단섬유 봉합사의 굵기가 6-0보다 작으면 매듭이 잘 풀리는 현상이나 환자에 대한 자극을 없앨 수 있다(📷 1-87).[196]

(3) 골증강술 시 가장 적합한 봉합사 굵기는 5-0(혹은 4-0)이다.

봉합사 직경은 📑 1-12와 같이 정리할 수 있다.

📑 1-12 봉합사 굵기 기준			
봉합사 직경(mm)	유럽 기준	미국 기준	
	모든 재질의 봉합사	교원질 이외의 재료로 만들어진 봉합사	교원질 유래 봉합사
	미터법 번호	USP 번호	USP 번호
0.010-0.019	0.1	11-0	
0.020-0.029	0.2	10-0	
0.030-0.039	0.3	9-0	
0.040-0.049	0.4	8-0	
0.050-0.069	0.5	7-0	
0.070-0.099	0.7	6-0	7-0
0.100-0.149	1	5-0	6-0
0.150-0.199	1.5	4-0	5-0
0.200-0.249	2	3-0	4-0
0.300-0.349	3	2-0	3-0
0.350-0.399	3.5	0	2-0

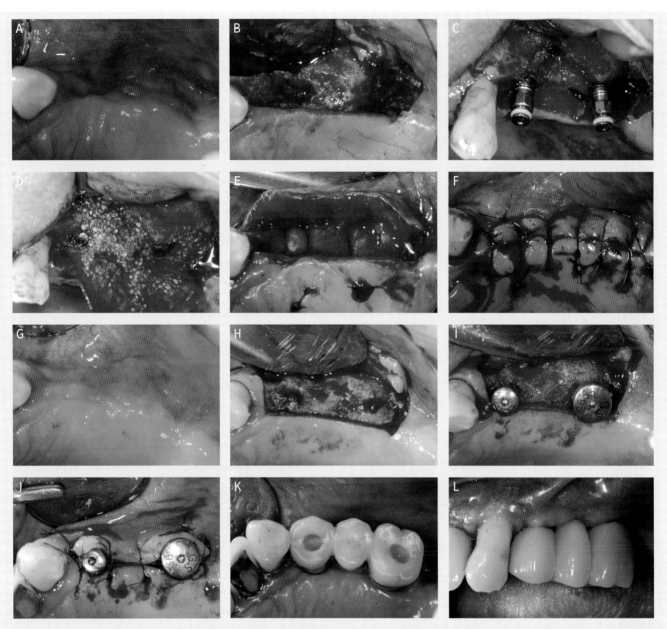

📷 1-87 합성 단섬유 봉합사인 나일론은 임플란트 식립 및 골증강술 과정에서 가장 많이 사용하는 봉합사가 되었다. 이 봉합사는 최소한의 염증 및 조직 반응을 유발하기 때문이다. 그러나 나일론 봉합사를 사용하면 봉합 과정 자체가 기술적으로 어렵고 치유 기간 중 환자에게 불편감을 줄 수 있다는 단점이 있다.

A~F. 상악 구치부에 임플란트를 식립하기로 한 증례이다. 골결손부를 동종골 이식재와 교원질 차폐막으로 수복하고 나일론으로 수술부를 폐쇄했다**(F)**.

G~J. 약 4.5개월 후 수술부에 재진입했다. 골증강부에는 양질의 재생골이 형성되어 있었다**(H, I)**. 임플란트에 치유 지대주를 연결한 후 수술부를 폐쇄했다. 역시 조직 반응이 적은 나일론을 이용해 봉합을 시행했다**(J)**.

K~L. 약 1.5개월 후 최종 보철물을 연결해 주었다.

USP는 United States Pharmacopeia의 약자로, 번역하자면 "미국 약전(藥典)"이다. 이는 미국에서 통용되는 약물에 관한 공적인 약전인데, 봉합사의 크기는 이 USP에서 규정되어 있다. 한국에서는 주로 유럽보다는 미국 기준의 봉합사 크기가 통용된다. 임플란트 수술 시 자주 사용되는 크기인 5-0 봉합사 직경은 0.1 mm, 4-0 봉합사 직경은 0.15 mm로 기억하면 편하다.

작은 직경의 봉합사를 사용하면 조직의 외상을 줄여주고 조직의 혈류량을 빠르게 회복시켜 줄 수 있다. 한 대조 연구에서는 치은 퇴축 시 치근 피개를 위해 결합 조직 이식을 시행하고 7-0/9-0 봉합사(실험군)와 4-0 봉합사(대조군)를 이용하여 수술부를 봉합했다.[220] 그 결과, 수술 1, 3, 7일 후 이식편의 혈관화 정도는 실험군에서 모두 유의하게 높았고(수술 7일 후 84.8±13.5% vs 64.0±12.3%), 수술 1개월 후 노출 치근면의 피복도 또한 실험군에서 유의하게 더 높았다(99.4±1.7% vs 90.8±12.1%). 그리고 이러한 피복 정도의 차이는 수술 1년 후까지 유지되었다. 또한 골증강술 후 피판에 장력이 남아있는 상태에서 무리하게 두꺼운 봉합사로 피판을 폐쇄하면 피판은 물리적으로 장력을 견디지 못하고 치유 기간 중 열개될 수 있기 때문에 피판의 장력을 완전히 이완시키고 나서 조직 손상이 적은 가는 봉합사로 폐쇄를 시행하는 것이 좋다(📷 1-88).[16]

결국 봉합사가 가늘어질수록 조직 손상은 적어지고 피판의 혈류량 회복은 빨라지기 때문에 피판의 치유가 촉진된다. 반면 봉합사가 굵어질수록 수술 중 다루기가 쉬워지고 장력에 대한 저항이 커진다. 우리는 이러

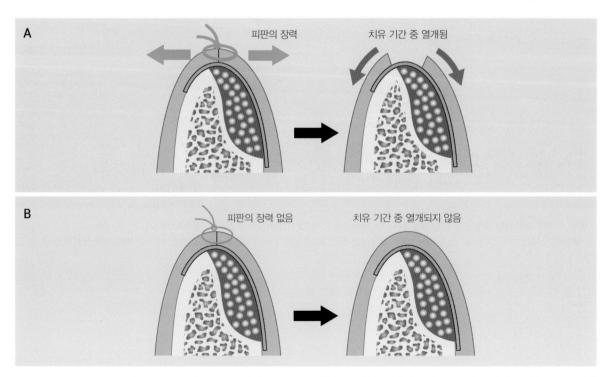

📷 **1-88** 피판의 장력이 잔존한 상태에서 이를 극복하기 위해 굵은 봉합사로 봉합을 시행하는 것보다는**(A)** 피판의 장력을 완전히 없앤 후 적절한 직경의 봉합사로 봉합을 시행하는 것이 좋다**(B)**. 5-0보다 더 굵은 봉합사를 사용할 근거는 전혀 없다.

한 두 가지 측면에서 균형을 이루는 봉합사 직경을 선택해야만 한다. Burkhardt 등은 조직 손상을 최소화하기 위해 임플란트 수술 시 6−0나 7−0 봉합사로 수술부를 폐쇄할 것을 추천했다.[16,190] 게다가 구강 점막을 3−0, 5−0, 7−0 봉합사를 사용하여 봉합하면 치유 기간 중 피판의 열개를 유발하기 시작하는 장력(0.1 N)보다 훨씬 높은 장력에서 조직의 찢어짐이나 봉합사의 끊어짐이 발생한다(📷 1−61). 즉, 순수하게 물리적인 측면에서는 7−0의 봉합사까지는 안전하게 사용 가능한 것이다.[16,31] 그러나 구강 내는 봉합이 쉽지 않은 부위이고 6−0/7−0 봉합사는 너무 가늘어서 숙련된 술자들도 다루기가 쉽지 않다. 개인적인 경험으로는 일상적인 임플란트 골증강술 후에는 4−0나 5−0 봉합사가 적당한 것으로 보인다.

6) 봉합은 수술부를 폐쇄하는 최종적인 과정이기 때문에 많은 주의를 기울여야 한다.

외과적 창상, 특히 골증강술을 시행한 부위는 치유 기간 중 움직이지 않고 안정적으로 유지되는 것과 열개되지 않는 것이 매우 중요하다. 그러나 구강 내 외과적 창상은 완전히 유동성 없이 안정적으로 유지되기가 불가능하다. 따라서 구강 내 수술 후에는 정확하고 확고한 봉합을 통해 창상이 열개되지 않은 상태로 유지되도록 하는 것이 매우 중요하다. 봉합의 목적은 다음과 같다.[192]

- 피판이 원래 위치에서 수동적으로 유지될 수 있도록 한다.
- 창상의 변연이 서로 완전히 접촉할 수 있도록 해준다.
- 초기 치유 기간 동안 창상을 움직임 없이 안정적으로 유지한다.

(1) 봉합의 일반 원리

봉합 시에는 따라야 할 몇 가지 기술적인 법칙이 있다. 이를 정리하면 다음과 같다(📷 1−89).[190,192]

① 봉합 전에는 반드시 조직 겸자로 협설측 피판을 견인하여 서로 장력 없이 수동적으로 맞닿을 수 있는지 확인한다. 약간의 장력이라도 느껴진다면 전술했던 여러 가지 방법으로 장력을 없애 주어야 한다. 또한 양측 피판이 서로 맞닿을 부위의 변연이 깨끗한지를 확인한다.

② 봉합침은 피판을 90도로 통과해야 한다. 그래야 봉합침이 조직을 쉽게 통과하고 피판 변연의 열개를 예방할 수 있다.

③ 봉합은 유동성의 피판 변연에서 비유동성 피판 변연 순서로 시행한다. 비유동성 피판 변연부터 봉합을 시작하면 봉합침이 피판을 90도로 통과할 수 없기 때문에 피판 변연이 찢어지기 쉽다. 비유동성 피판 변연은 봉합 시의 편의를 위해 약간 거상해 주는 것이 좋다.

④ 피판 변연을 정확하고 안정적으로 위치시킬 수 있다면 봉합의 수는 적을수록 좋다. 봉합 사이의 거리는 4−5 mm 정도를 유지한다.

⑤ 매듭이 풀리지 않게 하려면 루프(loop)를 여러 번 형성해 주어야 한다. 단섬유사를 사용할 때에는 보통

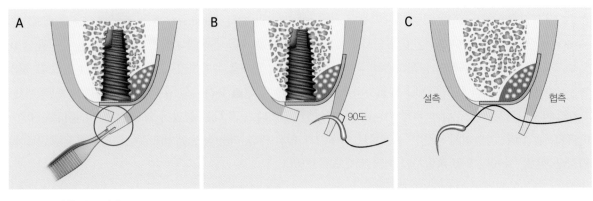

📷 **1-89 봉합 시 주의점**
A. 봉합 전에는 반드시 조직 겸자로 협설측 피판을 견인하여 협설측 피판 변연이 서로 장력 없이 수동적으로 맞닿을 수 있는지 확인한다. 약간의 장력이라도 느껴진다면 여러가지 방법으로 장력을 없애 주어야 한다. **B.** 봉합침은 피판을 90도로 통과해야 한다. 그래야 봉합침이 조직을 쉽게 통과하고 피판 변연의 열개를 예방할 수 있다. 또한 봉합침은 가급적 각화 점막을 관통시키는 것이 좋다. **C.** 봉합은 유동성의 피판 변연(주로 협측)에서 비유동성 피판 변연(주로 설측) 순서로 시행한다. 비유동성 피판 변연부터 봉합을 시작하면 봉합침이 피판을 90도로 통과할 수 없기 때문에 피판 변연이 찢어지기 쉽고 봉합침의 관통 위치를 술자가 원하는 대로 결정하기 힘들다. 비유동성 피판 변연은 봉합 시의 편의를 위해 약간 거상해 주는 것이 좋다.

　　3회 이상 루프를 형성해준다. 첫 번째 루프는 봉합의 강도와 위치를 형성해 주기 때문에 가장 중요하다. 따라서 첫 번째 루프는 2회전으로 형성해 주어서 잘 풀리지 않도록 하는 것이 좋다(📷 1-90).

⑥ 두 번째 루프부터는 첫 번째 루프로 결정된 봉합의 강도와 위치를 유지시키는 역할을 하는 것이다. 두 번째 이상의 추가적인 루프 중 적어도 하나는 첫 번째 루프와 반대 방향으로 형성해야 매듭이 풀어지는 것을 예방할 수 있다.

⑦ 피판 변연을 벌어지지 않게 하려면 매듭 형성 시 약간의 장력이 필요한 것은 사실이다. 그러나 이 장력을 가능한 최소화함으로써 피판 변연으로의 혈류 공급에 가능한 최소의 손상이 가해지도록 한다.

⑧ 매듭은 절개선 가운데에 위치해서는 안 된다. 매듭 주위에서 형성되기 시작되는 세균막이 절개선에 영향을 주지 않도록 하기 위해 매듭은 가급적 한 쪽으로 치우쳐 위치하도록 해준다(📷 1-91).

⑨ 봉합사는 창상 치유의 방해를 최소화하기 위해 가능한 빨리 제거해 주어야 한다. 그러나 또 다른 한편으로는 창상 변연이 서로 생물학적으로 부착하여 스스로 열개되지 않을 때까지 충분히 길게 유지해 주어야 한다. 구강 내 수술 후에는 보통 5-7일 후 발사(stitch out)해 주는데, 골증강술 후에는 피판의 열개 가능성을 최소화하기 위해 10-14일 후 발사를 시행한다.[221]

　　치유 기간 중 피판이 움직임 없이 안정적으로 유지되는 것은 매우 중요하다. 만약 봉합으로 유동성의 조직끼리 연결해주면 조직을 물리적으로 안정화시키는 것은 불가능하다. 따라서 봉합 시 조직을 안정적인 위치로 고정시키기 위해서는 견고한 고정점(anchoring point)을 이용할 수 있어야 한다.[190,192] 구강 내의 주요 고정점은 네 가지가 있다(📚 1-13, 📷 1-92, 93, 94).

　　임플란트 골증강술 시 주요 고정점은 각화 점막과 점막 내의 골막이 됨을 알 수 있다.

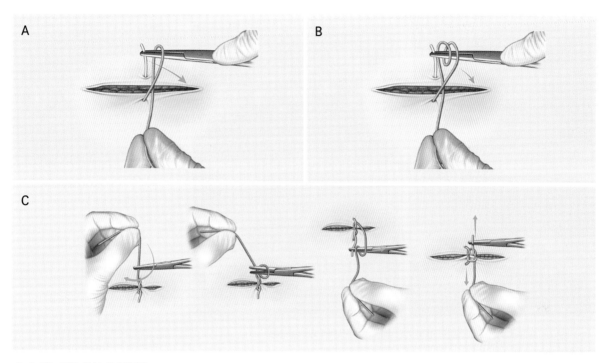

📷 1-90 매듭 형성 시 주의점

A. Square knot의 첫 루프 형성 시에는 봉합사를 니들 홀더 주변으로 한 번만 회전시킨다. 복섬유 봉합사는 봉합사 자체의 마찰력이 어느 정도 존재하기에 이러한 방법으로도 풀리지 않지만 단섬유 봉합사는 표면이 매끈하기 때문에 루프가 풀릴 가능성이 높다. **B.** Surgeon's knot의 첫 번째 루프는 2회전으로 형성한다. 이는 매듭 형성 중 루프가 풀릴 가능성을 현저히 낮춰준다. 따라서 단섬유 봉합사로 봉합을 시행할 때에는 가급적 Surgeon's knot에서처럼 봉합사를 니들 홀더 주변을 2회전하여 첫 번째 루프를 형성한다. **C.** 단섬유 봉합사 사용 시 루프는 최소 3회 이상 형성해주는 것이 좋다. 매듭의 풀림을 예방하기 위해 이 중 한 번은 반드시 역방향 회전으로 형성해 준다.

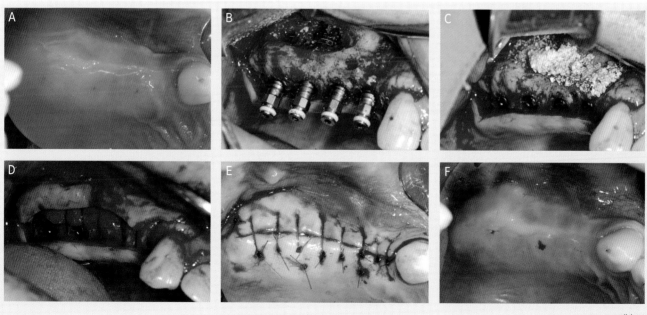

– 계속 –

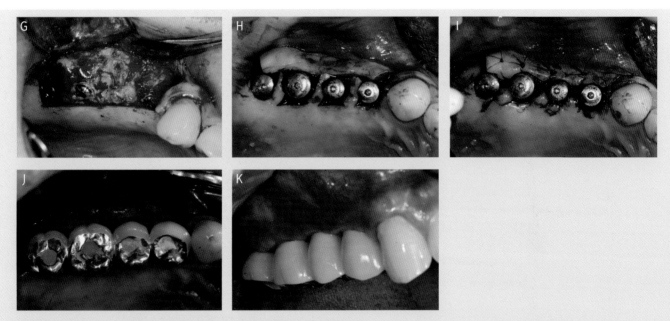

📷 **1-91 매듭은 절개선 가운데가 아니라 한쪽으로 치우쳐 형성해 주어야 한다(E).**

A~E. 상악동 골이식과 열개 및 천공 결손 수복을 시행하며 임플란트를 식립했다. 매듭의 위치는 절개선 가운데가 아닌 한쪽 끝으로 치우치도록 형성했다**(E)**.

F~I. 4개월 1주 후 2차 수술을 시행했다. 이 때에도 매듭은 역시 한쪽으로 치우치도록 형성했다**(I)**.

J~K. 약 1개월 3주 후 보철물을 연결했다.

📋 **1-13 구강 내 창상 봉합 시의 고정점**

고정점 (견고성의 순서에 따라)	특성
치아, 임플란트	가장 단단하고 사용이 용이한 고정점으로, 주로 치은 퇴축에 의해 치근이 노출되었을 때 시행하는 치관 변위 판막술에 사용된다. 이 때 순측 피판의 치관측 변위를 위한 현수 봉합(sling suture, 혹은 suspensory suture)을 시행하는데, 치아는 이 봉합의 고정점으로 이용된다.
각화 점막	탄성 섬유가 없는 각화 점막은 두번째로 견고한 고정점이 된다. 수직 이완 절개부의 치관측을 고정할 때나 점막 이식편을 고정할 때 주로 활용된다.
골막	골막은 골에 부착되어 있거나 피판의 일부로 거상된 상태에서 고정점으로 작용하며, 유동성의 연조직을 고정시키는 데 중요하게 사용된다. 수평 절개부를 봉합할 때에는 각화 점막과 골막이 주요 고정점이 된다. 수직 절개의 치근단측은 각화 점막이 없기 때문에 골막이 주요 고정점이 된다.
구강 전정의 결합조직	이 부위는 유동성이 있기 때문에 고정점으로써는 가장 좋지 못하다.

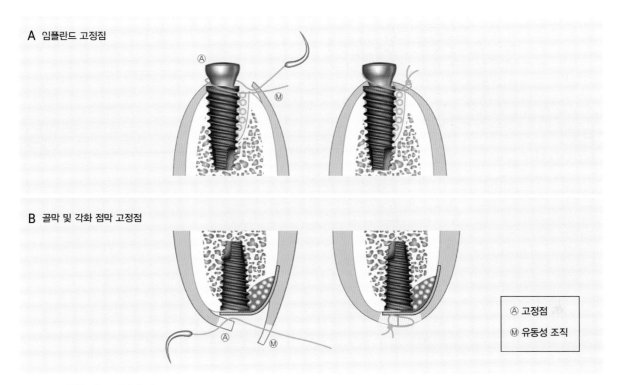

A 임플란트 고정점

B 골막 및 각화 점막 고정점

Ⓐ 고정점
Ⓜ 유동성 조직

📷 **1-92 봉합 시 고정점의 예**
A. 발치 후 즉시 임플란트를 식립하고 나서 임플란트 치유 지대주를 이용해 협측 피판을 치관측으로 변위해 줄 수 있다. 이 때 임플란트 구조물은 고정점이 된다. **B.** 일반적인 봉합 시 설측 피판은 협측 피판을 고정시켜준다. 이때 설측 피판의 골막과 각화 점막이 고정점으로 작용한다.

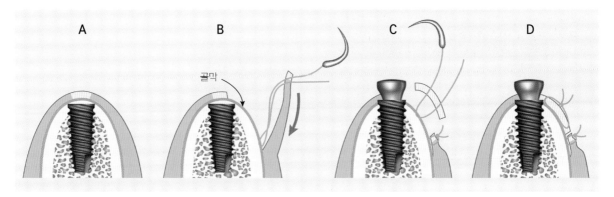

골막

📷 **1-93 근단 변위 판막술과 유리 치은 이식술 시의 고정점은 골막이다.**
A. 수술 전 상태 **B.** 근단 변위 판막술 시에는 골막 상부의 조직을 부분층으로 박리하고 다시 부분층 피판의 변연을 치근단측 골막에 고정하여 근단측 변위를 이룬다. **C.** 채취한 유리 치은 또한 노출된 골막을 고정점으로 이용해 수혜부에 위치시킨다. **D.** 수술 완료 후의 상태

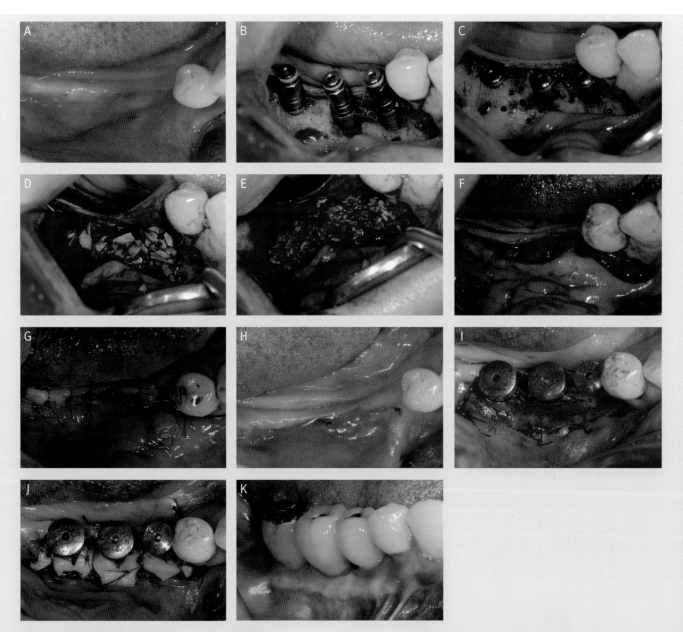

📷 **1-94 골증강술 시 피판의 다양한 고정점을 활용한 증례**

A~G. 하악 구치부의 큰 열개 결손을 자가골–동종골의 샌드위치 이식술과 교차 결합 교원질 차폐막으로 수복한 증례이다. 봉합 시에는 주로 설측 피판의 각화 점막과 골막이 협측 피판의 고정점으로 작용했다**(G)**.

H~J. 약 5개월 후에 2차 수술과 유리 치은 이식술을 시행했다. 협측의 부분층 피판은 골막을 고정점으로 치근단측으로 변위시켜 고정했다**(I)**. 유리 치은은 노출된 골막을 고정점으로 위치시켰다**(J)**.

K. 보철 치료 완료 후의 모습이다.

(2) 임플란트 골증강술을 위한 봉합 방법으로는 단순 단속 봉합과 수평 매트리스 봉합이 주로 사용된다.

봉합법에는 여러 가지가 있지만 골증강술과 관련해서는 단순 봉합과 수평 매트리스 봉합이 주로 사용된다 (📁 1-14, 📷 1-95).

단순 봉합법에는 단속 봉합과 연속 봉합이 있다(📷 1-96). 연속 봉합은 피판의 전체 길이에서 봉합 시 가해지는 장력을 균등하게 분배할 수 있고, 매듭을 봉합의 첫 부분과 끝 부분에만 적용하면 되기 때문에 빠르고 쉽게 시행할 수 있다는 장점이 있다. 그러나 연속 봉합 시에는 봉합사 자체나 봉합된 조직 중 한 곳에만 문제가 발생하더라도 봉합 전체 부위가 열개되는 등의 문제가 생길 수 있기 때문에 골증강술 후에는 단순 단속 봉합으로 수술부를 폐쇄하는 것이 일반적이다. 한 전향적 대조 연구에 의하면 임플란트 수술부를 연속 봉합으로 폐쇄하면, 특히 흡수성 봉합사(Vicryl Rapide)를 사용했을 때 수술부의 열개가 더 많이 발생했다.[207]

📁 1-14 임플란트 골증강술에서 단순 봉합과 매트리스 봉합의 적응증

봉합 방법	단순 봉합	단순 봉합+수평 매트리스 봉합
차폐막 종류	흡수성 차폐막	비흡수성 차폐막, 티타늄 메쉬
골증강 양	적다	많다
골결손 종류	골내 결손, 작은 열개 결손, 천공 결손, 상악동 내 결손 등	골외 결손, 광범위한 수평 결손, 수직 결손 등
피판에 가해지는 장력	전혀, 혹은 거의 없다	약간의 장력이 남아 있다

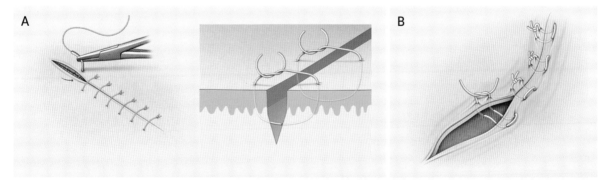

📷 1-95 골증강술 시에는 주로 단순 단속 봉합과 수평 매트리스 봉합을 이용한다.
A. 단순 단속 봉합은 거의 대부분의 치과의사가 평생 유일하게 시행하는 봉합법이다. 가장 간단하고 효율적인 방법이다. **B.** 수평 매트리스 봉합은 단독으로 적용하기 보다는 단순 단속 봉합과 함께 적용한다. 수술부 열개의 위험도가 높거나 노출 시 심대한 문제를 일으킬 수 있는 비흡수성 차폐막을 사용했을 때 주로 사용하는 방법이다.

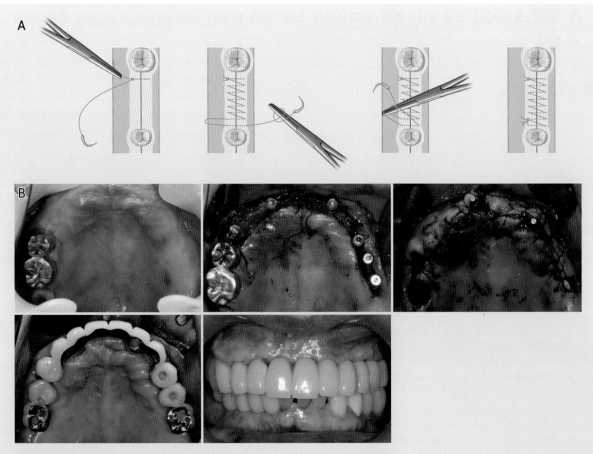

1-96 연속 봉합법
A. 연속 봉합법의 모식도. 봉합을 빠르게 진행할 수 있고 봉합사에 의해 가해지는 장력을 전체 피판에서 균등하게 분산시킬 수 있다. 그러나 한 부위에 문제가 발생하면 전체 피판이 열개될 위험성이 존재하기 때문에 골증강술 시에는 사용하지 않는 것이 좋다. **B. 연속 봉합법의 임상 적용 증례.** 여기에서는 좌측 임플란트 식립부에 골증강술을 시행하지 않았기 때문에 연속 봉합의 일종인 블랑켓 봉합법(blanket suture)을 적용했다.

　비흡수성 차폐막이나 티타늄 메쉬와 같은 차폐막을 이용할 때, 혹은 이러한 차폐막을 사용할 정도로 골결손이 심하여 많은 골증강이 필요한 때를 제외한다면 거의 대부분의 골증강부는 단순 봉합만으로 폐쇄가 가능하다. 그러나 장력이 가해지는 환경에서는 봉합부 사이 조직이 벌어질 수 있고 장력이 봉합부에만 집중된다는 단점이 있다.[16] 따라서 확실한 폐쇄가 필요한 경우에는 반드시 단순 단속 봉합과 수평 매트리스 봉합을 병행하여 적용해야 한다. 단순 봉합 시 봉합사는 피판 변연으로부터 최소한 2 mm 이상 떨어진 부위를 통과해야 피판 변연의 열개를 예방할 수 있다.[190,192]

(3) 수평 매트리스 봉합은 비흡수성 차폐막을 이용했거나 치관측에서 골증강의 양이 많은 경우 단순 단속 봉합과 함께 시행한다.

수평 매트리스 봉합은 단독으로는 잘 사용되지 않으며 비흡수성 차폐막을 사용했을 때나 많은 양의 골 증강을 시행했을 때(특히 수직적 골증강 후) 단순 봉합과 병행하여 수술부를 폐쇄할 목적으로 쓰인다 (📷 1–97).[6,34,51,52,179] 이 때 수평 매트리스 봉합은 피판 변연에 가해지는 장력을 완화시키기 위한 목적으로 적용하는 것이다.[190,192] 수평 매트리스 봉합을 시행하면 피판 변연의 장력은 완전히 없앨 수 있고, 이 상태에서 단순 단속 봉합으로 피판 변연을 폐쇄해 줄 수 있다. 수평 매트리스 봉합의 이점은 다음과 같다 (📷 1–98).[34,190,222]

- 장력에 대해 잘 저항한다. 단순 봉합을 시행하면 봉합사가 조직을 관통하는 부위에 장력이 집중되는 반면, 누상 봉합 시에는 봉합사가 관통하는 두 점 사이의 조직에 장력이 분산된다.
- 피판 변연을 외번시켜서 3–4 mm의 넓은 결합 조직이 서로 맞닿을 수 있도록 해준다. 이는 절개부의 치유를 촉진한다.
- 혈류량의 감소 없이 피판 변연의 장력을 넓게 분산시킨다.[42]

단순 단속 봉합과 수평 매트리스 봉합을 이용한 두 층 봉합(물 샐 틈 없는 봉합; water–tight suture)의 과정은 다음과 같다(📷 1–99).

① 장력이 가장 크게 걸리는 부위는 피판 중앙부이기 때문에, 골증강술 후에는 이 부위를 가장 먼저 봉합하는 것이 좋다. 이를 통해 전체 피판에 가해지는 장력을 가늠해볼 수 있고, 협측과 설측 피판을 전후방적으로 서로 균등하게 마주볼 수 있도록 해준다. 이후 전후방 수평 절개부를 봉합한다.
② 매트리스 봉합과 단순 봉합을 병행할 때에는 수평 절개부에 대한 매트리스 봉합을 완성하고 나서 단순 봉합을 시행한다. 매트리스 봉합은 보통 상실 치아 수(상실치 개수가 홀수), 혹은 상실 치아 수+1(상실치 개수가 짝수)만큼 시행한다.
③ 매트리스 봉합은 피판 변연에서 4–5 mm 정도, 단순 봉합은 2–3 mm 징도 떨어진 부위에 시행한다.

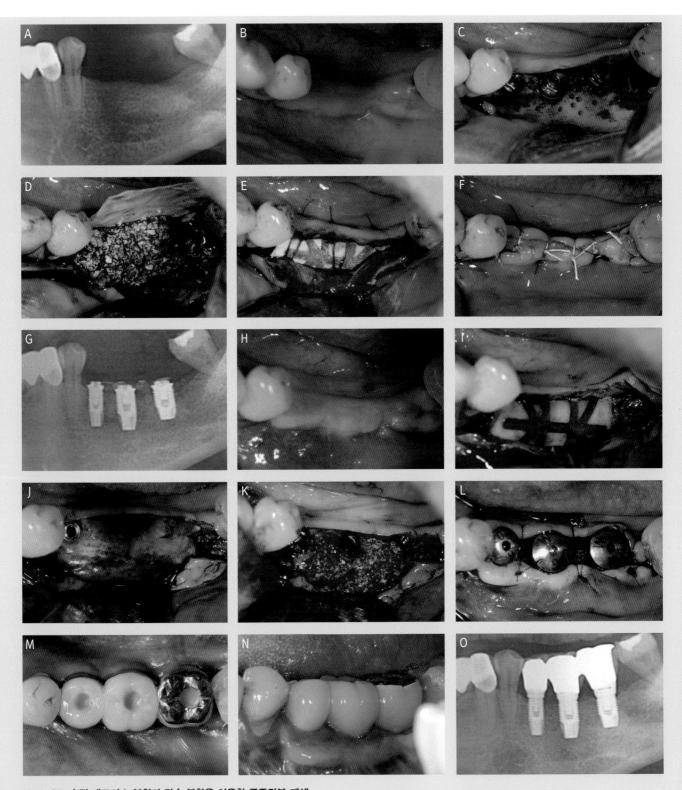

📷 **1-97 수평 매트리스 봉합과 단순 봉합을 이용한 골증강부 폐쇄**

A~G. 수직적 결손과 열개 결손이 존재하는 임플란트 식립부에 탈단백 우골과 티타늄 강화 ePTFE 차폐막으로 골유도 재생술을 시행했다. 비흡수성 차폐막을 사용했기 때문에 치유 기간 중 열개가 발생하면 커다란 문제가 발생할 수 있었기에 수평 매트리스 봉합과 단순 봉합을 적용하여 수술부를 철저히 폐쇄했다**(F)**.

H~L. 수술 후 4개월에 약간 못 미칠 때 2차 수술을 시행했다. 수술부는 아무런 문제없이 정상적인 치유 상태를 보였다.

M~O. 1개월 후 보철물을 장착했다.

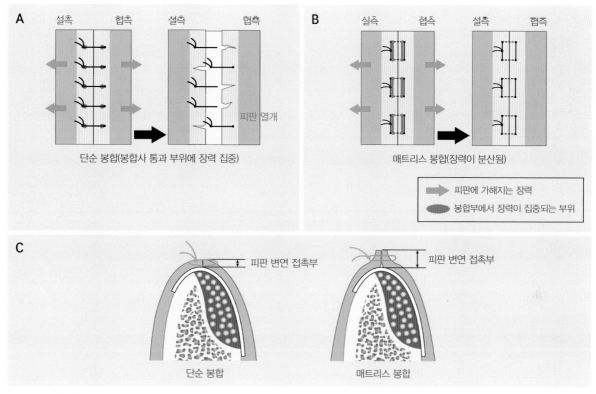

1-98 수평 매트리스 봉합의 장점

A. 피판에 장력이 가해질 때 단순 봉합을 시행하면 장력은 봉합사가 점막을 관통하는 부위에 집중되고, 따라서 피판이 찢어지면서 열개될 가능성이 높아진다. **B.** 반면 매트리스 봉합을 시행하면 장력은 넓게 분산된다. 따라서 피판이 찢어지면서 열개될 가능성은 낮아진다. **C.** 매트리스 봉합은 피판 변연을 외번시키면서 협설측 피판 변연의 접촉 면적을 늘려준다. 이는 피판 변연의 치유를 촉진시킨다.

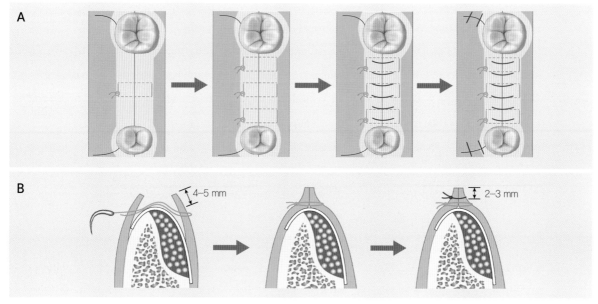

1-99 단순 봉합과 수평 매트리스 봉합을 함께 적용할 때의 과정

A. 우선 수평 절개부에 대해 매트리스 봉합을 먼저 시행한다. 수평 절개의 전후 중앙 부위에 첫 봉합을 시행하고 전후방으로 하나씩 진행한다. 매트리스 봉합 완료 후 단순 봉합을 시행한다. 수평 절개부에 대한 봉합을 완료하고 수직 절개부에 대해 단순 봉합을 시행하여 봉합을 완료한다. **B.** 매트리스 봉합은 피판 변연에서 4–5 mm 정도, 단순 봉합은 2–3 mm 정도 떨어진 부위에 시행한다.

참고문헌

1. Thoma DS, Bienz SP, Figuero E, Jung RE, Sanz-Martín I. Efficacy of lateral bone augmentation performed simultaneously with dental implant placement: A systematic review and meta-analysis. J Clin Periodontol. 2019;46 Suppl 21:257-276.

2. Becker W, Dahlin C, Becker BE, et al. The use of e-PTFE barrier membranes for bone promotion around titanium implants placed into extraction sockets: a prospective multicenter study. Int J Oral Maxillofac Implants. 1994;9(1):31-40.

3. Zitzmann NU, Naef R, Scharer P. Resorbable versus nonresorbable membranes in combination with Bio-Oss for guided bone regeneration. Int J Oral Maxillofac Implants. 1997;12(6):844-852.

4. Simion M, Baldoni M, Rossi P, Zaffe D. A comparative study of the effectiveness of e-PTFE membranes with and without early exposure during the healing period. Int J Periodontics Restorative Dent. 1994;14(2):166-180.

5. Jovanovic SA, Spiekermann H, Richter EJ. Bone regeneration around titanium dental implants in dehisced defect sites: a clinical study. Int J Oral Maxillofac Implants. 1992;7(2):233-245.

6. Chao YC, Chang PC, Fu JH, Wang HL, Chan HL. Surgical Site Assessment for Soft Tissue Management in Ridge Augmentation Procedures. Int J Periodontics Restorative Dent. 2015;35(5):e75-83.

7. Oral Mucosa. Pocket Dentistry https://pocketdentistry.com/9-oral-mucosa/, 2020.

8. Mericske-Stern R, Steinlin Schaffner T, Marti P, Geering AH. Peri-implant mucosal aspects of ITI implants supporting overdentures. A five-year longitudinal study. Clin Oral Implants Res. 1994;5(1):9-18.

9. Roccuzzo M, Grasso G, Dalmasso P. Keratinized mucosa around implants in partially edentulous posterior mandible: 10-year results of a prospective comparative study. Clin Oral Implants Res. 2016;27(4):491-496.

10. Wennström JL, Derks J. Is there a need for keratinized mucosa around implants to maintain health and tissue stability? Clin Oral Implants Res. 2012;23 Suppl 6:136-146.

11. Lin GH, Chan HL, Wang HL. The significance of keratinized mucosa on implant health: a systematic review. J Periodontol. 2013;84(12):1755-1767.

12. Chung DM, Oh TJ, Shotwell JL, Misch CE, Wang HL. Significance of keratinized mucosa in maintenance of dental implants with different surfaces. J Periodontol. 2006;77(8):1410-1420.

13. Berglundh T, Armitage G, Araujo MG, et al. Peri-implant diseases and conditions: Consensus report of workgroup 4 of the 2017 World Workshop on the Classification of Periodontal and Peri−Implant Diseases and Conditions. J Periodontol. 2018;89 Suppl 1:S313−s318.

14. Nevins M, Mellonig JT, Fiorellini JP. Implant therapy: clinical approaches and evidence of success,

volume 2. Chicago: Quintessence; 1998.

15. Wennstrom J, Lindhe J. Role of attached gingiva for maintenance of periodontal health. Healing following excisional and grafting procedures in dogs. J Clin Periodontol. 1983;10(2):206-221.

16. Burkhardt R, Preiss A, Joss A, Lang NP. Influence of suture tension to the tearing characteristics of the soft tissues: an in vitro experiment. Clin Oral Implants Res. 2008;19(3):314-319.

17. Goldman HM, Cohen DW. Periodontal therapy. 6th ed. St. Louis: Mosby; 1980.

18. Castelli WA, Nasjleti CF, Diaz-Perez R, Caffesse RG. Cheek mucosa response to silk, cotton, and nylon suture materials. Oral Surg Oral Med Oral Pathol. 1978;45(2):186-189.

19. Kim J-S, Shin S-I, Herr Y, Park J-B, Kwon Y-H, Chung J-H. Tissue reactions to suture materials in the oral mucosa of beagle dogs. Journal of periodontal & implant science. 2011;41(4):185-191.

20. Grischke J, Karch A, Wenzlaff A, Foitzik MM, Stiesch M, Eberhard J. Keratinized mucosa width is associated with severity of peri-implant mucositis. A cross-sectional study. Clin Oral Implants Res. 2019;30(5):457-465.

21. Monje A, Blasi G. Significance of keratinized mucosa/gingiva on peri-implant and adjacent periodontal conditions in erratic maintenance compliers. J Periodontol. 2019;90(5):445-453.

22. Thoma DS, Naenni N, Figuero E, et al. Effects of soft tissue augmentation procedures on peri-implant health or disease: A systematic review and meta-analysis. Clin Oral Implants Res. 2018;29 Suppl 15:32-49.

23. Fu JH, Su CY, Wang HL. Esthetic soft tissue management for teeth and implants. J Evid Based Dent Pract. 2012;12(3 Suppl):129-142.

24. Thoma DS, Mühlemann S, Jung RE. Critical soft-tissue dimensions with dental implants and treatment concepts. Periodontol 2000. 2014;66(1):106-118.

25. Thoma DS, Buranawat B, Hämmerle CH, Held U, Jung RE. Efficacy of soft tissue augmentation around dental implants and in partially edentulous areas: a systematic review. J Clin Periodontol. 2014;41 Suppl 15:S77-91.

26. Lin CY, Chen Z, Pan WL, Wang HL. Impact of timing on soft tissue augmentation during implant treatment: A systematic review and meta-analysis. Clin Oral Implants Res. 2018;29(5):508-521.

27. Wilderman MN, Pennel BM, King K, Barron JM. Histogenesis of repair following osseous surgery. J Periodontol. 1970;41(10):551-565.

28. Hiatt WH, Schallhorn RG. Intraoral transplants of cancellous bone and marrow in periodontal lesions. J Periodontol. 1973;44(4):194-208.

29. Huang LH, Neiva RE, Wang HL. Factors affecting the outcomes of coronally advanced flap root

coverage procedure. J Periodontol. 2005;76(10):1729−1734.

30. Baldi C, Pini−Prato G, Pagliaro U, et al. Coronally advanced flap procedure for root coverage. Is flap thickness a relevant predictor to achieve root coverage? A 19−case series. J Periodontol. 1999;70(9):1077−1084.

31. Burkhardt R, Lang NP. Role of flap tension in primary wound closure of mucoperiosteal flaps: a prospective cohort study. Clin Oral Implants Res. 2010;21(1):50−54.

32. Halperin−Sternfeld M, Zigdon−Giladi H, Machtei EE. The association between shallow vestibular depth and peri−implant parameters: a retrospective 6 years longitudinal study. J Clin Periodontol. 2016;43(3):305−310.

33. de Sanctis M, Clementini M. Flap approaches in plastic periodontal and implant surgery: critical elements in design and execution. J Clin Periodontol. 2014;41 Suppl 15:S108−122.

34. Urban IA, Monje A, Nevins M, Nevins ML, Lozada JL, Wang HL. Surgical Management of Significant Maxillary Anterior Vertical Ridge Defects. Int J Periodontics Restorative Dent. 2016;36(3):329−337.

35. Zucchelli G, De Sanctis M. Treatment of multiple recession−type defects in patients with esthetic demands. J Periodontol. 2000;71(9):1506−1514.

36. Arnold F, West DC. Angiogenesis in wound healing. Pharmacol Ther. 1991;52(3):407−422.

37. Mormann W, Ciancio SG. Blood supply of human gingiva following periodontal surgery. A fluorescein angiographic study. J Periodontol. 1977;48(11):681−692.

38. Kleinheinz J, Buchter A, Kruse−Losler B, Weingart D, Joos U. Incision design in implant dentistry based on vascularization of the mucosa. Clin Oral Implants Res. 2005;16(5):518−523.

39. Park JC, Kim CS, Choi SH, Cho KS, Chai JK, Jung UW. Flap extension attained by vertical and periosteal−releasing incisions: a prospective cohort study. Clin Oral Implants Res. 2012;23(8):993−998.

40. Penarrocha M, Garcia−Mira B, Martinez O. Localized vertical maxillary ridge preservation using bone cores and a rotated palatal flap. Int J Oral Maxillofac Implants. 2005;20(1):131−134.

41. Fugazzotto PA. Maintenance of soft tissue closure following guided bone regeneration: technical considerations and report of 723 cases. J Periodontol. 1999;70(9):1085−1097.

42. McLean TN, Smith BA, Morrison EC, Nasjleti CE, Caffesse RG. Vascular changes following mucoperiosteal flap surgery: a fluorescein angiography study in dogs. Journal of periodontology. 1995;66(3):205−210.

43. Nakayama Y, Soeda S, Kasai Y. The importance of arterial inflow in the distal side of a flap: an experimental investigation. Plast Reconstr Surg. 1982;69(1):61−67.

44. Mörmann W, Ciancio SG. Blood supply of human gingiva following periodontal surgery. A fluorescein angiographic study. Journal of periodontology. 1977;48(11):681-692.

45. Greenstein G, Greenstein B, Cavallaro J, Elian N, Tarnow D. Flap advancement: practical techniques to attain tension-free primary closure. J Periodontol. 2009;80(1):4-15.

46. Milton SH. Pedicled skin-flaps: the fallacy of the length: width ratio. Br J Surg. 1970;57(7):502-508.

47. Branemark PI. Osseointegration and its experimental background. J Prosthet Dent. 1983;50(3):399-410.

48. Langer B, Sullivan DY. Osseointegration: its impact on the interrelationship of periodontics and restorative dentistry: Part I. Int J Periodontics Restorative Dent. 1989;9(2):84-105.

49. Langer B, Langer L. Overlapped flap: a surgical modification for implant fixture installation. Int J Periodontics Restorative Dent. 1990;10(3):208-215.

50. Moy PK, Weinlaender M, Kenney EB. Soft-tissue modifications of surgical techniques for placement and uncovering of osseointegrated implants. Dent Clin North Am. 1989;33(4):665-681.

51. Buser D, Dula K, Belser U, Hirt HP, Berthold H. Localized ridge augmentation using guided bone regeneration. 1. Surgical procedure in the maxilla. Int J Periodontics Restorative Dent. 1993;13(1):29-45.

52. Buser D, Dula K, Belser UC, Hirt HP, Berthold H. Localized ridge augmentation using guided bone regeneration. II. Surgical procedure in the mandible. Int J Periodontics Restorative Dent. 1995;15(1):10-29.

53. Hunt BW, Sandifer JB, Assad DA, Gher ME. Effect of flap design on healing and osseointegration of dental implants. Int J Periodontics Restorative Dent. 1996;16(6):582-593.

54. Heydenrijk K, Raghoebar GM, Batenburg RH, Stegenga B. A comparison of labial and crestal incisions for the 1-stage placement of IMZ implants: a pilot study. J Oral Maxillofac Surg. 2000;58(10):1119-1123; discussion 1123-1114.

55. Esposito M, Grusovin MG, Maghaireh H, Coulthard P, Worthington HV. Interventions for replacing missing teeth: management of soft tissues for dental implants. Cochrane Database Syst Rev. 2007(3):CD006697.

56. Cranin AN, Sirakian A, Russell D, Klein M. The role of incision design and location in the healing processes of alveolar ridges and implant host sites. Int J Oral Maxillofac Implants. 1998;13(4):483-491.

57. Park SH, Wang HL. Clinical significance of incision location on guided bone regeneration: human study. J Periodontol. 2007;78(1):47-51.

58. Zhang T, Zhang T, Cai X. The application of a newly designed L—shaped titanium mesh for GBR with simultaneous implant placement in the esthetic zone: A retrospective case series study. Clin Implant Dent Relat Res. 2019;21(5):862—872.

59. Pini—Prato G, Nieri M, Pagliaro U, et al. Surgical treatment of single gingival recessions: clinical guidelines. Eur J Oral Implantol. 2014;7(1):9—43.

60. Park SH, Wang HL. Mucogingival pouch flap for sandwich bone augmentation: technique and rationale. Implant Dent. 2005;14(4):349—354.

61. Gomez—Roman G. Influence of flap design on peri—implant interproximal crestal bone loss around single—tooth implants. Int J Oral Maxillofac Implants. 2001;16(1):61—67.

62. Buser D, Martin W, Belser UC. Optimizing esthetics for implant restorations in the anterior maxilla: anatomic and surgical considerations. Int J Oral Maxillofac Implants. 2004;19 Suppl:43—61.

63. Levine RA, McAllister BS. Implant Site Development Using Ti—Mesh and Cellular Allograft in the Esthetic Zone for Restorative—Driven Implant Placement: A Case Report. Int J Periodontics Restorative Dent. 2016;36(3):373—381.

64. Buser D, Dula K, Hess D, Hirt HP, Belser UC. Localized ridge augmentation with autografts and barrier membranes. Periodontol 2000. 1999;19:151—163.

65. Wang HL, Boyapati L. "PASS" principles for predictable bone regeneration. Implant Dent. 2006;15(1):8—17.

66. Nishimura I, Shimizu Y, Ooya K. Effects of cortical bone perforation on experimental guided bone regeneration. Clin Oral Implants Res. 2004;15(3):293—300.

67. Shimoji S, Miyaji H, Sugaya T, et al. Bone perforation and placement of collagen sponge facilitate bone augmentation. J Periodontol. 2009;80(3):505—511.

68. Greenstein G, Greenstein B, Cavallaro J, Tarnow D. The role of bone decortication in enhancing the results of guided bone regeneration: a literature review. J Periodontol. 2009;80(2):175—189.

69. Majzoub Z, Berengo M, Giardino R, Aldini NN, Cordioli G. Role of intramarrow penetration in osseous repair: a pilot study in the rabbit calvaria. J Periodontol. 1999;70(12):1501—1510.

70. Frost HM. The biology of fracture healing. An overview for clinicians. Part II. Clin Orthop Relat Res. 1989(248):294—309.

71. Frost HM. The biology of fracture healing. An overview for clinicians. Part I. Clin Orthop Relat Res. 1989(248):283—293.

72. Canto FR, Garcia SB, Issa JP, Marin A, Del Bel EA, Defino HL. Influence of decortication of the recipient graft bed on graft integration and tissue neoformation in the graft—recipient bed interface. Eur

Spine J. 2008;17(5):706-714.

73. Cha JK, Kim CS, Choi SH, Cho KS, Chai JK, Jung UW. The influence of perforating the autogenous block bone and the recipient bed in dogs. Part II: histologic analysis. Clin Oral Implants Res. 2012;23(8):987-992.

74. Oh KC, Cha JK, Kim CS, Choi SH, Chai JK, Jung UW. The influence of perforating the autogenous block bone and the recipient bed in dogs. Part I: a radiographic analysis. Clin Oral Implants Res. 2011;22(11):1298-1302.

75. Min S, Sato S, Murai M, et al. Effects of marrow penetration on bone augmentation within a titanium cap in rabbit calvarium. J Periodontol. 2007;78(10):1978-1984.

76. Schmid J, Wallkamm B, Hammerle CH, Gogolewski S, Lang NP. The significance of angiogenesis in guided bone regeneration. A case report of a rabbit experiment. Clin Oral Implants Res. 1997;8(3):244-248.

77. Lundgren AK, Lundgren D, Hammerle CH, Nyman S, Sennerby L. Influence of decortication of the donor bone on guided bone augmentation. An experimental study in the rabbit skull bone. Clin Oral Implants Res. 2000;11(2):99-106.

78. Lundgren D, Lundgren AK, Sennerby L, Nyman S. Augmentation of intramembraneous bone beyond the skeletal envelope using an occlusive titanium barrier. An experimental study in the rabbit. Clin Oral Implants Res. 1995;6(2):67-72.

79. Kostopoulos L, Karring T, Uraguchi R. Formation of jawbone tuberosities by guided tissue regeneration. An experimental study in the rat. Clin Oral Implants Res. 1994;5(4):245-253.

80. Lee SH, Lim P, Yoon HJ. The influence of cortical perforation on guided bone regeneration using synthetic bone substitutes: a study of rabbit cranial defects. Int J Oral Maxillofac Implants. 2014;29(2):464-471.

81. Conti OJd, Pastorello MT, Defino HLA. Bone decortication in spinal graft integration—an experimental study. Acta Ortopédica Brasileira. 2006;14(2):67-71.

82. Slotte C, Lundgren D. Impact of cortical perforations of contiguous donor bone in a guided bone augmentation procedure: an experimental study in the rabbit skull. Clin Implant Dent Relat Res. 2002;4(1):1-10.

83. Donos N, Dereka X, Mardas N. Experimental models for guided bone regeneration in healthy and medically compromised conditions. Periodontol 2000. 2015;68(1):99-121.

84. Alvira-González J, De Stavola L. The role of cortical perforations in bone regeneration: a systematic

review. International journal of oral and maxillofacial surgery. 2019.

85. Danesh-Sani SA, Tarnow D, Yip JK, Mojaver R. The influence of cortical bone perforation on guided bone regeneration in humans. Int J Oral Maxillofac Surg. 2017;46(2):261-266.

86. Norton MR, Odell EW, Thompson ID, Cook RJ. Efficacy of bovine bone mineral for alveolar augmentation: a human histologic study. Clin Oral Implants Res. 2003;14(6):775-783.

87. Wessing B, Lettner S, Zechner W. Guided Bone Regeneration with Collagen Membranes and Particulate Graft Materials: A Systematic Review and Meta-Analysis. Int J Oral Maxillofac Implants. 2018;33(1):87-100-187-100.

88. Ulm C, Bertl K, Strbac GD, Esfandeyari A, Stavropoulos A, Zechner W. Multiple perforations of the sinus floor during maxillary sinus floor augmentation to provide access to the bone marrow space: a technical report. Implant dentistry. 2017;26(6):956-960.

89. von Arx T, Cochran DL, Hermann JS, Schenk RK, Buser D. Lateral ridge augmentation using different bone fillers and barrier membrane application. A histologic and histomorphometric pilot study in the canine mandible. Clin Oral Implants Res. 2001;12(3):260-269.

90. Zitzmann NU, Scharer P, Marinello CP. Factors influencing the success of GBR. Smoking, timing of implant placement, implant location, bone quality and provisional restoration. J Clin Periodontol. 1999;26(10):673-682.

91. Elnayef B, Monje A, Gargallo-Albiol J, Galindo-Moreno P, Wang HL, Hernández-Alfaro F. Vertical Ridge Augmentation in the Atrophic Mandible: A Systematic Review and Meta-Analysis. Int J Oral Maxillofac Implants. 2017;32(2):291-312.

92. Kuchler U, von Arx T. Horizontal ridge augmentation in conjunction with or prior to implant placement in the anterior maxilla: a systematic review. Int J Oral Maxillofac Implants. 2014;29 Suppl:14-24.

93. Benic GI, Hämmerle CHF. Horizontal bone augmentation by means of guided bone regeneration. Periodontol 2000. 2014;66(1):13-40.

94. von Arx T, Buser D. Horizontal ridge augmentation using autogenous block grafts and the guided bone regeneration technique with collagen membranes: a clinical study with 42 patients. Clin Oral Implants Res. 2006;17(4):359-366.

95. Lang NP, Brägger U, Hämmerle CH, Sutter F. Immediate transmucosal implants using the principle of guided tissue regeneration. I. Rationale, clinical procedures and 30-month results. Clin Oral Implants Res. 1994;5(3):154-163.

96. Brägger U, Hämmerle CH, Lang NP. Immediate transmucosal implants using the principle of guided

tissue regeneration (II). A cross-sectional study comparing the clinical outcome 1 year after immediate to standard implant placement. Clin Oral Implants Res. 1996;7(3):268-276.

97. Berglundh T, Lindhe J, Ericsson I, Marinello CP, Liljenberg B, Thomsen P. The soft tissue barrier at implants and teeth. Clin Oral Implants Res. 1991;2(2):81-90.

98. Abrahamsson I, Berglundh T, Wennström J, Lindhe J. The peri-implant hard and soft tissues at different implant systems. A comparative study in the dog. Clin Oral Implants Res. 1996;7(3):212-219.

99. Klinge B, Meyle J. Soft-tissue integration of implants. Consensus report of Working Group 2. Clin Oral Implants Res. 2006;17 Suppl 2:93-96.

100. Buser D, Weber HP, Donath K, Fiorellini JP, Paquette DW, Williams RC. Soft tissue reactions to non-submerged unloaded titanium implants in beagle dogs. J Periodontol. 1992;63(3):225-235.

101. Berglundh T, Lindhe J. Dimension of the periimplant mucosa. Biological width revisited. J Clin Periodontol. 1996;23(10):971-973.

102. Berglundh T, Abrahamsson I, Welander M, Lang NP, Lindhe J. Morphogenesis of the peri-implant mucosa: an experimental study in dogs. Clin Oral Implants Res. 2007;18(1):1-8.

103. Vignoletti F, Nunez J, Sanz M. Soft tissue wound healing at teeth, dental implants and the edentulous ridge when using barrier membranes, growth and differentiation factors and soft tissue substitutes. J Clin Periodontol. 2014;41 Suppl 15:S23-35.

104. Sukekava F, Pannuti CM, Lima LA, Tormena M, Araújo MG. Dynamics of soft tissue healing at implants and teeth: a study in a dog model. Clin Oral Implants Res. 2016;27(5):545-552.

105. Emecen-Huja P, Eubank TD, Shapiro V, Yildiz V, Tatakis DN, Leblebicioglu B. Peri-implant versus periodontal wound healing. J Clin Periodontol. 2013;40(8):816-824.

106. Nowzari H, Phamduong S, Botero JE, Villacres MC, Rich SK. The profile of inflammatory cytokines in gingival crevicular fluid around healthy osseointegrated implants. Clin Implant Dent Relat Res. 2012;14(4):546-552.

107. Hämmerle CH, Fourmousis I, Winkler JR, Weigel C, Brägger U, Lang NP. Successful bone fill in late peri-implant defects using guided tissue regeneration. A short communication. J Periodontol. 1995;66(4):303-308.

108. Hämmerle CH, Lang NP. Single stage surgery combining transmucosal implant placement with guided bone regeneration and bioresorbable materials. Clin Oral Implants Res. 2001;12(1):9-18.

109. Jiang X, Zhang Y, Di P, Lin Y. Hard tissue volume stability of guided bone regeneration during the healing stage in the anterior maxilla: A clinical and radiographic study. Clin Implant Dent Relat Res.

2018;20(1):68-75.

110. Donos N, Mardas N, Chadha V. Clinical outcomes of implants following lateral bone augmentation: systematic assessment of available options (barrier membranes, bone grafts, split osteotomy). J Clin Periodontol. 2008;35(8 Suppl):173-202.

111. Omar O, Elgali I, Dahlin C, Thomsen P. Barrier membranes: More than the barrier effect? J Clin Periodontol. 2019;46 Suppl 21(Suppl Suppl 21):103-123.

112. Fugazzotto PA. GBR using bovine bone matrix and resorbable and nonresorbable membranes. Part 2: Clinical results. Int J Periodontics Restorative Dent. 2003;23(6):599-605.

113. Fugazzotto PA. GBR using bovine bone matrix and resorbable and nonresorbable membranes. Part 1: histologic results. Int J Periodontics Restorative Dent. 2003;23(4):361-369.

114. Simon BI, Von Hagen S, Deasy MJ, Faldu M, Resnansky D. Changes in alveolar bone height and width following ridge augmentation using bone graft and membranes. J Periodontol. 2000;71(11):1774-1791.

115. Urban IA, Lozada JL, Wessing B, Suárez-López del Amo F, Wang H-L. Vertical Bone Grafting and Periosteal Vertical Mattress Suture for the Fixation of Resorbable Membranes and Stabilization of Particulate Grafts in Horizontal Guided Bone Regeneration to Achieve More Predictable Results: A Technical Report. Int J Periodontics Restorative Dent. 2016;36(2):153-159.

116. Mir-Mari J, Wui H, Jung RE, Hämmerle CHF, Benic GI. Influence of blinded wound closure on the volume stability of different GBR materials: an in vitro cone-beam computed tomographic examination. Clin Oral Implants Res. 2016;27(2):258-265.

117. von Arx T, Buser D. Horizontal ridge augmentation using autogenous block grafts and the guided bone regeneration technique with collagen membranes: a clinical study with 42 patients. Clin Oral Implants Res. 2006;17(4):359-366.

118. Wessing B, Urban I, Montero E, et al. A multicenter randomized controlled clinical trial using a new resorbable non-cross-linked collagen membrane for guided bone regeneration at dehisced single implant sites: interim results of a bone augmentation procedure. Clin Oral Implants Res. 2017;28(11):e218-e226.

119. Carpio L, Loza J, Lynch S, Genco R. Guided bone regeneration around endosseous implants with anorganic bovine bone mineral. A randomized controlled trial comparing bioabsorbable versus non-resorbable barriers. J Periodontol. 2000;71(11):1743-1749.

120. Mertens C, Braun S, Krisam J, Hoffmann J. The influence of wound closure on graft stability: An in vitro comparison of different bone grafting techniques for the treatment of one-wall horizontal bone defects. Clin Implant Dent Relat Res. 2019;21(2):284-291.

121. Hämmerle CHF, Jung RE, Yaman D, Lang NP. Ridge augmentation by applying bioresorbable

membranes and deproteinized bovine bone mineral: a report of twelve consecutive cases. Clin Oral Implants Res. 2008;19(1):19-25.

122. Meijndert L, Raghoebar GM, Meijer HJA, Vissink A. Clinical and radiographic characteristics of single-tooth replacements preceded by local ridge augmentation: a prospective randomized clinical trial. Clin Oral Implants Res. 2008;19(12):1295-1303.

123. Phillips DJ, Swenson DT, Johnson TM. Buccal bone thickness adjacent to virtual dental implants following guided bone regeneration. J Periodontol. 2019;90(6):595-607.

124. Beitlitum I, Sebaoun A, Nemcovsky CE, Slutzkey S. Lateral bone augmentation in narrow posterior mandibles, description of a novel approach, and analysis of results. Clin Implant Dent Relat Res. 2018;20(2):96-101.

125. Urban IA, Nagursky H, Lozada JL. Horizontal ridge augmentation with a resorbable membrane and particulated autogenous bone with or without anorganic bovine bone-derived mineral: a prospective case series in 22 patients. Int J Oral Maxillofac Implants. 2011;26(2):404-414.

126. Urban IA, Lozada JL, Jovanovic SA, Nagy K. Horizontal guided bone regeneration in the posterior maxilla using recombinant human platelet-derived growth factor: a case report. Int J Periodontics Restorative Dent. 2013;33(4):421-425.

127. Meloni SM, Jovanovic SA, Urban I, Canullo L, Pisano M, Tallarico M. Horizontal Ridge Augmentation using GBR with a Native Collagen Membrane and 1:1 Ratio of Particulated Xenograft and Autologous Bone: A 1-Year Prospective Clinical Study. Clin Implant Dent Relat Res. 2017;19(1):38-45.

128. Sanz M, Ferrantino L, Vignoletti F, de Sanctis M, Berglundh T. Guided bone regeneration of non-contained mandibular buccal bone defects using deproteinized bovine bone mineral and a collagen membrane: an experimental in vivo investigation. Clin Oral Implants Res. 2017;28(11):1466-1476.

129. Lorenzoni M, Pertl C, Polansky RA, Jakse N, Wegscheider WA. Evaluation of implants placed with barrier membranes. A restrospective follow-up study up to five years. Clin Oral Implants Res. 2002;13(3):274-280.

130. Lang NP, Hammerle CH, Bragger U, Lehmann B, Nyman SR. Guided tissue regeneration in jawbone defects prior to implant placement. Clin Oral Implants Res. 1994;5(2):92-97.

131. Machtei EE. The effect of membrane exposure on the outcome of regenerative procedures in humans: a meta-analysis. J Periodontol. 2001;72(4):512-516.

132. Selvig KA, Kersten BG, Chamberlain AD, Wikesjo UM, Nilveus RE. Regenerative surgery of intrabony periodontal defects using ePTFE barrier membranes: scanning electron microscopic evaluation of retrieved membranes versus clinical healing. J Periodontol. 1992;63(12):974-978.

133. Costich ER, Ramfjord SP. Healing after partial denudation of the alveolar process. J Periodontol. 1968;39(3):127-134.

134. De Sanctis M, Zucchelli G, Clauser C. Bacterial colonization of bioabsorbable barrier material and periodontal regeneration. J Periodontol. 1996;67(11):1193-1200.

135. Loe H, Karring T. The three-dimensional morphology of the epithelium-connective tissue interface of the gingiva as related to age and sex. Scand J Dent Res. 1971;79(5):315-326.

136. Muller HP, Eger T. Masticatory mucosa and periodontal phenotype: a review. Int J Periodontics Restorative Dent. 2002;22(2):172-183.

137. Vincent JW, Machen JB, Levin MP. Assessment of attached gingiva using the tension test and clinical measurements. J Periodontol. 1976;47(7):412-414.

138. Muller HP, Heinecke A, Schaller N, Eger T. Masticatory mucosa in subjects with different periodontal phenotypes. J Clin Periodontol. 2000;27(9):621-626.

139. Carranza FA, Jr., Carraro JJ, Dotto CA, Cabrini RL. Effect of periosteal fenestration in gingival extension operations. J Periodontol. 1966;37(4):335-340.

140. Larrabee WF, Jr., Holloway GA, Jr., Sutton D. Wound tension and blood flow in skin flaps. Ann Otol Rhinol Laryngol. 1984;93(2 Pt 1):112-115.

141. Shapiro AL, Hochman M, Thomas JR, Branham G. Effects of intraoperative tissue expansion and skin flaps on wound closing tensions. Arch Otolaryngol Head Neck Surg. 1996;122(10):1107-1111.

142. Stell PM. The effects of varying degrees of tension on the viability of skin flaps in pigs. Br J Plast Surg. 1980;33(3):371-376.

143. Jensen JA. Effect of tension on flap perfusion: laboratory and clinical findings. Wound Repair Regen. 2003;11(6):405-410.

144. Cortellini P, Pini Prato G. Coronally advanced flap and combination therapy for root coverage. Clinical strategies based on scientific evidence and clinical experience. Periodontology 2000. 2012;59(1):158-184.

145. Esposito M, Grusovin MG, Felice P, Karatzopoulos G, Worthington HV, Coulthard P. The efficacy of horizontal and vertical bone augmentation procedures for dental implants - a Cochrane systematic review. Eur J Oral Implantol. 2009;2(3):167-184.

146. Schwartz-Arad D, Levin L, Sigal L. Surgical success of intraoral autogenous block onlay bone grafting for alveolar ridge augmentation. Implant Dent. 2005;14(2):131-138.

147. In. pocket dentistry: https://pocketdentistry.com/9-oral-mucosa/#s0015.

148. Mertens C, Braun S, Krisam J, Hoffmann J. The influence of wound closure on graft stability: An in

vitro comparison of different bone grafting techniques for the treatment of one—wall horizontal bone defects. Clin Implant Dent Relat Res. 2019;21(2):284–291.

149. Mir—Mari J, Wui H, Jung RE, Hammerle CH, Benic GI. Influence of blinded wound closure on the volume stability of different GBR materials: an in vitro cone—beam computed tomographic examination. Clin Oral Implants Res. 2016;27(2):258–265.

150. Jiang X, Zhang Y, Di P, Lin Y. Hard tissue volume stability of guided bone regeneration during the healing stage in the anterior maxilla: A clinical and radiographic study. Clin Implant Dent Relat Res. 2018;20(1):68–75.

151. Jiang X, Zhang Y, Chen B, Lin Y. Pressure Bearing Device Affects Extraction Socket Remodeling of Maxillary Anterior Tooth. A Prospective Clinical Trial. Clin Implant Dent Relat Res. 2017;19(2):296–305.

152. Wang HL, Al—Shammari K. HVC ridge deficiency classification: a therapeutically oriented classification. Int J Periodontics Restorative Dent. 2002;22(4):335–343.

153. Miyamoto I, Funaki K, Yamauchi K, Kodama T, Takahashi T. Alveolar ridge reconstruction with titanium mesh and autogenous particulate bone graft: computed tomography—based evaluations of augmented bone quality and quantity. Clin Implant Dent Relat Res. 2012;14(2):304–311.

154. Proussaefs P, Lozada J. Use of titanium mesh for staged localized alveolar ridge augmentation: clinical and histologic—histomorphometric evaluation. J Oral Implantol. 2006;32(5):237–247.

155. Proussaefs P, Lozada J, Kleinman A, Rohrer MD, McMillan PJ. The use of titanium mesh in conjunction with autogenous bone graft and inorganic bovine bone mineral (bio—oss) for localized alveolar ridge augmentation: a human study. Int J Periodontics Restorative Dent. 2003;23(2):185–195.

156. Vergara JA, Quinones CR, Nasjleti CE, Caffesse RG. Vascular response to guided tissue regeneration procedures using nonresorbable and bioabsorbable membranes in dogs. J Periodontol. 1997;68(3):217–224.

157. Buser D, Dula K, Hirt HP, Schenk RK. Lateral ridge augmentation using autografts and barrier membranes: a clinical study with 40 partially edentulous patients. J Oral Maxillofac Surg. 1996;54(4):420–432; discussion 432–423.

158. Farina R, Simonelli A, Rizzi A, Pramstraller M, Cucchi A, Trombelli L. Early postoperative healing following buccal single flap approach to access intraosseous periodontal defects. Clin Oral Investig. 2013;17(6):1573–1583.

159. Mörmann W, Bernimoulin JP, Schmid MO. Fluorescein angiography of free gingival autografts. J Clin Periodontol. 1975;2(4):177–189.

160. Inoko M, Rubin S, Ono Y, Saito A. Releasing Incisions Using Upward-Motion Scissors Technique for Flap Mobilization for Guided Bone Regeneration or Periodontal Surgery: Technical Introduction and a Case Report. The International journal of periodontics & restorative dentistry. 2018;38(4):503-507.

161. Folke LE, Stallard RE. Periodontal microcirculation as revealed by plastic microspheres. J Periodontal Res. 1967;2(1):53-63.

162. Kaner D, Zhao H, Terheyden H, Friedmann A. Improvement of microcirculation and wound healing in vertical ridge augmentation after pre-treatment with self-inflating soft tissue expanders - a randomized study in dogs. Clin Oral Implants Res. 2015;26(6):720-724.

163. de Sanctis M, Clementini M. Flap approaches in plastic periodontal and implant surgery: critical elements in design and execution. Journal of clinical periodontology. 2014;41 Suppl 15:S108-S122.

164. Greenwell H, Vance G, Munninger B, Johnston H. Superficial-layer split-thickness flap for maximal flap release and coronal positioning: a surgical technique. Int J Periodontics Restorative Dent. 2004;24(6):521-527.

165. Carroll WR, Esclamado RM. Ischemia/reperfusion injury in microvascular surgery. Head Neck. 2000;22(7):700-713.

166. Canan S, Asim OM, Okan B, Ozek C, Alper M. Anatomic variations of the infraorbital foramen. Ann Plast Surg. 1999;43(6):613-617.

167. Behnia H, Kheradvar A, Shahrokhi M. An anatomic study of the lingual nerve in the third molar region. J Oral Maxillofac Surg. 2000;58(6):649-651; discussion 652-643.

168. Hofschneider U, Tepper G, Gahleitner A, Ulm C. Assessment of the blood supply to the mental region for reduction of bleeding complications during implant surgery in the interforaminal region. Int J Oral Maxillofac Implants. 1999;14(3):379-383.

169. Tinti C, Parma-Benfenati S. Coronally positioned palatal sliding flap. Int J Periodontics Restorative Dent. 1995;15(3):298-310.

170. Nemcovsky CE, Artzi Z, Moses O. Rotated palatal flap in immediate implant procedures. Clinical evaluation of 26 consecutive cases. Clin Oral Implants Res. 2000;11(1):83-90.

171. Nemcovsky CE, Artzi Z, Moses O, Gelernter I. Healing of dehiscence defects at delayed-immediate implant sites primarily closed by a rotated palatal flap following extraction. Int J Oral Maxillofac Implants. 2000;15(4):550-558.

172. Nemcovsky CE, Moses O, Artzi Z, Gelernter I. Clinical coverage of dehiscence defects in immediate implant procedures: three surgical modalities to achieve primary soft tissue closure. Int J Oral Maxillofac Implants. 2000;15(6):843-852.

173. Khoury F, Happe A. The palatal subepithelial connective tissue flap method for soft tissue management to cover maxillary defects: a clinical report. Int J Oral Maxillofac Implants. 2000;15(3):415–418.

174. Goldstein M, Boyan BD, Schwartz Z. The palatal advanced flap: a pedicle flap for primary coverage of immediately placed implants. Clin Oral Implants Res. 2002;13(6):644–650.

175. Nemcovsky CE, Serfaty V. Alveolar ridge preservation following extraction of maxillary anterior teeth. Report on 23 consecutive cases. J Periodontol. 1996;67(4):390–395.

176. Nemcovsky CE, Artzi Z. Comparative study of buccal dehiscence defects in immediate, delayed, and late maxillary implant placement with collagen membranes: clinical healing between placement and second-stage surgery. J Periodontol. 2002;73(7):754–761.

177. Nemcovsky CE, Artzi Z, Moses O. Rotated split palatal flap for soft tissue primary coverage over extraction sites with immediate implant placement. Description of the surgical procedure and clinical results. J Periodontol. 1999;70(8):926–934.

178. Nemcovsky CE, Artzi Z, Moses O, Gelernter I. Healing of marginal defects at implants placed in fresh extraction sockets or after 4–6 weeks of healing. A comparative study. Clin Oral Implants Res. 2002;13(4):410–419.

179. Ronda M, Stacchi C. Management of a coronally advanced lingual flap in regenerative osseous surgery: a case series introducing a novel technique. The International journal of periodontics & restorative dentistry. 2011;31(5):505–513.

180. Mendoza-Azpur G, Gallo P, Mayta-Tovalino F, Alva R, Valdivia E. A Case Series of Vertical Ridge Augmentation Using a Nonresorbable Membrane: A Multicenter Study. The International journal of periodontics & restorative dentistry. 2018;38(6):811–816.

181. Urban I, Traxler H, Romero-Bustillos M, et al. Effectiveness of Two Different Lingual Flap Advancing Techniques for Vertical Bone Augmentation in the Posterior Mandible: A Comparative, Split-Mouth Cadaver Study. The International journal of periodontics & restorative dentistry. 2018;38(1):35–40.

182. Abrahamsson P, Isaksson S, Gordh M, Andersson G. Onlay bone grafting of the mandible after periosteal expansion with an osmotic tissue expander: an experimental study in rabbits. Clin Oral Implants Res. 2010;21(12):1404–1410.

183. Zhang X, Awad HA, O'Keefe RJ, Guldberg RE, Schwarz EM. A perspective: engineering periosteum for structural bone graft healing. Clin Orthop Relat Res. 2008;466(8):1777–1787.

184. Jung GU, Pang EK, Park CJ. Anterior maxillary defect reconstruction with a staged bilateral rotated palatal graft. J Periodontal Implant Sci. 2014;44(3):147–155.

185. Lundgren S, Sjostrom M, Nystrom E, Sennerby L. Strategies in reconstruction of the atrophic maxilla

with autogenous bone grafts and endosseous implants. Periodontol 2000. 2008;47:143–161.

186. Kaner D, Friedmann A. Soft tissue expansion with self-filling osmotic tissue expanders before vertical ridge augmentation: a proof of principle study. J Clin Periodontol. 2011;38(1):95–101.

187. Neumann CG. The expansion of an area of skin by progressive distention of a subcutaneous balloon; use of the method for securing skin for subtotal reconstruction of the ear. Plast Reconstr Surg (1946). 1957;19(2):124–130.

188. Asa'ad F, Rasperini G, Pagni G, Rios HF, Gianni AB. Pre-augmentation soft tissue expansion: an overview. Clin Oral Implants Res. 2016;27(5):505–522.

189. Austad ED, Rose GL. A self-inflating tissue expander. Plastic and reconstructive surgery. 1982;70(5):588–594.

190. Burkhardt R, Lang NP. Influence of suturing on wound healing. Periodontol 2000. 2015;68(1):270–281.

191. Burkhardt R, Lang NP. Influence of suturing on wound healing. Periodontology 2000. 2015;68(1):270–281.

192. Zuhr O, Akakpo DL, Hürzeler M. Wound closure and wound healing. Suture techniques in contemporary periodontal and implant surgery: Interactions, requirements, and practical considerations. Quintessence Int. 2017:647–660.

193. Swanson NA, Tromovitch TA. Suture materials, 1980s: properties, uses, and abuses. Int J Dermatol. 1982;21(7):373–378.

194. Balamurugan R, Mohamed M, Pandey V, Katikaneni HK, Kumar KR. Clinical and histological comparison of polyglycolic acid suture with black silk suture after minor oral surgical procedure. J Contemp Dent Pract. 2012;13(4):521–527.

195. Meyer RD, Antonini CJ. A review of suture materials, Part II. Compendium. 1989;10(6):360–368.

196. Salthouse TN. Biologic response to sutures. Otolaryngol Head Neck Surg (1979). 1980;88(6):658–664.

197. Zuhr O, Akakpo DL, Hurzeler M. Wound closure and wound healing. Suture techniques in contemporary periodontal and implant surgery: Interactions, requirements, and practical considerations. Quintessence Int. 2017:647–660.

198. King RC, Crawford JJ, Small EW. Bacteremia following intraoral suture removal. Oral Surg Oral Med Oral Pathol. 1988;65(1):23–28.

199. Selvig KA, Biagiotti GR, Leknes KN, Wikesjö UM. Oral tissue reactions to suture materials. The International journal of periodontics & restorative dentistry. 1998;18(5):474–487.

200. Postlethwait RW, Willigan DA, Ulin AW. Human tissue reaction to sutures. Ann Surg.

1975;181(2):144-150.

201. Edlich RF, Panek PH, Rodeheaver GT, Kurtz LD, Edgerton MT. Surgical sutures and infection: a biomaterial evaluation. J Biomed Mater Res. 1974;8(3):115-126.

202. Tabanella G. Oral tissue reactions to suture materials: a review. J West Soc Periodontol Periodontal Abstr. 2004;52(2):37-44.

203. Blomstedt B, Osterberg B, Bergstrand A. Suture material and bacterial transport. An experimental study. Acta Chir Scand. 1977;143(2):71-73.

204. Katz S, Izhar M, Mirelman D. Bacterial adherence to surgical sutures. A possible factor in suture induced infection. Ann Surg. 1981;194(1):35-41.

205. Osterberg B. Enclosure of bacteria within capillary multifilament sutures as protection against leukocytes. Acta Chir Scand. 1983;149(7):663-668.

206. Macht SD, Krizek TJ. Sutures and suturing—current concepts. J Oral Surg. 1978;36(9):710-712.

207. Ivanoff CJ, Widmark G. Nonresorbable versus resorbable sutures in oral implant surgery: a prospective clinical study. Clinical implant dentistry and related research. 2001;3(1):57-60.

208. Sortino F, Lombardo C, Sciacca A. Silk and polyglycolic acid in oral surgery: a comparative study. Oral Surg Oral Med Oral Pathol Oral Radiol Endod. 2008;105(3):e15-e18.

209. Leknes KN, Selvig KA, Bøe OE, Wikesjö UME. Tissue reactions to sutures in the presence and absence of anti-infective therapy. Journal of clinical periodontology. 2005;32(2):130-138.

210. Leknes KN, Røynstrand IT, Selvig KA. Human gingival tissue reactions to silk and expanded polytetrafluoroethylene sutures. Journal of periodontology. 2005;76(1):34-42.

211. Javed F, Al-Askar M, Almas K, Romanos GE, Al-Hezaimi K. Tissue reactions to various suture materials used in oral surgical interventions. ISRN Dent. 2012;2012:762095-762095.

212. Meyer RD, Antonini CJ. A review of suture materials, Part I. Compendium. 1989;10(5):260-262, 264-265.

213. Meyer RD, Antonini CJ. A review of suture materials, Part II. Compendium. 1989;10(6):360-362, 364, 366-368.

214. Tajirian AL, Goldberg DJ. A review of sutures and other skin closure materials. J Cosmet Laser Ther. 2010;12(6):296-302.

215. Craig PH, Williams JA, Davis KW, et al. A biologic comparison of polyglactin 910 and polyglycolic acid synthetic absorbable sutures. Surg Gynecol Obstet. 1975;141(1):1-10.

216. Vastardis S, Yukna RA. Gingival/soft tissue abscess following subepithelial connective tissue graft for root coverage: report of three cases. Journal of periodontology. 2003;74(11):1676-1681.

217. Lambertz A, Schroder KM, Schob DS, et al. Polyvinylidene Fluoride as a Suture Material: Evaluation of Comet Tail-Like Infiltrate and Foreign Body Granuloma. Eur Surg Res. 2015;55(1-2):1-11.

218. Osterberg B, Blomstedt B. Effect of suture materials on bacterial survival in infected wounds. An experimental study. Acta Chir Scand. 1979;145(7):431-434.

219. Blomstedt B, Osterberg B, Bergstrand A. Suture material and bacterial transport. An experimental study. Acta Chir Scand. 1977;143(2):71-73.

220. Burkhardt R, Lang NP. Coverage of localized gingival recessions: comparison of micro- and macrosurgical techniques. Journal of clinical periodontology. 2005;32(3):287-293.

221. Blumenthal NM. A clinical comparison of collagen membranes with e-PTFE membranes in the treatment of human mandibular buccal class II furcation defects. Journal of periodontology. 1993;64(10):925-933.

222. Silverstein LH. Principles of dental suturing : the complete guide to surgical closure. Mahway, NJ: Montage Media Corp.; 1999.

수술 후 관리

1.
도입

임플란트 식립 및 골증강술 후 관리는 중요하다. 물론 수술 과정 자체가 수술의 성공에 있어 가장 중요하지만 우리가 수술을 올바르게 시행했다고 하더라도 모든 환자의 모든 증례에서 창상 치유가 정상적으로 이루어지는 것은 아니다. 여러 가지 전신적/국소적 요소에 따라, 심지어 우연에 의해 수술 후 치유 과정은 다양한 형태로 이루어진다. 우리는 수술의 성공을 책임진 술자로서 최대의 환자에서 최대한 정상적인 창상 치유가 이루어지도록 노력해야만 한다. 여기에서는 주로 수술 전후의 항생제 및 약물 처방과 차폐막 노출 및 감염 등의 처치에 초점을 맞추어 설명하도록 하겠다.

1) 임플란트 수술부는 청결-오염 창상이다.

임플란트 식립 수술 및 이와 연관된 골증강술은 관혈적 술식이기 때문에 임플란트의 실패와 수술부 감염을 예방하기 위해 항생제 처방이 필요하다고 생각할 수 있다. 실제로 브레네막의 고전적 임플란트 프로토콜에서는 과학적 근거에 의한 것이라기 보다는 경험적인 합의에 따라 임플란트 식립 수술 전후로 8-10일간 항생제를 처방할 것을 권고했다.[1] 구강 내에는 정상적인 상주균이 존재하며 이들 세균에 의한 임플란트 표면이나 수술부의 오염은 임플란트나 골증강술의 실패를 야기할 수 있다. 임플란트 식립 시의 세균 오염은 임플란트 초기 실패의 주요한 원인으로 생각되고,[2] 또한 차폐막이나 골이식재의 노출 여부와는 관계없이 세균 감염에 의한 농양 형성은 골증강술 실패의 가장 중요한 원인으로 생각된다.[3]

임플란트 수술 시의 창상을 포함한 구강 내 창상은 청결-오염 창상(clean contaminated wound)으로 분류된다.[4] 구강 내에는 상주균이 존재하며 타액에 의해 수술부는 지속적으로 오염되기 때문에 완전히 청결한 상태를 유지하기가 거의 불가능하기 때문이다(📷 2-1). 청결-오염 창상의 감염률은 대략 5-8%에 이른다. 그러나 청결한 수술 환경 조성, 적절한 수술 시행, 예방적 항생제 투약으로 감염률을 1% 이하로 낮춰줄 수 있다.[5,6]

2) 임플란트 수술실과 수술 부위는 청결 상태로 준비한다.

수술실과 수술 부위는 무균 환경이나 청결 환경으로 준비할 수 있다(📖 2-1).[7]

임플란트 수술 시에는 무균 환경과 청결 환경 중 어떤 환경을 조성해야 할까? 고전적인 브레네막 프로토콜에서는 무균 환경을 추천했다. 그러나 몇몇 임상 근거와 많은 이들의 경험은, 임플란트 수술이 청결 환경 하에서도 충분히 성공적으로 수행 가능하다는 점을 보여주었다. 한 후향적 임상 연구에 의하면, 무균 상태와 청결 상태에서 임플란트 수술 시 임플란트의 생존율은 유의한 차이를 보이지 않았다(무균 상태 95.1%, 청결 상태 93.5%).[8] 다른 대조 연구에서는 고전적 브레네막 프로토콜(무균 수술)과 간단한 수술 프로토콜(청결 수술) 하에서 식립한 임플란트의 생존율을 비교했다.[9] 그 결과 두 상황 하에서 식립된 임플란트의 생존율에는 차이가 없었다(무균 상태 96.6%, 청결 상태 97.2%). 결론적으로 임플란트 수술 시에는 청결 상태의 환경만으로도 무균 상태와 차이가 없는 임플란트 성공을 보장할 수 있다. 따라서 임플란트 수술 시에는 청결 상태를 유지하는 것만으로도 충분하다.

분류	정의	감염률
청결 창상 (clean wound)	무균적 처치로 보존된 창상 / 호흡기, 소화기, 비뇨기와 무관한 수술	1-3%
청결-오염 창상 (clean contaminated)	호흡기, 소화기, 비뇨기 관련 수술에서 내용물의 유출이 없는 경우이거나 인후부, 담도계, 부인과 수술 중 중대한 오염의 증거가 없는 경우	5-8%
오염 창상 (contaminated wound)	수술 중 오염이 확실한 경우 / 분쇄 손상 등에 의한 창상 / 소화기계 내용물의 유출	20-25%
더러운 창상 (dirty wound)	수술 전 감염이 확실한 경우 / 수술창상의 개방, 수술창상의 농 / 심각한 염증상태	30-40%

📷 2-1 **창상의 구분**

2-1 **무균 환경과 청결 환경**	
무균(asepsis) 환경	**청결(clean) 환경**
완벽한 무균 상태를 목표로 철저한 준비를 한 상황 • 전신을 덮는 방포 • 수술자의 철저한 준비–살균 가운 착용, 손의 스크러빙, 신발 덮개(shoe cover), 소독된 장갑 사용 • 수술실 상태–공기로 인한 세균 전파까지 고려(에어 샤워), 수술실 내부의 무균 상태 유지, 무균 처리된 수술 참여자 이외의 인력의 수술실 출입 금지 • 수술 기구–엄격한 소독	**일반적인 치과 외래 진료실에서의 임플란트 수술 상황** • 얼굴과 가슴을 덮는 정도 크기의 소독된 방포 • 수술자의 간단한 준비–소독된 장갑 사용, 멸균 수술복 불필요, 수술 가운 미착용 • 수술실 상태–엄격한 무균 상태 불필요, 수술 스탠드와 체어 등은 알코올로 처치 • 수술 기구–엄격한 소독

2.
항생제 처방의 득과 실

1) 항생제 처방은 최소화되어야 한다.

임플란트 수술 및 골증강술 전후에 항생제를 처방하는 궁극적인 목표는 수술부의 감염을 최소화하고 임플란트의 성공을 최대화하는 것이다. 그러나 항생제를 처방하는 것 자체만으로 여러 가지 문제를 야기할 수 있다. 따라서 항생제 처방 시 발생할 수 있는 문제점들을 알아보고, 실제로 항생제 처방이 임플란트 성공과 감염 예방에 얼마나 기여하는지를 평가해 그 득과 실을 따져야만 한다(2-2).[10,11]

2-2 **항생제 처방의 득과 실**	
항생제 처방의 득	• 수술부의 감염을 예방하고 임플란트 실패의 가능성을 줄일 수 있다.
항생제 처방의 실	• 항생제 처방의 오남용으로 인해 저항성 세균이 발현되거나 중복 감염(superinfection)이 발생할 수 있다. • 항생제에 의한 합병증이나 과민증이 발생할 수 있다. • 병용 약제와의 상호 작용에 의해 원하지 않는 효과가 나타날 수 있다.

항생제 오남용의 가장 큰 문제는 중복 감염의 발생과 저항성 세균의 출현이다. (특히 광범위 항균 스펙트럼의) 항생제를 장기간 다량으로 사용하면 정상 균총이 변화해서 균교대 현상을 일으킨다. 이를 통해 정상 균총 가운데 항생제에 저항성을 가진 균이 우위를 차지하게 되고, 이에 따라서 새로운 감염증이 나타나는 것을 중복 감염이라고 한다.[10,11] 치과에서 일반적으로 사용되는 항생제에 대해 구강 내 *Streptococcus viridans*가 저항성을 보이는 경우가 많아지고 있다.[12] 따라서 이러한 현상을 예방하기 위해 항생제는 최소한으로만 처방해야 한다.

2) 건강한 환자에게 간단한 임플란트 수술을 시행한 후에는 항생제 처방이 필요 없다.

전술했듯이 임플란트 수술부는 청결–오염 창상으로, 수술부를 완전한 무균 상태로 유지하기는 거의 불가능하다. 임플란트 수술 후에 수술부로는 세균이 침투하기 시작한다. 임플란트를 1단계로 식립하면 이미 수술 30분 후부터 임플란트 주위 점막에서 세균이 검출된다.[13] 또한 임플란트 식립부를 통해 체내로 침투한 세균은 일시적인 균혈증(bacteremia)을 유발할 수 있다. 임플란트 식립 30분 후에, 건강한 성인 중 23%의 혈액에서 *Staphylococcus epidermidis, Eubacterium spp., Corynebacterium spp., Streptococcus viridians* 등이 발견됐다.[14] 이러한 사실은 임플란트 수술 전후의 항생제 처방을 지지하는 근거가 된다.

그러나 모든 증례에 한 가지 처방법을 일괄적으로 적용하는 것은 문제가 있을 수 있다. 항생제를 처방할 때에는 사용하는 임플란트 시스템, 수술 시간, 식립할 임플란트 개수, 골증강술 적용 여부, 환자의 전신적/국소적 상태, 술자의 수술 숙련도 등을 모두 종합적으로 고려해야 한다.[15] 이러한 측면에서, 건강한 환자에게 간단한 임플란트 수술을 시행하면 항생제 처방이 불필요하다는 근거가 축적되고 있다. 2014년의 한 무작위 대조 연구에서는 저위험 수술 환자 329명에서 여러 가지 처방법과 위약(placebo)이 환자의 주관적 증상(통증, 부종, 출혈, 멍)과 객관적인 치유 양상에 미치는 영향을 8주간 평가했다(■ 2-3).[16] 그 결과 수술 4주 후 위약 처방군에서만 5%의 환자가 창상 열개된 사실만 제외하고는, 어떠한 지표에서도 차이를 보이지 않았다.

■ 2-3 저위험 수술 조건	
환자 상태	• 전신 질환이 없는 건강한 환자(비흡연 포함) • 좋은 구강 위생 상태 • 활성 치주 질환이 없음
수술 조건	• 골증강술을 시행하지 않음 • 단일 임플란트 식립 • 무피판 수술

이후의 체계적 문헌 고찰과 메타분석에서는 건강한 환자에게 간단한 임플란트 수술을 시행할 때에는 항생제 처방 유무가 수술부의 초기 치유 상태, 임플란트의 골유착 성공, 임플란트 수술부의 감염 여부에 별다른 악영향을 미치지 않는다고 결론 내렸다. 2012년의 한 체계적 문헌 고찰에서는 수술 전후의 항생제 처방이 임플란트 실패의 가능성을 줄여 주긴 했지만 항생제 처방 유무에 관계 없이 임플란트의 성공 가능성은 높았기 때문에 저위험과 중등도 위험 환자군에서 항생제 처방은 별다른 이득이 없다고 결론 내렸다.[17] 2015년에 시행된 체계적 문헌 고찰에서는 모든 조건의 임플란트 수술 상황을 통틀어 술 전 항생제 처방은 임플란트 실패를 유의하게 줄여주었다고 보고했다.[18] 항생제 처방은 50명의 환자당 1개의 임플란트 실패를 예방하는 효과를 보였다(NNT=50). 그러나 건강한 환자에게 간단한 임플란트 수술을 시행했을 때에는 항생제 처방이 임플란트의 성공

에 별다른 영향을 미치지 못했으며, 따라서 이러한 경우에는 항생제 처방이 불필요하다. 2016년의 체계적 문헌 고찰에서도 모든 임플란트 수술에 있어 항생제 처방을 할 필요는 없다고 결론지었다.[11] 2017년에 발표된 또 다른 체계적 문헌 고찰에서는 임플란트 식립 전후에 항생제를 처방하는 것은 임플란트의 성공과 감염 발생에 별다른 영향을 미치지는 않는 것으로 보인다고 했다.[19] 따라서 건강한 환자에게 임플란트를 식립할 때에는 항생제를 일상적으로 사용할 필요는 없다. 결론적으로 전문가들은 건강한 환자에서 간단한 임플란트 수술을 시행한다면 항생제 처방이 어떠한 도움도 되지 않는다는 결론에 의견이 일치하고 있다.[7]

3.
임플란트 수술에서 항생제 처방의 효과

1) 임플란트 수술 시 가장 널리 쓰이는 항생제는 아목시실린이다.

임플란트 주위 조직의 염증성 질환, 즉 임플란트 주위 점막염이나 임플란트 주위염과 관련해서는 원인균에 대한 광범위한 연구가 이루어졌지만, 임플란트의 초기 실패나 골증강부의 감염과 관련된 원인균에 대해서는 생각보다 알려진 바가 매우 적다.[13] 일반적으로 구강 악안면 영역의 수술부에 감염을 일으키는 가장 흔한 원인균은 연쇄 구균(*streptococci*)이기 때문에, 임플란트 관련 수술 전후에 처방하는 항생제도 연쇄 구균을 억제하는 것으로 선택한다.[20,21] 또한 상악동 내에서 발견되는 상주균 중에서도 연쇄 구균이 가장 많은 부분을 차지하고 있으며, 그 중에서도 *Streptococcus viridians*가 가장 많이 존재한다.[22-24]

- 페니실린계 항생제(아목시실린, 오구멘틴 등)는 연쇄 구균을 효율적으로 억제시킬 수 있을 뿐만 아니라 가격이 저렴하고 항생제 내성 세균의 진화에 적게 기여하기 때문에 가장 널리 쓰이고 있다.[25] 이 중 아목시실린은 그람 양성과 그람 음성 세균에 모두 살균 작용(bactericidal)을 보이며 여러 구강 내 세균에 효과를 보이기 때문에 임플란트 수술에 많이 적용된다.

- 오구멘틴(아목시실린 클라불란산; amoxicillin clavulanate)은 아목시실린에 비해 더 효과적인 항생제로 알려져 있음에도 불구하고 임플란트 수술과 관련된 효과에 대한 연구 문헌은 거의 없는 실정이다.[26] 한 임상 연구에서는 상악동 내의 상주균은 암피실린과 오구멘틴에 대한 항생제 감수성이 92.5%로 가장 높았고, 그 이후로는 세팔로스포린 계열 항생제들과 시프로플록사신에 전반적으로 높은 감수성을 보였다고 했다.[24] 그러나 100% 감수성을 보이는 항생제는 없었기 때문에 항생제 감수성 검사를 하지 않는 한 수술 후 감염을 100% 예방할 수는 없다고 했다.

- 클린다마이신(clindamycin)은 페니실린에 내성을 가진 세균에 효과적으로 작용하기 때문에 페니실린 과민반응 환자나 신장 질환이 있는 환자, 혹은 술 후 감염의 소인이 있는 환자에서 효율적으로 이용 가능하다.[25]

2) 술 전 아목시실린 처방은 임플란트의 실패 가능성을 확실히 낮춰주지만 술 후 처방은 별다른 효과가 없다.

임플란트 수술 후 급성 감염의 발생률은 1% 내외로 매우 낮다.[27-29] 따라서 임플란트 수술 시 항생제의 효과는 수술 후 감염의 빈도보다는 임플란트의 초기 실패 정도를 기준으로 평가한다. 임플란트 실패는 보철 부하 시기를 기준으로 그 이전이면 초기 실패(early failure), 그 이후면 후기 실패(late failure)로 나눌 수 있다.[30]

- **초기 실패** 수술 시 외상, 치유 기간 중 감염, 일차 안정의 결여 등으로 인한 골유착 실패
- **후기 실패** 교합 과부하나 임플란트 주위염 등으로 인한 골유착 소실

논의를 시작하기 전에 한 가지 명심해야 할 점이 있다. 임상 연구를 시행하는 기관은 일반적인 치과 의원에 비해 수술 전후로 훨씬 더 엄격한 청결 환경을 유지하고, 연구에 포함된 환자들은 일반적인 치과 의원에 내원하는 환자들보다 신체적으로 건강하고 협조적인 성향이 있다. 따라서 연구 결과들은 항생제의 효과를 과소 평가할 수도 있다.[16] 임플란트 수술 시 항생제 처방이 임플란트의 성공과 수술부 감염에 어떠한 영향을 미쳤는가를 평가한 체계적 문헌 고찰과 메타분석의 결과를 📑 **2-4**에 정리해 보았다.

📑 **2-4 임플란트 식립 시 항생제 처방이 술 후 감염과 임플란트의 성공에 미치는 영향**

연구	포함된 일차 문헌 수, 환자 수, 임플란트 수	결과	결론
Ahmad 등, 2012[17]	1955-2009년 사이의 전향적/후향적 대조 연구(연구수 n=12)	1. 임플란트 성공률(차이 없음) 항생제 비처방 92%(2125/2305) 항생제 처방 96.5%(8783/9101) 2. 항생제 처방 시기에 따른 비교(차이 없음) 술 전 항생제 처방 96%(3238/3363) 술 후 항생제 처방 97%(2177/2236) 수술 전후 항생제 처방 96%(3366/3500)	임플란트 수술 전후의 항생제 처방과 관계없이 임플란트는 90%를 초과하는 성공률을 보이며, 항생제 처방 유무는 임플란트 성공에 유의한 영향을 미치지 못한다. 따라서 저위험군과 중등도 위험군 환자에게는 항생제 처방이 도움이 되지 않는다.
Esposito 등, 2013[31]	무작위 대조 연구 (연구수 n=6) 환자 수=1162명	1. 어떠한 방법이건 항생제(아목시실린)를 처방하면 항생제를 처방하지 않을 때보다 임플란트 실패의 가능성이 유의하게 낮음(상대적 위험도 0.33) 2. 항생제를 처방받은 25명의 환자당 1개의 임플란트 실패를 예방하는 효과를 보임(NNT=25) 3. 항생제 처방은 술 후 감염 발생에 유의한 영향 없음	1. 수술 1시간 전 아목시실린 2 g 처방은 임플란트 실패의 예방에 도움이 된다. 2. 술 후 항생제 처방이 도움이 되는지는 확실하지 않다. 3. 모든 연구에서 아목시실린만 쓰였기 때문에 어떤 항생제가 가장 좋은지는 알 수 없다.

연구	포함된 일차 문헌 수, 환자 수, 임플란트 수	결과	결론
Ata-Ali 등, 2014[32]	무작위 대조 연구 (연구수 n=4) 환자 수=1,002명 임플란트 수=2,063개	1. 항생제 처방이 임플란트 실패를 유의하게 낮추는 효과를 보임(오즈비 0.331) 2. 항생제를 처방하면 임플란트 실패의 가능성은 66.9% 낮아짐 3. 항생제를 처방받은 48명의 환자당 1개의 임플란트 실패를 예방하는 효과를 보임(NNT=48) 4. 항생제 처방은 술 후 감염 발생 여부에 유의한 영향 없음	1. 임플란트 수술 시 항생제 처방은 임플란트 실패를 예방하는 데 도움이 된다. 2. 임플란트 수술 시 항생제 처방은 술 후 감염을 예방하지 못한다. 3. 항생제 종류와 처방 방법은 다양하게 평가받지 못했기 때문에 최선의 항생제 종류와 처방 방법은 아직 결론 내리기 힘들다.
Chrcanovic 등, 2014[33]	무작위 대조 연구 (연구수 n=14) 환자 수=1,002명 임플란트 수=2,063개	1. 항생제 처방이 임플란트 실패를 유의하게 낮추는 효과를 보임(상대적 위험도 0.55) 2. 항생제를 처방받은 50명의 환자당 1개의 임플란트 실패를 예방하는 효과를 보임(NNT=50) 3. 항생제 처방은 술 후 감염 발생 여부에 유의한 영향 없음	1. 임플란트 수술 시 항생제 처방은 임플란트 실패를 예방하는 데 도움이 된다. 2. 임플란트 수술 시 항생제 처방은 술 후 감염을 예방하지 못한다. 3. 포함된 일차 연구들에는 교란 요소가 많았기 때문에 해석에 주의를 요한다.
Rodríguez Sánchez 등, 2018[34]	무작위 대조 연구 (연구수 n=9)	1. 항생제 처방이 임플란트 실패를 유의하게 낮추는 효과를 보임(상대적 위험도 0.53) 2. 항생제를 처방받은 55명의 환자당 1개의 임플란트 실패를 예방하는 효과를 보임(NNT=55) 3. 술 전 항생제 처방은 임플란트 실패를 유의하게 낮춰주지만, 술 후 처방은 실패를 유의하게 낮춰주지 못함 4. 술 전, 술 후 항생제 처방 모두 술 후 감염 발생을 유의하게 예방하지 못함	1. 오직 술 전 항생제 처방만이 임플란트 실패의 가능성을 유의하게 줄여줄 수 있다. 2. 모든 일차 연구에서는 항생제로써 아목시실린만을 처방했기 때문에 다른 항생제의 효과는 알 수 없다.

위의 표에 제시된 문헌 고찰과 몇몇 추가적인 문헌 고찰들의 결과를 정리하면 다음과 같다.

- 임플란트 수술과 관련하여 임상적으로 연구된 항생제는 거의 전적으로 아목시실린이다. 아목시실린이 구강 내 수술에 있어 첫 번째 처방 옵션인 것은 맞지만, 다른 항생제의 효과에 대해서는 거의 알려진 바가 없다.[17,18,26,31-34]

- 항생제를 처방하는 방법은 여러 가지가 있지만, 단순히 항생제 처방과 비처방의 결과를 비교해보면, 항생제 처방은 임플란트 초기 실패의 가능성을 유의하게 낮춰준다.[11,18,26,31-34] 항생제를 처방하면 25-55명의 환자당 하나의 임플란트 실패를 예방해준다. 항생제를 처방하지 않아도 임플란트의 실패 가능성은 높지 않지만, 항생제 처방 시 임플란트 실패의 가능성을 45-67% 가량 낮춰준다.[18,31-34]

- 임플란트 수술 후 감염의 가능성은 낮다. 또한 항생제 처방은 임플란트 수술 후 수술부 감염의 가능성을 유의하게 낮춰주지는 못한다.[18,31-34]

- 항생제 처방의 방법은 ① 술 전 아목시실린 1-3 g 처방, ② 술 전 아목시실린 처방과 술 후 3-7일간 처방, ③ 술 전 처방 없이 술 후 3-7일간 처방 등 여러 가지로 이루어졌다.[17,26,31,34,35] 이 중 술 전 항생제 처방은 임플란트 실패의 가능성을 유의하게 낮춰줄 수 있지만, 술 후 항생제 처방은 임플란트 실패의 가능성을 유의하게 낮춰주지 못한다.[18,31,34] 따라서 일반적인 임플란트 수술 시에는 수술 1시간 전에 2-3 g의 아목시실린을 한 번만 처방하는 것만으로도 충분하다.[18,26,31,34,35] 600개 이상의 연구를 검토한 2010년의 한 문헌 고찰에서는 어떠한 수술 영역에 있어서도 수술 당일 이후의 항생제 처방은 술 후 감염의 예방에 도움이 된다는 근거를 찾을 수 없다고 결론지었다.[36]

결국 건강한 환자에게 간단한 임플란트 수술을 시행할 때에는 항생제 처방이 별다른 도움이 되지 못하지만, 환자와 수술의 범위를 확장시키면 항생제 처방이 도움이 된다는 사실을 알 수 있다. 임플란트 식립 수술 시 항생제를 처방하지 않더라도 수술부의 감염이나 임플란트의 실패 가능성은 낮지만, 술 전에 항생제를 처방하면 임플란트의 실패 가능성을 대략 30-50% 정도 낮춰줄 수 있다고 결론 내릴 수 있다.

4.
골증강술 시행 시의 항생제 처방

1) 골증강술 시에는 항생제 처방이 더욱 중요하다.

임플란트 식립과 관련된 골증강술은 임상에서 매우 많이 행해지는 술식이다. 단순 임플란트 식립 수술에 비해 골증강술은 감염의 위험이 높으며, 그 원인은 다음과 같다.[37]

① 긴 수술 시간
② 수술 범위가 광범위함
③ 이식재와 차폐막 등의 이물을 수술부에 위치시킴
④ 광범위한 피판 거상, 골막 이완 절개, 이식재/차폐막 적용 등으로 인해 수술부의 혈류량이 감소됨
⑤ 긴 치유 기간이 필요하고, 치유 기간 중 혈종이나 부종 등의 감염을 유발할 수 있는 합병증이 자주 발생함

따라서 골증강술을 시행하는 환자에게 항생제를 처방하지 않는 것은 현실적으로 쉽지 않다. 항생제 처방 없이 치료를 완료한 환자에서 감염이나 임플란트 탈락 등의 합병증이 발생했을 때 우리와 환자들은 그 원인을 쉽사리 항생제를 처방하지 않은 것에서 찾을 것이기 때문이다. 따라서 항생제가 무용하다는 상당한 정도의 근거가 축적되기 전까지는 처방을 계속할 수밖에 없을 것이다.

(1) 항생제 처방이 골증강술의 예후를 증진시킨다는 확실한 근거는 아직까지 제시되지 못했다.

골증강술과 관련하여 항생제의 효용을 평가한 연구는 거의 없는 것이 현실이다. 골증강술은 임플란트 식립 수술에 비해 더 침습적이고 관혈적인 수술이며, 따라서 항생제를 더 강력하게 처방해야 한다는 것이 일반적인 의견이기 때문이다.[37] 따라서 연구자들은 윤리적인 이유로 골증강술 후 항생제 처방과 비처방의 결과를 비교하기가 힘들었을 것이다. 소수의 환자(20명)를 대상으로 한 무작위 대조 연구에서는 자가 블록골 이식 후 항생제 처방이 수술 3개월 후까지 감염 발생에 미치는 영향을 평가했다.[38] 페니실린 2 g을 수술 1시간 전에 처방한 환자군에서는 수술 후 감염이 발생하지 않았으나, 위약을 처방한 환자군에서는 50%의 환자에서 감염이 발생했다(골이식 수혜부만 감염 20%, 수혜부와 공여부 모두 감염 20%, 공여부만 감염 10%). 이는 자가 블록골 이식 시 항생제를 처방하면 수술부 감염의 발생 가능성을 현저히 낮춰줄 수도 있다는 점을 의미하는 것이다. 2019년의 한 무작위 대조 연구에서는 임플란트 식립과 동시에 골증강술을 시행한 환자 92명(165개 임플란트)에 대해 분석을 시행했다.[39] 골증강술을 시행한 환자군에서는 항생제 투약군에서 3.1%(3/98)의 임플란트가, 비투약군에서는 9.0%(6/67)의 임플란트가 조기에 실패했다. 대상 환자 수가 적어서 통계학적으로 유의한 차이가 나지는 않았지만, 이 결과는 임플란트 식립과 동시에 골증강술을 시행할 때 2 g의 아목시실린을 술 전에 처방하면 임플란트의 초기 실패를 대략 3배 정도 줄여줄 수 있음을 의미하는 것이다.

그러나 이러한 연구 결과들과는 반대되는 연구 결과가 2020년에 보고됐다. 한 무작위 대조 연구에서는 전신적, 치주적으로 건강한 환자에서 수평적 골결손이 존재하는 치조골에 골유도 재생술과 동시에 임플란트를 식립한 증례에 한해 항생제 처방이 그 예후에 미치는 영향을 평가했다.[40] 이 연구는 임플란트 관련 연구에서는 찾아보기 힘들 정도로 굉장히 철저한 절차에 따라 시행된, 내부 유효성이 높은 연구였기 때문에 신뢰도가 매우 높은 근거를 제공할 수 있었다고 생각된다. 이 연구에서 항생제 처방군에서는 수술 1시간 전에 아목시실린 2 g을 처방하고 수술 1-3일 후에는 아목시실린을 하루 세 번 500 mg씩 처방했다. 대조군에서는 위약을 동일한 스케줄에 따라 처방했다. 그리고 그 결과 수술 1일-14일 후까지 환자가 느끼는 통증, 혈종, 부종, 출혈의 정도는 거의 차이가 없었다. 또한 수술 1주-12주 후까지 맹검 상태의 연구자가 평가한 피판 열개, 통증, 부종, 농양, 임플란트의 실패 여부도 두 군에서 거의 아무런 차이도 보이지 않았다. 따라서 이 연구에서는 건강한 환자에서 임플란트 식립과 동시에 간단한 골유도 재생술을 시행한 경우 환자가 느끼는 결과와 술 후 합병증의 발생에 있어 항생제 처방이 추가적인 이점을 제공하지 못한다고 결론 내렸다.

항생제 처방이 골증강술과 임플란트 치료의 결과에 현저한 영향을 미쳤다는 앞의 두 연구는 모두 무작위 대조 연구였지만 내부 유효성이 그다지 크지 않은 연구들이었다. 따라서 연구 결과에 편향이 개입되었을 가능성을 배제할 수 없다. 그러나 2020년의 무작위 대조 연구는 굉장히 철저한 연구 절차를 따른 굉장히 근거 수준이 높은 연구였다. 전자와 후자에서는 연구 참여 환자의 표함 기준과 수행한 골증강술이 달랐기 때문에 직접적인 비교는 힘들기는 하지만, 적어도 후자의 연구에 의하면 항생제 처방은 건강한 환자에게 간단한 골유도 재생술을 시행할 때에는 별다른 도움이 되지 않는다고 할 수 있을 것이다. 그러나 아직까지 골증강술의 성공에 있어 항생제 처방이 무용하다는 결론을 내리는 것은 무리이다. 결국 좀 더 많은 임상적 근거가 축적될 때까지 골증 강술 전후에 항생제 처방을 시행해야 할 것이다. 그러나 감염 예방의 측면에 있어 항생제의 효과는 우리가 생 각하는 것보다는 적은 것 같다.

(2) 골증강부 내의 세균은 증상 없이 골재생의 결과를 악화시킬 수 있다.

앞서 살펴보았지만, 임플란트 식립 시 침투한 세균은 임상적으로 발견 가능한 수술부의 감염을 잘 일으키 지는 않는다. 하지만 우리가 감시할 수 없는 미세한 영역에서 임플란트의 골유착을 방해하고, 결국 임플란트 의 초기 실패를 유발하게 된다. 이는 골증강술에서도 일어날 수 있는 현상이다. 한 전향적 임상 연구에서는 상 악동 골이식을 시행할 때 상악동 내의 세균이 골증강의 결과에 미치는 영향을 평가했다.[22] 174명의 환자에서 227건의 상악동 골이식을 시행했으며, 평균 2 g의 탈단백 우골로 상악동 골이식을 시행하고 천연 교원질 차폐 막으로 골창을 피개해 주었다. 수술 중 상악동 내에서 채취한 시편으로 배양 검사를 시행해 세균의 존재 유무 와 존재한다면 그 종류를 검사했다. 그 결과, 총 18.1%의 상악동에서 세균이 발견되었으며, 9개월 후 방사선학 적 검사에서 세균이 존재하지 않은 상악동에서 재생골의 양이 평균 5% 더 많았고 재생골의 높이는 평균 2.28 mm 더 높았다. 이는 통계학적으로 유의한 차이였다. 이 연구의 결과는, 골증강부에 잔존하는 세균이 임상적으 로 감염 증상을 일으키지 않더라도 적어도 골재생을 방해하여 골증강의 양을 줄여줄 수 있다는 점을 보여주는 것이다.

2) 골증강술과 관련된 표준 항생제 처방법은 아직 정립되지 못했다.

아직까지도 골증강술과 관련된 항생제 처방은 순전히 전문가들의 의견이나 개인의 경험에 기반하여 이루어 지고 있다.[41,42] 2020년에는 "임플란트와 연관된 골증강술을 시행할 때 항생제 처방이 결과 개선에 도움이 되 는가"를 주제로 한 유일한 체계적 문헌 고찰이 발표되었다.[43] 이 문헌 고찰에서는 이 주제에 관한 무작위 대조 연구는 네 개만이 존재한다고 했으며, 이 중에서도 두 개는 높은 편향 위험(risk of bias)을 가졌기 때문에 두 개 의 일차 문헌만을 그 분석 대상으로 했다. 포함된 일차 연구의 결과를 정리하면 다음과 같다(📖 2-5).

두 연구에서 모두 감염의 원인균은 페니실린에 민감한 알파 용혈성 연쇄 구균(alpha-hemolytic *streptococci*) 이었다. 결론적으로 저자들은 포함된 문헌과 자료의 양이 너무 적었고, 투약 방법 종류도 너무나 제한적이었기 때문에 특정한 결론을 내릴 수 없다고 했다.

⏚ 2-5 골증강술 시 항생제 처방의 감염 예방 효과

연구	수술	실험군	대조군
Lindeboom 등, 2005[44]	자가골 온레이 이식 천연 교원질 차폐막 8주간 관찰	수술 1시간 전 클린다마이신 600 mg 수술 후 위약 6시간 마다 4회(24시간)	수술 1시간 전 클린다마이신 600 mg 수술 후 클린다미이신 300 mg 6시간 마다 4회(24시간)
		감염률 3.23%(2/62)	감염률 4.84%(3/62)
		클린다마이신을 술 전에만 처방한 경우와 수술 전후에 처방한 경우, 술 후 감염률은 유의한 차이를 보이지 않음	
Lindeboom 등, 2006[45]	자가골 온레이 이식 천연 교원질 차폐막 8주간 관찰	수술 1시간 전 페니실린 2 g	수술 1시간 전 클린다마이신 600 mg
		감염률 5.33%(4/75)	감염률 2.67%(2/75)
		수술 1시간 전 페니실린을 처방한 경우와 수술 1시간 전 클린다마이신을 처방한 경우에 술 후 감염률은 유의한 차이를 보이지 않음	

3) 임플란트 식립 수술 및 골증강술 시행 시의 항생제 처방; 결론

현재 대한민국에서 임플란트 수술 후 항생제를 처방하지 않는 임상가는 거의 없을 것이다. 수술 후 5-14일 간의 항생제 처방이 일반화된 프로토콜이다. 항생제를 처방하지 않았거나 짧게 처방한 후에 수술부가 감염되거나 식립된 임플란트를 제거하게 되면 우리는 그 이유를 "항생제를 처방하지 않은 것"으로 쉽게 돌리게 될 것이다. 그러나 많은 수준 높은 임상 연구가 축적되었고, 우리 개개인의 경험이나 생각보다는 편향 없는 엄정한 연구들의 결과가 훨씬 객관적이고 정확하다. 이 주제에 대해 다음의 결론을 내릴 수 있다.

• 항생제 처방은 엄정한 임상적 근거에 의거해야 한다.

• 원인균에 100% 효과를 보이는 항생제는 없으나, 원인균에 가장 효과적이고, 가장 널리 쓰이며, 가장 많은 근거를 가진 항생제는 아목시실린이다.

• 임플란트 수술이나 골증강술과 관련해서는 페니실린계 항생제(아목시실린, 오구멘틴 등)나 세팔로스포린계 항생제가 첫 번째 처방 옵션이다. 이들 항생제에 과민증을 보이는 환자에게는 클린다마이신이나 시프로플록사신 등을 처방한다.

• 항생제 처방의 프로토콜은 여러 가지가 있지만, 일반적인 임플란트 수술 시에는 수술 1시간 전에 아목시실린 2-3 g을 처방하는 것이 가장 효율적인 처방법이다. 수술 전에 항생제를 처방했다면 수술 후 항생제 처방은 필요치 않다.

• 건강한 환자에서 간단한 수술을 시행할 때에는 항생제 처방이 별다른 도움이 되지 않는다.

• 수술 후, 혹은 수술 당일 이후의 항생제 처방은 어떠한 임상적 이점도 없다.

• 항생제 처방이 수술 전, 중, 후의 엄격한 감염 관리 프로토콜을 대체할 수는 없다.

• 골증강술을 동반하지 않는 임플란트 수술 시, 항생제 처방으로 25-50명의 환자당 1개의 임플란트 초기 실패를 예방할 수 있다. 그러나 술 후의 감염은 원래 적게 발생하기 때문에 항생제 복용이 감염의 가능성을 낮춰주지는 못한다.

• 골증강술 시 항생제 처방이 도움이 되는지는 아직까지 명확하지 않다. 그러나 골증강술은 임플란트 식립 수술에 비해 더 침습적인 수술이기 때문에 감염 예방을 위해 항생제를 처방하는 것이 좋다.

• 골증강술 시에도 역시 아목시실린이 첫 번째 처방 옵션이다. 항생제 처방에 대한 프로토콜은 아직까지 정립되지 않았지만 수술 1시간 전과 수술 후 3–7일간 항생제를 처방할 것을 추천한다.

4) 구강 내 국소적 세정제

클로르헥시딘(Chlorhexidine)은 치태 형성을 예방하는 약물의 황금 기준으로 여겨지고 있으며, 많은 임상 연구를 통해 구강 내 세균에 대해 효율적인 항균 작용 및 정균 작용을 나타내는 것으로 알려져 있다.[75] 수술 직전과 수술 후 클로르헥시딘을 사용하는 것은 수술부 감염 예방에 큰 도움이 된다. 한 후향적 연구에 의하면 치주 수술과 임플란트 수술 후 클로르헥시딘을 사용하면 통계학적으로 유의하진 않았지만 감염률을 낮춰줄 수 있었다(사용 시 감염률 1.89% vs 미사용 시 감염률 3.27%).[76] 또한 한 무작위 대조 연구에서는 조직 유도 재생술 시 국소적으로 분비되는 클로르헥시딘 칩을 수술부에 삽입한 경우에는 그렇지 않은 경우에 비해 골재생 양이 유의하게 많았다고 보고한 바 있다.[77]

클로르헥시딘 젤, 혹은 양치액이 골증강술 후 감염 발생 빈도에 어떠한 영향을 미치는가에 대한 대조 연구는 없었지만 대부분의 임상가들은 술 후 2–4주간 클로르헥시딘 양치액을 12시간마다 하루 2회 사용할 것을 추천하였다.[78,79] 단, 클로르헥시딘은 치아 표면의 균막(pellicle)과 장시간 결합되어 있으며 차나 커피 등의 색소와 결합하여 치아의 영구적인 변색을 유발할 수 있기 때문에 너무 장기간의 사용은 피하는 것이 좋으며 이를 사용하는 동안에는 이들 음료를 피하도록 지시하는 것이 좋다.[80]

5.
수술 후 통증과 부종의 조절

임플란트 수술 및 골증강술 전후로 처방하는 약물 중 가장 중요한 것은 항생제이다. 그러나 소염제나 구강 내 세정제 등도 환자의 불편감과 합병증 발생 가능성을 줄이기 위해 투약해야 한다.

1) 임플란트 수술 후의 통증과 부종

임플란트 식립 수술은 관혈적 수술이기 때문에 환자의 불안감과 술 후 통증을 야기할 수 있다. 몇몇 전향적 단일 환자군 연구에서는 임플란트 수술 후의 통증 정도와 이에 영향을 미치는 요소를 평가했다. 한 연구에 따르면 임플란트 식립 수술은 수술 후 경도에서 중등도의 통증과 불안감을 유발했으며, 이는 수술 다음날 최고

조에 달했다가 수술 2–3일 후 그 정도가 절반으로 감소했다.[46] 또 다른 연구에서는 48.8%의 환자에서 임플란트 식립 수술 48시간 후 염증이 최고조에 달했고, 통증은 대부분 약했지만 그 정도는 식립한 임플란트의 개수와 유의한 상관관계를 보였다고 했다.[47] 이 연구에서 술 후 부종은 환자의 연령, 식립한 임플란트의 개수(4개 이상), 골증강술 시행 여부(상악동 골이식/골유도 재생술)와 유의한 상관성을 보였다. 또한 전치부에 비해 구치부에서, 자연치 사이 결손부보다는 전악 결손부/최후방 결손부에 임플란트 수술을 시행할 때 부종의 정도가 더 심했다. 2007년의 단일 환자군 연구에서는 임플란트 수술 후 대부분의 환자는 경도의 통증만을 느끼며, 아주 소수의 환자만이 중등도 이상의 통증을 느낀다고 보고했다.[48] 수술 24시간 후의 통증의 정도는 술자의 경험 정도(오즈비 24.86)에 가장 많이 영향을 받았으며, 수술 중 통증이 있었을 때(오즈비 2.81)와 여성 환자(오즈비 2.51)에서 유의하게 술 후 통증의 정도가 더 높았다. 한 무작위 대조 연구에서는 임플란트 식립 시 식립 토크와 술 후 통증은 유의한 상관관계를 보였다고 했다.[49]

2) 비스테로이드성 소염제 처방

소염제는 스테로이드 계통과 비스테로이드 계통(Non–Steroidal Anti–Inflammatory Drug, NSAID)으로 나뉜다. 이 중 NSAID 계열의 소염제는 수술 후의 염증을 억제하고 동통을 감소시키기 위한 목적으로 항생제와 더불어 많이 처방된다.[50]

(1) NSAID는 골형성을 억제한다는 이론이 존재하지만, 임플란트의 골유착에는 별다른 영향을 미치지 않는다.

NSAID는 아라키돈산(arachidonic acid)을 프로스타글란딘(prostaglandin)과 류코트리엔(leukotriene)으로 변환하는 두 가지의 고리형 산소화 효소(cyclooxygenase, COX)를 선택적으로, 혹은 함께 억제함으로써 약리적 효과를 나타낸다. 프로스타글란딘은 염증의 강한 매개체이다.

한편 NSAID는 골의 대사에 영향을 미칠 수 있다는 것이 알려져 있다.[51]

- 혈전증을 예방하기 위한 목적으로 처방하는 저용량의 아스피린(<100 μg/mL)은 COX와는 관계없는 경로를 통해 골아세포는 활성화시키고 파골세포는 억제함으로써 골량(bone mass)을 유지하는데 도움을 준다.
- 고용량의 아스피린(150–300 μg/mL)과 기타 NSAID는 COX 관련 경로를 통해 골의 치유를 방해하거나 골량을 감소시킬 수 있다.

그러나 이러한 NSAID의 골대사에 대한 악영향은 동물 실험이나 임상 연구에서 아직 일관적인 결과를 보여주지 못하고 있으며, 영향을 미치더라도 크게 중요하지 않은 정도의 영향만을 미치는 것으로 보인다.[51,52]

NSAID가 골대사에 미치는 다양한 효과가 임플란트 주위골에는 어떤 영향을 미치는가에 대해서 몇몇 논의가 있었다. 2016년의 한 후향적 연구에서는 수술 전후의 NSAID 처방은 임플란트의 골유착을 방해함으로써 임플란트 실패의 가능성을 높일 수도 있는 것 같다고 조심스럽게 언급했다.[53] 이후 한 체계적 문헌 고찰에서는 NSAID가 임플란트 성공에 미치는 영향을 평가했다.[54] 그러나 이 문헌 고찰에서는 NSAID의 임플란트에 대한 영향은 평가가 불가능하다고 했는데, 왜냐하면 포함된 일차 연구들에서 NASID를 처방한 군과 처방하지 않은 군 모두에서 임플란트의 실패를 보인 경우가 거의 없었기 때문이다. 2019년의 한 문헌 고찰에서는 NSAID가 치주 수술과 임플란트 수술 후의 창상 치유에 미치는 영향을 평가했으며, NSAID 중 특히 선택적 COX-2 길항제는 임플란트 주위골의 형성을 방해함으로써 골유착을 방해할 수도 있을 것이라고 결론지었다.[50] 그러나 아주 소수의 연구만이 존재하며 근거 수준도 매우 낮기 때문에 확정적인 결론은 내리기 힘들다고 했다. 한 무작위 대조 연구에서는 임플란트 수술 후 7일간 이부프로펜 600 mg을 하루 네 번 투약한 군과 위약을 투약한 군에서 임플란트 주위 치조정 골소실의 양을 비교했다.[55] 그 결과 수술 3개월과 6개월 후 두 군에서 치조정 골소실 양은 거의 차이가 없었으며 임플란트의 실패도 없었다. 이러한 결과들은 NSAID를 일반적인 임플란트 수술 시의 용량과 기간으로 처방하는 경우에는 임플란트 주위골의 치유에 별다른 영향을 미치지는 않는 사실을 보여주는 것이다.[54]

(2) NSAID는 선제적 투약 시 진통 효과가 더 좋다.

임플란트 식립 수술은 경도-중등도의 통증을 유발하며 수술 시 NSAID 투약은 환자의 통증을 유의하게 줄여준다. 한 무작위 대조 연구에서는 단일 임플란트 식립 시 수술 1시간 전 600 mg의 이부프로펜(ibuprofen) 단독 투여와 위약(placebo)의 효과를 비교했다.[56] 그 결과 수술 1-72시간 후 모든 기간에서 이부프로펜 적용 환자군의 주관적 통증은 유의하게 적었다. 환자가 통증을 느낄 시 추가적으로 복용할 수 있도록 구조 약물(rescue medication)로 처방한 진통제는 위약 복용군에서 훨씬 더 많이 복용했다. 즉, 간단한 임플란트 수술에서는 술 전 1회의 이부프로펜 복용만으로도 현저한 통증 감소 효과를 얻을 수 있었던 것이다.

최근에는 진통제도 항생제처럼 수술 전에 투약하는 것이 더 효과가 좋다는 근거가 축적되고 있다. 수술 1시간 전에 투약하는 방법을 많이 이용하는데, 이를 "선제적 투약(preemptive medication)"이라고 한다. 한 무작위 대조 연구에서는 제3대구치 발치 시 케토롤락(ketorolac) 30 mg을 술 전에 투약한 환자군과 술 후에 투약한 환자군에서 수술 후 통증이나 불편감 등을 비교했다.[57] 수술 12시간 후까지 평가를 진행했으며, 술 후 통증, 구조 약물을 복용할 때까지 경과한 시간, 수술 후 진통제 복용량 등에서 모두 술 전 투약군에서 유의하게 우수했다. 그러나 2015년의 메타분석에서는 제3대구치 발치 시 NSAID의 선제적 투약이 술 후 통증을 줄여 주기는 하지만 유의한 정도의 효과는 나타내지 못했다고 보고했다.[58] 결론적으로 수술 전 NSAID의 선제적 투약으로 술 후 통증과 염증을 효과적으로 줄여줄 수 있으며, 대부분의 환자에서 수술 3일 후 정도 까지만 NSAID를 투약하는 것이 가장 효율적인 것으로 보인다.

3) 스테로이드성 소염제

부신 피질 호르몬 유사체인 코르티코스테로이드는 항염과 진통 작용을 위해 처방하며, 특히 골증강술 후에는 부종을 감소시키기 위한 목적으로도 사용할 수 있다. 많은 임상 연구에 의하면 스테로이드계 소염제는 제3대구치 발치 후 부종, 동통, 저작 곤란을 효율적으로 감소시켰다.[59-62] 2010년의 메타분석에서는 구강 내 수술과 악교정 수술 시 스테로이드계 소염제의 투약 효과를 정리했다.[63]

- 대부분의 임상 대조 연구에서 스테로이드계 소염제는 술 후 부종을 유의하게 감소시켰다.
- 25 mg 이상의 메틸프레드니솔론(methylprednisolone)을 수술부에 국소적으로 주입하면 부종을 유의하게 감소시켰다.
- 몇몇 임상 연구에서 스테로이드계 소염제는 통증을 유의하게 감소시켰다.
- 스테로이드계 소염제는 감염의 위험을 증가시키지는 않는다.
- 몇몇 연구에서는 스테로이드 투여가 신경 조직 재생 효과가 있다고 했지만, 통계학적 검증은 시행하지 않았다.
- 수술 후 처방하는 정도의 양으로는 특별한 부작용을 유발하지는 않는다.

(1) 스테로이드성 소염제는 NSAID와 비슷한 진통 및 항염 효과를 보인다.

코르티코스테로이드는 임플란트 수술 후의 통증을 NSAID와 비슷한 정도로 감소시킨다. 2010년의 무작위 대조 연구에서는 관혈적 치주 수술 1시간 전에 투약한 NSAID계 진통제(선택적 COX-2 길항제인 에토리콕시브; etoricoxib) 120 mg과 덱사메타손 8 mg의 진통 효과를 비교했다. 그 결과 수술 8시간 후까지 두 진통제는 모두 위약보다 환자의 주관적 통증과 불편감을 비슷한 정도로 유의하게 줄여줄 수 있었다.[64] 2017년의 한 무작위 대조 연구에서는 임플란트 식립 시 이부프로펜과 덱사메타손의 진통 효과를 비교했다.[65] 각각 600 mg의 이부프로펜, 4 mg의 덱사메타손, 위약을 수술 1시간 전에 투약하고, 다시 첫 번째 투약 시점에서 6시간 후 각 약물을 두 번째로 투약한 후 환자의 주관적인 통증과 불편감을 평가했다. 그 결과 이부프로펜과 덱사베타손 모두 위약에 비해 술 후 3일째까지 통증을 유의하게 줄여주었고, 불편감은 2일 후까지 유의하게 감소시켰다. 결국 스테로이드계 소염제인 덱사메타손은 NSAID인 이부프로펜과 비슷한 정도의 통증 감소 효과를 보인다고 결론 내릴 수 있다.

그러나 NSAID와 스테로이드계 소염제의 병행 처방은 그 효과에 있어 단독 처방과 큰 차이를 보이지는 않는다. 한 무작위 대조 연구에서는 임플란트를 식립한 환자에게 술 후에 10 mg의 케토롤락을 하루 두 번 2일간 투약하거나, 케토롤락을 동일 방법으로 투약하고 베타메타손 2 ml를 수술 10시간 이내에 추가적으로 주사한 뒤, 통증 및 부종의 정도를 비교했다.[66] 그 결과 두 군에서 술 후 통증이나 부종의 정도에 별다른 차이를 보이지 않았다.

(2) 스테로이드성 소염제는 항부종 효과가 있기 때문에 골증강술 후 자주 사용한다.

스테로이드계 소염제는 항염 효과와 진통 효과뿐만 아니라 술 후 부종을 감소시키는 효과가 있다. 코르티코스테로이드는 미세혈관의 투과성을 감소시키고, 따라서 수술부로 체액과 염증 매개체가 이동하는 것을 막아준다.[67-69] 2017년의 한 무작위 대조 연구에서는 코르티코스테로이드가 악교정 수술 후 부종의 정도에 미치는 영향을 3차원 스캔을 통해 정밀하게 분석했다.[70] 그 결과 수술 후 부종이 가장 심했던 수술 1-2일 후에 스테로이드 처방군에서 부종된 조직의 부피는 11-39%(상악 수술 후 11%, 하악 수술 후 18%, 양악 수술 후 39%) 더 적었으며, 이는 유의한 차이를 보이는 것이었다. 골증강술 시에는 피판의 거상 범위가 넓고, 골막 이완 절개나 근육층 박리 등에 의해 술 후 부종의 정도가 증가하게 된다. 따라서 골증강술 후에는 스테로이드계 소염제를 처방하는 것이 일반화되었다.

스테로이드계 소염제의 투약 경로 중 어떤 방법이 가장 좋은지는 아직 논쟁의 대상이다. 제3대구치 발치 시 코르티코스테로이드 처방의 효과를 평가한 2018년의 메타분석에서는 점막 하방에 주입하는 방법을 제외하고는 어떠한 투약 경로에서도 약물의 효과에 별다른 차이를 보이지 않는다고 했다.[71] 다른 체계적 문헌 고찰에서는 경구 투약보다는 비경구 투약(근주, 정주)이 술 후 합병증을 줄이는 데 더 도움이 되었다고 했다.[72]

코르티코스테로이드로 자주 사용되는 약물로는 덱사메타손(dexamethasone), 프레드니솔론(prednisolone), 메틸프레드니솔론(methylprednisolone) 등이 있으며, 치과 외래에서는 주로 프레드니솔론 정과 덱사메타손 주를 많이 사용한다.[70] 덱사메타손은 항염 작용이 크고, 반감기가 36-48시간으로 길며, 신장에 대한 부가적인 영향이 적기 때문에 술 후 부종 방지를 목적으로 많이 이용되고 있다.

스테로이드계 소염제의 항부종 효과를 위해 적절한 약물, 용량, 투약 경로, 그리고 처방 기간에 대해서는 아직 잘 알려진 바가 없다.[70] 앞서 인용한 메타분석에서는 제3대구치 발치 후 개구 장애를 예방하는 데 있어서는 술 전 처방이 술 후 처방보다 우수하다고 보고했다.[71] 또 다른 체계적 문헌 고찰에서도 제3대구치 발치 후의 합병증을 줄여주는 데 있어서 술 후 처방보다는 술 전 처방이 더 좋은 효과를 보였다고 보고했다.[72] 스테로이드계 소염제는 5일 이상 고용량으로 처방하면 여러 가지 심각한 합병증을 유발할 수 있다.[73,74] 또한 수술에 의한 부종은 수술 1-2일 후에 최고치에 이른다.[70] 따라서 이 약물은 수술 직전에서 시작해서 최대 수술 1-2일 후까지만 투여하도록 한다.

6.
피판 열개와 이로 인한 차폐막 노출은 골증강술의 가장 주요한 합병증이다.

1) 차폐막 노출은 골증강술 후 가장 흔한 합병증이다.

골증강술 후 발생할 수 있는 가장 흔한 합병증은 피판의 열개(벌어짐)와 이로 인한 차폐막의 노출이다.[81-85] 한 메타분석에서는 열개 결손 수복 후 22.7%의 증례에서 차폐막 노출이 발생했다고 보고했다.[86] 이렇게 골증강술 후 차폐막이 자주 노출되는 이유는 다음 두 가지로 생각할 수 있다(📷 2-2).

　① 피판 변연으로의 혈류 공급 감소
　② 피판 변연에 가해지는 장력의 증가

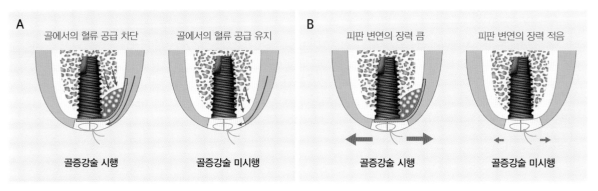

📷 **2-2 골증강술을 시행한 부위는 피판의 치유에 불리한 환경에 놓인다.**
A. 차폐막과 골이식재로 인해 피판 변연으로의 혈류 공급이 감소한다. **B.** 골증강부에 의한 부피 증가로 피판에는 항상 장력이 가해진다. 이를 적절히 이완시키지 못하면 치유 기간 중 피판이 열개된다.

① 피판 변연으로의 혈류 공급 감소
차폐막은 연조직 세포의 침입을 방지할 뿐만 아니라 혈관 및 양분의 이동 또한 방해한다. 수술부 피판으로 공급되는 혈액 및 양분은 피판 내부의 혈관, 반대쪽 피판의 변연, 그리고 하부골에서 유래한다. 차폐막과 골이식재는 하부골에서 유래하는 혈액과 양분 공급을 원천적으로 막아주기 때문에 피판으로 공급되는 혈류량과 영양이 저하될 수밖에 없으며, 따라서 피판의 초기 치유가 저하되면서 하부의 차폐막이 노출될 수 있다.[87]

② 피판 변연에 가해지는 장력의 증가
피판에 가해지는 장력은 피판의 초기 치유에 매우 지대한 영향을 미치는 것으로 알려져 있다. 장력이 존재하는 상태에서 수술부를 폐쇄하면 피판 변연으로의 혈류량이 감소하고 산소 분압이 낮아져서 결국 피판의 부분적 괴사와 창상 열개를 초래한다.[88-91] 결국 많은 임상가들은 피판의 무장력화가 수술부 폐쇄에 있어 가장 중요한 요소라고 결론 내린 바 있다.[92-96] 골유도 재생술을 위해 골이식재와 차폐막을 적용하면 상부의 피판이 피개해야 하는 하부 조직의 부피가 증가하게 될 수밖에 없고, 따라서 피판에 가해지는 장력이 증가하게 된다.

2) 차폐막이 노출되면 골재생은 악영향을 받는다.

지금까지 차폐막 노출과 관련된 많은 임상 문헌들이 발표된 바 있으며, 특히 ePTFE 차폐막이 노출된 경우에는 노출되지 않은 경우에 비해 임상적인 골증강의 양이 현저하게 저하되는 것으로 나타났다.[97-100]

(1) 차폐막이 노출되면 골증강은 왜 저하되는가?

차폐막이 노출되면 골재생의 결과가 저하되는 이유는 다음과 같다(📷 2-3).[101]

- 구강 내의 세균과 타액 등이 골증강부를 오염시키기 때문에 골증강 부위는 정상적인 재생골로 치유되지 못하고 염증 조직으로 채워지거나 감염된다.
- 차폐막이 노출되면 차폐막은 흡수되거나(흡수성 차폐막) 제거해야 하기 때문에(비흡수성 차폐막) 차폐막을 통한 골증강부의 공간 유지나 연조직 세포 차단이 불가능해진다. 이는 골재생의 양과 질을 저하시키는 결과를 초래한다.

차폐막이 노출되면 차폐막의 내면과 외면으로 세균이 급속히 증식하면서 치태가 형성되며, 이에 수반되는 2차적인 감염이 발생할 수 있다.[85,102] 또한 차폐막 하방의 골이식부는 건전한 조직으로 보호받지 못하고 세균에 의해 오염되기 때문에 정상적인 골재생의 결과를 얻을 수 없다. 따라서 장기적으로 이식재의 소실 및 골재생 실패를 야기할 수 있게 된다.[103,104]

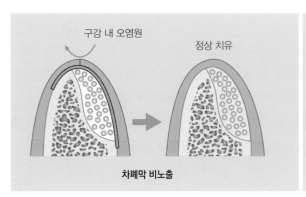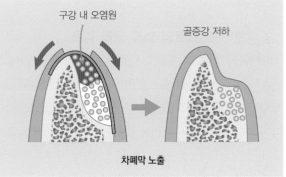

📷 **2-3 차폐막 노출은 골증강술의 결과를 현저히 저하시킨다.**
피판이 열개되고 차폐막이 노출되면 외부 오염원에 의해 골증강부가 오염되고 골증강부가 여타 세포나 물질로부터 적절히 폐쇄되지 못하기 때문이다.

(2) 수평적 결손 수복 시 차폐막이 노출되면 골증강량은 줄어든다.

골증강술 후에는 재생골의 질이나 양이 모두 중요하다. 그러나 임상 연구에서 재생골의 질을 측정하려면 재생골 조직을 채취하여 조직학적으로 관찰해야만 한다. 이는 윤리적으로 매우 시행이 어려운 과정이기 때문에 차폐막 노출의 영향에 대한 평가는 주로 증강된 골의 양에 초점이 맞춰져 왔다.

수평적 결손을 수복할 때 차폐막의 노출 여부가 골증강의 결과에 미치는 영향에 대해서는 비교적 잘 알려져 있다. 일찍이 2001년에 한 메타분석에서는, 비록 두 개의 일차 문헌만을 분석 대상으로 했지만, 차폐막이 노출되면 노출되지 않았을 때에 비해 열개 결손의 수직적 골증강량이 6배 감소했으며(비노출 시 증강량 3.01 ± 0.38 mm vs 노출 시 증강량 0.56 ± 0.45 mm), 이는 통계학적 유의성을 보이는 것이었다고 보고했다.[105] 한 전향적 연구에서는 흡수성 차폐막의 노출 여부가 열개 결손 수복에 미치는 영향을 평가했다. 그 결과, 차폐막이 노출되면 열개 결손의 수직적 감소율(27.94% vs 83.60%)과 수평적 감소율(4.76% vs 48.36%)은 모두 현저하게 감소했고, 수직적 감소율의 차이는 통계학적으로 유의한 것이었다.[106] 2015년의 한 메타분석에서는 수평적 결손을 수복할 때 차폐막의 노출 유무가 골증강의 양에 미치는 영향을 평가했다.[107] 열개 결손 수복 시에는 차폐막이 노출되면 수직적 증강량이 1.01 mm 감소했으며, 광범위한 수평적 결손 수복 시에는 차폐막이 노출되면 수평적 증강량이 3.1 mm나 감소했다.

2018년에는 수평적 골결손을 수복하기 위한 골유도 재생술 시 차폐막 노출이 골재생량에 미치는 영향을 평가하기 위해 메타분석이 시행되었다.[101] 그 결과는 다음과 같았다.

- 두 개의 일차 연구에서 임플란트 식립 전 골유도 재생술로 광범위한 수평적 결손을 수복할 때 차폐막 노출의 영향을 평가했다. 이 두 연구에서는 모두 ePTFE 차폐막을 이용했다. 차폐막이 노출되지 않았을 때 수평적 수복량은 평균 76.24% 더 많았고, 이는 유의한 차이를 보이는 것이었다.
- 다섯 개의 일차 연구에서 임플란트 식립과 동시에 열개 결손을 수복하기 위한 골유도 재생술을 시행했다. 일차 연구들에서는 ePTFE 차폐막과 흡수성 교원질 차폐막을 사용했다. 모든 차폐막을 함께 분석했을 때 차폐막이 노출되지 않은 경우, 열개 결손의 수복량은 평균 27.27% 더 많았으며 이는 유의한 차이를 보이는 것이었다.

(3) 수직적 결손 수복 시 차폐막이 노출되면 골재생은 심하게 저하된다.

수직적 골증강술은 수평적 골증강술보다 훨씬 적게 시행하기 때문에 수직적 골증강에서의 차폐막 노출이 골재생에 미치는 영향에 관한 체계적 문헌 고찰이나 메타분석은 없었다. 그러나 수직적 골증강술 시 차폐막/이식재의 노출 빈도는 수평적 골증강술 시보다 더 흔하며, 일단 차폐막이 노출되면 골재생에 미치는 악영향은 더 크다.[108-110] 또한 골재생이 부분적으로 성공했다고 하더라도 재생된 골의 질이 저하되어 골증강부에 식립된 임플란트를 지지하는 것이 불가능할 수도 있다.[110] 한 후향적 연구에서는 총 32명의 환자에서 자가 입자골과 티타늄 강화 ePTFE 차폐막으로 수직적 골증강을 시행하고 그 결과를 평가했다. 6명의 환자에서 차폐막이 노출되었는데 이 중 4명의 환자에서는 골재생이 완전히 실패했다.[111]

7.
수술 후 감염과 차폐막 노출의 처치

1) 차폐막은 노출되지 않도록 예방하는 것이 가장 중요하다.

전술한 바와 같이 일단 차폐막이 노출되면 골증강의 결과가 현저히 저하될 뿐만 아니라 차폐막 제거나 드레싱과 같은 추가적인 처치를 오랜 기간 해주어야 하기 때문에 환자와 술자의 불편감이 증대될 수밖에 없다. 따라서 차폐막 노출은 그 예방이 가장 중요하다고 할 것이다. Buser 등이 수평적 골결손을 수복하기 위해 ePTFE 차폐막을 이용한 골유도 재생술을 처음 시도하기 시작했을 때 차폐막 노출의 빈도는 41%에 이르렀다.[112] 그러나 2000년대 후반 이래로 ePTFE 차폐막을 이용한 골유도 재생술 시 차폐막의 노출 빈도는 극적으로 감소했다.[113,114] 이는 임상가들의 경험이 축적되면서 차폐막 노출을 최소화할 수 있는 수술 프로토콜이 정립됨에 따라 가능해진 것이다. 이러한 수술 프로토콜 중 가장 중요한 것은 수술 부위의 안정적인 폐쇄이다. 이에 대해서는 이미 앞에서 자세히 설명한 바 있다. 여기에서는 차폐막 노출의 예방을 위한 프로토콜을 아주 간략하게만 설명하도록 하겠다.

(1) 수술 전 피개 연조직의 두께와 각화 점막의 존재 진단

골이식재와 차폐막을 피개하게 될 연조직의 두께는 중요하게 고려할 요소이다. 일반적으로 피판의 두께가 얇으면 차폐막이나 골이식재의 예리한 변연에 의해 치유 과정 중 천공될 가능성이 높아지며 혈류 공급도 저하되게 된다.[87] 특히 강직도가 큰 티타늄 강화 차폐막이나 티타늄 메쉬 등을 사용할 때는 연조직 두께를 더 중요하게 고려해야 한다. 한 임상 연구에서는 티타늄 메쉬가 노출된 증례는 대부분(5/6) 수술 전에 평가한 점막 두께가 얇은 경우였다고 보고했다.[115] 이에 관련된 임상 연구는 없지만, 특별히 얇은 점막으로 피개된 부위에 골증강술을 계획한 경우에는 골증강술 2~3개월 전에 동종 진피나 구개 점막을 이용하여 미리 점막 증강술을 시행하는 것도 고려해볼 수 있다(📷 2-4).

비록 임상 연구 근거는 결여되어 있지만 많은 임상가들은 봉합 시 설측과 협측 피판 변연부에는 모두 충분한 양의 각화 점막이 존재하는 것이 좋다고 생각한다.[116] 정확히 어느 정도의 각화 점막이 존재해야 하는가는 정해진 바 없지만, 협설측 피판 변연에 각각 적어도 2~3 mm 이상의 각화 점막은 존재하는 것이 좋다. 소대 부착이 높은 경우나 협측에 각화 점막이 결여된 부위에 광범위한 골증강을 시행하는 경우에는 2~3개월 전에 미리 유리 치은 이식을 시행한다.

(2) 절개 및 피판 형성

절개 및 피판 형성의 원리에 대해서는 앞서 살펴본 바 있다. 수평 절개는 가급적 치조정 상의 무혈관대(avascular zone)에 가해야 하며 수직 절개는 골이식재와 차폐막에서 충분한 거리(최소 2~3 mm)를 두고 최소한으로만 가한다.

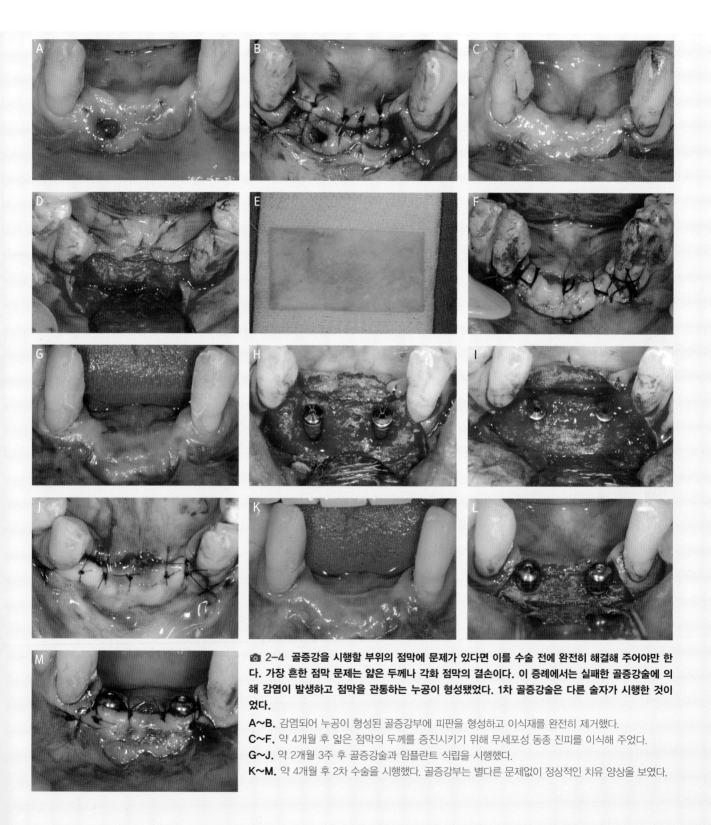

📷 2-4 골증강을 시행할 부위의 점막에 문제가 있다면 이를 수술 전에 완전히 해결해 주어야만 한다. 가장 흔한 점막 문제는 얇은 두께나 각화 점막의 결손이다. 이 증례에서는 실패한 골증강술에 의해 감염이 발생하고 점막을 관통하는 누공이 형성됐었다. 1차 골증강술은 다른 술자가 시행한 것이었다.

A~B. 감염되어 누공이 형성된 골증강부에 피판을 형성하고 이식재를 완전히 제거했다.

C~F. 약 4개월 후 얇은 점막의 두께를 증진시키기 위해 무세포성 동종 진피를 이식해 주었다.

G~J. 약 2개월 3주 후 골증강술과 임플란트 식립을 시행했다.

K~M. 약 4개월 후 2차 수술을 시행했다. 골증강부는 별다른 문제없이 정상적인 치유 양상을 보였다.

545

(3) 적절한 종류의 차폐막 선택

차폐막의 황금 기준은 ePTFE 차폐막이며, 동일한 조건이라면 흡수성 보다는 비흡수성 차폐막의 골증강 효과가 더 좋다.[98,117] 그러나 비흡수성 차폐막은 흡수성 차폐막에 비해 물리적 강도가 더 크고 혈액 및 양분 이동을 더 철저히 차단할 뿐만 아니라 창상 치유의 초기에 매우 중요한 역할을 하는 상피 세포 및 섬유아세포에 대한 적합성이 흡수성 차폐막에 비해 떨어지기 때문에 더 잘 노출되는 경향이 있다.[118,119] 또한 비흡수성 차폐막은 일단 노출된 후에는 반드시 제거해 주어야 하기 때문에 추가적인 처치가 필요하고 골증강의 결과도 더 현저하게 떨어진다.[98,120,121] 따라서 공간 유지 능력을 많이 요하지 않는 결손을 수복할 때, 차폐막이 노출될 가능성이 높을 때, 작은 결손을 수복할 때에는 가급적 노출의 빈도가 낮고 받아들일 만한 골재생 결과를 보이는 흡수성 차폐막을 사용할 것을 추천한다(📷 2-5).

흡수성 차폐막도 그 구조에 따라, 즉 교차 결합 여부에 따라 노출되는 빈도가 달라질 수 있다. 한 메타분석에서는 교차결합 교원질 차폐막과 비교차결합 교원질 차폐막의 노출 빈도를 분석했다.[122] 그 결과 전체 교원질 차폐막의 노출 빈도는 23.19%(95% CI 12.70–39.12%)였다. 이중 교차결합 교원질 차폐막의 노출 빈도는 28.62%(95% CI 14.14–49.32%)였던 반면, 비교차결합 교원질 차폐막(Bio-Gide)의 노출 빈도는 20.74%(95% CI 11.16–36.19%)였다. 이들 두 종류의 차폐막 노출 빈도는 통계학적으로 유의한 차이를 보이지는 않았지만, 비교차결합 교원질 차폐막의 노출 빈도가 분명히 더 적은 경향을 보였다.

비흡수성 차폐막의 종류도 중요한 고려 사항이다. ePTFE 차폐막은 골유도 재생술 시 차폐막의 황금 기준으로 사용되어 왔고, 차폐막 노출의 결과에 대한 문헌도 이 차폐막을 사용했을 때의 결과와 관련된 것에 집중된 경향이 있었다. 그러나 ePTFE 차폐막의 대체재인 dPTFE 차폐막은 구강 내에 노출 시 세균에 더 잘 저항한다. 이는 차폐막 표면에 존재하는 소공의 크기 차이에 기인한 것이다. dPTFE 차폐막 표면의 소공은 크기가 0.3 μm 미만이지만, ePTFE 차폐막 표면의 소공은 크기가 0.5–30 μm이다. 세균의 크기는 주로 0.5–5.0 μm 사이이기 때문에, 이보다 소공의 크기가 더 작은 dPTFE 차폐막은 세균에 더 잘 저항할 수 있는 것이다(📷 2-6).[123] 따라서 dPTFE 차폐막은 치조제 보존술이나 골유도 재생술 후 노출되더라도 ePTFE 차폐막이 노출되었을 때보다는 긍정적인 결과를 보인다.[124,125] 그러나 dPTFE 차폐막도 크기가 작은 일부 세균들, 예컨대 크기가 0.2–0.4 μm 사이인 *Streptococcus oralis* 등의 투과를 완전히 막을 수는 없으며, 이 세균에 대해서는 오히려 ePTFE 차폐막보다 세균의 부착과 세균막 형성을 더 용이하게 해준다.[126] 결국 dPTFE 차폐막은 노출 시 ePTFE 차폐막보다 악영향이 덜하다는 것일 뿐, 당연히 노출되지 않았을 때의 결과가 더 좋다는 점은 명심해야 한다.

ePTFE 차폐막의 또 다른 대체재인 티타늄 메쉬 또한 노출 시 ePTFE 차폐막이 노출되었을 때보다 더 좋은 결과를 보인다. 티타늄 메쉬는 치유 기간 중 구강 내부로 노출되더라도 특별히 감염을 유발하지는 않으며, 노출된 티타늄 메쉬 하방으로 점막이 형성되면서 치유된다.

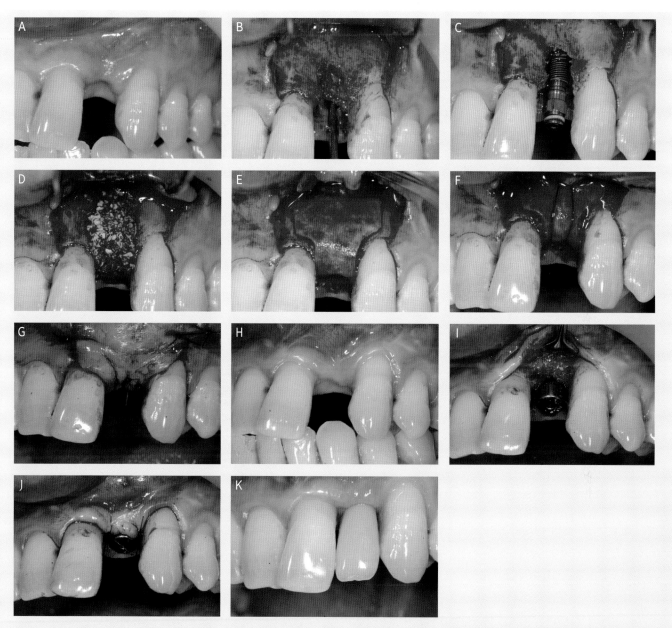

📷 2-5 차폐막은 가능하다면 노출의 가능성이 적고 노출되더라도 결정적인 악영향을 받지 않는(교원질) 흡수성 차폐막을 사용하는 것이 좋다. 비흡수성 차폐막은 흡수성 차폐막으로는 예지성 높은 결과를 보장할 수 없는 증례에 한하여 사용한다.

A~G. 이 증례는 3벽성의 열개 결손을 보였고, 따라서 골대체재와 흡수성 차폐막으로도 충분히 예지성 높은 골증강 결과를 얻을 수 있을 것으로 생각됐다.

H~J. 약 4개월 후 2차 수술을 시행했다. 골증강의 결과는 성공적이었다.

K. 보철 완료 후 소견

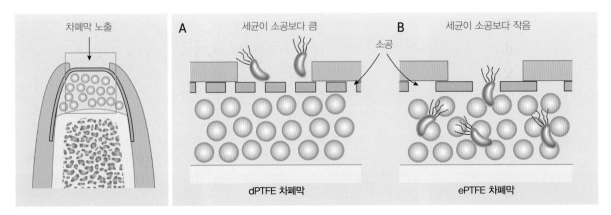

📷 2-6 **dPTFE 차폐막은 ePTFE 차폐막보다 자체의 소공 크기가 작기 때문에 구강 내에 노출 시 세균의 침투를 잘 막아주는 것으로 생각된다.**
A. dPTFE 차폐막 표면의 소공은 크기가 0.3 μm 미만이지만 세균의 크기는 주로 0.5-5.0 μm 사이이다. 따라서 세균보다 소공의 크기가 더 작은 dPTFE 차폐막은 세균에 더 잘 저항할 수 있다. **B.** ePTFE 차폐막 표면의 소공은 크기가 0.5-30 μm이다. 따라서 노출 시 세균의 침투를 허용하며 이는 골증강의 결과에 악영향을 미치게 된다.

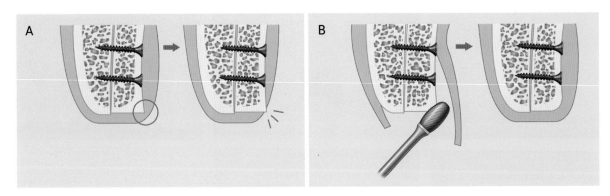

📷 2-7 블록골 이식재나 티타늄 메쉬 등의 변연이 예리하면 치유 기간 중 이 부위의 점막이 천공될 수 있기 때문에 반드시 수술 중 부드럽게 해주어야 한다.

블록골 이식재와 비흡수성 차폐막은 물리적 강도가 크기 때문에 반드시 예리한 변연을 둥글게 다듬어 주는 것이 좋다. 이들 재료에 예리한 변연이 남아있으면 치유 과정 중 상부 점막을 천공시키며 외부로 노출될 수 있기 때문이다(📷 2-7).

(4) 수술부의 무장력 폐쇄

피판 열개와 차폐막 노출을 예방하기 위해 가장 중요한 수술적 요소는 바로 장력 없는 수술부의 폐쇄이다. 일반적인 결손부를 수복한 후에는 협측 피판의 골막 이완 절개만으로도 충분히 장력 없이 폐쇄가 가능하다. 그러나 장력을 더 많이 줄여 주기 위해서는 설측 피판 이완이나 근육 분리 등의 좀 더 복잡한 수술적 접근이 필요하다.

(5) 적절한 봉합술

골증강의 크기, 사용된 차폐막/골이식재, 골증강부의 위치에 따라 적절한 봉합술을 시행한다. 작은 결손을 수복한 후, 흡수성 차폐막을 사용한 후, 혹은 결손부가 치조정에 위치하지 않은 경우에는 단순 단속 봉합만으로도 수술부를 안전하게 폐쇄할 수 있다. 그러나 많은 양의 골증강을 시행한 경우, 비흡수성 차폐막을 사용한 경우, 혹은 수직적 결손 등의 경우에는 반드시 단순 봉합과 수평 매트리스 봉합을 병용하여 골증강부를 완벽하게 폐쇄해 주어야 한다.

(6) 술 후 관리와 항생제 처방

술 후 정기적인 검진 및 드레싱을 통해 환자의 협조도를 평가하고 필요한 처치를 가한다. 수술 전후의 항생제 및 구강 세정제 처방도 감염 예방을 위해 중요한 요소로 생각되고 있다. 발사(stitch out)는 보통 수술 1–2주 후 시행한다. 발사의 시기에 관한 일반 원칙은 없지만, 봉합 시 장력이 심하지 않은 부위는 1주–10일 정도 후 발사를 시행한다. 수술 2주 이상이 경과하면 수술부의 상피화가 완료되고 정상적으로 치유된 판막은 더 이상 분리되지 않으므로 봉합 시 장력이 많이 있었던 부위는 최대 2주 후에 발사를 진행한다. 봉합사를 너무 오랫동안 제거하지 않으면 봉합사 자체의 이물 반응과 봉합사 주위에 축적된 세균막의 염증 반응에 의해 감염이 되는 수가 있으므로 2주 이상은 방치하지 않는 것이 좋다.

2) 감염 및 차폐막 노출의 처치

다시 말하지만 차폐막은 노출되지 않도록 예방하는 것이 최선이다. 위의 방법들을 통해서도 차폐막이 노출되었다면 이를 처치하는 데 최선을 다해야 할 것이다. 차폐막 노출 시에는 사용된 차폐막의 종류, 노출된 시기, 감염 유무에 따라 각각 다르게 처치해준다.

(1) 비흡수성 차폐막 노출의 분류와 처치

차폐막 노출의 처리 방법은 사실 근거 중심적이라기 보다는 경험 중심적이다. 2007년 Verardi와 Simion은 차폐막 노출을 그 양에 따라 1형(≤3 mm 노출)과 2형(>3 mm 노출)으로 구분했다.[127] 2011년 Fontana 등은 노출의 크기와 농양 형성 유무에 따라 비흡수성 차폐막 노출을 분류하고 그 처치법을 제시했다.[3] 이 문헌의 내용을 정리해 보면 다음과 같다(📖 2–6, 📷 2–8).

일반적으로 차폐막이 늦게 노출될수록, 그리고 노출된 부위의 크기가 작을수록 골재생의 결과에 미치는 악영향은 줄어든다.[105,110,128,129] 한 후향적 증례 연구에서는 자가골 및 이종골(탈단백 우골)의 혼합 이식재로 골증강술을 시행하고 티타늄 메쉬로 이를 피개했을 때, 티타늄 메쉬의 노출 정도/노출 시기와 재생골 양의 상관관계를 분석했다.[130] 그 결과 메쉬의 노출량이 1 cm² 증가할수록 재생골의 양은 평균 16.3% 감소했으며 이는 유의한 관계를 보이는 것이었다. 또한 메쉬의 노출 시기가 빨라질수록 재생골량의 감소도 증가했다.

▆ 2-6 비흡수성 차폐막 노출과 농양 형성에 따른 처치의 분류

1형	화농성 삼출(purulent exudates)이 없는 작은(≤3 mm) 차폐막 노출(📷 2-9)

차폐막이 노출되면 골이식부에 바로 세균성 감염이 진행되지는 않기 때문에 최대 1개월까지 노출 부위에 0.2% 클로르헥시딘 젤을 하루 두 번 도포하면서 관찰한다. 이후 차폐막을 제거한다.

또는 노출된 차폐막 부위를 제거하고 수술부의 피판을 거상하여 일차 폐쇄하거나 결합 조직 이식을 시행하여 노출부를 폐쇄한다.

2형	화농성 삼출이 없는 큰(>3 mm) 차폐막 노출

골이식부에 감염이 없는 상태이지만, 조만간 감염될 가능성이 크기 때문에 차폐막을 즉시 제거한다. 차폐막 제거 후 골이식부에 감염이 없는 것이 확인되면 그대로 일차 폐쇄를 시행한다.

3형	화농성 삼출을 동반한 차폐막 노출

화농성 삼출액이 확인되면 차폐막을 즉시 제거한다. 차폐막 하방의 골이식부에 감염이 확인되면 감염된 이식재까지도 제거한다. 만약 1개월 이내에 이러한 증상이 발생하면 이식재를 보존하는 것은 거의 불가능하다.

4형	차폐막 노출이 없는 농양 형성(📷 2-10)

가장 심한 합병증이며 대개 수술 후 1개월 이내에 발생한다. 이러한 경우에는 차폐막과 이식재를 완전히 제거하고 골이식부 내부를 철저히 세척해 주어야 한다. 만약 차폐막/이식재 제거가 늦어지거나 감염이 심하다면 수혜부 골까지 부분적으로 흡수될 수 있다.

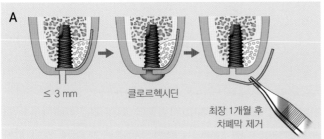
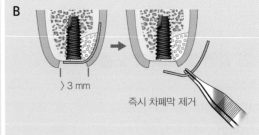
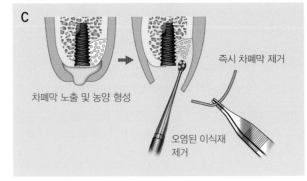
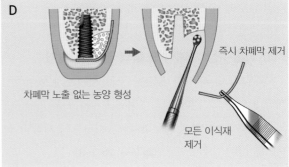

📷 **2-8 비흡수성 차폐막 노출의 구분과 처치[3,127]**
A. 화농성 삼출이 없는 작은(≤3 mm) 차폐막 노출. 최대 1개월까지 노출 부위에 0.2% 클로르헥시딘 젤을 하루 두 번 도포하면서 관찰한다. 이후 차폐막을 제거한다. **B. 화농성 삼출이 없는 큰(>3 mm) 차폐막 노출.** 골이식부에 감염이 없는 상태이지만, 조만간 감염될 가능성이 크기 때문에 차폐막을 즉시 제거한다. 차폐막 제거 후 골이식부에 감염이 없는 것이 확인되면 그대로 일차 폐쇄를 시행한다. **C. 화농성 삼출을 동반한 차폐막 노출.** 화농성 삼출액이 확인되면 차폐막을 즉시 제거한다. 차폐막 하방의 골이식부에 감염이 확인되면 감염된 이식재까지도 제거한다. 만약 1개월 이내에 골이식부가 감염되면 이식재는 완전히 제거한다. **D. 차폐막 노출이 없는 농양 형성.** 가장 심한 합병증이며 대개 수술 후 1개월 이내에 발생한다. 이러한 경우에는 차폐막과 이식재를 완전히 제거하고 골이식부 내부를 철저히 세척해 주어야 한다. 만약 차폐막/이식재 제거가 늦어지거나 감염이 심하다면 수혜부 골까지 부분적으로 흡수될 수 있다.

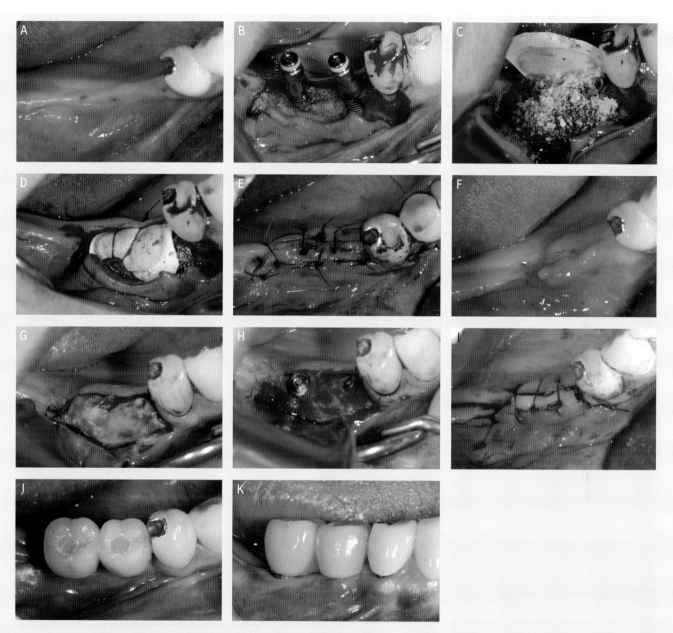

📷 2-9 화농성 삼출(purulent exudates)이 없는 작은(≤3 mm) 차폐막 노출 증례

A~E. 탈단백 우골과 ePTFE 차폐막으로 골유도 재생술을 시행했다.

F~I. 술자의 만류에도 환자는 수술 2주 후부터 가철성 임시 보철물을 장착했고 결국 차폐막이 노출됐다. 수술 1개월 후까지 클로르헥시딘 세정액으로 수술부를 청결히 유지한 후 차폐막을 제거했다. 농양 형성의 징후는 전혀 보이지 않았다.

J~K. 보철 완료 후의 소견이다.

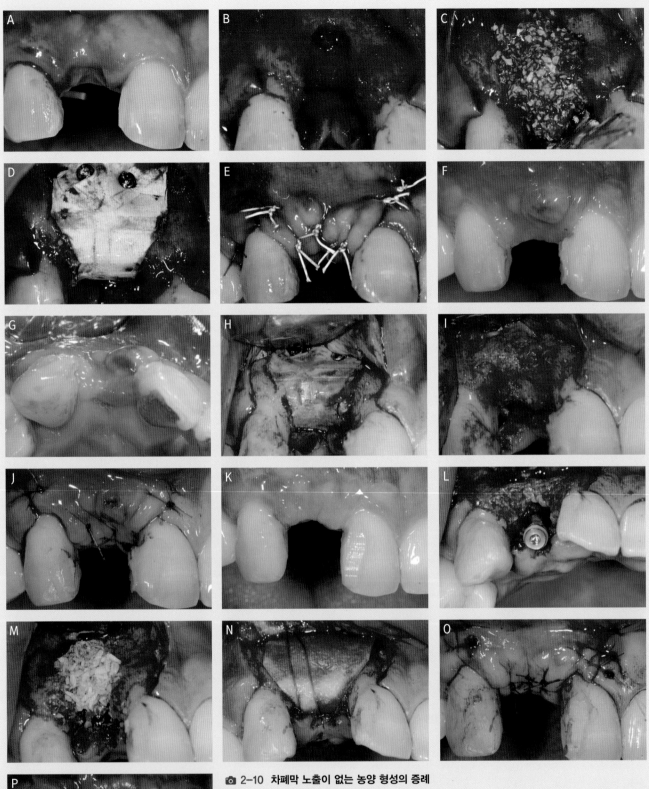

📷 2-10 **차폐막 노출이 없는 농양 형성의 증례**

A~E. 2벽성의 수직적 결손을 보이는 부위에 탈단백 우골과 티타늄 강화 ePTFE 차폐막으로 골유도 재생술을 시행했다.

F~J. 수술 2.5개월 후 경과 관찰 시 차폐막 노출 없는 수술부의 농양 형성이 관찰됐다. 즉시 차폐막을 제거해 주었다. 차폐막 하방의 이식재는 치관측에서 상당량 흡수되어 있었고 근단측 이식재 또한 치유 상태가 좋아보이지는 않았다.

K~O. 다시 2개월 후 임플란트를 식립하고 추가적인 골유도 재생술을 동결 건조 동종골과 흡수성 합성 차폐막으로 시행했다.

P. 최종 보철물 장착 직후

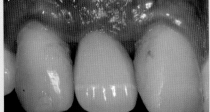

차폐막과 골이식재가 술 후 1–3일만에 노출되었으며 수술부가 감염된 징후를 보이지 않는다면 수술부를 철저히 세척하고 다시 봉합할 것을 추천하는 임상가들이 있다.[131] 이 때 피판 변연에 괴사된 부분이 있다면 이를 제거해 주고 필요하다면 골막 이완절개를 재차 충분히 가한 후 봉합하는 것이 좋다. 피판이 이렇게 빨리 열개되는 것은 거의 전적으로 피판의 장력 이완 정도가 부족하기 때문이다. 따라서 수술부 폐쇄의 원칙만 잘 따른다면 이렇게 빨리 차폐막이 노출되는 경우는 없을 것이다.

PTFE 계통의 비흡수성 차폐막은 초기 창상 치유가 완료되는 시기인 술 후 1–2주 까지의 기간에 가장 빈번하게 노출된다. 비흡수성 차폐막은 일단 노출되면 각종 세균이 군집하게 되는 오염원으로 작용하게 되기 때문에 언젠가는 반드시 제거해 주어야 한다.[132] ePTFE 차폐막이 구강 내에 노출됐을 때 차폐막의 내면으로 세균이 이동하는데 필요한 기간은 최대 4주이다.[133] 따라서 차폐막은 일단 최대한 제거하지 않고 유지했다가 대략 노출 후 4주 이내에 제거하는 것이 일반적인 원칙이다(📷 2–9).[83,97–100,134,135] 다만 이 경우에는 노출된 차폐막 표면에 축적된 세균막이 감염원으로 작용하기 때문에, 항세균막 및 항균 작용이 좋은 클로르헥시딘 젤이나 액을 술자나 환자 본인이 수술 부위에 적용해 준다.[83,97,98,100] 또한 농양 형성 등의 감염 증상이 있으면 즉시 제거해 주어야 한다. 많은 임상가들이 노출된 차폐막을 제거했을 때 그 하방의 육아 조직은 추후 신생골로 대체될 것이기 때문에 이를 제거하지 말 것을 추천하였다.[83,97,98,100,132,136–138] 그러나 감염되어 괴사된 것으로 보이는 조직은 반드시 차폐막 제거 시에 함께 제거해야만 한다.

골증강술을 시행하고 2개월 이상 경과한 후 차폐막이 노출되는 경우에는 차폐막을 즉시 제거해 주는 것이 좋다(📷 2–11). 적어도 수술 후 2개월이 경과하면 골재생에 있어 가장 중요한 시기가 지났다고 볼 수 있기 때문이다.[139,140] 한 동물 연구에서는 골유도 재생술 후 1개월 내에 차폐막을 제거하면 조직학적으로 신생골이 거의 형성되지 못하지만, 골유도 재생술 2–12개월 후에 차폐막을 제거하면 골형성량이 감소하지 않으며 수술 2개월 후부터 신생골의 성숙화가 관찰되기 시작한다는 사실을 관찰하여 보고했다(📷 2–12).[139] 따라서 노출된 차폐막을 유지시켜 감염원으로 작용하게 하기보다는 즉시 제거함으로써 감염의 가능성을 줄이고 재생된 조직이 새로운 골조직으로 대체되도록 하는 것이 좋을 것이다.

차폐막을 제거한 부위는 임상적으로 세 가지 경로를 따른다.[3]

- 대부분의 골재생이 성공적으로 이루어진다.
- 골재생 부위 중 일부가 실패하여 이를 제거한다. 이러한 경우 일차적인 치유 기간(4–5개월 이상)을 거친 후에 흡수성 차폐막과 골대체재를 이용해 작은 범위의 골유도 재생술을 추가적으로 시행한다.
- 골재생이 완전히, 혹은 대부분 실패한다. 이러한 경우 이식재를 완전히 제거하고 2–3개월 이상의 치유 기간을 둔다. 연조직의 완전한 치유가 확인된 후 다시 골증강술을 시행한다.

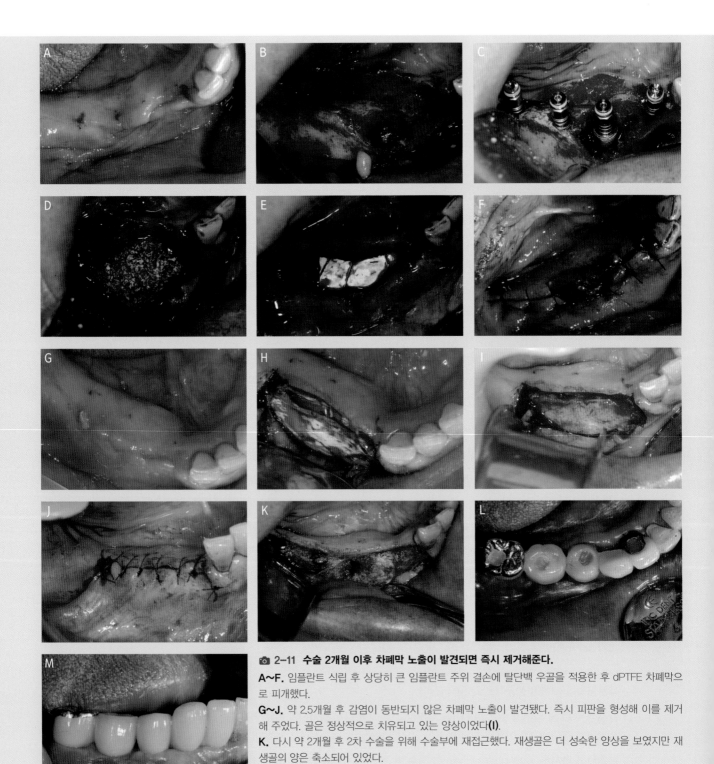

📷 2-11 수술 2개월 이후 차폐막 노출이 발견되면 즉시 제거해준다.

A~F. 임플란트 식립 후 상당히 큰 임플란트 주위 결손에 탈단백 우골을 적용한 후 dPTFE 차폐막으로 피개했다.

G~J. 약 2.5개월 후 감염이 동반되지 않은 차폐막 노출이 발견됐다. 즉시 피판을 형성해 이를 제거해 주었다. 골은 정상적으로 치유되고 있는 양상이었다(I).

K. 다시 약 2개월 후 2차 수술을 위해 수술부에 재접근했다. 재생골은 더 성숙한 양상을 보였지만 재생골의 양은 축소되어 있었다.

L~M. 보철 치료를 완성한 후의 모습이다.

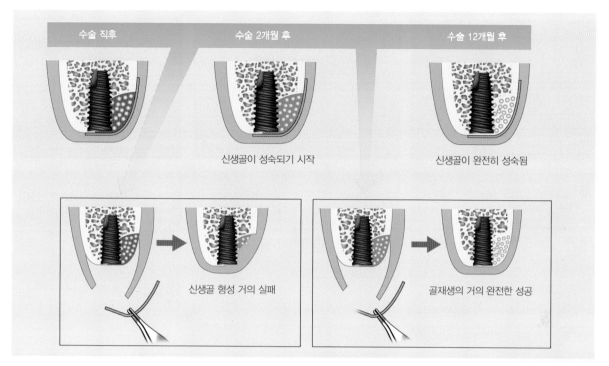

수술 직후　　　　　　　　수술 2개월 후　　　　　　　　수술 12개월 후

신생골이 성숙되기 시작　　　　　　　　신생골이 완전히 성숙됨

신생골 형성 거의 실패　　　　　　　　골재생의 거의 완전한 성공

📷 **2-12** 원숭이를 이용한 동물 실험에서는 골유도 재생술 후 1개월 내에 차폐막을 제거하면 신생골이 거의 형성되지 못했지만 2개월 이후에 제거하면 신생골 형성이 정상적으로 완료된다는 사실을 발견했다.[139] 비록 동물 실험이기 때문에 인체에 바로 적용할 순 없지만 이를 통해 골증강술 후 차폐막이 결정적으로 중요한 시기는 초기 2개월 이내임을 알 수 있다.

(2) 흡수성 차폐막 노출의 처치

흡수성 차폐막, 특히 교원질 계통의 차폐막은 구강 내로 노출되면 구강 내 세균에 의해 분해되는 성질이 있다.[141] 차폐막의 이러한 흡수에 의해 특별히 세포 독성이 있는 분해 산물이 형성되지는 않기 때문에 수술 부위에 염증이 수반되는 경우가 많지는 않다. 따라서 흡수성 차폐막이 노출되면 이를 제거해야 할 이유는 없으며, 국소적, 전신적 항생제 치료를 시행하면서 2차 의도 치유(healing by secondary intention)를 도모하는 것이 일반 원칙이다(📷 **2-13**).[142] 이때 환자를 자주 관찰하면서 클로르헥시딘 액이나 젤로 드레싱을 시행해준다.[143,144]

골유도 재생술과 동시에 임플란트를 식립하지 않은 경우에는 노출된 부위가 다시 연조직으로 피개된다. 그러나 골유도 재생술과 동시에 임플란트를 식립한 후 차폐막이 노출된 경우에는 골증강부가 연조직으로 다시 피개되지 못한 채 임플란트 매식체가 노출된 상태로 치유되는 경우가 많다. 이러한 경우에는 연조직으로 피개된 경우에 비해 골재생의 양이 현저하게 낮아지는 것으로 알려져 있다.[121,142] 드물게 노출된 차폐막 주변으로 농양이 형성되면서 염증 반응을 일으킬 수 있는데, 이러한 경우에는 비흡수성 차폐막을 사용했을 때와 동일하게 감염된 골이식재와 차폐막을 즉시 제거해주어야 한다(📷 **2-14**).

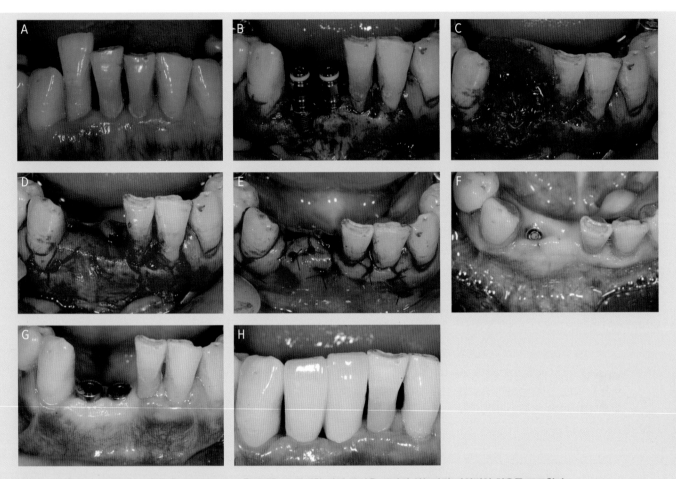

📷 **2-13** 흡수성 차폐막을 사용한 후 골증강부가 노출되었을 때 특별한 감염 증상을 보이지 않는다면 자연적인 치유를 도모한다.

A~E. 하악 절치를 발거 후 즉시 임플란트를 식립하고 동결 건조 동종골과 교차 결합 교원질 차폐막으로 골유도 재생술을 시행했다. 수술부는 일차 폐쇄했다.

F~G. 치유 기간 중 측절치 부위의 점막이 열개되면서 골증강부가 노출됐다. 감염 증세를 보이지 않았기 때문에 그대로 유지했다**(F)**. 3.5개월 후 간단히 점막을 펀치해주고 치유 지대주를 연결했다**(G)**.

H. 최종 보철물 연결 직후 상태

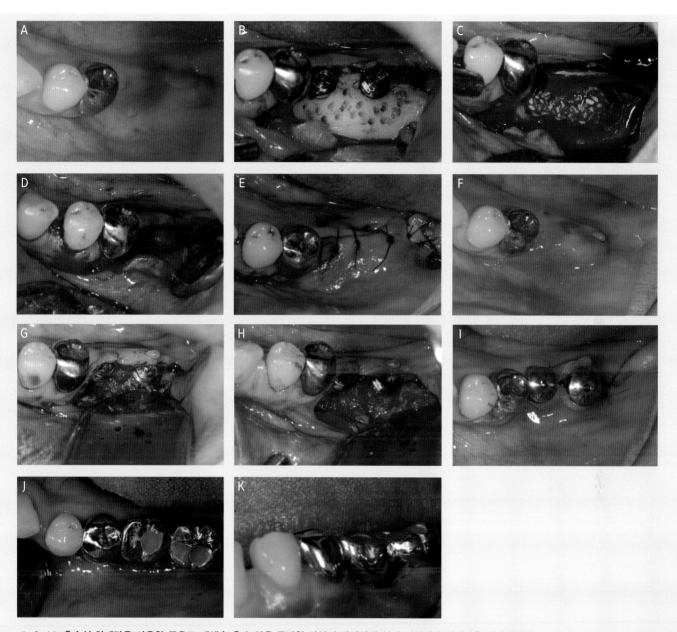

📷 **2-14** **흡수성 차폐막을 사용한 골유도 재생술 후 농양을 동반한 감염이 발생하면 역시 이식재와 차폐막을 제거해준다.**

A~E. 열개 결손을 수복하기 위해 동종골 이식재와 교원질 차폐막으로 골유도 재생술을 시행했다.

F~I. 약 1.5개월 후 차폐막이 노출되지 않은 상태에서 농양이 점막 하부에 형성된 것이 관찰됐다(**F**). 일단 수술부를 노출시켜 이식재를 완전히 제거했다(**H**). 임플란트 주위골의 흡수나 임플란트와 직접 연관된 감염은 관찰되지 않았다. 일단 임플란트는 제거하지 않고 유지하고 치유 지대주를 연결했다.

J~K. 다시 1개월 후 보철물을 연결해 주었다. 특별한 문제는 보이지 않았다.

치유 중 괴사된 이식재나 조직이 관찰되면 향후 이것이 감염원이 될 수 있기 때문에 가급적 제거해준다. 이러한 처치를 통해 수술부가 안정되면 통상적인 치유를 보인 수술부와 동일하게 2차 수술과 보철 치료를 진행한다. 이렇게 일단 차폐막이 노출되었던 증례에서는 환자의 치유 능력이나 골결손 형태, 혹은 차폐막 종류 등에 의해 다양한 치유 양상을 보이며, 2차 수술 시 이를 평가하여 필요하다면 추가적인 골증강술이나 연조직 증강술을 시행한다.

(3) 술 후 감염의 처치

골증강 부위는 이식재와 차폐막 등의 이물질이 존재하고 피판의 치유에 필요한 혈류 공급이 줄어들기 때문에 감염의 가능성이 항상 존재한다. 따라서 수술부로의 세균 오염을 최소화하고 예방할 수 있는 최대한의 노력을 기울여야 한다. 이에는 철저한 무균적 시술, 생물학적/외과적 기본 원리에 따른 수술 프로토콜, 수술 전후의 항생제 투여, 수술 후 창상에 대한 환자와 술자의 철저한 관리가 포함된다.

급성 감염으로 인해 농양(abscess)이 표층을 넘어 광범위하게 형성된 경우에는 차폐막, 골이식재, 그리고 (골증강과 함께 임플란트를 식립했다면) 임플란트까지 과감하게 모두 제거해준다.[4,27,131] 급성 감염으로 인해 형성된 육아조직은 골재생을 불가능하게 만들고 골유착을 방해하기 때문이다. 이러한 경우 골증강술은 3-4개월 후 다시 시도한다.

참고문헌

1. Adell R, Lekholm U, Rockler B, Brånemark PI. A 15-year study of osseointegrated implants in the treatment of the edentulous jaw. Int J Oral Surg. 1981;10(6):387-416.

2. Charalampakis G, Leonhardt Å, Rabe P, Dahlén G. Clinical and microbiological characteristics of peri-implantitis cases: a retrospective multicentre study. Clinical oral implants research. 2012;23(9):1045-1054.

3. Fontana F, Maschera E, Rocchietta I, Simion M. Clinical classification of complications in guided bone regeneration procedures by means of a nonresorbable membrane. The International journal of periodontics & restorative dentistry. 2011;31(3):265-273.

4. Bowen Antolin A, Pascua Garcia MT, Nasimi A. Infections in implantology: from prophylaxis to treatment. Med Oral Patol Oral Cir Bucal. 2007;12(4):E323-330.

5. Olson M, O'Connor M, Schwartz ML. Surgical wound infections. A 5-year prospective study of 20,193 wounds at the Minneapolis VA Medical Center. Ann Surg. 1984;199(3):253-259.

6. Peterson LJ. Antibiotic prophylaxis against wound infections in oral and maxillofacial surgery. Journal of oral and maxillofacial surgery: official journal of the American Association of Oral and Maxillofacial Surgeons. 1990;48(6):617-620.

7. Veitz-Keenan A, Ferraiolo DM, Keenan JR. Impact of asepsis technique on implant success. A review. European journal of oral implantology. 2018;11 Suppl 1:S113-S121.

8. Scharf DR, Tarnow DP. Success rates of osseointegration for implants placed under sterile versus clean conditions. Journal of periodontology. 1993;64(10):954-956.

9. Cardemil C, Ristevski Z, Alsén B, Dahlin C. Influence of different operatory setups on implant survival rate: a retrospective clinical study. Clinical implant dentistry and related research. 2009;11(4):288-291.

10. Resnik RR, Misch C. Prophylactic antibiotic regimens in oral implantology: rationale and protocol. Implant dentistry. 2008;17(2):142-150.

11. Surapaneni H, Yalamanchili PS, Basha MH, Potluri S, Elisetti N, Kiran Kumar MV. Antibiotics in dental implants: A review of literature. J Pharm Bioallied Sci. 2016;8(Suppl 1):S28-S31.

12. Doern CD, Burnham C-AD. It's not easy being green: the viridans group streptococci, with a focus on pediatric clinical manifestations. J Clin Microbiol. 2010;48(11):3829-3835.

13. Fürst MM, Salvi GE, Lang NP, Persson GR. Bacterial colonization immediately after installation on oral titanium implants. Clinical oral implants research. 2007;18(4):501-508.

14. Bölükbaşı N, Özdemir T, Öksüz L, Gürler N. Bacteremia following dental implant surgery: preliminary

results. Med Oral Patol Oral Cir Bucal. 2012;17(1):e69-e75.

15. Nolan R, Kemmoona M, Polyzois I, Claffey N. The influence of prophylactic antibiotic administration on post-operative morbidity in dental implant surgery. A prospective double blind randomized controlled clinical trial. Clinical oral implants research. 2014;25(2):252-259.

16. Tan WC, Ong M, Han J, et al. Effect of systemic antibiotics on clinical and patient-reported outcomes of implant therapy - a multicenter randomized controlled clinical trial. Clinical oral implants research. 2014;25(2):185-193.

17. Ahmad N, Saad N. Effects of antibiotics on dental implants: a review. J Clin Med Res. 2012;4(1):1-6.

18. Lund B, Hultin M, Tranaeus S, Naimi-Akbar A, Klinge B. Complex systematic review - Perioperative antibiotics in conjunction with dental implant placement. Clinical oral implants research. 2015;26 Suppl 11:1-14.

19. Park J, Tennant M, Walsh LJ, Kruger E. Is there a consensus on antibiotic usage for dental implant placement in healthy patients? Aust Dent J. 2018;63(1):25-33.

20. Lindeboom JA, van den Akker HP. A prospective placebo-controlled double-blind trial of antibiotic prophylaxis in intraoral bone grafting procedures: a pilot study. Oral Surg Oral Med Oral Pathol Oral Radiol Endod. 2003;96(6):669-672.

21. Peterson LJ. Antibiotic prophylaxis against wound infections in oral and maxillofacial surgery. J Oral Maxillofac Surg. 1990;48(6):617-620.

22. Carreño Carreño J, González-Jaranay M, Gómez-Moreno G, Aguilar-Salvatierra A, Menéndez López-Mateos ML, Menéndez-Núñez M. Bacterial influence on consolidation of bone grafts in maxillary sinus elevation. Clinical oral implants research. 2016;27(11):1431-1438.

23. Misch CM. The pharmacologic management of maxillary sinus elevation surgery. The Journal of oral implantology. 1992;18(1):15-23.

24. Carreño Carreño J, Gómez-Moreno G, Aguilar-Salvatierra A, Martínez Corriá R, Menéndez López-Mateos ML, Menéndez-Núñez M. The antibiotic of choice determined by antibiogram in maxillary sinus elevation surgery: a clinical study. Clinical oral implants research. 2018;29(11):1070-1076.

25. Lindeboom JA, Frenken JW, Tuk JG, Kroon FH. A randomized prospective controlled trial of antibiotic prophylaxis in intraoral bone-grafting procedures: preoperative single-dose penicillin versus preoperative single-dose clindamycin. Int J Oral Maxillofac Surg. 2006;35(5):433-436.

26. Romandini M, De Tullio I, Congedi F, et al. Antibiotic prophylaxis at dental implant placement: Which is the best protocol? A systematic review and network meta-analysis. Journal of clinical periodontology. 2019;46(3):382-395.

27. Greenstein G, Cavallaro J, Romanos G, Tarnow D. Clinical recommendations for avoiding and managing surgical complications associated with implant dentistry: a review. J Periodontol. 2008;79(8):1317-1329.

28. Gynther GW, Kondell PA, Moberg LE, Heimdahl A. Dental implant installation without antibiotic prophylaxis. Oral Surg Oral Med Oral Pathol Oral Radiol Endod. 1998;85(5):509-511.

29. Powell CA, Mealey BL, Deas DE, McDonnell HT, Moritz AJ. Post-surgical infections: prevalence associated with various periodontal surgical procedures. J Periodontol. 2005;76(3):329-333.

30. Sakka S, Baroudi K, Nassani MZ. Factors associated with early and late failure of dental implants. J Investig Clin Dent. 2012;3(4):258-261.

31. Esposito M, Grusovin MG, Worthington HV. Interventions for replacing missing teeth: antibiotics at dental implant placement to prevent complications. The Cochrane database of systematic reviews. 2013;2013(7):CD004152-CD004152.

32. Ata-Ali J, Ata-Ali F, Ata-Ali F. Do antibiotics decrease implant failure and postoperative infections? A systematic review and meta-analysis. International journal of oral and maxillofacial surgery. 2014;43(1):68-74.

33. Chrcanovic BR, Albrektsson T, Wennerberg A. Prophylactic antibiotic regimen and dental implant failure: a meta-analysis. J Oral Rehabil. 2014;41(12):941-956.

34. Rodríguez Sánchez F, Rodríguez Andrés C, Arteagoitia I. Which antibiotic regimen prevents implant failure or infection after dental implant surgery? A systematic review and meta-analysis. J Craniomaxillofac Surg. 2018;46(4):722-736.

35. Kashani H, Dahlin C, Alse'n B. Influence of different prophylactic antibiotic regimens on implant survival rate: a retrospective clinical study. Clin Implant Dent Relat Res. 2005;7(1):32-35.

36. SBU. Antibiotic prophylaxis for surgical procedures. A systematic review. SBU-rapport nr 200 (ISBN 978-91-85413-36-2). 2010.

37. Esposito M, Grusovin MG, Talati M, Coulthard P, Oliver R, Worthington HV. Interventions for replacing missing teeth: antibiotics at dental implant placement to prevent complications. Cochrane Database Syst Rev. 2008(3):CD004152.

38. Lindeboom JAH, van den Akker HP. A prospective placebo-controlled double-blind trial of antibiotic prophylaxis in intraoral bone grafting procedures: a pilot study. Oral Surg Oral Med Oral Pathol Oral Radiol Endod. 2003;96(6):669-672.

39. Kashani H, Hilon J, Rasoul MH, Friberg B. Influence of a single preoperative dose of antibiotics on the early implant failure rate. A randomized clinical trial. Clinical implant dentistry and related research.

561

2019;21(2):278-283.

40. Payer M, Tan WC, Han J, et al. The effect of systemic antibiotics on clinical and patient-reported outcome measures of oral implant therapy with simultaneous guided bone regeneration. Clin Oral Implants Res. 2020;31(5):442-451.

41. Deeb GR, Soung GY, Best AM, Laskin DM. Antibiotic Prescribing Habits of Oral and Maxillofacial Surgeons in Conjunction With Routine Dental Implant Placement. J Oral Maxillofac Surg. 2015;73(10):1926-1931.

42. Suda KJ, Henschel H, Patel U, Fitzpatrick MA, Evans CT. Use of Antibiotic Prophylaxis for Tooth Extractions, Dental Implants, and Periodontal Surgical Procedures. Open Forum Infect Dis. 2018;5(1):ofx250.

43. Klinge A, Khalil D, Klinge B, et al. Prophylactic antibiotics for staged bone augmentation in implant dentistry. Acta Odontol Scand. 2020;78(1):64-73.

44. Lindeboom JAH, Tuk JGC, Kroon FHM, van den Akker HP. A randomized prospective controlled trial of antibiotic prophylaxis in intraoral bone grafting procedures: single-dose clindamycin versus 24-hour clindamycin prophylaxis. Mund Kiefer Gesichtschir. 2005;9(6):384-388.

45. Lindeboom JA, Frenken JW, Tuk JG, Kroon FH. A randomized prospective controlled trial of antibiotic prophylaxis in intraoral bone-grafting procedures: preoperative single-dose penicillin versus preoperative single-dose clindamycin. International journal of oral and maxillofacial surgery. 2006;35(5):433-436.

46. Hashem AA, Claffey NM, O'Connell B. Pain and anxiety following the placement of dental implants. The International journal of oral & maxillofacial implants. 2006;21(6):943-950.

47. González-Santana H, Peñarrocha-Diago M, Guarinos-Carbó J, Balaguer-Martínez J. Pain and inflammation in 41 patients following the placement of 131 dental implants. Med Oral Patol Oral Cir Bucal. 2005;10(3):258-263.

48. Al-Khabbaz AK, Griffin TJ, Al-Shammari KF. Assessment of pain associated with the surgical placement of dental implants. Journal of periodontology. 2007;78(2):239-246.

49. Scarano A, Piattelli A, Assenza B, Sollazzo V, Lucchese A, Carinci F. Assessment of pain associated with insertion torque of dental implants. A prospective, randomized-controlled study. Int J Immunopathol Pharmacol. 2011;24(2 Suppl):65-69.

50. Etikala A, Tattan M, Askar H, Wang H-L. Effects of NSAIDs on Periodontal and Dental Implant Therapy. Compend Contin Educ Dent. 2019;40(2):e1-e9.

51. Xie Y, Pan M, Gao Y, Zhang L, Ge W, Tang P. Dose-dependent roles of aspirin and other non-steroidal anti-inflammatory drugs in abnormal bone remodeling and skeletal regeneration. Cell Biosci.

2019;9:103—103.

52. Gibon E, Lu LY, Nathan K, Goodman SB. Inflammation, ageing, and bone regeneration. J Orthop Translat. 2017;10:28—35.

53. Winnett B, Tenenbaum HC, Ganss B, Jokstad A. Perioperative use of non—steroidal anti—inflammatory drugs might impair dental implant osseointegration. Clinical oral implants research. 2016;27(2):e1—e7.

54. Chappuis V, Avila—Ortiz G, Araújo MG, Monje A. Medication—related dental implant failure: Systematic review and meta—analysis. Clinical oral implants research. 2018;29 Suppl 16:55—68.

55. Alissa R, Sakka S, Oliver R, et al. Influence of ibuprofen on bone healing around dental implants: a randomised double—blind placebo—controlled clinical study. European journal of oral implantology. 2009;2(3):185—199.

56. Pereira G—M, Cota L—O—M, Lima R—P—E, Costa F—O. Effect of preemptive analgesia with ibuprofen in the control of postoperative pain in dental implant surgeries: A randomized, triple—blind controlled clinical trial. J Clin Exp Dent. 2020;12(1):e71—e78.

57. Ong KS, Seymour RA, Chen FG, Ho VCL. Preoperative ketorolac has a preemptive effect for postoperative third molar surgical pain. International journal of oral and maxillofacial surgery. 2004;33(8):771—776.

58. Costa FWG, Esses DFS, de Barros Silva PG, et al. Does the Preemptive Use of Oral Nonsteroidal Anti—inflammatory Drugs Reduce Postoperative Pain in Surgical Removal of Third Molars? A Meta—analysis of Randomized Clinical Trials. Anesth Prog. 2015;62(2):57—63.

59. Lin TC, Lui MT, Chang RC. Premedication with diclofenac and prednisolone to prevent postoperative pain and swelling after third molar removal. Zhonghua Yi Xue Za Zhi (Taipei). 1996;58(1):40—44.

60. Neupert EA, 3rd, Lee JW, Philput CB, Gordon JR. Evaluation of dexamethasone for reduction of postsurgical sequelae of third molar removal. J Oral Maxillofac Surg. 1992;50(11):1177—1182; discussion 1182—1173.

61. Pedersen A. Decadronphosphate in the relief of complaints after third molar surgery. A double—blind, controlled trial with bilateral oral surgery. Int J Oral Surg. 1985;14(3):235—240.

62. Zandi M. Comparison of corticosteroids and rubber drain for reduction of sequelae after third molar surgery. Oral Maxillofac Surg. 2008;12(1):29—33.

63. Dan AEB, Thygesen TH, Pinholt EM. Corticosteroid administration in oral and orthognathic surgery: a systematic review of the literature and meta—analysis. Journal of oral and maxillofacial surgery: official journal of the American Association of Oral and Maxillofacial Surgeons. 2010;68(9):2207—2220.

64. Steffens JP, Santos FA, Sartori R, Pilatti GL. Preemptive dexamethasone and etoricoxib for pain and

discomfort prevention after periodontal surgery: a double-masked, crossover, controlled clinical trial. Journal of periodontology. 2010;81(8):1153-1160.

65. Bahammam MA, Kayal RA, Alasmari DS, et al. Comparison Between Dexamethasone and Ibuprofen for Postoperative Pain Prevention and Control After Surgical Implant Placement: A Double-Masked, Parallel-Group, Placebo-Controlled Randomized Clinical Trial. Journal of periodontology. 2017;88(1):69-77.

66. Meta IF, Bermolen M, Macchi R, Aguilar J. Randomized Controlled Trial Comparing the Effects of 2 Analgesic Drug Protocols in Patients who Received 5 Dental Implants. Implant dentistry. 2017;26(3):412-416.

67. Nauck M, Karakiulakis G, Perruchoud AP, Papakonstantinou E, Roth M. Corticosteroids inhibit the expression of the vascular endothelial growth factor gene in human vascular smooth muscle cells. Eur J Pharmacol. 1998;341(2-3):309-315.

68. Widar F, Kashani H, Alsén B, Dahlin C, Rasmusson L. The effects of steroids in preventing facial oedema, pain, and neurosensory disturbances after bilateral sagittal split osteotomy: a randomized controlled trial. International journal of oral and maxillofacial surgery. 2015;44(2):252-258.

69. Edelman JL, Lutz D, Castro MR. Corticosteroids inhibit VEGF-induced vascular leakage in a rabbit model of blood-retinal and blood-aqueous barrier breakdown. Exp Eye Res. 2005;80(2):249-258.

70. Semper-Hogg W, Fuessinger MA, Dirlewanger TW, Cornelius CP, Metzger MC. The influence of dexamethasone on postoperative swelling and neurosensory disturbances after orthognathic surgery: a randomized controlled clinical trial. Head Face Med. 2017;13(1):19-19.

71. Almeida RdAC, Lemos CAA, de Moraes SLD, Pellizzer EP, Vasconcelos BC. Efficacy of corticosteroids versus placebo in impacted third molar surgery: systematic review and meta-analysis of randomized controlled trials. International journal of oral and maxillofacial surgery. 2019;48(1):118-131.

72. Herrera-Briones FJ, Prados Sánchez E, Reyes Botella C, Vallecillo Capilla M. Update on the use of corticosteroids in third molar surgery: systematic review of the literature. Oral surgery, oral medicine, oral pathology and oral radiology. 2013;116(5):e342-e351.

73. Chegini S, Dhariwal DK. Review of evidence for the use of steroids in orthognathic surgery. Br J Oral Maxillofac Surg. 2012;50(2):97-101.

74. Gersema L, Baker K. Use of corticosteroids in oral surgery. Journal of oral and maxillofacial surgery: official journal of the American Association of Oral and Maxillofacial Surgeons. 1992;50(3):270-277.

75. Jones CG. Chlorhexidine: is it still the gold standard? Periodontol 2000. 1997;15:55-62.

76. Powell CA, Mealey BL, Deas DE, McDonnell HT, Moritz AJ. Post-surgical infections: prevalence

associated with various periodontal surgical procedures. Journal of periodontology. 2005;76(3):329–333.

77. Reddy MS, Jeffcoat MK, Geurs NC, et al. Efficacy of controlled-release subgingival chlorhexidine to enhance periodontal regeneration. J Periodontol. 2003;74(4):411–419.

78. Kotschy P, Laky M. Reconstruction of supracrestal alveolar bone lost as a result of severe chronic periodontitis. Five-year outcome: case report. Int J Periodontics Restorative Dent. 2006;26(5):425–431.

79. Merli M, Migani M, Bernardelli F, Esposito M. Vertical bone augmentation with dental implant placement: efficacy and complications associated with 2 different techniques. A retrospective cohort study. Int J Oral Maxillofac Implants. 2006;21(4):600–606.

80. Addy M, al-Arrayed F, Moran J. The use of an oxidising mouthwash to reduce staining associated with chlorhexidine. Studies in vitro and in vivo. J Clin Periodontol. 1991;18(4):267–271.

81. Gher ME, Quintero G, Assad D, Monaco E, Richardson AC. Bone grafting and guided bone regeneration for immediate dental implants in humans. J Periodontol. 1994;65(9):881–891.

82. Selvig KA, Kersten BG, Chamberlain AD, Wikesjo UM, Nilveus RE. Regenerative surgery of intrabony periodontal defects using ePTFE barrier membranes: scanning electron microscopic evaluation of retrieved membranes versus clinical healing. J Periodontol. 1992;63(12):974–978.

83. Simion M, Dahlin C, Trisi P, Piattelli A. Qualitative and quantitative comparative study on different filling materials used in bone tissue regeneration: a controlled clinical study. Int J Periodontics Restorative Dent. 1994;14(3):198–215.

84. Simion M, Trisi P, Piattelli A. Vertical ridge augmentation using a membrane technique associated with osseointegrated implants. Int J Periodontics Restorative Dent. 1994;14(6):496–511.

85. Tempro PJ, Nalbandian J. Colonization of retrieved polytetrafluoroethylene membranes: morphological and microbiological observations. J Periodontol. 1993;64(3):162–168.

86. Thoma DS, Bienz SP, Figuero E, Jung RE, Sanz-Martín I. Efficacy of lateral bone augmentation performed simultaneously with dental implant placement: A systematic review and meta-analysis. J Clin Periodontol. 2019;46 Suppl 21:257–276.

87. Park SH, Wang HL. Clinical significance of incision location on guided bone regeneration: human study. J Periodontol. 2007;78(1):47–51.

88. Larrabee WF, Jr., Holloway GA, Jr., Sutton D. Wound tension and blood flow in skin flaps. Ann Otol Rhinol Laryngol. 1984;93(2 Pt 1):112–115.

89. Shapiro AL, Hochman M, Thomas JR, Branham G. Effects of intraoperative tissue expansion and skin

flaps on wound closing tensions. Arch Otolaryngol Head Neck Surg. 1996;122(10):1107–1111.

90. Stell PM. The effects of varying degrees of tension on the viability of skin flaps in pigs. Br J Plast Surg. 1980;33(3):371–376.

91. Jensen JA. Effect of tension on flap perfusion: laboratory and clinical findings. Wound Repair Regen. 2003;11(6):405–410.

92. Wang HL, Boyapati L. "PASS" principles for predictable bone regeneration. Implant Dent. 2006;15(1):8–17.

93. Greenstein G, Greenstein B, Cavallaro J, Elian N, Tarnow D. Flap advancement: practical techniques to attain tension–free primary closure. J Periodontol. 2009;80(1):4–15.

94. Carranza FA, Jr., Carraro JJ, Dotto CA, Cabrini RL. Effect of periosteal fenestration in gingival extension operations. J Periodontol. 1966;37(4):335–340.

95. Burkhardt R, Preiss A, Joss A, Lang NP. Influence of suture tension to the tearing characteristics of the soft tissues: an in vitro experiment. Clin Oral Implants Res. 2008;19(3):314–319.

96. Fugazzotto PA. Maintenance of soft tissue closure following guided bone regeneration: technical considerations and report of 723 cases. J Periodontol. 1999;70(9):1085–1097.

97. Becker W, Dahlin C, Becker BE, et al. The use of e–PTFE barrier membranes for bone promotion around titanium implants placed into extraction sockets: a prospective multicenter study. Int J Oral Maxillofac Implants. 1994;9(1):31–40.

98. Zitzmann NU, Naef R, Scharer P. Resorbable versus nonresorbable membranes in combination with Bio–Oss for guided bone regeneration. Int J Oral Maxillofac Implants. 1997;12(6):844–852.

99. Simion M, Baldoni M, Rossi P, Zaffe D. A comparative study of the effectiveness of e–PTFE membranes with and without early exposure during the healing period. Int J Periodontics Restorative Dent. 1994;14(2):166–180.

100. Jovanovic SA, Spiekermann H, Richter EJ. Bone regeneration around titanium dental implants in dehisced defect sites: a clinical study. Int J Oral Maxillofac Implants. 1992;7(2):233–245.

101. Garcia J, Dodge A, Luepke P, Wang H–L, Kapila Y, Lin G–H. Effect of membrane exposure on guided bone regeneration: A systematic review and meta–analysis. Clinical oral implants research. 2018;29(3):328–338.

102. De Sanctis M, Zucchelli G, Clauser C. Bacterial colonization of bioabsorbable barrier material and periodontal regeneration. J Periodontol. 1996;67(11):1193–1200.

103. Donos N, Kostopoulos L, Karring T. Augmentation of the mandible with GTR and onlay cortical bone grafting. An experimental study in the rat. Clin Oral Implants Res. 2002;13(2):175–184.

104. Donos N, Kostopoulos L, Karring T. Alveolar ridge augmentation by combining autogenous mandibular bone grafts and non-resorbable membranes. Clin Oral Implants Res. 2002;13(2):185-191.

105. Machtei EE. The effect of membrane exposure on the outcome of regenerative procedures in humans: a meta-analysis. J Periodontol. 2001;72(4):512-516.

106. Fu J-H, Oh T-J, Benavides E, Rudek I, Wang H-L. A randomized clinical trial evaluating the efficacy of the sandwich bone augmentation technique in increasing buccal bone thickness during implant placement surgery: I. Clinical and radiographic parameters. Clin Oral Implants Res. 2014;25(4):458-467.

107. Sanz-Sánchez I, Ortiz-Vigón A, Sanz-Martín I, Figuero E, Sanz M. Effectiveness of Lateral Bone Augmentation on the Alveolar Crest Dimension: A Systematic Review and Meta-analysis. J Dent Res. 2015;94(9 Suppl):128S-142S.

108. Milinkovic I, Cordaro L. Are there specific indications for the different alveolar bone augmentation procedures for implant placement? A systematic review. Int J Oral Maxillofac Surg. 2014;43(5):606-625.

109. Ricci L, Perrotti V, Ravera L, Scarano A, Piattelli A, Iezzi G. Rehabilitation of deficient alveolar ridges using titanium grids before and simultaneously with implant placement: a systematic review. J Periodontol. 2013;84(9):1234-1242.

110. Cucchi A, Vignudelli E, Napolitano A, Marchetti C, Corinaldesi G. Evaluation of complication rates and vertical bone gain after guided bone regeneration with non-resorbable membranes versus titanium meshes and resorbable membranes. A randomized clinical trial. Clin Implant Dent Relat Res. 2017;19(5):821-832.

111. Simion M, Jovanovic SA, Tinti C, Benfenati SP. Long-term evaluation of osseointegrated implants inserted at the time or after vertical ridge augmentation. A retrospective study on 123 implants with 1-5 year follow-up. Clin Oral Implants Res. 2001;12(1):35-45.

112. In. pocket dentistry: https://pocketdentistry.com/9-oral-mucosa/#s0015.

113. Fontana F, Santoro F, Maiorana C, Iezzi G, Piattelli A, Simion M. Clinical and histologic evaluation of allogeneic bone matrix versus autogenous bone chips associated with titanium-reinforced e-PTFE membrane for vertical ridge augmentation: a prospective pilot study. The International journal of oral & maxillofacial implants. 2008;23(6):1003-1012.

114. Simion M, Fontana F, Rasperini G, Maiorana C. Vertical ridge augmentation by expanded-polytetrafluoroethylene membrane and a combination of intraoral autogenous bone graft and deproteinized anorganic bovine bone (Bio Oss). Clinical oral implants research. 2007;18(5):620-629.

115. Torres J, Tamimi F, Alkhraisat MH, et al. Platelet-rich plasma may prevent titanium-mesh exposure in alveolar ridge augmentation with anorganic bovine bone. J Clin Periodontol. 2010;37(10):943-951.

116. Nevins M, Mellonig JT, Fiorellini JP. Implant therapy: clinical approaches and evidence of success, volume 2. Chicago: Quintessence; 1998.

117. McGinnis M, Larsen P, Miloro M, Beck FM. Comparison of resorbable and nonresorbable guided bone regeneration materials: a preliminary study. Int J Oral Maxillofac Implants. 1998;13(1):30-35.

118. Ohnishi H, Fujii N, Futami T, Taguchi N, Kusakari H, Maeda T. A histochemical investigation of the bone formation process by guided bone regeneration in rat jaws. Effect of PTFE membrane application periods on newly formed bone. J Periodontol. 2000;71(3):341-352.

119. Sela MN, Steinberg D, Klinger A, Krausz AA, Kohavi D. Adherence of periodontopathic bacteria to bioabsorbable and non-absorbable barrier membranes in vitro. Clin Oral Implants Res. 1999;10(6):445-452.

120. Carpio L, Loza J, Lynch S, Genco R. Guided bone regeneration around endosseous implants with anorganic bovine bone mineral. A randomized controlled trial comparing bioabsorbable versus non-resorbable barriers. J Periodontol. 2000;71(11):1743-1749.

121. Moses O, Pitaru S, Artzi Z, Nemcovsky CE. Healing of dehiscence-type defects in implants placed together with different barrier membranes: a comparative clinical study. Clin Oral Implants Res. 2005;16(2):210-219.

122. Wessing B, Lettner S, Zechner W. Guided Bone Regeneration with Collagen Membranes and Particulate Graft Materials: A Systematic Review and Meta-Analysis. Int J Oral Maxillofac Implants. 2018;33(1):87-100-187-100.

123. Bartee BK, Carr JA. Evaluation of a high-density polytetrafluoroethylene (n-PTFE) membrane as a barrier material to facilitate guided bone regeneration in the rat mandible. The Journal of oral implantology. 1995;21(2):88-95.

124. Greenstein G, Carpentieri JR. Utilization of d-PTFE Barriers for Post-Extraction Bone Regeneration in Preparation for Dental Implants. Compend Contin Educ Dent. 2015;36(7):465-473.

125. Waasdorp J, Feldman S. Bone regeneration around immediate implants utilizing a dense polytetrafluoroethylene membrane without primary closure: a report of 3 cases. The Journal of oral implantology. 2013;39(3):355-361.

126. Trobos M, Juhlin A, Shah FA, Hoffman M, Sahlin H, Dahlin C. In vitro evaluation of barrier function against oral bacteria of dense and expanded polytetrafluoroethylene (PTFE) membranes for guided bone regeneration. Clinical implant dentistry and related research. 2018;20(5):738-748.

127. Verardi S, Simion M. Management of the exposure of e–PTFE membranes in guided bone regeneration. Pract Proced Aesthet Dent. 2007;19(2):111–117.

128. Simion M, Baldoni M, Rossi P, Zaffe D. A comparative study of the effectiveness of e–PTFE membranes with and without early exposure during the healing period. Int J Periodontics Restorative Dent. 1994;14(2):166–180.

129. Moses O, Pitaru S, Artzi Z, Nemcovsky CE. Healing of dehiscence–type defects in implants placed together with different barrier membranes: a comparative clinical study. Clin Oral Implants Res. 2005;16(2):210–219.

130. Lizio G, Corinaldesi G, Marchetti C. Alveolar ridge reconstruction with titanium mesh: a three–dimensional evaluation of factors affecting bone augmentation. Int J Oral Maxillofac Implants. 2014;29(6):1354–1363.

131. Sadig W, Almas K. Risk factors and management of dehiscent wounds in implant dentistry. Implant Dent. 2004;13(2):140–147.

132. Buser D, Bragger U, Lang NP, Nyman S. Regeneration and enlargement of jaw bone using guided tissue regeneration. Clin Oral Implants Res. 1990;1(1):22–32.

133. Simion M, Trisi P, Maglione M, Piattelli A. A preliminary report on a method for studying the permeability of expanded polytetrafluoroethylene membrane to bacteria in vitro: a scanning electron microscopic and histological study. Journal of periodontology. 1994;65(8):755–761.

134. Lazzara RJ. Immediate implant placement into extraction sites: surgical and restorative advantages. Int J Periodontics Restorative Dent. 1989;9(5):332–343.

135. Annibali S, Bignozzi I, Sammartino G, La Monaca G, Cristalli MP. Horizontal and vertical ridge augmentation in localized alveolar deficient sites: a retrospective case series. Implant dentistry. 2012;21(3):175–185.

136. Buser D, Dula K, Belser U, Hirt HP, Berthold H. Localized ridge augmentation using guided bone regeneration. 1. Surgical procedure in the maxilla. Int J Periodontics Restorative Dent. 1993;13(1):29–45.

137. Buser D, Dula K, Belser UC, Hirt HP, Berthold H. Localized ridge augmentation using guided bone regeneration. II. Surgical procedure in the mandible. Int J Periodontics Restorative Dent. 1995;15(1):10–29.

138. Buser D, Dula K, Hess D, Hirt HP, Belser UC. Localized ridge augmentation with autografts and barrier membranes. Periodontol 2000. 1999;19:151–163.

139. Fritz ME, Jeffcoat MK, Reddy M, et al. Guided bone regeneration of large mandibular defects in a

primate model. J Periodontol. 2000;71(9):1484-1491.

140. Mattout P, Mattout C. Conditions for success in guided bone regeneration: retrospective study on 376 implant sites. J Periodontol. 2000;71(12):1904-1909.

141. Sela MN, Kohavi D, Krausz E, Steinberg D, Rosen G. Enzymatic degradation of collagen-guided tissue regeneration membranes by periodontal bacteria. Clin Oral Implants Res. 2003;14(3):263-268.

142. Tal H, Kozlovsky A, Artzi Z, Nemcovsky CE, Moses O. Long-term bio-degradation of cross-linked and non-cross-linked collagen barriers in human guided bone regeneration. Clin Oral Implants Res. 2008;19(3):295-302.

143. Oh TJ, Meraw SJ, Lee EJ, Giannobile WV, Wang HL. Comparative analysis of collagen membranes for the treatment of implant dehiscence defects. Clin Oral Implants Res. 2003;14(1):80-90.

144. Park SH, Lee KW, Oh TJ, Misch CE, Shotwell J, Wang HL. Effect of absorbable membranes on sandwich bone augmentation. Clin Oral Implants Res. 2008;19(1):32-41.

수평적 결손의 처치

치조골 결손을 크게 나누면 수평적 결손과 수직적 결손으로 구분할 수 있다.[1] 물론 대부분의 골결손은 수직적 결손과 수평적 결손이 혼합된 형태를 보이긴 하지만, 어느 결손이 주요 결손인지, 또는 어떠한 결손의 수복이 골증강의 목적인지에 따라 진단과 수복 방법이 달라진다고 할 수 있다.[2] 따라서 이번 장과 다음 장에서는 수평적 결손과 수직적 결손의 수복에 대해 각각 설명하도록 하겠다.

수평적 결손은 그 위치와 범위에 따라 세 가지로 구분할 수 있다(📷 3-1).

- 열개 결손: 치조정 부위에 국한된 수평적 결손
- 천공 결손: 치근단 부위에 국한된 수평적 결손
- 광범위한 수평적 결손: 치조정에서 치근단에 이르는 치조골 전체 높이의 수평적 결손

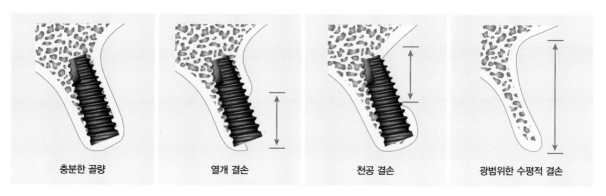

| 충분한 골량 | 열개 결손 | 천공 결손 | 광범위한 수평적 결손 |

📷 **3-1 수평적 결손의 구분**

여기에서는 이들 결손을 필요에 따라 함께, 혹은 따로 다루도록 하겠다. 용어의 혼란을 피하기 위해 수평적 결손은 세 가지 모두를 포함하는 용어로, 열개 결손, 천공 결손, 광범위한 수평적 결손은 각각의 세분된 골결손을 다루는 용어로 사용할 것이다. 또한 반드시 일치하는 것은 아니지만 열개 결손/천공 결손 시에는 임플란트 식립과 동시에 골증강술을 시행하는 것이 일반적이고, 광범위한 수평적 결손 시에는 골증강술 후 임플란트 식립을 시행하는 단계적 접근법이 일반적이다.

1.
수평적 결손 수복의 적응증

1) 작은 열개 결손은 반드시 수복해 주어야 하는가?

열개 결손이나 천공 결손을 수복하고 그 부위에 식립한 임플란트는 건전한 치조골에 식립한 임플란트와 그 예후에 있어 별다른 차이를 보이지 않는다.[3-6] 게다가 어떠한 골증강 술식을 사용하더라도 그 결과는 비슷하게 양호하다.[3] 그러나 해당 사실이 이러한 종류의 골결손에 골증강술을 시행해야만 하는 이유가 될 수는 없다. 임플란트가 부분적으로 골 외부로 노출되는 열개나 천공 결손이 존재하는 경우에 이를 수복해주었을 때와 수복해주지 않았을 때의 결과를 비교해야 골증강의 필요성을 결정할 수 있는 것이다. 이는 이러한 형태의 골결손에서 골증강술이 진정 필요한가를 판단할 수 있도록 해주는 중요한 근거가 될 것이지만 아쉽게도 이에 관한 임상 연구는 거의 없다. 하지만 이는 중요한 주제이기 때문에 좀 더 심도 깊게 논의해 보도록 하겠다.

(1) 협측의 열개 결손은 가장 흔한 골결손이다.
협측의 열개 결손은 가장 자주 마주치는 골결손이다. 그 이유는 다음과 같다(📷 3-2).[7-9]

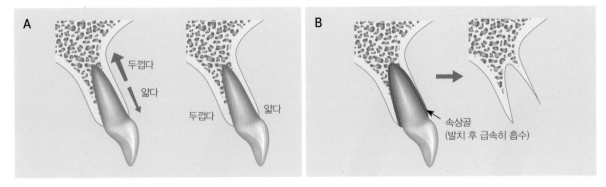

📷 **3-2 치아 상실 후 협(순)측골의 열개 결손이 흔한 이유**
A. 설측보다는 협측골이, 치근단측 골보다는 치관측 골이 더 얇기 때문에 협측 치관측 골이 더 빨리, 그리고 더 자주 상실된다. **B.** 속상골은 치아 의존 구조물이다. 따라서 속상골은 발치 후 급속히 흡수된다. 특히 상악 전치부의 순측골은 대부분 속상골로만 이루어져 있다. 따라서 협측골, 특히 전치부의 순측골은 발치 후 급속히 흡수된다.

① 협측 골판, 특히 치조정측 골판은 설측 골판에 비해 얇고 속상골로 이루어져 있기 때문에 치아 상실 후 급속하게 흡수된다.

② 치조골의 형태는 치관측으로 갈수록 좁아지는 형태를 보인다. 따라서 수평적으로 동일한 양의 골이 흡수된다고 하더라도 치관측이 근단측에 비해 더 좁은 형태를 보일 수밖에 없다.

③ 치주염으로 인해 치아를 발거하는 경우에는 설측보다는 협측 치조골이 파괴되어 있는 경우가 많다.

(2) 작은 열개 결손을 수복하는 것이 임플란트 자체와 그 주위 점막의 예후에 어떤 영향을 미치는지는 아직 잘 알려지지 않았다.

작은 열개 및 천공 결손이 존재하는 경우 과연 골조직으로 이를 반드시 피개해 주어야 하는가라는 의문이 생길 수 있다. 왜냐하면 임플란트 표면의 작은 부분이 골과 접촉하지 않는다고 해서 임플란트의 기능, 심미, 임플란트 주위 점막의 건강도 등이 크게 저하되지는 않을 수 있기 때문이다. 그러나 지금껏 열개나 천공 결손에서의 골증강술과 관련된 문헌들은 대부분 이러한 결손이 골증강술에 의해 얼마나 수복될 수 있는지, 혹은 재생된 조직은 조직학적으로 어떤 특성을 갖는지에 대해 초점을 맞춰온 반면, 골증강술 자체가 진정 필요한 것인가에 대해서는 크게 관심을 기울이지 않았다.[10,11] 즉, 작은 열개 결손을 골증강술로 수복하면 이것이 환자에게 실제적인 이득을 주는지에 관해서는 어떠한 근거도 제시하지 않았던 것이다.[12] 열개 결손을 골증강술로 수복했을 때 이것이 임플란트의 예후에 어떠한 영향을 미치는가를 평가하기 위해서는 열개/천공 결손이 있지만 골이식을 시행하지 않은 대조군과 골이식을 시행한 실험군에서 장기간의 임플란트 예후를 비교함으로써 해답을 얻을 수 있지만, 윤리적인 이유로 이러한 연구는 실행되지 못한 것이다(📷 3-3).[13] 임플란트 치의학의 대가들은, 열개 결손에 있어서는 우리가 일반적으로 생각하는 것보다 골증강술을 적용해야 하는 적응증의 범위가 더 좁을 수도 있다고 생각하고 있다.[10,13] 즉, 작은 열개 결손은 수복하지 않더라도 임플란트 및 그 주위 조직의 예후가 크게 저하되지는 않을 것으로 판단하고 있다는 것이다.

위의 내용을 다시 정리해 보자. 열개 결손은 골유도 재생술을 통해 성공적으로 수복 가능하고, 수복된 부위에 식립된 임플란트의 장기적 생존율/성공률도 매우 높다는 사실은 잘 알려져 있다.[14-16] 그런데 열개 결손을 반드시 수복해야만 하는가에 대해서는 아직 많은 논의가 이루어지지도 않았고, 또 특정한 결론이 이끌어지지도 않은 상황이다. 이는 어떻게 생각하면 주객이 전도된 상황이라고 볼 수 있다.[14,17] 다음을 생각해보자.

① 임플란트 주위에 열개 결손이 존재하면 골증강을 시행해야만 하는 이유가 있다.

② 따라서 임플란트 주위의 열개 결손에 골증강을 시행했다.

③ 임플란트 주위 열개 결손에 골증강술을 시행했더니 그 결과가 성공적이었다.

논리적으로 ① → ② → ③의 순서로 논의가 진행되어야만 한다. 그런데 ①에 대해서는 결론이 내려지지도 않은 상황에서 ②, ③에 대해서만 많은 관심을 기울이고, 또 많은 연구를 시행하고 있는 상황인 것이다. 상식적으로 열개 결손에 골증강을 반드시 해야 할 이유가 없다면 하지 않는 것이 더 도움이 될 것이다. 골증강술을

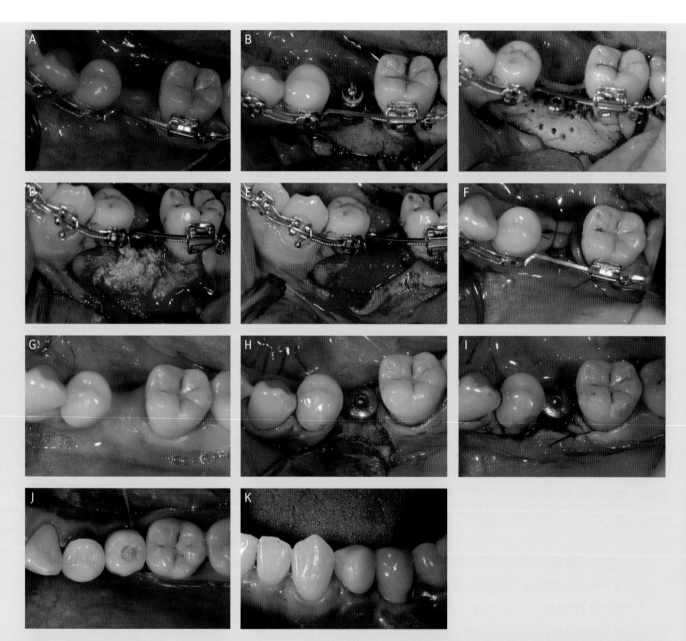

📷 3-3 작은 열개 결손은 반드시 수복해야만 할까? 사실 열개 결손을 수복했을 때 골증강이 성공적으로 이루어질 수 있는가보다는 열개 결손을 반드시 수복할 필요가 있는지 검증하는 것이 더 중요하다. 그러나 이에 대해 우리가 아는 것은 사실 거의 없다. 이 증례에서도 작은 열개 결손이 존재하여 이를 수복하긴 했지만 반드시 골증강술을 시행해야 했는가라는 질문에는 명확한 대답을 할 수 없다.

A~F. 임플란트 식립 후 형성된 작은 열개 결손을 동종골 이식재와 교원질 차폐막으로 수복해 주었다(C, D, E).

G~I. 약 3개월 3주 후 2차 수술을 시행했다. 골증강부에는 신생골이 성공적으로 형성되어 수술 전의 열개 결손을 완전히 수복해 주었다(H).

J~K. 약 1개월 1주 후 보철물을 연결했다.

시행하려면 비용 증가, 환자의 불편감과 합병증 발생 빈도 증가, 치료 기간 연장 등 여러 가지 단점을 감수해야 하기 때문이다. 열개 결손을 수복해야 하는 이론적인 이유는 다음과 같다(📷 3-4).

- 열개 결손이 존재하면 임플란트가 골과 접촉하는 면적이 줄어들기 때문에, 임플란트에 가해지는 부하를 견디기 어려울 수 있다.[18]
- 골의 열개로 인해 임플란트 주위 점막 변연이 근단측으로 이동한다. 이로 인해 지대주나 매식체가 외부로 노출될 수도 있으며, 따라서 전치부에서는 심미적 실패를 야기할 수 있다. 또한 전치부 및 구치부에서 임플란트 주위의 염증성 질환을 야기할 수도 있다.[19]

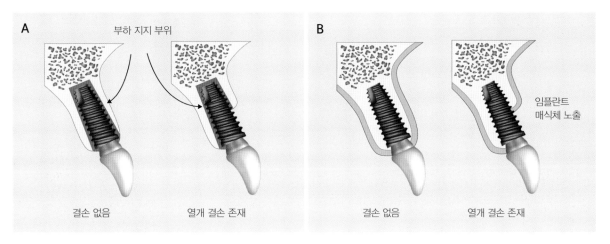

📷 **3-4 열개 결손을 수복해야 하는 이론적인 이유**
A. 열개 결손이 존재하면 임플란트를 지지하는 치조골의 면적이 줄어든다. 결국 임플란트는 골유착에 실패하거나 기능 중 탈락할 수 있다.
B. 열개 결손에 의해 골 외부로 노출된 임플란트 매식체는 심미적 문제나 임플란트 주위 조직의 감염성 질환을 발생시킬 수 있다.

(3) 열개 결손을 수복하지 않더라도 임플란트는 부하를 견딜 수 있을 정도로 충분히 골과 유착된다.

위의 열개 결손을 수복해야 하는 첫번째 이론적 이유에 대해 먼저 살펴보도록 하자. 열개 결손을 수복한 후 형성된 신생골은 분명 임플란트와 골유착을 이룬다. 인체 연구와 동물 연구에서 흡수성 차폐막이나 비흡수성 차폐막을 이용한 골유도 재생술로 형성된 신생골은 임플란트 표면과 조직학적으로 정상적인 골유착을 이룬다는 사실이 밝혀진 바 있다.[18,20-23] 그러나 이렇게 수복된 신생골을 통해 추가적으로 부여된 골-임플란트 간 접촉 면적은 전체 골-임플란트 간 접촉 면적에 비하면 적은 비율을 차지할 뿐이다. 그렇다면 골증강술을 통해 이렇게 추가적으로 얻어진 골-임플란트 간 접촉은 임플란트가 기능 중 가해지는 부하를 더 잘 견딜 수 있게 할 수 있을까?

한 동물 실험에서는 인위적으로 4-5개 나사산 높이의 열개 결손을 형성하고 10 mm 길이의 임플란트를 식립한 후 골유도 재생술로 결손을 수복하거나 수복하지 않고 임플란트의 안정도와 골과의 결합도를 측정했다 (📷 3-5).[18] 그 결과 수술 8-16주 후 골유도 재생술을 시행한 군에서 공진 주파수 분석값(ISQ)이 더 높긴 했지

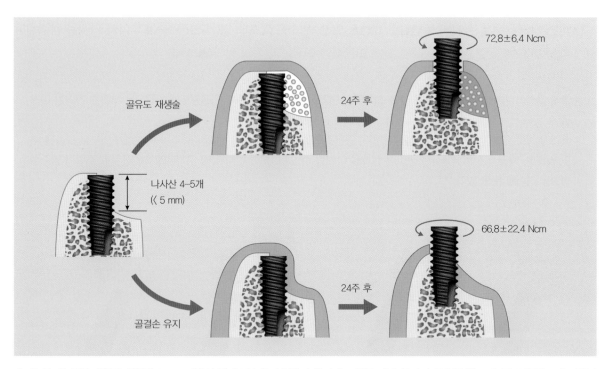

📷 **3-5** 한 동물 실험에 의하면 5 mm 미만의 열개 결손은 수복하지 않더라도 치유 기간 중이나 골유착 완료 후 골-임플란트간 결합의 정도나 안정도에 있어 유의미한 감소를 보이지 않았다.[18] 이는 크지 않은 열개 결손은 수복하지 않더라도 임플란트의 골유착이나 기능 중 탈락 여부에 별다른 영향을 미치지 않음을 의미한다.

만 임상적으로나 통계학적으로 유의미한 차이를 보이지는 않았다. 또한 24주 후 임플란트의 제거 토크는 골유도 재생술 군에서 72.8±6.4 Ncm, 비처치 군에서 66.8±22.4 Ncm로 골유도 재생술 군이 약간 높기는 했지만 유의한 차이를 보이지는 않았다. 이는 5 mm 이하의 열개 결손을 수복하는 것은 임플란트의 전체 안정도를 크게 증가시키지 않는다는 사실을 보여주는 것이다. 다른 동물 실험에서는 임플란트 협측에 5 mm의 열개 결손을 형성하거나, 형성하지 않고 4개월 후 임플란트 주위골의 상태를 조직학적으로 관찰했다.[24] 그 결과 열개 결손이 존재했던 임플란트의 협측 치조골 높이는 평균 1.9 mm 낮았다. 그러나 열개 결손이 존재하는 임플란트 주위의 치조골은 훨씬 더 활발하게 골이 재형성되고 있었다.

이들 동물 실험의 결과는 작은 열개 결손은 수복하지 않더라도 임플란트의 안정도는 크게 저하되지는 않는다는 사실을 직접적으로 보여준다. 뒤에서 서술할 임상 연구들은 이러한 동물 실험의 결과를 검증해준다. 즉, 작은 열개 결손을 수복하지 않더라도 임플란트가 교합 과부하에 의해 탈락하는 현상은 발생하지 않는 것으로 보인다.

(4) 약간의 열개 결손을 수복하지 않더라도 임플란트 자체와 그 주변 점막은 대체로 병적인 변화를 보이지 않는다.

1996년에 발표된 Lekholm 등의 고전적 연구에서는 기계 절삭 표면의 임플란트 식립 시 임플란트의 치관측 이나 근단측 나사산 일부가 노출되어 있을 때 이것이 임플란트의 장기적인 상태에 어떤 영향을 미치는지 후 향적으로 평가했다.[25] 그 결과, 보철 부하 5년 후까지 이들 임플란트 주위의 점막에 염증성 질환이나 진행성의 골소실이 발생하지 않았다. 따라서 이들은 작은 임플란트 주위 골결손은 임플란트의 안정성이나 건강도에 별 다른 영향을 미치지 않으며 작은 골결손은 반드시 수복할 필요는 없는 것으로 보인다고 결론 내렸다. 이후에 도 작은 열개 결손은 수복하지 않아도 임플란트의 기능이나 임플란트 주위 점막의 건강도에 별다른 영향을 미 치지 않는다는 보고가 이어졌다. 한 임상 연구에서는 임플란트의 순측골 상태를 식립 10년 후에 CT로 평가했 다.[26] 그 결과 순측골 변연은 평균 2.14±0.92 mm 열개되어 있었지만 아주 소수(2/49)의 증례에서만 임플란트 주위염의 증상을 보였고 나머지 임플란트 주위의 점막은 건강한 상태를 보였다. 따라서 저자들은 열개 결손의 존재는 장기적으로 임플란트 주위 조직의 염증성 질환 발생에 별다른 영향을 미치지 못한다고 결론 내렸다.

2017년에는 열개 결손의 수복이 임플란트와 임플란트 주위 조직의 건강한 유지를 위해 반드시 필요한가에 대해 평가한 매우 중요한 무작위 대조 연구가 발표되었다. 이 연구에서는 최대 5 mm까지의 열개 결손이 존재 하지만 임플란트의 일차 안정을 얻을 수 있었던 증례들을 두 군으로 나누어서 탈단백 우골 및 천연 교원질 차 폐막으로 골유도 재생술을 시행하거나(실험군) 골증강을 시행하지 않았다(대조군).[19] 골증강술 전 열개 결손의 높이는 대조군에서 평균 3.25±1.18 mm, 실험군에서 평균 3.64±1.37 mm이었고, 6개월 후에는 이 높이가 각 각 0.17±1.79 mm 증가(대조군)하거나 1.79±2.24 mm 감소(실험군)했다(📷 3-6). 6개월 후의 증감량은 통계학 적으로나 임상적으로 유의한 차이를 보이는 것이었다. 그러나 이러한 열개 결손의 높이 차이는 18개월 후까지 임플란트 주위 점막 변연의 높이나 임플란트 주위 점막의 건강도에 아무런 차이도 유발하지 못했다. 근원심 치 조정 골소실량은 골유도 재생술 군에서 유의하게 더 적긴 했지만, 임상적으로 의미가 있는 정도의 차이는 아니 었다(0.39±0.49 mm 감소 vs 0.02±0.48 mm 증가). 저자들은 이 연구가 단지 22명의 환자만 포함된 예비적인 성격의 연구임을 강조했다. 그러나 이 연구를 통해 5 mm 이하의 작은 열개 결손은 골증강술로 수복해주지 않 아도 보철 부하 18개월 후까지 임플란트 주위 조직의 염증성 병변이나 점막 변연의 퇴축을 유발하지 않는다는 사실을 알 수 있다.

작은 열개 결손은 치료 후 오랜 기간이 경과하더라도 별다른 문제를 발생시키지 않는다는 또 다른 근거도 존재한다. 15년의 장기적 관찰에 의하면, 골증강술 시행 여부와 관계없이 임플란트의 협측에는 대략 2 mm 높 이의 열개 결손이 존재하게 된다.[6] 그러나 잔존한 열개 결손으로 인해 임플란트 매식체가 점막 외부로 노출되 지는 않으며 임플란트 주위 조직에 염증성 변화가 발생하지도 않는다.

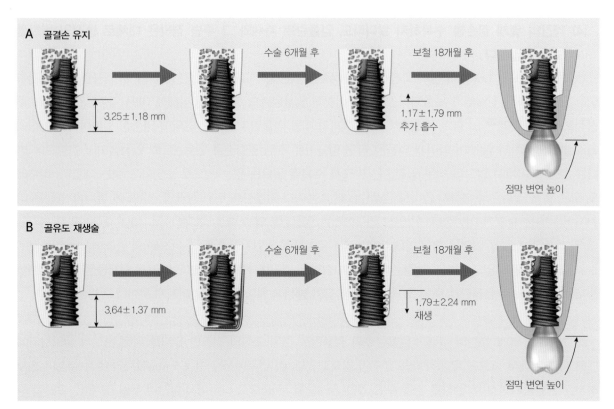

■ 3-6 열개 결손 수복 여부가 임플란트 주위 조직에 미치는 영향[19]
A. 골결손을 수복하지 않은 군(대조군)에서는 평균 3.25±1.18 mm의 열개 결손이 존재했다. 그리고 수술 6개월 후 열개 결손은 수직적으로 0.17±1.79 mm 증가했다. **B.** 골결손을 골유도 재생술로 수복한 군(실험군)에서는 열개 결손의 높이가 평균 3.64±1.37 mm이었고, 6개월 후에는 높이가 1.79±2.24 mm 감소했다. 골유도 재생술을 시행했을 때 열개 결손의 높이는 분명 유의하게 더 감소했지만 점막 변연의 높이나 임플란트 주위 점막의 건강도는 보철 18개월 후까지 별다른 차이를 보이지 않았다.

(5) 열개 결손을 골증강술로 수복하더라도 약간의 열개 결손은 잔존한다. 그러나 이것이 임플란트와 그 주위 조직의 예후에 악영향을 미치지는 않는다.

열개 결손을 수복하더라도 평균적으로 원래 결손 높이의 1/5-1/4 정도, 혹은 1-2 mm 정도는 결손이 남아있다(■ 3-7).[27-31] 이는 치유 기간 중 골증강부 상방의 연조직 압력에 의해 골증강부가 약간 함몰되기 때문이다. 한 문헌 고찰에 의하면, 모든 증강 방법을 통틀어서 열개 결손 수복 후에는 평균 54-97%(평균 81.7%)의 초기 결손 높이가 수복되며, 완전한 수복은 68.5%의 증례에서만 달성할 수 있다.[32] 한 체계적 문헌 고찰에서는 흡수성 차폐막과 입자형 이식재 사용 시 열개 결손부는 수직적으로 평균 87%, 비흡수성 차폐막과 입자형 이식재 사용 시에는 평균 75.7%가 수복됐다고 했다.[33] 차폐막이 노출되지 않으면 비흡수성 차폐막의 결과가 더 우수하지만, 비흡수성 차폐막이 더 자주 노출되고(26.3% vs 14.5%) 일단 노출되면 골증강의 결과가 더 불량하기 때문에 비흡수성 차폐막을 사용했을 때 평균 수복량은 더 적었다. 2019년의 메타분석에서는 전향적 대조 연구와 무작위 대조 연구만을 대상으로 포함했다. 그 결과 모든 치료 방법을 통틀어, 열개 결손의 높이는 수술 전 평균 5.1 mm에서 수술 후 0.9 mm로 줄었으며, 이는 평균 81.3%가 수복된 것이었다고 했다.[34]

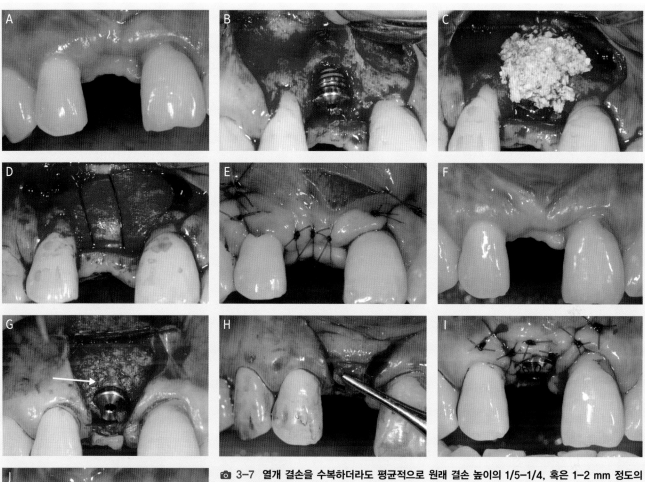

📷 **3-7 열개 결손을 수복하더라도 평균적으로 원래 결손 높이의 1/5-1/4, 혹은 1-2 mm 정도의 결손 높이는 남아있다.**

A~E. 상악 중절치 부위에 임플란트를 식립했다. 열개 및 천공 결손이 형성되어 탈단백 우골과 교차 결합 교원질 차폐막으로 이를 수복했다.

F~I. 약 6개월 후 2차 수술을 시행했다. 천공 결손부는 완전히 수복되었지만 열개 결손부는 1-2 mm 정도가 수복되지 않고 잔존해 있었다**(G)**.

J. 약 1개월 후 최종 보철물을 연결했다. 다시 1개월이 추가적으로 경과한 후의 모습이다. 다행히 순 측 점막 변연의 퇴축은 보이지 않는다.

그렇다면 이렇게 골증강술 후에도 잔존한 열개 결손은 임플란트와 그 주위 점막에 어떤 영향을 미치는지 궁금하지 않을 수 없다. 한 전향적 연구에서는 열개 결손에 탈단백 우골과 천연 교원질 차폐막으로 골유도 재생술을 시행했다.[35] 수술 4개월 후 골증강부에 재진입하여 잔존한 열개 결손의 높이를 측정하고 이 높이에 따라 임플란트 주위 점막의 건강도와 상태가 4년 후 어떠한 차이를 보이는지 평가했다. 잔존 열개 높이가 0 mm인 군, 1 mm인 군, 1 mm 초과군(평균 3.6±1.5 mm)으로 나누었을 때 치태 지수, 탐침 깊이, 점막 퇴축량, 임상적 부착 상실량은 거의 아무런 차이도 보이지 않았고, 탐침 시 출혈만이 1 mm 초과 군에서 0 mm 군에 비해 유의하게 더 높은 빈도로 발생했다(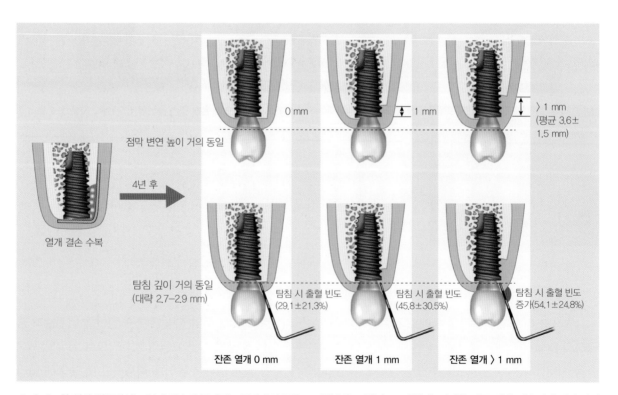 3-8). 저자들은 잔존 열개 결손의 높이가 크면 탐침 시 출혈이 유의하게 더 자주 발생하기 때문에 주위 점막에 염증성 질환이 발생할 위험이 더 높다고 했지만 단순히 탐침 시 출혈 여부 만으로는 염증성 질환의 여부를 따지기 힘들다. 임플란트 주위 점막 조직의 염증 유무를 측정하는 지표로는 탐침 시 출혈(Bleeding On Probing, BOP)이 가장 객관적이라고 인정받고 있기는 하다.[36] BOP가 양성일 때, 즉 탐침 시 출혈이 있을 때 임플란트 주위 점막염으로 진단 가능하고, BOP가 양성이며 치조정 골이 병적으로 흡수(>2 mm)되면 임플란트 주위염으로 진단 가능하다.[36,37] 그러나 BOP는 음성 예측치(negative predictive value)가 양성 예측치보다 높은 측정 방법이다. 즉, BOP가 음성이면 점막의 염증이 실제로 존재하지 않을 가능성이 높지만, BOP가 양성이라도 점막에 실제로 염증이 존재할 가능성이 아주 높지는 않다.[38] 치주 탐침을 열구 내로 삽입할 때 압력을 조절하기가 쉽지 않은데, 높은 압력으로 탐침을 삽입하면 점막에 염증이 존재하지 않더라도 출혈을 유발할 수 있기 때문이다.[39]

한 무작위 대조 연구에서는 열개 결손을 보이는 부위를 탈단백 우골과 두 종류의 흡수성 차폐막으로 피개하고 그 결과를 5년 후에 평가했다.[40] "탈단백 우골+천연 교원질 차폐막"군에서는 수술 시 열개 결손의 높이가 6.506 mm였다가 5년 후 2.241 mm로 4.265 mm 감소했으며, "탈단백 우골+합성 흡수성 차폐막"군에서는 수

📷 3-8 한 임상 연구에서는 열개 결손이 존재하는 증례에서 골유도 재생술을 시행하고 4개월 후 평가한 잔존 열개 결손의 높이에 따라 (잔존 열개 0 mm군, 잔존 열개 1 mm군, 잔존 열개 1 mm 초과군) 군을 나누었다.[35] 그리고 다시 4년 후 점막의 상태를 평가했다. 그 결과 잔존한 열개 결손의 높이는 점막 변연 높이와 탐침 깊이에 거의 아무런 영향도 미치지 않았다. 그러나 탐침 시 출혈의 빈도는 잔존 열개 1 mm 초과군에서 유의하게 더 높았다.

술 시 열개 결손 높이가 7.675 mm에서 5년 후 잔존 결손 높이가 2.753 mm로 4.780 mm 감소했다고 보고했다. 두 군에서 모두 2 mm를 상회하는 높이의 열개 결손이 잔존하기는 했지만, 임플란트 주위 조직은 모두 건강한 상태로 유지됐다고 했다.

(6) 심한 열개 결손이 존재하더라도 임플란트의 식립 위치가 이상적이고 점막이 건전하면 점막 변연은 그다지 퇴축되지 않는다.

임플란트 주위 점막은 대체로 임플란트 주위 치조골의 외형을 따르게 된다. 따라서 협측에 열개 결손이 존재하면 협측 점막 변연도 이에 따라 퇴축될 수 있다. 그러나 몇몇 임상 연구에 따르면 꽤 심한 열개 결손이 잔존하더라도 임플란트의 식립 위치가 협측을 향하지 않으면 협측 점막 변연은 심하게 퇴축되지 않는다.

한 대조 연구에서는 "발치 후 임플란트 지연 식립+비흡수성 차폐막을 이용한 골유도 재생술", "발치 후 임플란트 지연 식립+흡수성 차폐막을 이용한 골유도 재생술", "발치 후 즉시 임플란트 식립"을 상악 전치부에 시행한 결과, 평균 28.2개월 후 순측 치조골정의 높이는 각각 0.13 mm, 0.70 mm, 3.25 mm가 흡수되었지만 순측 점막 변연의 퇴축량은 각각 0.06 mm, 0.50 mm, 0.85 mm였다고 했다.[41] 순측 치조골의 수직적 흡수량이 증가함에 따라 점막 변연의 퇴축량도 증가하는 양상을 보이기는 했지만, 골의 흡수량이 커질수록 점막의 퇴축량 증가 정도는 줄어드는 경향을 보였다(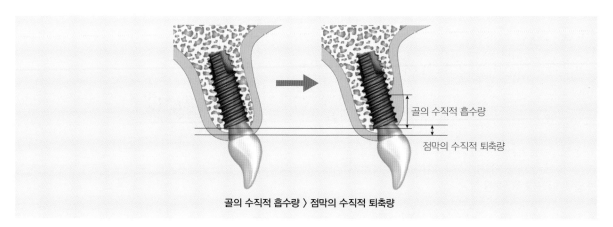 3-9).

한 연구에서 열개 결손이 존재하지 않는 상악 절치 부위에 임플란트를 식립하고 평균 8.9년이 경과했을 때 순측 치조골에는 평균 3.79 mm의 열개 결손이 형성되어 있었다.[42] 그러나 순측 점막 변연의 높이나 전체 심미적 지표는 보철 부하 직후와 거의 차이를 보이지 않았다. 이 연구에서 임플란트는 모두 순-구개 방향에서 이상적인 위치로 식립했다. 위에서 인용했던 한 전향적 연구에서는 열개 결손 수복 후 잔존 열개 결손 높이가 0 mm, 1 mm, 1 mm 초과(평균 3.6±1.5 mm)일 때 4년 후 점막 퇴축량은 각각 0.2±0.3 mm, 0.5±0.7 mm,

골의 수직적 흡수량 〉 점막의 수직적 퇴축량

📷 **3-9** 상악 전치부에서 순측 치조골의 수직적 흡수량이 많아질수록 순측 점막 변연의 퇴축량 또한 증가하는 경향을 보이기는 하지만 임플란트를 이상적인 위치로 식립한 경우에는 치조골 흡수량이 증가함에 따라 점막의 추가적인 퇴축량은 점점 더 적어진다. 또한 일반적으로 골의 수직적 결손량보다는 점막의 퇴축량이 훨씬 적다.

0.4±0.6 mm로 거의 차이를 보이지 않았다고 했다.[35] 한 후향적 연구에서는 발치 후 즉시 임플란트를 식립했던 14명의 환자를 수술 7년 후 추적 관찰했다.[43] 그 결과 9명(64.3%)의 환자에서는 순측 골판이 관찰되었지만 5명(35.7%)의 환자에서는 순측 골판이 결손되어 있었다. 순측 골판이 존재하는 환자에서는 임플란트 변연에서 치조골정까지의 거리가 1.7±0.6 mm였지만 골판이 존재하지 않는 환자에서는 이 거리가 10.9±1.6 mm나 되었다. 그러나 점막 변연에서 임플란트 변연까지의 거리는 각각 1.2±1.0 mm와 0.1±0.3 mm였다(📷 3-10). 물론 점막 변연의 높이는 현저한 차이를 보이는 것이기는 했지만 순측골의 높이차와 비교해보면 훨씬 적은 차이만을 보이는 것이었다. 이 연구에서도 식립한 모든 임플란트는 순-구개측에서 이상적인 위치로 식립했다고 언급했다. 또 다른 단일 환자군 연구에서도 상악 전치부를 임플란트로 수복하고 5-9년 후 관찰했는데, 19.5%의 증례에서는 순측골에 열개가 존재했고 4.9%의 증례에서는 열개의 높이가 6 mm였다.[44] 그러나 임플란트를 모두 이상적인 위치로 식립한 결과 점막 변연의 퇴축은 전혀 존재하지 않았다고 보고했다.

결국 아직 확실한 결론을 내리기에는 근거의 양과 질이 모두 부족하기는 하지만, 다음의 조건을 만족시키면 순측골의 열개 결손은 순측 점막 변연의 심각한 퇴축을 유발하지 않는다고 결론 내릴 수 있다.

① 점막의 두께가 충분히 두껍다(≥1 mm).
② 임플란트의 식립 위치는 순측을 향하지 않는다.
③ 임플란트를 수직적으로 너무 깊이 식립하지 않는다.

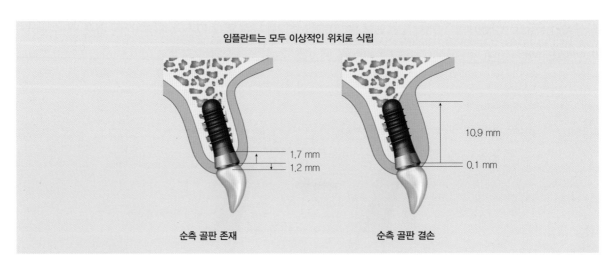

📷 3-10 **한 임상 연구에서는 상악 전치부에서 보철적으로 이상적인 위치에 식립한 임플란트에서 식립 7년 후 순측골의 높이와 순측 점막 변연의 관계를 평가했다.**[43]
A. 순측 골판이 존재하는 증례에서 임플란트 변연에서 치조골정까지의 거리가 1.7±0.6 mm였고 점막 변연에서 임플란트 변연까지의 거리는 1.2±1.0 mm였다. **B.** 순측 골판이 흡수되어 존재하지 않는 증례에서 임플란트 변연에서 치조골정까지의 거리가 10.9±1.6 mm나 되었지만 점막 변연에서 임플란트 변연까지의 거리는 0.1±0.3 mm였다. A와 B의 결과를 종합해보면, 보철적으로 이상적인 위치로 임플란트를 식립하면 순측 치조골이 현저히 흡수되더라도 순측 점막 변연의 퇴축을 최소화시킬 수 있음을 알 수 있다.

(7) 결론: 임플란트 주위 점막이 건전하고 임플란트를 이상적인 위치에 식립하면 작은 열개 결손은 별다른 문제를 일으키지 않는다.

결론적으로 임플란트 주위 점막이 건전하고 임플란트를 이상적인 위치에 식립하면 작은 열개 결손은 별다른 문제를 일으키지 않는 것 같다(📷 3-11). 이는 작은 열개 결손은 수복할 필요가 없다는 뜻은 아니다. 아직까지 이에 대한 임상적 근거는 매우 부족하기 때문에 확정적인 결론을 내릴 수는 없다. 위의 내용을 다시 정리하면 다음과 같다.

① 작은 열개 결손을 수복하더라도 이로 인해 추가적으로 얻게 되는 골–임플란트 간 결합은 임플란트의 안정에 크게 기여하지는 않는다.

② 구치부에서 각화 점막이 충분하고 임플란트를 이상적인 위치로 식립했을 때 3-4 mm 이하의 열개 결손은 거의 문제를 일으키지 않는다.

③ 열개 결손을 골증강술로 수복하더라도 치유 기간 중 골이식 재료의 붕괴 및 수축으로 인해 대략 1-2 mm 의 열개 결손이 잔존한다. 그러나 이는 장기적으로 거의 아무런 문제도 일으키지 않는다.

④ 상악 전치부에서는 순측 중앙 점막 변연의 퇴축 예방을 위해 열개 결손을 반드시 수복해주는 것이 좋다. 그러나 임플란트 식립 위치가 이상적이고 점막 두께가 1 mm 이상으로 충분하면 약간의 열개 결손이 존재하더라도 점막의 퇴축은 잘 발생하지 않는다.

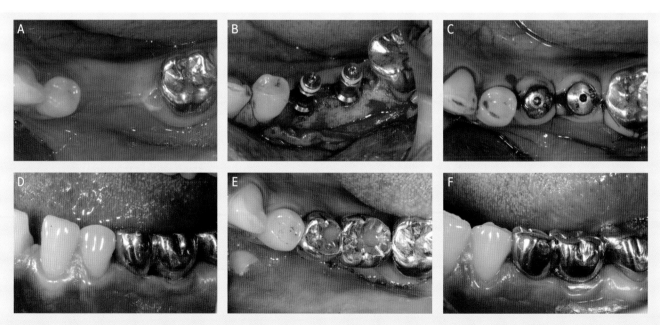

📷 **3-11** 임플란트 주위 점막이 건전하다면 작은 열개 결손(2-3 mm 높이)을 수복하지 않더라도 별다른 문제는 일으키지 않는다고 결론 내릴 수 있다.
A~C. 임플란트 식립 후 1-2 mm 정도의 열개 결손이 관찰됐다**(B)**. 환자가 골증강술을 원하지 않았고 열개의 정도가 약했기 때문에 골증강술을 시행하지 않았다.
D~E. 2개월 후 보철 치료를 완성했다.
F. 다시 1개월 후이다. 치간 유두 점막은 빠르게 재생되었지만 협측 점막 변연의 높이는 안정적으로 유지되고 있었다.

2) 임플란트 식립부의 치조골은 협설로 얼마나 두꺼워야 하는가?

이 책의 여러 곳에서 언급하고 있지만 치아가 상실되면 특히 협측골이 수평적으로 먼저 흡수되기 시작한다. 협측골이 현저히 흡수되면 결국 임플란트 식립부 치조골의 협설측 두께는 임플란트를 수용하기에 좁아지게 될 수 있다.[45,46] 더구나 치유가 완료된 치조골(healed ridge)에 임플란트를 식립하면 골은 추가적으로 흡수된다.[47,48]

- 임플란트 식립이나 골증강술 시의 피판 거상에 의한 외상과 일시적인 혈류 감소
- 임플란트 식립을 위한 골삭제에 의해 골에 직접 가해지는 외상
- 임플란트 매식체/지대주 이행부 주변의 접시 모양 골흡수

따라서 이러한 흡수를 보상하기 위해, 그리고 안정적인 임플란트 주위 조직의 유지를 위해 임플란트 협설측으로 최소한의 골두께가 필요하다(📷 3-12, 13). 이는 특히 치조정측에서 중요하다. 치조골의 형태가 치조정에서 치근단쪽으로 갈수록 더 두꺼워지므로 치조정측에 골의 결손이 흔하며 또한 피판 거상 및 골삭제에 의한 외상과 접시 모양 골흡수가 집중되는 부위는 바로 치조정 부위이기 때문이다. 특히 상악 전치부에서, 임플란트 매식체의 협측에는 최소 1-2 mm의 골두께가 확보되어야 한다는 것이 일반적인 의견이다.[49-52] 그러나 이는 거의 전적으로 전문가들의 개인적인 경험이나 생각에 의한 것일 뿐 임상적인 근거에 기반한 것은 아니었다.

이는 중요한 주제이다. 수평적 골증강술의 시행 여부나 식립할 임플란트 매식체의 직경을 선택할 수 있는 기준이 되기 때문이다. 아직 신뢰할 수 있는 충분한 근거가 축적되지 못했지만 지금 우리가 의지할 수 있는 몇몇 연구의 결과는 어떠했는지 알아보도록 한다.

(1) 임플란트 식립 시 협측 치조골 두께는 최소 1 mm는 넘어야 하는 것으로 보이지만 아직까지는 이에 대한 근거가 부족하다.

2000년에 Spray 등은 이 주제와 관련된 유명하지만 아쉬운 임상 연구 결과를 발표했다.[53] 이들은 무려 3,061개의 임플란트에 대한 전향적 연구를 시행했다. 이 연구에서는 임플란트 식립 시 치조정에서 0.5 mm 하방의 협측골 두께와 임플란트 매식체 최상부에서 치조정골까지의 수직적 거리를 측정했다. 그리고 3-6개월 후 2차 수술을 시행하면서 다시 임플란트 매식체 최상부에서 치조정골까지의 수직적 거리를 측정했다. 그 결과 임플란트 식립 시 협측골의 수평적 두께는 평균 1.7 ± 1.13 mm였다. 그리고 1차 수술에 비해 2차 수술 시 협측골은 0.7 ± 1.70 mm가 수직적으로 흡수되었으며 전반적으로 협측골 두께가 두꺼워질수록 그 수직적 흡수량은 줄어드는 경향을 보였다. 이 연구의 가장 큰 발견은 다음과 같았다(📷 3-14).

- 2차 수술 시 협측골의 수직적 소실이 없는 증례들은 임플란트 식립 시의 협측골 두께가 평균 ≥1.8 mm였다.
- 2차 수술 시 협측골의 수직적 소실이 있는 증례들은 임플란트 식립 시의 협측골 두께가 평균 <1.8 mm였다.

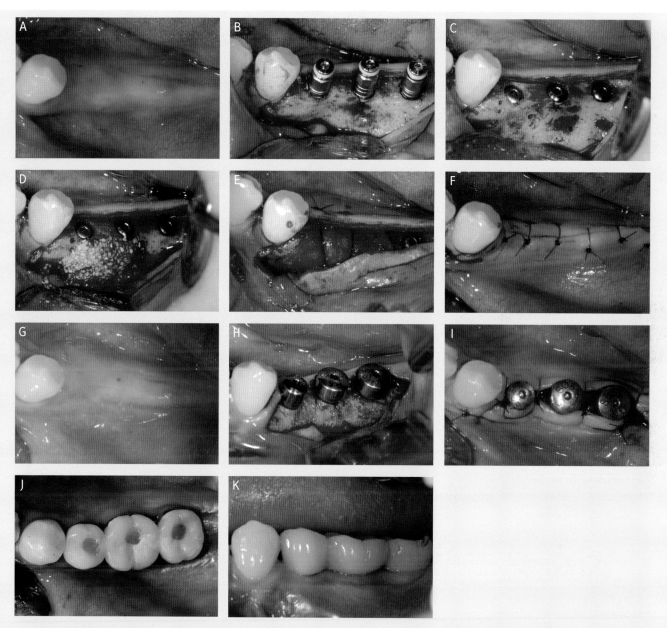

📷 **3-12** 임플란트의 협측골 두께는 얼마 이상이어야 하는가? 아직 이에 대한 명확한 기준은 없다. 따라서 임플란트 식립 후 협측골이 얇게 남아있는 경우에는 골증강술을 시행해야 할지 말아야 할지 확실히 결정하기 힘들게 된다.

A~F. 하악 제2소구치, 제1대구치, 제2대구치 부위에 임플란트를 식립했다. 제2소구치 부위의 협측골에 결손이 존재하지는 않지만 매식체가 비쳐 보일 정도로 얇게 남아있었다(**B, C**). 제1대구치의 협측골도 전반적으로 얇게 남아있었고 약간의 열개 결손이 존재했다. 충분한 두께의 협측골을 형성하고 열개 결손을 수복하기 위해 동결 건조 동종골과 교차 결합 교원질 차폐막으로 골유도 재생술을 시행했다.
G~I. 약 3개월 1주 후 2차 수술을 시행했다. 제2소구치에 1 mm 정도의 열개 결손이 잔존했지만 협측골은 전반적으로 두껍게 잘 재생되었다(**H**).
J~K. 약 1.5개월 후 보철물을 장착해 주었다.

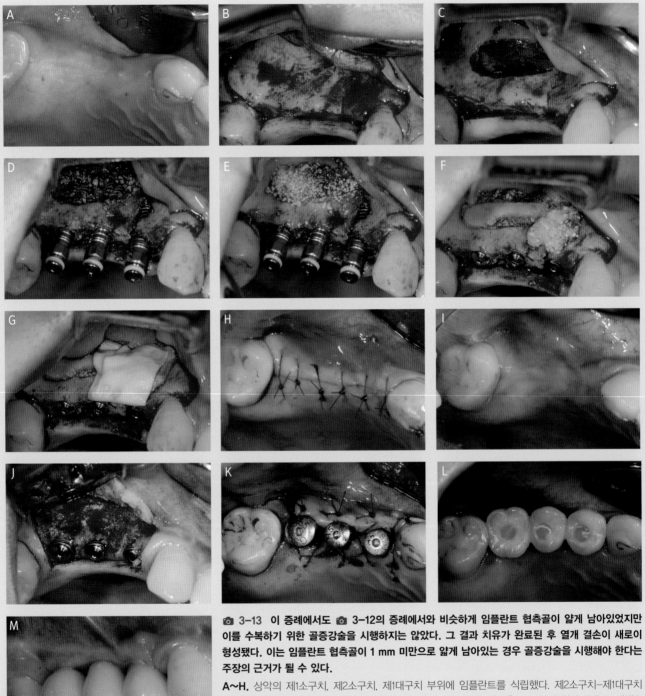

📷 3-13 이 증례에서도 📷 3-12의 증례에서와 비슷하게 임플란트 협측골이 얇게 남아있었지만 이를 수복하기 위한 골증강술을 시행하지는 않았다. 그 결과 치유가 완료된 후 열개 결손이 새로이 형성됐다. 이는 임플란트 협측골이 1 mm 미만으로 얇게 남아있는 경우 골증강술을 시행해야 한다는 주장의 근거가 될 수 있다.

A~H. 상악의 제1소구치, 제2소구치, 제1대구치 부위에 임플란트를 식립했다. 제2소구치-제1대구치 부위에는 상악동 골이식을 시행했고 제1소구치 부위는 수평적 결손을 수복하기 위해 골유도 재생술을 시행했다(**D~G**). 제2소구치와 제1대구치 부위의 임플란트 협측골은 얇게 남아 있었지만 이를 골 증강술로 수복해주지는 않았다(**F**).

I~K. 5개월 후 2차 수술을 시행했다. 임플란트의 협측골에는 모두 1-2 mm 가량의 열개 결손이 형성되어 있었다.

L~M. 약 1.5개월 후 보철물을 장착해 주었다.

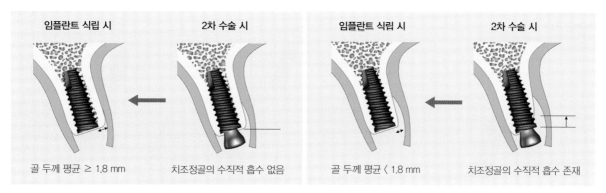

임플란트 식립 시 | 2차 수술 시 | 임플란트 식립 시 | 2차 수술 시

골 두께 평균 ≥ 1.8 mm | 치조정골의 수직적 흡수 없음 | 골 두께 평균 〈 1.8 mm | 치조정골의 수직적 흡수 존재

📷 **3-14 임플란트 식립 시 필요한 협측골 두께에 관한 근거로 가장 널리 알려진 Spray 등의 임상 연구**[53]

따라서 저자들은 협측골의 수직적 소실을 예방하기 위해서는 임플란트 식립 시 매식체 협측골 두께는 2 mm (≒1.8 mm) 이상이 되어야 한다고 결론 내렸다. 그러나 이러한 결론은 너무 성급했고 통계학적으로도 잘못된 것이었다.[47]

• 이 연구의 근본적 목적은, 1차 수술 시 협측골의 두께에 따라 향후 협측골의 수직적 흡수량이 어떻게 될지를 알아내는 것이다. 따라서 협측골 두께에 따라 군을 나누고 각 군별로 수직적 흡수량이 어떻게 되는가를 알아내는 것이 이치에 맞다. 그러나 이 연구에서는 반대로 2차 수술 시의 수직적 흡수량에 따라 1차 수술 시 임플란트 협측골 두께가 어떠했는가를 평가했다. 즉, 연구 시작 시의 원인 요소에 따라 군을 나누지 않고 연구 완료 시의 결과에 따라 군을 나누었던 것이다.

• 협측골 소실이 발생하지 않았던 임플란트 부위의 평균 두께는 1.8 mm였고 표준 편차는 1.1 mm였다. 이는 자료의 분포가 너무 넓은 것으로, 95% 신뢰 구간으로 치환하면 1.8−(2X1.1)에서 1.8+(2X1.1), 즉 0−4 mm에 이름을 나타낸다. 이는 협측골의 수직적 소실이 없었던 환자의 95%가 협측 골두께 0−4 mm에 분포함을 뜻한다(📷 **3-15**). 따라서 이 결과로 1.8 mm를 넘어야 협측 골소실이 발생하지 않는다는 결론을 이끌어낼 수는 없는 것이다.

이 연구는 여러모로 아쉬움이 많은 연구이다. 이렇게 많은 환자를 대상으로 한 전향적 연구였음에도 불구하고 잘못된 연구 설계로 인해 질 낮은 결론만을 얻을 수 있었기 때문이다. 이 연구를 통해 얻을 수 있는 결론은 임플란트 식립 후 협측골은 수직적으로 흡수될 수 있다는 것과, 협측골의 두께가 얇아질수록 그 수직적 흡수량이 증가하는 경향을 보인다는 것 정도라고 할 수 있다.

2006년의 전향적 단일 환자군 연구에서는 임플란트 식립 시와 6개월 후의 협측 치조골의 두께와 높이 변화를 측정했다.[54] 그 결과 협측 치조정골의 높이는 평균 0.7 mm 감소했고, 협측 치조골의 두께는 임플란트 매식체 치관측 변연 높이에서 1.2±1.0 mm에서 0.8±0.3 mm로 평균 0.4 mm 감소했다. 2009년에는 이 주제에 관한 체계적 문헌 고찰이 발표되었는데, 포함된 일차 연구들의 결과가 어떤 일정한 방향성을 보이지 않았고 그 근거 수준들도 높지 않았기 때문에 어떤 특정한 결론을 내리기는 힘들다고 했다.[47]

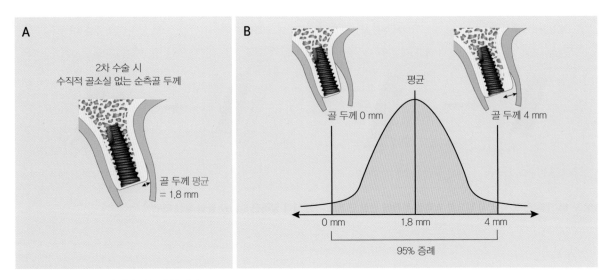

📷 3-15 **Spray 등의 임상 연구의 문제점**
A. 이 연구에서는 원인 요소에 따라 환자군을 배분하지 않고 결과 요소에 따라 환자군을 구분했다. 즉, 임플란트 식립 시의 협측골 두께가 아닌 2차 수술 시 협측골의 수직적 흡수가 존재하는지 여부에 따라 환자군을 나눈 것이다. **B.** 2차 수술 시 협측골의 수직적 골소실이 존재하지 않았던 환자들은 수술 시 협측골 두께가 평균 1.8 mm였다. 그러나 문제가 되는 것은 협측골 두께의 분포가 너무 광범위했던 것이다. 즉, 2차 수술 시 협측골의 수직적 흡수가 존재하지 않던 환자들의 95%는 임플란트 식립 시 협측골 두께가 0–4 mm 범위에 존재했던 것이다. 따라서 이 연구의 결과로 임플란트 식립 시 협측골 두께가 1.8 mm 이상이어야 임플란트 협측골의 수직적 흡수를 예방할 수 있다는 결론을 내리는 것은 잘못된 것이었다.

이후 이 주제와 연관된 임상 연구는 거의 단절 상태에 있다가 2017년에 주목할 만한 무작위 대조 연구가 발표되었다. 이 연구에서는 발치 후 6개월 이상 경과한 치조골에서 골증강술 없이 임플란트를 식립할 때 피판 거상 유무와 2차 수술 여부가 협측 치조골의 흡수에 어떠한 영향을 미치는지를 평가했다.[55] 환자는 무피판 수술군, 피판 거상 1단계 수술군(임플란트 식립 시 치유 지대주 연결), 피판 거상 2단계 수술군 등 세 군으로 나누었으며 임플란트의 협측에 위치한 골의 두께를 각각 임플란트 식립 직후, 2차 수술 시(피판 거상 2단계 수술군에서만), 보철 부하 12개월 후 측정했다. 전체 식립 부위에서 모든 높이의 협측골 두께를 함께 평균적으로 평가했을 때, 임플란트 식립 시에 비해 보철 부하 12개월 후 평균 0.31 mm의 협측골이 흡수됐다. 그리고 치조정 높이에서 임플란트 매식체 협측에 위치한 골폭의 변화는 📷 3-16과 같았다. 관찰 기간 동안의 매식체 변연 높이 협측골 흡수양은 피판 거상군들 사이에서는 유의한 차이가 없었다. 그러나 무피판 수술군은 두 피판 거상군들에 비해 대략 0.2 mm 정도 덜 흡수되었으며 이는 통계학적으로 유의한 차이를 보이는 것이었다. 그러나 이 연구의 결과는 임플란트 식립 전 협측골 두께가 1 mm 정도이면 피판 거상이나 1단계/2단계 여부와 관계없이 협측골 두께는 0.7 mm 이상으로 장기간 유지될 수 있다는 사실을 보여주는 것이다. 또한 피판을 거상하면 협측골의 두께 감소는 유의하게 증가하기는 하지만 그 정도는 0.2 mm 정도로 임상적인 중요성을 갖지는 않는다는 점 또한 보여준다.

임플란트 식립   2차 수술   보철 12개월 후

◎ 3-16 임플란트 식립 시 협측골 두께가 평균 1 mm 가량일 때 치조골 두께의 변화[55]
무피판 수술 시 협측 치조골 두께가 가장 적게 감소하긴 했지만 피판을 거상하더라도 치조정 변연은 평균 0.3 mm 이하로만 감소했다.

이 연구에서 치조정 높이 협측골의 평균 두께는 1.1 mm였는데, 협측골 두께 1 mm를 기준으로 그 이상과 미만일 때 부하 12개월 후 협측골의 흡수량은 무피판 수술군과 피판 거상 2단계 수술군에서 대략 0.3 mm 이하의 차이로 1 mm 이상일 때 더 적었지만, 피판 거상 1단계 수술군에서는 1 mm 미만일 때 0.92 mm가 더 많이 흡수되어 유의한 차이를 보였다.

이상의 연구들의 결과를 표로 정리하면 다음과 같았다(**☷ 3-1**).

📑 3-1 임플란트 수술 후 협측골의 흡수량

	대상 수	부위	임플란트 식립 시 치조정 높이에서 협측골 수평적 폭	최종 측정 시 치조정 높이에서 협측골 수평적 폭	협측골의 수직적 흡수	수술 방법
Spray 등, 2000년[53]	2685 임플란트	모든 부위	1.7±1.13 mm		0.7±1.70 mm (3-6개월 후 2차 수술 시)	고전적 2단계 수술
Cardaropoli 등, 2006년[54]	11명 환자 11 임플란트	상악 전치부	1.2±1.0 mm	0.8±0.3 mm (2차 수술 시)	0.7 mm(6개월 후 2차 수술 시)	고전적 2단계 수술
Merheb 등, 2017년[55]	24명 47 임플란트	상하악 전치-소구치	1.1±0.77 mm	0.85±0.71 (보철 부하 12개월 후)		무피판 수술, 1단계 수술, 2단계 수술

　결론적으로 임플란트 식립 시 협측 치조골 두께가 평균 1 mm 이상이었을 때, 협측 치조골은 치유 기간 후 대략 평균 0.3-0.4 mm 가 수평적으로, 0.7 mm가 수직적으로 감소했다. 임플란트 식립 시 매식체 협측의 치조골 두께가 최종적인 협측 치조골의 수직적, 수평적 흡수량에 미치는 영향은 명확하지는 않지만, 대략적으로는 더 두꺼울수록 흡수량이 더 적어지는 경향을 보였다. 협측 골판의 장기간 흡수에 대해서는 거의 임상적 근거가 없긴 하지만, 초기 치유 과정 이후로는 거의 변화가 없을 것으로 예상된다.[56] 결국 임플란트 식립 시 추천하는 협측 치조골 두께의 최소값은 아직까지 명확하지 않지만 1 mm 이상은 되어야 하는 것으로 보인다 (📷 3-17). 또한 피판 거상 유무나 1단계 임플란트 식립/2단계 임플란트 식립은 치조정 골의 흡수에 큰 영향을 미치지 않는 것 같다.

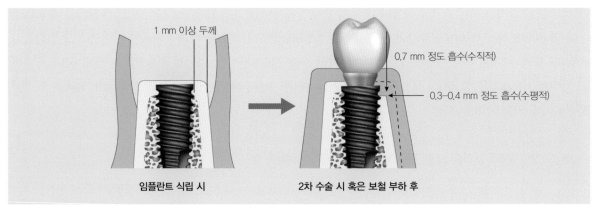

📷 **3-17** 임플란트 식립 후 협측 치조골은 대략 수직적으로 0.7 mm, 수평적으로 0.3-0.4 mm 정도 흡수되는 것으로 보인다. 결국 심미가 중요하지 않은 부위에서 협측골의 최소 두께는 1 mm라고 잠정적으로 결론 내릴 수 있다.

3) 상악 전치부에서 순측 점막 변연의 퇴축을 막기 위해서는 어떠한 점에 주의해야 하는가?

상악 전치부에서 순측 중앙 점막 변연 높이와 근원심 치간 유두의 높이는 임플란트 보철물의 심미적 결과를 결정짓는 매우 중요한 두 가지 해부학적 요소이다(📷 3-18). 임플란트 보철물을 둘러싼 순측 중앙 점막 변연의 높이가 반대측 자연치보다 1 mm 이상 퇴축되어 있으면 심미적인 실패를 야기한다.[57] 그러나 여러 단일 환자 군 연구에서는 상악 전치부 순측 점막 변연은 임플란트 보철물 연결 이후 평균 0.6–1 mm 가량 퇴축되는 것으로 나타났다.[42,58-61] 또한 이러한 퇴축은 보철물 연결 후 3–6개월 이내에 집중된다.[58,59,61] 그리고 이러한 초기의 퇴축 이후 8–22년 후까지 점막 변연은 안정된 상태로 유지된다.[42,62,63] 순측 점막 변연의 높이는 여러 가지 요소에 의해 영향받는다. 이 중 가장 중요한 요소들은 다음 세 가지이다.[64-67]

① 점막 자체의 두께(얇은/두꺼운 표현형)
② 임플란트의 순–구개측 식립 위치
③ 순측 치조골 변연의 폭과 높이

(1) 순측 치조골의 폭과 높이는 순측 점막 변연의 형태에 중요한 영향을 미친다.

임플란트의 순–구개측 위치가 순측 점막 변연의 높이를 결정짓는 가장 중요한 요소이지만, 순측 치조골 변연의 폭과 높이 또한 많은 영향을 미친다. 앞서 살펴보았듯이 보철적으로 이상적인 위치로 임플란트를 식립하면 치조골이 수직적으로 현저히 흡수되더라도 순측 점막 변연은 퇴축에 잘 저항한다. 그러나 임플란트 순측골을 열개 없이 두껍게 유지하면 점막이 얇거나 임플란트 식립 위치가 약간 순측을 향하더라도 점막 변연의 퇴축을 줄여줄 수 있을 것이다. 임플란트 주위 점막의 두께(생물학적 폭경)는 3.5–4 mm 정도로 일정하며, 따라서 이론적으로 생각했을 때 임플란트 주위 점막 변연은 치조골 변연의 외형을 3.5–4 mm 치관측에서 재현하기 때문이다(📷 3-19).[68,69] 임플란트 치관측 변연에 충분한 두께의 골이 존재해야 불리한 상황(임플란트 식립 위치

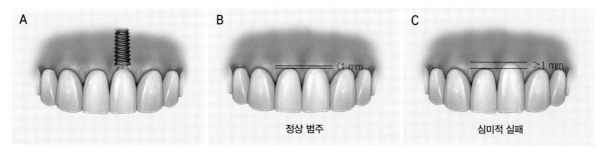

📷 3-18 **임플란트 수복물의 순측 점막 변연 높이는 중요한 심미적 요소이다.**
A. 임플란트 수복부 순측 점막 변연의 높이는 임플란트 수복물의 심미적 결과를 결정하는 가장 중요한 요소이다. **B.** 임플란트 수복부 순측 점막 변연의 높이가 반대측 자연치, 혹은 발치 전 수복부 자연치 치은 변연 높이보다 1 mm 미만으로 퇴축되어 있으면 심미적인 문제가 없는 것으로 간주한다. **C.** 임플란트 수복부 순측 점막 변연의 높이가 반대측 자연치, 혹은 발치 전 수복부 자연치 치은 변연 높이보다 1 mm 이상으로 퇴축되어 있으면 심미적인 실패로 간주한다.

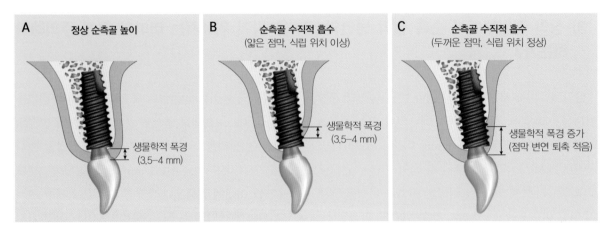

📷 3-19 순측 치조골 변연의 높이와 점막 변연 높이의 관계
A. 순측 치조골 변연보다 순측 점막 변연은 3.5~4 mm 가량 더 치관측에 존재한다. 이는 일정한 두께의 생물학적 폭경이 존재하기 때문이다. **B.** 임플란트를 너무 순측으로 식립한 경우에는 순측 치조골 변연이 근단측으로 흡수되면 점막 변연은 생물학적 폭경을 유지하기 위해역시 근단측으로 퇴축된다. **C.** 임플란트를 보철적으로 이상적인 위치, 즉 상대적으로 구개측에 식립하면 순측 치조골 변연이 근단측으로흡수되더라도 점막 변연은 생물학적 폭경을 증가시키며 퇴축에 어느 정도 저항한다.

이상, 얇은 점막 두께 등)에서도 치조정 골의 수직적인 흡수를 예방해 줄 수 있으며, 이는 결국 순측 점막 변연의 퇴축을 예방할 수 있게 된다.[70] 한 전향적 연구에 의하면 상악 전치부에서 임플란트 식립 시 순측 치조골 변연의 두께는 보철 연결 1년 후의 순측 치조골 변연 높이와 점막 변연의 퇴축량과 유의한 상관관계를 보인다.[71]또한 한 전향적 대조 연구에서는 순측 치조정 골의 폭과 높이는 순측 점막 변연의 퇴축량과 유의한 상관관계를 보였다. 즉, 순측 치조정 골의 폭이 좁거나 치근단측을 향할수록 점막 변연은 더 많이 퇴축되었다.[41] 이 연구에서는 치료 완료 후 CT로 측정한 치조정 골의 수평적 폭 1.2 mm를 기준으로, 순측 점막 변연의 퇴축 여부를높은 민감도와 특이도로 예측 가능했다고 한다. 저자들은 치료 시작 시에 비해 순측골 두께가 대략 0.7 mm 정도 감소하기 때문에 임플란트 식립 직후 순측골 두께가 2 mm(1.2+0.7=1.9) 정도 되어야 한다고 결론 내렸다(📷 3-20).

(2) 심미 부위에서 임플란트의 이상적인 식립 위치: 3A-2P 법칙

심미 부위에서 순측 점막 변연의 퇴축을 예방하기 위해 가장 중요한 수술적 요소는 임플란트의 순-구개측 식립 위치이다. 상악 전치부에서는 잔존골의 형태대로 임플란트를 식립하면 임플란트가 너무 순측으로 식립되는 경향이 있다. 따라서 전문가들은 일단 이상적인 형태의 보철물을 이상적인 부위에 가상적으로 위치시키고, 이에 맞추어 잔존골의 상태와 관계없이 임플란트 매식체를 식립하자는 개념, 즉 "보철물-유도 임플란트 식립(prosthesis-driven implant placement)"이라는 개념을 주장하였다.[72,73] 기존의 골-유도 임플란트 식립에서는 임플란트 보철물을 임플란트 매식체의 치관측 연장으로 생각한 반면, 보철물-유도 임플란트 식립에서는 임플란트 매식체를 임플란트 보철물의 치근측 연장으로 생각하였다(📷 3-21). 상악 전치부에서 임플란트의 식립 위치에 관해서는 여러 전문가들이 논한 바 있지만, 2004년 ITI에서 발표한 고전적 문헌 고찰에서 제시된 프로토콜이 가장 표준적인 것으로 받아들여지고 있다.[52,74] 따라서 이를 중심으로 이상적인 식립 위치를 설명할 것이다.

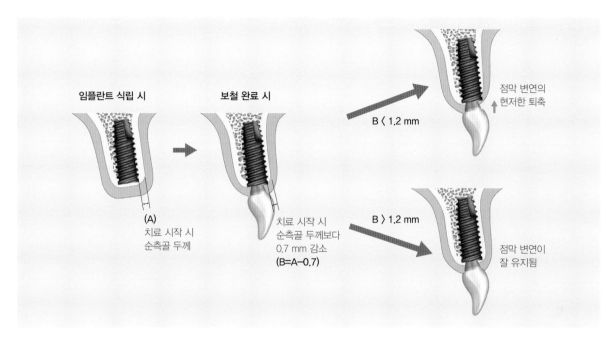

📷 **3-20** 한 임상 연구에 의하면 상악 전치부에서 점막 변연의 퇴축을 예방하기 위해서는 보철 완료 시 순측 치조정 골의 폭이 1.2 mm를 넘어야 했다. 또한 임플란트 식립 시에 비해 보철 완료 시 순측 치조골의 두께는 0.7 mm가 감소했다. 저자들은 결국 임플란트 식립 시 순측 치조골 두께는 2 mm(1.2+0.7≒2)가 되어야 한다고 결론 내렸다.

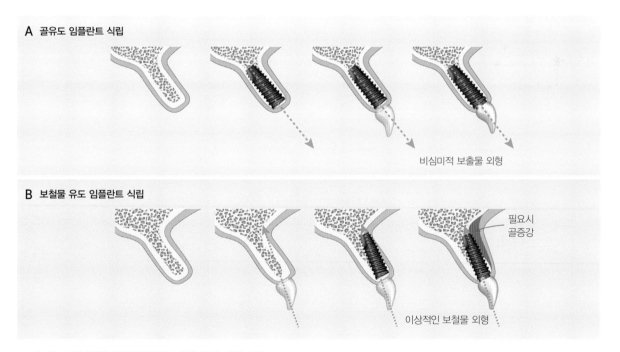

📷 **3-21 상악 전치부에서 임플란트 식립의 두 가지 개념**
A. 골유도 임플란트 식립. 임플란트 식립의 고전적인 방법으로 잔존골의 형태에 맞춰 임플란트를 식립하고 이에 따라 보철물의 형태를 결정한다. 치료의 순서는 치조골에서 보철물 방향(화살표)을 따르게 된다. 상악 전치부에서 골유도 임플란트 식립의 과정을 따르게 되면 임플란트는 이상적인 보철물 형성을 위해 필요한 식립 위치보다 순측을 향하게 되므로 비심미적인 임플란트 보철물을 제작해야 된다. **B.** 보철 유도 임플란트 식립. 임플란트 식립의 새로운 개념으로, 이상적인 임플란트 보철물 제작을 위해 필요한 이상적인 위치로 임플란트를 식립하는 방법이다. 치료의 순서는 보철물에서 치조골 방향을 따르게 된다. 상악 전치부에서는 순측에 골결손이 발생할 가능성이 높으며 이를 골증강술로 수복해 준다.

이 문헌 고찰에서는 상악 전치부 임플란트 식립에 적절한 위치를 "안전 부위(comfort zone)"로 명명하였고, 식립 시 심미적 문제를 야기할 수 있는 부위를 "위험 부위(danger zone)"로 명명하였다(📷 3-22).

① 순-구개측 위치

임플란트 매식체의 순-구개측 위치는 임플란트의 심미를 결정짓는 데 있어 가장 중요한 요소이다. ITI에서는 양측 인접치의 치경선을 연결한 가상 곡선과, 이보다 1.5-2 mm 정도 구개측에 위치한 곡선 사이가 안전 부위라고 하였다. 이보다 순측, 혹은 구개측에 임플란트 매식체의 순측 변연이 존재하면 위험 부위에 위치하게 된다. 수술 중에는 치주 탐침(periodontal probe)으로 임플란트 식립부에 인접한 양측의 자연치 치경부를 연결하면 안전 부위를 좀 더 쉽게 시각화할 수 있다.[65] 그러나 2010년대 이후로 전문가들은 ITI의 이상적인 식립 위치 중에서도 가장 구개측으로 치우친 위치로 임플란트를 식립할 것을 추천하고 있다. 심미 부위에서 임플란트는 "너무 순측"으로 식립하는 것보다는 "너무 구개측"으로 식립하는 것이 더 안전하기 때문이다.

안전 부위의 순측 위험 부위에 임플란트를 위치시키면 순측 골조직 및 연조직이 회복 불가능할 정도로 퇴축될 수 있다. 작은 퇴축의 경우에는 단순히 치관의 길이가 길어지는 것으로 그치지만, 심한 경우에는 임플란트 매식체 자체가 노출되는 심미적 재앙을 초래할 수 있다. 따라서 순측으로의 식립은 반드시 피하도록 한다(📷 3-23). 반대로 구개측으로는 위험 부위로의 식립이 어느 정도 허용된다. 그러나 너무 구개측으로 식립하면 보철물의 ridge lap부위가 과도하게 길어질 수 있으며, 과도한 ridge lap으로는 음식물이 함입되어 임플란트 주위 점막의 염증을 유발할 수 있다는 점은 명심해야 한다. 경험 많은 임상가들은 임플란트를 이상적인 위치보다 구개측으로 1 mm 이동하여 식립할 때마다 1 mm 더 깊게 식립할 것을 추천한다. 왜냐하면 이를 통해 수평적으로 과도한 ridge lap 형성을 피하고 자연스런 보철물의 출현 윤곽을 얻을 수 있기 때문이다(📷 3-24).

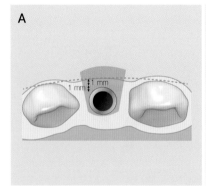 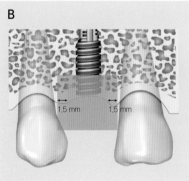 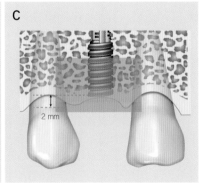

📷 3-22 ITI가 제안한 상악 전치부 임플란트 식립 위치
A. 순-구개측 위치. 양측 인접치의 치경선을 연결한 가상 곡선에서 1-2 mm 구개측이 안전 부위이다. 임플란트 매식체의 순측 변연이 안전 영역에 위치해야 한다. **B. 근원심 위치.** 인접한 자연치의 근원심 변연에서 1.5 mm 이내가 위험 부위이다. 임플란트의 근심과 원심 변연은 이 부위보다 먼 안전 부위에 위치해야 한다. **C. 수직적 위치.** 매몰형 임플란트는 인접 자연치의 백악 법랑 경계를 연결한 선보다 2 mm 치근단측에, 점막 관통형 임플란트는 1 mm 치근단측에 안전 부위가 존재한다.

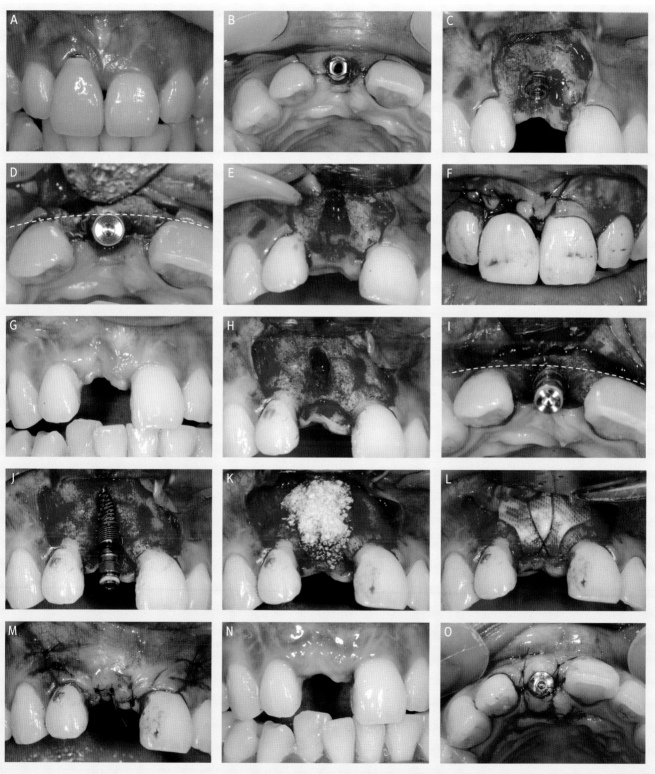

- 계속 -

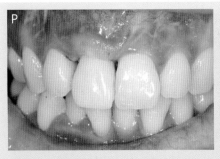
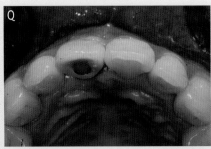
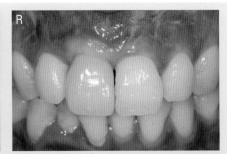

📷 **3-23** **상악 전치부에서 임플란트 치료의 심미적 실패를 야기하는 첫 번째 원인은 임플란트를 너무 순측으로 식립하여 순측 점막 변연이 퇴축되는 것이다.**

A~F. 임플란트 수복부의 점막 변연이 심하게 퇴축된 증례로 이의 처치를 위해 의뢰받았다. 임플란트를 너무 순측으로 식립한 것으로 판단되었고 보철물을 제거하여 매식체의 식립 위치를 확인했다**(B)**. 매식체를 제거하기로 하고 매식체에 마운트를 연결하여 매식체의 순측 변연이 인접 자연치 치경부 연결선보다 순측에 위치하는 것을 재차 확인했다**(D)**. 극도로 얇게 존재하던 순측골은 매식체 제거 과정에서 상실되었다**(E)**.

G~M. 약 2개월 3주 후 임플란트를 식립했다. 임플란트 매식체는 순–구개적으로 안전 영역에 식립된 것을 확인했다**(I)**. 매식체 순측으로 길게 열개 결손이 형성됐으며**(J)** 이를 탈단백 우골과 OSSIX 차폐막으로 수복해 주었다.

N~P. 환자는 이후 내원하지 않다가 약 1년 후 내원하여 2차 수술을 시행했다. 그리고 약 10일 후 고정성 임시 보철물을 연결해 주었다.

Q~R. 환자는 다시 내원하지 않다가 내원하여 약 5.5개월 후 최종 보철물을 연결해 주었다. 순측 조직의 부피와 점막 변연의 높이는 반대측 치아와 유사한 정도로 개선됐다.

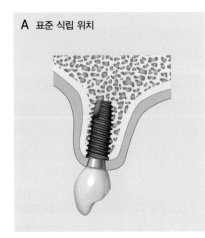
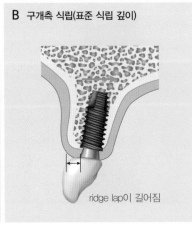
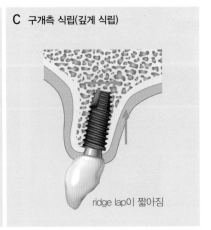

📷 **3-24** 상악 전치부에서 임플란트를 이상적인 위치보다 구개측으로 식립하는 것은 허용된다. 단 임플란트를 구개측으로 식립할 때에는 보철물의 ridge lap이 너무 수평적으로 형성되는 것을 예방하기 위해 1 mm 더 구개측으로 식립할수록 치근단측으로 1 mm 더 깊게 식립한다.

② 근원심 위치

치아 주변의 치조골정 높이는 법랑–백악질 경계의 높이에 의해 결정되는데 이 법랑–백악질 경계는 순측과 구개측에서는 치근단측에, 그리고 근원심측에서는 치관측에 위치해 있기 때문에 치조정, 나아가 치은연의 높이는 이를 따라서 형성된다(📷 3-25). 반면 임플란트 주변 치조골정 높이는 매식체–지대주 경계의 높이에 의해 결정되는데, 매식체–지대주 경계는 근원심이나 순–구개측에 관계없이 동일한 높이에 위치해 있다. 임플란트 매식체의 식립 깊이는 주로 순측 점막의 높이에 따라 결정하기 때문에 임플란트 근원심측에서는 치조골정과 치간 유두첨, 즉 인접 접촉점까지의 거리가 7–8 mm를 상회하게 된다. 반면 자연치의 치조골정에서 치간 유두첨(치간 접촉점)까지의 거리는 5 mm 이하이다. 따라서 임플란트와 치아 사이의 치간 유두는 전적으로 치아측 치조골에 의해 지지된다(📷 3-26).

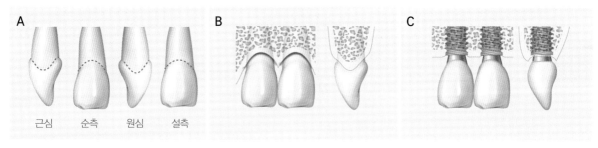

📷 **3-25 자연치와 임플란트 주위에서 치조골정의 높이**
A. 자연치의 백악 법랑 경계는 순–구개측 중앙부가 가장 근단측에 위치하고 근원심 인접면 중앙부가 가장 치관측에 위치한 물결 모양을 보인다. **B.** 자연치 주변 치조골 변연의 높이는 백악 법랑 경계의 높이에 따라 좌우된다. 치조골 변연은 백악 법랑 경계보다 1–2 mm 근단측에 위치한다. 따라서 순–구개측 중앙부가 가장 근단측에, 인접면 중앙부가 가장 치관측에 위치한 모양을 보인다. **C.** 임플란트 주위골의 높이는 매식체–지대주 경계의 높이에 의해 결정된다. 매식체–지대주 경계의 높이는 임플란트 주위로 어느 방향에서나 모두 같다. 따라서 임플란트 주위골의 높이는 순–구개측이나 인접면에서 차이가 없다.

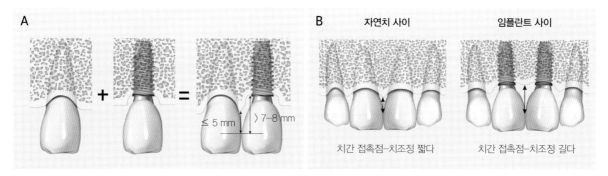

📷 **3-26 자연치–임플란트, 자연치–자연치, 임플란트–임플란트 사이의 치간골정 높이**
A. 자연치와 임플란트가 인접한 경우에는 높은 자연치측 인접면 치조골에 의해 치간골 높이가 유지된다. 자연치측에서는 인접 접촉점에서 치간골정까지의 거리가 5 mm 이하인 반면, 임플란트측에서는 접촉점에서 치간골정까지의 거리가 7–8 mm 이상이다. **B.** 임플란트 사이의 치간골 높이는 자연치 사이나 임플란트–자연치 사이 치간골보다 근단측에 위치한다. 따라서 원래 자연치–자연치 사이에 존재하던 치간 접촉점에서 인접면 치조골정 사이의 거리는 길어진다. 결국 어떠한 방법을 사용하더라도 치간 유두 점막은 이 부위를 완전히 점유할 수 없다. 따라서 임플란트 보철물 사이의 치간 접촉점은 자연치보다 치근단측에 위치시켜야만 한다.

임플란트의 근원심 위치를 결정할 때에는 치아측 치조골정에 영향을 미치지 않도록 해야 한다. 임플란트 주변으로 치조골이 흡수되는 현상인 "접시 모양 골흡수"는 임플란트의 종류에 따라, 혹은 문헌에 따라 다양하게 보고되고 있지만 대략 최대 1.5 mm 정도인 것으로 알려졌다. 따라서 임플란트에서 인접 자연치의 근원심면까지는 최소 1.5 mm, 넉넉히 2 mm 이상의 거리를 두어야 한다. 결국 근원심측에서 위험 부위는 자연치 근원심에서 1.5-2 mm 이내의 영역이다(📷 3-27). 만약 치아 결손부가 근원심으로 좁아져서 각각 1.5 mm의 거리를 얻을 수 없다면 직경이 더 작은 임플란트를 식립해야 한다.

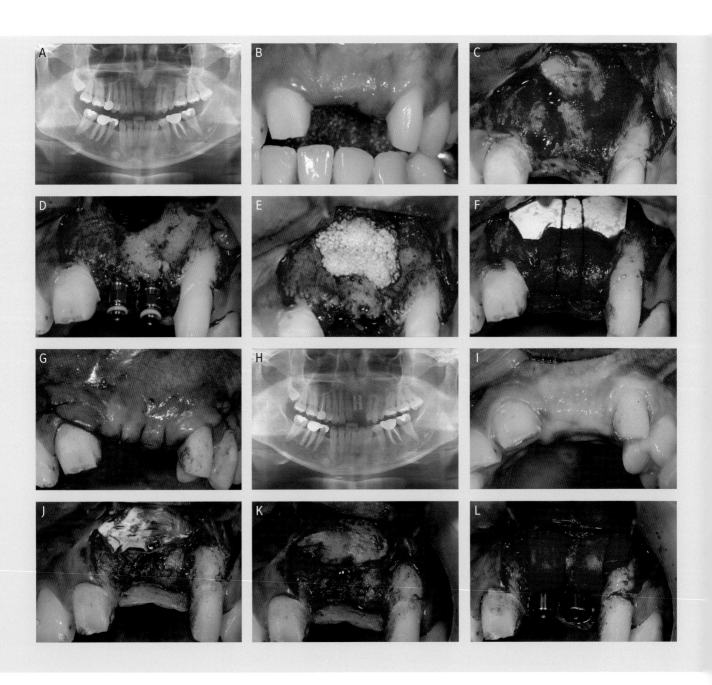

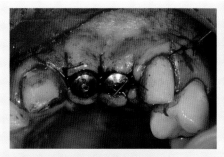
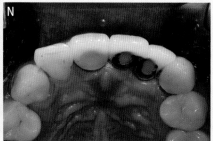
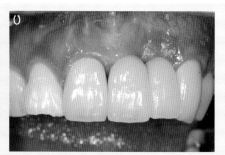
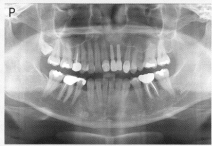

📷 **3-27** 수평적인 폭이 충분하지 못한 무치악부 중에는 임플란트-임플란트, 또는 임플란트-자연치 사이의 공간을 충분히 확보할 수 없는 곳도 있다. 이러한 경우 임플란트-임플란트, 임플란트-자연치 사이의 치간 유두를 온전히 형성할 수 없다.

A~H. 상악 중절치는 매복, 측절치는 결손되어 반대측 중절치에서 결손측 견치에 이르는 고정성 보철물을 착용하던 환자가 임플란트 수복을 목적으로 내원했다. 치아 결손부는 근원심으로 넓은 단일치 형태의 pontic으로 수복되어 있었다**(A)**. 우선 매복된 중절치를 발거한 후 임플란트를 식립했다**(B, C)**. 치아 결손부의 근원심 폭은 표준 직경의 임플란트를 식립하기에는 부족했기 때문에 3.5 mm 직경의 임플란트를 두 개 식립했다**(D)**. 그러나 두 임플란트 사이의 거리는 충분히(최소 3 mm 이상) 확보할 수 없었다. 발치 후 형성된 결손부에는 3인산칼슘을, 치관측 치조골에는 동종골 이식재를 적용했다. 차폐막은 치근단측에는 dPTFE 차폐막을, 치관측에는 교차 결합 교원질 차폐막을 이용했다.

I~M. 약 4개월 후 2차 수술을 시행했다. 특히 중절치 부위의 치관측 치조골에는 약간의 열개 결손이 형성되어 있었다**(K)**. 순측 조직을 좀 더 증강시키기 위해 무세포성 동종 진피를 삽입해 주었다**(L)**.

N~P. 고정성 임시 보철물을 장착하고 다시 4개월 후 최종 보철물을 연결했다. 이전 보철 수복물 지대치였던 반대측 중절치와 동측 견치 치관을 근원심으로 줄여줌으로써 임플란트 보철물의 근원심 폭을 그나마 확보할 수 있었다. 임플란트-자연치 사이의 치간 유두 높이는 자연치-자연치보다 치근단측으로 변위되어 있었다. 이는 치아 상실부가 장기간 무치악 상태로 유지되었기 때문에 어쩔 수 없는 결과로 보인다. 또한 당연하게도 임플란트-임플란트 사이의 치간 유두는 이보다 더 치근단측에 위치했다. 그러나 이러한 심미적 결과는 어쩔 수 없는 측면이 많으며 임플란트 수복 전 보철물 형태가 심미적으로 워낙 불량했기 때문에 환자의 만족도는 높았다.

③ 수직적 위치

임플란트 매식체의 수직적 위치는 임플란트 수복물 및 주변 조직의 순측 외형을 이상적으로 복구해 줄 수 있도록 결정한다. 많은 전문가들은 임플란트를 식립할 때 예상되는 순측 점막 변연보다 3 mm 치근단측에 임플란트 매식체 변연이 위치하도록 해주어야 자연스런 보철물 외형을 얻을 수 있다고 생각한다.[65,75] ITI에서는 백악-법랑 경계보다 1 mm 치근단측이 수직적인 안전 부위라고 하였다. 즉, 점막 관통형의 임플란트 변연이 이 안전 부위에 위치해야 한다. 매몰형 임플란트는 인접 자연치의 백악 법랑 경계를 연결한 선보다 2 mm 치근단측에 위치하도록 한다.

안전 부위보다 더 치근단측에 임플란트 변연을 위치시키면 임플란트 주위골이 흡수되면서 결국 순측골의 과도한 흡수와 임플란트 주위 조직 퇴축을 유발할 수 있다. 조직이 퇴축되지 않더라도 임플란트 매식체-보철물 경계가 너무 깊어지기 때문에 구강 위생 관리가 쉽지 않다. 반면 임플란트를 너무 얕게 식립하면 임플란트 매식체에서 치관 출현부까지의 거리가 너무 짧아지기 때문에 적절한 출현 윤곽을 부여하기가 힘들며 보철물의 금속 변연이 비쳐 보일 수 있다. 즉, 상악 전치부에서 임플란트를 너무 깊게 식립하면 구강 위생에 악영향을 미칠 수 있는 반면, 너무 얕게 식립하면 심미적으로 불리해진다(📷 3-28).[76] 너무 순측으로, 그리고 너무 깊게 식립하는 경우 최악의 결과를 초래할 수도 있다. 순측골과 점막이 흡수되면서 임플란트 매식체가 노출될 수 있기 때문이다. 따라서 어쩔 수 없이 안전 부위보다 깊게 식립하게 되는 경우에는 반드시 더 구개측으로 식립해야 한다.

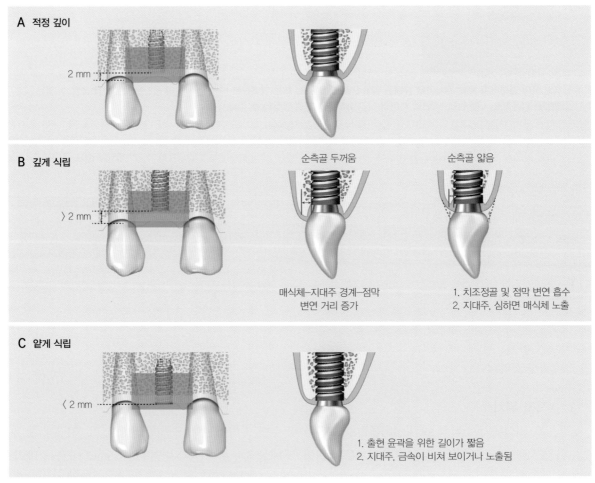

A 적정 깊이

2 mm

B 깊게 식립

> 2 mm

순측골 두꺼움   순측골 얇음

매식체-지대주 경계-점막
변연 거리 증가

1. 치조정골 및 점막 변연 흡수
2. 지대주, 심하면 매식체 노출

C 얕게 식립

< 2 mm

1. 출현 윤곽을 위한 길이가 짧음
2. 지대주, 금속이 비쳐 보이거나 노출됨

📷 **3-28 임플란트의 수직적 식립 깊이에 따른 치료 결과**
A. 적정 깊이로 임플란트를 식립하면 생리적으로나 심미적으로 최선의 결과를 얻는다. **B. 임플란트를 깊게 식립한 경우.** 임플란트 순측 치조골 두께가 2 mm 이상으로 두꺼운 경우 생리적 골흡수에 의해 치조골이 수직적으로 흡수되지는 않는다. 하지만 매식체-지대주 경계가 너무 치근단측에 위치하기 때문에 구강 위생 관리가 쉽지 않다. 치조골이 얇은 경우에는 생리적 골흡수에 의해 순측 치조골이 수직적으로 흡수된다. 점막 두께가 두꺼우면 어느 정도 이를 보상해 줄 수 있지만 점막 두께도 얇은 경우에는 순측 점막 변연이 근단측으로 이동하면서 점막 변연이 근단측으로 이동하게 된다. **C. 임플란트를 얕게 식립한 경우.** 임플란트를 얕게 식립하면 지대주와 보철물 변연을 위한 공간이 너무 짧아진다. 따라서 출현 윤곽이 부자연스러워지거나 심하면 지대주 금속이 노출되어 보일 수도 있다.

이상의 내용을 외우기 쉽게 "3A−2P" 법칙으로 요약할 수 있디(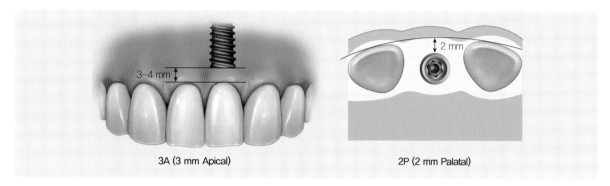 3−29).[77]

- 예상되는 임플란트 보철 치관의 치경부 변연(=순측 점막 변연)에서 3 mm 근단측(Apical)
- 예상되는 임플란트 보철 치관의 순측 치경부 변연(≒인접치 치경부 연결선)으로부터 2 mm 구개측(Palatal)

3A (3 mm Apical)   2P (2 mm Palatal)

📷 3−29 상악 전치부에서 적절한 임플란트 식립 위치는 간단하게 "3A−2P"로 기억할 수 있다.
3A (3 mm Apical) 예상되는 임플란트 보철 치관의 치경부 변연(=순측 점막 변연)에서 3 mm 근단측, 2P (2 mm Palatal) 예상되는 임플란트 보철 치관의 순측 치경부 변연(≒인접치 치경부 연결선)으로부터 2 mm 구개측

(3) 상악 전치부의 순측 점막 변연 높이는 임플란트의 순−구개측 식립 위치에 의해 가장 중요한 영향을 받는다.

계속 반복해서 언급하지만 상악 전치부에서 임플란트의 순−구개측 식립 위치, 특히 임플란트의 치관측 변연 위치는 매우 중요하다. 이제부터 그 근거를 알아보도록 할 것이다. 우선 한 무작위 대조 연구에서는 상악 전치부에서 발치 후 즉시 임플란트 식립을 시행하면서 30명의 환자를 무작위로 세 군으로 나누었다(각 군당 n=10, 📷 3−30).[78]

- "골이식군(BG)" 임플란트와 순측 치조골 사이의 결손에 탈단백 우골 삽입
- "골이식+차폐막군(BG+M)" 임플란트와 순측 치조골 사이의 결손에 탈단백 우골을 삽입하고 천연 교원질 차폐막으로 피개
- "비이식군" 임플란트와 순측 치조골 사이의 결손에 아무런 처치도 하지 않음

발치와 순측골의 결손이 없었던 증례만 분석했을 때 치료 6개월 후 순측 치조골의 수평적 감소량은 "골이식군"과 "골이식+차폐막군"이 15−20%만 감소하고 "비이식군"에서는 48.3%가 감소하여 유의한 차이를 보였다. 그러나 순측 치조골의 높이는 모든 군에서 비슷하게 1 mm 정도만이 감소했다. 이 연구에서 순측 치조골의 높이 감소는 골이식 여부보다는 임플란트의 순−구개측 식립 위치에 의해 유의한 영향을 받았다. 치유 지대주의 순측 변연이 인접 자연치들의 치경부 연결선상에 있거나 이보다 순측에 위치하면 순측 식립으로, 구개측에 위치하면 구개측 식립으로 평가했을 때 순측 점막 변연의 퇴축 여부는 📷 3−31과 같았다. 임플란트 식립 당시

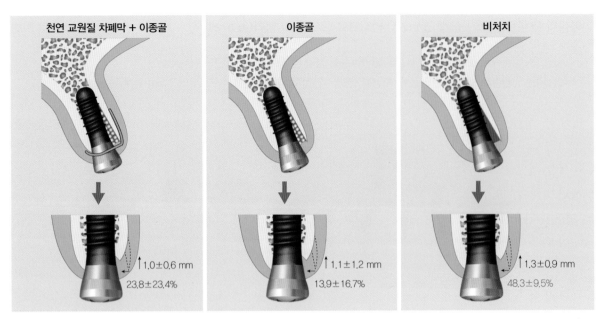

📷 3-30 상악 전치부에서 발치 후 즉시 임플란트 식립을 시행할 때 임플란트 주위 결손 처치가 순측 치조골의 변화에 미치는 영향[78]
골재생 술식을 시행하면 순측 치조골 변연의 수평적 흡수는 유의하게 줄어들지만 수직적 흡수는 골재생 술식의 시행 여부와 관계없이 비슷한 정도를 보인다.

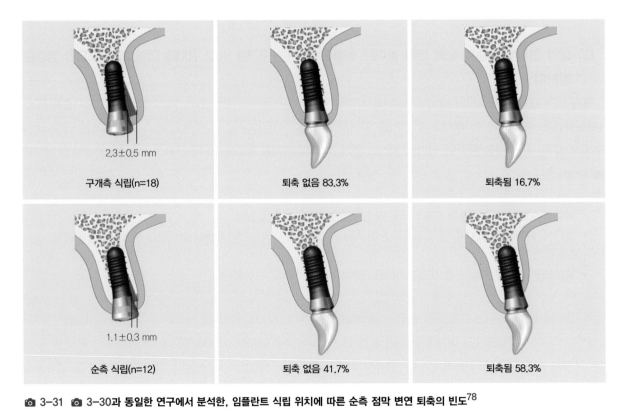

📷 3-31 📷 3-30과 동일한 연구에서 분석한, 임플란트 식립 위치에 따른 순측 점막 변연 퇴축의 빈도[78]
임플란트 주위 결손에 골재생 술식을 시행했는가 여부와 관계없이, 임플란트를 순-구개측으로 어떤 위치에 식립했는가가 순측 점막 변연 퇴축에 훨씬 더 큰 영향을 미쳤다. 구개측으로 식립한 경우에는 83.3%의 증례에서 점막 변연 퇴축이 없었지만 순측으로 식립한 경우에는 58.3%의 증례에서 순측 점막 변연이 퇴축됐다.

임플란트 주위 결손의 수직적 길이, 순측 치조골정이 높이, 점막의 표현형, 골이식 여부는 점막의 수식석 퇴축량에 영향을 미치지 못했다. 오직 치유 지대주의 순-구개 위치와 수술 시 임플란트 주위 결손의 수평적 폭, 즉 임플란트의 순-구개측 위치만이 점막 퇴축의 존재 여부에 유의한 영향을 미쳤다.

발치 후 즉시 임플란트를 식립하고 순측 점막 변연의 퇴축에 어떤 요소가 영향을 미치는지 평가한 다른 후향적 연구에서도 사용한 임플란트 시스템이나 점막의 두께(표현형)에 따라서는 점막 퇴축량에 차이가 없었던 반면, 임플란트의 순-구개측 식립 위치만이 점막 변연 퇴축량에 유의한 영향을 미쳤다고 보고했다.[79] 임플란트 매식체가 순측으로 위치한 경우에는 순측 점막이 평균 1.8±0.83 mm 퇴축된 반면, 구개측으로 위치한 경우에는 평균 0.6±0.55 mm만이 퇴축되었다. 또 다른 후향적 연구에서도 임플란트의 순-구개측 식립 위치는 순측 점막의 퇴축량에 유의한 영향을 미친 반면, 점막 두께나 결합 조직 이식 여부는 점막 퇴축에 유의한 영향을 미치지 못했다고 보고했다.[80] 상악 전치부에 단일 임플란트를 식립했을 때 치간 유두와 순측 점막 변연의 퇴축에 어떠한 요소가 영향을 미치는지 평가한 후향적 연구가 있었다.[81] 여러 다양한 요소들, 즉 환자 성별/나이, 보철 기능 부하 기간, 점막 표현형, 식립 부위, 골증강술 유무, 임플란트 순-구개측 위치, 술자, 치조정 골소실 양 등이 순측 점막 변연의 퇴축에 영향을 주는지 평가했다. 그 결과 임플란트의 순-구개측 위치만이 순측 점막의 퇴축에 유의한 영향을 끼쳤다. 임플란트가 순측에 위치할 때 순측 점막 변연이 퇴축될 위험성은 17.2배 증가했다 (오즈비 17.2).

한 전향적 연구에서는 상악 전치부에서 발치 후 즉시 임플란트를 식립하고 16주 후 수술부에 재진입하여 치조골의 여러가지 변화를 측정하고, 이에 영향을 미치는 요소를 평가했다.[82] 그 결과 순측 치조골정의 높이는 임플란트의 순-구개측 위치(발치창 중심에서 1 mm 순측으로 위치할 때마다 0.22 mm씩 더 흡수)에 유의한 영향을 받았다. 이 연구의 저자들은 특히 발치창에 임플란트를 식립할 때에는 순측 치조골정보다 1 mm 더 근단측으로, 발치창 중심에 비해서는 더 구개측으로 식립해야 임플란트 매식체가 치조골 외부로 노출되는 것을 예방할 수 있다는 Caneva 등의 언급을 인용하면서,[83] 상악 전치부에 임플란트를 식립할 때에는 임플란트의 식립 위치가 그 심미적 결과를 결정짓는 가장 중요한 요소라고 결론지었다.

사실 임플란트 식립 위치는 심미적 결과를 위해서 가장 중요할 뿐만 아니라 임플란트 주위 질환의 예방을 위해서, 그리고 정상적인 보철 과정을 위해서도 매우 중요하다. 임플란트 주위염의 가장 큰 원인으로 수술적 요소, 특히 구체적으로는 잘못된 식립 위치가 지적된 바 있다.[84] 한 후향적 연구에서는 골유착이 상실되지 않은 임플란트를 제거한 원인 중 13.9%가 잘못된 식립 위치 때문이었다고 했다.[85]

4) 천공 결손은 주로 상악 전치부에서 발생한다.

천공 결손은 주로 세 가지 원인에 의해 발생한다(📷 3-32).

① 치근단 병소에 의해 협측 근단측 치조골이 흡수됨
② (주로 상악 전치부에서) 순측 치조골이 원래 얇아서 천공 결손이 존재하고 있음
③ (주로 상악 전치부에서) 치조골 형태와 이상적인 임플란트 식립 위치의 차이에 의해 천공 결손이 발생

(1) 치근단 병소가 존재하는 치아를 발거하더라도 즉시 임플란트 식립이 가능하다.

임플란트 치근단 주위 병소(implant periapical lesion)라고도 불리는 역행성 임플란트 주위염은 1992년 McAllister 등에 의해 처음으로 문헌에 보고됐다. 그들은 임플란트의 치관측에는 별다른 문제가 없는 상태에서 치근단 부위에만 누공을 동반한 감염성-염증성 병소가 발생한 증례를 보고했다.[86] 역행성 임플란트 주위염의 주요 증상은 다음과 같다.[87,88]

- 임플란트 치근단 부위에서 방사선 투과상이 관찰됨
- 임상적으로 부종, 통증, 압통(tenderness), 발적, 임플란트 협측 점막의 농루관(fistula tract) 등이 관찰될 수 있음

이 질환은 주로 임플란트 식립 후 보철물 연결 전에 발생한다. 한 후향적 연구에서는 역행성 임플란트 주위염의 발생 시점을 분석한 결과 이차 수술 전에 61.0%(36/59), 이차 수술 시 18.6%(11/59), 보철 연결 1년 이내

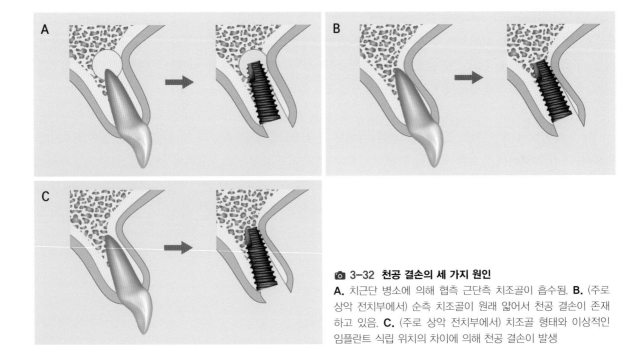

📷 **3-32 천공 결손의 세 가지 원인**
A. 치근단 병소에 의해 협측 근단측 치조골이 흡수됨. **B.** (주로 상악 전치부에서) 순측 치조골이 원래 얇아서 천공 결손이 존재하고 있음. **C.** (주로 상악 전치부에서) 치조골 형태와 이상적인 임플란트 식립 위치의 차이에 의해 천공 결손이 발생

8.5%(5/59), 1년 이후 11.9%(7/59)가 발견됐다고 했다.[89] 역행성 임플란트 주위염의 가장 흔한 원인은 임플란트 식립부 인접 자연치의 치근단 병소나, 발치된 임플란트 식립부 치아의 치근단 병소에 잔존한 세균이다(📷 3-33).[89-92] 근관 치료를 받은 치아가 특별한 임상 증상이 없으며 방사선 사진상 정상적인 소견을 보이더라도 그 근단부에는 세균이 잔존할 수 있다.[93-95]

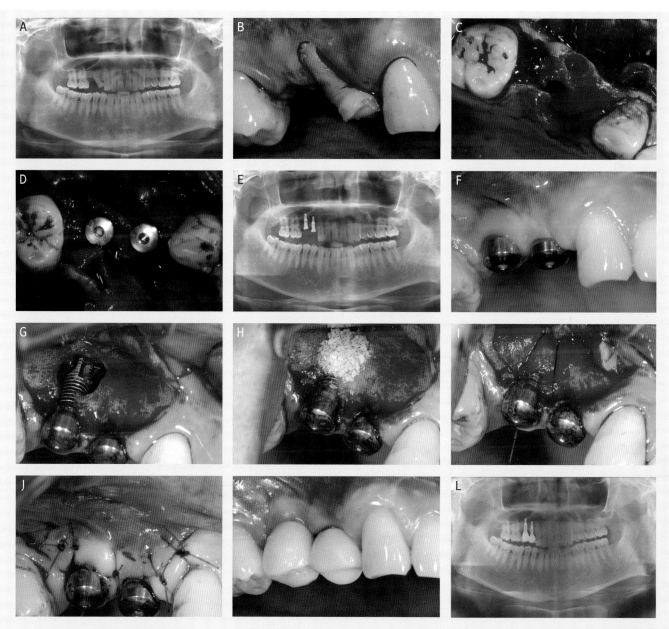

📷 **3-33 역행성 임플란트 주위염 증례**
A~E. 상악 소구치 잔존 치근을 발거하고 임플란트를 식립한 후 골증강술을 시행했다.
F~J. 수술 후 약 2개월이 경과했을 때 제2소구치 부위 임플란트의 치근단 부위가 부종되면서 누공이 형성됐다. 역행성 임플란트 주위염으로 진단했다. 일단 항생제를 처방하고 임플란트 치근단 부위를 외과적으로 노출시켜 소파해 주었다. 임플란트 식립 후 4개월 정도 경과했을 때 역행성 임플란트 주위염으로 인해 형성된 임플란트 치근단 부위의 천공 결손을 수복해 주었다. 천공 결손을 수복하기에 앞서 임플란트 치근단 주위의 염증성 병소는 완전히 사라져 있었다(**F**). 제2소구치의 치근단측에 천공 결손이, 치관측에 열개 결손이 형성되어 있었다(**G**). 임플란트 주위의 결손을 탈단백 우골과 교차 결합 교원질 차폐막으로 수복했다.
K~L. 골증강술 3개월 후 보철 수복을 완료했다. 보철 수복 1년 후 임상 소견(**K**)과 방사선 사진 소견(**L**)이다.

최근의 문헌 고찰들에서 정리한 역행성 임플란트 주위염의 원인은 ■ 3-2와 같다.[87,88,96]

📂 3-2 역행성 임플란트 주위염의 원인	
주요 원인(세균성)	• 치근단 병소가 존재하거나 불충분한 근관치료 상태인 인접 자연치로부터 감염의 파급 • 치근단 병소를 지닌 자연치를 발거한 후 잔존한 세균이 임플란트 식립 후 감염을 발생시킴 • 잔존 치근 • 임플란트 근단부가 식립 중 오염됨
기타 원인(비세균성)	• 임플란트 식립 중, 혹은 골삭제 중의 골조직 과열 • 임플란트 식립 시 임플란트 치근단부 골에 가해지는 과도한 압력 • 임플란트 길이에 비해 골삭제를 너무 깊이 시행 • 환자의 전신적 상태로 인해 골치유가 저하됨 • 원인 불명

치근단 병소가 존재하는 치아를 발거한 후 즉시 임플란트를 식립하면 그 예후는 어떻게 될까? 1990년대까지는 이러한 경우에는 임플란트가 실패하거나 역행성 임플란트 주위염이 발생할 수 있기 때문에 임플란트를 즉시 식립하지 말 것을 추천했다.[97-100] 그러나 최근의 임상 연구들에서는, 적절히 술 전-술 후 항생제를 처방하고 임플란트 식립 시 치근단 병소부에 충분한 세척 및 소파를 시행하면 발치 후 즉시 임플란트를 식립하더라도 그 예후는 나쁘지 않다는 결과를 보여준다.[101-105] 2010년대 후반의 메타분석이나 체계적 문헌 고찰에서는 치근단 병소가 존재하는 치아를 발거하고 임플란트를 즉시 식립한 후와 치근단 병소가 존재하지 않는 치아를 발거하고 즉시 임플란트를 식립한 후 임플란트의 성공률에는 별다른 차이를 보이지 않는다는 사실을 보여주었다.[101,106] 2018년의 메타분석에서는 상악 전치부에서 치근단 병소가 존재하던 부위에 식립한 임플란트는 97.6%, 치근단 부위에 병소가 존재하지 않던 부위에 식립한 임플란트는 98.4%의 생존율을 보였고, 이는 유의하지 않은 차이였다고 했다.[107]

치근단 병소가 존재하는 치아를 발거하고 임플란트를 식립할 때에는 병소나 세균이 잔존하지 않도록 특별한 주의를 기울여야 한다. 발치할 치아에 근관 치료 병력이 있다면 방사선 사진상 치근단의 방사선 불투과상이 없더라도 치근단에 염증 및 세균이 잔존할 수 있기 때문에 발치 후 치근단 부위를 철저히 소파해준다. 특히 발치 후 즉시 임플란트를 식립하면 세균은 치근단 부위에서 갇혀 있을 수 있기 때문에 더 철저한 소파를 요한다.[108] 만약 치근단 골이 천공되지 않았지만 발치와를 통해서는 병소를 철저히 소파할 수 없다고 판단된다면 인위적으로 근단부에 골창을 형성하고 병소를 소파한다. 병소와 병소 주변의 연화된 골을 철저히 소파하고 클로르헥시딘액 및 생리식염수로 여러 번 주수해준 후 임플란트 식립과 골증강술을 시행한다(📷 3-34).

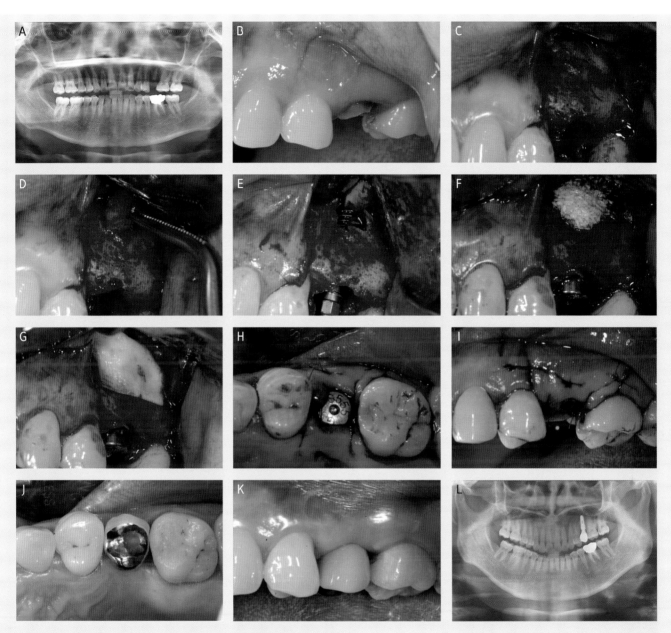

📷 **3-34 치근단 병소를 지닌 치아를 발거한 후 즉시 임플란트를 식립한 증례**

A~I. 상악 제2소구치의 치근단 부위에 원형의 방사선 불투과상이 관찰된다**(A)**. 피판 거상 후 협측 치근단 골은 치근단 병소에 의해 극도로 얇아져 있었다**(C)**. 작은 골창을 형성한 후 치근단 병소를 완전히 제거해 주었다**(D)**. 병소 제거 후 클로르헥시딘과 생리 식염수로 여러 번 세척을 시행했다. 임플란트를 즉시 식립한 후 동종골 이식재로 발치와 내의 임플란트 주위 결손과 치근단 결손부를 수복했다.

J~L. 대략 4.5개월 후 보철 치료를 완료했다.

(2) 상악의 자연치 순측골은 원래 천공되어 있는 경우도 많다.

상악 전치부의 순측 치조골 두께는 90% 정도의 증례에서 1 mm 미만이다.[109,110] 상악 전치부의 순측 치조골은 이렇게 얇기 때문에 임상적으로 아무런 문제가 없는 치아의 순측 치조골은 원래부터 결손되어 있는 경우도 많다. 한 단면 연구에 따르면 교정 치료가 예정된 환자들의 치아 중 51.09%에서는 치조골의 열개 결손을, 36.51%에서는 치조골의 천공 결손을 보이고 있었다.[111] 게다가 원래 천공이 없더라도 얇은 순측 치조골은 발치 시의 외상에 의해 손상 받으면서 결손을 형성하게 될 수도 있다. 한 전향적 증례 연구에서는, 치주적으로 문제가 없는 치아들이었음에도 불구하고 상악 중절치와 측절치 발치 후에는 절반 정도의 증례에서만 순측 치조골에 결손이 없었고(47%), 열개와 천공 결손이 각각 대략 1/4의 증례에서 존재했다(각각 26.5%)고 보고했다(📷 3-35).[112]

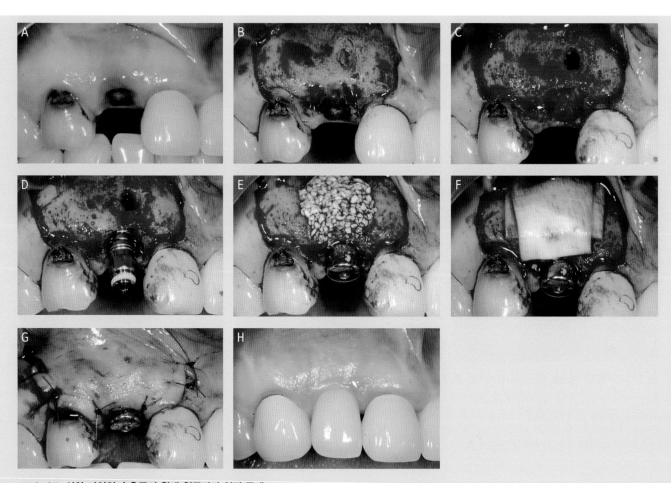

📷 **3-35 상악 자연치 순측골이 원래 천공되어 있던 증례**
A~G. 발치 후 즉시 임플란트 식립 증례이다. 피판 형성 후 치근 일부가 치조골의 자연 결손에 의해 노출되어 있었다(**B, C**). 치조골 결손부를 수복하고 얇은 순측골을 증강시켰다(**E, F**).
H. 수술 4개월 후 고정성 임시 보철물을 연결해 주었고 다시 3개월 후 영구 수복물을 연결했다. (**H**)는 보철 수복 6개월 후의 모습이다.

(3) 상악 전치부 치조골은 순측 경사된 경우가 많으며 따라서 순측 치근단 골은 함몰된 경우가 많다.

상악 전치부에서 "보철물 유도 임플란트 식립"의 개념이 일반화되면서, 임플란트 매식체는 최종 보철 수복물의 연장선상에 위치시키는 것이 일반적인 상식이 되었다. 이 때 자연치 치근과 임플란트 매식체의 위치 차이로 인해 임플란트 매식체 주위로 천공 결손이 형성될 가능성이 높다(📷 3-36). Chan 등의 단면 연구에서

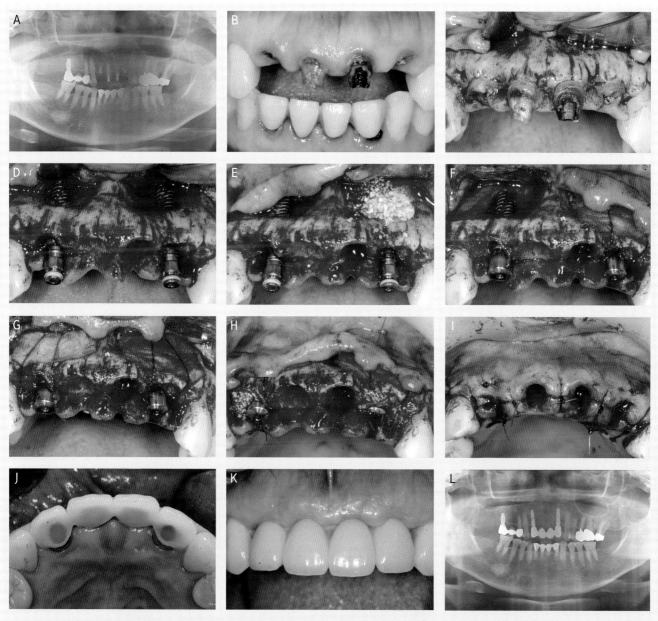

📷 3-36 **상악 전치부에서 자연치 치축과 임플란트 장축 사이의 차이로 인해 임플란트 식립 후 근단측에 천공 결손이 발생하는 경우가 많다.**
A~I. 상악 절치를 발거하고 임플란트를 즉시 식립한 증례이다. 발치 전 치조골에는 아무런 결손도 존재하지 않았지만**(C, E)** 보철적으로 이상적인 위치로 임플란트를 식립한 후 천공 결손이 발생했다**(D)**. 따라서 이를 탈단백 우골과 천연 교원질 차폐막으로 수복했다**(E~H)**.
J~L. 이 환자는 고정성 임시 보철물 없이 수술 5개월 정도 후에 바로 최종 보철물을 연결했다. 임플란트의 순-구개측 식립 위치가 적절했음을 알 수 있다**(J)**.

는 상악 중절치와 측절치 부위에 임플란트 식립이 예정된 환자들의 CT 영상에 가상 수술(simulation surgery)로 임플란트를 식립해 보았다.[113] 임플란트의 식립 위치는 Buser 등이 제안한 ITI 프로토콜에 따랐다.[114] 그 결과 18.75% (9/48)의 증례에서 천공 결손이 발생했다고 보고했다.[113] 천공 결손 발생에 영향을 미치는 여러 가지 해부학적 지표를 평가했는데, 치조골 장축과 임플란트 매식체 사이의 각도 차이(RA–IA; 천공 발생 시 19.93±5.76° vs 천공 비발생 시 13.05±6.40°)와 순측 치근단측 치조골의 수평적 함입 정도(CD; 천공 발생 시 4.79±1.48 mm vs 천공 비발생 시 3.40±1.46 mm)가 천공 결손 발생에 유의한 영향을 미쳤다(📷 3–37).

게다가 한 가지 더 생각해 볼 점이 있다. 동양인에서는 상악 전치부 치아나 치조골이 전방으로 돌출되어 있는 경우가 서양인에서보다 많다.[115,116] 앞서 언급했던 Chan 등의 연구에서는 상악 전치부에 임플란트를 가상 식립했을 때 임플란트와 치조골 장축의 각도 차이가 크면 천공 결손이 발생할 가능성이 증가한다고 한 바 있다.[113] 상악 전치부가 돌출되면 치조골 장축은 좀 더 순측으로 기울어질 것이고, 따라서 임플란트와 치조골 장축 간의 각도는 더 커지기 때문에 천공 결손이 발생할 가능성도 더 증가할 것이다. 2019년의 한 단면 연구에서는 중국인에 대해 Chan 등의 연구(미국에서 시행)와 유사한 연구를 시행했다.[117] 이 연구에서는 상악 중절치, 측절치, 견치 부위의CT 영상에 임플란트를 가상 식립했으며, 그 결과 중절치 부위는 19.8%, 측절치 부위는 42.8%, 견치 부위는 15.8% 등, 총 26.1%의 증례에서 천공 결손이 발생했다고 보고했다. 이 연구에서도 치조골 장축과 임플란트 매식체의 각도 차이(천공 발생 시 24.83±6.91도 vs 천공 비발생 시 15.70±8.71도)와 순측 치근단측 치조골의 수평적 함입 정도(천공 발생 시 7.08±1.78 mm vs 천공 비발생 시 6.33±1.83 mm)가 천공 결손 발생에 유의한 영향을 미쳤다(📷 3–38). 앞의 Chan 등의 연구와 비교해보면 동양인에서 치조골 장축과 임플란트 매식체 사이의 각도 차이와 순측 치근단측 치조골의 수평적 함입 정도 모두 증가했으며, 이는 천공 결손의

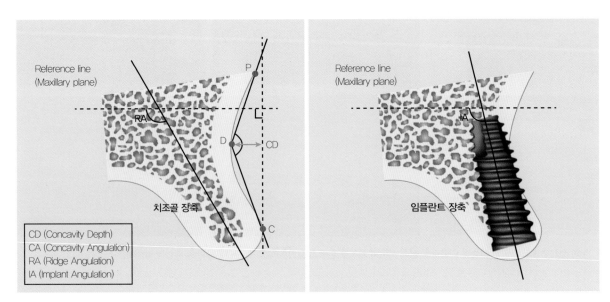

📷 **3–37** 한 임상 연구에 의하면 상악 전치부에서 임플란트 식립 시 천공 발생과 관련된 해부학적 지표는 두 가지였다. 임플란트 매식체의 장축과 치조골 장축의 차이(RA–IA)가 크거나 순측 치근단측 치조골의 수평적 함입 정도(CD)가 크면 천공이 더 잘 발생했다.

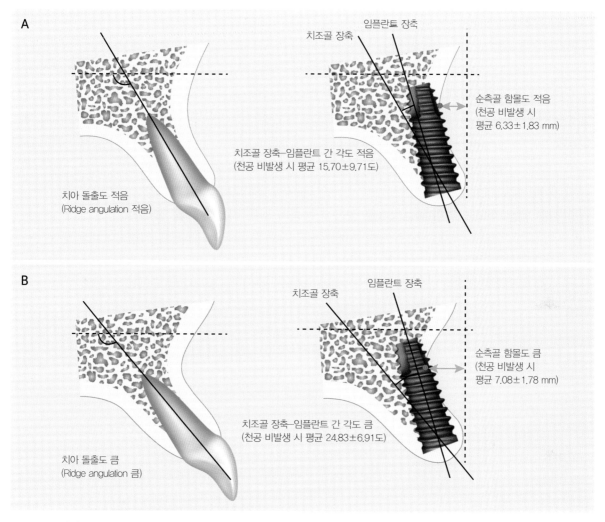

📷 **3-38 전치부 치아의 순측 돌출도가 크면 임플란트 식립 시 천공 결손의 발생 가능성이 증가한다. 동양인은 서양인에 비해 상악 전치의 돌출도가 큰 경향이 있으므로 임플란트 식립 시 천공이 더 자주 발생할 것으로 예상할 수 있다.**
A. 전치부 치아의 순측 돌출도가 적으면 치조골 장축–임플란트 간 각도와 순측골 함몰도는 줄어든다. 따라서 임플란트 식립 시 천공 발생 가능성 또한 저하된다. **B.** 전치부 치아의 순측 돌출도가 크면 치조골 장축–임플란트 간 각도와 순측골 함몰도는 커진다. 따라서 임플란트 식립 시 천공 발생 가능성은 증가한다.

발생 가능성이 더 증가하는 결과로 이어졌다. 물론 하나의 연구만으로 결론을 내리는 것은 성급하지만, 동양인에서는 상악 전치부 임플란트 식립 후 천공 결손이 발생할 가능성이 서양인에 비해 더 높은 것은 사실이다.

(4) 천공 결손을 반드시 수복해야 한다는 직접적인 근거는 없지만 가급적 수복해 주는 것이 좋다.

앞에서 열개 결손을 반드시 수복해야 하는가에 대해서 알아보았다. 그 결과 많은 근거는 축적되지 못했지만 작은 열개 결손은 임플란트 및 그 주위 조직의 예후에 현저한 영향을 미치지는 않는다는 결론을 얻을 수 있었다. 그렇다면 천공 결손에 대해서는 어떤 결론을 얻을 수 있을까? 결론부터 말하자면 천공 결손 수복 여부가 임플란트의 예후에 미치는 영향에 대해서는 사실 거의 알려진 바가 없다. 아니, 전혀 없다고 해도 될 정도이다. 사실 직경 1–2 mm 정도의 아주 작은 천공 결손은 임플란트의 예후에 별다른 영향을 미치지 않을 수도 있다고 생각된다. 그러나 천공의 크기가 커지고, 따라서 임플란트 치근단측이 골 외부로 많이 돌출되면 사정은 달라질 것이다. 기능 중 움직임이 없거나 거의 없는 치관측 점막과는 달리 치근단측 점막은 기능 중 많이 움직이게 된다. 따라서 치근단측 임플란트가 골 외로 많이 돌출되면 기능 중 움직이는 치근단측 점막은 많은 물리적 자극을 받을 수밖에 없다(📷 3–39). 결국 골 외부로 노출된 임플란트 매식체가 유동성의 비각화 점막과 접하게 되는 천공 결손의 경우에는 반드시 골증강술을 시행하는 것이 좋다고 생각된다(📷 3–40).

(5) 천공 결손 수복을 위한 골증강술은 성공 가능성이 높은 비교적 쉬운 술식이다.

앞서 몇 차례 언급했지만 천공 결손 수복 후에는 치유 기간 중 합병증이 발생할 가능성이 매우 낮다. 한 문헌 고찰에 의하면 천공 결손에 대한 골증강 후에는 평균 2.5%의 증례에서, 열개 결손에 대한 골증강 후에는 평균 13.7%의 증례에서 수술부 감염 및 차폐막 노출이 발생했다.[32] 이는 두 가지 이유 때문인 것으로 보인다(📷 3–41).

- 천공 결손부는 치조정에 위치하는 절개 부위와 많이 떨어져 있다. 따라서 치유 기간 중 피판 변연이 열개되더라도 골증강 부위는 외부로 잘 노출되지 않는다.[32]
- 골증강 후에는 상부 연조직으로부터 골증강부로 많은 압력이 가해진다. 이러한 압력은 특히 치조정 부위에 집중된다. 천공 결손을 수복하면 치조정보다는 치근단 부위의 부피가 증가하기 때문에 상부 연조직으로부터의 압력이 적으며, 따라서 골증강부 붕괴나 피판 열개 등이 발생할 가능성이 적다.

천공 결손은 주로 임플란트 식립과 동시에 수복한다. 잔존골에서 충분한 일차 안정을 얻을 수 있다면 입자형 골대체재와 흡수성 차폐막만으로도 충분히 예지성 있는 골증강이 가능하다(📷 3–42, 43, 44).

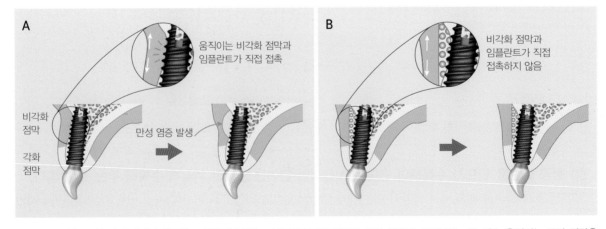

📷 **3–39** 천공 결손이 존재하면 임플란트 치근단 부위는 가동성의 구강 점막과 직접 접한다. 구강 기능 중 계속 움직이는 구강 점막은 하부의 임플란트 매식체에 의해 지속적인 자극을 받을 것이다.

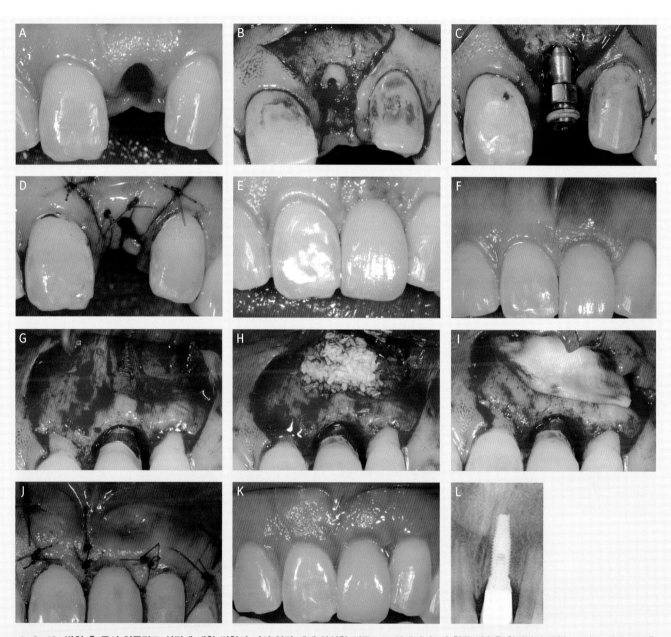

📷 **3-40** 발치 후 즉시 임플란트 식립에 대한 경험이 거의 없던 때에 안일한 접근으로 인해 수술 시 천공 결손을 확인하지 못했고, 이로 인해 근단측에 염증성 병소가 발생했던 증례이다.

A~E. 상악 측절치 잔존 치근을 발거하고 임플란트를 즉시 식립했다. 임플란트 순측 치조골, 특히 치근단측의 치조골 결손을 면밀하게 확인해야 하지만 피판을 근단측으로 너무 조금만 연장한 채 거상했고, 따라서 이에 대한 적절한 진단과 처치를 시행하지 못했다.

F~J. 보철물 연결 4개월 후 환자는 임플란트 식립부의 불편감을 느껴 내원했다. 임플란트 근단부 점막 하방으로 농양이 형성된 것을 확인할 수 있었다 **(F)**. 임플란트 치근단측에 천공 결손이 존재할 것으로 예상됐다. 피판 거상 후 근단측의 천공 결손을 확인할 수 있었다**(G)**. 아마도 임플란트 식립 시 아주 얇게 존재하던 순측골이 발치 후의 생리적 변화로 흡수되면서 임플란트 매식체가 노출된 것으로 판단됐다. 동종골과 천연 교원질 차폐막으로 이를 수복해 주었다.

K~L. 2개월 후 수술부는 별다른 문제를 보이지 않았다.

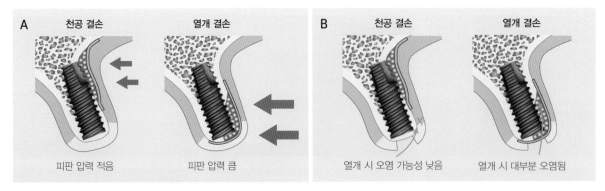

📷 **3-41 천공 결손 수복 후에는 합병증 발생 가능성이 낮다.**

A. 천공 결손 수복부는 근단측에 위치하기 때문에 피판으로부터 가해지는 압력이 적다. 따라서 골증강부 붕괴나 피판 열개 등의 발생 가능성이 상대적으로 낮다. **B.** 천공 결손 수복부는 절개 부위와 떨어져 있기 때문에 절개부를 통한 수술부 오염의 가능성이 낮다. 심지어 피판이 열개되더라도 천공 결손부는 외부와의 직접적인 접촉이 차단될 수 있기 때문에 잘 오염되지 않는다. 이는 절개부 직하방에 존재하기 때문에 피판 열개에 의한 오염에 매우 취약한 열개 결손 수복부와 큰 차이를 보이는 점이다.

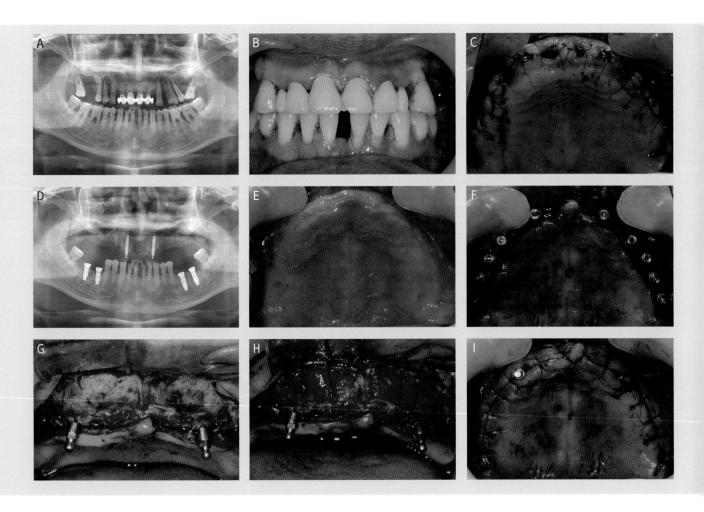

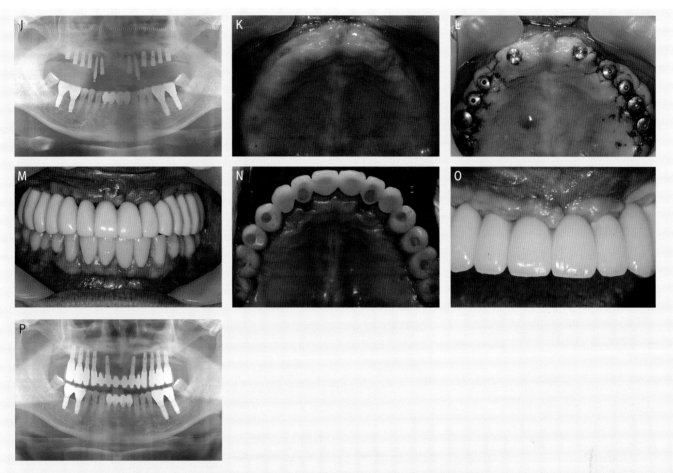

📷 **3-42** **상악 전악 수복 증례이다. 상악 전치부 부위의 근단측 골결손은 임플란트 식립 시 수복해 주었다.**

A~D. 상악 전악 치아를 발거하고 가철성 임시 보철물 지지용 미니 임플란트를 식립했다. 이후 양측 상악동 골이식을 시행했다.

E~J. 상악동 골이식 6개월 후 임플란트를 식립했다. 상악 전치부 임플란트의 치근단측은 완전히 천공되지는 않았지만 거의 천공에 가까운 상태였기 때문에 비탈회 동결 건조 동종골과 교차 결합 교원질 차폐막으로 수복해 주었다**(G, H)**.

K~M. 약 4개월 후 2차 수술을 시행했고 다시 1주 후 고정성 임시 보철물을 연결했다.

N~P. 약 3개월 후 최종 보철물을 연결했다.

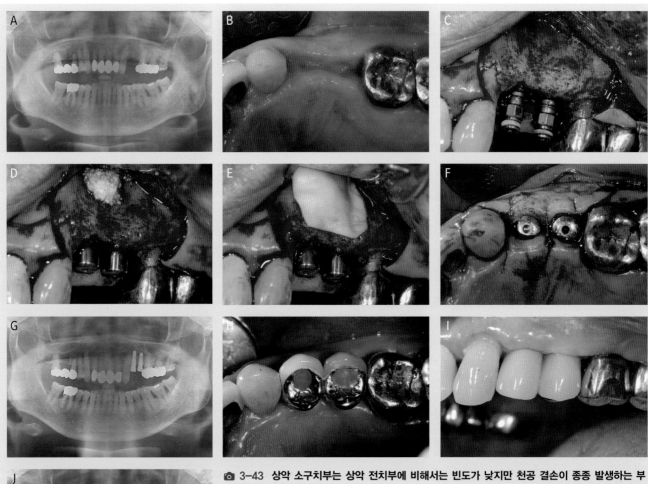

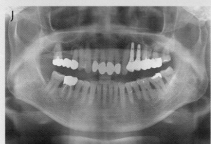

📷 3-43 상악 소구치부는 상악 전치부에 비해서는 빈도가 낮지만 천공 결손이 종종 발생하는 부위이다.

A~G. 제1소구치 부위에 천공 결손이 발생했으며(**C**), 동결 건조 동종골과 천연 교원질 차폐막으로 이를 수복했다(**D, E**).

H~J. 3.5개월 후 보철물을 장착해 주었다. 사실 이 정도의 골결손부는 그 자체가 임플란트의 골유착 정도에 속도에 미치는 영향은 거의 없기 때문에 임플란트의 식립 시기를 굳이 늦출 필요는 없다.

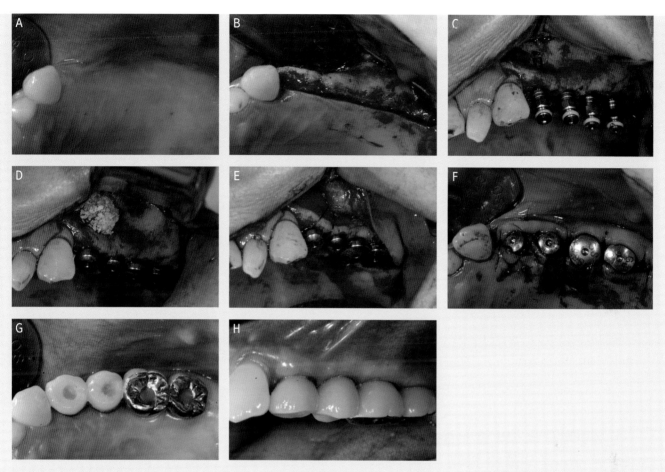

📷 **3-44** 역시 소구치부의 천공 결손을 수복한 증례이다. 순수하게 천공 결손만 존재하는 경우에는 📷 3-43의 증례나 본 증례에서와 같이 치유 지대주를 연결하여 1단계 치유를 도모하더라도 골증강부에는 거의 어떠한 악영향도 미치지 않는다.

A~F. 임플란트를 식립하고 천공 결손부를 수복했다. 구개측 점막 일부는 다른 부위의 각화 점막 증강술을 위해 절제했다.

G~H. 약 3개월 후 최종 보철물을 연결했다. 사진은 보철 연결 2.5개월 후 모습이다. 대부분의 천공 결손은 1단계 수술로 시행 가능하기 때문에 전체 치료 기간을 단축시킬 수 있고 2차 수술을 시행하지 않으므로 환자의 수술에 대한 부담을 줄여줄 수 있다.

2.
열개 결손의 수복

열개 결손은 가장 자주 마주치는 골결손이다. 또한 열개 결손이 존재한다고 해서 반드시 수복해야만 한다는 근거가 아직 확실히 제시되지는 못했다. 그러나 상식적으로 임플란트 매식체는 치조골 내부에 위치해야 잠재적인 기능적, 심미적 문제를 발생시키지 않을 가능성이 높기 때문에 다음의 조건을 모두 만족하는 경우가 아니라면 가급적 골증강술을 시행할 것을 추천한다.

① 임플란트 치관측 변연 주변의 점막 두께가 1 mm 이상으로 충분히 두껍다.
② 협측에 각화 점막이 2 mm 이상의 폭으로 존재한다.
③ 열개 결손의 높이가 1–2 mm 정도로 작다.

열개 결손은 대개 입자형 이식재와 흡수성 차폐막을 이용한 골유도 재생술로 수복해 준다. 여기에서는 열개 결손 수복 시의 수술적 고려 사항에 대해 간략히 설명하도록 한다.

1) 일반적인 크기의 열개 결손을 수복할 때에는 자가골 없이 골대체재만을 적용해도 좋은 결과를 얻을 수 있다.

(1) 일반적인 크기의 열개 결손 수복 시 골이식재는 주로 공간 유지를 위해 사용한다.

열개 결손 수복 시에는 흡수성 차폐막과 입자형 골대체재를 조합한 골유도 재생술을 가장 많이 이용한다. 여러 번 언급했지만 이식재를 사용하는 주요한 이유 중 하나는 차폐막의 부족한 공간 유지 능력을 보충해주기 위함이다. 특히 열개 결손부는 상부 연조직의 심한 압력을 받는 부위이다. 따라서 열개 결손 수복 시에는 반드시 차폐막 하방에 이식재를 위치시켜야 한다.[9,118] 지금이야 이러한 사실을 모두가 당연하다고 생각하지만, 골유도 재생술 역사의 초기에는 이를 당연하다고 생각하지는 않았다. 초기 골유도 재생술 술식은 차폐막으로 혈병을 보호함으로써 이를 골로 변환시킨다는 개념에 기초한 것이기 때문에 골이식재를 차폐막 하방에 위치시키지 않았다.[119,120] 그러나 1995년에 차폐막 하방에 이식재를 위치시킴으로써 골유도 재생술의 결과를 향상시킬 수 있다는 근거가 제시되었다.[121] 이 연구에서는 열개 결손을 보이는 임플란트 식립부에 대해 ePTFE 차폐막을 적용하면서 탈회 동결 건조 동종골을 적용하거나 적용하지 않고 평균 6.8개월 후 그 결과를 평가했으며, 골대체재를 적용한 군에서 결손부 높이는 평균 2.44 mm 더 많이 수복되었다고 보고했다.

(2) 일반적인 크기의 열개 결손 수복 시에는 자가골 이식재를 이용할 필요가 없다.

체계적 문헌 고찰들에 의하면 지금까지의 임상 연구들은 그 근거의 질과 양이 모두 부족하기 때문에 열개와 천공 결손의 수복에 있어 가장 적합한 이식재와 차폐막을 결정하기는 어렵다.[9,122] 또한 임상 연구들에서 자폐막과 이식재의 조합이 너무나 다양하게 사용됐기 때문에 특정 종류의 이식재의 효과를 특정하기는 힘들다.[9,34] 그러나 어떠한 종류의 이식재/차폐막 조합을 사용하더라도 수복된 골의 높이는 1 mm 이내의 차이밖에 보이지 않는다.[9,34] 또한 어떠한 이식재/차폐막 조합을 사용하더라도 골증강부에 식립한 임플란트의 생존율, 임플란트 주위 조직의 건강, 임플란트 주위 치조정 골소실은 거의 차이가 없다.[3]

골대체재에 자가골 이식재를 첨가하거나 자가골 이식재만 사용하는 것이 열개 결손 수복의 성공에 도움이 되는지 여부에 대해서는 아직까지 별로 밝혀진 바가 없다. 사실 열개 결손을 수복하여 임플란트가 골과 유착하는 부위를 약간 늘려준다고 해서 임플란트가 기능적 부하에 더 잘 저항하지는 않을 것이다. 게다가 한 동물 연구에서는 열개 결손 수복에 자가골을 이용했을 때와 탈단백 우골을 이용했을 때 재생골의 조성이나 재생골과 임플란트간 접촉에 아무런 차이도 없었다.[123] 또한 임플란트를 식립하면서 탈단백 우골 및 천연 교원질 차폐막으로 열개 결손 수복을 시행했던 환자의 사체에서 채취한 조직을 관찰한 결과 골증강부의 신생골과 임플란트 간 결합은 79.62%로 높은 수치를 보여주었다.[124] 결국 작은 열개 결손을 수복할 때 자가골 이식재나 골대체재는 골증강의 양이나 신생골의 질의 측면에 있어 거의 차이를 보이지 않는다.

골대체재와 흡수성 차폐막만으로도 크지 않은 열개 결손이 충분히 성공적으로 수복 가능하다는 점은 이미 잘 밝혀져 있다.[125,126] 따라서 일반적인 열개 결손의 수복은 자가골 없이 골대체재와 차폐막의 조합만으로도 충분히 성공적으로 이룰 수 있으며, 자가골을 첨가해야 할 과학적인 근거는 없다고 할 수 있다.[33] 한 메타분석에서는 오히려 골대체재 없이 100% 자가 입자골만 사용했을 때 열개 결손의 수복량이 최소였다고 보고했다.[9] 100% 탈단백 우골과 흡수성 차폐막의 조합은 열개 결손 높이를 평균 4.42 mm 수복해 줄 수 있었지만, 100% 자가 입자골과 흡수성 차폐막의 조합은 열개 결손 높이를 평균 3.38 mm 수복해 줄 수 있었다(■ 3-45).

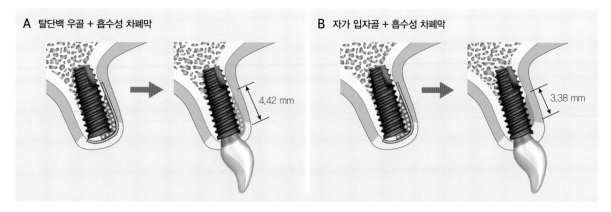

■ **3-45** 자가골 이식재는 항상 골대체재보다 더 좋은 이식재라고 할 수 있을까? 재생골의 임상적 질과 골재생의 조직학적 결과의 측면에서는 자가골 이식재가 가장 좋은 이식재라고 단언할 수 있다. 그러나, 특히 수산화인회석 계통의 골대체재는 골이식재 자체의 흡수가 매우 적기 때문에 골증강부의 부피를 장기간 효율적으로 유지시킬 수 있다는 장점이 존재한다. 이는 재생골의 조직학적 상태보다는 골증강부의 부피 유지가 더 중요할 수도 있는 열개 결손에서 중요하게 고려해야 할 사항이다. 한 메타분석에 의하면 탈단백 우골 사용 시 열개 결손의 높이를 4.42 mm 수복할 수 있었지만 자가골 이식재 사용 시에는 열개 결손의 높이를 3.38 mm 수복할 수 있었다.[9]

결국 열개/천공 결손의 수복에 가장 많이 사용되는 차폐막과 이식재 조합은 흡수성 교원질 차폐막과 입자형 골대체재이다.[9,31,32,34,122] 구체적으로는 탈단백 우골(Bio-Oss)과 비교차결합 교원질 차폐막(Bio-Gide)의 조합이 가장 널리 사용되고 있다(📷 3-46).[3,9,31,33,34]

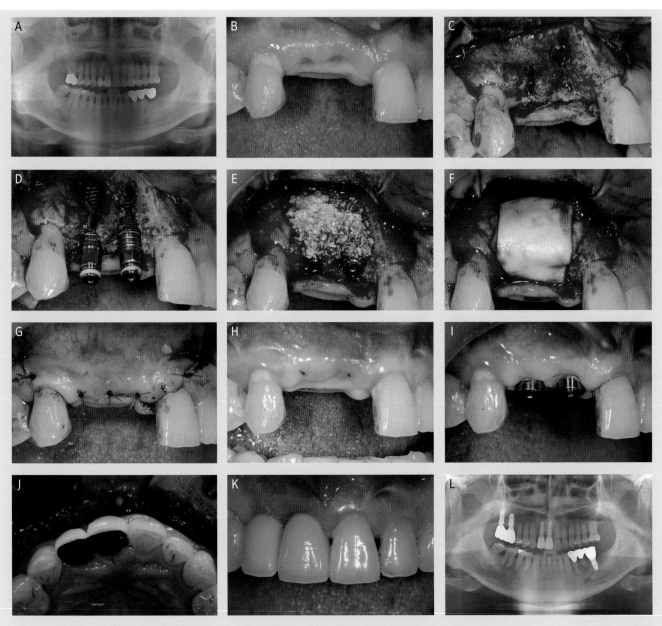

📷 **3-46** 열개/천공 결손의 수복에 가장 많이 사용되는 차폐막과 이식재 조합은 흡수성 교원질 차폐막과 입자형 골대체재이다. 구체적으로는 탈단백 우골(Bio-Oss)과 비교차결합 교원질 차폐막(Bio-Gide)의 조합이 가장 널리 사용되고 있다.
A~G. 임플란트 식립 후 형성된 열개 및 천공 결손에 탈단백 우골을 적용하고 천연 교원질 차폐막을 두 층으로 적용했다. 차폐막 자체가 수화되면 하방 조직에 잘 부착되기 때문에 차폐막을 추가적인 방법으로 고정하지는 않았다.
H~I. 약 4.5개월 후 펀치법으로 2차 수술을 시행했다.
J~L. 최종 보철물 연결 후의 모습이다.

(3) 흡수가 느린 천연 수산화인회석계 이식재는 증강된 골을 장기간 안정적으로 유지시킨다.

심미 부위인 상악 전치부에서는 자가골 이식재보다는 흡수가 느린 골대체재를 사용하는 것이 오히려 선호된다. 이 부위에서는 임플란트 매식체의 치관측 노출부(열개 결손부)를 비유동성의 골, 혹은 골유사 조직으로 감싸줌으로써 임플란트 주위 조직이 퇴축되는 것을 예방하는 것이 더 중요하다고 생각하기 때문이다.[127] 임상 연구들에서 심미 부위에서 자가골로만 골증강술을 시행한 부위는 치유 기간 중 현저한 흡수를 보인 반면, 탈단백 우골로만 골증강술을 시행한 부위는 3년 후까지 증강된 부피를 잘 유지했다.[128,129] 또한 한 사체 연구에서도 열개 결손을 탈단백 우골 및 천연 교원질 차폐막으로 수복한 부위는 증강된 골이 임플란트 매식체의 치관측 변연을 완전히 피개할 정도로 잘 유지되었다고 보고했다.[124]

골증강부 상부의 연조직 압력이 특히 강한 증례에서 흡수가 느린 이식재는 재생골의 흡수를 막아주는 방패 역할을 해준다(📷 3-47).[130] 이러한 성질은 여러 가지 면에서 유리하게 사용할 수 있다. 특히 심미가 중요한 상

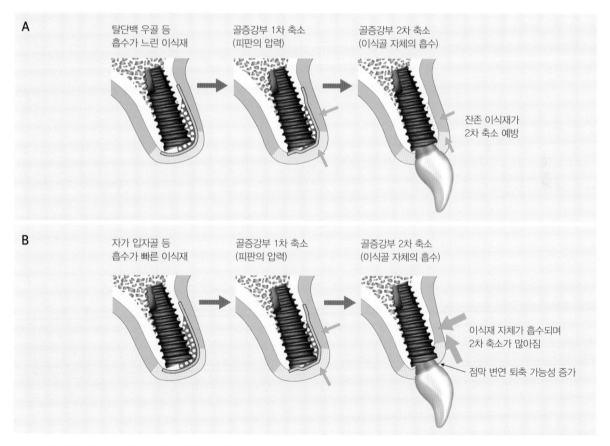

📷 **3-47** 골증강부는 두 가지 독립된 기전으로 부피가 감소한다. 수술 후 초기에는 골증강부를 피개하는 피판의 압력에 의해 골증강부가 부분적으로 붕괴되면서 부피 감소가 발생한다. 이후에는 치유 기간 중 골이식재 자체의 흡수에 의해 2차적으로 부피가 줄어든다. **A.** 탈단백 우골 등 잘 흡수되지 않거나 흡수가 느린 골대체재를 사용하면 피판의 압력에 의한 부분적 붕괴는 피할 수 없지만 이식재 자체의 흡수에 의한 2차적 부피 감소는 예방할 수 있다. **B.** 자가 입자골 등 빠르게 흡수되는 이식재를 사용하면 1차적인 부피 감소와 함께 이식재 자체의 흡수에 의한 2차적 감소까지 발생한다. 따라서 골증강부 부피 유지의 측면에서는 흡수가 잘 되지 않는 이식재보다 불리한 측면이 존재한다.

악 전치부에서 순측의 열개 결손을 우골로 증강해주면 이식재가 흡수되지 않고 유지되면서 임플란트 주위 조직의 퇴축을 예방해준다(📷 3-48).[131] 수술 15년 후의 결과를 평가한 연구에 의하면 임플란트 주위 결손을 탈단백 우골과 교원질 차폐막으로 수복한 경우에, 자가 입자골과 교원질 차폐막으로 수복한 경우보다 협측 치조골의 높이와 두께는 0.3-0.4 mm 가량 더 높고 두꺼웠다.[6] 한 전향적 단일 환자군 연구에서는 상악 전치부에서 임플란트 식립 시 탈단백 우골과 교원질 차폐막으로 열개 결손을 수복했을 때 5-9년 후까지도 순측 치조골 두께는 평균 2.2 mm로 잘 유지되었다고 보고했다.[44]

2) 열개 결손 수복 시 차폐막은 결손의 크기와 형태에 따라 결정한다.

(1) 대부분의 열개 결손 수복에는 흡수성 차폐막을 적용한다.

열개/천공 결손은 비교적 작은 결손이기 때문에 대부분의 경우 흡수성 차폐막만으로도 원하는 골증강 결과를 얻을 수 있다.[132] 또한 몇몇 체계적 문헌 고찰과 메타분석에서는 열개 결손 수복 시 입자형 이식재와 함께 사용 시 흡수성 차폐막은 비흡수성 차폐막과 비슷하거나, 오히려 약간 더 많은 양의 골을 증강시킬 수 있었다고 보고했다.[32,34] 이는 아마도 비흡수성 차폐막이 치유 기간 중 노출되지 않으면 더 우수한 골결손 수복 능력을 보이지만 흡수성 차폐막에 비해 더 많은 빈도로 노출되고, 일단 노출되면 골증강의 결과가 현저히 더 나빠지기 때문인 것으로 보인다.

한 후향적 대조 연구에서는 탈단백 우골과 더불어 교원질 차폐막이나 ePTFE 차폐막으로 열개 결손을 수복하고 평균 12.5년 후의 결과를 비교했다. 그 결과 두 차폐막을 사용했을 때 임플란트의 생존율이나 치조정 골소실, 임플란트 주위 점막의 건강도에 거의 차이를 보이지 않았다.[5] 수술의 용이성, 가격, 합병증 발생 빈도, 차폐막 제거를 위한 수술부의 재접근 등 여러 가지 요소를 고려했을 때 골증강의 결과가 비슷하다면 흡수성 차폐막을 선택하는 것이 더 유리하다. 따라서 결손의 크기가 크다거나 심한 골외 결손이 아니라면 열개/천공 결손 수복 시에는 흡수성 차폐막을 선택하는 것이 옳다고 결론지을 수 있다(📷 3-49).[33]

열개 결손 수복 시에는 상부의 연조직으로부터 가해지는 압력이 강하기 때문에 입자형 이식재와 흡수성 차폐막을 이용할 때에는 반드시 이를 보상해 줄 수 있는 방법을 모색해야 한다.[133] 가장 일반적으로 많이 사용되는 방법은 수평적, 수직적으로 1 mm 이상 과도하게 골이식재를 적용하는 방법이다.[33,134] 또는 이식재의 유출을 더 효율적으로 예방하기 위해 차폐막을 고정용 핀으로 고정하기도 한다.[31] 자세한 방법에 대해서는 앞에서 이미 설명한 바 있다.

(2) 결손의 크기가 크면서 결손의 골벽수가 적으면 공간 유지 기능이 좋은 차폐막을 이용한다.

열개 결손은 치조정 부위에 국한된 결손이고, 치조정 부위는 치유 기간 중 상방 연조직의 압력을 가장 많이 받는 부위이다.[133,135-138] 피판의 장력을 충분히 이완시키지 못하면 열개 결손의 골증강부는 이 압력에 직면하

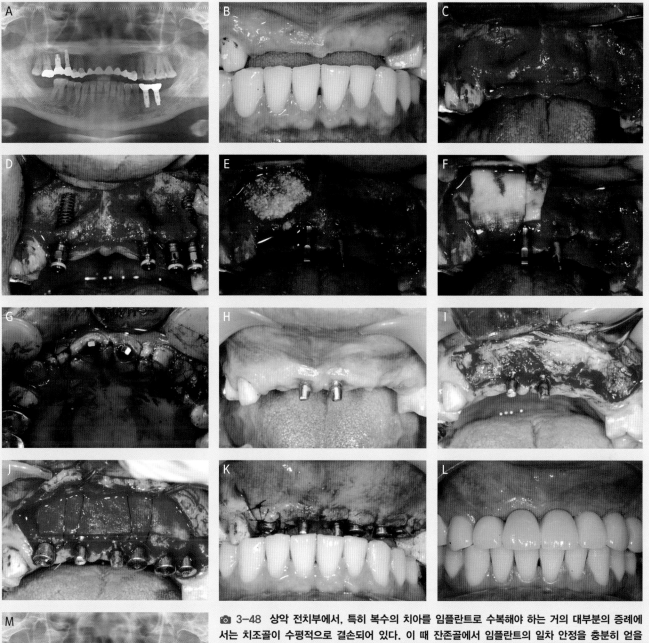

📷 3-48 상악 전치부에서, 특히 복수의 치아를 임플란트로 수복해야 하는 거의 대부분의 증례에서는 치조골이 수평적으로 결손되어 있다. 이 때 잔존골에서 임플란트의 일차 안정을 충분히 얻을 수 있다면 천연 수산화인회석계 이식재 등 흡수가 잘 되지 않는 이식재를 사용하여 골결손부를 수복해주는 것이 골증강부 부피 유지의 측면에서 더 유리할 수 있다.

A~G. 상악 전치부에 다수의 치아가 상실되어 있었다. 잔존골에서 임플란트의 일차 안정을 얻을 수는 있었지만 순측 치조골은 수평적으로 결손된 상태였다(**D**). 탈단백 우골과 천연 교원질 차폐막으로 골결손부를 수복했다(**E, F**). 고정성 임시 보철물의 지지를 위해 두 개의 미니 임플란트를 식립했다.

I~K. 대략 4개월 3주가 경과한 후 2차 수술을 시행했다. 골증강부의 부피는 비교적 잘 유지되고 있었다. 부분층 판막을 거상한 후 무세포성 동종 진피를 삽입하여 순측 조직의 부피를 추가적으로 증강시켰다(**J**).

L~M. 최종 보철물을 장착하고 3개월 정도 경과한 후의 모습이다. 수술 전에 존재하던 순측 조직의 수평적 결손은 잘 해소된 모습을 보였다(**B**와 비교).

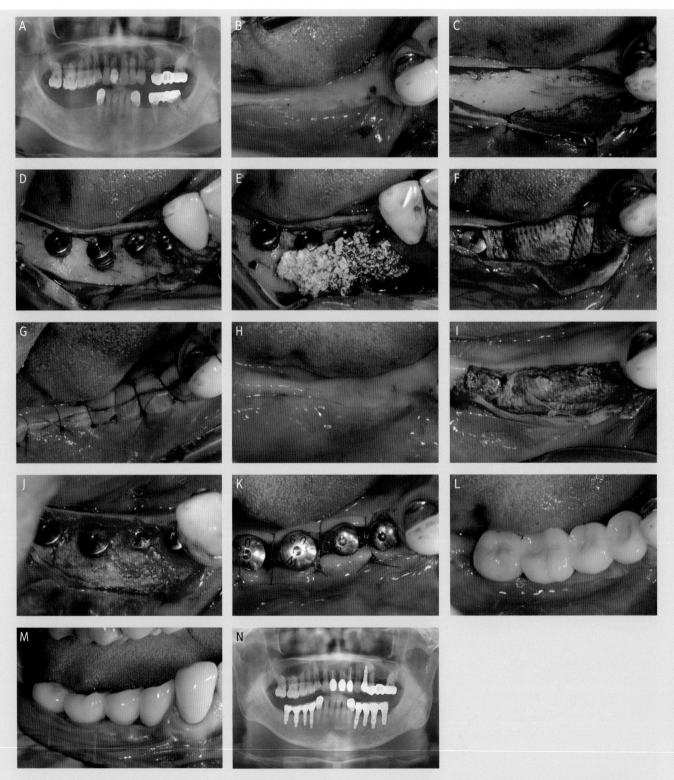

📷 3-49 열개 결손은 치관측에 위치한 결손이고 공간 유지에 불리한 결손이기는 하지만 대부분의 경우에는 비흡수성 보다는 흡수성 차폐막으로 수복이 가능하다. 단, 이식재를 과도하게 적용하고 차폐막의 고정을 확실히 하는 등, 흡수성 차폐막의 낮은 공간 유지 능력에 대응할 수 있는 술식을 적용해야 한다.

A~G. 하악 구치부에 임플란트를 식립했다. 다수의 치아에 열개 결손이 발생했으며 이를 탈단백 우골과 OSSIX 차폐막으로 수복해 주었다.

H~K. 4개월 3주 후 2차 수술을 시행했다. 수술 전 존재하던 열개 결손**(D)**은 완전히 재생 조직으로 수복됐다**(J)**.

L~N. 약 3개월 후 최종 보철물을 연결했다. 그리고 보철 부하 약 1년 후까지 임플란트 수복부는 별다른 문제를 보이지 않았다**(L, M)**.

게 된다. 이 때 피판과 골증강부는 서로 작용력-반작용력을 기히게 되며, 결국 어느 한 쪽이나 양쪽의 영구적인 변화를 초래함으로써 이 힘을 해소하게 된다. 이 때 공간 유지 능력이 큰 차폐막과 작은 차폐막을 사용했을 때 다른 결과가 초래된다(📷 3-50).

- 공간 유지 능력이 작은 차폐막(흡수성 차폐막)을 사용한 경우에는 상부 압력에 의해 차폐막이 붕괴되고, 이에 따라 이식재는 주변 조직으로 유출된다.[23,139] 이는 결과적으로 골증강 양이 줄어들고 결손부가 불충분하게 수복되는 결과를 초래한다.[133,136] 열개 결손부는 골증강술 후 치유 기간 동안 상방 연조직의 심한 압력을 받아 붕괴될 가능성이 높다.[118,136,138,140,141]

- 공간 유지 능력이 큰 차폐막(비흡수성 차폐막, 특히 티타늄 강화 차폐막)을 이용한 경우에는 차폐막과 이식재의 반발력에 피판 봉합부가 저항하지 못하고, 결국 피판이 열개되면서 수술부가 노출되는 결과를 초래한다.[142] 비흡수성 차폐막의 노출은 골증강의 완전한 실패를 초래할 수도 있는 심한 합병증이다.

실제로 열개 결손의 수복에 가장 많이 이용되는 입자형 이식재와 흡수성 교원질 차폐막의 조합은 공간 유지 능력이 가장 떨어지는 조합이다.[133,136,139] 입자형 골이식재와 함께 사용 시 흡수성 차폐막은 비흡수성 차폐막보다 공간 유지 능력이 더 떨어지기 때문에 치유 기간 중 더 많이 붕괴된다.[118,141] 한 무작위 대조 연구에서는 입자형 탈단백 우골과 교원질 차폐막으로 수평적 결손을 수복했을 때 수술 직후에 골증강부는 이미 그 폭이

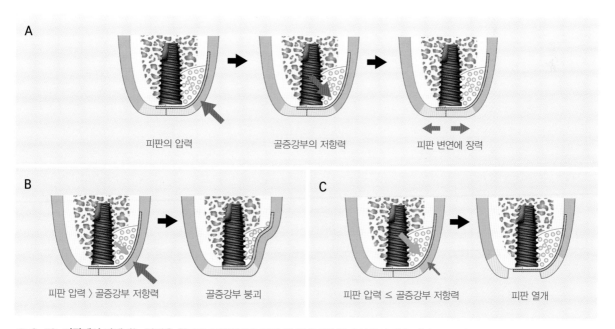

📷 **3-50 피판에서 가해지는 압력을 완전히 이완시키지 못한 채 열개 결손을 수복하면 치유 기간 중 문제가 발생한다.**
A. 피판에서 가해지는 압력은 골증강부의 이식재/차폐막이 저항한다. 골증강부의 저항력은 반대로 피판 변연에 장력이 형성되도록 해준다. 이는 결국 두 가지 중 한 가지 과정에 의해 해소된다. **B.** 공간 유지 능력이 작은 차폐막(흡수성 차폐막)을 사용한 경우에는 상부 압력에 의해 차폐막이 붕괴되고, 이에 따라 이식재는 주변 조직으로 유출된다. 이는 결과적으로 골증강 양이 줄어들고 결손부가 불충분하게 수복되는 결과를 초래한다. **C.** 공간 유지 능력이 큰 차폐막(비흡수성 차폐막, 특히 티타늄 강화 차폐막)을 이용한 경우에는 차폐막과 이식재의 반발력에 피판 변연이 저항하지 못하고, 결국 피판이 열개되면서 수술부가 노출되는 결과를 초래한다.

28.9%나 감소했고, 6개월 후에는 수술 직후보다 81.8%가 감소했다고 보고한 바 있다.[136] 또 다른 무작위 대조 연구에서는 피판의 장력을 충분히 이완시켜 치유 기간 중 이식재와 차폐막의 노출을 예방한다면 열개 결손 수복 시 입자형 이식재와 흡수성 차폐막을 사용했을 때보다 입자형 이식재와 티타늄 강화 비흡수성 차폐막을 사용했을 때, 6개월 후 골증강부의 수평적 폭은 훨씬 적게 감소했다고 보고했다(흡수성 차폐막 2.23 mm vs 비흡수성 차폐막 0.14 mm).[143] 결국 엄정한 수술 프로토콜에 의해 치유 기간 중 차폐막의 노출을 예방한다면 비흡수성 차폐막은 흡수성 차폐막에 비해 더 많은 양의 골을 증강시킬 수 있다(📷 3-51).[9,31]

결국 열개 결손 수복 시 차폐막의 선택은 결손의 크기 및 형태와 임플란트 식립부의 위치에 따라 결정한다.[33,144] 특히 골결손의 형태는 중요한데, 골벽수가 많은 자가 유지형 결손(self-contained defect), 혹은 골내 수복 시에는 흡수성 차폐막을, 범위가 넓으면서 골벽수가 적은 골외 결손의 수복 시에는 비흡수성 차폐막을 주로 사용한다.[33,144] 또한 심미적으로 중요한 부위에서는 차폐막의 공간 유지 기능이 더 중요해진다. 구치부에서는 열개 결손 수복 후 잔존 결손이 남아있더라도 기능상 별다른 문제가 발생하지 않지만, 심미 부위에서는 잔존 결손이 순측 점막 변연의 퇴축을 유발할 수 있고, 이는 심미적 실패를 야기할 수 있기 때문이다(📷 3-52). 몇몇 임상 연구에서 상악 전치부 열개 결손을 ePTFE 차폐막과 입자형 이식재로 수복하면 순측 치조골 두께와 점막 변연의 높이가 유의하게 더 잘 유지된다고 보고했다.[5,41]

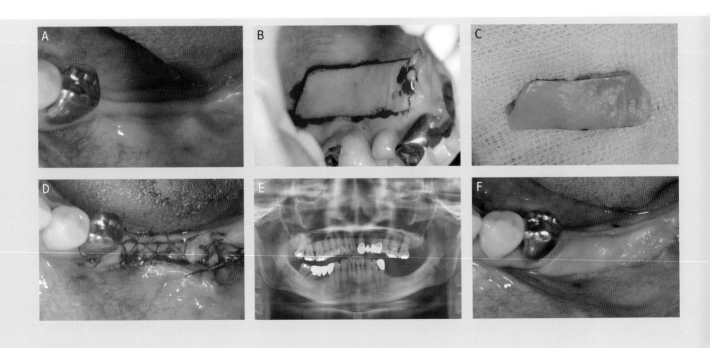

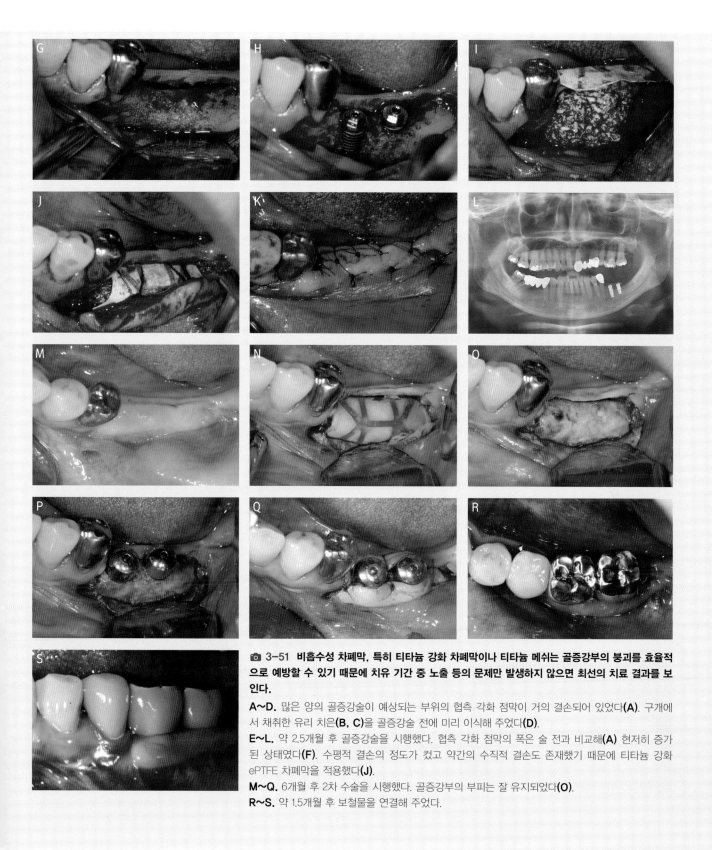

📷 3-51 비흡수성 차폐막, 특히 티타늄 강화 차폐막이나 티타늄 메쉬는 골증강부의 붕괴를 효율적으로 예방할 수 있기 때문에 치유 기간 중 노출 등의 문제만 발생하지 않으면 최선의 치료 결과를 보인다.

A~D. 많은 양의 골증강술이 예상되는 부위의 협측 각화 점막이 거의 결손되어 있었다**(A)**. 구개에서 채취한 유리 치은**(B, C)**을 골증강술 전에 미리 이식해 주었다**(D)**.

E~L. 약 2.5개월 후 골증강술을 시행했다. 협측 각화 점막의 폭은 술 전과 비교해**(A)** 현저히 증가된 상태였다**(F)**. 수평적 결손의 정도가 컸고 약간의 수직적 결손도 존재했기 때문에 티타늄 강화 ePTFE 차폐막을 적용했다**(J)**.

M~Q. 6개월 후 2차 수술을 시행했다. 골증강부의 부피는 잘 유지되었다**(O)**.

R~S. 약 1.5개월 후 보철물을 연결해 주었다.

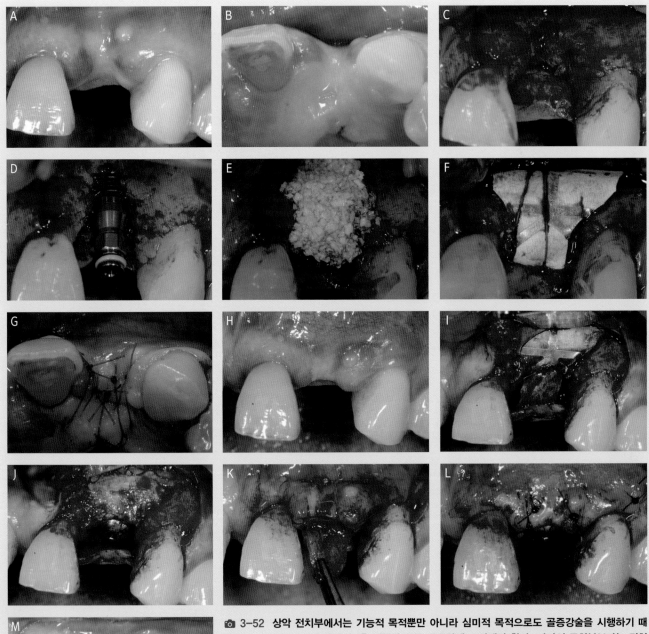

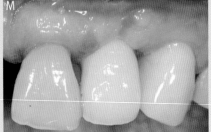

📷 **3-52** 상악 전치부에서는 기능적 목적뿐만 아니라 심미적 목적으로도 골증강술을 시행하기 때문에 술 전 조직의 결손량과 술 후 회복량 모두 중요하게 고려해야 한다. 따라서 구치부보다는 전치부에서 공간 유지 기능이 좋은 차폐막을 사용할 필요성이 증가한다.

A~G. 상악 측절치 결손 증례이다. 열개 및 약간의 수직 결손이 존재했다(**C, D**). 탈단백 우골과 티타늄 강화 ePTFE 차폐막으로 이를 수복했다(**E, F**). 만약 구치부 결손 증례였다면 임플란트를 더 깊게 식립하고 흡수성 차폐막을 적용할 수도 있었을 것이다. 그러나 심미적 수복이 중요한 부위였기 때문에 티타늄 강화 차폐막을 적용한 것이다.

H~L. 약 3개월 2주 후 2차 수술을 시행했다. 차폐막은 강한 공간 유지 능력이 있었기 때문에 골증강부의 부피가 잘 유지됐다(**J**). 구개측 조직을 이용해 순측 점막의 부피를 추가적으로 증강시켰다(**K, roll-in 술식**).

M. 보철물 연결 후의 소견이다. 치간 유두 점막은 원래 결손되어 있었기 때문에 많이 퇴축된 상태였지만 순측 점막 변연의 높이와 순측 조직의 풍융도는 적절한 상태였다.

3) 열개 결손 수복 시에는 가급적 동시에 임플란트를 식립한다.

열개 결손 수복과 임플란트 식립을 동시법과 지연법으로 시행했을 때의 결과를 직접 비교한 임상 대조 연구는 없었기 때문에 어느 방법이 더 우수한 결과를 보인다고 결론 내리기는 힘든 상태이다.[145,146] 그러나 열개 결손이 존재할 때에는 가급적 임플란트 식립과 동시에 골증강술을 시행하는 것이 좋다. 동시법은 수술 횟수의 감소, 치유 기간의 단축, 환자의 불편감 감소 등의 장점을 지니기 때문이다.[9] 열개 결손 수복 시 골증강술과 임플란트 식립을 동시에 시행한 경우와 골증강술 6개월 후 임플란트를 식립한 경우를 비교한 동물 실험에서는, 골증강부 신생골과 임플란트 사이의 골-임플란트간 접촉(골유착의 정도)에 별다른 차이를 보이지 않았다고 보고했다.[147] 또한 골증강의 양은 동시법이나 지연법 사이에 별다른 차이는 없었다.[123,147] 2014년의 체계적 문헌 고찰에서는 상악 전치부에서 수평적 골증강술 시 임플란트를 지연법으로 식립(96.8%)하거나 동시법으로 식립(100%)했을 때 임플란트의 생존율에는 별다른 차이를 보이지 않았다고 보고했다.[148]

3.
광범위한 수평적 결손의 수복

1) 광범위한 수평적 결손을 수복할 때에는 재생골의 양과 질을 모두 고려하여 골증강 술식을 선택해야 한다.

광범위한 수평적 결손은 치조정에서 치근단에 이르는, 잔존골 전체 높이에서의 수평적 결손으로 정의할 수 있다. 임상적으로는 잔존골에 임플란트 식립이 불가능할 정도로 결손이 심하여 골증강술을 먼저 시행하고 차후에 임플란트를 단계법으로 식립해야만 하는 경우로 생각할 수 있다. 따라서 광범위한 수평적 결손에 대해 골증강을 시행할 때에는 수평적 골폭의 확대 정도(골량)뿐만 아니라 재생골의 질과 골밀도 또한 매우 중요하게 생각해야 한다. 이 부위에 식립한 임플란트는 재생골에서 지지를 많이 받아야 하기 때문이다(📷 3-53). 최근의 메타분석들에 의하면 광범위한 수평적 결손 시에는 모든 골증강 방법을 통틀어 평균 3.3-3.9 mm의 골폭을 증가시킬 수 있다.[9,149]

2) 좁은 직경의 임플란트는 약간의 수평적 결손에서 제한적으로 사용 가능하다.

약간의 수평적 결손 시에는 골증강 없이 좁은 직경(3.75-4 mm 미만)의 임플란트를 식립할 수도 있다. 그러나 좁은 직경의 임플란트를 전치나 소구치에 식립하여 성공적으로 사용한 증례는 많이 보고되었지만 대구치부에서는 매식체 파절 등의 우려로 좁은 직경 임플란트를 사용한 증례는 보고된 바가 거의 없다.[150,151] 또한 이론

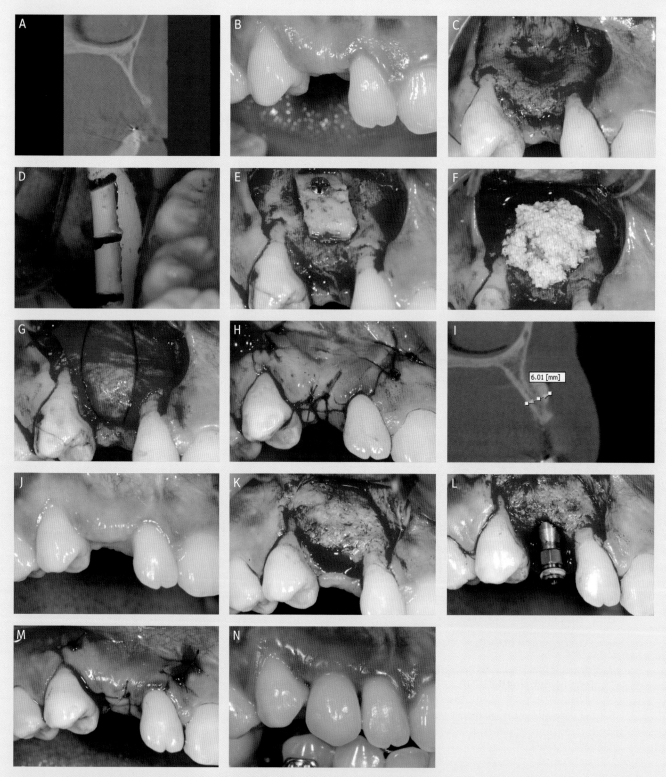

📷 3-53 광범위한 수평적 결손부를 수복하고 임플란트를 식립할 때에는 거의 골증강부에서만 임플란트의 지지를 얻게 되는 경우도 있다. 따라서 이러한 결손을 수복할 때에는 재생골의 양과 질 모두를 고려하여 적절한 재료와 술식을 선택해야 한다.

A. 광범위한 수평적 결손을 보이는 증례이다. 잔존골 폭은 1 mm 내외에 불가했다. 임플란트는 거의 재생골과만 골유착을 이룰 것으로 예상됐기 때문에 골증강술 후 흡수가 적고 재생골의 질이 우수한 자가 블록골 이식술을 시행하기로 결정했다.

B~H. 사실은 양측에서 동일한 결손을 보였기 때문에 하악지에서 두 개의 블록골을 채취하여 각각 이식했다(**D**). 자가 블록골 이식술의 일반적인 프로토콜에 따라 이식골 고정(**E**), 탈단백 우골 적용(**F**), 교원질 차폐막 적용(**G**)의 순서로 골이식술을 진행했다.

I~M. 약 5.5개월 후 임플란트를 식립했다. 골증강부는 약 6 mm 정도의 폭으로 증강되어 있었다(**I**). 임플란트는 충분한 일차 안정 하에 식립 가능했고 증강된 골의 양은 충분했다.

N. 최종 보철물 연결 후의 모습이다.

적인 견지에서 임플란트 주변의 부하를 담당하는 치조골의 분포는 임플란트의 길이보다는 직경에 좌우되는 경향이 있기 때문에 많은 임상가들이 좁은 직경의 임플란트는 가급적 식립하지 않으려고 한다.[152] 더구나 수평적 골증강은 수직적 골증강에 비해 시술이 용이하고 예후도 더 좋기 때문에 전문가들은 "좁은 직경 임플란트 식립"보다는 "수평적 골증강술+표준 직경 임플란트 식립"을 더 선호한다.[13]

(1) 좁은 직경의 임플란트는 그 직경의 범주에 따라 다양한 임상 상황에 사용할 수 있다.

5th ITI Consensus Conference와 6th ITI Consensus Conference에서는 Klein 등의 제안에 따라 좁은 직경의 임플란트를 세 가지 범주로 구분했다(📷 3-54).[153]

그리고 6th ITI Consensus Conference에서는 메타분석을 통해 좁은 임플란트의 범주별로 적응증과 생존율을 정리했다(📚 3-3, 📷 3-55, 56).[154] 범주1의 임플란트는 표준 직경 임플란트에 비해 생존율이 유의하게 낮았지만 범주2와 범주3의 임플란트는 표준 직경 임플란트와 생존율에 유의한 차이를 보이지 않았다. 그러나 폭이 좁은

📷 3-54 Klein 등의 제안에 따른, ITI의 좁은 직경 임플란트 구분

📚 3-3 **좁은 임플란트의 구분**

범주	범주1(직경이 3 mm 미만)	범주2(직경 3.0-3.25 mm)	범주3(직경 3.30-3.50 mm)
임플란트 생존율	94.5±5% (80-100%)	97.3±4% (80.5-100%)	97.7±2% (91-100%)
적응증	• 하악의 전악 오버덴처를 지지 • 고정성, 가철성 임시 수복물을 지지	• 하악의 전악 오버덴처를 지지 • 전치부 단일 치아 수복 시 근원심 폭이 좁은 경우 사용(상악 측절치, 하악 절치)	• 전악 오버덴처를 지지 • 전치부 단일 치아 수복 시 근원심 폭이나 협설 두께가 좁은 경우 사용 • 다수 임플란트로 지지되는 보철물을 지지
표준 직경 임플란트와의 생존율 비교		• 표준 직경 임플란트와 비슷한 정도의 생존율(오즈비 1.06, 95% CI 0.31-3.61)	• 표준 직경 임플란트와 비슷한 정도의 생존율(오즈비 1.19, 95% CI 0.83-1.70)

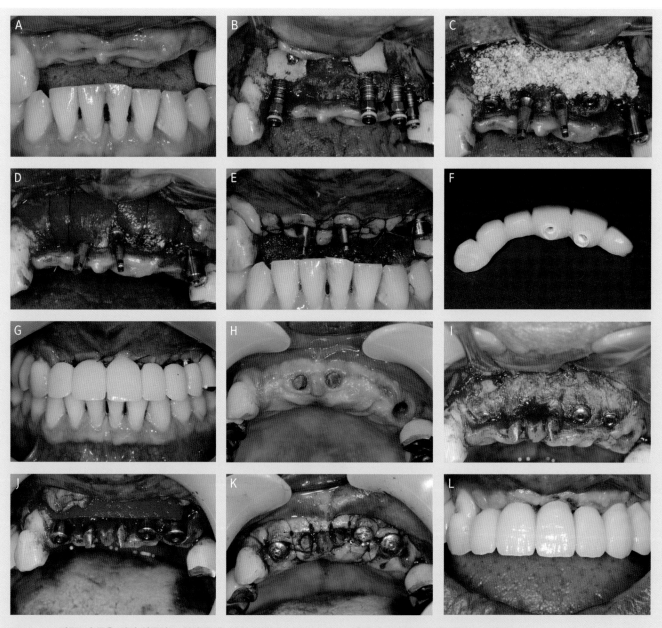

📷 **3-55** 범주2의 좁은 직경 임플란트 임상 증례. 상악 전치부의 고정성 임시 보철물을 지지하기 위한 용도로 사용했다.

A~E. 상악 전치부의 다수 치아 결손부에 임플란트를 식립하고 블록골 이식술 및 골유도 재생술을 시행했다. 이러한 증례에서는 가철성 임시 보철물을 적용하기가 쉽지 않기 때문에 범주1, 범주2의 임플란트를 영구 수복물을 위한 임플란트 사이에 식립한 후 고정성 임시 보철물을 적용하는 것이 유리하다.
F~G. 수술 당일에 임시 보철물을 제작하여 미니 임플란트에 연결했다.
H~K. 약 5개월 후 2차 수술을 시행했다. 고정성 임시 보철물은 임플란트 식립 및 골증강술을 시행한 부위로 가해지는 부하를 원천적으로 막아줄 수 있기 때문에 좋은 치유 상태를 보였다.
L. 영구 보철물 연결 후의 소견이다.

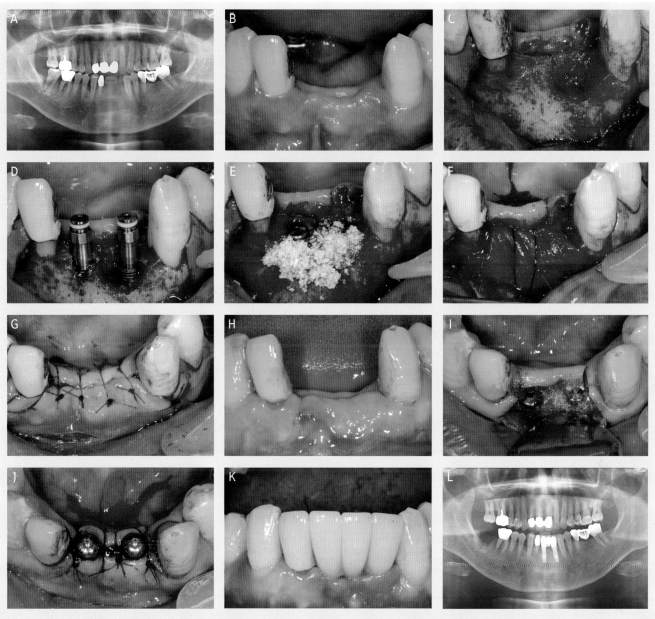

📷 3-56 범주3의 좁은 직경 임플란트 사용 증례. 주로 하악 절치나 상악 측절치 부위의 영구 수복물을 지지하기 위한 용도로 많이 사용된다.

A~G. 하악에 세 개의 절치가 결손되어 있었다. 두 개의 3.3 mm 직경 임플란트를 식립하고 골증강술을 시행했다.

H~J. 약 4개월 1주 후 2차 수술을 시행했다.

K~L. 보철 치료 완료 후 약 1년이 경과했을 때의 모습이다.

치조골에서 골증강 없이 좁은 직경 임플란트를 식립한 경우와, 골증강술 후 표준 직경 임플란트를 식립한 경우를 비교한 연구는 없었다.[154,155]

또한 6th ITI Consensus Conference에서는 좁은 직경 임플란트의 장점과 단점을 표와 같이 정리했다(📑 3-4).[155]

📑 3-4 좁은 직경 임플란트의 장점과 단점

장점	단점
• 좁은 직경 임플란트는 근원심 폭이 감소한 부위에서 임플란트-임플란트, 혹은 임플란트-치아의 적절한 거리를 유지하기 위해 사용할 수 있다. • 좁은 직경 임플란트는 수평적 골증강술 시 발생할 수 있는 어려움이나 합병증을 피하기 위한 목적으로 사용할 수 있다. • 수평적 골증강술을 시행하는 경우에도 좁은 직경 임플란트를 사용하면 단계법이 아니라 동시법으로 골증강술과 임플란트 식립을 시행할 수도 있다. • 특정한 경우에는 좁은 직경 임플란트를 사용하여 보철적으로 다양한 치료 옵션을 적용할 수 있다.	• Ball attachment를 가진 보철 일체형 임플란트는 합병증이 발생하기 시작할 때 이를 처치하기가 어렵다. • 임플란트 주위 조직의 건강을 유지하기 위해 최적의 보철 디자인을 적용하기 힘들다. • 임플란트 직경이 줄어들면 임플란트나 부속물의 파절 가능성이 증가한다. • 악습관이나 부정 교합을 지닌 환자에서는 작은 직경 임플란트를 사용하지 말아야 한다.

(2) 구치부의 협설측 폭이 표준 임플란트 식립에 약간 부족한 증례(4.5-5.5 mm)에서는 골증강술 및 표준 직경 임플란트 식립의 대안으로 골증강술 없이 좁은 직경 임플란트 식립을 고려할 수 있다.

영구 수복물을 지지해주기 위해 좁은 임플란트를 사용하는 적응증은 크게 두 가지이다(📷 3-57).[155-157]

• 임플란트 식립부의 근원심 폭이 좁은 경우
• 임플란트 식립부 치조골의 협설측 폭이 좁은 경우 골증강술의 대체 치료

특히 전신적 상태가 좋지 않은 환자들은 구치부에서 골증강술을 시행하면 합병증 발생 가능성이 증가하고[158,159] 환자들은 침습성이 적은 수술을 선호한다는 점을 고려한다면 골증강술 없이 좁은 직경의 임플란트를 식립하는 치료 옵션도 고려해 볼 수 있다.[156,160] 좁은 직경 임플란트는 특히 경도(잔존골 폭 4.5-5.5 mm 정도)의 수평적 골결손이 존재할 때 사용을 고려할 수 있다(📷 3-58). 한 전향적 단일 환자군 연구에서는 치조골의 협설 폭이 4.5 mm 이하일 때 임플란트 식립을 위한 골삭제를 최소로 시행한 후 Ø 3.5 mm의 임플란트를 식립한 결과 7%(7/100)에서만 골증강이 필요했다고 보고했다.[156] 또한 보철 부하 3년 후까지 임플란트는 100%의 생존율을 보였고, 치조정 골소실량은 0.18±0.55 mm에 지나지 않았다. CT를 이용한 단면 연구에서는 200 부위의 무치악에 Ø 3.3 mm와 Ø 4.1 mm의 임플란트를 가상 식립했을 때 Ø 3.3 mm의 임플란트 식립 시에는 20.6%에서 골증강이 필요했던 반면, Ø 4.1 mm 임플란트 식립 시에는 29.1%에서 골증강이 필요했으며 이는 유의한 차이를 보이는 결과였다고 보고했다.[157]

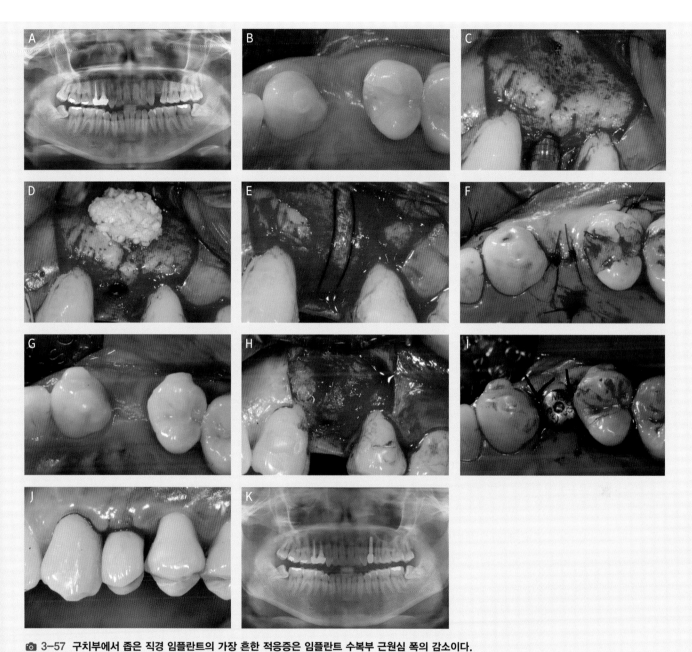

📷 **3-57 구치부에서 좁은 직경 임플란트의 가장 흔한 적응증은 임플란트 수복부 근원심 폭의 감소이다.**

A~F. 상악 제1소구치 부위의 근원심 폭은 6 mm 이하로 감소되어 있었다**(B)**. 3.5 mm 직경의 임플란트를 식립하고 천공 결손부를 수복했다.
G~K. 3개월 3주 후 2차 수술을 시행했고 다시 3주 후 최종 보철 치료를 완성했다.

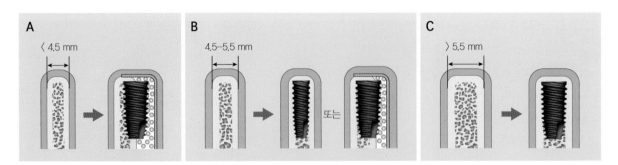

📷 **3-58** 좁은 직경 임플란트를 치료 옵션에 포함한, 구치부에서 치조골 폭에 따른 임플란트 치료의 선택. 좁은 직경 임플란트를 치료 옵션에 포함하지 않는다면 잔존골 폭이 5.5–6 mm 미만일 때 반드시 골증강술을 시행해야 한다.
A. 잔존골 폭이 4.5 mm 미만이면 수평적 골증강술을 시행해야 하며, 이러한 경우에는 표준 직경 이상의 임플란트를 식립한다. **B.** 잔존골 폭이 4.5–5.5 mm 사이이면 골증강술 없이 범주3의 좁은 직경 임플란트를 식립하거나 골증강술 후 표준 직경 이상의 임플란트를 식립한다. **C.** 잔존골 폭이 5.5 mm를 초과하면 표준 직경 이상의 임플란트를 식립한다. 가급적 골증강술을 시행하지 않지만 증례에 따라 골증강술이 필요할 수도 있다.

　　최근의 체계적 문헌 고찰에 의하면 비록 적은 수의 일차 문헌에서 단기간의 결과만이 보고되기는 했지만, 범주3의 좁은 직경 임플란트는 구치부 단일치 수복 시 표준 직경 임플란트에 필적할만한 임플란트 생존율을 보였다.[161] 2017년의 무작위 대조 연구에서는 구치부(소구치/대구치) 단일치 수복 시 Ø 3.3 mm와 Ø 4.1 mm 임플란트는 수복 3년 후까지 각각 95%와 100%의 성공률을 보였다.[162] 또한 수복 3년 후 치조정 골소실량은 Ø 3.3 mm와 Ø 4.1 mm 임플란트에서 각각 0.58±0.39 mm와 0.53±0.46 mm로 특별한 차이를 보이지 않았다. 2017년의 후향적 연구에서는 구치부에 식립한 Ø 3.3 mm 임플란트 98개(소구치 81개, 대구치 17개)의 10.1년 후 상태를 보고했다.[163] 그 결과 96.9%의 임플란트 생존율을 보였으며, 치조정 골소실량은 1.19 mm였다.

　　그러나 구치부에 좁은 직경 임플란트를 사용하면 이론적으로 여러 가지 불리한 면에 직면하게 된다. 치조골과 임플란트 사이의 접촉 면적이 줄어들고, 임플란트 매식체 자체나 부속물의 파절 가능성이 증가하며, 치조정 골에 가해지는 부하의 증가로 인해 치조정 골소실량이 증가할 수 있다.[164,165] 한 실험실 연구에서는 티타늄 임플란트의 파절 저항은 그 직경에 비례하는 경향을 보이며, 특히 3 mm 직경을 기준으로 그 이하에서 급속히 감소한다는 사실을 보였다.[165] 아직 장기간의 연구가 거의 없기 때문에 매식체 자체의 파절이 그렇게 많이 보고되지는 않았지만, 지대주/매식체 파절, 스크루 파절/풀림, 치관 파손 등의 기계적 합병증의 총합은 좁은 직경 임플란트 사용 시 더 많이 발생하는 것으로 보고되고 있다.[165,166]

　　결론적으로 구치부, 특히 대구치 부위에서 단일치 결손부를 수복할 때 근원심 폭이 충분하지만 협설 폭이 약간 결손된 경우에는 아직까지 "골증강술+표준 직경 임플란트 식립"이 "골증강술 없는 좁은 직경 임플란트 식립"보다는 더 유리한 치료 옵션이라고 생각된다. 환자의 국소적, 전신적 상태로 인해 골증강술이 어려운 상태에서 근원심 폭이 좁고 환자의 교합압이 약하며 구강 악습관이 존재하지 않는 증례에 한하여 조심스럽게 골증강술 없이 좁은 직경 임플란트를 식립하는 치료 옵션을 적용할 것을 추천한다.

3) 광범위한 수평적 결손의 첫 번째 치료 옵션은 블록골 이식술이다.

(1) 광범위한 수평적 골결손을 수복할 때 블록골 이식술은 가장 좋은 임상적 결과를 보인다.

광범위한 수평적 결손 시 첫 번째로 선택할 수 있는 치료 옵션은 자가 블록골 이식술이다(📷 3-59). 이 술식은 가장 많은 임상적 근거를 갖고, 가장 높은 성공을 보이며, 전문가들이 가장 선호하는 치료 방법이다.[9,30,32,33,144,148,149,167,168] 임상적으로 광범위한 수평적 결손에서 블록골 이식은 다음의 장점을 갖는다.[136,169,170]

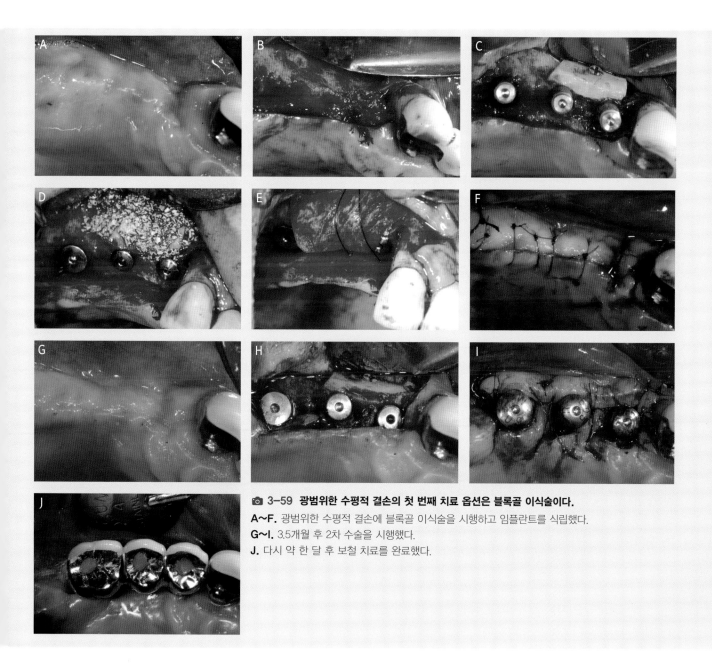

📷 **3-59 광범위한 수평적 결손의 첫 번째 치료 옵션은 블록골 이식술이다.**
A~F. 광범위한 수평적 결손에 블록골 이식술을 시행하고 임플란트를 식립했다.
G~I. 3.5개월 후 2차 수술을 시행했다.
J. 다시 약 한 달 후 보철 치료를 완료했다.

① 광범위한 수평적 결손부를 수복할 때에는 골증강부의 공간 유지가 중요하며, 블록골 이식재는 스스로의 공간 유지 능력이 좋다.

② 광범위한 수평적 골결손 부위는 표면이 편평하기 때문에 블록골 이식재를 접합시키기가 매우 용이하다.

③ 하악에서 채취한 블록골은 밀도가 매우 높고, 따라서 재생골도 높은 골밀도를 갖는다. 이에 따라 임플란트 식립 시 높은 일차 안정을 얻을 수 있다.

④ 임상적으로 입자형 이식재를 사용했을 때보다 더 많은 골폭을 증가시킬 수 있는 반면, 합병증 발생 가능성은 더 낮다.

⑤ 하악에서 채취한 블록골은 장기적으로 흡수에 잘 저항한다. 이는 상악 전치부에서 임플란트 순측 점막 변연의 퇴축을 예방하여 심미적인 결과를 장기간 유지할 수 있도록 해준다.

여러 체계적 문헌 고찰과 메타분석에서는 광범위한 수평적 골결손을 블록골로 수복했을 때에는 2.9-5 mm, 입자골로 수복했을 때에는 1.1-3.31 mm의 수평적 폭을 증강시킬 수 있었다고 보고했다.[9,171-180] 자가 블록골 이식은 입자형 골이식재를 이용한 골유도 재생술에 비해 1-1.8 mm의 골폭을 더 증강시킬 수 있었다.[32,144,176] 2009년의 체계적 문헌 고찰에서는 광범위한 수평적 결손을 자가 블록골로 수복했을 때와 입자형 골로 수복했을 때의 결과를 비교했고 그 결과는 📑 3-5와 같았다.[32]

📑 **3-5 광범위한 수평적 결손에서 자가 블록골 이식과 입자형 이식재 이식 시 수평적 골증강량의 비교**

	수평적 골증강량	합병증 발생 비율	추가적인 골증강술이 필요한 증례
자가 블록골	4.4 mm	3.8%	2.8%
입자형 이식재	2.6 mm	39.6%	24.4%

한 체계적 문헌 고찰에서는 수평적 결손 시 입자형 이식재를 사용했을 때 골증강부의 폭은 27-47% 감소했으며, 이는 자가 블록골 이식재를 사용했을 때의 감소량인 18-32%보다 큰 것이었다고 보고했다.[168] 2018년의 한 메타분석에서는 자가 블록골 이식과 입자골 이식재를 이용한 수평적 결손 수복 시 수술 직후와 11.9개월 후 골증강량의 변화를 평가했다(📑 3-6).[144]

📑 **3-6 광범위한 수평적 결손에서 블록골과 입자골을 이용한 골증강술 후 골증강부 두께의 변화**

	수술 직후 증강량	11.9개월 후 증강량	6개월 후 골증강부 축소량
블록골	4.18±0.56 mm	4.03±0.49 mm	0.75±0.59 mm
입자골	3.61±0.27 mm	2.59±0.23 mm	1.22±0.28 mm
평균	3.71±0.24 mm	2.86±0.23 mm	1.13±0.25 mm

블록골보다 입자형 골이식재를 사용했을 때 골증강부는 치유 기간 중 더 많이 감소했으며, 이는 입자형 이식재를 사용했을 때 공간 유지 능력이 떨어지거나 이식재가 주변 조직으로 유출되기 때문일 것이다.[181]

게다가 골이식부에 식립된 임플란트의 성공 가능성 또한 블록골 이식재를 사용할 때가 입자형 이식재를 사용할 때보다 높다. 한 무작위 대조 연구에서는 상악 전치부에서 "자가 블록골 이식재"와 "탈단백 우골+천연 교원질 차폐막"으로 수평적 골증강을 시행한 후 식립한 임플란트의 단기간(1년 후)의 성공을 평가했다.[182] 비록 통계학적인 유의성을 보이지는 않았지만 자가 블록골을 이식한 부위에 식립한 임플란트는 100%, 입자형 이식재를 이용한 부위에 식립한 임플란트는 93.5%의 성공률을 보였다.

(2) 블록골 이식술을 적용할 때에는 천연 수산화인회석과 차폐막을 적용함으로써 수술의 예후를 증진시킬 수 있다.

블록골 이식재를 적용할 때에는 그 상부에 골대체재, 차폐막, 혹은 골대체재와 차폐막을 함께 적용하여 이식재의 흡수를 줄여줄 수 있다고 생각되며, 따라서 전문가들은 이 술식을 추천한다.[30,32,149,183]

흡수성 차폐막과 비흡수성 차폐막 모두 블록골 이식재의 흡수를 예방할 수 있다. 몇몇 동물 실험에서는 교원질 차폐막이 블록골의 흡수를 유의하게 줄여줄 수 있었다고 보고했다.[184,185] 한 무작위 대조 연구에서는 ePTFE 차폐막을 적용하면 자가 블록골의 흡수를 유의하게 줄여줄 수 있다고 보고했다.[178] 한 동물 실험에서는 교원질 차폐막이나 ePTFE 차폐막 모두 자가 블록골의 흡수를 예방할 수 있었다고 보고했다.[186] 또 다른 동물 연구에서도 자가 블록골을 ePTFE 차폐막으로 피개해주면 블록골의 흡수를 예방해 줄 수 있었다고 보고했다.[187] 그러나 이에 관한 전향적 대조 연구와 무작위 대조 연구는 매우 적으며, 그 결과도 확연한 차이를 보이지는 않는다.[149] 구강 내에서 채취한 블록골 이식재는 대부분 피질골로만 이루어져 있으며, 피질골은 공간 유지 능력이 뛰어나고 흡수에 잘 저항한다. 그리고 비흡수성 차폐막의 노출 시 발생할 수 있는 심한 합병증을 생각한다면 블록골 이식술 시에는 비흡수성보다는 흡수성 차폐막을 적용하는 것이 좋다.[188]

차폐막과 탈단백 우골을 함께 적용하면 차폐막만 적용할 때보다 블록골의 흡수를 더 효율적으로 예방할 수 있다. 2005년의 한 단일 환자군 연구에서 자가 블록골 상부에 탈단백 우골을 적용하면 블록골의 흡수를 효율적으로 예방할 수 있었다고 보고했다.[180] 한 동물 실험에서는 자가 블록골 이식재를 단독으로 사용할 때보다 자가 블록골 상부에 천연 교원질 차폐막을 적용할 때 블록골의 흡수를 줄여줄 수 있었으며, 자가 블록골 상부에 탈단백 우골과 차폐막을 함께 적용하면 이식골의 흡수를 훨씬 더 줄여줄 수 있었다고 보고했다.[184] 2006년에 발표된 단일 환자군 연구에서는 하악에서 채취한 블록골 상부에 탈단백 우골과 천연 교원질 차폐막을 적용했을 때 이식골의 평균 흡수량은 0.3 mm에 지나지 않았으며, 따라서 이 방법은 자가 블록골의 흡수를 효율적으로 예방할 수 있었다고 보고했다.[177] 2018년의 메타분석에서는 수평적 골증강술 시 자가 블록골 상부에 이종골과 흡수성 차폐막을 적용했을 때 최종적인 골증강량이 가장 많았다고 했다.[144] 한 무작위 대조 연구에서는 자가 블록골 이식재를 단독으로 적용하면 이식골은 원래 폭에서 0.89 mm (21%)가 감소했고 이식재 상방에 탈단백 우골과 교원질 차폐막을 적용하면 0.25 mm (5.5%)가 감소했으며 이는 유의한 차이를 보이는 것이었다고 했다(📷 3-60).[189] 따라서 전문가들은 이제 자가 블록골 이식 시 이식골의 상부를 천천히 흡수되는 입자형 골이식재와 차폐막으로 피개할 것을 권유하고 있다.[30,32,144,149]

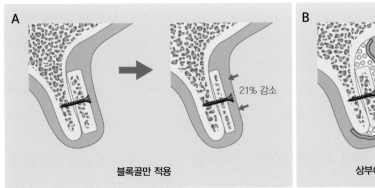
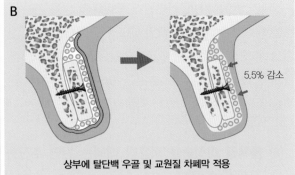

📷 3-60 최근에는 블록골 이식술의 흡수를 줄여주기 위해 탈단백 우골과 이식재를 함께 적용하는 것이 일반화되었다. 한 임상 연구의 결과는 탈단백 우골 및 교원질 차폐막의 자가 블록골 흡수 예방 효과를 잘 보여준다.[189]
A. 자가 블록골만 적용한 경우에는 치유 기간 후 이식골 폭의 21%가 감소했다. **B.** 자가 블록골 상부에 탈단백 우골 및 교원질 차폐막을 적용한 경우에는 이식골 폭의 5.5%만이 감소했다.

자가골 블록골 이식 시에는 향후의 흡수를 고려하여 필요한 양보다 최소 1 mm 정도의 두께를 더 과도하게 증강하는 것이 추천된다.[190] 또한 최근의 메타분석에서는 환자의 연령이 이식골의 흡수를 결정짓는 중요하고 유의한 요소라고 언급했다.[149] 환자의 연령이 1세 증가할수록 이식골 표면은 0.05 mm씩 더 흡수되었다. 예컨대 40세 환자에 비해 60세 환자는 이식골 표면이 1 mm 더 흡수되는 것이다. 또한 이 메타분석에서는 통계학적으로 유의하진 않았지만, 상악에 비해 하악에서 이식골의 흡수가 더 적었다고 했다.

4) 광범위한 수평적 결손을 입자형 이식재로 수복할 때에는 가급적 공간 유지 능력이 좋은 차폐막을 사용한다.

(1) 광범위한 수평적 결손을 입자형 이식재로 수복하려면 자가골 함량이 높은 이식재와 공간 유지 기능이 좋은 차폐막을 사용해야 한다.

광범위한 수평적 결손을 자가 입자골이나 입자형 골대체재를 이용하여 수복하고자 한다면 비흡수성 차폐막을 이용하는 것이 좋다.[32,172,191,192] 광범위한 수평적 결손은 1벽성 결손이고 골외 결손이기 때문에 이식 재료 자체의 공간 유지 기능이 중요하기 때문이다. 전문가들은 특히 확실한 공간 유지를 위해 티타늄 강화형 차폐막이나 티타늄 메쉬를 사용할 것을 추천한다(📷 3-61).[33] 한 메타분석에서는 입자형 골이식재로 광범위한 수평적 골증강술을 시행할 때 차폐막으로 티타늄 메쉬를 사용하면 골증강의 양이 가장 많았다고 보고했다.[144]

그러나 앞서 설명한 대로 입자골과 비흡수성 차폐막의 조합보다는 자가 블록골 이식술이 더 선호되는 술식이다. 한 대조 연구에서는 광범위한 수평적 결손을 "자가 입자골+PTFE 차폐막"이나 "자가 블록골"로 증강해 주고 그 결과를 비교했다.[172] 그 결과 6-8개월 후 "입자골+ePTFE 차폐막" 적용군은 평균 2.7 mm, 블록골 적

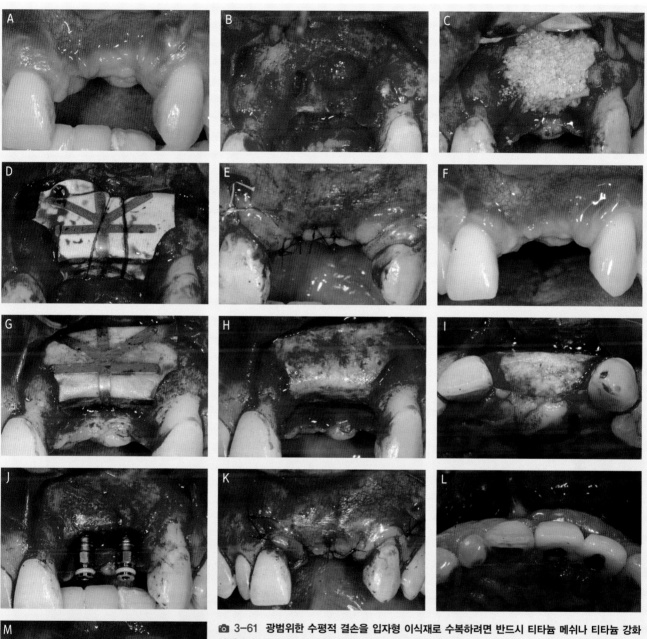

📷 3-61 광범위한 수평적 결손을 입자형 이식재로 수복하려면 반드시 티타늄 메쉬나 티타늄 강화 차폐막 등 공간 유지 효과가 좋은 차폐막을 적용해야만 한다.

A~E. 기존 골증강술 및 임플란트 식립을 실패하여 의뢰받은 환자였다. 임플란트 식립부는 복합적인 결손 양상을 보여 블록골 이식이 불가능했다. 따라서 자가골 및 탈단백 우골의 혼합 이식재를 적용하고 티타늄 강화 ePTFE 차폐막으로 피개해 주었다.

F~K. 6개월 후 임플란트를 식립했다. **D**와 **G**를 비교해보면 알 수 있지만 골증강부의 형태는 3차원적으로 비교적 잘 유지되고 있었다. 재생골의 질 또한 우수했기 때문에 임플란트 식립 시 높은 일차 안정을 얻을 수 있었다.

L~M. 중간에 각화 점막 이식술을 시행했으며 5개월 후 고정성 임시 보철물을 연결했다. 최종 보철물은 의뢰한 병원에서 장착했으며 환자는 더 이상 저자에게 내원하지 않았다.

용군은 4.0 mm의 폭을 증강시킬 수 있었다. 단기간의 임플란트 성공에는 별다른 차이가 없었기에 두 치료법 모두 성공적이었지만, ePTFE 적용군은 차폐막 노출로 인해 감염될 가능성이 높았고, 더 많은 비용이 필요했으며, 수술적으로도 더 많은 기술을 요하기 때문에 블록골 이식을 더 추천한다고 했다.

광범위한 수평적 결손을 수복할 때에는 높은 골형성 능력을 요하기 때문에 임상가들은 골이식 재료로 자가골이나 혼합골(자가골+골대체재)을 선호한다. 앞서 언급했듯이 재생골 골에서 임플란트의 지지를 상당 부분 얻어야 하는 경우에는 가급적 자가골 함량이 높은 이식재를 사용하는 것이 안전하다. 그러나 100% 골 대체재만으로도 조직학적으로나 임상적으로 성공적인 결과를 얻을 수 있었다는 임상 연구들 또한 존재하기 때문에 확실한 결론을 내리기는 힘들다(📷 3-62).[33] 또한 자가골 함량이 높아지면 골증강부는 치유 기간 중 더 많이 수축되기 때문에 1-2mm 정도 더 과도한 폭으로 증강시켜주는 것이 좋다. 한 메타분석에서는 수평적 결손 시 탈단백 우골을 단독으로, 혹은 자가골과 혼합하여 이식하면 100% 자가골 이식재만 사용했을 때보다 골증강부 폭의 흡수를 평균 1.06 mm (95% CI 0.21-1.92 mm), 이식된 골 부피의 흡수를 11.6% (95% CI 5.2-18.1%) 줄여줄 수 있었으며 이는 유의한 차이를 보이는 것이라고 보고했다.[149]

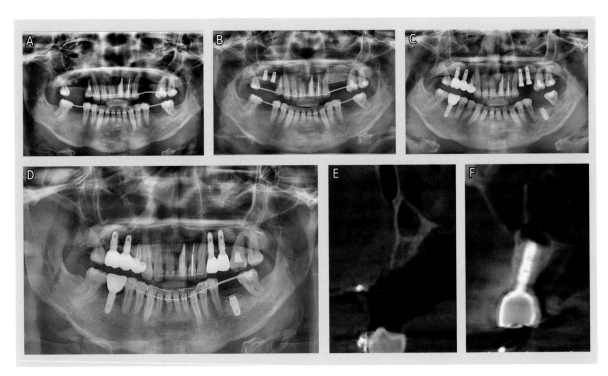

📷 **3-62** 상악 좌측 임플란트 식립부는 수평적, 수직적 결손을 보였다. 수평적 결손은 탈단백 우골과 티타늄 메쉬를 이용한 수평적 골증강술로, 수직적 결손은 탈단백 우골을 이용한 상악동 골이식술로 수복해 주었다. 동일 부위에 대한 술전/술후의 CBCT를 비교해보면 수직적, 수평적으로 치조골이 현저히 증강된 것을 알 수 있다**(E, F)**.

(2) 광범위한 수평적 결손을 입자형 이식재와 흡수성 차폐막으로 수복하면 치료의 예후가 가장 불량하다.

입자형 이식재와 흡수성 차폐막은 광범위한 수평적 결손의 수복에 있어 그다지 추천하기 힘든 조합이다. 공간 유지 능력이 떨어지며 재생골의 질도 좋지 않기 때문이다(📷 3-63).[33] 광범위한 수평적 결손을 입자형 이식재와 흡수성 차폐막으로 수복할 때에는 세 가지 불리한 상황에 마주치게 된다.[148]

- 이식재 자체의 수축과 흡수
- 피개 연조직의 압박에 의한 골증강부의 붕괴
- 이식재 유출

이는 모두 치유 기간 중 상부 연조직으로부터 가해지는 압력에 대해 공간 유지 기능이 가장 떨어지는 조합인 입자형 이식재와 흡수성 차폐막이 저항하지 못하기 때문이다.[182,193] 특히 치조정 부위에서 강하게 가해지는 점막의 압력은, 골증강부의 광범위한 붕괴를 초래하게 된다. 한 단일 환자군 연구에서는 광범위한 수평적 결손을 입자형 이식재와 교원질 차폐막으로 수복해 주었다.[194] 그 결과 7-12개월 후 평균 2.49±1.61 mm의 수평적 골증강을 얻을 수 있었지만, 25%(4/16)의 증례에서는 골증강부의 붕괴와 수축으로 인해 임플란트 식립이 불가능했다. 한 무작위 대조 연구에서는 광범위한 수평적 결손부에 "이종골:자가골" 함량을 각각 90:10과 60:40으로 혼합한 이식재를 적용하고 7.5개월 후 증강된 골의 양을 평가했다.[181] 수술 전 치조골 두께는 두 군에서 각각 3.1 mm와 2.7 mm로 상당히 심한 수평적 결손을 보였다. 수술 직후에는 치조골의 수평적 폭이 각각 8.8 mm와 8.3 mm로 개선되었지만, 7.5개월 후에는 다시 6.0 mm와 6.2 mm로 감소했다. 결과적으로 수술 직후의 수평적 이식량은 7.5개월 후 두 군에서 각각 2.7 mm(46.9%)와 2.0 mm(37.0%) 감소했다. 이는 "입자형 이식재+흡수성 차폐막" 조합이 골재생 부위의 형태를 잘 유지하지 못하고 붕괴됨을 의미하는 것이다.[181]

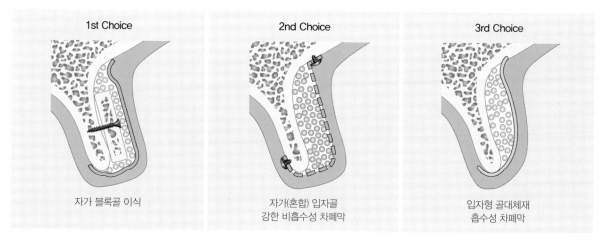

📷 **3-63 광범위한 수평적 결손의 치료 옵션**
가장 우선적으로 고려해야 할 치료 옵션은 자가 블록골 이식술이다. 두 번째로 고려할 수 있는 옵션은 자가 입자골/혼합 입자골과 공간 유지 기능이 좋은 차폐막(티타늄 강화 차폐막/티타늄 메쉬)을 조합한 골유도 재생술이다. 가장 예후가 불량할 것으로 예상되기 때문에 가장 추천하기 힘든 치료 옵션은 입자형 골대체재와 흡수성 차폐막을 조합한 골유도 재생술이다.

만약 광범위한 수평적 결손을 입자형 이식재와 흡수성 차폐막으로 수복한다면 재생골량의 감소를 극복할 수 있는 방법은 다음과 같다(📷 3-64).[181,194-196]

① 특히 치조정 부위에 필요한 양보다 많은 이식재를 적용하여 과수복(overbuilding)해준다.
② 피판의 장력 이완을 최대화하여 피판으로부터 이식부로 가해지는 압력을 최소화한다.
③ 차폐막의 변연을 고정용 핀 등으로 고정하여 이식재가 유출되는 것을 예방한다.
④ 자가골 이식재를 첨가하여 골이식재의 골형성 능력을 가능한 증진시킨다.

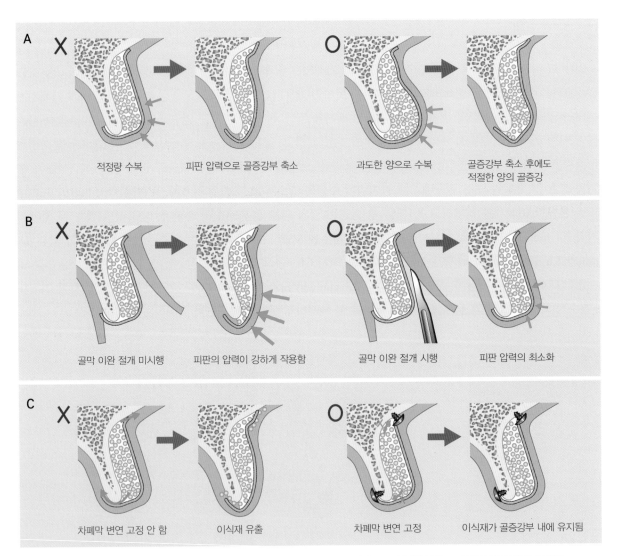

📷 **3-64 광범위한 수평적 결손을 입자형 이식재와 공간 유지 능력이 낮은 차폐막으로 수복할 경우 고려해야 할 외과적 사항들**
A. 골증강부는 치유 기간 중 상부 피판의 압력에 의해 붕괴될 수밖에 없다. 따라서 이를 보상하기 위해, 특히 피판의 압력이 강한 치관측에 필요량보다 1-2 mm 더 과도한 폭과 높이로 골이식재를 적용한다. **B.** 협측의 골막 이완 절개와 설측의 피판 형성/악설골근 이완 등 여러 가지 방법을 통해 골증강부 상부 피판의 압력을 최대한 줄여준다. **C.** 차폐막 변연을 고정하여 이식재의 유출에 의한 골증강 부피 감소를 최소화한다.

이 중에서도 특히 이식재를 과도하게, 충분히 많이 적용하는 것과 차폐막을 고정하는 것은 골증강부의 부피 감소를 줄여주거나 보상해 줄 수 있는 가장 중요한 수술적 과정이다. 2016년의 한 전향적 연구에서는 광범위한 수평적 결손에 자가골과 탈단백 우골을 1:1로 혼합한 입자 이식재를 적용하고 천연 교원질 차폐막으로 피개했으며 차폐막은 핀으로 고정해 주었다. 수술 전 치조골 폭은 평균 3.07±0.64 mm였지만 수술 7개월 후에는 8.09±2.16 mm로 개선되었으며, 이는 골폭을 5.03±2.15 mm 증가시킨 것이었다.[195] 또한 이렇게 골증강한 22 부위에 식립한 55개의 임플란트는 수복 1년 후까지 100%의 생존율과 성공률을 보였다. 2018년의 다른 단일 환자군 연구에서도 광범위한 수평적 결손을 입자형 이식재와 교원질 차폐막으로 수복하면서 차폐막은 핀으로 고정해 주었다.[196] 그 결과 치조골의 수평적 폭은 수술 전 2.97±0.59 mm에서 수술 6개월 후 6.28±0.85 mm로, 3.3±0.75 mm 증강시킬 수 있었다.

4.
수평적으로 증강된 골은 장기간 안정적으로 유지된다.

1) CBCT가 일상화되면서 협측으로 증강된 골의 장기간 상태를 직접 확인할 수 있게 되었다.

예전에는 수복된 골의 장기적 변화를 측정한 연구가 거의 없었다. 주로 협측으로 증강된 골의 형태를 확인하기 위해서는 CT를 촬영하거나 수술부로 직접 재진입해야 하지만 이는 윤리적으로 실행하기가 힘들었기 때문이다. 다만 치근단 방사선 사진이나 파노라마 방사선 사진으로 근원심 치조정 골의 변화만을 관찰했을 뿐이다.[40] 치근단 방사선 사진에서는 임플란트의 근원심 치조정 골에 대한 정보만을 알 수 있기 때문에 주로 임플란트의 협측에 적용되는 골증강술의 예후를 평가하기에는 부적합하다.[13,197] 게다가 방사선 사진에 의한 치조정 골의 높이 평가는, 매식체와 필름 간 각도, 치조골 두께, 그리고 매식체의 협설측 위치에 따라 오차가 발생할 수 있기 때문에 부정확하다.[13,198]

그러나 저선량의 CBCT 촬영이 일반화되면서 최근에는 이식골의 3차원적 변화를 장기간 측정한 임상 연구가 점차 늘고 있다. 돼지에서 채취한 악골에서 직접 측정한 임플란트 주위 치조골의 크기는, 이 악골을 CT로 촬영하여 측정한 크기와 0.2 mm 미만(평균 0.18±0.12 mm)의 차이만 보였다.[199] 이는 CBCT를 이용한 치조골 크기의 측정이 신뢰할 수 있다는 점을 보여주는 것이다.

2) 천연 수산화인회석과 차폐막을 이용해 증강된 골은 장기간 안정적으로 유지된다.

Buser 등이 2013년에 발표한 장기간의 단일 환자군 연구에서는 상악 전치부의 열개 결손을 "자가골+탈단백 우골"로 샌드위치 골이식하고 교원질 차폐막으로 피개하여 수복한 증례에서 5~9년 후 재생된 골이 어떤 상태로 존재하는지 CBCT로 측정했다.[44] 그 결과 19.5%(8/41)의 증례에서는 순측 치조골의 열개가 존재하기는 했지만 임플란트 순측 변연골의 두께는 평균 2.2 mm로 잘 유지됐으며 순측 점막 변연의 퇴축은 전혀 관찰되지 않았다. Jung 등의 2015년 무작위 대조 연구에서는 열개 결손을 탈단백 우골로 충전하고 천연 교원질 차폐막(대조군)으로 피개하거나 polyethylene glycol 차폐막(실험군)으로 피개해주고 5년 후의 상태를 CBCT로 측정했다.[40] 그 결과 대조군에서는 열개 결손의 높이가 4.3±1.5 mm, 실험군에서는 4.8±2.6 mm 수복된 상태로 유지됐다. 이는 입자형 이식재와 흡수성 차폐막 조합으로 열개 결손을 수복했을 때 장기간 재생된 골이 잘 유지됨을 의미하는 것이다.

Chappuis 등의 2017년 전향적 단일 환자군 연구에서는 수평적 골결손을 보이는 52부위에 자가골 이식재를 적용하고 그 상부를 탈단백 우골과 천연 교원질 차폐막으로 피개해 주었다.[200] 이 부위를 10년 후 CBCT로 평가한 결과 골증강부 표면의 흡수량은 7.7%(0.38 mm)에 지나지 않았고, 따라서 이 술식은 증강된 골의 크기를 장기간 효율적으로 유지함을 알 수 있었다. Benic 등의 2017년 대조 연구에서는 골결손이 존재하여 탈단백 우골/자가 입자골과 천연 교원질 차폐막으로 골증강을 시행하며 임플란트를 식립한 경우와 골결손이 없어서 임플란트만 식립한 경우의 15년 후 결과를 관찰했다.[6] 두 경우에서 식립된 임플란트의 생존율이나 근원심 치조정 골소실량은 임상적/통계학적으로 별다른 차이를 보이지 않았다. CBCT로 계측한 협측 치조정 골의 높이 또한 임플란트 매식체 변연으로부터 각각 평균 2 mm 가량 치근단측에 위치하여 거의 차이가 없었고 협측골의 두께 또한 두 군에서 별다른 차이를 보이지 않았다. 이는 골증강술을 통해 형성된 재생골이 건전한 자연골과 장기적으로 동일한 변화를 보인다는 사실을 나타내는 것이다.

3) 자가 블록골 이식재는 장기간 거의 흡수 없이 안정적으로 유지되는 것으로 보인다.

한 체계적 문헌 고찰에 의하면 자가 블록골로 광범위한 수평적 결손을 수복한 부위에 식립한 임플란트는 보철 부하 1년 후에 96.9%, 1~2년 후에 100%의 생존율을 보였다.[190] 여기서 1~2년 후의 생존율이 1년 후의 생존율보다 높았던 이유는 포함된 일차 문헌이 각각 다른 문헌이었기 때문이다. 따라서 이 술식을 시행한 부위에 식립한 임플란트는 단기간에 높은 생존율을 보인다고 생각하면 된다.

그러나 자가 블록골 이식 후 이식골의 장기간의 변화에 대한 임상 연구는 매우 드물다. 2017년에 발표된 한 단일 환자군 연구에서는 하악에서 채취한 블록골의 10년 후 크기 변화에 대해 측정하여 보고했다.[200] 총 38명의 환자에서 광범위한 수평적 결손을 자가 블록골로 수복하고 탈단백 우골과 천연 교원질 차폐막을 이식재 상부에 적용했다. 그리고 수술 시, 수술 6개월 후, 수술 10년 후 골증강부의 폭을 측정했다. 그 결과, 수술 6개월 후에는 수술 직후에 비해 골증강부의 폭이 0.34 mm(6.9%) 감소했고, 수술 10년 후에는 수술 직후에 비해 골증강부의 폭이 0.38 mm(7.7%) 감소했다. 즉, 수술 6개월 후부터 수술 10년 후까지 골증강부 표면은 단지 0.04 mm만 흡수된 것이었다. 이는 이 술식이 장기적으로 거의 흡수가 없는 안정적인 술식임을 나타내는 것이다. 또한 골증강 부위에 식립된 임플란트 52개 중 하나만 실패하여 10년간 98.1%의 임플란트 생존율과 성공률을 보였다. 이 연구는 매우 잘 수행된 연구이긴 하지만 이 주제에 대해서는 좀 더 많은 수의 임상 연구가 축적되어야 할 것이다.

참고문헌

1. Esposito M, Grusovin MG, Felice P, Karatzopoulos G, Worthington HV, Coulthard P. Interventions for replacing missing teeth: horizontal and vertical bone augmentation techniques for dental implant treatment. Cochrane Database Syst Rev. 2009;2009(4):Cd003607.

2. Lizio G, Mazzone N, Corinaldesi G, Marchetti C. Reconstruction of Extended and Morphologically Varied Alveolar Ridge Defects with the Titanium Mesh Technique: Clinical and Dental Implants Outcomes. Int J Periodontics Restorative Dent. 2016;36(5):689-697.

3. Sanz-Sánchez I, Carrillo de Albornoz A, Figuero E, et al. Effects of lateral bone augmentation procedures on peri-implant health or disease: A systematic review and meta-analysis. Clin Oral Implants Res. 2018;29 Suppl 15:18-31.

4. Benić GI, Jung RE, Siegenthaler DW, Hämmerle CHF. Clinical and radiographic comparison of implants in regenerated or native bone: 5-year results. Clin Oral Implants Res. 2009;20(5):507-513.

5. Jung RE, Fenner N, Hämmerle CHF, Zitzmann NU. Long-term outcome of implants placed with guided bone regeneration (GBR) using resorbable and non-resorbable membranes after 12-14 years. Clin Oral Implants Res. 2013;24(10):1065-1073.

6. Benic GI, Bernasconi M, Jung RE, Hämmerle CHF. Clinical and radiographic intra-subject comparison of implants placed with or without guided bone regeneration: 15-year results. J Clin Periodontol. 2017;44(3):315-325.

7. Araújo MG, Lindhe J. Dimensional ridge alterations following tooth extraction. An experimental study in the dog. J Clin Periodontol. 2005;32(2):212-218.

8. Araújo MG, Sukekava F, Wennström JL, Lindhe J. Ridge alterations following implant placement in fresh extraction sockets: an experimental study in the dog. J Clin Periodontol. 2005;32(6):645-652.

9. Sanz-Sánchez I, Ortiz-Vigón A, Sanz-Martín I, Figuero E, Sanz M. Effectiveness of Lateral Bone Augmentation on the Alveolar Crest Dimension: A Systematic Review and Meta-analysis. J Dent Res. 2015;94(9 Suppl):128S-142S.

10. Esposito M, Grusovin MG, Kwan S, Worthington HV, Coulthard P. Interventions for replacing missing teeth: bone augmentation techniques for dental implant treatment. Cochrane Database Syst Rev. 2008(3):CD003607.

11. Dahlin C, Andersson L, Linde A. Bone augmentation at fenestrated implants by an osteopromotive membrane technique. A controlled clinical study. Clin Oral Implants Res. 1991;2(4):159-165.

12. Chiapasco M, Zaniboni M. Clinical outcomes of GBR procedures to correct peri-implant dehiscences

and fenestrations: a systematic review. Clin Oral Implants Res. 2009;20 Suppl 4:113-123.

13. Donos N, Mardas N, Chadha V. Clinical outcomes of implants following lateral bone augmentation: systematic assessment of available options (barrier membranes, bone grafts, split osteotomy). J Clin Periodontol. 2008;35(8 Suppl):173-202.

14. Benic GI, Hammerle CH. Horizontal bone augmentation by means of guided bone regeneration. Periodontol 2000. 2014;66(1):13-40.

15. Merli M, Merli I, Raffaelli E, Pagliaro U, Nastri L, Nieri M. Bone augmentation at implant dehiscences and fenestrations. A systematic review of randomised controlled trials. Eur J Oral Implantol. 2016;9(1):11-32.

16. Thoma DS, Bienz SP, Figuero E, Jung RE, Sanz-Martin I. Efficacy of lateral bone augmentation performed simultaneously with dental implant placement: A systematic review and meta-analysis. J Clin Periodontol. 2019;46 Suppl 21:257-276.

17. Klinge B, Flemmig TF. Tissue augmentation and esthetics (Working Group 3). Clinical oral implants research. 2009;20:166-170.

18. Rasmusson L, Meredith N, Sennerby L. Measurements of stability changes of titanium implants with exposed threads subjected to barrier membrane induced bone augmentation. An experimental study in the rabbit tibia. Clin Oral Implants Res. 1997;8(4):316-322.

19. Jung RE, Herzog M, Wolleb K, Ramel CF, Thoma DS, Hammerle CH. A randomized controlled clinical trial comparing small buccal dehiscence defects around dental implants treated with guided bone regeneration or left for spontaneous healing. Clin Oral Implants Res. 2017;28(3):348-354.

20. Palmer RM, Floyd PD, Palmer PJ, Smith BJ, Johansson CB, Albrektsson T. Healing of implant dehiscence defects with and without expanded polytetrafluoroethylene membranes: a controlled clinical and histological study. Clin Oral Implants Res. 1994;5(2):98-104.

21. Guerra I, Morais Branco F, Vasconcelos M, Afonso A, Figueiral H, Zita R. Evaluation of implant osseointegration with different regeneration techniques in the treatment of bone defects around implants: an experimental study in a rabbit model. Clin Oral Implants Res. 2011;22(3):314-322.

22. Palmer RM, Smith BJ, Palmer PJ, Floyd PD, Johannson CB, Albrektsson T. Effect of loading on bone regenerated at implant dehiscence sites in humans. Clin Oral Implants Res. 1998;9(5):283-291.

23. Kohal RJ, Trejo PM, Wirsching C, Hürzeler MB, Caffesse RG. Comparison of bioabsorbable and bioinert membranes for guided bone regeneration around non-submerged implants. An experimental study in the mongrel dog. Clin Oral Implants Res. 1999;10(3):226-237.

24. Carmagnola D, Araujo M, Berglundh T, Albrektsson T, Lindhe J. Bone tissue reaction around implants

placed in a compromised jaw. J Clin Periodontol. 1999;26(10):629–635.

25. Lekholm U, Sennerby L, Roos J, Becker W. Soft tissue and marginal bone conditions at osseointegrated implants that have exposed threads: a 5–year retrospective study. Int J Oral Maxillofac Implants. 1996;11(5):599–604.

26. Schropp L, Wenzel A, Spin–Neto R, Stavropoulos A. Fate of the buccal bone at implants placed early, delayed, or late after tooth extraction analyzed by cone beam CT: 10–year results from a randomized, controlled, clinical study. Clin Oral Implants Res. 2015;26(5):492–500.

27. Jensen SS, Terheyden H. Bone augmentation procedures in localized defects in the alveolar ridge: clinical results with different bone grafts and bone–substitute materials. Int J Oral Maxillofac Implants. 2009;24 Suppl:218–236.

28. Oh T–J, Meraw SJ, Lee E–J, Giannobile WV, Wang H–L. Comparative analysis of collagen membranes for the treatment of implant dehiscence defects. Clin Oral Implants Res. 2003;14(1):80–90.

29. Fu J–H, Rios H, Al–Hezaimi K, Oh T–J, Benavides E, Wang H–L. A randomized clinical trial evaluating the efficacy of the sandwich bone augmentation technique in increasing buccal bone thickness during implant placement. II. Tomographic, histologic, immunohistochemical, and RNA analyses. Clin Oral Implants Res. 2015;26(10):1150–1157.

30. Chen ST, Beagle J, Jensen SS, Chiapasco M, Darby I. Consensus statements and recommended clinical procedures regarding surgical techniques. Int J Oral Maxillofac Implants. 2009;24 Suppl:272–278.

31. Wessing B, Urban I, Montero E, et al. A multicenter randomized controlled clinical trial using a new resorbable non–cross–linked collagen membrane for guided bone regeneration at dehisced single implant sites: interim results of a bone augmentation procedure. Clin Oral Implants Res. 2017;28(11):e218–e226.

32. Jensen SS, Terheyden H. Bone augmentation procedures in localized defects in the alveolar ridge: clinical results with different bone grafts and bone–substitute materials. Int J Oral Maxillofac Implants. 2009;24 Suppl:218–236.

33. Benic GI, Hämmerle CHF. Horizontal bone augmentation by means of guided bone regeneration. Periodontol 2000. 2014;66(1):13–40.

34. Thoma DS, Bienz SP, Figuero E, Jung RE, Sanz–Martín I. Efficacy of lateral bone augmentation performed simultaneously with dental implant placement: A systematic review and meta–analysis. J Clin Periodontol. 2019;46 Suppl 21:257–276.

35. Schwarz F, Sahm N, Becker J. Impact of the outcome of guided bone regeneration in dehiscence–type defects on the long–term stability of peri–implant health: clinical observations at 4 years. Clin Oral

Implants Res. 2012;23(2):191-196.

36. Lang NP, Berglundh T, Working Group 4 of Seventh European Workshop on P. Periimplant diseases: where are we now?--Consensus of the Seventh European Workshop on Periodontology. J Clin Periodontol. 2011;38 Suppl 11:178-181.

37. Sanz M, Chapple IL, Working Group 4 of the VEWoP. Clinical research on peri-implant diseases: consensus report of Working Group 4. J Clin Periodontol. 2012;39 Suppl 12:202-206.

38. Coli P, Christiaens V, Sennerby L, Bruyn HD. Reliability of periodontal diagnostic tools for monitoring peri-implant health and disease. Periodontol 2000. 2017;73(1):203-217.

39. Gerber JA, Tan WC, Balmer TE, Salvi GE, Lang NP. Bleeding on probing and pocket probing depth in relation to probing pressure and mucosal health around oral implants. Clin Oral Implants Res. 2009;20(1):75-78.

40. Jung RE, Benic GI, Scherrer D, Hämmerle CHF. Cone beam computed tomography evaluation of regenerated buccal bone 5 years after simultaneous implant placement and guided bone regeneration procedures-a randomized, controlled clinical trial. Clin Oral Implants Res. 2015;26(1):28-34.

41. Miyamoto Y, Obama T. Dental cone beam computed tomography analyses of postoperative labial bone thickness in maxillary anterior implants: comparing immediate and delayed implant placement. Int J Periodontics Restorative Dent. 2011;31(3):215-225.

42. Veltri M, Ekestubbe A, Abrahamsson I, Wennström JL. Three-Dimensional buccal bone anatomy and aesthetic outcome of single dental implants replacing maxillary incisors. Clin Oral Implants Res. 2016;27(8):956-963.

43. Benic GI, Mokti M, Chen CJ, Weber HP, Hämmerle CH, Gallucci GO. Dimensions of buccal bone and mucosa at immediately placed implants after 7 years: a clinical and cone beam computed tomography study. Clinical Oral Implants Research. 2012;23(5):560-566.

44. Buser D, Chappuis V, Bornstein MM, Wittneben J-G, Frei M, Belser UC. Long-term stability of contour augmentation with early implant placement following single tooth extraction in the esthetic zone: a prospective, cross-sectional study in 41 patients with a 5- to 9-year follow-up. J Periodontol. 2013;84(11):1517-1527.

45. El Nahass H, S NN. Analysis of the dimensions of the labial bone wall in the anterior maxilla: a cone-beam computed tomography study. Clin Oral Implants Res. 2015;26(4):e57-e61.

46. Araújo MG, Lindhe J. Dimensional ridge alterations following tooth extraction. An experimental study in the dog. J Clin Periodontol. 2005;32(2):212-218.

47. Teughels W, Merheb J, Quirynen M. Critical horizontal dimensions of interproximal and buccal bone

around implants for optimal aesthetic outcomes: a systematic review. Clin Oral Implants Res. 2009;20 Suppl 4:134-145.

48. Wilderman MN. Periodontal surgery—mucogingival and osseous. Int Dent J. 1967;17(3):519-551.

49. Merheb J, Quirynen M, Teughels W. Critical buccal bone dimensions along implants. Periodontol 2000. 2014;66(1):97-105.

50. Belser UC, Buser D, Hess D, Schmid B, Bernard JP, Lang NP. Aesthetic implant restorations in partially edentulous patients—a critical appraisal. Periodontol 2000. 1998;17:132-150.

51. Grunder U, Gracis S, Capelli M. Influence of the 3-D bone-to-implant relationship on esthetics. Int J Periodontics Restorative Dent. 2005;25(2):113-119.

52. Buser D, Martin W, Belser UC. Optimizing esthetics for implant restorations in the anterior maxilla: anatomic and surgical considerations. Int J Oral Maxillofac Implants. 2004;19 Suppl:43-61.

53. Spray JR, Black CG, Morris HF, Ochi S. The influence of bone thickness on facial marginal bone response: stage 1 placement through stage 2 uncovering. Ann Periodontol. 2000;5(1):119-128.

54. Cardaropoli G, Lekholm U, Wennström JL. Tissue alterations at implant-supported single-tooth replacements: a 1-year prospective clinical study. Clin Oral Implants Res. 2006;17(2):165-171.

55. Merheb J, Vercruyssen M, Coucke W, Beckers L, Teughels W, Quirynen M. The fate of buccal bone around dental implants. A 12-month postloading follow-up study. Clin Oral Implants Res. 2017;28(1):103-108.

56. Teughels W, Merheb J, Quirynen M. Critical horizontal dimensions of interproximal and buccal bone around implants for optimal aesthetic outcomes: a systematic review. Clin Oral Implants Res. 2009;20 Suppl 4:134-145.

57. Kokich VO, Kokich VG, Kiyak HA. Perceptions of dental professionals and laypersons to altered dental esthetics: asymmetric and symmetric situations. Am J Orthod Dentofacial Orthop. 2006;130(2):141-151.

58. Small PN, Tarnow DP. Gingival recession around implants: a 1-year longitudinal prospective study. Int J Oral Maxillofac Implants. 2000;15(4):527-532.

59. Bengazi F, Wennström JL, Lekholm U. Recession of the soft tissue margin at oral implants. A 2-year longitudinal prospective study. Clin Oral Implants Res. 1996;7(4):303-310.

60. Cardaropoli G, Lekholm U, Wennström JL. Tissue alterations at implant-supported single-tooth replacements: a 1-year prospective clinical study. Clin Oral Implants Res. 2006;17(2):165-171.

61. Oates TW, West J, Jones J, Kaiser D, Cochran DL. Long-term changes in soft tissue height on the facial surface of dental implants. Implant Dent. 2002;11(3):272-279.

62. Jemt T, Ahlberg G, Henriksson K, Bondevik O. Changes of anterior clinical crown height in patients provided with single—implant restorations after more than 15 years of follow—up. Int J Prosthodont. 2006;19(5):455—461.

63. Dierens M, de Bruecker E, Vandeweghe S, Kisch J, de Bruyn H, Cosyn J. Alterations in soft tissue levels and aesthetics over a 16—22 year period following single implant treatment in periodontally—healthy patients: a retrospective case series. J Clin Periodontol. 2013;40(3):311—318.

64. Nisapakultorn K, Suphanantachat S, Silkosessak O, Rattanamongkolgul S. Factors affecting soft tissue level around anterior maxillary single—tooth implants. Clin Oral Implants Res. 2010;21(6):662—670.

65. Schincaglia GP, Nowzari H. Surgical treatment planning for the single—unit implant in aesthetic areas. Periodontol 2000. 2001;27:162—182.

66. Kois JC. Predictable single—tooth peri—implant esthetics: five diagnostic keys. Compend Contin Educ Dent. 2004;25(11):895—896, 898, 900 passim; quiz 906—897.

67. Leblebicioglu B, Rawal S, Mariotti A. A review of the functional and esthetic requirements for dental implants. J Am Dent Assoc. 2007;138(3):321—329.

68. Cochran DL, Hermann JS, Schenk RK, Higginbottom FL, Buser D. Biologic width around titanium implants. A histometric analysis of the implanto—gingival junction around unloaded and loaded nonsubmerged implants in the canine mandible. J Periodontol. 1997;68(2):186—198.

69. Kan JYK, Rungcharassaeng K, Umezu K, Kois JC. Dimensions of peri—implant mucosa: an evaluation of maxillary anterior single implants in humans. J Periodontol. 2003;74(4):557—562.

70. Belser UC, Grütter L, Vailati F, Bornstein MM, Weber H—P, Buser D. Outcome evaluation of early placed maxillary anterior single—tooth implants using objective esthetic criteria: a cross—sectional, retrospective study in 45 patients with a 2— to 4—year follow—up using pink and white esthetic scores. J Periodontol. 2009;80(1):140—151.

71. Kaminaka A, Nakano T, Ono S, Kato T, Yatani H. Cone—Beam Computed Tomography Evaluation of Horizontal and Vertical Dimensional Changes in Buccal Peri—Implant Alveolar Bone and Soft Tissue: A 1—Year Prospective Clinical Study. Clin Implant Dent Relat Res. 2015;17 Suppl 2:e576—e585.

72. Bahat O, Fontanesi RV, Preston J. Reconstruction of the hard and soft tissues for optimal placement of osseointegrated implants. Int J Periodontics Restorative Dent. 1993;13(3):255—275.

73. Garber DA. The esthetic dental implant: letting restoration be the guide. J Am Dent Assoc. 1995;126(3):319—325.

74. Belser U, International Team for Oral Implantology. Implant therapy in the esthetic zone : single—tooth replacements. Berlin ; Chicago: Quintessence Pub.; 2007.

75. Tarnow DP, Eskow RN, Zamzok J. Aesthetics and implant dentistry. Periodontol 2000. 1996;11:85–94.

76. Al-Sabbagh M. Implants in the esthetic zone. Dent Clin North Am. 2006;50(3):391–407, vi.

77. Rojas-Vizcaya F. Biological aspects as a rule for single implant placement. The 3A-2B rule: a clinical report. J Prosthodont. 2013;22(7):575–580.

78. Chen ST, Darby IB, Reynolds EC. A prospective clinical study of non-submerged immediate implants: clinical outcomes and esthetic results. Clin Oral Implants Res. 2007;18(5):552–562.

79. Evans CD, Chen ST. Esthetic outcomes of immediate implant placements. Clin Oral Implants Res. 2008;19(1):73–80.

80. Chen ST, Darby IB, Reynolds EC, Clement JG. Immediate implant placement postextraction without flap elevation. J Periodontol. 2009;80(1):163–172.

81. Cosyn J, Sabzevar MM, De Bruyn H. Predictors of inter-proximal and midfacial recession following single implant treatment in the anterior maxilla: a multivariate analysis. J Clin Periodontol. 2012;39(9):895–903.

82. Tomasi C, Sanz M, Cecchinato D, et al. Bone dimensional variations at implants placed in fresh extraction sockets: a multilevel multivariate analysis. Clin Oral Implants Res. 2010;21(1):30–36.

83. Caneva M, Salata LA, de Souza SS, Baffone G, Lang NP, Botticelli D. Influence of implant positioning in extraction sockets on osseointegration: histomorphometric analyses in dogs. Clin Oral Implants Res. 2010;21(1):43–49.

84. Canullo L, Tallarico M, Radovanovic S, Delibasic B, Covani U, Rakic M. Distinguishing predictive profiles for patient-based risk assessment and diagnostics of plaque induced, surgically and prosthetically triggered peri-implantitis. Clin Oral Implants Res. 2016;27(10):1243–1250.

85. Anitua E, Murias-Freijo A, Alkhraisat MH. Conservative Implant Removal for the Analysis of the Cause, Removal Torque, and Surface Treatment of Failed Nonmobile Dental Implants. J Oral Implantol. 2016;42(1):69–77.

86. McAllister B, Masters D, Meffert R. Treatment of implants demonstrating periapical radiolucencies. Practical periodontics and aesthetic dentistry: PPAD. 1992;4(9):37–41.

87. Sarmast ND, Wang HH, Soldatos NK, et al. A novel treatment decision tree and literature review of retrograde peri-implantitis. Journal of periodontology. 2016;87(12):1458–1467.

88. Ramanauskaite A, Juodzbalys G, Tözüm TF. Apical/retrograde periimplantitis/implant periapical lesion: etiology, risk factors, and treatment options: a systematic review. Implant dentistry. 2016;25(5):684–697.

89. Lefever D, Van Assche N, Temmerman A, Teughels W, Quirynen M. Aetiology, microbiology and therapy of periapical lesions around oral implants: a retrospective analysis. Journal of clinical periodontology. 2013;40(3):296-302.

90. Quirynen M, Vogels R, Alsaadi G, Naert I, Jacobs R, Steenberghe Dv. Predisposing conditions for retrograde peri-implantitis, and treatment suggestions. Clinical oral implants research. 2005;16(5):599-608.

91. Quirynen M, Gijbels F, Jacobs R. An infected jawbone site compromising successful osseointegration. Periodontology 2000. 2003;33(1):129-144.

92. Salvi GE, Fürst MM, Lang NP, Persson GR. One-year bacterial colonization patterns of Staphylococcus aureus and other bacteria at implants and adjacent teeth. Clinical oral implants research. 2008;19(3):242-248.

93. Brisman DL, Brisman AS, Moses MS. Implant failures associated with asymptomatic endodontically treated teeth. The Journal of the American Dental Association. 2001;132(2):191-195.

94. Green T, Walton R, Taylor J, Merrell P. Radiographic and histologic periapical findings of root canal treated teeth in cadaver. Oral Surgery, Oral Medicine, Oral Pathology, Oral Radiology, and Endodontology. 1997;83(6):707-711.

95. Chan HL, Wang HL, Bashutski JD, Edwards PC, Fu JH, Oh TJ. Retrograde peri-implantitis: a case report introducing an approach to its management. Journal of periodontology. 2011;82(7):1080-1088.

96. Temmerman A, Lefever D, Teughels W, Balshi TJ, Balshi SF, Quirynen M. Etiology and treatment of periapical lesions around dental implants. Periodontology 2000. 2014;66(1):247-254.

97. Barzilay I. Immediate implants: their current status. International Journal of Prosthodontics. 1993;6:169-169.

98. Becker W, Becker BE, Newman MG, Nyman S. Clinical and microbiologic findings that may contribute to dental implant failure. International Journal of Oral & Maxillofacial Implants. 1990;5(1).

99. Schwartz-Arad D, Chaushu G. The ways and wherefores of immediate placement of implants into fresh extraction sites: a literature review. Journal of Periodontology. 1997;68(10):915-923.

100. Tolman DE, Keller EE. Endosseous Implant Placement Immediately Following Dental Extraction and Alveoloplasty: Preliminary Report With 6-Year Follow-up. International Journal of Oral & Maxillofacial Implants. 1991;6(1).

101. Chrcanovic BR, Martins MD, Wennerberg A. Immediate placement of implants into infected sites: a systematic review. Clinical implant dentistry and related research. 2015;17:e1-e16.

102. Crespi R, Capparè P, Gherlone E. Fresh-socket implants in periapical infected sites in humans. Journal

of periodontology. 2010;81(3):378-383.

103. Álvarez-Camino JC, Valmaseda-Castellón E, Gay-Escoda C. Immediate implants placed in fresh sockets associated to periapical infectious processes. A systematic review. Medicina oral, patologia oral y cirugia bucal. 2013;18(5):e780.

104. Crespi R, Capparé P, Crespi G, Lo Giudice G, Gastaldi G, Gherlone E. Immediate implant placement in sockets with asymptomatic apical periodontitis. Clinical implant dentistry and related research. 2017;19(1):20-27.

105. Fugazzotto P. A retrospective analysis of immediately placed implants in 418 sites exhibiting periapical pathology: results and clinical considerations. International Journal of Oral & Maxillofacial Implants. 2012;27(1).

106. Lee CT, Chuang SK, Stoupel J. Survival analysis and other clinical outcomes of immediate implant placement in sites with periapical lesions: systematic review. Int J Oral Maxillofac Implants. 2015;30(2):268-278.

107. Chen H, Zhang G, Weigl P, Gu X. Immediate placement of dental implants into infected versus noninfected sites in the esthetic zone: A systematic review and meta-analysis. J Prosthet Dent. 2018;120(5):658-667.

108. Lefever D, Van Assche N, Temmerman A, Teughels W, Quirynen M. Aetiology, microbiology and therapy of periapical lesions around oral implants: a retrospective analysis. J Clin Periodontol. 2013;40(3):296-302.

109. Huynh-Ba G, Pjetursson BE, Sanz M, et al. Analysis of the socket bone wall dimensions in the upper maxilla in relation to immediate implant placement. Clin Oral Implants Res. 2010;21(1):37-42.

110. Braut V, Bornstein MM, Belser U, Buser D. Thickness of the anterior maxillary facial bone wall-a retrospective radiographic study using cone beam computed tomography. Int J Periodontics Restorative Dent. 2011;31(2):125-131.

111. Evangelista K, Vasconcelos KdF, Bumann A, Hirsch E, Nitka M, Silva MAG. Dehiscence and fenestration in patients with Class I and Class II Division 1 malocclusion assessed with cone-beam computed tomography. Am J Orthod Dentofacial Orthop. 2010;138(2):133.e131-135.

112. Chen ST, Darby I. The relationship between facial bone wall defects and dimensional alterations of the ridge following flapless tooth extraction in the anterior maxilla. Clin Oral Implants Res. 2017;28(8):931-937.

113. Chan H-L, Garaicoa-Pazmino C, Suarez F, et al. Incidence of implant buccal plate fenestration

in the esthetic zone: a cone beam computed tomography study. Int J Oral Maxillofac Implants. 2014;29(1):171–177.

114. Buser D, Martin W, Belser UC. Optimizing esthetics for implant restorations in the anterior maxilla: anatomic and surgical considerations. Int J Oral Maxillofac Implants. 2004;19 Suppl:43–61.

115. Chu Y-M, Bergeron L, Chen Y-R. Bimaxillary protrusion: an overview of the surgical-orthodontic treatment. Semin Plast Surg. 2009;23(1):32–39.

116. Guo Q-Y, Zhang S-j, Liu H, et al. Three-dimensional evaluation of upper anterior alveolar bone dehiscence after incisor retraction and intrusion in adult patients with bimaxillary protrusion malocclusion. J Zhejiang Univ Sci B. 2011;12(12):990–997.

117. Zhou Y, Si M, Liu Y, Wu M. Likelihood of needing facial bone augmentation in the anterior maxilla of Chinese Asians: A cone beam computed tomography virtual implant study. Clin Implant Dent Relat Res. 2019;21(3):503–509.

118. Strietzel FP, Khongkhunthian P, Khattiya R, Patchanee P, Reichart PA. Healing pattern of bone defects covered by different membrane types—a histologic study in the porcine mandible. J Biomed Mater Res B Appl Biomater. 2006;78(1):35–46.

119. Schmid J, Hämmerle CH, Flückiger L, et al. Blood-filled spaces with and without filler materials in guided bone regeneration. A comparative experimental study in the rabbit using bioresorbable membranes. Clin Oral Implants Res. 1997;8(2):75–81.

120. Buser D, Hoffmann B, Bernard JP, Lussi A, Mettler D, Schenk RK. Evaluation of filling materials in membrane—protected bone defects. A comparative histomorphometric study in the mandible of miniature pigs. Clin Oral Implants Res. 1998;9(3):137–150.

121. Mattout P, Nowzari H, Mattout C. Clinical evaluation of guided bone regeneration at exposed parts of Brånemark dental implants with and without bone allograft. Clin Oral Implants Res. 1995;6(3):189–195.

122. Chiapasco M, Zaniboni M. Clinical outcomes of GBR procedures to correct peri-implant dehiscences and fenestrations: a systematic review. Clin Oral Implants Res. 2009;20 Suppl 4:113–123.

123. Antunes AA, Oliveira Neto P, de Santis E, Caneva M, Botticelli D, Salata LA. Comparisons between Bio-Oss(®) and Straumann(®) Bone Ceramic in immediate and staged implant placement in dogs mandible bone defects. Clin Oral Implants Res. 2013;24(2):135–142.

124. Cha JK, Sanz M, Jung UW. Human Autopsy Study of Peri-implant Dehiscence Defects with Guided Bone Regeneration: A Case Report. Int J Periodontics Restorative Dent. 2019;39(4):517–524.

125. Hämmerle CH, Brägger U, Schmid B, Lang NP. Successful bone formation at immediate transmucosal

implants: a clinical report. Int J Oral Maxillofac Implants. 1998;13(4):522-530.

126. Hämmerle CH, Lang NP. Single stage surgery combining transmucosal implant placement with guided bone regeneration and bioresorbable materials. Clin Oral Implants Res. 2001;12(1):9-18.

127. Schwarz F, Giannobile WV, Jung RE, Groups of the 2nd Osteology Foundation Consensus M. Evidence-based knowledge on the aesthetics and maintenance of peri-implant soft tissues: Osteology Foundation Consensus Report Part 2-Effects of hard tissue augmentation procedures on the maintenance of peri-implant tissues. Clin Oral Implants Res. 2018;29 Suppl 15:11-13.

128. Jemt T, Lekholm U. Single implants and buccal bone grafts in the anterior maxilla: measurements of buccal crestal contours in a 6-year prospective clinical study. Clin Implant Dent Relat Res. 2005;7(3):127-135.

129. Benic GI, Ge Y, Gallucci GO, Jung RE, Schneider D, Hämmerle CH. Guided bone regeneration and abutment connection augment the buccal soft tissue contour: 3-year results of a prospective comparative clinical study. Clin Oral Implants Res. 2017;28(2):219-225.

130. Jensen SS, Broggini N, Hjørting-Hansen E, Schenk R, Buser D. Bone healing and graft resorption of autograft, anorganic bovine bone and beta-tricalcium phosphate. A histologic and histomorphometric study in the mandibles of minipigs. Clin Oral Implants Res. 2006;17(3):237-243.

131. Levine RA, McAllister BS. Implant Site Development Using Ti-Mesh and Cellular Allograft in the Esthetic Zone for Restorative-Driven Implant Placement: A Case Report. Int J Periodontics Restorative Dent. 2016;36(3):373-381.

132. Wessing B, Lettner S, Zechner W. Guided Bone Regeneration with Collagen Membranes and Particulate Graft Materials: A Systematic Review and Meta-Analysis. Int J Oral Maxillofac Implants. 2018;33(1):87-100-187-100.

133. Mir-Mari J, Wui H, Jung RE, Hämmerle CHF, Benic GI. Influence of blinded wound closure on the volume stability of different GBR materials: an in vitro cone-beam computed tomographic examination. Clin Oral Implants Res. 2016;27(2):258-265.

134. Urban IA, Lozada JL, Wessing B, Suárez-López del Amo F, Wang H-L. Vertical Bone Grafting and Periosteal Vertical Mattress Suture for the Fixation of Resorbable Membranes and Stabilization of Particulate Grafts in Horizontal Guided Bone Regeneration to Achieve More Predictable Results: A Technical Report. Int J Periodontics Restorative Dent. 2016;36(2):153-159.

135. Mertens C, Braun S, Krisam J, Hoffmann J. The influence of wound closure on graft stability: An in vitro comparison of different bone grafting techniques for the treatment of one-wall horizontal bone defects. Clin Implant Dent Relat Res. 2019;21(2):284-291.

136. Benic GI, Eisner BM, Jung RE, Basler T, Schneider D, Hämmerle CHF. Hard tissue changes after guided bone regeneration of peri-implant defects comparing block versus particulate bone substitutes: 6-month results of a randomized controlled clinical trial. Clin Oral Implants Res. 2019;30(10):1016–1026.

137. Jiang X, Zhang Y, Di P, Lin Y. Hard tissue volume stability of guided bone regeneration during the healing stage in the anterior maxilla: A clinical and radiographic study. Clin Implant Dent Relat Res. 2018;20(1):68–75.

138. Garaicoa C, Suarez F, Fu J-H, et al. Using Cone Beam Computed Tomography Angle for Predicting the Outcome of Horizontal Bone Augmentation. Clin Implant Dent Relat Res. 2015;17(4):717–723.

139. Sanz M, Ferrantino L, Vignoletti F, de Sanctis M, Berglundh T. Guided bone regeneration of non-contained mandibular buccal bone defects using deproteinized bovine bone mineral and a collagen membrane: an experimental in vivo investigation. Clin Oral Implants Res. 2017;28(11):1466–1476.

140. Mellonig JT, Nevins M, Sanchez R. Evaluation of a bioabsorbable physical barrier for guided bone regeneration. Part I. Material alone. Int J Periodontics Restorative Dent. 1998;18(2):139–149.

141. Zellin G, Gritli-Linde A, Linde A. Healing of mandibular defects with different biodegradable and non-biodegradable membranes: an experimental study in rats. Biomaterials. 1995;16(8):601–609.

142. Zitzmann NU, Naef R, Schärer P. Resorbable versus nonresorbable membranes in combination with Bio-Oss for guided bone regeneration. Int J Oral Maxillofac Implants. 1997;12(6):844–852.

143. Naenni N, Schneider D, Jung RE, Hüsler J, Hämmerle CHF, Thoma DS. Randomized clinical study assessing two membranes for guided bone regeneration of peri-implant bone defects: clinical and histological outcomes at 6 months. Clin Oral Implants Res. 2017;28(10):1309–1317.

144. Elnayef B, Porta C, Suárez-López Del Amo F, Mordini L, Gargallo-Albiol J, Hernández-Alfaro F. The Fate of Lateral Ridge Augmentation: A Systematic Review and Meta-Analysis. Int J Oral Maxillofac Implants. 2018;33(3):622–635.

145. Donos N, Mardas N, Chadha V. Clinical outcomes of implants following lateral bone augmentation: systematic assessment of available options (barrier membranes, bone grafts, split osteotomy). J Clin Periodontol. 2008;35(8 Suppl):173–202.

146. Tonetti MS, Hämmerle CHF. European Workshop on Periodontology Group C. Advances in bone augmentation to enable dental implant placement: Consensus Report of the Sixth European Workshop on Periodontology. J Clin Periodontol. 2008;35(8 Suppl):168–172.

147. Artzi Z, Nemcovsky CE, Tal H, et al. Simultaneous versus two-stage implant placement and guided bone regeneration in the canine: histomorphometry at 8 and 16 months. J Clin Periodontol.

2010;37(11):1029−1038.

148. Kuchler U, von Arx T. Horizontal ridge augmentation in conjunction with or prior to implant placement in the anterior maxilla: a systematic review. Int J Oral Maxillofac Implants. 2014;29 Suppl:14−24.

149. Naenni N, Lim H−C, Papageorgiou SN, Hämmerle CHF. Efficacy of lateral bone augmentation prior to implant placement: A systematic review and meta−analysis. J Clin Periodontol. 2019;46 Suppl 21:287−306.

150. Andersen E, Saxegaard E, Knutsen BM, Haanaes HR. A prospective clinical study evaluating the safety and effectiveness of narrow−diameter threaded implants in the anterior region of the maxilla. Int J Oral Maxillofac Implants. 2001;16(2):217−224.

151. Hallman M. A prospective study of treatment of severely resorbed maxillae with narrow nonsubmerged implants: results after 1 year of loading. Int J Oral Maxillofac Implants. 2001;16(5):731−736.

152. Petrie CS, Williams JL. Comparative evaluation of implant designs: influence of diameter, length, and taper on strains in the alveolar crest. A three−dimensional finite−element analysis. Clin Oral Implants Res. 2005;16(4):486−494.

153. Klein MO, Schiegnitz E, Al−Nawas B. Systematic review on success of narrow−diameter dental implants. Int J Oral Maxillofac Implants. 2014;29 Suppl:43−54.

154. Schiegnitz E, Al−Nawas B. Narrow−diameter implants: A systematic review and meta−analysis. Clin Oral Implants Res. 2018;29 Suppl 16:21−40.

155. Jung RE, Al−Nawas B, Araujo M, et al. Group 1 ITI Consensus Report: The influence of implant length and design and medications on clinical and patient−reported outcomes. Clin Oral Implants Res. 2018;29 Suppl 16:69−77.

156. Temmerman A, Keestra JAJ, Coucke W, Teughels W, Quirynen M. The outcome of oral implants placed in bone with limited bucco−oral dimensions: a 3−year follow−up study. J Clin Periodontol. 2015;42(3):311−318.

157. Papadimitriou DEV, Friedland B, Gannam C, Salari S, Gallucci GO. Narrow−Diameter versus Standard−Diameter Implants and Their Effect on the Need for Guided Bone Regeneration: A Virtual Three−Dimensional Study. Clin Implant Dent Relat Res. 2015;17(6):1127−1133.

158. Schiegnitz E, Al−Nawas B, Kämmerer PW, Grötz KA. Oral rehabilitation with dental implants in irradiated patients: a meta−analysis on implant survival. Clin Oral Investig. 2014;18(3):687−698.

159. Walter C, Al−Nawas B, Wolff T, Schiegnitz E, Grötz KA. Dental implants in patients treated with antiresorptive medication − a systematic literature review. Int J Implant Dent. 2016;2(1):9−9.

160. Pommer B, Mailath—Pokorny G, Haas R, Busenlechner D, Fürhauser R, Watzek G. Patients' preferences towards minimally invasive treatment alternatives for implant rehabilitation of edentulous jaws. Eur J Oral Implantol. 2014;7 Suppl 2:S91—S109.

161. Badran Z, Struillou X, Strube N, et al. Clinical Performance of Narrow—Diameter Titanium—Zirconium Implants: A Systematic Review. Implant Dent. 2017;26(2):316—323.

162. de Souza AB, Sukekava F, Tolentino L, César—Neto JB, Garcez—Filho J, Araújo MG. Narrow— and regular—diameter implants in the posterior region of the jaws to support single crowns: A 3—year split—mouth randomized clinical trial. Clin Oral Implants Res. 2018;29(1):100—107.

163. Shi J—Y, Xu F—Y, Zhuang L—F, Gu Y—X, Qiao S—C, Lai H—C. Long—term outcomes of narrow diameter implants in posterior jaws: A retrospective study with at least 8—year follow—up. Clin Oral Implants Res. 2018;29(1):76—81.

164. Pieri F, Forlivesi C, Caselli E, Corinaldesi G. Narrow— (3.0 mm) Versus Standard—Diameter (4.0 and 4.5 mm) Implants for Splinted Partial Fixed Restoration of Posterior Mandibular and Maxillary Jaws: A 5—Year Retrospective Cohort Study. J Periodontol. 2017;88(4):338—347.

165. Allum SR, Tomlinson RA, Joshi R. The impact of loads on standard diameter, small diameter and mini implants: a comparative laboratory study. Clin Oral Implants Res. 2008;19(6):553—559.

166. Assaf A, Saad M, Daas M, Abdallah J, Abdallah R. Use of narrow—diameter implants in the posterior jaw: a systematic review. Implant Dent. 2015;24(3):294—306.

167. Troeltzsch M, Troeltzsch M, Kauffmann P, et al. Clinical efficacy of grafting materials in alveolar ridge augmentation: A systematic review. J Craniomaxillofac Surg. 2016;44(10):1618—1629.

168. Aludden HC, Mordenfeld A, Hallman M, Dahlin C, Jensen T. Lateral ridge augmentation with Bio—Oss alone or Bio—Oss mixed with particulate autogenous bone graft: a systematic review. Int J Oral Maxillofac Surg. 2017;46(8):1030—1038.

169. Verdugo F, D'Addona A, Pontón J. Clinical, tomographic, and histological assessment of periosteal guided bone regeneration with cortical perforations in advanced human critical size defects. Clin Implant Dent Relat Res. 2012;14(1):112—120.

170. Verdugo F, Uribarri A, D'Addona A. Autogenous bone block grafting provides facial implant tissue stability long—term. Clin Implant Dent Relat Res. 2017;19(3):478—485.

171. ten Bruggenkate CM, Kraaijenhagen HA, van der Kwast WA, Krekeler G, Oosterbeek HS. Autogenous maxillary bone grafts in conjunction with placement of I.T.I. endosseous implants. A preliminary report. Int J Oral Maxillofac Surg. 1992;21(2):81—84.

172. Chiapasco M, Abati S, Romeo E, Vogel G. Clinical outcome of autogenous bone blocks or guided bone

regeneration with e−PTFE membranes for the reconstruction of narrow edentulous ridges. Clinical oral implants research. 1999;10(4):278−288.

173. Simon BI, Von Hagen S, Deasy MJ, Faldu M, Resnansky D. Changes in alveolar bone height and width following ridge augmentation using bone graft and membranes. J Periodontol. 2000;71(11):1774−1791.

174. Knapp CI, Feuille F, Cochran DL, Mellonig JT. Clinical and histologic evaluation of bone−replacement grafts in the treatment of localized alveolar ridge defects. Part 2: bioactive glass particulate. Int J Periodontics Restorative Dent. 2003;23(2):129−137.

175. Meijndert L, Raghoebar GM, Schüpbach P, Meijer HJA, Vissink A. Bone quality at the implant site after reconstruction of a local defect of the maxillary anterior ridge with chin bone or deproteinised cancellous bovine bone. Int J Oral Maxillofac Surg. 2005;34(8):877−884.

176. Milinkovic I, Cordaro L. Are there specific indications for the different alveolar bone augmentation procedures for implant placement? A systematic review. Int J Oral Maxillofac Surg. 2014;43(5):606−625.

177. von Arx T, Buser D. Horizontal ridge augmentation using autogenous block grafts and the guided bone regeneration technique with collagen membranes: a clinical study with 42 patients. Clin Oral Implants Res. 2006;17(4):359−366.

178. Antoun H, Sitbon JM, Martinez H, Missika P. A prospective randomized study comparing two techniques of bone augmentation: onlay graft alone or associated with a membrane. Clin Oral Implants Res. 2001;12(6):632−639.

179. Cordaro L, Amadé DS, Cordaro M. Clinical results of alveolar ridge augmentation with mandibular block bone grafts in partially edentulous patients prior to implant placement. Clin Oral Implants Res. 2002;13(1):103−111.

180. Maiorana C, Beretta M, Salina S, Santoro F. Reduction of autogenous bone graft resorption by means of bio−oss coverage: a prospective study. Int J Periodontics Restorative Dent. 2005;25(1):19−25.

181. Mordenfeld A, Johansson CB, Albrektsson T, Hallman M. A randomized and controlled clinical trial of two different compositions of deproteinized bovine bone and autogenous bone used for lateral ridge augmentation. Clin Oral Implants Res. 2014;25(3):310−320.

182. Meijndert L, Raghoebar GM, Meijer HJA, Vissink A. Clinical and radiographic characteristics of single−tooth replacements preceded by local ridge augmentation: a prospective randomized clinical trial. Clin Oral Implants Res. 2008;19(12):1295−1303.

183. Machtei EE. The effect of membrane exposure on the outcome of regenerative procedures in humans: a meta−analysis. J Periodontol. 2001;72(4):512−516.

184. Adeyemo WL, Reuther T, Bloch W, et al. Healing of onlay mandibular bone grafts covered with collagen membrane or bovine bone substitutes: a microscopical and immunohistochemical study in the sheep. Int J Oral Maxillofac Surg. 2008;37(7):651-659.

185. Kim S-H, Kim D-Y, Kim K-H, Ku Y, Rhyu I-C, Lee Y-M. The efficacy of a double-layer collagen membrane technique for overlaying block grafts in a rabbit calvarium model. Clin Oral Implants Res. 2009;20(10):1124-1132.

186. Donos N, Kostopoulos L, Karring T. Alveolar ridge augmentation using a resorbable copolymer membrane and autogenous bone grafts. An experimental study in the rat. Clin Oral Implants Res. 2002;13(2):203-213.

187. von Arx T, Cochran DL, Hermann JS, Schenk RK, Buser D. Lateral ridge augmentation using different bone fillers and barrier membrane application. A histologic and histomorphometric pilot study in the canine mandible. Clin Oral Implants Res. 2001;12(3):260-269.

188. Mendoza-Azpur G, de la Fuente A, Chavez E, Valdivia E, Khouly I. Horizontal ridge augmentation with guided bone regeneration using particulate xenogenic bone substitutes with or without autogenous block grafts: A randomized controlled trial. Clin Implant Dent Relat Res. 2019;21(4):521-530.

189. Cordaro L, Torsello F, Morcavallo S, di Torresanto VM. Effect of bovine bone and collagen membranes on healing of mandibular bone blocks: a prospective randomized controlled study. Clin Oral Implants Res. 2011;22(10):1145-1150.

190. Aloy-Prósper A, Peñarrocha-Oltra D, Peñarrocha-Diago M, Peñarrocha-Diago M. The outcome of intraoral onlay block bone grafts on alveolar ridge augmentations: a systematic review. Med Oral Patol Oral Cir Bucal. 2015;20(2):e251-e258.

191. Feuille F, Knapp CI, Brunsvold MA, Mellonig JT. Clinical and histologic evaluation of bone-replacement grafts in the treatment of localized alveolar ridge defects. Part 1: Mineralized freeze-dried bone allograft. Int J Periodontics Restorative Dent. 2003;23(1):29-35.

192. Fugazzotto PA. Success and failure rates of osseointegrated implants in function in regenerated bone for 6 to 51 months: a preliminary report. Int J Oral Maxillofac Implants. 1997;12(1):17-24.

193. Hämmerle CHF, Jung RE, Yaman D, Lang NP. Ridge augmentation by applying bioresorbable membranes and deproteinized bovine bone mineral: a report of twelve consecutive cases. Clin Oral Implants Res. 2008;19(1):19-25.

194. Parodi R, Carusi G, Santarelli G, Nanni F. Implant placement in large edentulous ridges expanded by GBR using a bioresorbable collagen membrane. Int J Periodontics Restorative Dent. 1998;18(3):266-275.

195. Meloni SM, Jovanovic SA, Urban I, Canullo L, Pisano M, Tallarico M. Horizontal Ridge Augmentation using GBR with a Native Collagen Membrane and 1:1 Ratio of Particulated Xenograft and Autologous Bone: A 1–Year Prospective Clinical Study. Clin Implant Dent Relat Res. 2017;19(1):38–45.

196. Beitlitum I, Sebaoun A, Nemcovsky CE, Slutzkey S. Lateral bone augmentation in narrow posterior mandibles, description of a novel approach, and analysis of results. Clin Implant Dent Relat Res. 2018;20(2):96–101.

197. Chiapasco M, Zaniboni M, Boisco M. Augmentation procedures for the rehabilitation of deficient edentulous ridges with oral implants. Clin Oral Implants Res. 2006;17 Suppl 2:136–159.

198. Sewerin IP. Errors in radiographic assessment of marginal bone height around osseointegrated implants. Scand J Dent Res. 1990;98(5):428–433.

199. Mengel R, Kruse B, Flores–de–Jacoby L. Digital volume tomography in the diagnosis of peri–implant defects: an in vitro study on native pig mandibles. J Periodontol. 2006;77(7):1234–1241.

200. Chappuis V, Cavusoglu Y, Buser D, von Arx T. Lateral Ridge Augmentation Using Autogenous Block Grafts and Guided Bone Regeneration: A 10–Year Prospective Case Series Study. Clinical implant dentistry and related research. 2017;19(1):85–96.

4

수직적 결손의 처치

1.
개요

치아가 상실되면 얇은 협측 치조골이 치관측부터 우선적으로 흡수되면서 치관측에 한정된 수평적 결손인 열개 결손이 형성된다. 이후 무치악 기간이 길어지면 치관측에서 치근측에 이르는 광범위한 수평적 결손이 형성되었다가 결국 수직적 결손으로 이어지게 된다. 따라서 골의 수직적 결손은 치아가 상실된 치조골의 최종적인 종착지가 된다고 할 수 있다. 수직적 결손이 존재하면 골뿐만 아니라 점막 등의 주위 조직까지 광범위한 흡수가 이루어져 있으며, 따라서 이를 수복하는 것은 매우 어려운 과정이 된다.

수직적 증강은 심미 부위와 비심미 부위로 나누어 적응증을 적용해야 한다(📷 4-1).

- **심미 부위**
  심미 부위에서는 치조골의 수직적 결손에 의해 임플란트 수복물 치관의 길이가 1 mm 이상만 길어지더라도 심미적인 실패로 간주한다. 따라서 어떠한 양과 형태의 수직적 결손이더라도 존재하기만 한다면, 그리고 환자의 요구가 있다면 골증강을 통해 이를 수복해 주어야만 한다.[1]

- **비심미 부위**
  수직적 골증강술은 본질적으로 실패의 가능성이 높은 술식이며 환자의 양호한 국소적, 전신적 상태와 술자의 높은 숙련도를 요한다.[1,2] 따라서 비심미 부위에서는 임플란트의 기능적 부하를 견딜 수 있는 치조골 높이가 확보되어 있다면 가급적 수직적 골증강은 피해주는 것이 좋다.

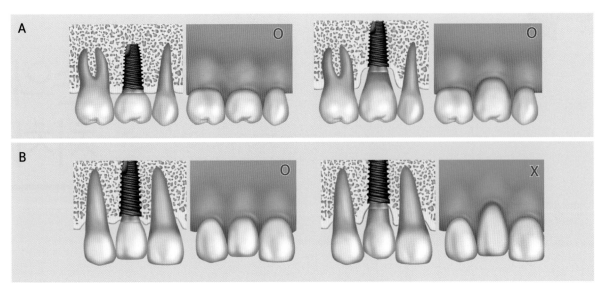

📷 **4-1 수직적 골결손에 대한 골증강술의 적응증은 전치부와 구치부로 나누어 적용해야 한다.**
A. 비심미 부위인 구치부에서는 전체 치조골 높이가 충분하다면 치조정 부위 치조골의 수직적 결손은 수복하지 않더라도 크게 문제되지는 않는다. **B.** 심미 부위인 상악 전치부에서는 전체 잔존골의 전체 높이가 충분하더라도 치조정 골의 작은 수직적 결손이 심미적 문제를 야기할 수 있다. 따라서 수직적 결손에 대한 처치는 비교적 엄격한 적응증에 기반하여 적용한다.

잔존 치조골의 최소 높이는 이론적으로 두 가지 조건을 충족시켜야 한다. 즉, 일차 안정을 통해 임플란트의 골유착을 유도해야 하며 골유착에 성공한 후에는 교합에 의한 부하를 견딜 수 있어야만 한다(📷 **4-2**).[3] 이론적으로 이를 충족시킬 수 있는 임플란트의 최소 길이에 대해서는 아직까지 밝혀진 바 없다. 다만 거의 대부분의 임상가들은 임플란트의 최소 길이의 한계를 7-8 mm로 보고 있었지만 아주 최근에는 4-6 mm 길이의 임플란트도 성공적으로 사용되고 있다.[4,5] 과거에는 이러한 짧은 길이의 임플란트가 표준 길이 임플란트에 비해 성공률이 낮았지만, 특히 임플란트 표면 처리 기술의 발달과 더불어 그 성공률이 급격히 증가하고 있는 추세이다.[6]

이는 특히 하악 구치부에서 중요하다. 상악 구치부의 수직적 결손은 상악동 골이식을 통해 보완이 가능하지만 하악에서는 치조정측의 순수한 수직적 골증강을 통해서만 골증강이 가능하기 때문이다(📷 **4-3**). 하지만 수직적 골증강은 난이도가 높고 어려운 술식이다. 한 단면 연구에 의하면 하악 구치부의 부분 무치악 상태에서 하치조 신경과 제1대구치 부위의 치조정까지는 평균 8.7 ± 5.6 mm, 제2대구치 부위의 치조정까지는 평균 9.2 ± 3.8 mm에 지나지 않는다.[7] 게다가 임플란트 치근단 변연과 하치조 신경 사이에는 1-2 mm의 안전 영역(safety zone)을 두어야 하기 때문에 가용골 높이는 더 감소하게 된다.[8] 따라서 치아 상실의 기간이 길었거나 치아 발치 시 치조골의 파괴가 심했던 환자에서 하악 구치부의 잔존골 높이는 수직적 골증강이나 짧은 임플란트의 사용 없이는 임플란트 식립이 불가능한 상태에 이르게 될 수 있다.[7,9] 게다가 하악 구치부는 점막이 얇기 때문에 수직적 골증강 후 치유 기간 중 차폐막이나 이식골이 노출될 위험성이 높고, 두꺼운 피질골로 인해 이식골의 유합이 어렵다.[10,11] 이에, 하악에서 수직적 골결손이 존재하는 경우 수직적 골증강 없이 최소 5-6 mm 길이의 짧은 임플란트를 식립하고, 이마저도 불가능한 경우에 한하여 수직적 골증강 후 임플란트를 식립하는 것이 가장

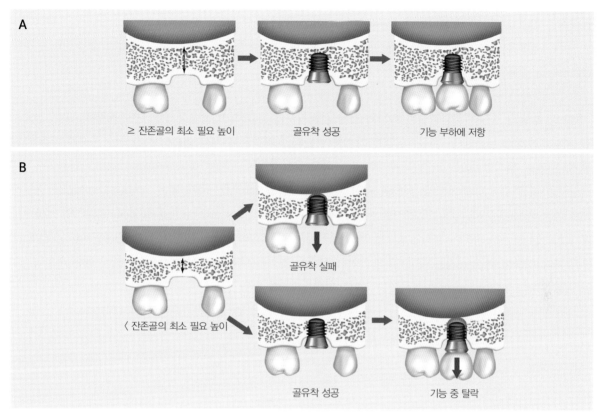

📷 **4-2** 기능적인 측면에서 봤을 때 잔존 치조골의 최소 높이는 이론적으로 두 가지 조건을 충족시켜야 한다. 첫째로 일차 안정을 통해 임플란트의 골유착을 유도해야 한다. 둘째로는 골유착에 성공한 후 보철물을 통해 전달되는 교합 부하를 견딜 수 있어야만 한다.

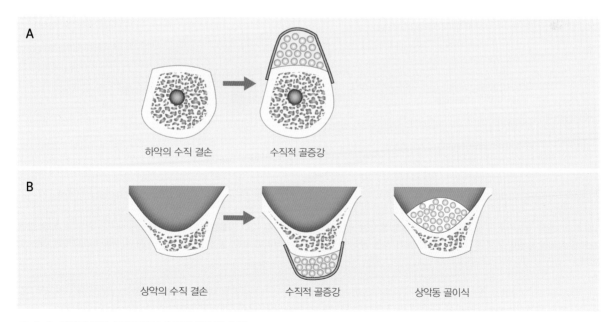

📷 **4-3 상악과 하악 구치부에서 수직적 결손의 수복**
A. 하악 구치부에서는 순수하게 치관측으로의 수직적 골증강만 가능하다. 물론 치근단측의 개재골 이식술도 또 다른 치료 옵션이 될 수는 있지만 이 술식은 일반화되지는 못했기 때문에 임상적 근거가 빈약하며 난이도와 합병증 발생 가능성이 높기 때문이다. **B.** 상악 구치부에서는 치관측으로의 수직적 골증강술뿐만 아니라 술식이 비교적 쉽고 간단하며 근거가 풍부한 치근단측으로의 상악동 골이식술 또한 대체 술식으로 적용 가능하다.

합리적인 접근 방법이라고 생각된다. Esposito 등은 체계적 문헌 고찰에서 수직적으로 심하게 위축된 하악에서는 수직적 골증강술을 시행하고 긴 임플란트를 식립하기보다는 골증강술 없이 짧은 임플란트를 식립하는 것이 유리하다고 결론 내린 바 있다.[12,13]

치조정 부위의 수직적 골증강술은 술자의 많은 경험과 기술을 요하며 합병증 발생 빈도가 높다. 또한 합병증이 발생하면 전체 골증강의 결과는 심대한 타격을 받는다.[14] 따라서 수직적 결손이 존재하는 증례를 마주친 경우 첫 번째로 생각할 점은 "과연 이 증례에서 수직적 골증강술을 피하는 것이 가능한가"이다. 그리고 수직적 골증강을 피할 수 있다면 당연히 피하는 것이 좋다. 반복해서 말하지만 이제 짧은 임플란트의 식립은 충분히 높은 성공 가능성을 지닌 하나의 온전한 치료 옵션으로 생각된다.[15] 6 mm 이하, 특히 6 mm 길이의 임플란트를 식립하면 분명히 충분한 길이의 치조골에 수직적 골증강술 없이 8 mm 이상의 표준 임플란트를 식립할 때보다 성공 확률이 약간 낮기는 하다. 그러나 이는 잔존골 높이가 낮아서 수직적 골증강술을 시행한 후 표준 길이 임플란트를 식립하는 술식의 성공률보다는 오히려 높다(📷 4-4).

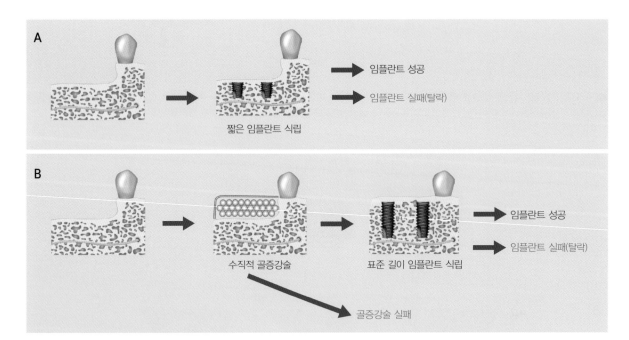

📷 **4-4** 짧은 임플란트의 성공과 실패는 단순히 온전한 치조골에 식립된 표준 길이 임플란트의 그것들과 비교해서는 안된다. 짧은 임플란트를 식립할 수밖에 없었던 "짧은 잔존골 높이"라는 불리한 환경 하에서 식립된 표준 길이 임플란트의 성공/실패와 비교해야만 하는 것이다.
A. 수직적 결손이 존재하는 부위에 수직적 골증강술 없이 식립한 짧은 임플란트는 성공하거나 실패한다. **B.** 만약 수직 결손부에 수직적 골증강술 후 표준 길이 임플란트를 식립했다고 해보자. 이 경우 술식의 실패는 골증강술 자체가 실패한 경우와 "골증강술은 성공했지만 식립한 표준 임플란트가 탈락한 경우"의 합이 된다. 짧은 임플란트의 실패는 바로 이 합과 비교해야 한다.

2.
수직적 결손과 짧은 임플란트

브레네막 팀은 1965년 9월에 최초로 현대적 의미의 임플란트를 사람에게 식립했다. 그렇다면 그 때 식립한 임플란트의 길이는 얼마였을까?

그 답은 7 mm이다.[16] 중간에 하나의 임플란트가 교합 과부하로 인해 파절되기는 했지만, 1987년에 두 개의 긴 임플란트를 추가로 식립할 때까지 단 네 개의 7 mm 길이 임플란트로 하악 전악의 고정성 보철물을 22년 간 지지할 수 있었다. 그러나 임플란트가 광범위하게 사용된 이후로 임플란트 길이의 표준은 10 mm였으며, 이 보다 짧은 임플란트는 골유착에 실패할 가능성이 증가하기 때문에 사용하지 않는 것이 일반적인 상식이 되었다.[17] 거친 표면 임플란트의 사용이 일반화되기 이전인 2000년대 초까지 많은 연구들에서 10 mm 미만의 짧은 임플란트는 표준 임플란트에 비해 더 높은 실패를 보인다고 보고했다.[18-21] 따라서 임상가들은 가급적 표준 길이인 10 mm 이상의 임플란트를 식립하기 위해 노력했다.[22]

그러나 최근에는 짧은 임플란트의 임상적 성공률은 비약적으로 증가했으며, 그 가장 중요한 이유는 임플란트 표면 처리 기술의 개선으로 골-임플란트 간 접촉이 증가했기 때문이다.[4,6] 부가적으로 다음 개선점들이 짧은 임플란트의 성공에 기여한 것으로 생각된다.[6,23,24]

- 밀도가 낮은 부위에 식립되더라도 일차 안정이 증진될 수 있도록 임플란트 나사의 형태가 개선됐다.
- 짧은 임플란트에 대한 경험이 축적되면서 임상가들의 수술 방법이 개선됐다. 오스테오톰을 이용한 골 압축이나 과소 골삭제(undersized drilling)를 통해 짧은 임플란트의 부족한 일차 안정을 증진시킬 수 있다.
- 임플란트 매식체에 가해지는 부하를 최소화시킬 수 있는 보철 프로토콜이 개발됐다. 많은 임상가들은 임플란트 보철물의 교합면 면적을 최소화하고, 수직적 교합압 이외의 교합 접촉을 피하도록 하고 있다. 또한 짧은 임플란트를 사용하는 경우, 가급적 단독 보철보다는 인접 임플란트끼리 스플린팅한다.

1) 짧은 임플란트의 기준 - 8 mm 미만, 6 mm 이하

임플란트의 직경과 길이의 구분에 관해 모두가 동의하는 기준은 없다. 2006년 1st EAO Consensus Conference에서는 골 내부에 위치하게 되는 부분의 길이가 8 mm 이하인 임플란트를 짧은 임플란트로 정의했다.[6] 그러나 최근까지도 "짧은" 임플란트의 기준은 문헌에 따라 5-6 mm[25], 6-8 mm[26], ≤7 mm[27], ≤8.5 mm[28], ≤10 mm[29] 등으로 다양하게 제시된 바 있다.

이에 Al-Johany 등은 기존의 문헌들을 검색하고 여기에서 가장 널리 쓰이는 기준과 용어를 정리하여 임플란트의 길이와 직경을 구분하는 기준을 제시했다(▣ 4-1).[30] 이 기준이 광범위하게 받아들여진 건 아니지만 가장 합리적인 구분법이라고 생각한다.

▣ 4-1 임플란트 직경과 길이에 따른 분류

	직경			
용어	아주 좁은(Extra-Narrow)	좁은(Narrow)	표준(Standard)	넓은(Wide)
기준	직경<3 mm	3 mm≤직경<3.75 mm	3.75 mm≤직경<5 mm	직경≥5 mm
	길이			
용어	아주 짧은(Extra-Short)	짧은(Short)	표준(Standard)	긴(Long)
기준	길이≤6 mm	6 mm<길이<10 mm	10 mm≤길이<13 mm	길이≥13 mm

그러나 이 책에서는 최근에 가장 널리 쓰이는 방식으로 임플란트 길이를 구분하고자 한다. 2015년 EAO Consensus Conference의 구분에 따라 8 mm 미만의 임플란트를 짧은 임플란트로, 8 mm 이상의 임플란트를 표준 임플란트로 분류할 것이다.[31,32] 거친 표면 임플란트의 사용이 일반화된 이후로 8 mm 임플란트는 이보다 긴 임플란트와 동일한 성공을 보이고 있기 때문이다.[32,33] 따라서 최근에는 8 mm 임플란트는 더 이상 짧은 임플란트의 범주에 포함시키지 말아야 한다는 주장이 주류를 이루고 있다.[25]

8 mm 미만의 임플란트는 모두 짧은 임플란트로 구분되지만, 추가적인 분류가 필요한 경우에는 8 mm 미만의 임플란트 중에서도 특별히 6 mm 이하의 임플란트를 아주 짧은 임플란트로 구분하도록 하겠다(📷 4-5). 최근의 짧은 임플란트에 관련된 연구는 바로 이 6 mm 이하의 아주 짧은 임플란트에 집중되고 있다. 이런 면에서 2018년 개최된 6th ITI Consensus Conference에서는 6 mm 이하의 아주 짧은 임플란트에 논의의 초점을 맞춘 메타분석을 시행하고 합의 보고를 발표한 바 있다(그 내용에 대해서는 뒤에서 설명할 것이다).[34,35]

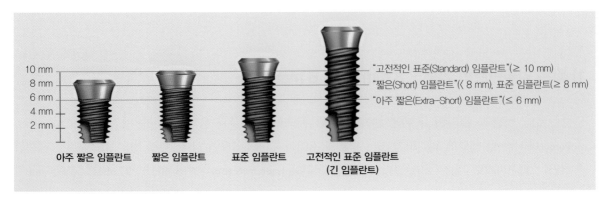

"고전적인 표준(Standard) 임플란트"(≥ 10 mm)
"짧은(Short) 임플란트"(〈 8 mm), 표준 임플란트(≥ 8 mm)
"아주 짧은(Extra-Short) 임플란트"(≤ 6 mm)

아주 짧은 임플란트   짧은 임플란트   표준 임플란트   고전적인 표준 임플란트 (긴 임플란트)

📷 **4-5 임플란트의 길이에 따른 분류**

2) 짧은 임플란트의 손익 계산서

상악과 하악 구치부는 가용골의 높이가 낮은 경우가 많다. 상악은 상악동저, 하악은 하악관이 치근단측의 가용골 높이를 제한하는 상황에서 치관측 골이 수직적으로 흡수되면 가용골 높이가 제한되기 때문이다. 특히 수직적 골흡수를 보이는 하악에서 가용골 높이에 따라 치료 방법은 네 가지로 구분될 수 있다(📷 4-6).[36]

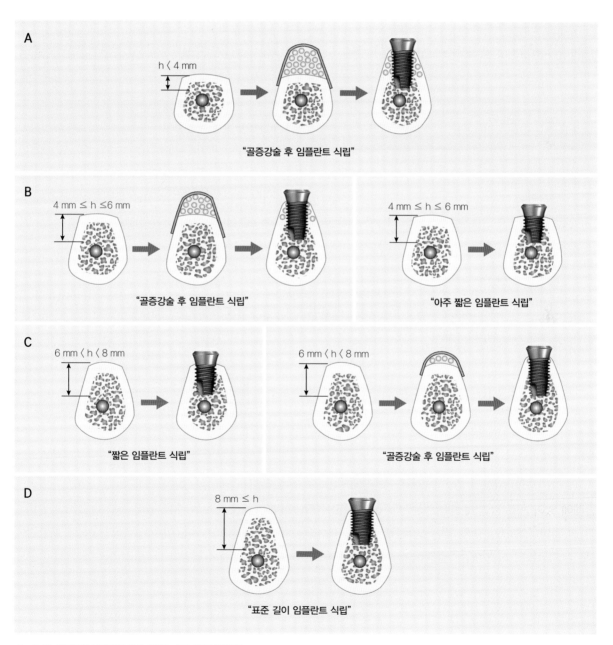

📷 4-6 **하악에서 가용골의 높이에 따른 치료 방법들**

우리가 가장 관심을 기울일 잔존골 높이는 바로 "아주 짧은 임플란트 식립은 가능한 정도의 가용골 높이" (4 mm≤잔존골 높이≤6 mm)가 된다. 이러한 경우 "수직적 골증강술+표준 임플란트 식립"과 "아주 짧은 임플란트 식립"은 과연 어떤 장·단점이 있을까? 그리고 어떤 접근법이 더 유리하다고 할 수 있을까?

우선 수직적 골증강술 없이 짧은 임플란트만 식립할 때의 장·단점을 생각해보자. 짧은 임플란트는 가용골 높이가 부족한 구치부에서 수직적 골증강을 시행하지 않고도 임플란트 수복이 가능하도록 해준다. 따라서 술식을 최대한 간소화하면서 수직적 골증강술의 단점이나 문제점을 피할 수 있게 해준다는 점이 짧은 임플란트 식립의 장점이 된다. 반면 단점은 임플란트 실패의 가능성이 상승한다는 점과, 치근에 비해 치관이 상대적으로 길어짐으로써(높은 치관–치근 비) 이론적으로 기능 중 보철적 합병증과 치조정 골소실이 발생할 가능성이 높아진다는 점이다. 이를 ▬ 4–2에 정리했다.[37-39]

▬ 4–2 짧은 임플란트의 장점과 단점

장점	단점
• 수술에 의한 환자의 불편감이나 공포를 줄여준다. • 골증강술로 인해 발생할 수 있는 부종, 감염, 신경 손상 등의 합병증을 피할 수 있다. • 경험이 적은 술자에게 부담이 적고 쉽게 접근 가능하다. • 치료 기간을 현저히 감소시킨다. • 훨씬 적은 비용이 든다.	• 임플란트가 실패할 가능성이 증가한다. • 치관 길이가 상대적으로 길어져서 이론적으로 보철적 합병증과 치조정 골소실이 발생할 가능성이 높다.

이를 간단하게 정리하면 결국 임상가는 잔존골 높이가 4–6 mm, 특히 5–6 mm 사이일 때 두 가지 치료 옵션 중 하나를 선택해야만 한다.[33]

- 임플란트의 성공 가능성은 약간 높지만 합병증 발생 가능성은 더 높은 치료 방법(수직적 골증강술+표준 임플란트 식립)
- 수술의 총비용은 적고, 수술 시간은 더 짧으며, 합병증 발생 가능성 또한 더 낮지만 임플란트의 실패 가능성은 약간 더 높은 치료 방법(짧은 임플란트 식립)

그렇다면 어떤 치료가 더 이익일까? 결론부터 말하자면 아직까지 완전한 결론은 내릴 수는 없다. 개별적인 증례에 있어 치료 방법의 결정은 환자의 선호도 및 상태, 과학적 근거, 술자의 수술 능력 등을 종합하여 결정해야 할 것이다. 그러나 아주 짧은 임플란트의 성공에 대한 자료가 축적되면서 균형추는 점점 "수직적 골증강술+표준 임플란트 식립"에서 "짧은 임플란트 식립" 쪽으로 넘어가고 있는 추세이다. 이제 이 주제에 대해 다루도록 한다.

3) 하악에서 골증강술 없이 짧은 임플란트만 식립할 때와 수직적 골증강술 후 표준 임플란트를 식립할 때 그 결과는 어떠한 차이를 보이는가?

상악 구치부와 하악 구치부는 가용골 높이가 짧아졌을 때 서로 다른 접근이 가능하다. 하악에서는 치근단측에 하악관이 위치하기 때문에 치조정측으로의 수직적 증강만 가능한 반면, 상악에서는 치조정측으로의 증강과 상악동 골이식을 통한 치근단측으로의 증강이 동시에 가능하다(📷 4-7, 8). 따라서 상악에 대한 내용은 "상악동 골이식술"에서 자세히 다루기로 하고 여기에서는 하악에 집중해서 살펴보기로 하겠다.

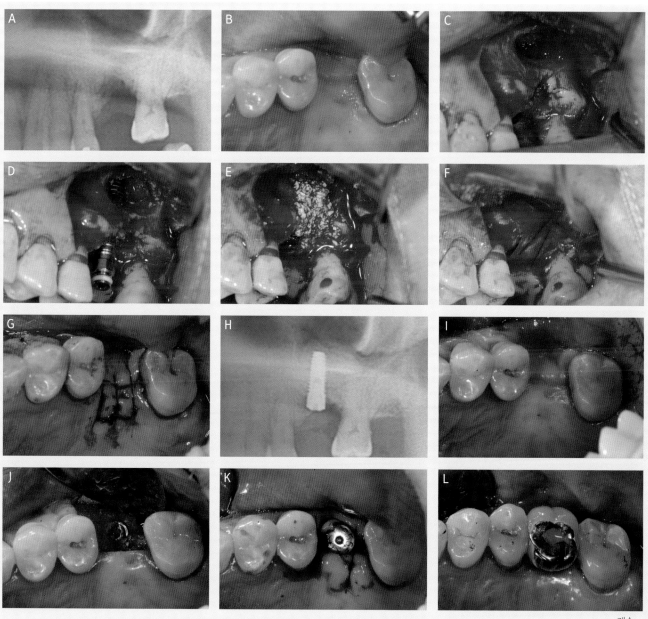

– 계속 –

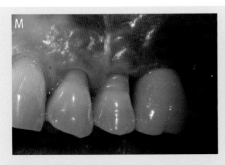

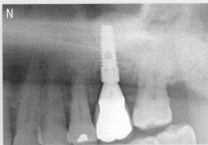

📷 **4-7** 상악 구치부에서 수직적 결손이 존재하는 경우에는 치조정측으로의 골증강과 상악동 골이식을 통한 근단측으로의 골증강이 모두 가능하다. 이 증례에서는 두 가지 술식을 모두 적용했다.

A~H. 치관측의 수직적 결손과 상악동 함기화에 의한 근단측 결손이 모두 존재했다. 치관측 결손은 근원심 폭이 좁았기 때문에 교원질 차폐막으로 수복 가능한 것으로 판단되었다. 따라서 두 부위 모두 탈단백 우골을 적용하고 하나의 교차 결합 교원질 차폐막으로 이를 피개했다.

I~K. 약 4개월 후 2차 수술을 시행했다. 치관측으로의 수직 결손 수복량이 임플란트 원심측에서 약간 부족하긴 했지만 예후에 크게 영향을 미칠 정도는 아니었다.

L~N. 다시 2개월 후 최종 보철물을 연결해 주었다.

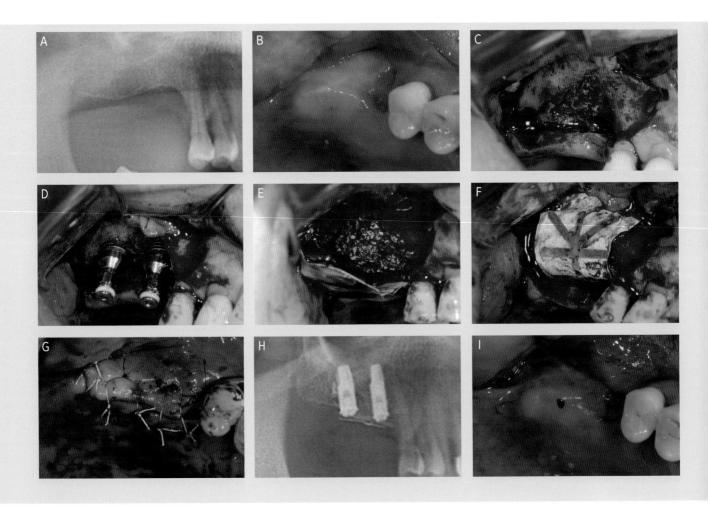

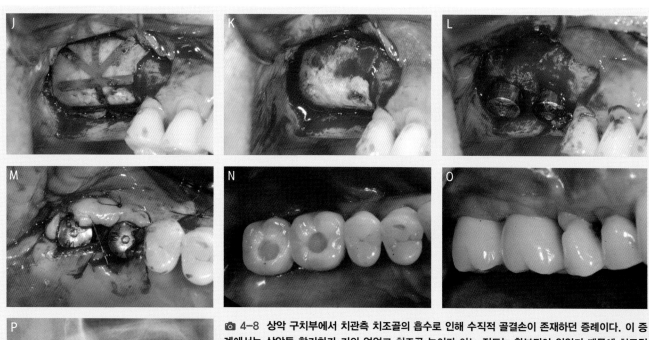

📷 4-8 상악 구치부에서 치관측 치조골의 흡수로 인해 수직적 골결손이 존재하던 증례이다. 이 증례에서는 상악동 함기화가 거의 없었고 치조골 높이가 어느 정도는 확보되어 있었기 때문에 치조정측의 수직적 골증강술 후 표준 길이 임플란트 식립, 짧은 임플란트 식립, 치조정 접근 상악동 골이식 후 표준 길이 임플란트 식립 등 세 가지 치료 옵션을 적용 가능했다. 이 증례에서는 근심측에 수직적 골벽이 존재했고 치조골이 급성 결손 양상을 보였기 때문에 수직적 골증강술 후 표준 임플란트를 식립했다.

A~H. 두 개의 임플란트를 식립했으며 근심측, 즉 제1대구치 부위 임플란트에는 4-5 mm 정도의 수직적 결손이, 제2대구치 부위 임플란트에는 2-3 mm 정도의 수직적 결손이 관찰됐다(**D**). 결손부는 급성 결손부였으며 잔존골 높이가 5 mm 이상이었기 때문에 100% 탈단백 우골만을 이식재로 이용하고 티타늄 강화 ePTFE 차폐막을 적용했다(**F, G**).

I~M. 5개월 3주 후 2차 수술을 시행했다. 골증강부의 치관측 변연은 재생 조직의 질이 불량하여 가성 골막이 두껍게 형성되긴 했지만(**K**) 가성 골막을 제거하고 혈관화 정도가 높은 재생 조직을 확인할 수 있었다(**L**).

N~P. 보철물 장착 직후의 모습이다. 수직적 골증강술 덕분에 양호한 임상적 치관-임플란트 비를 보였다(**O, P**).

(1) 짧은 임플란트의 성공은, 수직적 골증강술 및 표준 임플란트의 성공과 비교해야만 한다.

논의를 시작하기에 앞서, 수직적으로 결손된 치조골에 대한 치료 옵션으로써 짧은 임플란트의 생존율/성공률을 평가할 때에는 단순히 골증강되지 않은 악골에 식립한 표준 임플란트의 생존율/성공률과 비교해서는 안된다는 점을 이해해야 한다. 이러한 경우 짧은 임플란트는 식립부 골의 수직적 골량이 부족한 경우에 골증강술을 시행하지 않기 위하여 선택하는 것이기 때문에, 짧은 임플란트의 성공은 수직적 골증강을 시행한 부위에 식립한 표준 임플란트의 성공과 비교해야 하는 것이다(📷 4-9). 게다가 수직적 골증강은 다른 골증강 술식에 비해 높은 실패와 합병증을 보이는 술식이다.[40] 한 메타분석에 의하면 수직적 골증강술의 합병증 발생 비율은 16.9%(95% CI 12.5-21.2%)였다. 그리고 이들 합병증의 대부분은 피판 열개에 의한 이식재 및 차폐막 노출

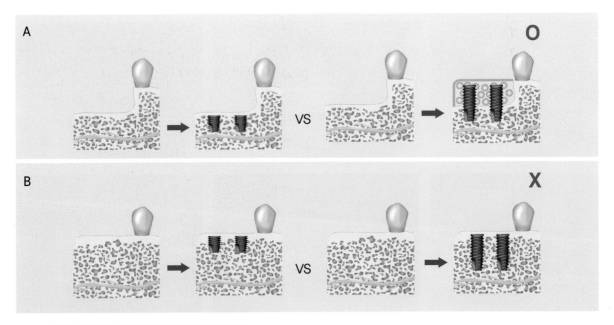

📷 **4-9 짧은 임플란트와 표준 길이 임플란트의 비교**

A. 잔존골 높이가 충분하지 못하고 골증강술 없이 짧은 임플란트만 식립했을 때의 성공은 잔존골 높이가 충분하지 못하고 수직적 골증강술 후 표준 길이 임플란트를 식립했을 때의 성공과 비교해야 한다. **B.** 잔존골 높이가 충분할 때 짧은 임플란트를 식립했을 때와 표준 길이 임플란트를 식립했을 때의 성공을 비교하는 것은 임플란트 성공에 대한 임플란트 길이 자체의 효과를 평가하는 데 있어서는 적절하다. 그러나 이러한 비교는 우리가 짧은 임플란트를 식립하는 일반적인 임상 상황(잔존골 높이가 부족한 경우)과는 다른 상황에서의 평가이기 때문에 짧은 임플란트의 임상적 가치를 평가하는 데에는 부적절할 수 있다.

과 이차적인 수술부 감염이었다.[41] 합병증이 발생한 증례에서는 임플란트 식립이 불가능한 경우가 많고, 따라서 골증강된 부위에 식립한 임플란트의 성공을 측정할 때에는 이러한 골증강 실패 사례가 제외되게 된다. 비록 많은 연구들에서 이러한 점을 간과한 채 단순히 "짧은 임플란트"와 "수직적으로 골증강된 부위에 식립한 표준 임플란트"의 성공만을 비교하고 있지만, 우리는 이러한 사항을 반드시 염두에 두고 자료를 해석해야 할 것이다.

(2) 하악에서 짧은 임플란트 식립이 가능한 경우에는 표준 임플란트 식립을 위해 수직적 골증강을 시행할 필요는 없다.

하악에서 수직적 골증강과 더불어 표준 임플란트를 식립한 경우와, 골이식 없이 짧은 임플란트를 식립한 경우를 비교한 문헌은 상악에 비해 그 수가 많지 않다. 2015년 EAO에서 수행한 문헌 고찰은 바로 여기에 초점을 맞춘 것이었다.[31] 여기에서는 잔존골 높이가 5–8 mm인 경우에 8 mm 이하의 임플란트만 식립한 경우와 수직적 골증강과 더불어 8 mm를 초과하는 임플란트를 식립한 경우를 비교했다. 이 문헌 고찰에 포함된 일차 연구는 총 4개였으며, 이들 일차 연구에서는 모두 수직적 골증강의 방법으로 블록형 이종골을 이용한 개재골 이식술(interpositional block xenograft)을 이용했다. 포함된 일차 연구들에서 짧은 임플란트의 길이는 평균 5.65 mm(5–6.6 mm), 직경은 평균 4.75 mm(4–6 mm)였다. 표준 임플란트의 길이는 평균 10.62 mm(9.6–15 mm), 직경은 평균 4.75 mm(4–6 mm)였다. 그 결과는 다음과 같았다.

- 포함된 개별 일차 연구 모두에서 긴 임플란트와 짧은 임플란트의 생존율에는 유의한 차이가 없었다.

- 수직적 골증강을 시행한 85명의 환자 중 56명은 합병증을 경험했고, 짧은 임플란트를 식립한 환자 중에는 18명이 합병증을 경험했다. 특히 골증강술을 시행한 환자 중 56.24%에서 일시적인 감각 이상이 발생했다. 네 연구 중 세 개의 연구에서 "수직적 골증강술 및 긴 임플란트 식립군"이 "짧은 임플란트 식립군"에 비해 유의하게 더 많은 합병증이 발생했다.

- 수직적 골증강은 12.94%에서 실패했다. 7.06%에서는 골이식의 완전한 실패가, 나머지 5.88%에서는 부분적인 실패가 발생했다. 실패한 부위는 임플란트 식립이 불가했거나, 재수술을 필요로 했거나, 짧은 임플란트 식립으로 치료 계획을 변경해야 했다.

- 치조정 골소실은 짧은 임플란트에서 평균 1.23 mm, 표준 임플란트에서 평균 1.51 mm였다. 포함된 네 연구 중 한 연구에서 표준 임플란트에서 치조정 골소실이 유의하게 더 많이 발생했다.

이 주제와 관련하여 비록 후향적이긴 하지만 하나의 언급할 만한 연구가 있었다.[42] 이 연구에서는 하악 구치부에서 하치조 신경에서 치조정까지의 거리가 7-8 mm인 증례에 한해 자가 블록골 이식 및 표준 임플란트 식립을 시행한 환자들과, 7 mm 길이의 짧은 임플란트(이 임플란트는 외부 연결형이었기 때문에 골 내부에 위치하는 매식체 길이는 5.5 mm였다)를 식립한 환자들의 1년 후 결과를 비교했다. 1년 후 임플란트의 생존율은 골이식군에서 95.6%, 짧은 임플란트 군에서 97.1%였고, 임플란트 성공률은 골이식군에서 91.1%, 짧은 임플란트 군에서 97.1%로 모두 유의하지는 않은 차이를 보였다. 그리고 골증강을 시행한 환자들 중 25%에서 수술과 관련된 합병증이 발생했다. 한 무작위 대조 연구에서는 수직적 골높이가 제한된 치조골을 지닌 모든 환자들이 수직적 골증강과 표준 임플란트 식립보다는 짧은 임플란트 식립을 선호했다고 했다.[43] 또한 이 연구에서는 상악에서 "상악동 골이식+표준 임플란트 식립"은 "짧은 임플란트 식립"과 합병증 발생 빈도에 유의한 차이가 없었던 반면, 하악에서 "수직적 골증강+표준 임플란트 식립"은 "짧은 임플란트 식립"에 비해 유의하게 더 많은 합병증을 유발했다고 보고했다. 결국 하악 구치부에서 수직적 결손이 존재할 때에는 수직적 골증강술 후 표준 임플란트를 식립하기보다는 골증강 없이 짧은 임플란트를 식립하는 것이 더 유리하다고 결론 내릴 수 있다.

(3) 짧은 임플란트 식립에 대해서는 상악과 하악에서 다른 접근 방법이 필요하다.

상악과 하악에서 수직적 골증강술이나 짧은 임플란트 식립에 대한 다른 접근 방법이 필요하다는 것을 알 수 있다. 이는 두 가지 요소가 짧은 임플란트의 사용에 영향을 미치기 때문이다(📷 4-10).[44]

- 상악에서는 수술이 비교적 쉽고 예후가 양호한 상악동 골이식을 통해서도 수직적 골증강이 가능하지만, 하악에서는 수술의 난이도와 실패의 가능성이 높은 치조정측의 수직적 골증강만 가능하다.

- 상악은 하악에 비해 전반적으로 골밀도가 낮다. 골밀도가 낮은 증례에서는 아주 짧은 임플란트의 성공이 저하될 것이다. 따라서 이론적으로 상악에서는 좀 더 긴 임플란트를 사용해야 할 필요성이 증가한다.

결국 5-8 mm의 가용골이 존재하는 경우, 상악에서는 다양한 치료 옵션을 상황에 따라 적용 가능하지만 하악에서는 골증강 없는 짧은 임플란트 식립 쪽이 더 유리하다는 결론에 이르게 된다. 2014년 Nisand와 Renouard는 가용골 높이와 골질에 기반하여 짧은 임플란트 식립의 적응증을 제시했다.[36] 아직까지 "골증강술+표준 임플란트 식립"과 "짧은 임플란트 식립" 중 어떤 치료 방법이 더 유리한가에 대해 결론을 내리기 힘든

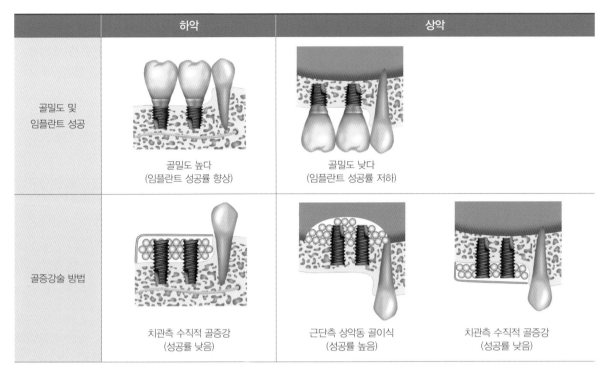

	하악	상악	
골밀도 및 임플란트 성공	골밀도 높다 (임플란트 성공률 향상)	골밀도 낮다 (임플란트 성공률 저하)	
골증강술 방법	치관측 수직적 골증강 (성공률 낮음)	근단측 상악동 골이식 (성공률 높음)	치관측 수직적 골증강 (성공률 낮음)

📷 **4-10** 상악과 하악은 임플란트 치료에 대한 다른 환경을 제공하기 때문에 수직적 골결손이 존재할 때에는 서로 다른 접근이 필요하다. 하악에서는 치조골의 밀도가 비교적 높고 수직적 골증강의 난이도가 높기 때문에 가능하다면 수직적 골증강 없는 짧은 임플란트 식립이 유리하다. 반면 상악에서는 골밀도가 낮고 상악동 골이식술이라는 근단측으로의 성공률 높은 수직적 골증강 술식이 존재하기 때문에 골증강과 함께 표준 길이 임플란트 식립이 더 유리할 수 있다.

"회색지대"가 있음을 고려하여, 이들의 적응증을 변형해서 다음과 같은 결론을 제시한다(📑 4-3).

📑 4-3 하악에서 가용골 높이에 따른 새로운 치료 방법	
가용골 높이	**치료 방법**
4 mm≤가용골 높이<6 mm	수직적 골증강술+임플란트 식립 환자 동의 하에 4–5 mm 길이의 임플란트 식립
가용골 높이≥6 mm	(아주) 짧은 임플란트 식립

이 때 하악 구치부에서 가용골 높이를 결정하는 것은 치조정에서 하악관까지의 거리이다. 하악에서는 하치조 신경의 손상을 예방하기 위해 2 mm 정도의 안전 영역을 부여하는 것이 일반적이기 때문에 치조정에서 하악관 까지의 거리에서 2 mm를 추가적으로 제한 값이 가용골 높이가 된다.[39]

2018년의 6th ITI Consensus Conference에서는 "아주 짧은(임플란트 길이≤6 mm)" 임플란트와 관련하여 합의 성명과 임상적 권유 사항을 발표했다. 그 중 중요한 몇 가지를 정리하면 다음과 같다.[34]

① 6 mm 이하의 짧은 임플란트는 기능 부하 1-5년 후 이보다 긴 임플란트와 큰 차이가 없는 생존율을 보였다(6 mm 이하 96% vs 6 mm 초과 98%). 그러나 6 mm 이하 길이의 임플란트는 이보다 긴 임플란트에 비해 실패할 확률이 29% 더 높은 것도 사실이다.

② 임플란트에 부하를 가하고 시간이 경과함에 따라 6 mm 이하의 임플란트는 이보다 긴 임플란트에 비해 생존율이 더 많이 저하된다.

③ 수술 후 합병증 발생 빈도는 6 mm를 초과하는 길이의 임플란트를 사용할 때(평균 32.8%)가 6 mm 이하의 짧은 임플란트를 사용할 때(평균 6.8%)보다 높았다. 상대적으로 긴 임플란트 사용 시의 합병증은 대부분 골증강술과 관련된 것이었다.

④ 임플란트 식립부의 골높이가 감소된 경우, 골증강술의 합병증을 피하고 치료 기간을 단축하기 위해 짧은 임플란트를 식립할 수 있으며 이는 유효한 치료 옵션이 될 수 있다. 또한 인접 구조물, 즉 상악동, 혈관 및 신경, 주변 치아 및 임플란트의 손상을 피하기 위해 짧은 임플란트를 선택할 수 있다.

⑤ 임플란트의 길이는 국소적인 해부학적 상태 및 환자의 상태에 따라 선택해야 한다. 충분한 골높이가 존재한다면 6 mm보다 긴 임플란트를 식립하는 것이 좋다.

3.
임플란트 길이가 골유착에 미치는 영향

임플란트 길이가 짧아지면 골과 임플란트 사이의 접촉이 줄어들기 때문에 일차 안정이 저하된다고 직관적으로 생각할 수 있다. 그리고 이렇게 저하된 일차 안정 때문에 임플란트는 골유착에 실패할 가능성이 높아질 수 있다. 여기에서는 이러한 단순한 가정이 실제로도 임상에서 발생하는지에 대해 살펴볼 것이다.

1) 임플란트 길이가 짧아지면 일차 안정은 저하되는가?

(1) 임플란트의 일차 안정에는 여러 가지 요소가 영향을 미친다.
임플란트가 골에 고정되는 기전은 두 가지이다(📷 4-11).[45]

• 일차적 기계적 안정(primary mechanical stability) 이는 임플란트와 골의 물리적 접촉에 의한 고정력이며, 임플란트 식립 시 식립 토크를 가해서 임플란트-골 간의 마찰력을 증가시킴으로써 얻어진다.

• 이차적 생물학적 안정(secondary biologic stability) 이는 임플란트와 골의 생물학적 접촉에 의한 것이며, 골유착 현상이 바로 이차적 생물학적 안정이다.

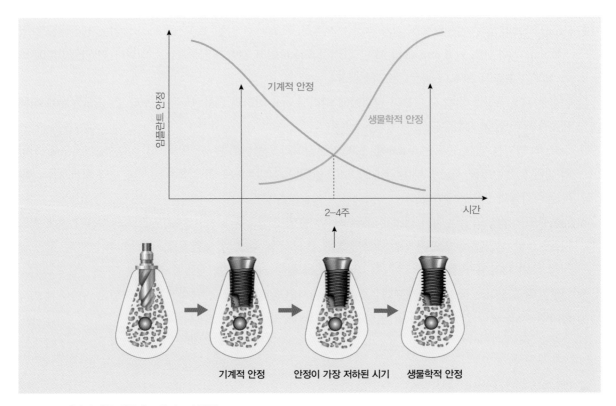

📷 4-11 시간에 따른 임플란트 안정도의 변화

임플란트 식립 직후에는 임플란트와 골 간의 물리적 결합에 의한 고정력인 일차적 기계적 안정이 임플란트 안정도를 100% 결정한다. 이후 시간이 경과하며 임플란트 주위 치조골은 재형성(remodeling)되는 데 이로 인해 임플란트 주위골의 밀도는 일시적으로 저하되면서 기계적 안정 또한 지속적으로 감소한다. 반면 이차적 생물학적 안정은 임플란트와 골 간의 골유착에 의해 얻게 되는 데 이는 임플란트 주위골의 재형성에 의해 점차 증가한다. 임플란트 식립 2-4주 후의 기간에는 기계적 안정은 현저히 감소되고 생물학적 안정은 감소한 기계적 안정을 보상할 정도로 증가하지 못하기 때문에 임플란트의 안정도가 가장 저하되어 임플란트의 탈락에 취약하다. 이 기간이 지나 6주 이상이 경과하면 기계적 안정은 사라지고 임플란트는 생물학적 안정에 의해 골 내에 고정된다.

일차적 기계적 안정은 이차적 생물학적 안정을 얻기 위해 가장 중요한 필요 조건이다.[46] 이차적 안정이 이루어지기 전에 충분한지 못한 일차적 안정으로 인해 임플란트가 동요하게 되면 임플란트는 골유착에 실패한다.[47,48] 유명한 Szmukler-Moncler 등의 문헌 고찰에 의하면, 골유착이 이루어지기 전에 임플란트가 동요하면 골과 임플란트 사이에 골조직이 아닌 섬유 조직이 개재되는데 그 역치는 50-150 μm 사이의 어느 값으로 생각된다(📷 4-12).[49]

일차적 기계적 안정에 기여하는 요소들로는 임플란트 식립부의 골밀도, 임플란트 자체의 디자인, 임플란트의 크기(길이, 직경), 임플란트 식립을 위한 골삭제 방법이 가장 중요하다고 생각된다. 이들 요소들의 기여 정도에 대해서는 정확하게 평가하기 힘들지만, 대략적으로 설명하면 다음과 같다.

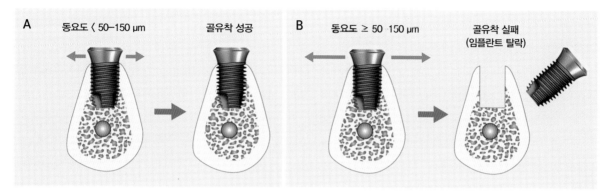

📷 **4-12** 임플란트 식립 후 골유착, 즉 이차적 생물학적 안정이 확립되는 시기까지는 임플란트의 안정도가 저하되어 있다. 또한 생물학적 안정은 치유 기간 중 임플란트의 동요도가 최소로 유지되어야 이룰 수 있다. Szmukler-Moncler 등의 문헌 고찰에 의하면 골유착이 이루어지기 전에 임플란트가 동요하면 골과 임플란트 사이에 골조직이 아닌 섬유 조직이 개재되는데 그 역치는 50-150 μm 사이의 어느 값으로 생각된다.[49]

- **임플란트 식립부의 골밀도** 일차적 안정의 기준인 식립 토크는, 다른 조건이 동일할 때 임플란트 식립부의 골밀도와 비례한다.[50,51] 악골의 밀도는 일반적으로 상악보다는 하악이, 구치부보다는 전치부가 높다.[52,53] 이는 짧은 임플란트를 자주 식립하는 부위인 상하악 구치부, 특히 상악 구치부가 일차적 안정을 얻기에 좋지 않은 환경임을 의미한다.
- **임플란트 디자인** 테이퍼 임플란트(tapered implant)는, 특히 밀도가 낮은 골에서 원통형 임플란트(parallel walled implant)에 비해 더 높은 일차 안정을 얻을 수 있다고 생각된다.[54]
- **임플란트 길이** 임플란트 매식체의 길이가 짧아지면 당연히 임플란트 표면과 골 표면 사이의 마찰력은 비례적으로 감소하게 될 것이고, 따라서 일차적 기계적 안정의 정도는 줄어들 수밖에 없다.

(2) 임플란트의 길이가 4-5 mm 이상이면 골유착에 필요한 충분한 정도의 일차 안정을 얻을 수 있다.

현재 일차 안정을 부여할 수 있는 임플란트의 최소 길이에 대한 기준은 정립되지 않았다. 위에서 설명한 바와 같이 임플란트의 일차 안정은 잔존골 높이뿐만 아니라 골밀도, 임플란트 디자인, 임플란트 표면 특성 등 여러 요소에 의해 결정되기 때문이다. 다만 임상가들은 전통적으로 임플란트를 사용했을 때 일차 안정을 얻을 수 있는 최소 길이를 5 mm로 생각해왔다.[22] 치조정 접근 상악동저 거상술과 동시에 임플란트를 식립하였던 임상 연구들은 잔존골 높이가 4-5 mm 미만이면 임플란트의 생존율은 유의하게 감소하는 경향을 보인다고 했는데, 이는 상악 구치부에서 임플란트의 일차 안정을 예지성 높게 얻을 수 있는 최소 길이가 이 정도임을 의미하는 것이다.[55-57] 상악 구치부가 골밀도가 가장 낮은 부위임을 감안한다면, 아마 4-5 mm의 길이가 골밀도에 관계없이 성공적인 일차 안정을 얻을 수 있는 최소 길이가 됨을 알 수 있다.

최근의 임상 연구들에서는 임플란트의 골유착 성공이라는 간접적인 지표가 아니라, 공진 주파수 분석(Resonance Frequency Analysis, RFA)이나 식립 토크를 통해 짧은 임플란트의 일차 안정도를 직접 평가했다. 한 전향적 대조 연구에서는 하악에서 10 mm 길이 임플란트의 평균 식립 토크는 38.16±1.21 Ncm, 4 mm 길이 임플란트의 평균 식립 토크는 42.45±2.17 Ncm로 별다른 차이를 보이지 않았다고 보고했다.[58] 이 연구에서는 식립 시와 식립 12개월 후의 공진 주파수 분석도 시행했는데, 식립 시 공진 주파수 값(ISQ)도 10 mm 길이의 임플란트는 78.72±2.13, 4 mm 길이의 임플란트는 82.34±0.67로 거의 차이를 보이지 않았고, 이러한 결과는 식립 12개월 후까지 비슷하게 유지되었다. 그러나 상하악 구치부에 4.1×10 mm 임플란트와 4.1×6 mm 임플란트를 식립하고 결과를 비교한 다른 무작위 대조 연구에서는 6 mm 길이의 임플란트를 식립한 경우 식립 토크의 범위가 0-15 Ncm로 낮은 증례가 60%(18/30)로, 10 mm 길이 임플란트 식립 시의 37%(11/30)보다 더 많았으며, 이는 6 mm 길이 임플란트의 낮은 생존율(부하 5년 후 4.1×10 mm 임플란트 생존율 96.7%, 4.1×6 mm 임플란트 생존율 86.7%)로 이어졌다고 보고했다.[59] 한 전향적 대조 연구에서는 하악 구치부에 임플란트 식립 시 ISQ 값은 5×5.5 mm 임플란트가 5×7 mm와 4×11.5 mm 임플란트보다 오히려 유의하게 더 높았다고 했다.[45] 아직 이에 대한 보고가 많지 않아서 확실한 결론을 내리기는 힘들지만, 임플란트의 길이가 4-5 mm 이상만 되면 표준 임플란트와 비슷한 정도의 일차 안정을 얻을 수 있다고 결론 내릴 수 있다.

2) 6 mm 길이의 임플란트 식립은 충분히 사용 가능한 치료 옵션이다.

8 mm 임플란트는 이보다 긴 임플란트와 큰 차이가 없는 성공을 보이고 있다.[32,33] 이제 여기에 더 이상의 이견은 없는 것 같다. 따라서 최근에는 6 mm 이하, 그 중에서도 특히 6 mm 길이의 임플란트에 관심이 집중되고 있다. 즉, 현재 짧은 임플란트의 주인공은 "6 mm" 길이의 임플란트이다. 물론 5 mm, 심지어 4 mm 임플란트까지 소개되어 실제로 사용되고 있지만, 6 mm 미만의 임플란트에 대해서는 가용한 근거가 매우 적기 때문에 임상에서 널리 쓰이기엔 무리가 있다. 그러나 6 mm 길이의 임플란트에 대해서는 최근 무작위 대조 연구를 포함한 많은 연구가 쏟아져 나오고 있으며, 그 결과도 긍정적이다. 2010년대 중반 이후의 6 mm 이하 길이 임플란트에 관한 주요 메타분석을 정리하도록 하겠다(📁 4-4).[35,60-62]

전반적으로 6 mm 임플란트는 상대적으로 긴 임플란트에 비해 그 생존율이 약간 더 낮았던 것은 사실이다. 하지만 대부분의 연구에서 6 mm 임플란트는 5년 이내에 90% 중후반대의 받아들일 만한, 충분히 높은 생존율을 보였다. 그리고 다음 두 가지 점을 고려한다면 6 mm 임플란트를 식립하는 것은 충분히 성공적으로 사용 가능한 치료 옵션임을 알 수 있다.

- 앞서 설명한 바와 같이 단순히 치조골에 아무 처치도 가하지 않고 식립한 짧은 임플란트와 표준 임플란트의 생존율을 비교하는 것은 적절치 않다. 짧은 임플란트는 가용골 높이가 낮은 경우에 사용하는 것이기 때문에, "짧은 임플란트"의 성공은 "수직적 골증강"의 성공과 "표준 임플란트"의 성공을 곱한 값과 비교해야 한다.
- 잔존골 높이가 축소되려면 여러 가지 국소적/전신적 요소가 악영향을 미쳐야 할 것이다. 따라서 이렇게 가용골 높이가 낮은 부위에 짧은 임플란트를 식립할 때에는, 이러한 국소적/전신적 교란 요소의 악영향을 받을 수밖에 없다.[63] 결국 국소적/전신적 상태가 좋아서 치조골이 잘 유지된 부위에 식립한 표준 길이 임플란트와 비교해서 짧은 임플란트는 임플란트 요소 자체뿐만 아니라 다른 요소들에 의해 좋지 않은 결과를 보일 수 있다.

🗂 4-4 2010년대의 6 mm 이하 임플란트에 대한 주요 메타분석

연구	연구 목적	일차 연구 포함 기준	주요 결과
Srinivasan 등, 2014[60]	단일 제조사의 단일 길이 임플란트(6 mm)에 대한 임상적 성공을 평가	• 6 mm 길이의 Straumann 임플란트를 식립한 연구(상하악 모두 포함) • 임플란트 생존율이 제시됨 • 임플란트 실패의 시기가 제시됨 • 임플란트 식립 후 최소 12개월 경과 관찰 • 총 12개의 일차 연구 포함됨 • 총 690개의 임플란트 (상악 266개, 하악 364개)	• **식립 4개월 후 누적 생존율 93.7% (95% CI 84.4%~97.6%)** • **실패한 25개의 임플란트 중 19개가 조기(≤4개월) 실패(실패 중 76%)** • 한 개의 연구에서만 현저하게 낮은 임플란트 생존율(47.6%)을 보고함 • **상악(94.7%)의 생존율이 하악(98.6%)의 생존율보다 현저히 낮음**
Papaspyridakos 등, 2018[35] (6th ITI Consensus Conference를 위한 메타분석)	구치부에서 짧은 임플란트(≤6 mm)와 더 긴 임플란트(>6 mm)의 생존율/성공률 및 합병증 발생에 차이가 있는지 평가	• 무작위 대조 연구 • 상하악 구치부 부분 결손 증례 • ≤6 mm와 >6 mm 길이의 임플란트를 비교 • 최소 10명의 환자 포함 • 부하 후 최소 1년간 경과 관찰 • 총 10개의 일차 연구 포함됨 • 6 mm 이하 임플란트 637개(392명) • 6 mm 초과 임플란트 653개(383명)	• 대부분의 연구에서 짧은 임플란트는 5-6 mm 길이였지만, 한 연구에서는 4 mm(4X4 mm)였음 • **부하 후 1-5년간 6 mm 이하의 임플란트는 86.7~100% 생존율(평균 96%), 6 mm 초과는 95~100%의 생존율(평균 98%)을 보임** • 짧은 임플란트의 긴 임플란트에 대한 실패의 위험비는 1.29(95% CI 0.67-2.50)였음 • 이는 **짧은 임플란트의 실패율이 긴 임플란트에 비해 유의하게 높지는 않지만 실패의 가능성은 29% 높다**는 뜻임
Tolentino da Rosa de Souza 등, 2018[61]	구치부 단일치 결손 수복 시 짧은 임플란트(≤8 mm)와 더 긴 임플란트(>8 mm)의 생존율/성공률 및 합병증 발생에 차이가 있는지 평가	• 무작위 대조 연구/임상적 대조 연구 • 구치부 단일치 결손을 수복한 짧은 임플란트와 긴 임플란트 비교 • 임플란트 보철 연결 후 최소 12개월 경과 관찰 • 총 4개의 일차 연구는 정성적 분석 • 총 3개의 일차 연구는 정량적 분석	• 세 개의 연구에서 짧은 임플란트는 6 mm, 한 개의 연구에서 짧은 임플란트는 **5.5 mm와 7 mm** • 긴 임플란트는 10-15 mm • **부하 1년 후 임플란트 생존율에는 차이가 없었음(위험비1.00, 95% CI 0.97-1.03)** • 포함된 일차 연구들에서 **치조정 골소실에는 차이가 없었음**
Ravida 등, 2019[62]	짧은 임플란트(≤6 mm)와 긴 임플란트(≥10 mm)의 생존율, 치조정 골소실, 합병증, 비용, 치료기간을 비교	• 무작위 대조 연구 • ≤6 mm 임플란트와 ≥10 mm 임플란트를 비교 • 환자수 최소 기준 없음 • 부하 후 최소 1년간 경과 관찰 • 임플란트 상부에 고정성 보철물 장착 • 총 18개의 일차 연구 포함됨 • 총 793명에게 1,612개의 임플란트(짧은 임플란트 973개, 긴 임플란트 820개)	• 대부분의 연구에서 짧은 임플란트는 5-6 mm 길이였지만, 한 연구에서는 짧은 임플란트의 길이가 4 mm였음 • 각 일차 연구의 최종 관찰기간까지의 **전체 생존율은 짧은 임플란트는 96.69%, 긴 임플란트는 97.5%였음** • 부하 후 기간에 따라 생존율을 비교하면 **1-3년까지는 차이가 없고 5년 후에는 짧은 임플란트의 생존율이 유의하게 낮음**(생존율 RR=0.92)

특히 주목할 만한 메타분석은 Ravida 등의 것이다.[62] 여기에서는 짧은 임플란트는 6 mm 이하, 긴 임플란트는 10 mm 이상을 기준으로 비교했기 때문에 그 길이에 있어 4 mm의 확실한 간극을 두었기 때문이다. 그리고 분석 결과, 부하 1–3년 후까지는 두 종류의 임플란트가 생존율에 유의한 차이를 보이지 않았다. 그러나 부하 5년 후에는 긴 임플란트의 생존율이 유의하게 높았다. 부하 후 5년 이상이 경과할 때까지 진행한 연구는 많지 않았지만, 이는 짧은 임플란트가 저작 기능 중 가해지는 부하에 의해 골유착을 상실할 가능성이 높아질 수 있음을 의미하는 것이다. 따라서 6 mm 이하 임플란트의 장기적인 결과에 대한 좀 더 많은 임상 연구가 시행되어야 할 것이다.

3) 4 mm 길이의 임플란트는 사용 가능한 가장 짧은 임플란트이지만 장기간 사용 시 예후는 보장할 수 없다.

전술했듯이 최근 가장 많은 관심을 받고, 따라서 가장 많이 연구되고 있는 짧은 임플란트의 길이는 6 mm이다.[26,60] 그러나 의미 있는 임상 연구 결과가 나오고 있는 가장 짧은 임플란트 길이는 4 mm이다. 4 mm 길이와 4.0–4.1 mm 직경의 임플란트를 구치부에 식립하고 최소 1년간 추적 관찰했을 때의 결과는 **표 4–5**와 같았다.

요약하자면, 무작위 연구를 포함한 전향적 대조 연구에서는 하악 구치부에서 4 mm 임플란트가 표준 길이 임플란트와 부하 1년 후까지는 생존율에 유의한 차이를 보이지 않았다.[58,65–67] 오히려 모든 연구에서 4 mm 임플란트는 표준 길이 임플란트보다 치조정 골소실량이 더 적은 경향을 보였고, 특히 한 전향적 대조 연구에서는 4 mm 임플란트가 8–10 mm 임플란트보다 치조정 골소실량이 유의하게 더 적었다고 보고했다.[67] 또한 한 전향적 단일 환자군 연구에서는 4 mm 임플란트 주위의 치조정 골소실 양은 부하 2년째부터 안정화되어 5년째까지 유지됨을 보여주었다.[64] 다른 전향적 연구에서는 하악에서 4 mm 임플란트와 10 mm 임플란트를 식립할 때의 식립 토크와, 식립 시–1년 후까지의 공진 주파수 분석을 시행했다.[58] 그 결과 식립 토크와 공진 주파수 분석 값은 양 임플란트 사이에서 임상적으로나 통계학적으로 유의한 차이를 보이지 않았다. 즉, 적어도 하악에서는 주의 깊게 식립하면 4 mm 임플란트는 10 mm 임플란트와 비교하여 일차 안정에 차이가 없었다는 뜻이다.

결론적으로 그 수가 많지는 않지만 4 mm 길이의 임플란트도 단기간에는 성공적으로 사용 가능함을 알 수 있다. 그러나 장기간의 성공에 대해서는 의미 있는 결론을 내리기가 힘들다. 단 하나의 연구에서만, 그것도 하악 구치부에 3–4개의 보철을 스플린팅한 경우에 한정해서 5년간의 추적 관찰이 이루어졌으며, 여기에서 4 mm 임플란트는 92.2%의 생존율(71/77)을 보였다.[64] 이때 실패한 모든 임플란트는 3년 이상 경과한 후에 실패했기 때문에 4 mm 임플란트가 기능적인 부하를 장기간 견딜 수 있는가에 대해서는 충분히 의문이 제기될 수 있다고 생각된다. 결국 4 mm 임플란트는 아직 일상적으로 이용하기에는 이르다고 생각된다. 단지 골증강은 불가능하지만 반드시 임플란트는 식립해야 하는 증례에 한하여, 복수의 임플란트를 고정성 보철물로 연결할 수 있는 경우에만 사용 가능하며 장기간의 성공은 보장할 수 없다고 결론 내릴 수 있다.

☰ 4-5 4 mm 길이 임플란트의 임상적 결과

연구	연구 방법, 관찰 기간. 환자수/ 임플란트수	부위. 보철 형태	생존율(성공률), 실패 시기	평균 치조정 골소실
Slotte 등, 2015[64]	단일 환자군 연구 5년 28명, 86개	• 하악 구치부 • 3-4개 치아 결손부의 연결된 고정성 보철물	• 92.2% 생존율(71/77) • 실패 시기는 37.5- 59.4개월 후	• 1년 후 0.44 mm • 2년 후 0.57 mm • 3년 후 0.55 mm • 5년 후 0.53 mm
Calvo- Guirado 등, 2016[58]	대조 연구 1년 10명, 10 mm 20개, 4 mm 40개	• 환자마다 하악에서 10 mm 임플란트 2개를 이공 사이에, 4 mm 임플란트를 양측 구치부에 두 개씩 총 네 개 식립 • 전체 임플란트를 나사 유지형 총의치로 연결함	• 10 mm 임플란트 100% • 4 mm 임플란트 97.5%(39/40) • 식립 2개월 후 실패 • 성공률에 유의한 차이 없음	**부하 3개월 후** • 4 mm 임플란트 0.58 mm • 10 mm 임플란트 0.85 mm **부하 6개월 후** • 4 mm 임플란트 0.64 mm • 10 mm 임플란트 0.86 mm **부하 12개월 후** • 4 mm 임플란트 0.71 mm • 10 mm 임플란트 0.89 mm
Esposito 등, 2015[65] Felice 등, 2016[66] (동일 연구임)	무작위 대조 연구 부하 후 1년 4 mm 임플란트 75명 124개, ≥8.5mm 임플란트 75명 116개	• 1-3개의 임플란트 식립이 필요한 상하악 구치부, 상악은 상악동저 하방에 골높이 11.5 mm 이상, 하악은 하치조 신경 상방에 골높이 12.5 mm 이상이 존재하는 경우 4 mm 임플란트 124개(상악 46개, 하악 78개) • ≥8.5 mm 임플란트 116개 (상악 69개, 하악 47개) • 고정성 보철	• 4 mm 임플란트 3개 실패 • ≥8.5 mm 임플란트 2개 실패 • 모두 부하 전에 상실됨 • 생존율에 유의한 차이 없음	**부하 1년 후** • 4 mm 임플란트 0.53 mm • ≥8.5 mm 임플란트 0.57 mm • 유의한 차이 없음
Rokn 등, 2018[67]	무작위 대조 연구 부하 후 1년 11명, 47개 (골유도 재생술 부위 22개, 골증강술 안 한 부위 25개)	• 양측 하악 구치부에 2-4개의 임플란트 식립이 필요한 환자 • 하치조 신경 상부의 골높이는 6-10 mm • 한쪽은 골유도 재생술 후 ≥8 mm 임플란트 식립 • 반대쪽은 골증강술 없이 4 mm 임플란트 식립 • 시멘트 유지형 고정성 보철물	• 4 mm 임플란트 100% 성공 • 8-10 mm 임플란트 100% 성공 • 4 mm 임플란트 식립부 합병증 0/11 부위 • 8-10 mm 임플란트 식립부 합병증 8/11 부위 • 합병증 발생에 유의한 차이	**부하 1년 후** • 4 mm 임플란트 1.55 mm • 8-10 mm 임플란트 1.97 mm • 유의한 차이

4.
짧은 임플란트에 대한 고려 사항

1) 짧은 임플란트에 대한 치조골의 반응

자연치 치관과 치근을 일종의 지렛대로 생각했을 때, 측방압이 작용하면 치관은 힘점, 치조정 골은 받침점, 치근은 작용점이 된다(📷 **4-13**). 이 때 치관-치근 비가 커지면, 즉 힘점에서 받침점까지의 거리가 길어지면 힘점인 치근과 받침점인 치조정 골에 가해지는 부하는 증가할 것이다. 건전한 자연치의 경우 상악 치아는 0.6, 하악 치아는 0.5의 치관-치근 비를 갖는다.[68,69] 일찍이 1900년대 초에 Ante는 지대치 및 보철 수복물의 예후는 치관-치근 비에 의해 좌우될 것이라는 이론을 발표했다(Ante's law).[70] Ante는 보철적 수복이 성공하려면 치관-치근 비≤1을 만족해야만 한다고 했다(📷 **4-14**). 그러나 최근의 체계적 문헌 고찰에 의하면, 자연치가 고정성 보철물의 지대치로 사용될 때 치관-치근 비는 그 예후와 별다른 관계가 없었다.[71]

임플란트에 있어서도 치관-임플란트 비가 낮아야 예후가 좋다는 것은 일반적인 의견이었고, 따라서 가능한 가장 긴 임플란트를 식립하는 것이 일반적인 치료의 원칙이 되어왔다. 짧은 임플란트 사용 시에는 치관-임플란트 비가 커지고, 이는 짧은 임플란트의 예후에 악영향을 미칠 수 있다는 우려가 제기되어 왔다(📷 **4-15**).

(1) 치관-임플란트 비가 커지면 이론적으로 합병증 발생 가능성은 증가한다.

Blanes 등은 치관-임플란트 비를 두 종류로 나누었다(📷 **4-16**).[72]

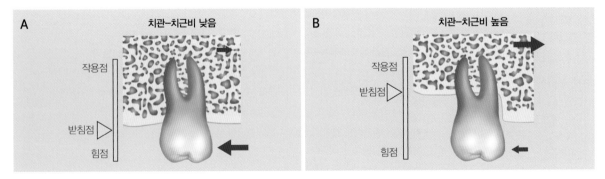

📷 **4-13 물리학적으로 치관-치근 비가 커지면 치관에 가해지는 동일한 부하에 의해 치근이 받는 부하 또한 증가한다.**
A. 치관-치근 비가 낮으면 받침점에서 힘점까지의 거리보다 받침점에서 작용점까지의 거리가 길어지므로 치근은 적은 힘을 받는다.
B. 치관-치근 비가 크면 받침점에서 힘점까지의 거리보다 받침점에서 작용점까지의 거리가 짧아지므로 치근은 큰 힘을 받게된다.

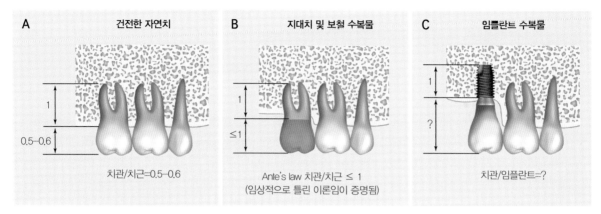

📷 4-14 **치관-치근 비와 Ante's law**

A. 건전한 자연치의 치관-치근 비는 0.5-0.6 정도이다. **B.** Ante는 보철적 수복이 성공하려면 치관-치근 비≤1을 만족해야만 한다고 했다. 그러나 임상 연구들의 결과에 의하면 치관-치근 비는 고정성 보철물의 예후와 별다른 관계가 없었다. **C.** 임플란트 수복물에 있어서도 치관-임플란트 비는 생물학적, 기계적(보철적) 합병증의 발생에 영향을 미칠 수 있다.

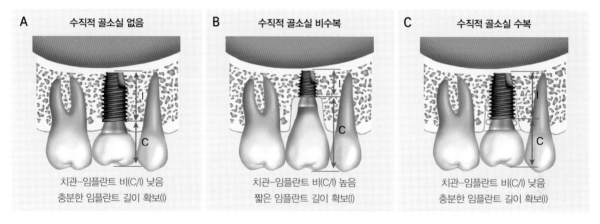

📷 4-15 **짧은 임플란트 식립 시에는 불량한 치관-임플란트 비에 대한 고려도 필요하다.**

A. 치관측 치조골에 수직적 골소실이 존재하지 않는 경우에는 충분히 낮은 치관-임플란트 비를 얻을 수 있기 때문에 기계적, 생물학적으로 유리하다. **B.** 치관측 치조골에 수직적 골소실이 존재할 때 이를 수복하지 않고 짧은 임플란트를 식립하면, 보철 수복물의 길이는 증가하고 임플란트 길이는 감소하기 때문에 치관-임플란트 비가 증가할 수밖에 없다. 이는 불량한 예후로 이어질 수도 있다. **C.** 치관측 골소실에 골증강술을 시행한 후 임플란트를 식립하면 임플란트 매식체의 길이는 증가하고 수복물의 길이는 감소하기 때문에 치관-임플란트 비를 감소시킬 수 있다.

📷 4-16 **해부학적 치관-임플란트 길이와 임상적 치관-임플란트 길이**

해부학적 길이는 기계적(보철적) 합병증 발생 여부에, 임상적 길이는 생물학적 합병증 발생 여부에 영향을 미치게 된다.

- **해부학적 치관–임플란트 비:** 치관과 임플란트 경계는 임플란트 매식체와 지대주 경계
- **임상적 치관–임플란트 비:** 치관과 임플란트의 경계는 치조정 높이

해부학적, 임상적 치관–임플란트 비는 이론적으로 임플란트의 예후에 영향을 미칠 수 있다.

- 임상적 치관–임플란트 비는 치조정 골소실, 즉 생물학적 합병증 발생 가능성에 영향을 미칠 수 있다. 치관–임플란트 비가 커지면, 즉 힘점에서 받침점까지의 거리가 길어지면 받침점인 치조정 골에 가해지는 부하는 증가할 것이다. 치관–임플란트 비가 2.0 이상인 경우에는, 측방압이 가해질 때 임플란트 부속물 및 치조골에 가해지는 부하가 현저히 증가한다.[73,74] 게다가 치조정 골이 흡수될수록 임상적 치관–임플란트 비는 더 증가하기 때문에 일종의 양성 되먹임 작용(positive feedback)으로 치조정 골소실이 더욱 가속될 수 있다(📷 4-17).
- 해부학적 치관–임플란트 비는 기계적 합병증, 즉 임플란트 부속물의 손상이나 파괴에 영향을 미칠 수 있다. 특히 측방압이 작용할 때 치관의 길이가 길어질수록 임플란트의 부속물, 즉 지대주, 지대주 나사, 지대주–매식체 연결부, 매식체 자체에 더 많은 측방 압력이 가해진다. 이로 인해 지대주 나사, 지대주, 혹은 매식체 자체의 파절과 지대주 나사 풀림 등의 문제가 발생할 수 있다.

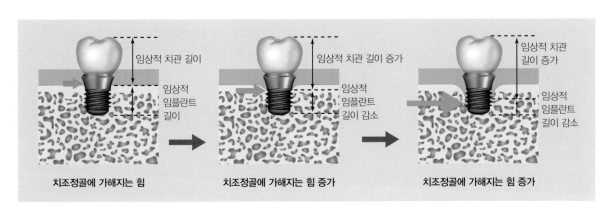

📷 **4-17** 임상적 치관–임플란트 비가 크면 치조정 골에 가해지는 부하가 증가할 것이다. 게다가 일단 치조정 골이 흡수되기 시작하면 치관–임플란트 비는 더 커지기 때문에 치조정 골에 가해지는 부하는 더 증가하여 치조정 골의 흡수를 더욱 가속시킬 수 있다. 따라서 이러한 이론적 관점을 실제 임상 연구로 검증해 보아야 한다.

특히 짧은 임플란트에서 치조정 골소실 양은 매우 중요한 고려 요소이다. 10 mm 임플란트를 식립했을 때 1 mm의 치조정 골이 흡수되면 임플란트 전체 길이 중 단지 10%의 골이 흡수된 것인 반면, 5 mm 임플란트를 식립했을 때 1 mm의 치조정 골이 흡수되면 임플란트 전체 길이의 20%에 해당하는 골높이가 사라지면서 골과 임플란트는 4 mm 길이에서만 골유착을 유지하게 되는 것이다. 이는 짧은 임플란트 식립 시, 혹은 높은 치관–임플란트 비를 보이는 증례에서 치조정 골소실에 대해 많은 관심을 기울이는 이유이다.

(2) Mechanostat 이론과 임플란트 주위 치조정 골의 변화

우리의 몸은 살아있는 생체 조직이며, 따라서 외부의 자극에 따라 지속적으로 적응하면서 변화한다. 이는 골과 관련된 물리적이거나 기계적인 이론이 실제 인체에서는 그대로 적용되지 않을 가능성이 높음을 의미한다.

이런 면에서 Frost는 골은 부하에 비례해서 파괴되거나 손상되지 않고, 부하에 따른 골 자체의 변형량에 따라 골의 총량이 증가하거나 감소한다는 "mechanostat" 이론을 내놓았다(■ 4–5).[75] 골의 변형(strain)은 골에 부하 (stress)가 가해질 때 골의 상대적 길이 변화를 의미한다. 일반적으로 $\mu\varepsilon$ 단위를 사용하는데, 1000 $\mu\varepsilon$은 골의 길 이가 0.1% 변형됨을 의미한다.

■ 4–5 Mechanostat 이론에서 골의 변형량에 따른 총량 변화

골의 상태	골의 변형량	골의 총량 변화
불활동성 위축(disuse atrophy)	50–100 $\mu\varepsilon$	감소
안정 상태(steady state)	100–1500 $\mu\varepsilon$	유지
약간의 과부하	1500–3000 $\mu\varepsilon$	증가
피로 파괴(fatigue failure)	>3000 $\mu\varepsilon$(과부하)	감소

아직까지 임플란트–골 경계부에서 발생하는 응력–변형을 직접 측정할 수 있는 방법은 개발되지 못한 상태 이다.[76] 따라서 임플란트에 가해지는 부하와 임플란트 실패의 상관성의 관계를 밝히기에는 어려움이 존재할 수밖에 없다. 그러나 짧은 임플란트를 식립했을 때 다음의 양상을 보인다면 골의 총량이 증가하는 "약간의 과 부하"상태라고 할 수 있을 것이다.

- 임플란트 주위 치조골의 치조정 골흡수량이 감소
- 임플란트 주위 치조골의 밀도 증가

그리고 임상 연구들의 결과는, 짧은 임플란트의 주위의 치조골은 대개 "안정 상태"이거나 "약간의 과부하 상 태"임을 보여주는 것으로 보인다. 이제부터 이에 대해 설명할 것이다.

(3) 치관–임플란트 비가 증가하면 치조정 골소실량은 비슷하거나 오히려 감소한다.

지금까지 치관–임플란트 비와 치조정 골소실에 관한 체계적 문헌고찰들은 한결같은 결과를 보였다. 즉, 치 관–임플란트 비가 증가하더라도 치조정 골소실 양이 증가하지는 않았던 것이다.[77–79] 오히려 최근의 한 체계 적 문헌고찰에서는 치관–임플란트 비가 증가하면 치조정 골소실 양은 줄어들며 이 관계는 유의했다고 보고했 다.[80] 이러한 현상, 즉 치관–임플란트 비가 증가하면 치조정 골소실은 오히려 줄어들 수도 있다는 사실은 기존 의 일부 연구에서 이미 관찰된 바 있다(◎ 4–18).[26,69,72] Blanes는 이 현상이 발생하는 이유로, 증가한 골부하가 골형성에 촉진성 자극으로 작용하기 때문이라고 보았다.[72] Zadeh 등은 짧은 임플란트의 치조정 골소실이 더 적은 이유를 세 가지로 추측해 보았다.[81]

① 긴 임플란트 식립 시 골삭제를 더 깊게 시행해야 하므로 치조정 골에 열이 더 많이 발생함
② 긴 임플란트에 의해 증가되는 응력 차폐(stress shielding) 현상
③ 긴 임플란트 식립 시 임플란트를 상대적으로 더 얕게 식립함

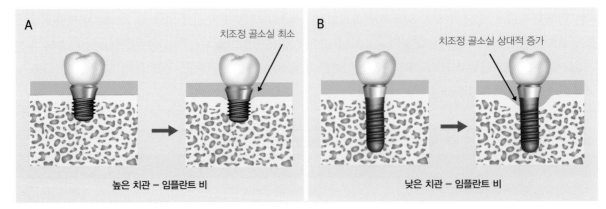

📷 **4-18** 물리적–기계적인 관점에 입각한 이론적인 접근에서 내린 결론과는 반대로, 실제로 임상적인 자료들에 의하면 치관–임플란트 비가 높아지면 치조정 골소실은 오히려 더 적은 경향을 보인다. 이는 어떤 생물학적인 요소가 이러한 신체의 반응에 영향을 미친다는 사실을 보여주는 결과이다.

여기서 응력 차폐는 정형외과적 용어로, 골의 특정 부위를 임플란트로 대체하면 골에 가해지는 일상적인 응력이 적어지며, 이에 따라 골밀도가 감소하는 현상을 지칭하는 것이다. 특히 대퇴골두 부분을 임플란트로 대체하면 대퇴골 부위 중 일부가 응력을 덜 받게 되면서 골밀도가 감소하게 되는데, 이것이 대표적인 응력 차폐 현상이다. 치과용 임플란트 주변골에서도 응력 차폐 현상이 발생하는가는 아직 밝혀진 바 없지만 이론적으로는 임플란트의 길이가 길어지면 치조정골에 가해지는 부하는 줄어들고, 이로 인해 치조정 골밀도가 감소하면서 골소실이 증가할 수 있을 것이다.[82] 위의 Blanes와 Zadeh의 이론은, 넓은 의미에서 Frost의 mechanostat 이론과 같은 개념에 근거한 것이라는 것을 알 수 있다.

그러나 한 가지 주의할 점은 위의 체계적 문헌 고찰들에서는 임플란트 보철물이 단일 수복물인지, 아니면 스플린팅된 다수 치아 수복물인지에 대해 특별한 구분을 두지 않았다는 점이다. 임플란트 보철물을 스플린팅하면 높은 치관–임플란트 비의 악영향을 교란시킬 수 있기 때문에, 단일치 수복 임플란트에 한정해서 결과를 살펴보는 것이 좋을 것이다. 따라서 2018년 Meijer 등은 상하악 대구치 부위에서 단일치 수복 증례에서만 치관–임플란트 비가 생물학적 합병증에 미치는 영향에 대한 메타분석을 시행했다.[83] 그 결과는 📑 4-6과 같았다.

📑 **4-6 치관–임플란트 비에 따른 생물학적 합병증**

치관–임플란트 비	연간 임플란트 실패율(%)	연간 평균 치조정 골소실량(mm)
<1.00	0.33	−0.08(−0.08−0.24)
1.00−1.49	0.84	−0.11(−0.07−0.30)
1.50−1.99	0.80	−0.07(0.01−0.14)
2.00−2.49	0.01	−0.31(0.03−0.23)

표에서 알 수 있듯이, 임플란트 실패ㅏ 치조정 골소실은 치관–임플란트 비가 2.5 미만일 때까지 별다른 차이를 보이지 않았다. 한 가지 주의할 점은 지금까지 치관–임플란트 비가 치조정 골소실에 대한 영향을 평가한 연구들은 대부분 치관–임플란트 비가 2.0 이하인 증례에 한정된 것들이었다는 것이다.[36,83] 따라서 그 이상의 치관–임플란트 비에 대해선 아직까지 별로 알려진 바가 없다고 생각해야 한다.

수직적으로 심하게 흡수된 치조골에 수직적 골증강 없이 짧은 임플란트를 식립하면 치관–임플란트 비는 커질 것이다. 따라서 큰 치관–임플란트 비를 보이는 증례는 대부분 짧은 임플란트를 식립한 증례이다. 이런 면에서 최근에는 치관–임플란트 비보다는 임플란트의 길이에 따른 치조정 골소실 양을 측정한 연구들도 많았다. 2019년에 발표된 두 개의 메타분석은 주목할 만한 결과를 보여주었다. 첫 번째 메타분석에서는 6 mm 이하 길이와 10 mm 이상 길이의 임플란트에서 치조정 골소실 양을 비교했다. 그 결과 임플란트 식립 1년 후에는 짧은 임플란트보다 긴 임플란트 주위에서 평균 0.16 mm, 3년 후에는 평균 0.23 mm 치조정 골소실 양이 더 많았으며 이는 통계학적으로 유의한 차이를 보이는 것이었다.[62] 두 번째 메타분석에서는 4–8 mm의 짧은 임플란트와 8 mm를 초과하는 표준 임플란트에서의 치조정 골소실에 초점을 맞추어 분석을 시행했다.[80] 그 결과 평균 치조정 골소실은 1년(평균 0.09 mm 차이), 2–4년(평균 0.19 mm 차이), 5년(평균 0.42 mm 차이) 후 모두 짧은 임플란트가 유의하게 적었다.

짧은 임플란트 주위의 치조정 골이 아주 긴 기간 동안 안정적으로 유지되는지 여부도 중요한 고려 사항이다. 10년간의 전향적 단일 환자군 연구에 의하면, 6 mm 길이의 임플란트 식립 2년 후까지 평균 0.4 mm의 골소실이, 5년 후까지 평균 0.6 mm의 골소실이, 10년 후까지 평균 0.8 mm의 골소실이 발생했다고 한다(📷 4–19).[84] 따라서 10년의 기간 동안 절반 정도의 치조정 골소실은 첫 2년 동안에 집중되고, 그 이후로는 치조정 골소실의 속도가 지속적으로 감소하며 안정된다는 사실을 알 수 있다.

(4) 짧은 임플란트 사용 시 치아 주위 치조골의 밀도가 증가할 수 있다.
앞서 언급했지만, 짧은 임플란트를 시립했을 때 나타날 수 있는 두 가지 현상은 임플란트 주위골이 "약간의 과부하" 상태에 놓여있다는 점을 보여주는 것이다

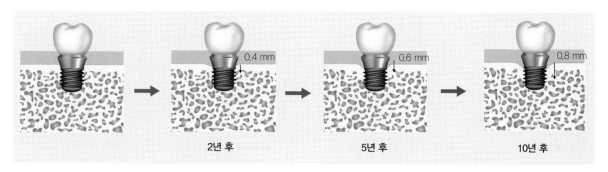

0.4 mm   0.6 mm   0.8 mm

2년 후   5년 후   10년 후

📷 **4–19** 6 mm 길이 임플란트의 치조정 골소실에 대해서는 전향적 연구에 의한 10년간의 자료가 존재한다.[84] 10년 후 평균 치조정 골소실 양은 0.8 mm였다.

- 임플란트 주위 치조골의 치조정 골흡수량이 감소
- 임플란트 주위 치조골의 밀도 증가

앞 절에서는 치조정 골흡수량에 대해 논해 보았다. 치조정 골흡수는 과거부터 임플란트의 성공과 실패 기준으로 사용되어 왔기 때문에 많은 관심을 받아왔다. 그렇다면 임플란트 주위 치조골 밀도에 대해서는 어떠한 사실이 얼마나 알려져 있을까?

일반적으로 골조직의 형태와 구조는 정적이지 않고, 임플란트에 가해지는 부하의 지속적인 변화에 따라 동적 평형(dynamic equilibrium) 상태를 이루며 변화된다.[85] 따라서 일단 임플란트가 골유착을 이룬 후 외부에서 생리적 한계 내의 강한 부하가 가해지면 이에 대한 적응으로 임플란트 주위골이 더 치밀해지면서 임플란트와의 기계적 안정을 더 증진시킨다고 생각된다(📷 4-20).[86] 이에 대한 근거로 한 동물 실험을 들 수 있다. 이 연구에서는 쥐의 양측 경골에 임플란트를 식립하고 2주의 유착 기간을 부여한 후 임플란트에 부하를 가하여 임플란트 주위골의 변화를 관찰했다. 그 결과 약한 부하를 가했을 때보다 강한 부하를 가했을 때 임플란트의 골유착 정도는 증가하고 임플란트 주위골은 방사선적으로 더 치밀한 양상을 보였다.[87]

이와 관련된 임상 연구는 거의 없는 실정이다. 2017년의 한 연구에서는 6 mm 임플란트와 10 mm 임플란트 주위골의 방사선 불투과성 변화를 3년간 관찰했다.[88] 그 결과 6 mm 임플란트의 주위골은 불투과성이 유의하게 증가한 반면, 10 mm 임플란트 주위골은 별다른 변화를 보이지 않았다. 방사선 불투과성은 특히 부하 1년 후부터 2년 후까지의 기간에 가장 현저한 증가를 보였다. 결국 보철 부하 2년 후부터 6 mm 임플란트 주위골은 10 mm 임플란트 주위골보다 불투과성이 유의하게 더 커졌다. 방사선 사진 상의 불투과성 증가는, 골조직이 조직학적으로 더 치밀하게 광화되었음을 의미한다.[89] 임플란트 주위골이 더 치밀해지면 임플란트의 기계적 안정이 더 증가하고 골-임플란트 간 결합이 더 증가한다(📷 4-21).[90]

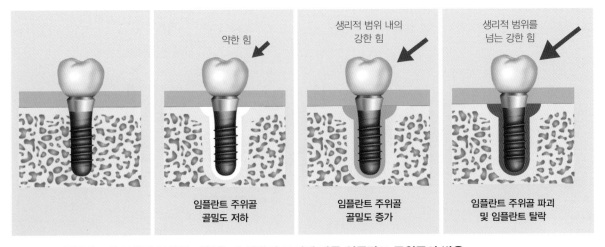

📷 4-20 **임플란트에 보철적 부하를 가했을 때 부하의 크기에 따른 임플란트 주위골의 반응**

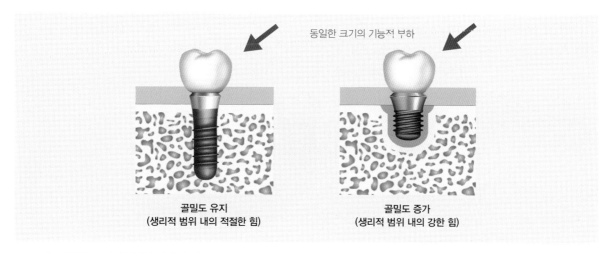

동일한 크기의 기능적 부하

골밀도 유지
(생리적 범위 내의 적절한 힘)

골밀도 증가
(생리적 범위 내의 강한 힘)

📷 **4-21** 동일한 크기의 부하가 가해질 때 표준 길이 임플란트 주위의 치조골에는 생리적 범위 내의 적절한 힘이 가해지는 반면, 짧은 임플란트 주위의 치조골에는 생리적 범위 내의 강한 힘이 가해질 수 있다. 이는 임플란트 주위 치조골의 밀도에 영향을 미칠 수 있다.

그러나 골의 이러한 변화는 또 다른 문제를 야기할 수도 있다. 골이 치밀화되어 물리적 강도를 증가시키면 골조직의 생물학적 능력이 상실될 수 있다. 골이 치밀화됨에 따라 해면골은 치밀골로 구조가 변화된다.[91] 그러나 해면골 내의 골수에는 혈관과 골형성 세포 등의 간엽 세포, 그리고 시토킨 등 골의 생물학적 활성도를 유지하는 요소들이 존재한다.[91] 기능 중 골의 미세한 손상은 이들 요소에 의해 지속적으로 치유되면서 골의 구조가 건전하게 유지된다.[92] 따라서 골이 일정 정도를 넘어 치밀화되면 골의 생물학적 치유력은 오히려 감소될 것이다. 그런 면에서 위의 2017년의 임상 연구에서 저자들은 6 mm 임플란트를 식립하고 시간이 경과함에 따라 어떠한 염증의 징후나 치조골 소실도 없이 임플란트가 탈락하는 현상들을 경험했다고 한다. 이러한 증례에서는 특히 임플란트 주위 치조골의 방사선 불투과성이 심하게 증가된 양상을 보였다.[88,93]

결론적으로, 짧은 임플란트 주변골에 가해지는 약간의 과부하에 의해 임플란트 주위골은 치밀화될 수 있다. 이는 짧은 임플란트의 치조정 골소실이 감소되는 현상과 같은 원인으로 설명 가능하다. 그러나 이러한 치밀화가 일정 정도를 넘어서면 골의 치유력은 오히려 감소되기 때문에 임플란트의 급작스러운 탈락을 유발할 수도 있다. 한 메타분석에서는 6 mm 임플란트의 실패 중 조기 실패(〈식립 후 4개월)가 76%를 차지하며 지연(4-24개월) 및 후기(〉2년) 실패는 24%에 지나지 않는다고 했다.[60] 이는 우려와는 달리, 적어도 6 mm 길이의 짧은 임플란트는 일단 골유착을 이룬 후에는 기능적 부하에 의해 실패할 가능성이 그렇게 높지는 않다는 사실을 보여주는 것이다(📷 **4-22**).

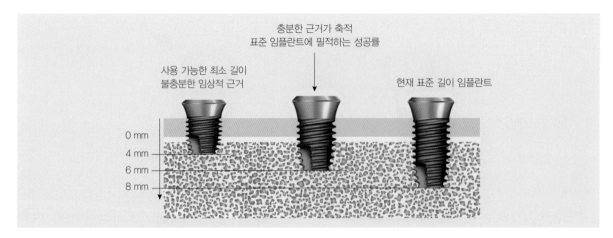

📷 4-22 임플란트의 길이에 따른 임상적 성공

4 mm 길이의 임플란트는 사용 가능한 최소 길이의 임플란트이다. 그러나 임상적 근거는 아직 불충분하기 때문에 일상적인 진료에 사용하기에는 아직 무리라고 할 수 있겠다. 6 mm 길이의 임플란트는 최근 충분한 임상적 근거가 축적되었다. 이 길이의 임플란트는 상악, 하악 모두에서 표준 길이 임플란트에 필적하는 장기간의 성공률/생존율을 보였기 때문에 충분히 일상 진료에서 그 사용을 고려해볼 만하다. 현재 표준 길이 임플란트의 기준은 8 mm이다.

2) 짧은 임플란트 사용 시 따라야 할 프로토콜

짧은 임플란트는 기능 중 가해지는 부하를 좁은 영역의 치조골에 전달하기 때문에 기계적으로 불리할 수밖에 없다. 따라서 전문가들은 이러한 불리한 점을 극복하기 위해 몇 가지 프로토콜을 제시한 바 있다. 이들 프로토콜은 아직 확실한 임상적 근거에 기반한 것은 아니지만 짧은 임플란트의 성공을 위해 가능한 따르는 것이 좋을 것이다. 짧은 임플란트에 대한 2018년 6th ITI Consensus Conference에서의 임상적 권유 사항(clinical recommendation)은 다음과 같았다.[34]

- 짧은 임플란트에는 즉시 부하가 가능한가? 짧은 임플란트는 부하를 식립 6주–6개월 후에 가한 문헌만 존재한다. 따라서 현재에는 즉시 부하에 대한 근거는 없다.

- 임플란트 직경은 짧은 임플란트의 생존에 영향을 미치는가? 지금까지의 문헌에 근거할 때 짧은 임플란트의 직경은 최소 4 mm는 되어야 한다.

- 인접한 짧은 임플란트들은 서로 스플린팅해야 하는가? 가용한 문헌에 근거할 때 인접한 짧은 임플란트들은 서로 스플린팅할 것을 추천한다.

(1) 짧은 임플란트의 폭(직경)은 클수록 유리하다는 임상적 근거는 없다.

순수하게 물리적 성질에 기반하여 분석했을 때 짧은 길이로 인해 좁아진 임플란트의 표면적은 직경을 늘려줌으로써 보상 가능하다. 유한 요소 분석에 의하면 부하가 가해졌을 때 임플란트를 통해 전달되는 힘은 치조골 상방에 집중되며 그 범위는 나사산 3–5개 정도, 혹은 6 mm 이내이다.[94,95] 또한 임플란트의 길이를 늘리는 것 보다는 임플란트의 폭을 늘려주는 것이 치조골로 전달되는 힘을 줄여주는 데 중요하게 작용한다(📷 **4-23**).[94-97] 이는 한 동물 실험을 통해 생체 내에서도 적용된다는 사실이 증명되었다. 3.75 mm 직경 임플란트에 비해 5 mm 직경 임플란트의 주위골은 골밀도가 더 낮았다. 이는 5 mm 직경의 임플란트가 3.75 mm 직경의 임플란트에 비해 주위골로 부하를 더 효율적으로 분산시킨다는 사실을 간접적으로 보여주는 것이다.[98] 이에 따라 일부 임플란트 제조사에서는 짧은 임플란트는 5 mm 이상의 직경으로만 판매하기도 한다.

그러나 5 mm 직경 임플란트가 처음 소개되었을 때에는 표준 직경 임플란트보다 골유착의 실패 가능성이 유의하게 더 높다고 보고된 바 있다.[99] 한 문헌 고찰에서는 6-8 mm 길이의 짧은 임플란트에서 5 mm 직경의 임플란트(실패율 20%)는 3.75-4 mm 직경의 임플란트(실패율 6.4%)보다 초기 성공률이 떨어지는 경향을 보인다고 보고했다.[100] 넓은 직경의 임플란트가 기능 부하를 주위골에 잘 분산해준다는 장점이 있더라도 이는 골유착에 성공한 후에 생각해 볼 일이다. 골유착에 일차적으로 성공하지 못한다면 이러한 장점은 아무런 도움도 되지 못하기 때문이다.

그러나 최근의 임상 연구들의 결과는, 짧은 임플란트는 표준 직경이나 넓은 직경을 지녔을 때 그 성공에 있어 별다른 차이를 보이지 않는다는 사실을 보여주고 있다.[5,101,102] 이에 2013년의 한 메타분석에서는 짧은 임플란트에서 임플란트의 직경과 실패율은 별다른 상관성을 보이지 못했다고 보고했다.[103] 또한 한 유한 요소 분

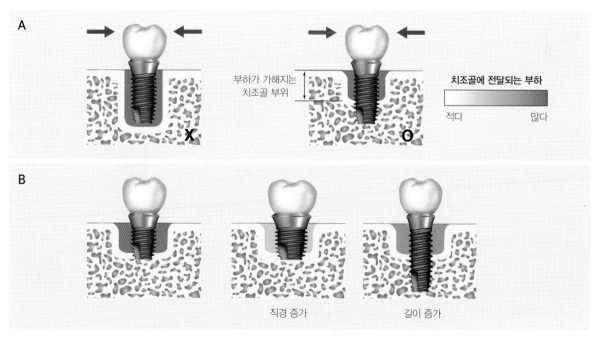

📷 **4-23 기능 중 임플란트 주위골에 가해지는 부하의 분포**
A. 유한 요소 분석에 의하면 임플란트 주위골에 가해지는 부하는 균일하게 분포하지 않고 치조정측 6 mm 이내에 집중된다. 이는 임플란트의 길이가 6 mm 이상이면 더 이상 길이 자체가 중요한 요소가 아닐 수도 있음을 보여주는 결과이다. **B.** 임플란트 주위골에 가해지는 부하는 임플란트의 길이를 증가시키는 것보다는 직경을 증가시키는 것에 의해 더 현저히 줄여줄 수 있다.

석에서 임플란트의 직경을 3.6 mm에서 4.2 mm로 증가시키면 치조골로 전달되는 부하의 최대값이 31.5% 감소했지만, 4.2 mm에서 5.0 mm로 증가시키면 감소치는 16.4% 밖에 되지 못했다고 보고했다.[96] 즉, 임플란트의 폭이 4.2 mm를 넘어서면 더 이상의 폭의 증가는 임플란트 주위골로 전달되는 부하를 현저하게 감소시키지는 못한 것이다.

결론적으로 비록 낮은 수준의 근거에 기반한 의견이기는 하지만 짧은 임플란트의 성공률을 높이기 위해 넓은 직경의 임플란트를 반드시 사용할 필요는 없는 것으로 보인다. 구치부에서 6 mm 길이의 임플란트에 대한 많은 연구에서는 4 mm 직경의 임플란트를 사용했고 그 결과도 성공적이었다는 점은 이를 지지하는 간접적인 근거가 될 수 있다.[35,60-62] 그러나 길이가 짧으면서 동시에 직경이 표준 직경보다 좁은 임플란트의 사용은 이론적으로도 불리할 뿐만 아니라 임상적으로도 검증되지 못했다. 따라서 짧은 임플란트의 식립은 가능하지만 골의 폭이 좁은 경우에는 비교적 성공 가능성이 높은 수평적 골증강만 시행하고 4 mm 이상의 직경을 지닌 짧은 임플란트를 식립하는 것도 한 가지 치료 옵션이 될 수 있다(📷 4-24).[39]

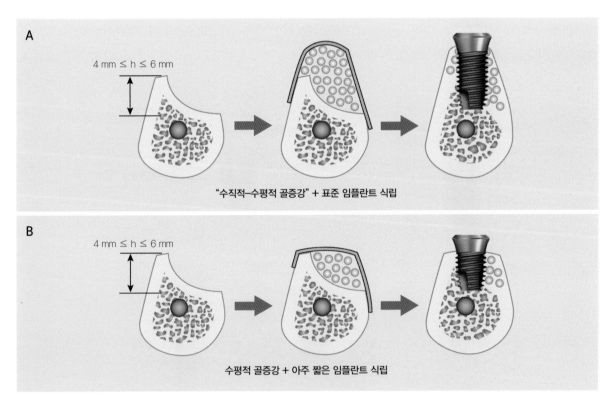

📷 **4-24 수직-수평 결손 시 접근 방법**
A. 전통적으로는 수직-수평적 결손에 대해 골증강술을 시행하고 표준 길이-직경의 임플란트를 식립했다. **B.** 최근 짧은, 혹은 아주 짧은 임플란트가 임상적으로 높은 성공률을 보임에 따라 수평적 골증강술만 시행하고 아주 짧은 임플란트를 식립하는 것도 하나의 고려할 만한 치료 옵션으로 생각되고 있다.

(2) 짧은 임플란트는 가능하다면 다른 임플란트와 스플린팅한다.

전문가들은 짧은 임플란트를 사용할 경우 이를 가급적 스플린팅할 것을 추천한다.[104] 스플린팅을 하면 임플란트 보철물이 회전력에 대해 저항성이 커진다(📷 4-25). 따라서 보철물을 스플린팅하면 특히 비스듬한 방향으로 부하가 가해질 때 개별 임플란트 및 지대주/나사 등의 부속물에 가해지는 물리적 부하를 줄여줄 수 있다.[105,106] 또한 치관-임플란트 비가 불리할 때 임플란트 보철물을 스플린팅해주면 큰 교합압을 잘 배분해준다.[107] 이는 단순히 이론적인 차원의 설명일 뿐 임상적으로 직접 도출된 근거는 없지만, 짧은 임플란트를 스플린팅해주면 보철적 합병증의 발생률은 분명히 유의하게 줄여줄 수 있을 것이다.[108] 그러나 임플란트를 보철적으로 이상적인 위치에 잘 식립하기만 한다면 구치부에서 스플린팅 없이 단일치 치관으로 수복한 짧은 임플란트도 충분히 높은 성공률을 보일 수 있다.[84,108,109]

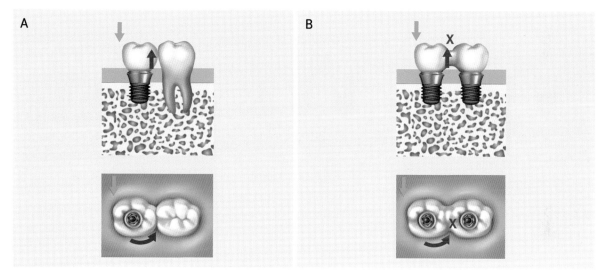

📷 4-25 임플란트 보철물을 스플린팅하면 임플란트 수복물은 수직적, 수평적 회전력에 대해 저항할 수 있다. 이를 통해 기계적 합병증의 발생 가능성을 낮춰줄 수 있다.

하지만 아주 소수의 낮은 수준의 임상 근거만이 스플린팅의 유용성을 지지해준다. 한 후향적 대조 연구에서는 7-10 mm 길이의 임플란트 중 보철물을 스플린팅한 것과 단일치로 수복한 것의 결과를 비교했다.[110] 수복 후 3-16년이 경과했을 때 스플린팅된 임플란트는 97.7%가 생존한 반면, 단일치 수복 임플란트는 93.2%가 생존했다. 이 차이는 통계학적으로 유의한 차이는 아니었다. 그러나 8.5 mm 임플란트를 하악에 식립한 경우에는 스플린팅을 시행했을 때 임플란트의 생존율이 유의하게 더 높았다(스플린팅 98.7% vs 단일치 수복 86.4%). 이 연구는 후향적 연구였고 기계 절삭 표면의 임플란트도 많이 포함되어 있었기 때문에 근거로써의 가치가 그렇게 높지는 않지만 스플린팅의 유리함을 시사해 주기는 한다. 또다른 후향적 연구에서는 159명에게 230개의 6 mm 길이 임플란트를 식립하고 1-6년 후의 결과를 보고했다.[111] 대부분의 임플란트는 하악에 식립했고 전체 임플란트의 누적 생존율은 96.4%였다. 209개의 임플란트는 인접 임플란트와 스플린팅하여 99.5%의 생존율을 보인 반면, 14개의 임플란트는 단일 수복을 시행해서 92.9%의 생존율을 보였다. 이 연구에서는 단일치 수복을 한 임플란트가 너무 적었기 때문에 스플린팅의 효과를 직접적으로 입증했다고는 보기 힘들다. 그러나 저자들은 6 mm 임플란트는 하악에 식립할 때에는 서로 스플린팅되도록 보철물을 연결하면 예지성 높은 결과를 보일 수 있다고 결론 내렸다.

6 mm 임플란트는 단일치 수복을 위해 스플린팅하지 않더라도 충분히 높은 임상적 성공을 보여왔다. 최근의 메타분석에서는 6 mm 이하 길이의 임플란트에서 보철물의 스플린팅 여부는 치조정 골소실의 양에 어떠한 영향도 미치지 못했다고 결론 내렸다.[62] 그러나 이론적으로 스플린팅은 충분한 이점이 있고 전문가들은 스플린팅을 추천하기 때문에, 복수의 인접한 임플란트를 식립한 경우에는 가급적 보철물을 서로 스플린팅할 것을 추천한다(📷 4-26).

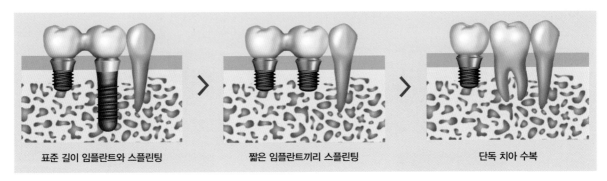

표준 길이 임플란트와 스플린팅   짧은 임플란트끼리 스플린팅   단독 치아 수복

📷 **4-26** 아직 확고한 임상적 근거에 기반한 것은 아니지만 짧은 임플란트 사용 시에는 보철물을 다른 임플란트 보철물과 스플린팅 해주는 것이 좋다.

(3) 짧은 임플란트 식립 후에는 보철적으로 부하를 줄여줄 수 있는 방법을 강구해야 한다.

스플린팅 이외의 추천 사항들을 정리하면 다음과 같다.

- 캔틸레버 보철물을 피한다.
- 시멘트 유지형 보철물을 사용한다.
- 보철물에서 교두 사면의 각을 줄여주고 최대 감합위 이외의 교두 간 접촉을 없앤다.

임플란트 수복에서 캔틸레버 보철물은 자연치에서와 달리 충분히 적용 가능한 치료 옵션 중 하나로 생각된다. 그러나 한 후향적 연구에서는 짧은 임플란트의 치조정 골소실을 증가시키는 유일한 요소가 캔틸레버 보철이었다고 보고했다.[112] 5.5–8.5 mm 길이의 임플란트를 식립하고 캔틸레버 보철물을 연결했을 때에는 평균 21.88개월 후 평균 치조정 골소실량이 0.74 mm였던 반면, 캔틸레버를 사용하지 않았을 때에는 평균 0.31 mm의 치조정골이 소실됐다.

스크루 유지형보다는 시멘드 유지형 보철물이 교합 부하를 직질히 배분하는 데 있어 너 유리하냐는 것이 죄근의 일반적인 의견인 듯하다. 한 메타분석에서는 임플란트 수복에 있어 시멘트 유지형 보철물과 스크루 유지형 보철물을 사용했을 때의 임상적 결과를 비교했다.[113] 그 결과 스크루 유지형 보철물을 사용했을 때에 비해 시멘트 유지형 보철물을 사용했을 때 치조정 골소실은 평균 0.19 mm 적었고 이는 유의한 차이였다. 또한 임플란트 생존율은 시멘트 유지형 보철물을 사용했을 때가 유의하게 높았고 보철적 합병증 발생 빈도는 스크루 유지형 보철물이 유의하게 높았다.[113] 이러한 현상은, 시멘트 유지형 보철물 내부의 시멘트가 임플란트–지대주간 부적합(misfit)을 상쇄하고 교합 부하를 배분하는 데 도움이 되기 때문인 것으로 생각된다.[114] 짧은 임플란트에 있어서도 스크루 유지형보다는 시멘트 유지형 보철이 더 유리한 것으로 보인다. 최근의 메타분석에서는 6 mm 이하 길이와 10 mm 이상 길이의 임플란트에서 치조정 골소실량을 비교했다.[62] 그 결과 짧은 임플란트는 시멘트 유지형 보철물을 연결했을 때 치조정 골소실 양이 더 줄어드는 경향을 보였다.

임플란트 보철물의 형태도 비수직적 측방압을 최대한 줄여줄 수 있도록 노력한다. 이를 위해 교두 사면의 각을 줄여주고 최대 감합위 이외의 교두간 접촉을 없애야 한다.[115]

5.
수직적 골증강술의 개요

앞선 장에서 설명했듯이 수직적 골증강술은 피할 수 있다면 피하는 것이 우선이다. 수직적 골증강술은 기술적으로 어려울 뿐만 아니라 그 예후도 불량하기 때문이다. 가용골 높이가 6 mm 이상이면 짧은 임플란트의 식립을 우선적으로 고려하는 것이 옳다고 생각되며 5 mm인 경우에는 교합압, 상실치 개수, 구강 내 악습관 등을 종합적으로 고려하여 "짧은 임플란트"와 "수직적 골증강+임플란트 식립" 중 유리한 술식을 선택한다. 4 mm 길이의 임플란트도 식립 가능하기는 하지만 이에 대한 임상적 근거는 아직 부족하다. 따라서 가용골 높이가 4 mm라면 수직적 골증깅을 통해 더 긴 임플란트를 식립하는 것이 좋나.

1) 수직적 골증강술의 예후는 불량하다.

(1) 수직적 골증강술은 모든 종류의 골증강술 중 합병증 발생률과 골재생 실패율이 가장 높다.

수직적 골증강술의 예후는 불량하다. 2014년의 한 체계적 문헌 고찰에서는 골결손의 형태에 따른 골재생 술식의 성공과 합병증 발생에 대해 분석을 시행했다.[40] 그 결과 수직적 결손을 수복하기 위한 골증강술 시 합병증의 발생 빈도는 다른 결손을 수복하기 위한 골증강술보다 높았다(표 4-7).

▬ 4-7 결손부의 유형과 골증강 술식에 따른 합병증 발생률과 임플란트 생존율

결손 유형	열개/천공 결손	광범위한 수평 결손		수직 결손		
골증강술	골유도 재생술	골유도 재생술	블록골 이식술	골유도 재생술+ 동시 임플란트 식립	골유도 재생술+ 지연 임플란트 식립	블록골 이식술
임플란트 생존율	92.2%	100%	98.4%	98.9%	100%	96.3%
합병증 발생률	4.99%	11.9%	6.3%	13.1%	6.95%	8.1%

한 메타분석에 의하면 모든 종류의 수직적 골증강을 합쳤을 때 합병증 발생 비율은 16.9%(95% CI 12.5–21.2%)였다. 그리고 이들 합병증의 대부분은 피판 열개에 의한 이식재 및 차폐막 노출과 이로 인한 이차적인 수술부 감염이었다.[41] 그리고 수직 증강의 방법을 세분했을 때에는 골신장술은 평균 47.3%, 골유도 재생술은 12.1%, 블록골 이식술은 23.9%의 합병증 발생 빈도를 보였다.

다른 메타분석에서는 하악의 수직적 골증강 후 발생한 합병증의 종류와 그 빈도를 발표했다(▬ 4-8).[11]

▬ 4-8 하악의 수직적 골증강 술식에 따른 합병증의 종류와 그 발생 빈도

골증강 술식	개재골 이식술	블록골 이식술	골신장술	골유도 재생술

합병증(빈도%)	• 감각 손상(3.8–50)
	• 감염(10–20)
	• 과도한 골흡수(3.3–41)
	• 수술부 열개(8–30)
		• 감각 손상(3.8–83)
		• 감염(10–16.6)
		• 과도한 골흡수(4.1–49)
		• 수술부 열개(3.8–45.8)
		• 이식골 유합 실패(10–100)
			• 감각 손상(8.3–57.14)
			• 골절(16.6–21)
			• 과도한 골흡수(10–21.6)
			• 수술부 열개(8.3–20)
			• 설측으로 향한 벡터
			  (10–41.7)
			• 신장 장치 파손/탈락
			  (6.8–18.8)
				• 감각 손상(18.8–20)
				• 감염(5.8–31.8)
				• 수술부 열개(8–27.27)

이러한 결과를 종합하면 다음의 결론을 얻을 수 있다.

① 수직적 골결손은 어떠한 방법으로 수복하더라도 합병증 발생 가능성이 높다(95% CI 12.5–21.2%).
② 수직적 골증강 시에는 피판에 가해지는 장력이 크기 때문에 치유 기간 중 피판이 열개될 가능성이 높다.
③ 수술부 감염 또한 흔하게 발생하며, 이는 골증강술의 실패로 이어진다.
④ 하악에서는 골막 이완 절개, 수술 중 피판의 견인, 하악지에서의 이식골 채취 등으로 인해 하치조 신경이나 이신경이 손상될 가능성이 높다.
⑤ 수직적 골증강 술식 중 골유도 재생술은 다른 방법들에 비해 합병증 발생 빈도가 비교적 낮다.

(2) 수직적 결손부는 골결손부의 형태와 위치, 그리고 점막의 득싱으로 인해 골증강에 불리하다.

이렇듯 수직적 골결손 시 이를 수복하면 합병증 발생 빈도가 높고 따라서 골증강 실패의 가능성이 높다. 그 이유로는 다음 사항들을 들 수 있다(📷 4-27).

① 수직적 치조골 결손은 0벽성 결손이다. 즉, 치유 기간 중 혈병이나 골이식재를 지지해줄 수 있는 골벽 구조물이 존재하지 않는다. 따라서 치유 기간 중 이식재는 안정적으로 유지되지 못하고 유동성을 보일 수 있다.[1]

② 수직적 결손은 골재생 부위로 혈류 및 골형성 세포를 공급할 치조골의 면적은 가장 적은 반면, 신생골이 도달해야 할 골증강부의 길이는 가장 긴 결손이다.[116,117] 수직적 결손을 수복한 경우 재생골의 질은 항상 잔존골과 접한 치근단측에서 가장 좋고 치조정측에서 가장 불량하다.[118] 이는 잔존골로부터 시작된 신생골 형성이 골결손부의 치조정 변연까지 잘 이르지 못함을 보여주는 것이다.

③ 골증강부의 치관측은 치근단측 잔존골에서 시작되는 혈류 공급을 적절히 받을 수 없고, 이는 이식골의 괴사나 연조직으로의 치유를 유발하여 골재생의 실패로 연결될 수 있다.[119]

④ 수직적 골증강을 시행한 후 수술부를 폐쇄할 때에는 증가된 골재생부를 완전히 피개해주기 위해 많은 양의 피판을 치관측으로 변위시켜야만 한다. 게다가 수직적 골증강이 시행되는 치조정 부위는 피판의 압력이

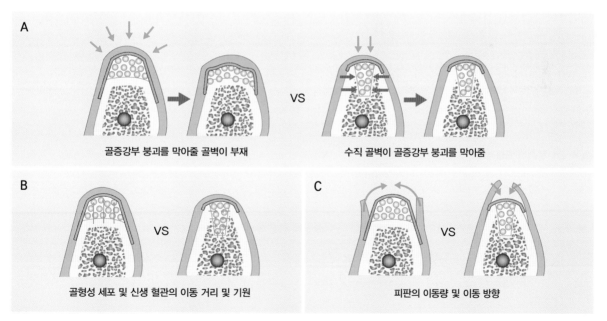

📷 4-27 수직적 골결손에 대한 골증강술이 불리한 이유
A. 골결손부에 수직 골벽이 존재하면 골증강부의 붕괴를 막아줄 수 있다. 따라서 골결손부에는 수직 골벽이 많아질수록 유리하다. 그러나 수직적 골결손 부위에는 수직 골벽이 부재하기 때문에 골증강부의 붕괴를 막기 어려워진다. **B.** 수직적 결손은 골재생 부위로 혈류 및 골형성 세포를 공급할 치조골의 면적은 가장 적은 반면, 신생골이 도달해야 할 골증강부의 길이는 가장 긴 결손이다. 따라서 신생골 형성을 위한 혈액 및 세포 공급에 가장 불리한 형태의 결손이다. **C.** 수직적 골증강을 시행한 후 수술부를 폐쇄할 때에는 증가된 골재생부를 완전히 피개해주기 위해 많은 양의 피판을 치관측으로 변위 시켜야만 한다. 게다가 수직적 골증강이 시행되는 치조정 부위는 피판의 압력이 가장 크게 가해지는 부위이다. 이에 따라 수직적 골증강부에서는 피판과 골증강부 내부 양측에 가해지는 압력이 현저히 증가한다.

가장 크게 가해지는 부위이다.[120-123] 이에 따라 수직적 골증강부에서는 피판과 골증강부 내부 양측에 가해지는 압력이 현저히 증가한다. 결국 골증강 부위의 이식재가 붕괴되면서 골증강의 양이 줄어들거나 피판이 열개되면서 골재생에 실패할 가능성이 높아진다.[124]

2) 수직적 골증강술의 방법

치관측으로 수직적 골량을 증진시키는 술식으로는 골신장술, 골유도 재생술, 블록골 이식술, 개재골 이식술 등이 있다(📷 4-28). 그러나 수직적 골증강술은 해부학적 한계와 기술적 어려움으로 인하여 일반화된 수술 기법은 아니고, 술자의 능력에 그 예후가 많이 좌우되며, 합병증 발생 빈도 또한 높다.[10,12,125,126] 전통적으로 수직적 골증강에 대해서는 매우 제한적인 자료밖에 없었기 때문에 이에 대한 확실한 결론은 내려지지 못한 상태였다.[126] 하지만 최근 들어 수직적 골증강술의 임상적 결과를 메타분석한 결과들이 보고되고 있다.[11,41] 이를 정리하면 📂 4-9와 같다.

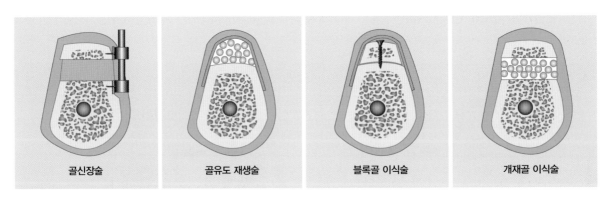

📷 4-28 수직적 골증강술의 종류

연구	항목	골신장술	골유도 재생술	블록골 이식술	개재골 이식술
Urban 등, 2019[41]	수직적 증강량(mm)	8.044(5.678-10.409)	4.179(3.797-4.560)	3.464(2.706-4.222)	
Elnayef 등, 2017[11]	수직적 증강량(mm)	6.84±0.61	3.83±0.49	3.47±0.41	4.92±0.34
	재생골 흡수량(mm)	1.47	0.90	1.21	1.60
	임플란트 생존율(%)	98.1	99.6	98.9	97.3
	임플란트 성공률(%)	93.8	100	92.8	91.7

📂 4-9 수직적 골증강술의 방법에 따른 골증강량과 임플란트 생존율/성공률

(1) 골유도 재생술은 수직적 골증강의 방법 중 가장 좋은 예후를 보이며, 따라서 가장 널리 쓰인다.

1991년에, 함께 식립한 임플란트로 공간을 유지해주면 골이식재 없이도 ePTFE 차폐막 만으로 수직적 골증강이 가능하다는 사실이 동물 실험을 통해 밝혀졌다.[127] 또한 1993년에는 비슷한 모델의 동물 실험에서 역시 ePTFE 차폐막 만으로도 수직적 골증강이 가능함을 보였다.[128] 그러나 이 실험에서는 수직적 골증강에 있어 차폐막의 공간 유지 능력이 매우 중요하며 여타의 골결손에 비해 수직적 결손의 수복은 예지성이 떨어진다는 사실을 보여주었다. 따라서 1990년대 중반에는 ePTFE 차폐막의 공간 유지 능력을 향상시키기 위해 티타늄으로 강화된 형태가 소개되었고, 동물 실험에서 이 차폐막은 강화되지 않은 차폐막에 비해 더 많은 양의 재생골을 얻을 수 있음이 보여졌다.[129] 1994년에는 티타늄 강화 ePTFE 차폐막을 이용한 수직적 골유도 재생술의 임상 결과가 처음 보고됐다. 이 증례 연구애서는 총 5명의 환자에서 6부위에 이식재 없이 티타늄 강화 ePTFE 차폐막만으로 골유도 재생술을 시행했다.[130] 그 결과 조직학적으로 차폐막 하방에는 3–4 mm의 신생골이 형성되었고, 이 신생골은 함께 식립한 티타늄 스크루와 성공적으로 골유착을 이루고 있었다.

이후 임상가들은 골증강부의 공간을 더 잘 유지하고 골재생을 증진시키기 위해 차폐막 하방에 이식재를 적용하기 시작했다. 1996년의 증례 연구에서는 티타늄 강화 ePTFE 차폐막과 자가 입자골로 수직적 골증강을 시행하여 7 mm까지 수직적 골재생을 이룰 수 있음을 조직학적으로 확인했다.[131] 2001년의 한 다기관 연구(multi-center study)에서는 총 49명의 환자에게 "ePTFE 차폐막", "ePTFE 차폐막+자가골 이식재", "ePTFE 차폐막+동종골 이식재"로 수직적 골증강을 시행하고 임플란트 보철 부하 1–5년 후까지의 경과를 관찰했다.[132] 그 결과 수직적으로 재생된 골은 이식되지 않은 골과 유사하게 임플란트 주위에서 기능적으로 잘 유지된다는 사실이 확인되었다. 오늘날 골유도 재생술은 수직적 골증강의 방법으로 가장 널리 선호되는 술식이 되었다 (📷 4–29).[1,11,133]

위에서 인용한 메타분석에 의하면, 수직적 골증강술의 방법으로 가장 많이 쓰이는 두 술식인 골유도 재생술과 블록골 이식술을 비교한 연구들의 결과를 분석했을 때 블록골 이식술 시보다 골유도 재생술 시 수직적 골재생량은 평균 1.34 mm(95% CI 0.76–1.91 mm)가 더 많았으며 이는 통계학적으로 유의한 차이를 보이는 것이었다.[41] 또한 골유도 재생술은 다른 수직적 골증강술에 비해 합병증의 발생 가능성이 상대적으로 낮으며 이로 인해 골증강 부위에 식립한 임플란트는 상대적으로 높은 성공률을 보인다.[11,41] 비흡수성 차폐막, 혹은 공간 유지 장치(티타늄 메쉬, 티타늄 플레이트)와 함께 사용된 흡수성 차폐막을 이용한 골유도 재생술은 수직적 골증강을 위해 가장 널리 사용되는 방법으로 4 mm 정도의 증강량을 얻을 수 있다.[41] 수직적 골증강에서 골유도 재생술의 장점을 정리하면 다음과 같다(📷 4–30).

① 골유도 재생술로는 골신장술만큼 많은 양의 수직적 골증강은 불가능하지만 2–8 mm 정도의 골을 수직적으로 재생시킬 수 있다.[134-136] 최근의 메타분석들에 의하면 수직적 골유도 재생술은 평균 4 mm 내외의 수직적 골증강을 안정적으로 얻을 수 있다.[1,11]

② 골유도 재생술은 수직적 결손과 수평적 결손을 동시에 수복할 수 있다는 장점이 있다.[15] 수직적 골결손이

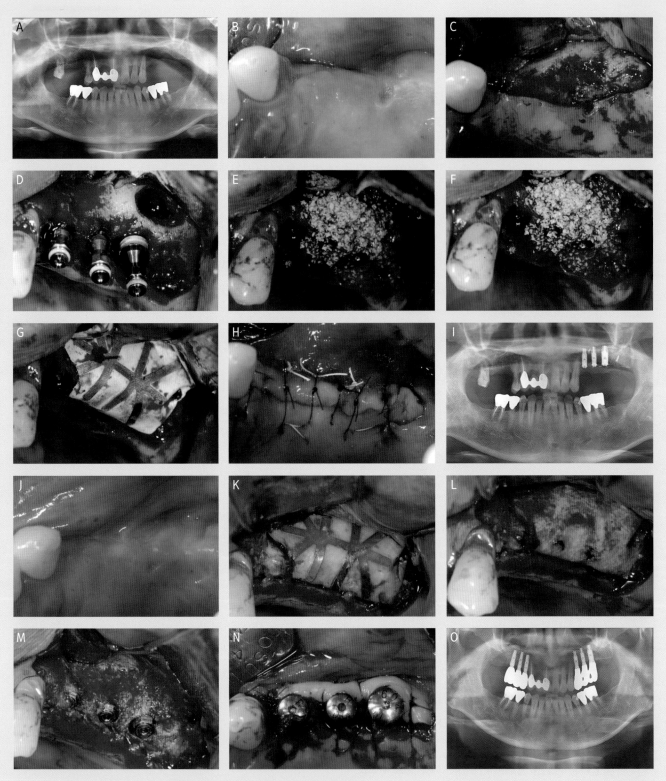

📷 **4-29 골유도 재생술은 수직적 골증강술의 방법으로 가장 널리 이용되고 있다.**

A~I. 상악 좌측 구치부 임플란트 식립부에는 상악동 함기화에 의한 결손과 제1대구치 부위의 수직적 결손이 존재했다(**A**). 외측 접근 상악동 골이식 후 임플란트를 식립했을 때 제2소구치 원심에서 제1대구치 부위에 걸친 3-4 mm 정도의 수직적 결손이 관찰됐다(**D**). 탈단백 우골을 적용한 후 티타늄 강화 ePTFE 차폐막으로 피개했다. 술 후 방사선 사진에서 수직적인 골증강의 양을 확인할 수 있다(**A**와 **I** 비교).

J~N. 5개월 후 2차 수술을 시행했다. 차폐막 제거 후 두터운 무혈관성의 가성 골막이 관찰됐다(**L**). 이는 수직적 결손 수복 시 100% 골대체재와 비흡수성 차폐막을 적용하면 자주 관찰되는 현상이다. 가성 골막 제거 후 활관화가 잘 된 재생 조직을 노출시켰다(**M**). 가성 골막의 두께는 대략 1.5 mm 정도였다.

O. 보철 완료 후 촬영한 방사선 사진이다. 골증강부는 정상적인 상태를 보였다.

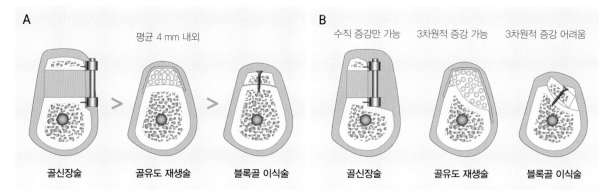

📷 **4-30 수직적 골증강의 방법으로 가장 널리 쓰이는 술식인 골유도 재생술의 장·단점**

A. 골신장술 적용 시 가장 많은 수직적 골증강량을 얻을 수 있다. 골유도 재생술은 평균 4 mm 내외의 수직적인 골증강이 가능하다. **B.** 골유도 재생술의 가장 큰 장점은 3차원적인 골의 복구가 가능하다는 점이다. 골신장술은 수직적 증강만 가능하고 블록골 이식술은 이식골자체의 형태를 유지해야 하기 때문에 3차원적 수복에 어려움이 있다. 그러나 입자형 골과 차폐막을 이용하는 골유도 재생술은 어떠한 형태의 결손이라도 복구 가능하다.

존재할 때 골의 단면이 정확히 수직적으로만 결손된 경우는 거의 없다. 따라서 임상가들은 3차원적으로 원하는 재생골의 형태를 얻을 수 있는 장점이 있는 골유도 재생술을 선호한다.

③ 수직적 골유도 재생술은 수평적 골유도 재생술에 비해 수술부 열개, 이식재/차폐막 노출, 감염 등의 합병증 발생 가능성이 높다. 그러나 이는 다른 수직적 골증강술에도 공통적으로 발생하는 합병증이며, 오히려 다른 수직적 골증강의 방법들에 비해 신경 손상 등의 심한 합병증 발생 가능성이 낮다는 장점이 있다.[11,41,133]

(2) 하악 블록골 이식술은 두번째로 선호되는 수직적 골증강의 방법이다.

자가 블록골을 이용한 온레이 이식술 또한 수직적 골증강에 사용될 수 있다. 해면골 함량이 높은 블록골, 혹은 입자골만을 차폐막 없이 이용하면 상부 연조직으로부터 가해지는 장력에 저항할 수 없으며, 결국 이식골은 거의 완전한 흡수를 겪게 된다.[137,138] 따라서 자가골 이식재로 수직적 골증강을 시행할 때에는 반드시 블록골의 형태로 골이식을 하는 것이 좋으며 피질골을 포함하고 있어야 한다. 구강 외에서 채취한 자가골, 예컨대 장골(iliac bone)을 이용하는 경우에는 부하 1-5년 후에 12-60%의 이식골이 흡수되기 때문에[139,140] 현재는 이식골 흡수량이 훨씬 적은 막성골인 하악골을 많이 이용한다. 하악지에서 채취한 골로 수직적 블록골 이식술을 시행하면 4-5개월 후 평균 0.5-1.1 mm의 골이 흡수된다.[141,142] 또한 하악에서 채취한 골은 장기적으로도 그 크기를 잘 유지한다. 하악골에서 채취한 블록골로 수직적 골증강을 시행한 경우에는 2-4년 후 평균 0.22-1.3 mm가 흡수되었다.[143,144]

최근의 메타분석들에서는 구강 내, 구강 외에서 채취한 블록골로 수직적 골증강을 시행하면 평균 3.5 mm 내외의 수직적 골량을 얻을 수 있었다고 보고했다.[11,41] 전문가들은 수직적 골증강의 방법으로써 골유도 재생술 다음으로 블록골 이식술을 선호한다. 골신장술이나 개재골 이식술 등의 기타 방법은 술식의 난이도가 높거나, 합병증 발생 가능성이 높거나, 예지성이 떨어지기 때문에 거의 이용되지 못하고 있다.[41] 블록골 이식술의 장점과 단점으로는 다음과 같은 것들이 있다.

① 골이식재 자체가 공간 유지 능력이 있기 때문에 차폐막을 이용하지 않거나 합병증 발생 빈도가 낮은 흡수성 차폐막을 사용할 수 있다.[1,11,41]
② 이식골의 크기가 장기간 잘 유지된다.[143,144]
③ 수직적 골결손부는 완전히 수직적으로만 결손되었다기 보다는 3차원적으로 복잡한 외형을 갖기 때문에 블록 이식골을 수혜부에 적합시키기가 힘들다. 이는 특히 단단하고 피질골이 두꺼운 하악에서 이식골의 탈락이나 유합 실패라는 심한 합병증을 유발할 수 있다(📷 4–31).[11,12]

(3) 골신장술

골신장술은 순수한 수직적 골증강을 위해 사용되는 술식이다. 골신장술은 비교적 짧은 기간 내에 많은 양의 골을 수직적으로 재생시킬 수 있다는 장점이 있지만 수평적 골증강은 불가능하다는 단점이 있다.[12] 이 술식은 수직적으로 최대의 골증강을 얻을 수 있는 술식으로, 3–15 mm의 골을 수직적으로 재생시킬 수 있으며 골신장술을 통해 재생된 골에 식립된 임플란트는 95%를 상회하는 비교적 높은 성공률을 보인다.[125,145] 그러나 이 술식은 합병증 발생 빈도가 높고, 술식이 어려우며, 골신장 장치 비용이 고가라는 단점이 있기 때문에 일상적인 증례에서는 많이 사용되지 않는다.[41]

3) 수직적으로 재생된 골과 이에 식립한 임플란트는 장기적으로도 안정적으로 유지될 수 있다.

전문가들은 수직적 골증강술은 수평적 골증강술에 비해 수술의 예지성이 떨어지고 합병증 발생 가능성은 높다고 생각한다.[146,147] 한 메타분석에서는 수직적으로 증강된 부위에 식립한 임플란트의 생존율은 90.5–100% (평균 98.95%)에 이르는 것으로 보고했다.[41] 또한 이 메타분석에 의하면 임플란트의 성공률은 극히 적은 연구에서만 보고되었고 85.33–100%의 범위를 보였다. 또 다른 메타분석에서는 하악의 수직적 골증강 부위에 식립된 임플란트 1,353개의 평균 생존율은 98.4%였다고 보고했다.[11] 골증강 방법에 따라 임플란트 생존율에는 약간의 차이를 보였지만 유의한 차이는 아니었다. 이 메타분석에서 수직적 골증강 부위에 식립된 임플란트 471개의 성공률은 평균 93.4%였다. 여기에서도 골증강 방법에 따른 임플란트 성공률/생존율의 유의한 차이는 또한 존재하지 않았다. 그러나 수직적 골증강술 후 식립한 임플란트는 높은 생존율을 보이지만 성공률은 상대적으로 떨어지는데, 이는 재생골의 심한 흡수에 의해 임플란트 주위골이 현저히 흡수되는 경우가 존재하기 때문이다.[147]

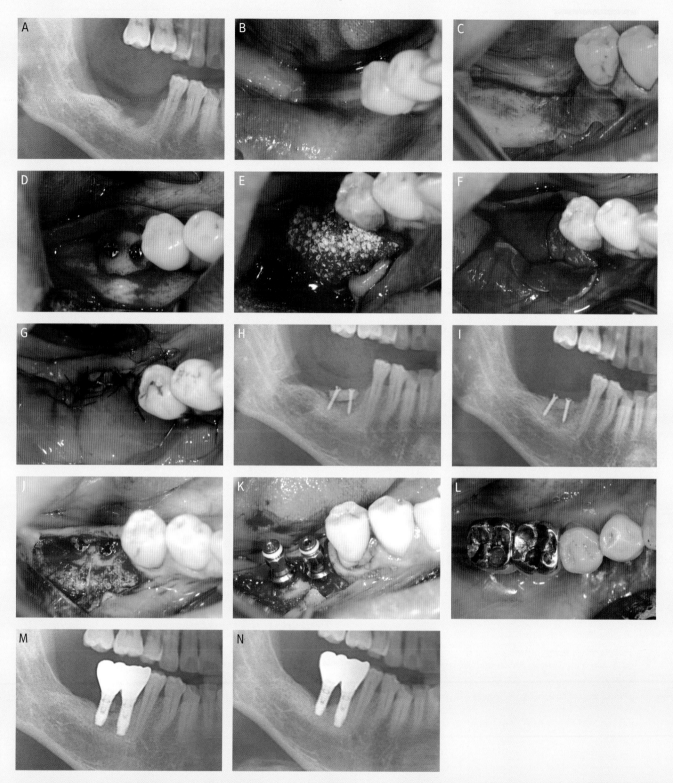

📷 4-31 블록골 이식술을 이용해 수직적 골증강을 시행하면 이식골의 탈락이나 유합 실패라는 합병증을 유발할 수 있다. 특히 하악에서 골이식 수혜부의 형태가 블록골 이식에 적합하지 않으면 골유도 재생술을 시행하는 것이 좋다.

A~H. 하악에 수직적 결손이 존재하는 증례이다. 하악지에서 채취한 블록골을 이식하고 탈단백 우골과 교원질 차폐막을 적용했다. 수혜부와 이식골의 형태상 서로 접촉 면적이 좁았던 것으로 보인다(**C, H**).

I~K. 약 6개월 후 임플란트를 식립했다. 임플란트 식립 시에는 특별한 문제를 발견하지 못했다. 또한 방사선 사진 상에서도 이식골과 수혜부 골은 수술 직후에 비해(**H**) 더 유합된 양상을 보였다(**I**).

L. 약 5개월 후 보철 수복을 완료했다.

M~N. 보철 수복 3개월 후 환자는 임플란트 식립부의 불편감과 염증을 주소로 내원했다. 방사선 사진상 특히 원심측 이식골이 탈락된 양상을 보였다(**M**). 탈락하여 괴사된 이식골을 제거해 주었다(**N**). 실패한 치료였고 문제 발생 시 곧바로 수복물을 제거하기로 했지만 잔존한 임플란트 매식체와 보철물은 염증 없이 기능할 수 있었기 때문에 일단 10년 이상 경과 관찰하고 있다.

극히 적은 수의 임상 연구만이 존재하지만, 수직적 골증강술로 일단 성공적으로 증강된 골은 장기적으로 안정적으로 유지된다. 수직적 골증강에 관한 메타분석에서는 수직적으로 증강된 골은 최종 결과 측정 시까지 평균 1 mm 내외의 흡수를 보인다고 보고했다.[11,41,148] 최근의 전향적 단일 환자군 연구에서는 "자가골±티타늄 메쉬"로 수직적 골증강을 시행한 부위에 식립한 임플란트는 10년 후 94.1%의 생존율을 보였고 평균 치조정 골 소실 양은 0.58±0.57 mm였다고 보고했다.[2] 또한 이 연구에서 탐침 시 출혈, 탐침 깊이, 각화 점막의 폭 등 임플란트 주위 조직의 건강과 관련된 지수들은 보철 부하 직후와 별다른 변화 없이 안정적으로 잘 유지되었다. 이는 상악동 골이식을 시행한 부위에 식립된 임플란트 및 임플란트 주위 조직의 10년 후 상태와 유사한 결과였다.[149] 그러나 임플란트의 성공/생존이나 재생골 높이의 변화, 임플란트 주위 조직의 건강에 대한 지표는 장기적인 결과가 거의 발표된 바가 거의 없었기 때문에 아직 이에 대한 확정적인 결론은 내리기가 불가능하다.[41]

6.
수직적 골증강 술식의 과정

앞서 설명했듯이 수직적 골증강 술식으로 가장 선호되는 차폐막과 이식재의 조합은 다음과 같다 (📁 4-10).[11,41]

📁 4-10 수직적 골증강술에서 선호되는 이식재와 차폐막의 조합	
First Choice	
강한 공간 유지 능력이 있는 비흡수성 차폐막	**입자형 골이식재**
티타늄 강화 ePTFE 차폐막 티타늄 강화 dPTFE 차폐막 티타늄 메쉬 티타늄 메쉬+흡수성 차폐막	100% 자가골 이식재 자가골 이식재+골대체재 100% 골대체재
Second Choice	
차폐막	**블록골 이식재(±탈단백 우골)**
교원질 차폐막 ePTFE 차폐막 dPTFE 차폐막	하악에서 채취한 자가 블록골(하악지, 이부) 장골에서 채취한 자가 블록골 신선 동결 동종 블록골

1) 수직적 골증강술 시 차폐막 선택의 제1 기준은 공간 유지 능력이다.

(1) 수직적 골증강 부위는 골증강 재료의 강한 공간 유지 능력을 필요로 한다.

일반적으로 치조골 결손의 형태가 골 내부를 향할 때, 즉 골내 결손일 때에는 입자형 이식재 및 흡수성 차폐막으로 골유도 재생술을 시행하더라도 잔존한 골벽을 통해 충분한 공간 유지가 가능하다.[150] 그러나 골벽이 존재하지 않는 가장 광범위한 골외 결손인 수직적 결손부에서는 골증강부의 형태를 유지해줄 수 있는 자연 골벽은 전혀 존재하지 않는다. 골벽수가 적은 골외 결손부를 입자형 이식재로 수복하려면 공간 유지를 위해 비흡수성 차폐막이나 티타늄 메쉬 등 공간 유지 능력이 뛰어난 차폐막을 이용해야 한다.[41,151]

또한 골외 결손부를 수복한 후에는 상부의 점막 피판으로부터 가해지는 압력이 크게 증가한다. 게다가 점막 피판의 압력이 가장 강한 곳은 치조정 부위이다.[122,147] 수직적 골증강은 잔존골의 치조정 부위에 시행하는 것이기 때문에 결국 수술 후 피판의 가장 강한 압력을 받게 된다. 결국 수직적 골증강술에서는 이식재 자체나 차폐막의 강력한 공간 유지 능력이 요구된다.[147]

수직적 골증강술에 입자형 이식재와 흡수성 차폐막을 이용하면 골증강의 효과가 현저히 떨어지며 차폐막 노출 빈도가 극단적으로 많아진다.[147,152,153] 최근의 한 메타분석에서는 수직적 골유도 재생술 시 비흡수성 차폐막을 사용하면 증강량은 평균 4.42 mm였던 반면, 공간 유지 장치 없이 흡수성 차폐막을 사용하면 증강량이 3.19 mm에 지나지 않는다고 보고했다.[41] 한 임상 연구에서는 수직적 골증강에 교원질 차폐막을 이용했을 때에는 증강량이 2.77±1.97 mm이었던 반면, 티타늄 메쉬를 이용했을 때에는 4.56±1.74 mm이었다고 보고했다(📷 4-32).[154]

다른 메타분석에서는 수직적 골유도 재생술 시 비흡수성 차폐막을 사용하면 수술부 합병증 발생 빈도가 평균 6.9%였던 반면, 흡수성 차폐막을 사용했을 때에는 평균 22.7%으로 흡수성 차폐막을 사용했을 때의 빈도가 현저히 높았다고 보고했다.[124] 이는 골유도 재생술 시 흡수성 차폐막과 비흡수성 차폐막을 이용할 때 합병증 발생 빈도에 별다른 차이를 보이지 않거나 흡수성 차폐막을 이용할 때 합병증 발생 빈도가 더 적다는 일반적인 견해에 반하는 결과이다.[155] 이러한 결과는 차폐막의 공간 유지 능력과 어느 정도 연관이 있다고 생각된다. 즉, 흡수성 차폐막의 부족한 공간 유지 능력 때문에 골유도 재생술과 함께 식립된 임플란트, 혹은 스크루나 플레이트 등의 공간 유지 장치에 장력이 집중됨으로써 피판 열개가 더 흔하게 발생했을 수 있다(📷 4-33).

(2) 티타늄 메쉬와 티타늄 강화 PTFE 차폐막은 현재 수직적 골유도 재생술 시 가장 선호하는 차폐막이다.

결국 흡수성 차폐막을 수직적 골증강에 사용할 때에는 차폐막 하방에 티타늄 메쉬나 티타늄 플레이트 등의 공간 유지 장치를 반드시 사용해야 한다. 그러나 티타늄 플레이트는 적용하기가 기술적으로 어렵고 장력을 균등하게 분배시키기가 어렵기 때문에 일부 임상 연구에서 성공적인 결과를 보고하였음에도 불구하고 최근에는

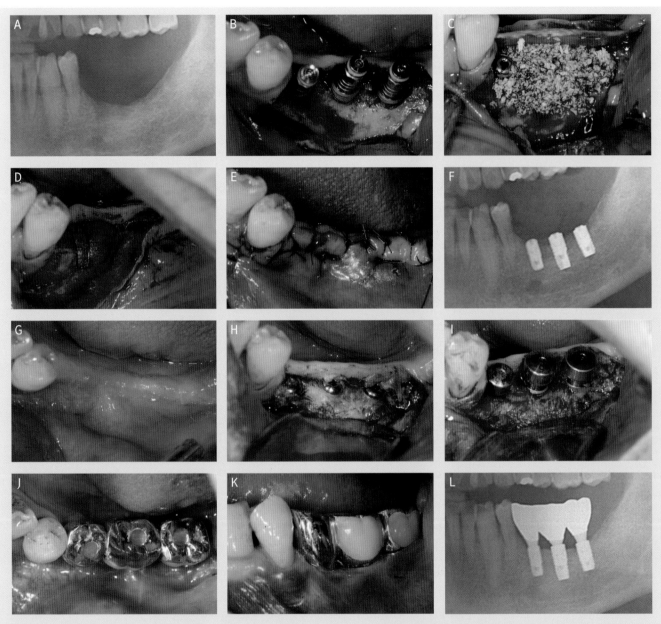

📷 4-32 근원심 수직벽이 근접하여 존재하는 2벽성 수직적 결손을 제외하고는 수직적 골결손 증례에서는 반드시 공간 유지 능력이 좋은 차폐막을 사용해야 한다. 특히 흡수성 차폐막은 공간 유지 능력이 매우 낮기 때문에 수직적 결손 수복에는 사용하지 말아야 한다.

A~F. 하악의 제2소구치-제2대구치 부위에 임플란트를 식립했다. 제1대구치 부위의 임플란트에는 2-3 mm 정도의 수직적 결손이, 제2소구치 및 제2대구치 부위의 임플란트에는 1-2 mm 정도의 수직적 결손이 존재했다**(B)**. 이를 탈단백 우골 및 교차 결합 교원질 차폐막으로 수복했다**(D, E)**.

G~I. 약 4개월 후 2차 수술을 시행했다. 임플란트 매식체의 치관측 변연에는 여전히 1-1.5 mm 가량의 수직적 결손이 잔존하고 있었다**(I)**.

J~L. 약 5.5개월 후 보철물을 연결했다. 방사선 사진을 보면 술 전에 비해**(A)** 치조골은 약간 치관측으로 증강되기는 했지만 골증강이 완전하지는 못했기 때문에 치관측 임플란트 변연은 골 외로 돌출되었다**(L)**.

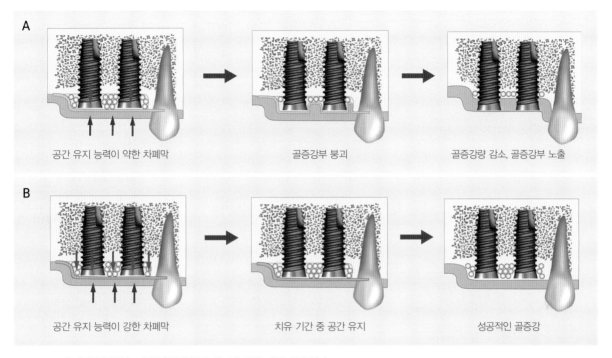

A

공간 유지 능력이 약한 차폐막   골증강부 붕괴   골증강량 감소, 골증강부 노출

B

공간 유지 능력이 강한 차폐막   치유 기간 중 공간 유지   성공적인 골증강

📷 **4-33 수직적 골증강술 시 차폐막의 공간 유지 능력은 매우 중요하다.**
A. 공간 유지 능력이 약한 차폐막. 특히 흡수성 차폐막을 사용하면 매식체 등의 공간 유지 장치를 제외한 부분은 피판의 압력에 의해 붕괴된다. 따라서 원하는 수직적 골증강을 얻을 수 없다. **B.** 공간 유지 능력이 강한 차폐막을 사용하면 골증강부 전체는 상부의 피판에서 가해지는 압력에 저항한다. 따라서 성공적인 수직적 골증강을 얻을 수 있다.

흡수성 차폐막의 공간 유지 장치로 거의 사용되지 않는다.[156,157] 한 무작위 대조 연구에서는 수직적 골증강 시 "자가 입자골+티타늄 플레이트+교원질 차폐막"의 결과와 "자가 입자골+티타늄 강화 ePTFE 차폐막"의 결과를 비교했다. 수직적 골증강 양은 각각 평균 2.16±1.51 mm와 2.48±1.13 mm로 유의한 차이를 보이지 않았지만, 예정된 수직적 골증강은 각각 4/11와 9/11의 증례에서 얻을 수 있었기 때문에 티타늄 강화 ePTFE 차폐막을 사용했을 때가 더 긍정적인 결과를 보였다. 또한 재생골의 임상적 질도 ePTFE 차폐막을 사용했을 때가 더 우수하였다.

비흡수성 차폐막 중 임상가들이 가장 많이 이용하던 것은 티타늄 강화 ePTFE 차폐막이었다. 그러나 Gore-Tex 차폐막이 더 이상 생산되지 않는 지금, 티타늄 강화 dPTFE 차폐막과 티타늄 메쉬가 가장 추천할 만한 비흡수성 차폐막이라고 할 수 있다(📷 4-34). 비록 임상 연구의 수는 ePTFE 차폐막에 비해 적긴 하지만, 이 두 차폐막을 수직적 골증강에 사용했을 때의 결과는 ePTFE 차폐막을 사용했을 때의 결과와 별다른 차이를 보이지 않는다.[41,158] 한 전향적 단일 환자군 연구에서는 총 20부위에 "자가골+탈단백 우골"과 티타늄 강화 dPTFE 차폐막으로 수직적 골증강을 시행했다.[159] 그 결과 평균 5.45±1.93 mm의 수직적 골량을 증가시킬 수 있었으며 조직학적으로도 재생골의 질은 우수했다. 한 무작위 대조 연구에서는 자가골과 동종골을 혼합하여 하악의 수직적 골유도 재생술을 시행했다.[158] 이 때 20명에서는 티타늄 강화 dPTFE 차폐막으로, 20명에서는 티타늄 메

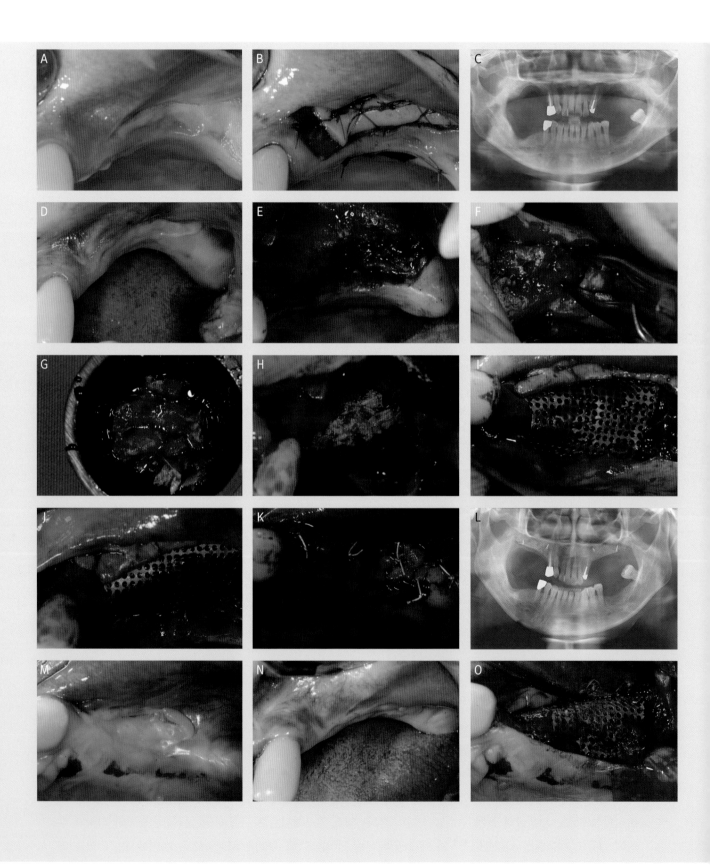

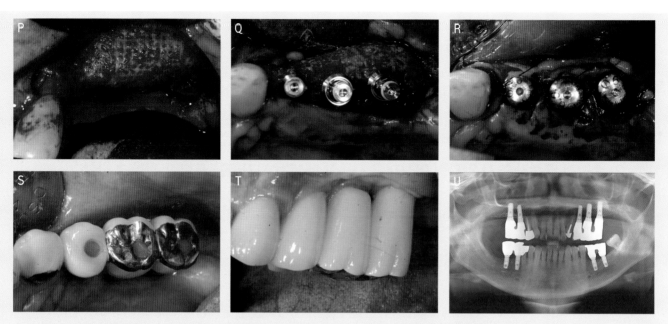

📷 **4-34 수직적 골증강을 위해 가장 추천할 만한 차폐막은 티타늄 메쉬나 티타늄 강화 비흡수성 차폐막이다.**

A~B. 상악 구치부에 수직적 결손이 존재하던 증례이다. 각화 점막 또한 상당히 결손되어 있었기 때문에 골증강술 4개월 전 구개에서 채취한 유리 치은을 이용해 각화 점막 증진술을 시행했다.
C~K. 골결손부 후방의 상악 결절에서 채취한 자가골(**F~H**)과 탈단백 우골의 혼합 이식재와 티타늄 메쉬로 수직적 골유도 재생술을 시행했다(**I, J**). 또한 외측 접근 상악동 골이식술을 동시에 시행했다.
L~R. 9개월 후 임플란트를 식립했다. 재생골은 임플란트 식립에 적합한 양과 질로 재생되었다(**P, Q**).
S~U. 모든 부위의 치료가 완료된 후의 모습이다. 이 환자는 전체 구치부에서 심한 치주 질환으로 대구치가 상실됨과 동시에 수직적 골결손이 발생했고, 따라서 모두 수직적 골증강 후, 또는 수직적 골증강과 더불어 임플란트를 식립했다.

쉬 및 교차 결합 교원질 차폐막으로 골이식재를 피개해 주었다. 그 결과 dPTFE 차폐막을 사용했을 때에는 평균 4.2±1.0 mm의 수직적 골증강을, 티타늄 메쉬 및 교원질 차폐막을 사용했을 때에는 평균 4.1±1.0 mm의 수직적 골증강을 얻을 수 있었다고 보고했다. 이는 티타늄 강화 ePTFE 차폐막으로 수직적 골유도 재생술을 시행했을 때 평균 약 4 mm의 수직적 골량 증가를 얻을 수 있었다는 메타분석들의 결과와 유사한 결과이다.[11,41] 이 연구의 연구진은 같은 환자군에 대해 수술 9개월 후 조직계측학적 평가를 시행했다.[160] 그 결과 양 군 모두에서 조직학적으로 성공적인 골재생을 이룬 것을 확인할 수 있었으며, 신생 조직 내의 광화 조직, 연조직, 잔존 이식재의 양은 서로 별다른 차이를 보이지 않았다.

한 체계적 문헌 고찰에서는 티타늄 메쉬를 이용한 수평적, 수직적 골결손의 수복 결과에 대해 분석했다.[161] 티타늄 메쉬를 이용하면 평균 4.91 mm의 수직적 골증강 양을 얻을 수 있었다. 수평적, 수직적 결손을 통틀어서 메쉬는 16.1%의 증례에서 노출되었지만 이러한 경우에도 이식골의 상실된 양은 적었기 때문에 거의 대부분 골증강부에 성공적으로 임플란트를 식립할 수 있었다. 한 단일 환자군 연구에서도 자가 블록골 이식과 티타늄 메쉬를 사용했을 때 4/18(22.2%)의 증례에서 메쉬가 노출되었지만 이것이 골재생의 결과에 현저한 영향을 미치지는 않았다고 보고했다.[162] 또한 블록골 이식과 티타늄 메쉬를 이용한 수직적 골증강 시 티타늄 메쉬는 33%(4/12)의 증례에서 노출되었지만, 이것이 골재생의 결과에 별다른 영향을 미치지 못했다는 보고가 있었다.[142] 따라서 티타늄 메쉬의 노출 빈도는 ePTFE 차폐막의 노출 빈도와 별다른 차이가 없지만, 일단 노출된 후에는 골재생의 결과에 미치는 악영향이 더 적다고 할 수 있다.

2) 수직적 골증강술 시 입자형 이식재를 사용할 때에는 자가골을 포함할 것을 추천한다.

(1) 수직적 골증강술 시에는 골이식재의 강한 골형성 능력이 요구되기 때문에 자가골 이식재를 선호한다.

수직적 골증강술은 이식골과 수혜부 골의 접촉 면적이 적고, 수혜부에서 골재생부 변연까지의 거리가 멀기 때문에 이식재의 높은 골형성 능력을 요한다. 수직적 골증강을 위해선 좁은 수혜부 골표면에서 골증강부의 치관측 변연을 향해 신생골이 형성돼 나가야 한다. 수직적 골증강술 9개월 후 골재생 부위를 조직학적으로 관찰했을 때, 수혜부에 가까운 쪽부터 먼 쪽을 향해 신생골의 성숙도는 점점 떨어지는 양상을 보였다.[163] 이는 수혜부에 가까운 쪽부터 먼 쪽으로 신생골이 형성된다는 사실을 보여주는 것이다. 따라서 수직적 골증강술 시 이식재로는 골형성 능력이 좋은 자가골 이식재를 가장 많이 사용한다(📷 4-35).[41,132] 자가골 이식재만으로 골결손부를 완전히 채우기 힘들다고 판단되면 자가골 이식재와 더불어 다양한 골대체재를 혼합하여 이식하거나 100% 골대체재만을 이식하기도 한다. 그러나 워낙 골이식재의 조성과 관련된 일차 문헌이 드물고, 대조 연구가 부재하며, 재생골의 조직학적 상태나 골재생 부위에 식립된 임플란트의 성공에 대해서는 분석이 명확히 이루어지지 않았기 때문에 특정한 결론을 내리기는 힘든 상태이다.[41,164]

(2) 골결손 높이가 3 mm 이하인 증례에서는 골대체재만으로도 수직적 골유도 재생술이 가능하다.

수직적 골증강 시 사용한 이식골에 따른 조직 계측학적 분석의 결과는 📑 4-11과 같다.

수직적 골증강술에서 이식재의 조성에 따른 결과 차이를 비교한 대조 연구는 굉장히 적다. 오직 두 연구에서 수직적 골유도 재생술 시 티타늄 강화 ePTFE 차폐막 하방에 100% 자가골과 100% 골대체재를 적용했을 때의 결과를 비교했는데 두 연구 모두에서 골증강의 양이나 재생골의 질에는 별다른 차이를 보이지 않았다.[165,167] 하지만 한 메타분석에서는 티타늄 메쉬와 함께 수직적/수평적 골증강술을 시행했을 때 100% 자가골 이식재는 자가골+골대체재의 혼합 이식재나 100% 골대체재를 이용했을 때보다 수술 4-6개월 후 이식골의 흡수량은 유의하게 더 적었고, 골증강량은 유의하게 더 많았으며 메쉬의 노출 빈도는 더 적었다고 보고했다.[174] 어떠한 골결손부에도 공간 유지, 연조직 차단, 골형성 세포 및 신생 혈관 형성의 적절한 유도, 치유 기간 중 골증강부의 물리적 안정만 이루어진다면 100% 골대체재를 사용해도 임상적으로나 조직학적으로 성공적인 골증강을 얻을 수 있다고 생각된다. 다만 수직적 골증강 시에는 이러한 요소들이 모두 원하는 대로 완벽하게 유지될 가능성은

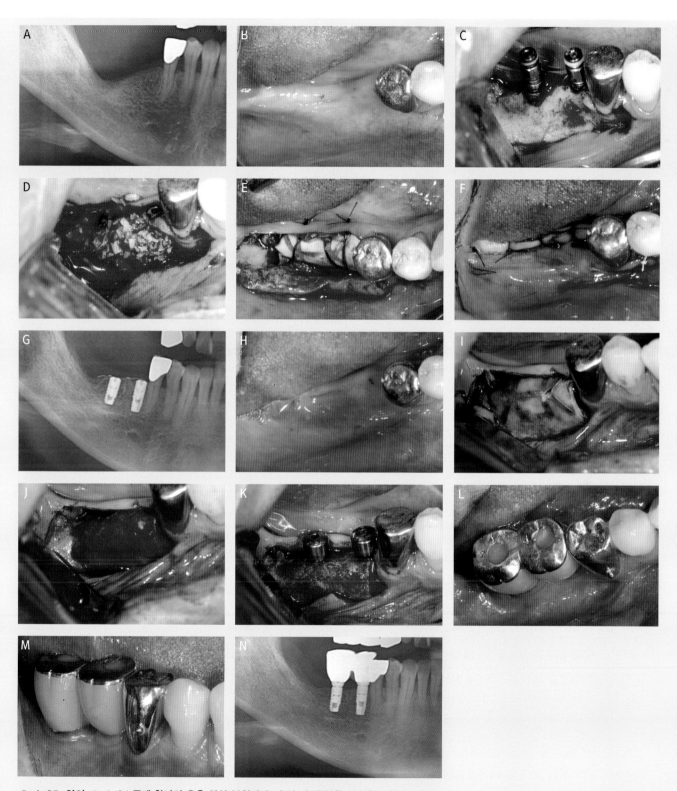

📷 4-35 앞의 📷 4-34 증례 환자의 우측 하악 부위이다. 수직-수평 복합 결손을 보였다.

A~F. 특히 제2대구치 부위에 수직-수평적 결손이 존재했다**(C)**. 동측 하악지에서 채취한 자가 입자골로 결손부를 충전하고**(D)**, 티타늄 강화 ePTFE 차폐막을 적용했다**(E)**.

G~K. 약 6개월 후 2차 수술을 시행했다. 차폐막 하방에는 가성 골막이 거의 존재하지 않았고 혈관화도가 높은 재생골이 차폐막 바로 하방까지 형성되어 있었다**(J, K)**. 이는 골대체재를 사용하면 얻을 수 없는 결과로, 자가골 이식재의 높은 골형성 능력을 보여주는 것이다.

L~N. 7개월 3주 후이다. 보철 수복은 성공적으로 이루어졌다.

📂 4-11 수직적 골증강술 시 사용한 이식골 조성에 따른 재생 조직의 조직 계측학적 분석 결과

연구	대상 부위	이식재	차폐막	치유 기간	조직 계측학적 분석(%)		
					연조직	잔존 이식재	광화 조직
Fontana 등, 2008[165]	5	동종골	ePTFE	6개월	5.21±7.43	3.20±1.48	32.98±8.27
	5	자가골	ePTFE	6개월	16.40±11.28	9.35±2.55	34.13±11.55
Rocchietta 등, 2015[166]	11	자가골	ePTFE	6-10개월			26.62±14.4
	11	자가 블록골	ePTFE	6-10개월			42.34±17.05
Simion등, 2007[167]	10	우골+자가골	ePTFE	6개월	8.8±13.51	8.63±10.8	35.56±11.68
	10	자가골	ePTFE	6개월			18.28±9.47
Todisco 등, 2010[168]	24	우골	ePTFE	12개월		16.304±16.7	38.56±10.95
Proussaefs 등, 2003[169]	7	자가골+우골	티타늄 메쉬	6-13개월	51.6±7.89	12.0±5.71	36.4±9.05
Dias 등, 2014[170]	16	동종 블록골	교원질	6개월	48.6±14.9	32.5±14.8	18.9±8.1
Proussaefs 등, 2005[171]	10	자가 블록골	사용 안함	4-8개월	41±12.05	24±10.23	34.85±9.97
Canullo 등, 2006[172]	1	우골	ePTFE	6개월		25.94	25.3
Urban 등, 2014[159]	8	우골+자가골	dPTFE		46.8	16.6	36.6
Chan 등, 2015[173]	5	동종골	티타늄 메쉬	5개월	42.2± 10.0	25.2±13.5	32.6±4.9
Cucci 등, 2019[160]	13	동종골+자가골	dPTFE	9개월	52.1±13.7	8.6±6.6	39.7±11.4
	12	동종골+자가골	메쉬+교원질	9개월	48.3±18.5	9.6±8.6	42.1±18.1
	13	하악 구치부 잔존 치조골			35.1±20.2		64.9±20.2
	12				30.1±20.8		69.9±20.8

낮으며, 이에 골증강술 성공의 예지성은 떨어질 것이다.[175,176] 따라서 골대체재만을 사용하면 개별 증례에 따라 골재생의 결과에 많은 차이가 발생하는 것 같다.[169] 결국 모든 증례에서 균일하게 성공적인 결과를 얻기 위해서는 자가골 함량을 늘리는 것이 좋다고 결론 내릴 수 있다.

결론적으로 임상가들은 수직적 골증강 시에는 불리한 골재생 환경을 극복하기 위해 자가골 이식재를 가장 선호한다.[147] 또는 부족한 자가골량을 보충하기 위해 자가골에 골대체재를 혼합하여 사용하기도 한다. 그러나 중등도 이하의 수직적 골결손(3 mm 이내)에 골증강을 시행할 때에는 입자형 골대체재만으로도 성공적인 골증강의 결과를 얻을 수 있는 것으로 보인다(📷 4-36).[165,168,172,173]

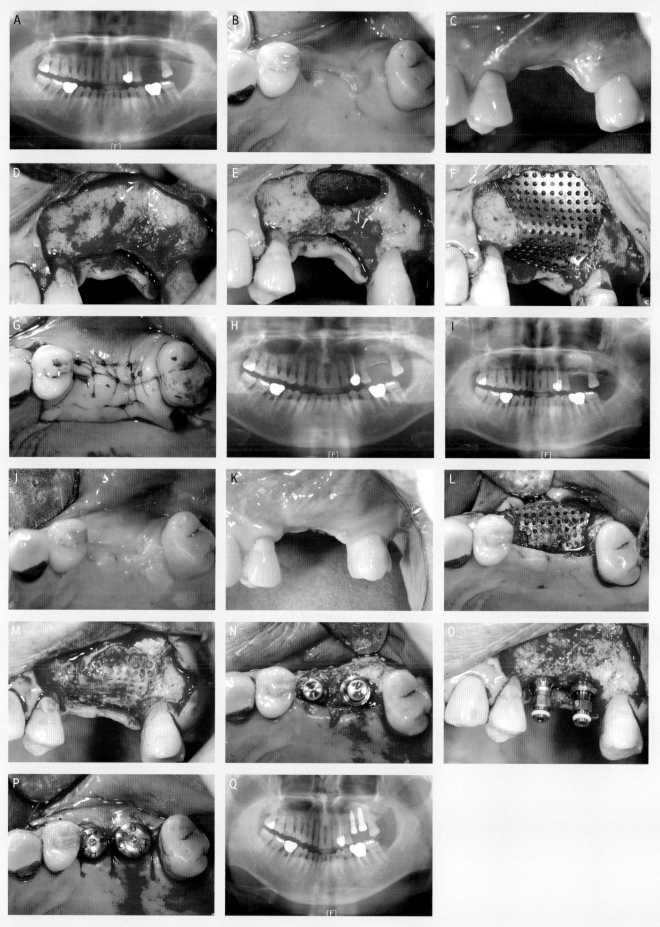

📷 4-36 **3 mm 이내의 수직적 골증강술은 골대체재만으로도 시행 가능하다.**

A~H. 상악동 골이식과 함께 수직-수평 결손을 수복한 증례이다. 치아 결손부 중앙에는 2-3 mm 정도의 수직적 골결손이 존재했고 전체 치조골의 폭은 감소되어 있었다(**D**). 탈단백 우골과 티타늄 메쉬로 골결손부를 수복했다(**F, H**).

I~Q. 6개월 후 임플란트를 식립했다. 치조골의 폭과 높이는 모두 재생골로 잘 수복되었다(**M, N**).

3) 수직적 골증강술 시 임플란트의 식립 시기

수직적 골유도 재생술 시 동시에 임플란트를 식립했을 때의 장단점은 다음과 같다(📂 4-12).

📂 4-12 수직적 골유도 재생술 시 임플란트 동시 식립의 장점과 단점

장점	단점
• 골증강술과 임플란트 식립을 단계적으로 시행할 때에 비해 치유 기간이 단축되고 수술 횟수를 줄여준다. • 수직적 골증강과 함께 임플란트를 식립하면 잔존골 상부로 돌출된 임플란트 매식체가 공간 유지 장치로써 기능한다. • 골증강술 후 임플란트를 단계법으로 식립하면, 임플란트 식립 중 약한 재생골이 파절되거나 탈락할 수 있다. 동시법에서는 이러한 상황이 발생하지 않는다.	• 수직적 골증강 시에는 수술부 열개로 인한 차폐막/이식재 노출과 감염의 위험성이 높다. 이로 인해 수술부가 오염되면 이식재 및 차폐막 뿐만 아니라 식립한 임플란트도 함께 제거해야만 한다.[41,158] • 잔존골에서 임플란트의 일차 안정을 얻기가 힘들기 때문에 동시에 식립한 임플란트가 골유착에 실패할 수 있다. 따라서 골증강은 성공하더라도 임플란트는 제거해야 할 수도 있다. • 특히 하악에서는 낮은 잔존골 높이로 인해 하치조 신경 손상의 가능성이 증가한다.

수직적 골증강술 시 임플란트의 동시 식립이나 지연 식립 여부는 골재생이나 임플란트 골유착의 성공에 별다른 차이를 야기하지는 않는다.[40,177-179] 한 연구에서는 이식재 없이 티타늄 강화 ePTFE 차폐막으로 수직적 골증강을 시행하며 티타늄 스크루를 식립했을 때 골과 스크루 간 결합은 42.5±3.6%였다고 보고했다.[180] 또한 한 전향적 대조 연구에서는 티타늄 강화 ePTFE 차폐막과 탈회 동결 건조 동종골/자가골로 수직적 골증강을 시행하며 티타늄 스크루를 식립했을 때 골-스크루 간 결합은 39.1-63.2%였다고 보고했다.[181] 따라서 술자는 임플란트가 잔존 치조골에서 일차 안정을 얻을 수 있을지 여부에 따라, 그리고 골증강술의 성공 가능성이 얼마나 될지에 따라 임플란트 식립 시기를 결정짓는다. 그러나 많은 임상가들은 수직적 골증강은 합병증 발생 가능성이 높은 술식이고, 일단 합병증이 발생하면 골이식의 전체적인 실패가 일어날 가능성이 높기 때문에 임플란트를 지연 식립할 것을 추천한다.[142,182,183] 보통 수직적 증강량이 대략 3 mm 이하이면 동시 식립이 가능하다.[184]

수직적 골증강 후에는 차폐막 하방에 대략 1-1.5 mm 내외의 연조직(가성 골막)이 형성된다.[11,172] 이는 특히 비흡수성 차폐막을 적용했을 때 반드시 나타나는 현상이다.[167] 따라서 수직적 골증강술과 동시에 임플란트를 식립하면 치유가 완료된 후 식립된 임플란트의 치관측 1-1.5 mm는 항상 연조직과 접하게 된다.[180,185] 이러한 현상을 보상하기 위해 매식체의 치관측 부위가 매끈한 표면으로 이루어진 매식체를 식립하거나, 매식체 치관측 변연 2 mm를 커버 스크루 등으로 보상해준다(📷 4-37, 38).

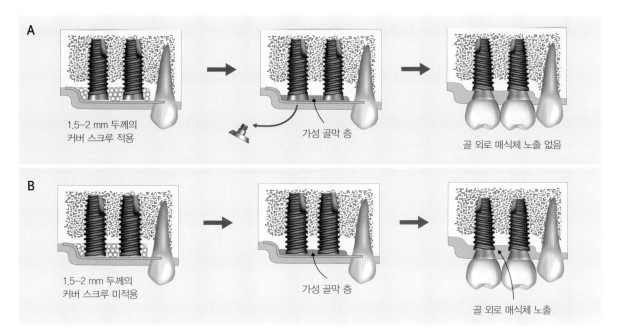

📷 **4-37 수직적 골증강 후에는 치관측에 가성 골막이 두껍게 형성될 수 있기 때문에 이를 보상하기 위한 조치를 취해야 한다.**
A. 매식체에 두꺼운 커버 스크루를 적용하거나 치관측 변연이 매끈한 표면으로 이루어진 매식체를 식립해야 거친 표면의 임플란트 나사가 골 외로 노출되지 않는다. **B.** 매식체에 두꺼운 커버 스크루를 연결하지 않은 채 수직적 골증강술을 시행하면 임플란트 매식체의 치관측 변연 1–1.5 mm 가량은 골 외로 노출된다.

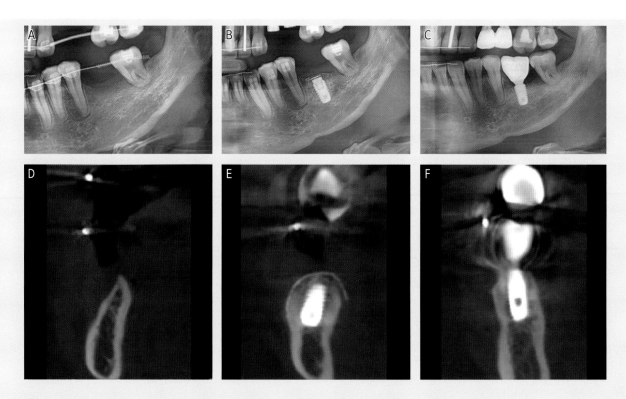

📷 **4-38 하악에서 수직 수평 결손이 존재하는 증례에 티타늄 메쉬와 탈단백 우골로 골유도 재생술을 시행한 증례이다.**
A~C. 매식체 상부에 두꺼운 커버 스크루를 연결해 치관측에 두껍게 형성될 가성 골막을 보상해 주도록 했다.
D~F. 치유 기간 중 촬영한 CT 영상(**E**)에서 티타늄 메쉬 직하방 조직의 방사선 불투과성은 낮았다. 이는 가성 골막이 형성 중이라는 사실을 보여주는 것이다.

4) 블록골 이식술은 골유도 재생술과 더불어 가장 선호하는 수직적 골증강술의 방법이다.

(1) 하악에서 채취한 자가 블록골은 수직적 골증강술 시 좋은 결과를 보인다.

수직적 골증강에 있어 구강 내에서 채취한 자가 블록골 이식술은 골유도 재생술에 이어 두 번째로 선호되는 술식이다(📷 4-39). 최근의 메타분석들에 의하면 골유도 재생술은 평균 4 mm 내외의 수직적 골증강을 얻을 수 있었던 반면, 자가 블록골 이식술은 3.5 mm 내외의 수직적 골증강량을 얻을 수 있었다.[11,41] 한 전향적 대조 연구에 의하면 자가 블록골과 자가 입자골로 수직적 골증강을 시행한 부위에 식립한 티타늄 스크루와 골 간의 접촉도는 자가 블록골을 사용했을 때가 평균 42.34%, 자가 입자골을 사용했을 때가 26.62%로 블록골 사용 시 유의하게 더 높았다.[166] 따라서 저자들은 수직적 골증강술 시 블록골 이식이 입자골 이식에 비해 조직학적으로 더 우수한 결과를 보인다고 결론 내렸다. 그러나 이러한 점이 이 부위에 식립한 임플란트의 임상적 성공에는 별다른 영향을 미치지는 않았다.

전통적으로 블록골은 하악지/하악 정중부 등 하악에서 채취한 자가골을 가장 많이 이용하고 있지만 최근에는 동종 블록골도 이용이 늘고 있는 추세이다. 동종 블록골을 이용하면 자가 블록골 채취 시 발생할 수 있는 공여부 합병증을 피할 수 있다는 장점이 있다. 그러나 아직까지 수직적 골증강에 동종 블록골을 사용한 역사가 길지 않기 때문에 장기간의 예후에 대해 확신할 수 없고, 피질골 함량이 높은 자가 블록골에 비해 동종골에서는 흡수가 많이 이루어지기 때문에 임상적인 사용을 추천하기에는 아직 이른 감이 있다.[186] 게다가 최근의 한 전향적 대조 연구에서는 수직적 골증강을 위해 동결 건조 동종 블록골과 자가 장골 블록골을 이용했을 때 치유 기간 중 이식골 노출, 이식골의 흡수량, 임플란트 생존율, 임플란트 주위 치조정 골흡수는 모두 자가 장골을 사용했을 때가 우수했기 때문에 수직적 골증강을 위해 동종 블록골을 사용하는 것은 추천하지 않는다고 했다.[187]

(2) 차폐막과 천연 수산화인회석 이식재를 부가적으로 적용하면 블록골의 흡수를 줄이고 유합도를 증가시킬 수 있다.

수직적 결손부는 수평적 결손부에 비해 이식골이 받는 연조직의 압력이 더 크고 혈행이 불량하기 때문에 수평적 블록골 이식에 비해 수직적 블록골 이식 시 이식골은 더 많이 흡수된다.[188] 한 전향적 연구에서는 하악에서 채취한 블록골을 이식하고 6개월 후 수평적 증강술 시에는 23.5%가, 수직적 골증강 시에는 42%가 흡수되었다.[189] 따라서 블록골의 흡수를 줄여 주기 위해 흡수가 잘 되지 않는 천연 수산화인회석계 이식재와 차폐막을 추가적으로 적용하는 것이 좋다(📷 4-40).

많은 전문가들이 블록형 이식골의 흡수를 예방하기 위해 흡수가 느린 이식재인 탈단백 우골을 추가적으로 적용해왔다.[166,170,171] 한 전향적 단일 환자군 연구에서는 자가 블록골로 수직적 골증강술 시 탈단백 우골을 추가로 적용했다.[171] 그 결과, 수술 4-6개월 후 이식골 높이는 평균 17.4%만이 흡수되었다.

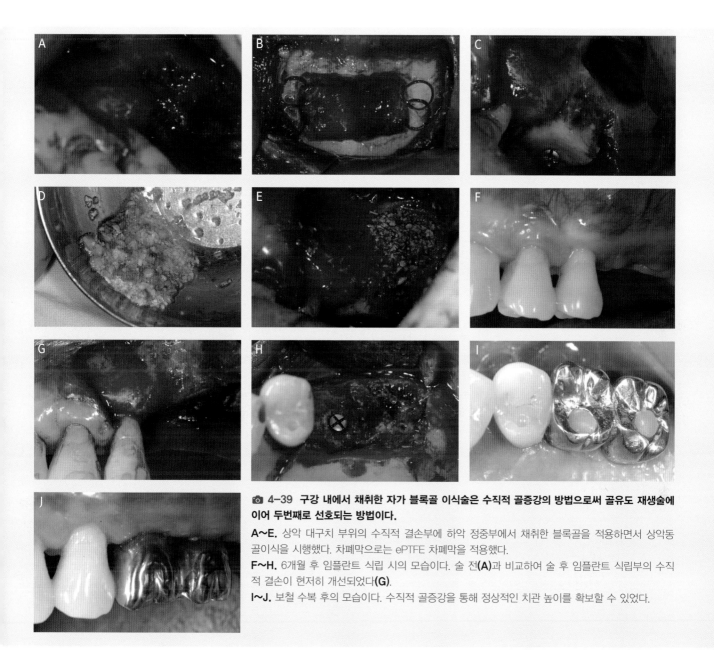

📷 **4-39 구강 내에서 채취한 자가 블록골 이식술은 수직적 골증강의 방법으로써 골유도 재생술에 이어 두번째로 선호되는 방법이다.**

A~E. 상악 대구치 부위의 수직적 결손부에 하악 정중부에서 채취한 블록골을 적용하면서 상악동 골이식을 시행했다. 차폐막으로는 ePTFE 차폐막을 적용했다.

F~H. 6개월 후 임플란트 식립 시의 모습이다. 술 전**(A)**과 비교하여 술 후 임플란트 식립부의 수직적 결손이 현저히 개선되었다**(G)**.

I~J. 보철 수복 후의 모습이다. 수직적 골증강을 통해 정상적인 치관 높이를 확보할 수 있었다.

또한 블록골 이식재를 사용하더라도 이식재의 흡수를 예방하고 주변 연조직 세포의 침투를 막기 위해 차폐막을 적용하는 것이 유리하다(📷 **4-41**). 몇몇 임상 연구와 동물 실험에서는 ePTFE 차폐막을 블록골 상부에 적용하면 치유 기간 중 골의 흡수를 유의하게 줄여줄 수 있다는 사실을 보여주었다.[190,191] 한 전향적 대조 연구에서는 하악지에서 채취한 자가 블록골로 수직적 골증강을 시행하면서 이식골 상방에 티타늄 메쉬를 적용하거나 적용하지 않았다. 골이식술 후 4-6개월이 경과했을 때 메쉬를 적용하지 않은 대조군에서는 이식골 높이가 평균 34.5% 감소했던 반면, 메쉬를 적용한 실험군에서는 높이가 13.4%만 감소했고, 이는 유의한 차이를 보이는 것이었다.[142]

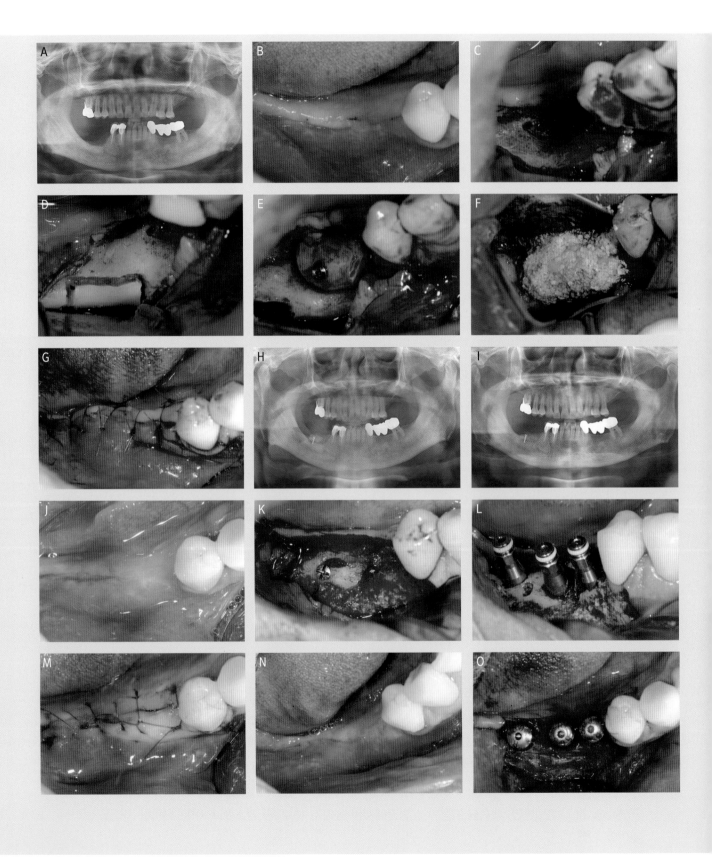

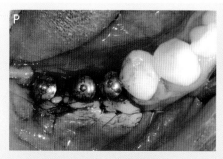
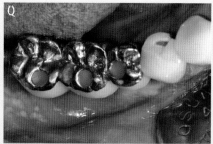
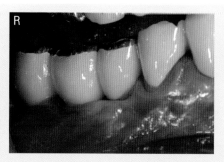
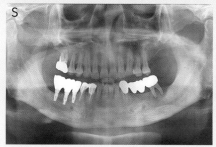

📷 **4-40 하악의 수직적 골결손 부위에 블록골 이식술을 시행한 증례이다.**

A~H. 하악지에서 채취한 블록골을 수혜부에 이식해 주었다**(D, E)**. 이식골의 흡수를 막고 수혜부 골과의 유합도를 증가시키기 위해 탈단백 우골과 교차 결합 교원질 차폐막을 적용했다**(F)**. 이 증례에서는 수혜부 골이 넓게 평면적인 형태를 보였다. 따라서 블록골 이식에 적합했다고 할 수 있다.

📷 **4-31**의 증례와 수혜부 골의 형태를 비교해보면 이 증례의 수혜부 골 형태는 블록골 이식에 좀 더 유리하다는 것을 알 수 있다.

I~M. 대략 7개월 1주 후 임플란트를 식립했다. 이식골은 수혜부에 잘 유합된 양상을 보였다**(K, L)**.

N~P. 4개월 후 근단 변위 판막술과 2차 수술을 시행했다.

Q~S. 임상적. 방사선학적으로 보철 부하 1년 후까지 정상적인 상태를 보였다.

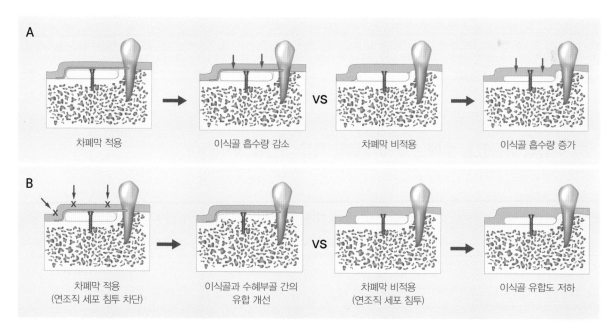

📷 **4-41 수직적 블록골 이식술 시 차폐막 적용의 장점**

A. 차폐막을 적용하면 블록골의 흡수량을 감소시킨다. **B.** 차폐막은 이식골과 수혜부골의 유합도를 증가시킨다.

723

블록골 상방에 차폐막을 적용하면 이식골의 유합도 또한 증가시킬 수 있다. 이식골 상방에 차폐막을 적용하면 이식골과 수혜부 골 사이에 연조직 세포가 침투하는 것을 예방한다. 이에 중점을 둔 임상 연구는 없었지만, 한 대조 연구에서는 수직적 골증강술 시 자가 블록골만 적용했을 때에는 이식골의 부분적 괴사(3/12), 이식골의 현저한 흡수(2/12), 임플란트 식립 중 이식골의 탈락(1/12) 등, 이식재의 유합에 문제가 발생한 증례가 50%에 달했다고 했다. 그러나 티타늄 메쉬를 블록골 상방에 적용한 경우에는 두 증례(2/12)에서만 이식골이 약간 흡수된 양상을 보였고 모든 증례에서 이식골은 수혜부 골과 잘 유합된 양상을 보였다고 보고했다.[142]

임상가들은 수직적 골증강술 시 자가 블록골을 이용할 때 주로 ePTFE 차폐막을 가장 많이 사용했다.[11] 그러나 블록골 이식재를 사용할 때에는 이식재 자체가 공간 유지 능력이 있기 때문에 수술부의 열개를 피하고, 일단 열개가 되더라도 심한 합병증을 예방하기 위해 교원질 차폐막 등 흡수성 차폐막을 사용하는 것이 유리할 수 있다.[186] 수평적 블록골 이식술 시에는 흡수성 차폐막으로 성공적인 결과를 보였다는 보고는 많았던 반면, 수직적 블록골 이식술 시에 흡수성 차폐막을 사용했을 때의 결과는 그렇게 많이 보고되지는 못했다. 저자의 개인적인 경험으로는 수평적 골증강술 시에는 블록골 이식재와 흡수성 차폐막을 사용하는 것이 더 유리하지만, 수직적 골증강술 시에는 비흡수성 차폐막을 사용했을 때 이식골이 더 잘 유합하는 것으로 보였다.

하악골과 같은 피질골 이식재는 입자골 이식재나 피질-해면골 이식재보다 재혈관화가 느리다.[192] 게다가 블록골 이식재 상방에 차폐막을 적용하면 재혈관화는 더욱 저하된다. 블록골 이식재 상방에 차폐막을 적용하면 이식골 내로의 재혈관화는 수혜부 골에서부터만 유래하는 반면, 차폐막을 적용하지 않으면 재혈관화는 수혜부 골과 상방의 연조직으로부터 모두 이루어지기 때문에 재혈관화의 속도가 더 빠르고 혈관의 밀도가 더 높다.[191,193] 따라서 재혈관화를 촉진하기 위해 블록골 이식술 시에는 수혜부 피질골의 천공이 매우 중요하다.[194]

5) 수직적 골증강술 후에는 6-9개월의 치유 기간을 부여한다.

골재생 시에는 신생골로의 신생 혈관 형성과 골형성 세포의 이동이 중요하다. 신생 혈관과 골형성 세포는 수혜부 골에서 골재생 부위로 이동해야 한다. 따라서 전체 골재생 부위에 대한 수혜부 골의 접촉부 면적과 신생 혈관 및 골형성 세포가 이동해야 할 골재생부의 길이가 치유 기간을 결정하는 중요한 요소가 된다(📷 4-42). 수직적 결손은 수평적 결손에 비해 수혜부 골의 접촉 면적이 작고 골재생 부위의 폭은 크기 때문에 충분히 긴 치유 기간을 부여해야 한다.[124,195,196] 전문가들은 수직적 골증강술 시 보통 6-9개월의 치유 기간을 부여하였다. 그러나 치유 기간에 따른 재생골의 조직학적 상태를 평가한 임상 연구는 없었으며, 어떠한 이식재/차폐막을 사용하더라도 6개월 이상 치유 기간을 부여하면 비슷한 정도의 조직학적 상태를 보였기 때문에 6개월이면 치유 기간으로 충분할 것으로 판단된다.[160,165-168,170-172] 그러나 9개월의 치유 기간을 부여하더라도 재생골은 기저골에 비해 광화된 골조직의 양은 적고 골소주의 형태는 미성숙하다.[160]

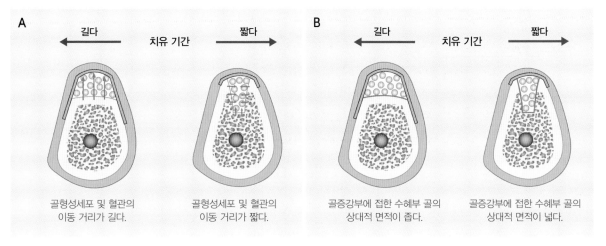

A
길다 치유 기간 짧다

골형성세포 및 혈관의 이동 거리가 길다.

골형성세포 및 혈관의 이동 거리가 짧다.

B
길다 치유 기간 짧다

골증강부에 접한 수혜부 골의 상대적 면적이 좁다.

골증강부에 접한 수혜부 골의 상대적 면적이 넓다.

📷 **4-42** 수직적 골증강술을 시행한 부위는 여타 부위에 비해 치유 기간을 길게 부여해야 한다.

참고문헌

1. Rocchietta I, Ferrantino L, Simion M. Vertical ridge augmentation in the esthetic zone. Periodontol 2000. 2018;77(1):241–255.

2. Roccuzzo M, Savoini M, Dalmasso P, Ramieri G. Long–term outcomes of implants placed after vertical alveolar ridge augmentation in partially edentulous patients: a 10–year prospective clinical study. Clin Oral Implants Res. 2017;28(10):1204–1210.

3. Griffin TJ, Cheung WS. The use of short, wide implants in posterior areas with reduced bone height: a retrospective investigation. J Prosthet Dent. 2004;92(2):139–144.

4. Hagi D, Deporter DA, Pilliar RM, Arenovich T. A targeted review of study outcomes with short (< or = 7 mm) endosseous dental implants placed in partially edentulous patients. J Periodontol. 2004;75(6):798–804.

5. Gentile MA, Chuang SK, Dodson TB. Survival estimates and risk factors for failure with 6 x 5.7–mm implants. Int J Oral Maxillofac Implants. 2005;20(6):930–937.

6. Renouard F, Nisand D. Impact of implant length and diameter on survival rates. Clin Oral Implants Res. 2006;17 Suppl 2:35–51.

7. Güler AU, Sumer M, Sumer P, Biçer I. The evaluation of vertical heights of maxillary and mandibular bones and the location of anatomic landmarks in panoramic radiographs of edentulous patients for implant dentistry. J Oral Rehabil. 2005;32(10):741–746.

8. Greenstein G, Tarnow D. The mental foramen and nerve: clinical and anatomical factors related to dental implant placement: a literature review. J Periodontol. 2006;77(12):1933–1943.

9. Chiapasco M, Zaniboni M, Boisco M. Augmentation procedures for the rehabilitation of deficient edentulous ridges with oral implants. Clin Oral Implants Res. 2006;17 Suppl 2:136–159.

10. Rocchietta I, Fontana F, Simion M. Clinical outcomes of vertical bone augmentation to enable dental implant placement: a systematic review. J Clin Periodontol. 2008;35(8 Suppl):203–215.

11. Elnayef B, Monje A, Gargallo–Albiol J, Galindo–Moreno P, Wang H–L, Hernández–Alfaro F. Vertical Ridge Augmentation in the Atrophic Mandible: A Systematic Review and Meta–Analysis. Int J Oral Maxillofac Implants. 2017;32(2):291–312.

12. Esposito M, Grusovin MG, Kwan S, Worthington HV, Coulthard P. Interventions for replacing missing teeth: bone augmentation techniques for dental implant treatment. Cochrane Database Syst Rev. 2008(3):CD003607.

13. Stellingsma K, Raghoebar GM, Meijer HJ, Stegenga B. The extremely resorbed mandible: a comparative

prospective study of 2-year results with 3 treatment strategies. Int J Oral Maxillofac Implants. 2004;19(4):563-577.

14. Cardaropoli D, Gaveglio L, Cardaropoli G. Vertical ridge augmentation with a collagen membrane, bovine bone mineral and fibrin sealer: clinical and histologic findings. Int J Periodontics Restorative Dent. 2013;33(5):583-589.

15. Plonka AB, Urban IA, Wang HL. Decision Tree for Vertical Ridge Augmentation. Int J Periodontics Restorative Dent. 2018;38(2):269-275.

16. PI B. The osseointegration book. 2005.

17. Block MS, Delgado A, Fontenot MG. The effect of diameter and length of hydroxylapatite-coated dental implants on ultimate pullout force in dog alveolar bone. J Oral Maxillofac Surg. 1990;48(2):174-178.

18. Wyatt CC, Zarb GA. Treatment outcomes of patients with implant-supported fixed partial prostheses. Int J Oral Maxillofac Implants. 1998;13(2):204-211.

19. Winkler S, Morris HF, Ochi S. Implant survival to 36 months as related to length and diameter. Ann Periodontol. 2000;5(1):22-31.

20. Herrmann I, Lekholm U, Holm S, Kultje C. Evaluation of patient and implant characteristics as potential prognostic factors for oral implant failures. Int J Oral Maxillofac Implants. 2005;20(2):220-230.

21. Weng D, Jacobson Z, Tarnow D, et al. A prospective multicenter clinical trial of 3i machined-surface implants: results after 6 years of follow-up. Int J Oral Maxillofac Implants. 2003;18(3):417-423.

22. Jensen OT. The sinus bone graft. 2nd ed. Chicago: Quintessence Pub. Co.; 2006.

23. Anitua E, Orive G, Aguirre JJ, Andia I. Five-year clinical evaluation of short dental implants placed in posterior areas: a retrospective study. J Periodontol. 2008;79(1):42-48.

24. Goiato MC, de Medeiros RA, Sonego MV, de Lima TM, Pesqueira AA, Dos Santos DM. Stress distribution on short implants with different designs: a photoelastic analysis. J Med Eng Technol. 2017;41(2):115-121.

25. Felice P, Pistilli R, Barausse C, Bruno V, Trullenque-Eriksson A, Esposito M. Short implants as an alternative to crestal sinus lift: A 1-year multicentre randomised controlled trial. Eur J Oral Implantol. 2015;8(4):375-384.

26. Malmstrom H, Gupta B, Ghanem A, Cacciato R, Ren Y, Romanos GE. Success rate of short dental implants supporting single crowns and fixed bridges. Clin Oral Implants Res. 2016;27(9):1093-1098.

27. Karthikeyan I, Desai SR, Singh R. Short implants: A systematic review. J Indian Soc Periodontol.

2012;16(3):302–312.

28. Taschieri S, Corbella S, Del Fabbro M. Mini-invasive osteotome sinus floor elevation in partially edentulous atrophic maxilla using reduced length dental implants: interim results of a prospective study. Clin Implant Dent Relat Res. 2014;16(2):185–193.

29. Sun HL, Huang C, Wu YR, Shi B. Failure rates of short (≪/= 10 mm) dental implants and factors influencing their failure: a systematic review. Int J Oral Maxillofac Implants. 2011;26(4):816–825.

30. Al-Johany SS, Al Amri MD, Alsaeed S, Alalola B. Dental Implant Length and Diameter: A Proposed Classification Scheme. J Prosthodont. 2017;26(3):252–260.

31. Nisand D, Picard N, Rocchietta I. Short implants compared to implants in vertically augmented bone: a systematic review. Clin Oral Implants Res. 2015;26 Suppl 11:170–179.

32. Thoma DS, Zeltner M, Husler J, Hammerle CH, Jung RE. EAO Supplement Working Group 4 – EAO CC 2015 Short implants versus sinus lifting with longer implants to restore the posterior maxilla: a systematic review. Clin Oral Implants Res. 2015;26 Suppl 11:154–169.

33. Thoma DS, Haas R, Tutak M, Garcia A, Schincaglia GP, Hammerle CH. Randomized controlled multicentre study comparing short dental implants (6 mm) versus longer dental implants (11–15 mm) in combination with sinus floor elevation procedures. Part 1: demographics and patient-reported outcomes at 1 year of loading. J Clin Periodontol. 2015;42(1):72–80.

34. Jung RE, Al-Nawas B, Araujo M, et al. Group 1 ITI Consensus Report: The influence of implant length and design and medications on clinical and patient-reported outcomes. Clin Oral Implants Res. 2018;29 Suppl 16:69–77.

35. Papaspyridakos P, De Souza A, Vazouras K, Gholami H, Pagni S, Weber HP. Survival rates of short dental implants (≪/=6 mm) compared with implants longer than 6 mm in posterior jaw areas: A meta-analysis. Clin Oral Implants Res. 2018;29 Suppl 16:8–20.

36. Nisand D, Renouard F. Short implant in limited bone volume. Periodontol 2000. 2014;66(1):72–96.

37. Friberg B, Grondahl K, Lekholm U, Branemark PI. Long-term follow-up of severely atrophic edentulous mandibles reconstructed with short Branemark implants. Clin Implant Dent Relat Res. 2000;2(4):184–189.

38. Nedir R, Bischof M, Briaux JM, Beyer S, Szmukler-Moncler S, Bernard JP. A 7-year life table analysis from a prospective study on ITI implants with special emphasis on the use of short implants. Results from a private practice. Clin Oral Implants Res. 2004;15(2):150–157.

39. Misch CM, Polido WD. A "Graft Less" Approach for Dental Implant Placement in Posterior Edentulous Sites. Int J Periodontics Restorative Dent. 2019;39(6):771–779.

40. Milinkovic I, Cordaro L. Are there specific indications for the different alveolar bone augmentation procedures for implant placement? A systematic review. Int J Oral Maxillofac Surg. 2014;43(5):606–625.

41. Urban IA, Montero E, Monje A, Sanz-Sánchez I. Effectiveness of vertical ridge augmentation interventions: A systematic review and meta-analysis. J Clin Periodontol. 2019;46 Suppl 21:319–339.

42. Penarrocha-Oltra D, Aloy-Prosper A, Cervera-Ballester J, Penarrocha-Diago M, Canullo L, Penarrocha-Diago M. Implant treatment in atrophic posterior mandibles: vertical regeneration with block bone grafts versus implants with 5.5-mm intrabony length. Int J Oral Maxillofac Implants. 2014;29(3):659–666.

43. Pistilli R, Felice P, Cannizzaro G, et al. Posterior atrophic jaws rehabilitated with prostheses supported by 6 mm long 4 mm wide implants or by longer implants in augmented bone. One-year post-loading results from a pilot randomised controlled trial. Eur J Oral Implantol. 2013;6(4):359–372.

44. Chiapasco M, Casentini P, Zaniboni M. Bone augmentation procedures in implant dentistry. The International journal of oral & maxillofacial implants. 2009;24 Suppl:237–259.

45. Queiroz TP, Aguiar SC, Margonar R, de Souza Faloni AP, Gruber R, Luvizuto ER. Clinical study on survival rate of short implants placed in the posterior mandibular region: resonance frequency analysis. Clin Oral Implants Res. 2015;26(9):1036–1042.

46. Lioubavina-Hack N, Lang NP, Karring T. Significance of primary stability for osseointegration of dental implants. Clin Oral Implants Res. 2006;17(3):244–250.

47. Raghavendra S, Wood MC, Taylor TD. Early wound healing around endosseous implants: a review of the literature. Int J Oral Maxillofac Implants. 2005;20(3):425–431.

48. Joos U, Wiesmann HP, Szuwart T, Meyer U. Mineralization at the interface of implants. Int J Oral Maxillofac Surg. 2006;35(9):783–790.

49. Szmukler-Moncler S, Salama H, Reingewirtz Y, Dubruille JH. Timing of loading and effect of micromotion on bone-dental implant interface: review of experimental literature. J Biomed Mater Res. 1998;43(2):192–203.

50. Johansson B, Back T, Hirsch JM. Cutting torque measurements in conjunction with implant placement in grafted and nongrafted maxillas as an objective evaluation of bone density: a possible method for identifying early implant failures? Clin Implant Dent Relat Res. 2004;6(1):9–15.

51. Lee S, Gantes B, Riggs M, Crigger M. Bone density assessments of dental implant sites: 3. Bone quality evaluation during osteotomy and implant placement. Int J Oral Maxillofac Implants. 2007;22(2):208–212.

52. Fanuscu MI, Chang TL. Three-dimensional morphometric analysis of human cadaver bone: microstructural data from maxilla and mandible. Clin Oral Implants Res. 2004;15(2):213-218.

53. Esposito M, Grusovin MG, Achille H, Coulthard P, Worthington HV. Interventions for replacing missing teeth: different times for loading dental implants. Cochrane Database Syst Rev. 2009(1):CD003878.

54. Molly L. Bone density and primary stability in implant therapy. Clin Oral Implants Res. 2006;17 Suppl 2:124-135.

55. Pjetursson BE, Rast C, Bragger U, Schmidlin K, Zwahlen M, Lang NP. Maxillary sinus floor elevation using the (transalveolar) osteotome technique with or without grafting material. Part I: Implant survival and patients' perception. Clin Oral Implants Res. 2009;20(7):667-676.

56. Rosen PS, Summers R, Mellado JR, et al. The bone-added osteotome sinus floor elevation technique: multicenter retrospective report of consecutively treated patients. Int J Oral Maxillofac Implants. 1999;14(6):853-858.

57. Toffler M. Osteotome-mediated sinus floor elevation: a clinical report. Int J Oral Maxillofac Implants. 2004;19(2):266-273.

58. Calvo-Guirado JL, Lopez Torres JA, Dard M, Javed F, Perez-Albacete Martinez C, Mate Sanchez de Val JE. Evaluation of extrashort 4-mm implants in mandibular edentulous patients with reduced bone height in comparison with standard implants: a 12-month results. Clin Oral Implants Res. 2016;27(7):867-874.

59. Rossi F, Botticelli D, Cesaretti G, De Santis E, Storelli S, Lang NP. Use of short implants (6 mm) in a single-tooth replacement: a 5-year follow-up prospective randomized controlled multicenter clinical study. Clin Oral Implants Res. 2016;27(4):458-464.

60. Srinivasan M, Vazquez L, Rieder P, Moraguez O, Bernard JP, Belser UC. Survival rates of short (6 mm) micro-rough surface implants: a review of literature and meta-analysis. Clin Oral Implants Res. 2014;25(5):539-545.

61. Tolentino da Rosa de Souza P, Binhame Albini Martini M, Reis Azevedo-Alanis L. Do short implants have similar survival rates compared to standard implants in posterior single crown?: A systematic review and meta-analysis. Clin Implant Dent Relat Res. 2018;20(5):890-901.

62. Ravida A, Wang IC, Barootchi S, et al. Meta-analysis of randomized clinical trials comparing clinical and patient-reported outcomes between extra-short (</=6 mm) and longer (>/=10 mm) implants. J Clin Periodontol. 2019;46(1):118-142.

63. Han J, Tang Z, Zhang X, Meng H. A prospective, multi-center study assessing early loading with short

implants in posterior regions. A 3-year post-loading follow-up study. Clin Implant Dent Relat Res. 2018;20(1):34-42.

64. Slotte C, Gronningsaeter A, Halmoy AM, et al. Four-Millimeter-Long Posterior-Mandible Implants: 5-Year Outcomes of a Prospective Multicenter Study. Clin Implant Dent Relat Res. 2015;17 Suppl 2:e385-395.

65. Esposito M, Barausse C, Pistilli R, et al. Posterior jaws rehabilitated with partial prostheses supported by 4.0 x 4.0 mm or by longer implants: Four-month post-loading data from a randomised controlled trial. Eur J Oral Implantol. 2015;8(3):221-230.

66. Felice P, Checchi L, Barausse C, et al. Posterior jaws rehabilitated with partial prostheses supported by 4.0 x 4.0 mm or by longer implants: One-year post-loading results from a multicenter randomised controlled trial. Eur J Oral Implantol. 2016;9(1):35-45.

67. Rokn AR, Monzavi A, Panjnoush M, Hashemi HM, Kharazifard MJ, Bitaraf T. Comparing 4-mm dental implants to longer implants placed in augmented bones in the atrophic posterior mandibles: One-year results of a randomized controlled trial. Clin Implant Dent Relat Res. 2018;20(6):997-1002.

68. Ash MM, Wheeler RC. Wheeler's dental anatomy, physiology, and occlusion. 7th ed. Philadelphia: W.B. Saunders; 1993.

69. Rokni S, Todescan R, Watson P, Pharoah M, Adegbembo AO, Deporter D. An assessment of crown-to-root ratios with short sintered porous-surfaced implants supporting prostheses in partially edentulous patients. Int J Oral Maxillofac Implants. 2005;20(1):69-76.

70. Ante I. The fundamental principles of abutments. Mich State Dent Soc Bullet. 1926;8:14-23.

71. Lulic M, Bragger U, Lang NP, Zwahlen M, Salvi GE. Ante's (1926) law revisited: a systematic review on survival rates and complications of fixed dental prostheses (FDPs) on severely reduced periodontal tissue support. Clin Oral Implants Res. 2007;18 Suppl 3:63-72.

72. Blanes RJ, Bernard JP, Blanes ZM, Belser UC. A 10-year prospective study of ITI dental implants placed in the posterior region. II: Influence of the crown-to-implant ratio and different prosthetic treatment modalities on crestal bone loss. Clin Oral Implants Res. 2007;18(6):707-714.

73. Sotto-Maior BS, Senna PM, da Silva-Neto JP, de Arruda Nobilo MA, Del Bel Cury AA. Influence of crown-to-implant ratio on stress around single short-wide implants: a photoelastic stress analysis. J Prosthodont. 2015;24(1):52-56.

74. Ramos Verri F, Santiago Junior JF, de Faria Almeida DA, et al. Biomechanical influence of crown-to-implant ratio on stress distribution over internal hexagon short implant: 3-D finite element analysis with statistical test. J Biomech. 2015;48(1):138-145.

75. Frost HM. A 2003 update of bone physiology and Wolff's Law for clinicians. Angle Orthod. 2004;74(1):3-15.

76. Mellal A, Wiskott HW, Botsis J, Scherrer SS, Belser UC. Stimulating effect of implant loading on surrounding bone. Comparison of three numerical models and validation by in vivo data. Clin Oral Implants Res. 2004;15(2):239-248.

77. Blanes RJ. To what extent does the crown-implant ratio affect the survival and complications of implant-supported reconstructions? A systematic review. Clin Oral Implants Res. 2009;20 Suppl 4:67-72.

78. Quaranta A, Piemontese M, Rappelli G, Sammartino G, Procaccini M. Technical and biological complications related to crown to implant ratio: a systematic review. Implant Dent. 2014;23(2):180-187.

79. Esfahrood ZR, Ahmadi L, Karami E, Asghari S. Short dental implants in the posterior maxilla: a review of the literature. J Korean Assoc Oral Maxillofac Surg. 2017;43(2):70-76.

80. Bitaraf T, Keshtkar A, Rokn AR, Monzavi A, Geramy A, Hashemi K. Comparing short dental implant and standard dental implant in terms of marginal bone level changes: A systematic review and meta-analysis of randomized controlled trials. Clin Implant Dent Relat Res. 2019;21(4):796-812.

81. Zadeh HH, Gulje F, Palmer PJ, et al. Marginal bone level and survival of short and standard-length implants after 3 years: An Open Multi-Center Randomized Controlled Clinical Trial. Clin Oral Implants Res. 2018;29(8):894-906.

82. Bilhan H, Geckili O, Mumcu E, Bozdag E, Sunbuloglu E, Kutay O. Influence of surgical technique, implant shape and diameter on the primary stability in cancellous bone. J Oral Rehabil. 2010;37(12):900-907.

83. Meijer HJA, Boven C, Delli K, Raghoebar GM. Is there an effect of crown-to-implant ratio on implant treatment outcomes? A systematic review. Clin Oral Implants Res. 2018;29 Suppl 18:243-252.

84. Rossi F, Lang NP, Ricci E, Ferraioli L, Baldi N, Botticelli D. Long-term follow-up of single crowns supported by short, moderately rough implants—A prospective 10-year cohort study. Clin Oral Implants Res. 2018;29(12):1212-1219.

85. Delgado-Ruiz RA, Calvo-Guirado JL, Romanos GE. Effects of occlusal forces on the peri-implant-bone interface stability. Periodontology 2000. 2019;81(1):179-193.

86. Bergkvist G, Koh K-J, Sahlholm S, Klintström E, Lindh C. Bone density at implant sites and its relationship to assessment of bone quality and treatment outcome. The International journal of oral &

maxillofacial implants. 2010;25(2):321-328.

87. Piccinini M, Cugnoni J, Botsis J, Ammann P, Wiskott A. Peri-implant bone adaptations to overloading in rat tibiae: experimental investigations and numerical predictions. Clinical oral implants research. 2016;27(11):1444-1453.

88. Sahrmann P, Schoen P, Naenni N, Jung R, Attin T, Schmidlin PR. Peri-implant bone density around implants of different lengths: A 3-year follow-up of a randomized clinical trial. Journal of clinical periodontology. 2017;44(7):762-768.

89. Meunier PJ, Boivin G. Bone mineral density reflects bone mass but also the degree of mineralization of bone: therapeutic implications. Bone. 1997;21(5):373-377.

90. Abrahamsson I, Linder E, Lang NP. Implant stability in relation to osseointegration: an experimental study in the Labrador dog. Clinical oral implants research. 2009;20(3):313-318.

91. Abrahamsson I, Berglundh T, Linder E, Lang NP, Lindhe J. Early bone formation adjacent to rough and turned endosseous implant surfaces. An experimental study in the dog. Clinical oral implants research. 2004;15(4):381-392.

92. Long MW. Osteogenesis and bone-marrow-derived cells. Blood Cells Mol Dis. 2001;27(3):677-690.

93. Sahrmann P, Naenni N, Jung RE, et al. Success of 6-mm Implants with Single-Tooth Restorations: A 3-year Randomized Controlled Clinical Trial. Journal of dental research. 2016;95(6):623-628.

94. Pierrisnard L, Renouard F, Renault P, Barquins M. Influence of implant length and bicortical anchorage on implant stress distribution. Clin Implant Dent Relat Res. 2003;5(4):254-262.

95. Anitua E, Tapia R, Luzuriaga F, Orive G. Influence of implant length, diameter, and geometry on stress distribution: a finite element analysis. Int J Periodontics Restorative Dent. 2010;30(1):89-95.

96. Himmlová L, Dostálová T, Kácovský A, Konvicková S. Influence of implant length and diameter on stress distribution: a finite element analysis. J Prosthet Dent. 2004;91(1):20-25.

97. Tabata LF, Rocha EP, Barão VA, Assunção WG. Platform switching: biomechanical evaluation using three-dimensional finite element analysis. Int J Oral Maxillofac Implants. 2011;26(3):482-491.

98. Brink J, Meraw SJ, Sarment DP. Influence of implant diameter on surrounding bone. Clin Oral Implants Res. 2007;18(5):563-568.

99. Ivanoff CJ, Gröndahl K, Sennerby L, Bergström C, Lekholm U. Influence of variations in implant diameters: a 3- to 5-year retrospective clinical report. Int J Oral Maxillofac Implants. 1999;14(2):173-180.

100. Neldam CA, Pinholt EM. State of the art of short dental implants: a systematic review of the literature. Clin Implant Dent Relat Res. 2012;14(4):622-632.

101. Renouard F, Nisand D. Short implants in the severely resorbed maxilla: a 2-year retrospective clinical study. Clin Implant Dent Relat Res. 2005;7 Suppl 1:S104-110.

102. Fugazzotto PA. Shorter implants in clinical practice: rationale and treatment results. Int J Oral Maxillofac Implants. 2008;23(3):487-496.

103. Balevi B. In selected sites, short, rough-surfaced dental implants are as successful as long dental implants: a critical summary of Pommer B, Frantal S, Willer J, Posch M, Watzek G, Tepper G. Impact of dental implant length on early failure rates: a meta-analysis of observational studies. J Clin Periodontol 2011;38(9):856-863. J Am Dent Assoc. 2013;144(2):195-196.

104. Deporter D. Short dental implants: what works and what doesn't? A literature interpretation. Int J Periodontics Restorative Dent. 2013;33(4):457-464.

105. Taylor TD, Wiens J, Carr A. Evidence-based considerations for removable prosthodontic and dental implant occlusion: a literature review. J Prosthet Dent. 2005;94(6):555-560.

106. Kinsel RP, Lin D. Retrospective analysis of porcelain failures of metal ceramic crowns and fixed partial dentures supported by 729 implants in 152 patients: patient-specific and implant-specific predictors of ceramic failure. J Prosthet Dent. 2009;101(6):388-394.

107. Hauchard E, Fournier BP, Jacq R, Bouton A, Pierrisnard L, Naveau A. Splinting effect on posterior implants under various loading modes: a 3D finite element analysis. Eur J Prosthodont Restor Dent. 2011;19(3):117-122.

108. Rossi F, Lang NP, Ricci E, Ferraioli L, Marchetti C, Botticelli D. Early loading of 6-mm-short implants with a moderately rough surface supporting single crowns—a prospective 5-year cohort study. Clin Oral Implants Res. 2015;26(4):471-477.

109. Gulje FL, Raghoebar GM, Vissink A, Meijer HJ. Single Restorations in the Resorbed Posterior Mandible Supported by 6-mm Implants: A 1-Year Prospective Case Series Study. Clin Implant Dent Relat Res. 2015;17 Suppl 2:e465-471.

110. Mendonca JA, Francischone CE, Senna PM, Matos de Oliveira AE, Sotto-Maior BS. A retrospective evaluation of the survival rates of splinted and non-splinted short dental implants in posterior partially edentulous jaws. J Periodontol. 2014;85(6):787-794.

111. Rodrigo D, Cabello G, Herrero M, et al. Retrospective multicenter study of 230 6-mm SLA-surfaced implants with 1- to 6-year follow-up. Int J Oral Maxillofac Implants. 2013;28(5):1331-1337.

112. Anitua E, Pinas L, Orive G. Retrospective study of short and extra-short implants placed in posterior regions: influence of crown-to-implant ratio on marginal bone loss. Clin Implant Dent Relat Res. 2015;17(1):102-110.

113. Lemos CA, de Souza Batista VE, Almeida DA, Santiago Junior JF, Verri FR, Pellizzer EP. Evaluation of cement-retained versus screw-retained implant-supported restorations for marginal bone loss: A systematic review and meta-analysis. J Prosthet Dent. 2016;115(4):419-427.

114. Guichet DL, Caputo AA, Choi H, Sorensen JA. Passivity of fit and marginal opening in screw- or cement-retained implant fixed partial denture designs. Int J Oral Maxillofac Implants. 2000;15(2):239-246.

115. Grossmann Y, Finger IM, Block MS. Indications for splinting implant restorations. J Oral Maxillofac Surg. 2005;63(11):1642-1652.

116. Wang H-L, Boyapati L. "PASS" principles for predictable bone regeneration. Implant Dent. 2006;15(1):8-17.

117. Wikesjö UM, Kean CJ, Zimmerman GJ. Periodontal repair in dogs: supraalveolar defect models for evaluation of safety and efficacy of periodontal reconstructive therapy. J Periodontol. 1994;65(12):1151-1157.

118. El Chaar E, Urtula AB, Georgantza A, et al. Treatment of Atrophic Ridges with Titanium Mesh: A Retrospective Study Using 100% Mineralized Allograft and Comparing Dental Stone Versus 3D-Printed Models. Int J Periodontics Restorative Dent. 2019;39(4):491-500.

119. von Arx T, Hardt N, Wallkamm B. The TIME technique: a new method for localized alveolar ridge augmentation prior to placement of dental implants. The International journal of oral & maxillofacial implants. 1996;11(3):387-394.

120. Mir-Mari J, Wui H, Jung RE, Hämmerle CHF, Benic GI. Influence of blinded wound closure on the volume stability of different GBR materials: an in vitro cone-beam computed tomographic examination. Clin Oral Implants Res. 2016;27(2):258-265.

121. Mertens C, Braun S, Krisam J, Hoffmann J. The influence of wound closure on graft stability: An in vitro comparison of different bone grafting techniques for the treatment of one-wall horizontal bone defects. Clin Implant Dent Relat Res. 2019;21(2):284-291.

122. Jiang X, Zhang Y, Di P, Lin Y. Hard tissue volume stability of guided bone regeneration during the healing stage in the anterior maxilla: A clinical and radiographic study. Clin Implant Dent Relat Res. 2018;20(1):68-75.

123. Garaicoa C, Suarez F, Fu J-H, et al. Using Cone Beam Computed Tomography Angle for Predicting the Outcome of Horizontal Bone Augmentation. Clin Implant Dent Relat Res. 2015;17(4):717-723.

124. Urban IA, Monje A, Lozada J, Wang H-L. Principles for Vertical Ridge Augmentation in the Atrophic Posterior Mandible: A Technical Review. Int J Periodontics Restorative Dent. 2017;37(5):639-645.

125. Chiapasco M, Zaniboni M, Boisco M. Augmentation procedures for the rehabilitation of deficient edentulous ridges with oral implants. Clin Oral Implants Res. 2006;17 Suppl 2:136–159.

126. Fiorellini JP, Nevins ML. Localized ridge augmentation/preservation. A systematic review. Ann Periodontol. 2003;8(1):321–327.

127. Schmid J, Hämmerle CH, Stich H, Lang NP. Supraplant, a novel implant system based on the principle of guided bone generation. A preliminary study in the rabbit. Clin Oral Implants Res. 1991;2(4):199–202.

128. Linde A, Thorén C, Dahlin C, Sandberg E. Creation of new bone by an osteopromotive membrane technique: an experimental study in rats. J Oral Maxillofac Surg. 1993;51(8):892–897.

129. Jovanovic SA, Schenk RK, Orsini M, Kenney EB. Supracrestal bone formation around dental implants: an experimental dog study. Int J Oral Maxillofac Implants. 1995;10(1):23–31.

130. Simion M, Trisi P, Piattelli A. Vertical ridge augmentation using a membrane technique associated with osseointegrated implants. Int J Periodontics Restorative Dent. 1994;14(6):496–511.

131. Tinti C, Parma-Benfenati S, Polizzi G. Vertical ridge augmentation: what is the limit? Int J Periodontics Restorative Dent. 1996;16(3):220–229.

132. Simion M, Jovanovic SA, Tinti C, Benfenati SP. Long-term evaluation of osseointegrated implants inserted at the time or after vertical ridge augmentation. A retrospective study on 123 implants with 1–5 year follow-up. Clin Oral Implants Res. 2001;12(1):35–45.

133. Sammartino G, Marenzi G, Citarella R, Ciccarelli R, Wang HL. Analysis of the occlusal stress transmitted to the inferior alveolar nerve by an osseointegrated threaded fixture. J Periodontol. 2008;79(9):1735–1744.

134. Chiapasco M, Romeo E, Casentini P, Rimondini L. Alveolar distraction osteogenesis vs. vertical guided bone regeneration for the correction of vertically deficient edentulous ridges: a 1–3-year prospective study on humans. Clin Oral Implants Res. 2004;15(1):82–95.

135. Simion M, Fontana F, Rasperini G, Maiorana C. Long-term evaluation of osseointegrated implants placed in sites augmented with sinus floor elevation associated with vertical ridge augmentation: a retrospective study of 38 consecutive implants with 1- to 7-year follow-up. Int J Periodontics Restorative Dent. 2004;24(3):208–221.

136. Simion M, Jovanovic SA, Tinti C, Benfenati SP. Long-term evaluation of osseointegrated implants inserted at the time or after vertical ridge augmentation. A retrospective study on 123 implants with 1–5 year follow-up. Clin Oral Implants Res. 2001;12(1):35–45.

137. Branemark PI, Lindstrom J, Hallen O, Breine U, Jeppson PH, Ohman A. Reconstruction of the

defective mandible. Scand J Plast Reconstr Surg. 1975;9(2):116-128.

138. Breine U, Branemark PI. Reconstruction of alveolar jaw bone. An experimental and clinical study of immediate and preformed autologous bone grafts in combination with osseointegrated implants. Scand J Plast Reconstr Surg. 1980;14(1):23-48.

139. Vermeeren JI, Wismeijer D, van Waas MA. One-step reconstruction of the severely resorbed mandible with onlay bone grafts and endosteal implants. A 5-year follow-up. Int J Oral Maxillofac Surg. 1996;25(2):112-115.

140. Sbordone C, Toti P, Guidetti F, Califano L, Santoro A, Sbordone L. Volume changes of iliac crest autogenous bone grafts after vertical and horizontal alveolar ridge augmentation of atrophic maxillas and mandibles: a 6-year computerized tomographic follow-up. J Oral Maxillofac Surg. 2012;70(11):2559-2565.

141. Chiapasco M, Zaniboni M, Rimondini L. Autogenous onlay bone grafts vs. alveolar distraction osteogenesis for the correction of vertically deficient edentulous ridges: a 2-4-year prospective study on humans. Clin Oral Implants Res. 2007;18(4):432-440.

142. Roccuzzo M, Ramieri G, Bunino M, Berrone S. Autogenous bone graft alone or associated with titanium mesh for vertical alveolar ridge augmentation: a controlled clinical trial. Clin Oral Implants Res. 2007;18(3):286-294.

143. Chiapasco M, Zaniboni M, Rimondini L. Autogenous onlay bone grafts vs. alveolar distraction osteogenesis for the correction of vertically deficient edentulous ridges: a 2-4-year prospective study on humans. Clin Oral Implants Res. 2007;18(4):432-440.

144. Levin L, Nitzan D, Schwartz-Arad D. Success of dental implants placed in intraoral block bone grafts. J Periodontol. 2007;78(1):18-21.

145. Aghaloo TL, Moy PK. Which hard tissue augmentation techniques are the most successful in furnishing bony support for implant placement? Int J Oral Maxillofac Implants. 2007;22 Suppl:49-70.

146. Chen ST, Beagle J, Jensen SS, Chiapasco M, Darby I. Consensus statements and recommended clinical procedures regarding surgical techniques. Int J Oral Maxillofac Implants. 2009;24 Suppl:272-278.

147. Jensen SS, Terheyden H. Bone augmentation procedures in localized defects in the alveolar ridge: clinical results with different bone grafts and bone-substitute materials. Int J Oral Maxillofac Implants. 2009;24 Suppl:218-236.

148. Rocchietta I, Fontana F, Simion M. Clinical outcomes of vertical bone augmentation to enable dental implant placement: a systematic review. J Clin Periodontol. 2008;35(8 Suppl):203-215.

149. Schmitt C, Karasholi T, Lutz R, Wiltfang J, Neukam F-W, Schlegel KA. Long-term changes in graft

height after maxillary sinus augmentation, onlay bone grafting, and combination of both techniques: a long-term retrospective cohort study. Clin Oral Implants Res. 2014;25(2):e38-e46.

150. Jovanovic SA, Spiekermann H, Richter EJ. Bone regeneration around titanium dental implants in dehisced defect sites: a clinical study. Int J Oral Maxillofac Implants. 1992;7(2):233-245.

151. Benic GI, Hämmerle CHF. Horizontal bone augmentation by means of guided bone regeneration. Periodontol 2000. 2014;66(1):13-40.

152. Schliephake H, Dard M, Planck H, Hierlemann H, Stern U. Alveolar ridge repair using resorbable membranes and autogenous bone particles with simultaneous placement of implants: an experimental pilot study in dogs. Int J Oral Maxillofac Implants. 2000;15(3):364-373.

153. Schliephake H, Kracht D. Vertical ridge augmentation using polylactic membranes in conjunction with immediate implants in periodontally compromised extraction sites: an experimental study in dogs. Int J Oral Maxillofac Implants. 1997;12(3):325-334.

154. Konstantinidis I, Kumar T, Kher U, Stanitsas PD, Hinrichs JE, Kotsakis GA. Clinical results of implant placement in resorbed ridges using simultaneous guided bone regeneration: a multicenter case series. Clin Oral Investig. 2015;19(2):553-559.

155. Lim G, Lin G-H, Monje A, Chan H-L, Wang H-L. Wound Healing Complications Following Guided Bone Regeneration for Ridge Augmentation: A Systematic Review and Meta-Analysis. Int J Oral Maxillofac Implants. 2018;33(1):41-50-41-50.

156. Merli M, Migani M, Esposito M. Vertical ridge augmentation with autogenous bone grafts: resorbable barriers supported by ostheosynthesis plates versus titanium-reinforced barriers. A preliminary report of a blinded, randomized controlled clinical trial. Int J Oral Maxillofac Implants. 2007;22(3):373-382.

157. Merli M, Migani M, Bernardelli F, Esposito M. Vertical bone augmentation with dental implant placement: efficacy and complications associated with 2 different techniques. A retrospective cohort study. Int J Oral Maxillofac Implants. 2006;21(4):600-606.

158. Cucchi A, Vignudelli E, Napolitano A, Marchetti C, Corinaldesi G. Evaluation of complication rates and vertical bone gain after guided bone regeneration with non-resorbable membranes versus titanium meshes and resorbable membranes. A randomized clinical trial. Clin Implant Dent Relat Res. 2017;19(5):821-832.

159. Urban IA, Lozada JL, Jovanovic SA, Nagursky H, Nagy K. Vertical ridge augmentation with titanium-reinforced, dense-PTFE membranes and a combination of particulated autogenous bone and anorganic bovine bone-derived mineral: a prospective case series in 19 patients. Int J Oral Maxillofac Implants. 2014;29(1):185-193.

160. Cucchi A, Sartori M, Parrilli A, Aldini NN, Vignudelli E, Corinaldesi G. Histological and histomorphometric analysis of bone tissue after guided bone regeneration with non-resorbable membranes vs resorbable membranes and titanium mesh. Clin Implant Dent Relat Res. 2019;21(4):693-701.

161. Rasia-dal Polo M, Poli P-P, Rancitelli D, Beretta M, Maiorana C. Alveolar ridge reconstruction with titanium meshes: a systematic review of the literature. Med Oral Patol Oral Cir Bucal. 2014;19(6):e639-e646.

162. Roccuzzo M, Ramieri G, Spada MC, Bianchi SD, Berrone S. Vertical alveolar ridge augmentation by means of a titanium mesh and autogenous bone grafts. Clin Oral Implants Res. 2004;15(1):73-81.

163. Artzi Z, Dayan D, Alpern Y, Nemcovsky CE. Vertical ridge augmentation using xenogenic material supported by a configured titanium mesh: clinicohistopathologic and histochemical study. Int J Oral Maxillofac Implants. 2003;18(3):440-446.

164. Esposito M, Grusovin MG, Felice P, Karatzopoulos G, Worthington HV, Coulthard P. The efficacy of horizontal and vertical bone augmentation procedures for dental implants - a Cochrane systematic review. Eur J Oral Implantol. 2009;2(3):167-184.

165. Fontana F, Santoro F, Maiorana C, Iezzi G, Piattelli A, Simion M. Clinical and histologic evaluation of allogeneic bone matrix versus autogenous bone chips associated with titanium-reinforced e-PTFE membrane for vertical ridge augmentation: a prospective pilot study. The International journal of oral & maxillofacial implants. 2008;23(6):1003-1012.

166. Rocchietta I, Simion M, Hoffmann M, Trisciuoglio D, Benigni M, Dahlin C. Vertical Bone Augmentation with an Autogenous Block or Particles in Combination with Guided Bone Regeneration: A Clinical and Histological Preliminary Study in Humans. Clin Implant Dent Relat Res. 2016;18(1):19-29.

167. Simion M, Fontana F, Rasperini G, Maiorana C. Vertical ridge augmentation by expanded-polytetrafluoroethylene membrane and a combination of intraoral autogenous bone graft and deproteinized anorganic bovine bone (Bio Oss). Clinical oral implants research. 2007;18(5):620-629.

168. Todisco M. Early loading of implants in vertically augmented bone with non-resorbable membranes and deproteinised anorganic bovine bone. An uncontrolled prospective cohort study. Eur J Oral Implantol. 2010;3(1):47-58.

169. Proussaefs P, Lozada J, Kleinman A, Rohrer MD, McMillan PJ. The use of titanium mesh in conjunction with autogenous bone graft and inorganic bovine bone mineral (bio-oss) for localized alveolar ridge augmentation: a human study. Int J Periodontics Restorative Dent. 2003;23(2):185-195.

170. Dias RR, Sehn FP, de Santana Santos T, Silva ER, Chaushu G, Xavier SP. Corticocancellous fresh-frozen allograft bone blocks for augmenting atrophied posterior mandibles in humans. Clin Oral Implants Res. 2016;27(1):39-46.

171. Proussaefs P, Lozada J. The use of intraorally harvested autogenous block grafts for vertical alveolar ridge augmentation: a human study. Int J Periodontics Restorative Dent. 2005;25(4):351-363.

172. Canullo L, Trisi P, Simion M. Vertical ridge augmentation around implants using e-PTFE titanium-reinforced membrane and deproteinized bovine bone mineral (bio-oss): A case report. Int J Periodontics Restorative Dent. 2006;26(4):355-361.

173. Chan H-L, Benavides E, Tsai C-Y, Wang H-L. A Titanium Mesh and Particulate Allograft for Vertical Ridge Augmentation in the Posterior Mandible: A Pilot Study. Int J Periodontics Restorative Dent. 2015;35(4):515-522.

174. Carini F, Longoni S, Amosso E, Paleari J, Carini S, Porcaro G. Bone augmentation with TiMesh. autologous bone versus autologous bone and bone substitutes. A systematic review. Ann Stomatol (Roma). 2014;5(Suppl 2 to No 2):27-36.

175. Pinholt EM, Bang G, Haanaes HR. Alveolar ridge augmentation in rats by Bio-Oss. Scand J Dent Res. 1991;99(2):154-161.

176. Young C, Sandstedt P, Skoglund A. A comparative study of anorganic xenogenic bone and autogenous bone implants for bone regeneration in rabbits. Int J Oral Maxillofac Implants. 1999;14(1):72-76.

177. Corinaldesi G, Pieri F, Sapigni L, Marchetti C. Evaluation of survival and success rates of dental implants placed at the time of or after alveolar ridge augmentation with an autogenous mandibular bone graft and titanium mesh: a 3- to 8-year retrospective study. Int J Oral Maxillofac Implants. 2009;24(6):1119-1128.

178. Ricci L, Perrotti V, Ravera L, Scarano A, Piattelli A, Iezzi G. Rehabilitation of deficient alveolar ridges using titanium grids before and simultaneously with implant placement: a systematic review. J Periodontol. 2013;84(9):1234-1242.

179. Pieri F, Corinaldesi G, Fini M, Aldini NN, Giardino R, Marchetti C. Alveolar ridge augmentation with titanium mesh and a combination of autogenous bone and anorganic bovine bone: a 2-year prospective study. J Periodontol. 2008;79(11):2093-2103.

180. Simion M, Trisi P, Piattelli A. Vertical ridge augmentation using a membrane technique associated with osseointegrated implants. Int J Periodontics Restorative Dent. 1994;14(6):496-511.

181. Simion M, Jovanovic SA, Trisi P, Scarano A, Piattelli A. Vertical ridge augmentation around dental implants using a membrane technique and autogenous bone or allografts in humans. Int J Periodontics

Restorative Dent. 1998;18(1):8–23.

182. Triplett RG, Schow SR. Autologous bone grafts and endosseous implants: complementary techniques. J Oral Maxillofac Surg. 1996;54(4):486–494.

183. Bahat O, Fontanessi RV. Efficacy of implant placement after bone grafting for three-dimensional reconstruction of the posterior jaw. The International journal of periodontics & restorative dentistry. 2001;21(3):220–231.

184. Urban IA, Monje A, Lozada J, Wang HL. Principles for Vertical Ridge Augmentation in the Atrophic Posterior Mandible: A Technical Review. Int J Periodontics Restorative Dent. 2017;37(5):639–645.

185. Simion M, Dahlin C, Rocchietta I, Stavropoulos A, Sanchez R, Karring T. Vertical ridge augmentation with guided bone regeneration in association with dental implants: an experimental study in dogs. Clin Oral Implants Res. 2007;18(1):86–94.

186. Park Y-H, Choi S-H, Cho K-S, Lee J-S. Dimensional alterations following vertical ridge augmentation using collagen membrane and three types of bone grafting materials: A retrospective observational study. Clin Implant Dent Relat Res. 2017;19(4):742–749.

187. Chiapasco M, Di Martino G, Anello T, Zaniboni M, Romeo E. Fresh frozen versus autogenous iliac bone for the rehabilitation of the extremely atrophic maxilla with onlay grafts and endosseous implants: preliminary results of a prospective comparative study. Clin Implant Dent Relat Res. 2015;17 Suppl 1:e251–e266.

188. Aloy-Prósper A, Peñarrocha-Oltra D, Peñarrocha-Diago M, Peñarrocha-Diago M. The outcome of intraoral onlay block bone grafts on alveolar ridge augmentations: a systematic review. Med Oral Patol Oral Cir Bucal. 2015;20(2):e251–e258.

189. Cordaro L, Amadé DS, Cordaro M. Clinical results of alveolar ridge augmentation with mandibular block bone grafts in partially edentulous patients prior to implant placement. Clin Oral Implants Res. 2002;13(1):103–111.

190. Antoun H, Sitbon JM, Martinez H, Missika P. A prospective randomized study comparing two techniques of bone augmentation: onlay graft alone or associated with a membrane. Clin Oral Implants Res. 2001;12(6):632–639.

191. Salata LZ, Rasmusson L, Kahnberg K-E. Effects of a mechanical barrier on the integration of cortical onlay bone grafts placed simultaneously with endosseous implant. Clin Implant Dent Relat Res. 2002;4(2):60–68.

192. Burchardt H. The biology of bone graft repair. Clin Orthop Relat Res. 1983(174):28–42.

193. De Marco AC, Jardini MAN, Lima LPA. Revascularization of autogenous block grafts with or without

an e—PTFE membrane. Int J Oral Maxillofac Implants. 2005;20(6):867—874.

194. Gordh M, Alberius P, Lindberg L, Johnell O. Bone graft incorporation after cortical perforations of the host bed. Otolaryngol Head Neck Surg. 1997;117(6):664—670.

195. Rakhmatia YD, Ayukawa Y, Furuhashi A, Koyano K. Current barrier membranes: titanium mesh and other membranes for guided bone regeneration in dental applications. J Prosthodont Res. 2013;57(1):3—14.

196. Monje A, Urban IA, Miron RJ, Caballe—Serrano J, Buser D, Wang H—L. Morphologic Patterns of the Atrophic Posterior Maxilla and Clinical Implications for Bone Regenerative Therapy. Int J Periodontics Restorative Dent. 2017;37(5):e279—e289.

CHAPTER

블록골 이식술

1.
개요

블록골 이식은 골유도 재생술보다 더 오랜 역사를 지닌 술식이다. 1975년 Branemark 등이 일련의 증례들을 소개한 이례로 장골(iliac bone)에서 채취한 블록골은 임플란트 골증강술의 용도로 가장 빈번하게 사용되었다.[1] 그러나 장골이나 경골 등 구강 외에서 채취한 골은 구강 내에서 채취한 골에 비해 여러 가지 단점이 있기 때문에 현재는 잘 사용되지 않는다. 골의 생물학적, 생리적 특성에 대해서는 앞에서 자세히 살펴본 바 있기 때문에 여기에서는 임상에서 실제로 고려해야 할 사항에 대해서만 자세히 알아보도록 한다.

1) 블록골 이식술은 광범위한 수평적 결손과 수직적 결손의 수복을 위해 사용된다.

블록골 이식은 골유도 재생술과 더불어 치조골을 수평적, 혹은 수직적으로 증강시킬 수 있는, 가장 광범위한 적응증을 지닌 골증강술이다.[2,3] 그러나 치조제의 보존, 발치 후 즉시 임플란트 식립 시 임플란트 주위 결손의 충전, 열개/결손의 수복, 상악동 함기화에 의한 결손의 수복에 있어서는 입자형 이식재만 사용 가능하거나 더 좋은 결과를 보이기 때문에 현재 블록골 이식술의 적응증은 광범위한 수평적 결손과 수직적 결손에 국한되고 있다.[4,5] 앞서 설명했듯이 블록골 이식술은 광범위한 수평적 결손에서는 가장 우선적으로 선택되는 치료 옵션이며 수직적 결손에서는 수직적 골유도 재생술에 이어 두 번째로 선호되는 치료 옵션이다(📷 5-1).

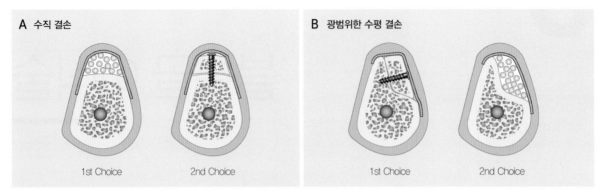

◎ 5-1 블록골 이식술의 적응증
A. 블록골 이식술은 수직적 결손 수복 시 두 번째로 선호되는 술식이다.
B. 블록골 이식술은 광범위한 수평적 결손 수복 시 첫 번째로 선호되는 술식이다.

광범위한 수평적 결손과 수직적 결손의 공통점은 다음과 같다.

- 골벽수가 적은 골외 결손이다.
- 골이식 수혜부는 편평한 면을 이룬다.

앞서 여러 번 설명했듯이 골벽수가 적은 결손과 골외 결손에서는 골이식 재료 자체의 공간 유지 기능이 매우 중요하다. 블록골은 그 자체가 강한 공간 유지 기능이 있기 때문에 골벽수가 적은 골외 결손에 사용하면 골증강부의 붕괴를 효율적으로 예방할 수 있다.

블록골은 수혜부 골과 최대한 넓은 부위에서 밀접하게 접촉해야 성공적으로 유합된다.[6-8] 이러한 측면에서 특히 광범위한 수평적 결손은 블록골 이식을 위한 최적의 환경을 제공한다. 넓은 골면이 편평한 평면을 이루고 있기 때문이다. 수직적 결손부는 대체로 완전한 평면보다는 설측이 높고 협측이 낮은 사면을 이루는 경우가 많고 수평적 결손보다 골면의 면적이 좁다. 따라서 수직적 결손을 블록골 이식술로 수복할 때에는 수혜부 골을 부분적으로 삭제하여 평면에 가까운 형태로 수정해 주어야 한다(◎ 5-2). 이는 수직적 결손 수복 시 블록골 이식술보다는 골유도 재생술을 선호하는 주요한 이유 중 하나이다.

2) 블록골 이식술 시에는 임플란트를 단계법으로 식립한다.

임플란트를 골증강술과 동시에 시행할지 여부를 결정짓는 가장 중요한 요소는 일차 안정(primary stability)을 얻을 수 있는가 여부이다. 즉, 잔존골에서 임플란트의 일차 안정을 얻을 수 있다면 골이식과 동시에 임플란트를 식립할 수 있지만, 잔존골만으로는 임플란트를 안정시킬 수 없다면 골증강술을 시행하고 차후 단계법으로 임플란트를 식립해야 한다. 이러한 프로토콜만 지킨다면 골증강술과 동시에 임플란트를 식립한 경우와 골증강

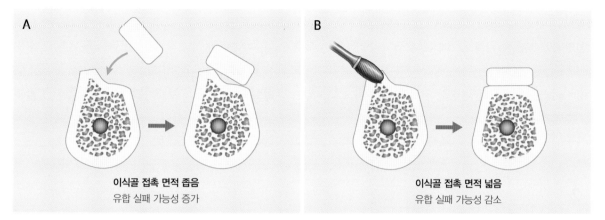

이식골 접촉 면적 좁음
유합 실패 가능성 증가

이식골 접촉 면적 넓음
유합 실패 가능성 감소

📷 **5-2 블록골 이식술 시 골이식 수혜부는 이식골과 최대한 접촉할 수 있도록 편평화시켜야 한다.**
A. 수직적 결손부에 블록골 이식을 시행할 때 수혜부 골에 아무런 처치도 가하지 않으면 이식골과 수혜부 골 간의 접촉 정도는 저하될 수밖에 없다. 이는 블록골과 수혜부 골 사이의 유합 실패를 초래할 수도 있다. **B.** 수직적 결손부에 블록골 이식을 시행하려면 수혜부 골을 반드시 편평한 형태로 수정해 주어야 한다. 이는 이식골과 수혜부 골 사이의 접촉 정도를 증가시켜 골이식의 성공 가능성을 증진시킨다.

술을 완료하고 수개월 후 임플란트를 단계법으로 식립한 경우의 임플란트 성공에는 별다른 차이가 없는 것으로 보인다. 지연 임플란트 식립을 주장하는 이들은 골이식과 동시에 임플란트를 식립하면 다음의 위험성이 증가할 수 있다고 생각한다.[9-15]

- 치유 기간 중 피판이 열개되어 수술부가 노출되거나 감염되면 골이식재를 부분적/전체적으로 제거해야 할 수 있다.
- 블록골 이식술과 동시에 임플란트를 식립하면 임플란트는 부분적으로 생활력이 없는 이식골과 접하게 되며, 이는 골유착의 실패를 유발할 수 있다.

블록골 이식술은 대개 잔존골에서 일차 안정을 얻기가 불가능한 증례에 적용한다. 블록골 이식술 후 이식골의 치료가 완료된 상태에서 임플란트를 식립하면, 임플란트는 재생이 이루어져 살아있는 골조직 내로 식립이 가능해진다. 골의 재생 능력은 혈관, 골수, 살아 있는 골 표면 등에 의해 결정되기 때문에 지연 임플란드 식립 시에는 더 높은 임플란트의 골유착 정도와 일차 안정을 얻을 수 있다.[16-19] 실제로 블록골 이식술 시 임플란트를 동시에 식립하면 임플란트의 실패 가능성은 증가한다. 한 문헌 고찰에 의하면 블록골 이식과 동시에 임플란트를 식립하면 임플란트의 실패율은 8.9-11.2%였던 반면, 블록골 이식술 후 임플란트 식립을 단계법으로 시행하면 임플란트의 실패율은 0-10.1%였다.[20]

과거에는 블록골 이식술 후에 식립한 임플란트에는 충분한 치유 기간(6-12개월)을 부여한 후 부하를 가하는 것이 일반적이었다.[21] 그러나 임상 경험이 축적됨에 따라 블록골 이식술을 시행한 부위에 식립한 임플란트도 식립 3-6개월 후에 따라 부하를 가하는 것이 일반화되었다.[9-19] 자가 블록골로 온레이, 혹은 개재골 이식을 시행한 부위에 식립한 임플란트는 건전한 치조골에 식립한 임플란트와 식립 24주(6개월) 후에 공진 주파수 분석으로 측정한 임플란트 안정도에서 별다른 차이를 보이지 않았다.[19] 이는 블록골 이식을 시행한 부위에 식립한 임플란트 치유 기간을 6개월 이상 부여할 아무런 이유도 없음을 보여주는 것이다. 심지어 블록골 이식을 시행한 부위에 식립한 임플란트에 대해 조기 부하(식립 2개월 후)나 즉시 부하(식립 후 48시간 이내)를 시행한 경우에도 95%를 상회하는 높은 골유착의 성공을 보였다는 보고가 있었다.[11,15] 그러나 블록골 이식술을 시행한 부위에 식립한 임플란트의 부하 시기에 대해서는 의미 있는 전향적 대조 연구가 부재하기 때문에 확정적인 결론을 내리기는 힘들다.

2.
자가 블록골 채취

자가 블록골 이식술을 시행할 때에는 최대한 빠른 시간 내에 공여부에서 채취한 자가골을 수혜부에 고정시키고 수혜부를 폐쇄할 수 있도록 하는 것이 좋다. 자가 블록골 이식술의 일반적인 수술 순서는 다음을 따른다 (📷 5-3, 📑 5-1).

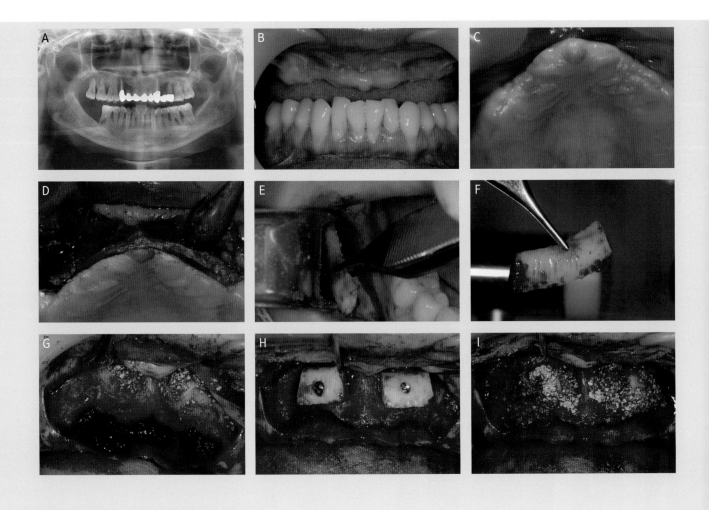

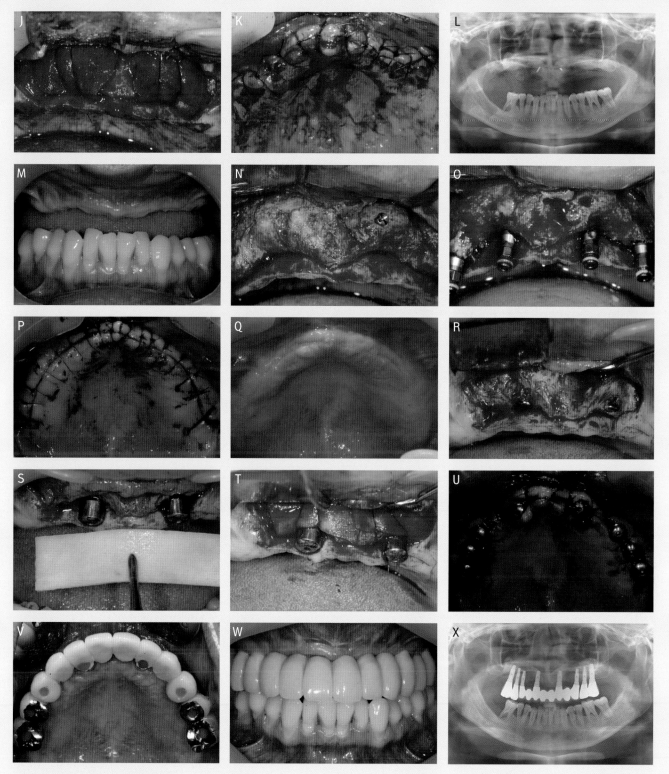

📷 5-3 자가 블록골 이식술의 과정

A. 상악의 모든 치아를 발거하고 임플란트 지지 고정성 보철물로 수복해 주기로 한 증례이다. 전치부는 블록골 이식을 이용한 수평적 골증강을, 구치부는 상악동 골이식을 시행한 후 임플란트를 식립하기로 계획했다.

B~D. 수혜부 준비. 상악 전치부에 블록골 이식을 시행하기로 했기 때문에 전치부에 한정된 피판을 형성하고 거상했다.

E~F. 공여부에서 이식골 채취. 우측 하악지에서 블록골을 채취했다.

G~J. 수혜부로 블록골 이식. 전치부 치조골의 높이 또한 심하게 줄었기 때문에 비강저를 거상하고 탈단백 우골을 삽입했다(**G**). 이후 자가 블록골을 고정해 주었고 탈단백 우골과 교차 결합 교원질 차폐막을 그 상부에 적용했다(**H~J**).

K. 이후 골이식 수혜부와 공여부를 차례대로 폐쇄해 주었다.

L~P. 대략 5개월 후 임플란트를 식립했다.

Q~U. 약 4개월 후 2차 수술을 시행했고 순측 조직의 증강을 위해 무세포성 동종 진피를 삽입했다.

V~X. 약 3.5개월 후 최종 보철물을 연결해 주었다.

5-1 자가 블록골 이식술의 과정	
수혜부 준비	형태를 결정한다. 봉합사 포장 종이나 bone wax 등을 이식재의 template으로 이용할 수 있다.
공여부에서 이식골 채취	공여부를 절개 및 박리하고 수혜부에서 결정한 크기와 형태에 맞추어 이식골을 채취한다. 적절한 양의 이식골을 채취한 후에는 지혈재와 거즈 등을 골 공여부에 삽입하여 지혈을 도모한다.
수혜부에 이식골 고정	이식골을 수혜부 형태에 맞춰서 다듬는다. 수혜부 골은 가급적 삭제하지 않는 것이 좋지만 필요하다면 이식골에 맞추어 편평하게 다듬어준다. 이식골이 수혜부의 원하는 위치에 적절히 고정되는지 확인하고 스크루로 고정한다. 고정 후 이식골의 뾰족하거나 예리한 변연을 다듬는다.
수혜부 폐쇄 및 봉합	필요하다면 입자형 골을 이식골 변연과 상부에 적용하고 차폐막으로 이식골을 피개한다. 이후 골막에 이완 절개를 가하고 장력 없는 긴밀한 봉합을 시행한다.
공여부 폐쇄 및 봉합	마지막으로 공여부의 지혈을 확인하고 폐쇄해준다.

자가 블록골 이식에 있어서 절개 및 박리, 골이식 과정, 그리고 봉합 및 폐쇄 등의 일반적 수술 원칙은 골유도 재생술에서와 동일하다. 따라서 여기에서는 골 채취 자체의 과정, 이식골 고정, 차폐막 및 이종골 이식재 적용 여부 등 자가 블록골 이식에서만 고려해야 하는 사항에 대해서 논하도록 한다.

1) 자가 블록골의 공여부로는 하악 정중부와 하악지가 가장 많이 이용된다.

하악 정중부(mandibular symphysis)와 하악지 부위(mandibular ramus)는 자가 블록골 이식재의 채취를 위한 공여부로 가장 많이 이용되고 있다.[7] 하악지와 하악 정중부에서 채취한 골은 구강 외에서 채취한 골에 비해 다음과 같은 장점이 있다.[22,23]

① 이들 부위로 접근하는 외과적 술식은 많으며, 따라서 일정 정도의 임상 경험이 있는 술자는 시술이 용이함
② 골 공여부와 수혜부가 가깝기 때문에 수술 시간과 마취 시간을 줄여줄 수 있고, 따라서 국소 마취 하에 수술이 가능하고 술자와 환자의 부담이 감소함
③ 구강 외부의 피부에 반흔을 형성하지 않음
④ 환자의 불편감과 합병증이 적음

하악지와 하악 정중부 골의 가장 큰 장점은 이식골의 조직학적, 물리적 특성에 기인한다. 즉, 악골 및 두개골을 제외한 부위에서 채취한 골은 연골성 골로서 골밀도가 낮은 반면, 하악에서 채취한 골은 막성골이며 골밀도가 높다.[24] 이러한 성질은 이식골의 흡수와 이식 부위의 골밀도에 영향을 미치게 되어 하악에서 채취한 골은 구강 외에서 채취한 골에 비해 치유 기간 중 흡수가 적고 좀 더 높은 밀도의 골로 치유된다.[25] 구강 외에서 채취한 골보다 하악골에서 채취한 골은 치유 기간 동안 흡수가 훨씬 덜 된다.[25,26] 장골 이식을 시행한 경우에는 장기간의 흡수율이 거의 50%, 혹은 그 이상까지 이르는 반면,[27-29] 하악골을 이식한 경우에는 대략 30% 이하이다.[30-32]

　　결국 장골이나 경골 등의 구강 외 골 공여부의 장점은 채취할 수 있는 이식골의 양이 많다는 점 이외에는 없다. 게다가 양측 하악지와 하악 정중부 골을 이용하면 상당한 양의 이식골을 채취하여 전악 수복이 가능해지기 때문에 구강 외 골을 채취할 적응증은 거의 없다고 생각된다(📷 5-4).[33]

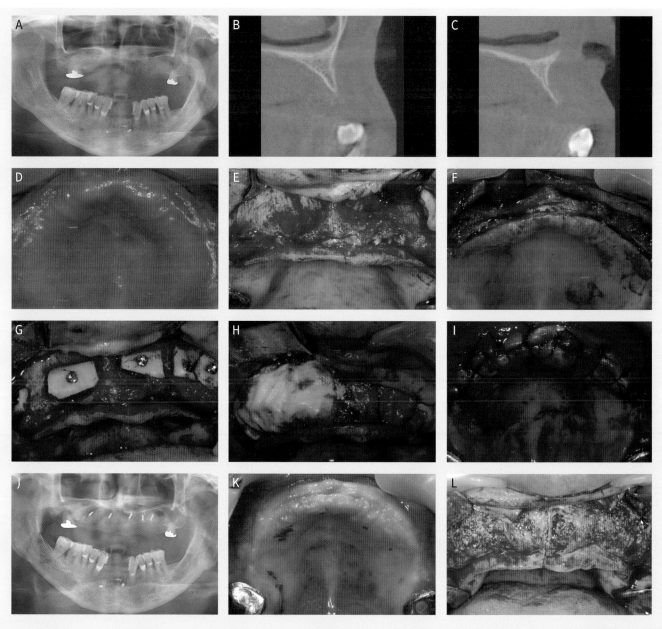

- 계속 -

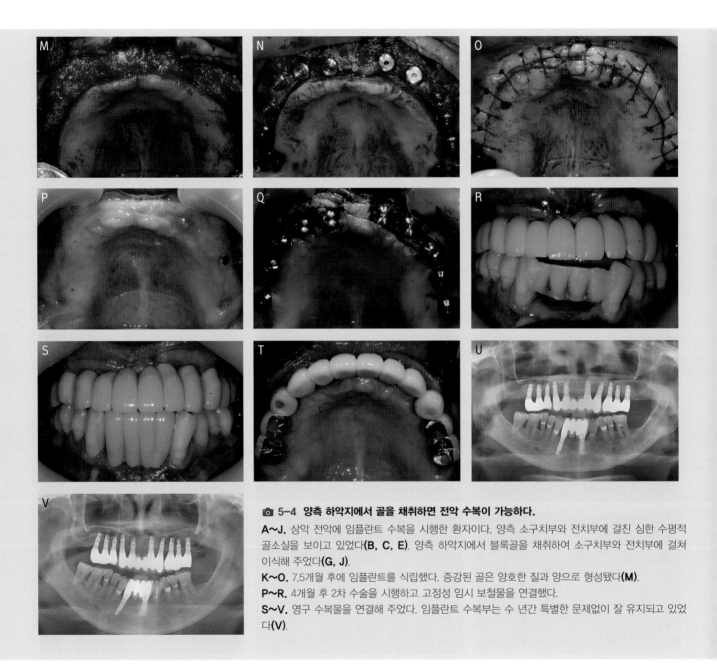

📷 5-4 **양측 하악지에서 골을 채취하면 전악 수복이 가능하다.**

A~J. 상악 전악에 임플란트 수복을 시행한 환자이다. 양측 소구치부와 전치부에 걸친 심한 수평적 골소실을 보이고 있었다**(B, C, E)**. 양측 하악지에서 블록골을 채취하여 소구치부와 전치부에 걸쳐 이식해 주었다**(G, J)**.

K~O. 7.5개월 후에 임플란트를 식립했다. 증강된 골은 양호한 질과 양으로 형성됐다**(M)**.

P~R. 4개월 후 2차 수술을 시행하고 고정성 임시 보철물을 연결했다.

S~V. 영구 수복물을 연결해 주었다. 임플란트 수복부는 수 년간 특별한 문제없이 잘 유지되고 있었다**(V)**.

2) 하악 정중부보다는 하악지에서 골을 채취할 때 합병증이 더 적게 발생한다.

하악지와 하악 정중부를 포함하는 자가골 이식재의 특성에 대해서는 앞서 "골유도 재생술을 위한 골이식재"에서 이미 자세히 다룬 바 있다. Misch는 자신의 경험에 근거하여 하악 정중부와 하악지 골의 성질을 비교하였다(📚 5-2).[7]

📑 5-2 하악 정중부와 하악지 골의 비교

비교 지표	하악 정중부	하악지
접근의 용이성	좋음	괜찮음 – 좋음
외모 변화에 대한 환자의 걱정	높음	낮음
이식재 형태	두터운 사각형 블록	얇은 사각형 비니어
이식재 성상	피질–해면골	피질골
이식재 크기(cm³)	>1 cm³	<1 cm³
이식재 흡수	최소	최소
치유 후 이식골의 밀도	2형>1형	1형>2형
공여부 합병증 　술 후 통증/부종 　감각 신경 변화 – 치아 　감각 신경 변화 – 조직 　절개선 열개	 중등도 일반적(일시적) 일반적(일시적) 가끔 발생	 최소 – 중등도 드묾 드묾 드묾

(1) 하악 정중부에서는 해면골을 포함해 더 많은 양의 골을 채취할 수 있는 반면, 하악지에서는 더 두꺼운 피질골을 채취할 수 있다.

하악 정중부에서는 피질골과 해면골 모두 채취 가능한 반면, 하악지에서는 거의 피질골만 채취 가능하다. 그러나 피질골만의 두께는 하악지 부위가 더 두껍다. 한 CT 연구에 의하면 하악지(제2대구치 부위)의 피질골 두께는 평균 2.9±0.4 mm였던 반면, 하악 정중부의 피질골 두께는 평균 2.19±0.4 mm(정중선)~2.10±0.4 mm(하악 견치 부위)였으며, 이는 유의한 차이를 보이는 것이었다.[34] 즉, 하악지에서는 대략 3 mm 두께의 피질골을 얻을 수 있고 하악 정중부에서는 대략 2 mm 두께의 피질골을 얻을 수 있다고 할 수 있겠다(📷 5-5).

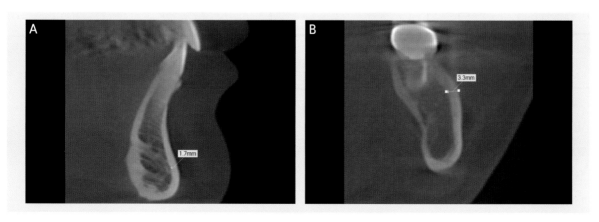

📷 5-5 하악 정중부에는 피질골이 약 2 mm 정도의 두께로, 하악지에는 약 3 mm 두께로 존재한다.
A. 하악 정중부. **B.** 하악지

채취할 수 있는 골의 총 부피는 하악 정중부가 편측 하악지보다 더 많다. 한 전향적 연구에서는 하악골 이식을 시행할 환자들의 CT 영상을 분석한 결과 하악 정중부에서는 평균 1.44±0.49 cm³, 하악지에서는 0.82±0.21 mm³의 골이 채취 가능한 것으로 계측되었고, 이는 유의한 차이를 보이는 것이었다고 했다.[34]

(2) 하악 정중부에서 골을 채취하면 합병증 발생 가능성이 상대적으로 높다.

하악 정중부는 하악지에 비해 접근이 더 쉽고 골을 채취하는 과정 또한 더 용이하다. 또한 해면골을 포함시키면 골을 더 두껍게 채취할 수 있다는 장점이 있다. 그러나 수술 후 합병증, 특히 절치 신경 손상의 발생 빈도가 매우 높기 때문에 현재 대부분의 전문가들은 구강 내 골 공여부로 하악지를 가장 선호한다.[2,8,35,36]

하악지 설측의 소설(허돌기; lingula)로 진입한 하치조 신경은 하악관 내부를 통해 전방으로 주행하다가 소구치 부위에서 두 개의 가지로 분지한다. 하나의 가지는 이공(mental foramen)을 통해 하악골 밖으로 나와서 하순 및 이부의 감각을 담당하는 이 신경(mental nerve)이 되고, 다른 하나의 가지는 계속 골 내부를 통해 전방으로 이동하여 하악 전치의 감각을 담당하는 절치 신경(incisive nerve)이 된다(📷 5-6). 하악지에서 골을 채취한 후에 신경 손상이 발생하는 경우에는 주로 하치조 신경(하순, 이부, 하악 전치, 하악 전방 치은 등)이나 협신경(구치의 협측 전정 점막)에서 손상이 발생한다. 반면 하악 정중부에서 골을 채취하는 경우에는 주로 이 신경(하순, 이부)이 절치 신경(하악 전치)이 손상된다.[37,38]

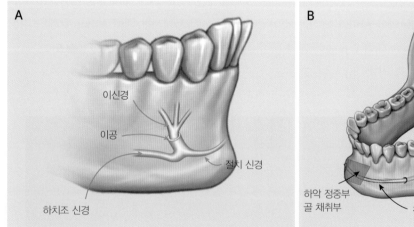
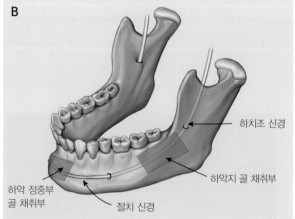

📷 **5-6 하악골 내의 주요 신경 분포와 골채취 부위와 신경 주행 부위와의 관계**
A. 하악골 내에서 후방에서 전방으로 주행하던 하치조 신경은 이신경과 절치 신경으로 분지한다. 이신경은 이공을 통해 하악골을 나와 하순 및 이부 연조직 내로 주행한다. 절치 신경은 하악골 내에서 전방으로 주행한다. **B.** 하악지 골채취 부위는 하치조 신경과 가깝다. 따라서 하악지에서 골을 채취한 후에 신경 손상이 발생하는 경우에는 주로 하치조 신경(하순, 이부, 하악 전치, 하악 전방 치은 등)이나 협신경(구치의의 협측 전정 점막)에서 손상이 발생한다. 반면 하악 정중부에서 골을 채취하는 경우에는 주로 이 신경(하순, 이부)이나 절치 신경(하악 전치)이 손상된다.

한 대조 연구에서는 하악지와 하악 정중부 골채취 후의 감각 변화를 비교했다.[39] 그 결과 수술 1개월 후에는 하악 정중부 골 채취를 시행한 경우에 75.9%의 환자가 하순 및 이부의 감각 저하를 호소한 반면, 하악지에서 골 채취를 시행한 경우에는 20.8%의 환자만이 하악 전정 점막의 감각 이상을 호소했다. 18개월 후에도 하악 정중부 골 채취를 시행한 경우에는 51.7%의 환자가 여전히 감각 저하와 이상 감각을 호소한 반면, 하악지 골 채취를 시행한 경우에는 4.2%의 환자만이 전정 점막의 감각 이상을 호소했다(📷 5-7). 하악지에서 골을 채취한 경우 신경 손상의 빈도가 훨씬 적을 뿐만 아니라 감각 손상의 부위도 불편감이 더 적은 부위였던 것이다. 또 다른 대조 연구에서도 하악 정중부에서 골을 채취했을 때 33.3%의 환자가 수술 직후에 감각 변화를 호소했고 1년 후에도 7.4%의 환자에서는 이 증상이 지속됐다.[35] 반면 하악지에서 골을 채취하면 18.51%의 환자가 수술 직후에, 그리고 1.85%의 환자가 1년 후에 이상 감각을 호소했다. 수술 직후와 수술 1년 후의 감각 손상 빈도는 모두 유의한 차이를 보이는 것이었다. 한 전향적 연구에서는 하악 전방부에서 골채취 시에는 하악지에서 골채취를 시행할 때보다 술 후 합병증은 유의하게 더 많이 발생했으며 대부분의 합병증은 감각 손상이었다고 보고했다.[40] 하악 정중부 골채취 후에는 16%에서, 하악지 골채취 후에는 8.3%에서 감각 손상이 발생했다. 한 문헌 고찰에 의하면 하악지에서 골을 채취했을 때에는 0-5%의 환자에서, 하악 정중부에서 골을 채취했을 때에는 10-50%의 환자에서 장기간 지속되는 신경 손상이 발생했다고 보고했다.[21] 결론적으로 하악 정중부에서 골을 채취하는 경우에는 10-50%의 환자에서 영구적인 신경 손상이 발생하는 반면,[37,41,42] 하악지에서 골을 채취하면 0-5%의 환자에서 신경 손상이 발생하는 것으로 보고되었다.[37,41,43]

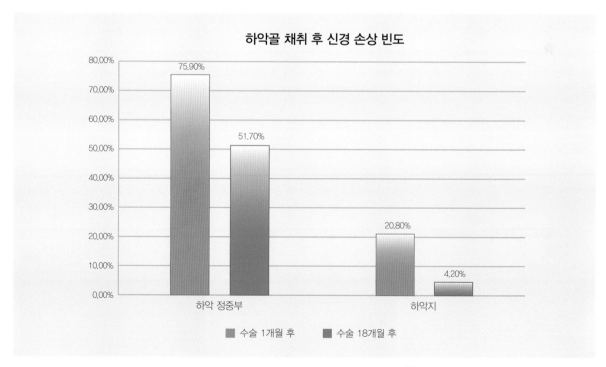

📷 **5-7 하악 정중부와 하악지에서 이식골을 채취한 후 치유 기간에 따른 신경 손상의 빈도**[39]
하악지에서 골을 채취하면 영구적인 신경 손상 빈도는 매우 낮다.

하악 정중부에서 골을 채취하면 하순과 이부(mentum)의 감각 손상뿐만 아니라 하악 절치의 감각 이상과 치수 괴사도 드물지만 발생한다.[35] 몇몇 전향적 연구들에 의하면 하악 전방부에서 골을 채취하면 수술 직후 22-29.4%의 증례에서, 6개월-1년 후엔 3.9-11.2%의 증례에서 하악 전치부 치아가 치수 생활력 검사상 음성을 나타냈다.[44,45]

결론적으로 하악 정중부에서 골을 채취하면 절개, 피판 거상, 골채취에 의해 이 신경 말단과 절치 신경의 손상을 초래하고, 결국 상당한 비율의 환자에서 하악 절치, 하순, 이부 피부에 영구적인 감각 이상을 초래할 수 있다.[46] 결국 하악 정중부에서의 골채취는 시술의 용이성에도 불구하고 점차 사라지고 있는 술식이 되고 있다.

3) 하악 정중부 골채취

(1) 하악 정중부는 치은 열구 절개나 전정 절개를 통해 접근할 수 있다.

하악 정중부에 접근하는 방법에는 치은 열구 절개법(sulcular incision; 무치악의 경우에는 치조정 절개법)과 전정 절개법(vestibular incision) 등 두 가지가 있다.[7,47,48] 하악 전치부에 건전한 치아가 존재하며 수혜부가 하악 전치부가 아닌 경우, 즉 일반적인 경우에는 전정 절개를 시행한다. 전정 절개를 시행하면 출혈이 많고 구강 점막에 반흔이 형성되어 환자가 불편해 할 수 있지만 골을 채취하는 부위와 가까운 부위에 절개를 가하는 것이므로 접근이 용이하며 부착 치은 및 치주 조직에 어떠한 위해도 가하지 않는다는 장점이 있다. 치은 열구 절개를 가하면 절개선과 골채취부가 멀어져서 접근이 어려워지고 술 후 치은의 수축을 유발할 수 있기 때문에 건전한 하악 전치가 존재하는 경우에는 가급적 시행하지 않는 것이 좋다. 다만, 하악 전치부가 결여되어 있거나 하악 전치부가 골이식 공여부 및 수혜부인 경우에는 치조정 절개를 가한다(📷 5-8).

하악 정중부에 접근할 때에는 양측 하치조 신경에 대해 전달 마취를 시행하고 하악 전방부 점막에 충분한 침윤 마취를 시행하여 수술 중의 점막 출혈을 예방한다. 하악 전방부 점막에는 혈관이 매우 발달해 있으므로 침윤 마취를 충분히 많이 해주는 것이 좋다.

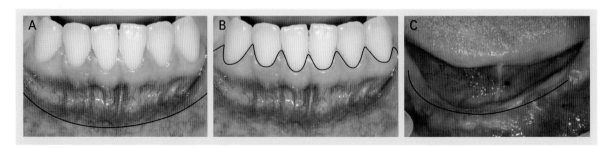

📷 **5-8 하악 정중부 골채취 시 절개법**
A. 전정 절개 **B.** 치은구 절개(하악 전치부 치아가 존재할 경우) **C.** 치조정 절개(하악 전치부가 무치악 상태인 경우)

(2) 하악 정중부는 일반적으로 전정 절개를 통해 접근한다.

전정 절개 시 가장 중요하게 고려할 구조물은 이근(mentalis muscle)과 이 신경이다.[37,49-51] 이근은 하순(아래 입술)과 이부(턱끝) 피부를 상방으로 견인하는 유일한 근육인데, 하악 정중부 전정 절개 시 이 근육은 절단된다 (📷 5-9).[49] 따라서 이근의 적절한 부위를 절개해주고 봉합 시 이근을 올바로 위치시키지 않으면 하순과 이부 가 하방으로 처지게 된다(이를 이부 하수; chin ptosis라고 한다).[47]

이 신경은 이공을 통해 하악골 밖으로 나와서 하순 및 이부의 연조직으로 주행한다. 이 신경은 주로 골막을 박리할 때나 연조직을 견인할 때 많이 손상 받는다. 이 신경이 손상되지 않게 하기 위해서는 수술 전에 방사선 사진으로 이공의 위치를 미리 확인하고 수술 시 제1소구치 후방으로 박리를 연장하지 않는 것이 좋다. 기구로 이 신경을 직접 건드리면 일시적인 감각 손상은 발생할 수 있지만 신경이 절단되거나 늘어나지만 않으면 감각 은 대체적으로 회복된다.

전정 절개의 범위는 견치 원심에서 반대측 견치 원심까지, 혹은 제1소구치 중앙에서 반대측 제1소구치 중앙 까지로 한다. 견인기(retractor)나 손으로 하순을 충분히 팽팽하게 견인한 상태에서 15번 수술도를 이용, 점막에 일차 절개를 가한다(📷 5-10). 절개는 치은 점막 경계에서 대략 1 cm 정도 치근단측, 혹은 순측에 가하며 점막 평면에 수직으로 가한다. 일차 절개는 표면의 점막과 점막하 조직에만 가하는 것이기 때문에 그 깊이는 대략 2-3 mm 정도이다.[49] 일차 절개를 가하면 그 하방의 이근 섬유가 관찰된다. 전정 절개 시의 출혈은 대부분 일 차 절개 시 발생하는데 이는 전기 소작기나 1-2분간의 거즈 압박으로 지혈해준다.

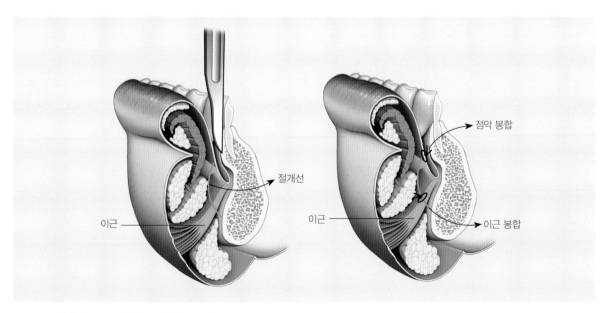

📷 **5-9 하악 정중부 골채취를 위한 전정 절개와 이근**
A. 전정 절개 시 이근은 절단된다. **B.** 이근은 하순(아래 입술)과 이부(턱 끝) 피부를 상방으로 견인하는 유일한 근육이기 때문에 봉합 시 반드시 절단된 양측 변연을 연결해 주어야 한다.

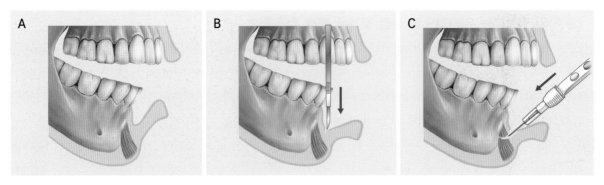

📷 5-10 전정 절개의 과정
A. 전정 절개 시에는 각화 점막의 폭과 이근의 위치를 가장 중요하게 고려한다. **B.** 견인기(retractor)나 손으로 하순을 충분히 팽팽하게 견인한 상태에서 15번 수술도를 이용, 점막에 일차 절개를 가한다. 절개의 위치는 치은 점막 경계부에서 대략 1 cm 정도 떨어진 부위에 가한다. 일차 절개의 깊이는 대략 2-3 mm 정도로 시행한다.[49] 일차 절개를 가하면 그 하방의 이근 섬유가 관찰된다. **C.** 이근이 관찰되면 수술도나 전기 소작기(보비)를 이용, 골면에 약 45도의 비스듬한 방향으로 이차 절개를 시행하여 이근을 완전히 절단한 후 골표면까지 진입한다.

일차 절개 후 이근이 관찰되면 수술도나 전기 소작기(보비)를 이용, 골면에 약 45도의 비스듬한 방향으로 이차 절개를 시행하여 이근을 완전히 절단한 후 골표면까지 진입한다.[49] 절개를 완료한 후에는 골막 기자를 이용하여 수술부를 완전히 노출시킨다. 하악 하연은 골막과 골이 잘 분리되지 않아 박리가 쉽지 않고 경부에서 올라오는 감각 신경이 존재하여 환자가 동통을 느낄 수 있기 때문에 완전히 박리할 필요는 없다.

(3) 치은 열구 절개(치조정 절개)는 하악 전치가 결손되어 있거나 골이식 수혜부가 하악 전치부일 때 시행한다.

치은 열구 절개를 시행할 때에는 혈관이 풍부한 점막을 절개하지 않으므로 수술 중 출혈이 많지 않으며 이근을 절단하지 않으므로 수술 후 이근을 재위치 시키기가 용이하다는 장점이 있다. 그러나 하악 전치부의 치주 조직을 손상시킬 수 있다는 점, 절개 부위와 골채취 부위가 멀어서 많은 양의 박리를 시행해야 한다는 점, 원래 총생(crowding)이 많은 하악 전치부는 봉합이 용이하지 않다는 점 때문에 전정 절개에 비해 그 선호도는 떨어지는 편이다. 그러나 하악 전치부 자체가 골이식 수혜부이거나 하악 전치부가 결여된 경우에는 치은 열구, 혹은 치조정 절개를 가하는 것이 유리하다(📷 5-11).

치은 열구 절개는 전정 절개와 동일하게 견치 원심에서 반대쪽 견치 원심까지 가한다. 이후 견치 원심에서 외측으로 비스듬하게 수직 절개를 치은 점막 경계를 약간 넘을 때까지 가하고 골막 기자로 박리를 시행한다. 박리의 범위는 전정 절개에서와 동일하다.

(4) 하악 정중부에서 골채취의 과정

하악 정중부에서 골채취가 가능한 부위의 한계는 하악 전치 치근단에서 5 mm 하방, 이공 전방에서 5 mm 전방, 하악골 하연에서 5 mm 상방으로 둘러 쌓인 직사각형이다(📷 5-12).[23,31,32,34] 한 사체 연구에 의하면 이

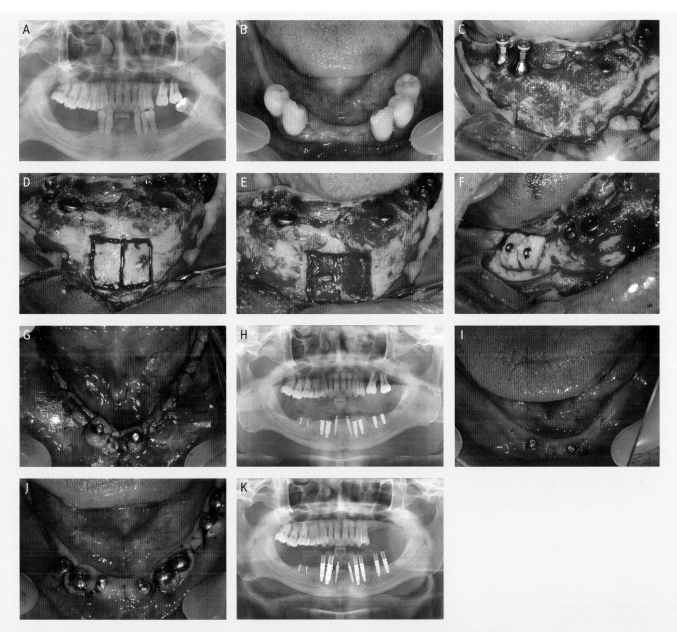

📷 **5-11 치은 열구 절개나 치조정 절개는 하악 전치가 결손되어 있거나 골이식 수혜부가 하악 전치부일 때 시행한다.**

A~H. 하악의 모든 잔존치를 제거하고 즉시 임플란트를 식립했다. 우측 구치부는 치조골의 수직적 결손이 심했기 때문에 하악 정중부 블록골을 채취하여 이식했다**(D~F)**. 이 증례에서는 하악 전치부에 자연치가 존재하지 않았고 하악 전치부에 임플란트 식립을 위해 피판 거상이 필요했기 때문에 치은구 절개/치조정 절개를 시행했다**(G)**.

I~K. 3개월 후 일단 2차 수술을 시행하고 고정성 임시 보철물을 연결했다. 이식골은 수혜부 골과 방사선학적으로 정상적으로 유합되는 양상을 보였지만 환자는 더 이상 내원하지 않았다.

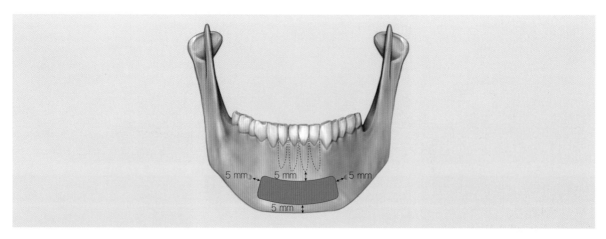

📷 5-12 하악 정중부 골채취 부위
하악 정중부에서 골채취가 가능한 부위의 한계는 하악 전치 치근단에서 5 mm 하방, 이공 전방에서 5 mm 전방, 하악골 하연에서 5 mm 상방으로 둘러 쌓인 직사각형이다.

러한 범위를 적용했을 때 최대 채취 가능한 블록골의 크기는 평균 20.9 mm(너비)×9.9 mm(높이)×6.9 mm(두께)였다.[23] 따라서 하악 정중부에서는 최대 2 cm×1 cm의 크기와 5 mm를 넘는 두께의 블록골을 채취할 수 있다는 사실을 알 수 있다.[52]

골채취를 시행할 때에는 우선 이식할 골의 크기와 형태를 골채취가 가능한 범위 안에 연필로 표시하는 것이 좋다. 수혜부에서 template를 미리 만들었다면 이를 이용하여 필요한 이식골의 형태를 표시해 줄 수도 있을 것이다. 물론 골채취가 익숙한 술자의 경우에는 막바로 골채취를 시작할 수 있겠지만 중요한 해부학적 구조물을 손상시키지 않으면서 원래 의도한 크기의 골을 채취하려면 이렇게 연필 등으로 미리 표시하는 것이 유리하다.

골채취 부위를 표시한 후에는 작은 카바이드 라운드 버나 피셔 버로 피질골을 절단한다. 일반적인 절삭 효율은 피셔 버가 더 좋기 때문에 저자는 이를 더 선호한다. 이때 버는 외측 피질골을 지나 그 내부의 해면골에 닿을 정도까지만 삽입해주면 된다(📷 5-13). 설측 피질골에는 혈관이 풍부하게 존재하여 이것들이 손상 받으면 상당한 출혈을 야기할 수 있기 때문에 설측 피질골은 가급적 건드리지 않는 것이 좋다.[53] 버가 피질골을 지나 그 내부의 해면골에 이르면 골의 저항감이 급속하게 감소하기 때문에 버의 끝이 해면골에 위치하는지는 손의 감각으로도 충분히 알 수 있다. 최근에는 압전 기구(piezoelectric instrument)를 이용하여 골절단을 시행하는 경우도 있으며 연조직 손상을 가하지 않고, 효율적인 절삭이 가능하며, 소음이 적은 장점이 있다.[54]

하악 정중부에서는 몇 가지 방법으로 골채취가 가능하다(📷 5-14).
① 전체 이식골을 한 조각으로 채취한다.
② 턱 끝의 외형 변화를 방지하고자 하는 목적으로 하악 정중앙의 골을 5 mm 정도 남겨두고 좌우 측에서 따로 골을 채취한다.[32]

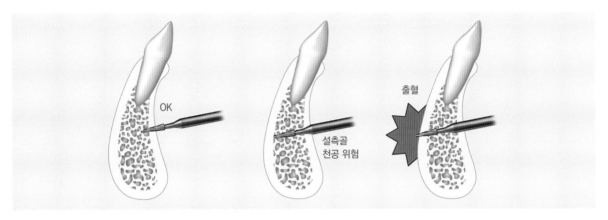

📷 5-13 하악 정중부 골채취 시 버나 드릴의 사용 방법
A. 버는 외측 피질골을 지나 그 내부의 해면골에 닿을 정도로까지만 삽입해주면 된다. 버를 대략 3-4 mm 깊이 정도까지만 골 내로 진입하면 충분하다. **B.** 버를 더 깊이 진행하면 설측 피질골 때문에 더 이상 진입이 잘 되지 않는 느낌이 든다. **C.** 만약 설측 피질골을 천공시키면 지혈이 어려운 출혈을 유발할 수 있기 때문에 주의해야 한다.

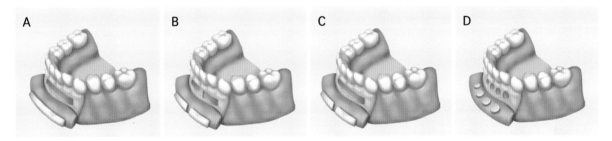

📷 5-14 하악 정중부에서 골을 채취하는 여러 가지 방법들
A. 일반적인 골 채취 방법. 긴 직사각형 형태로 채취한다. **B.** 어떤 이들은 정중앙의 골을 약 5 mm 정도 남겨두고 좌우 측에서 따로 두 개의 골을 채취한다. 이는 하악 정중부의 외형을 유지하기 위한 목적이지만 임상적 근거는 부족하다. **C.** 일반적인 골 채취 방법을 따르되 골의 정중앙을 세로로 분리하여 채취할 수도 있다. 이 방법으로 골을 좀 더 쉽게 채취한다. **D.** 트레핀 드릴을 이용하여 원통형 골을 손쉽게 채취할 수도 있다.

③ 하악 정중부 골을 중앙에서 이분하여 두 조각으로 채취한다.[37] 이는 골을 더 용이하게 채취하기 위함이다. 이식골이 좌우로 길면 공여부에서 이식골을 떼어 내기가 쉽지 않은 반면, 중앙에서 이식골을 나눠 주면 이식골을 떼어 내기가 훨씬 용이하다.

④ 커다란 직경의 트레핀 드릴을 이용하여 원통형의 블록골을 채취할 수도 있다. 이때에는 드릴의 직경이 대략 1 cm 정도인 것을 사용한다.[30,55]

버로 외측(순측) 피질골을 완전히 절단한 후에는 치즐과 말렛으로 이식골을 하악 정중부에서 분리해낸다. 버로 피질골을 절단할 때 왼쪽이나 오른쪽의 수직 골절단선을 골에 비스듬하게 형성해주면 골을 분리하기가 용이해진다(**📷 5-15**). 골을 분리하고 있을 때에는 환자가 거즈 등을 문 상태에서 강하게 폐구하고 있도록 하고 어

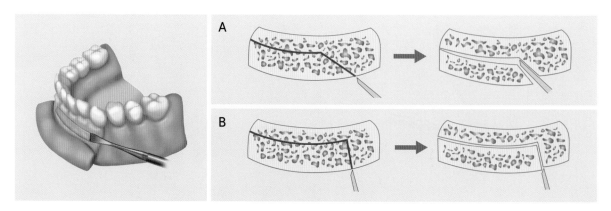

📷 **5-15 수직 골절단선을 골에 비스듬하게 형성해주면 치즐로 분리하기가 훨씬 용이하다.**
A. 한쪽 수직 골절단을 비스듬히 형성했다. 치즐을 골절단 방향에 따라 비스듬히 삽입하면 골은 쉽게 분리된다. **B.** 수직 골절단을 골에 수직으로 형성하면 치즐 또한 골에 수직으로 삽입된다. 따라서 이식골을 분리하기가 쉽지 않다.

시스트가 환자의 턱을 강하게 지지하도록 지시한다. 치즐은 굽은 형태가 사용하기에 좋으며 해면골을 지나 설측 피질골에 닿을 때까지 두드려 준다. 일단 설측 피질골에 닿으면 단단한 저항감을 느끼기 되며, 이때 치즐을 최대한 눕히는 방향을 향하도록 하면서 계속 두드려 해면골과 설측 피질골 사이를 치즐의 팁이 지나도록 한다.[52]

골을 채취해낸 이후 필요하다면 큐렛 등으로 해면골을 추가적으로 채취해주고 지혈제나 bone wax 등으로 지혈을 시행하고 거즈를 삽입한다. 어떤 임상가들은 안모 변화를 우려하고 골의 연속성을 유지해야 한다는 생각에 골 채취 부위에 이종골이나 동종골 등으로 골이식을 시행하기도 한다.[7]

(5) 골 채취 후 수술부 폐쇄 및 술 후 관리

골이식이 완료되고 하악 정중부 공여부를 봉합한다. 봉합에 앞서 수술부에 삽입하였던 거즈를 제거하고 출혈 부위가 있는지를 확인한다. 작은 출혈은 별다른 문제를 야기하지 않지만 혈액이 계속하여 분출되는 부위는 지혈제나 전기 소작기를 이용하여 완전히 지혈해주는 것이 좋다. 많은 출혈은 수술 부위에 불편감을 유발할 수 있으며, 이로 인해 많은 양의 혈종이 형성되면 감염을 유발할 수도 있다. 특히 설측 피질골이 손상되었고 설측에 지속되는 출혈이 의심되는 경우에는 향후 기도 폐쇄 등의 심각한 속발증을 야기할 수 있으므로 반드시 처치해 주어야 한다.

전정 절개를 시행한 경우에는 두 단계로 봉합을 시행한다. 우선 절단된 이근을 3-4 부위 정도 봉합하여 원위치 시키고 나서 그 상부의 점막을 봉합한다(📷 **5-16**). 봉합사는 보통 3-0나 4-0 Vicryl을 많이 이용한다. 가동성 점막 부위에는 뻣뻣한 비흡수성 합성 봉합사(Nylon 등)로 봉합하면 굉장한 불편감을 야기하기 때문에 그 사용을 피하는 것이 좋다. 치은 열구 절개를 시행한 경우에는 통상적인 방법으로 봉합을 시행하면 된다.

하악 정중부는 수술 후 이근을 원위치시키기 위해 반드시 압박 드레싱을 시행하는 것이 좋다. 압박 드레싱은

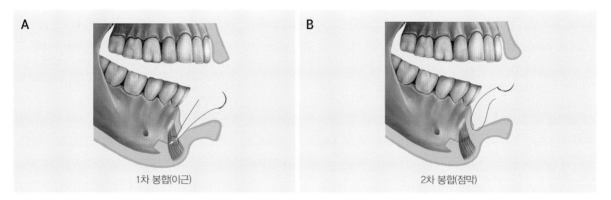

1차 봉합(이근)   2차 봉합(점막)

📷 **5-16** 하악 정중부에 전정 절개를 시행한 경우에는 두 층으로 봉합을 시행해야 한다. 전정 절개를 시행한 경우에는 이 단계로 봉합을 시행한다. 봉합사는 보통 3-0나 4-0 Vicryl을 많이 이용한다.
A. 우선 절단된 이근을 3-4부위 정도 봉합하여 원위치시킨다. **B.** 상부의 점막을 일반적인 단순 봉합으로 폐쇄한다.

술 후 1주일가량 유지한다.

(6) 하악 정중부 골 공여부는 장기적으로 안모의 외형 변화를 유발하지는 않는다.

하악 정중부에서 골을 채취하면 이부 중앙에 결손부가 형성되며 이것이 안모의 변화를 일으킬 수 있다고 생각할 수도 있다. 따라서 하악 정중부 골채취 후 공여부의 변화를 측정한 임상 연구들이 있었다.

하악 정중부 골 공여부는 많은 골벽으로 지지되는 골내 결손부이다. 따라서 이식골 채취 후 현저한 양의 골이 재생될 것으로 예상할 수 있다. 한 증례 연구에서는 측면 두부 방사선 사진으로 골 공여부의 1년 후 변화를 2차원적으로 측정했다.[56] 그 결과, 수술 직후의 공여부 결손 면적은 35 mm² 였던 반면, 1년 후에는 1.4 mm² 로 감소하여 86%가 신생골로 충전된 것으로 나타났다. 14%의 잔존 골 결손은 이부 연조직의 두께 증가로 보상되었기 때문에 안모 변화는 발생하지 않았다. 비슷한 방식으로 하악 정중부 공여부의 변화를 관찰한 다른 연구에서는 4-6개월 후의 변화를 측정했다.[57] 그 결과 9%의 환자에서만 공여부가 완전히 골로 충전됐고, 29%에서는 약간의 함몰(상실된 골량〈25%)이 잔존했으며, 62%에서는 현저한 함몰(상실된 골량〉25%)이 잔존해 있었다.

최근에는 CT를 이용하여 정중부 공여부의 골충전 정도를 3차원적으로 측정한 연구들이 있었다. 한 후향적 연구에서는 모든 증례를 통틀어 하악 정중부 골 공여부는 수술 26.7개월 후 평균 74.5%가 골로 충전됐다고 보고했다.[58] 세부적으로, 공여부 부피가 0.5 cc 미만인 경우(평균 0.3 cc)에는 1년 이내에 76%, 2-3년 후 81%의 결손이 골로 충전됐다. 반면 공여부 부피가 0.5 cc 이상인 경우(평균 0.8 cc)에는 1년 이내에 64%, 2-3년 후 77%의 결손이 골로 충전됐다. 또한 하악의 정중선을 보존하고 정중선 양측에서 골을 채취한 경우(77.5%)와 치은 열구 절개(80%)를 시행한 경우에 더 많은 양의 골이 재생되는 경향을 보였다. 그러나 다른 후향적 연구에서는 평균 0.7 cc의 골을 채취했을 때 1년 후에는 25%, 2년 후에는 50%, 6년 후에는 63%의 공여부 결손만이 재생됐다고 보고했다.[59]

결론적으로 임상 연구에 따라 그 결과가 달라지긴 했지만 수술 후 1–6년이 경과하면 하악 정중부 골 공여부의 대략 60–80% 정도가 골로 재생되었으며, 나머지 결손부는 연조직의 두께 증가로 보상되었다(📷 5–17). 또한 이식골의 양이 적을 때와 정중부 골을 보존했을 때 공여부 결손은 더 잘 재생되는 경향을 보였다.

한편 하악 정중부 골 공여부는 외형적으로 민감할 수 있는 부위이기 때문에 골 채취 후 공여부에 이식재를 충전하는 임상가들도 있다. 한 후향적 대조 연구에서는 공여부에 탈단백 우골을 충전했을 때와 아무런 처치도 가하지 않았을 때의 변화를 CT로 계측했다.[60] 그 결과 골대체재를 위치시킨 공여부는 6개월 후 골부피를 거의 완전히 회복(97.7%)시킬 수 있었던 반면, 골대체재를 적용하지 않은 공여부는 73.4%만이 회복됐고 이는 유의한 차이를 보이는 것이었다. 18개월 후 다시 동일 부위를 관찰했을 때 6개월 이후 공여부 골의 부피 변화는 거의 없었다. 따라서 골 공여부에 이식재를 삽입하는 것은 공여부 골의 부피 보존에 분명 도움이 되기는 한다. 그러나 이것이 이부 외형의 변화에는 크게 영향을 미치지는 않는 것으로 보인다.

4) 하악지 골 채취

하악지는 하악 정중부에 비해 시야가 좋지 않아 접근이 어렵기 때문에 골을 채취하기가 더 어렵다.[61] 또한 하악지에서는 순수한 피질골만을 얻을 수 있으며 따라서 이식골의 전체적인 두께가 얇다는 단점이 있다.[7] 그러나 하악지에서 골을 채취하면 신경 손상 및 술 후 불편감의 정도가 하악 정중부에서 골을 채취하였을 때보다 훨씬 적기 때문에 근래 들어서는 많은 임상가들이 하악지에서 골을 채취하는 것을 가장 선호한다.[2,7,37,41,43,47,62,63] 하악 전치부가 결손되어 있어서 치아의 손상이나 치주 조직의 손상 가능성이 없거나, 골 이식 수혜부가 하악 전치부가 아닌 이상 거의 대부분의 증례인 경우에 하악지에서 골을 채취한다.[62] 하악지에서 골을 채취할 때에는 하치조 신경에 대한 전달 마취와 절개부위인 후방의 하악 전정(posterior mandibular sulcus) 부위에 침윤 마취를 시행한다.

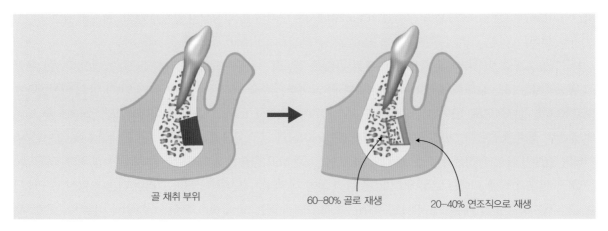

골 채취 부위   60–80% 골로 재생   20–40% 연조직으로 재생

📷 **5–17** 하악 정중부 골 공여부 중 20–40% 정도는 연조직으로 충전된다.

(1) 해부학적 고려 사항

하악지 골채취 부위는 엄밀히 말해서 두 부분으로 이루어져 있다(📷 5-18).[64]

- 하악지의 하방 1/2 부위
- 하악체의 후방, 즉 제1-2대구치에서 제3대구치 부위에 존재하는 협측 골선반(buccal shelf)

하악골은 양측의 하악지(mandibular ramus)와, 치아를 포함하는 중앙의 하악체(mandibular body)로 이루어진다. 하악지와 하악체는 하악각(mandibular angle) 부위에서 "ㄴ"자로 만난다. 이 때 치아 및 치조골을 포함하는 하악체는 제3대구치 부위에서 종료된다. 하악지는 하악체보다 좀 더 외측(협측)에 위치하고 따라서 하악체의 협측에서 하악체와 만난다. 하악지는 하악체와 만난 후에도 대략 제1-2대구치 근심부까지 유지되다가 사라진다. 따라서 하악 제1-2대구치에서 제3대구치에 이르는 부위는 치조골 협측으로 하악지에서 이어지는 두터운 골이 존재하게 되며 이를 협측 골선반이라고 한다. 협측 골선반은 해부학적으로 하악체에 포함되지만 형태상으로는 하악지의 연장 구조물이다. 즉, 하악 대구치 부위의 하악골은 실제로는 치아 및 치조골이 포함된 하악체와 근육 부착부인 하악지가 겹쳐 있으며 하악 대구치부의 하악지가 협측 골선반이 되는 것이다.

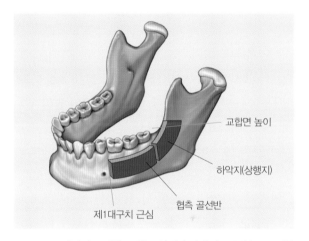

📷 **5-18** 하악지 골채취 부위는 엄밀히 말해서 두 부분으로 이루어져 있다. 하악지(교합면 높이 하방부, 즉 하악지의 하방 1/2 부위)와 하악체의 후방, 즉 제1-2대구치에서 제3대구치 부위에 존재하는 협측 골선반은 두 주요한 하악지 골채취 부위이다.

하악지 골채취의 후상방 한계는 대략 하악 교합면 높이까지이다. 한계를 최대한 상방으로 연장하면 교합면보다 1 cm 정도 높은 부위까지 골채취가 가능하다. 이보다 더 높은 부위는 접근이 쉽지 않으며 골의 두께도 급속히 얇아진다. 골채취의 전방 한계는 하악 제1-2대구치 부위이다. 하악 제1-2대구치보다 전방에서는 협측 골선반이 사라지면서 골표면과 하치조 신경 사이의 거리가 급속히 감소하기 때문에 신경 손상 가능성을 최소화하기 위해서 제1-2대구치보다 더 전방 부위로는 골삭제를 연장하지 말아야 한다. 골절단의 하방 한계는 하치조신경의 위치에 의해 결정되는데 신경을 손상시키지 않게 하기 위해 하치조 신경 상방(협측 골선반)이나 전방(하악지)에 최소 2 mm 정도의 안전 영역을 남기는 것이 좋다(📷 5-19).[43,65,66]

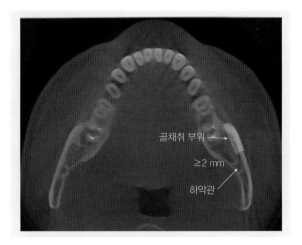

📷 **5-19** 하악지에서 골을 채취할 때에는 하치조 신경과 2 mm 이상의 안전 거리를 확보하는 것이 좋다.

그러나 하치조 신경이 매우 높게 위치하는 환자의 경우에는 이식골의 하방 한계를 하치조 신경보다 하방에 설정해야 할 수도 있다. 이러한 경우 반드시 CBCT로 하치조 신경의 협설측 위치를 특정해야 한다. 또한 조심스럽게 골을 채취한다면 신경이 외부로 노출되더라도 영구적인 감각 손상은 잘 야기하지 않는 것으로 보인다.[49] 3,328명의 환자에서 하악지 골채취를 시행하고 그 결과를 보고한 한 후향적 연구에서는 168 증례(4.33%)에서 골 채취 후 하치조 신경이 노출되었다고 했으며, 이로 인해 수술 6개월 후까지 지속되는 감각 이상이 발생했다고 했다.[67] 그러나 대부분은 이 기간 동안 감각이 완전히 회복되었으며 20증례(0.5%)에서만 수술 1년 후까지 지속되는 감각 이상이 발생했다. 한국인 사체를 이용한 한 연구에 의하면 하악지와 협측 골선반 부위에서 협측(외측) 피질골의 두께는 평균 2.1 mm(하악지)-2.7 mm(제2대구치)였던 반면, 하치조 신경에서 협측 피질골 표면까지의 거리는 평균 5.2 mm(하악지)-8.3 mm(제2대구치)였다.[68] 이는 협측 피질골 내면에서 하치조 신경까지는 적어도 평균 3 mm의 거리가 있다는 의미이며 따라서 방사선 사진으로 확인되는 하치조 신경(하악관)보다 더 하방에 이식골 하연을 설정하더라도 신경 손상의 가능성이 높지는 않음을 의미한다(📷 5-20). 심미적인 이유로 하악지와 협측 골선반에 시행되는 외측 피질골 절제술 후에 하치조 신경 손상이 거의 발생하지 않는다는 사실은 이러한 생각을 뒷받침한다(📷 5-21).[69] 하악지 본체에서보다 협측 골선반에서 하치조 신경이 더 내측에 위치하기 때문에 하치조 신경이 높이 위치하는 증례에서는 협측 골선반에서만 골 채취를 시행하는 것이 안전하다고 할 수 있다. 한 증례 연구에서는 하악각 부위에서 외측 피질골 내면과 하치조 신경 사이의 거리는 평균 1.0 mm였던 반면, 제1대구치에서는 2.5 mm였다고 보고한 바 있다(📷 5-22).[70]

위의 해부학적인 면들을 고려한다면 하악지에서 채취할 수 있는 이식골의 크기는 최대 약 3 cm×1 cm 정도이며 두께는 피질골의 두께인 3 mm 정도가 될 것이다. 만약 이보다 많은 양의 이식골이 필요하다면 양측 하악지에서 골을 채취할 수도 있다.[33] 양측 하악지에서 골을 채취하면 거의 어떠한 증례에서도 충분한 양의 골을 얻을 수 있다.

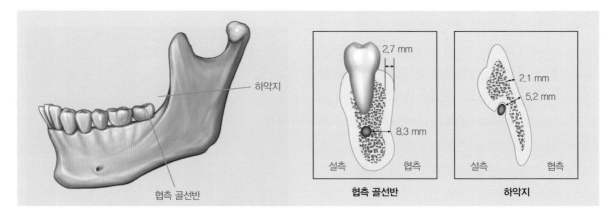

📷 **5-20** 한국인 사체를 이용한 한 연구에 의하면 하악지와 협측 골선반 부위에서 협측(외측) 피질골의 두께는 평균 2.1 mm(하악지)~2.7 mm(제2대구치)였던 반면, 하치조 신경에서 협측 피질골 표면까지의 거리는 평균 5.2 mm(하악지)~8.3 mm(제2대구치)였다.[68] 이는 협측 피질골 내면에서 하치조 신경까지는 적어도 평균 3 mm의 거리가 있다는 의미이며, 따라서 방사선 사진으로 확인되는 하치조 신경(하악관)보다 더 하방에 이식골 하연을 설정하더라도 신경 손상의 가능성이 높지는 않음을 의미한다.

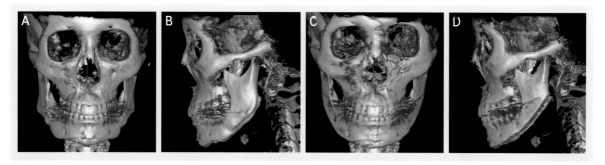

📷 **5-21** 이전에 하악지 시상 분할 골절단술과 이부 성형술을 타 병원에서 시행한 환자이다. 안면의 폭을 감소시키고 이전 수술에 의해 형성된 불규칙한 하악골 하연을 부드럽게 해주기 위해 내원했다.

A, B. 수술 전 CT 소견.

C, D. 수술 후 CT 소견. 하악체 및 우각부 하연에 골절제술을 시행하고 하악지 및 우각부 피질골을 절제했다. 이렇게 광범위한 영역에 걸쳐 외측 피질골을 제거했음에도 불구하고 특별한 신경 손상의 징후는 보이지 않았다.

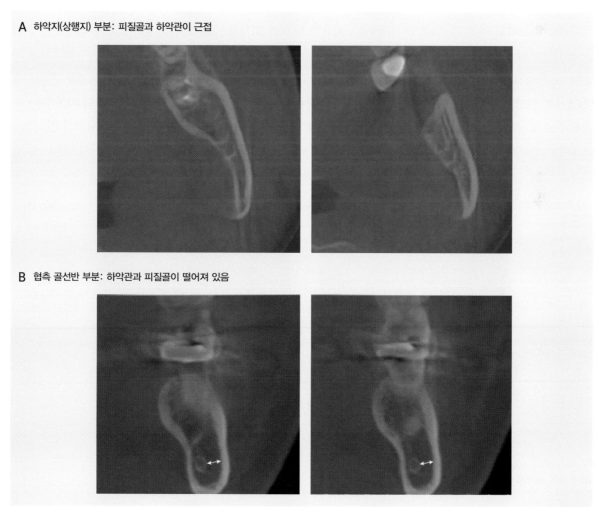

A 하악지(상행지) 부분: 피질골과 하악관이 근접

B 협측 골선반 부분: 하악관과 피질골이 떨어져 있음

📷 **5-22** 하악지 부위는 폭이 좁기 때문에 피질골과 하악관 사이의 거리가 가깝다**(A)**. 반면 협측 골선반 부위는 피질골에서 하악관은 어느 정도 떨어져 있다**(B)**. 따라서 하악관이 높게 주행하는 증례에서는 가급적 하악지보다는 협측 골선반에서 골을 채취하는 것이 유리하다.

(2) 하악지로의 접근 과정

하악지에 접근하기 위해서 가장 많이 사용하는 절개는 전정 절개이다.[37,64] 절개를 시행할 때에는 보조자가 견인기로 수술부를 팽팽하게 견인하도록 한다. 술자는 손가락으로 하악지에서 하악체 후방으로 주행하는 외사선(external oblique ridge)을 촉지한다. 환자의 우측에서 골을 채취하려면 왼손 검지로, 그리고 좌측에서 골을 채취하려면 왼손 엄지로 외사선을 촉지하면서 부가적으로 수술부를 외측으로 견인해주면 절개가 좀 더 용이하다. 절개는 보통 하악 교합면 높이에서 시작하여 전방으로 제1대구치나 제2소구치 부위 정도까지 가한다. 하악 교합면보다 더 상부에 절개를 가하면 협동맥이 파열되거나 협지방(buccal fat pad)이 누출되어 수술 시야를 방해할 수 있다.[49] 절개는 하악지 부위에서는 외사선보다 2-3 mm 정도 설측에 가하는 것이 시야 확보나 수술의 용이성 면에서 좋으며 전정에서는 치은–점막 경계보다 5 mm 정도 치근단측에 가한다(📷 5-23). 하악체 후방부는 단번에 절개가 가능하지만 하악지 하방부에는 협근이 존재하기 때문에 일차로 점막을 절개하고 이차로 협근과 골막을 절개하는 것이 편하다.

이식골 수혜부가 하악 대구치부인 경우에는 골채취 부위와 이식골 수혜부를 하나의 절개와 피판으로 연결한다. 이 때에는 제2대구치 부위까지(만약 제3대구치가 존재한다면 제3대구치까지) 치은 열구(무치악에선 치조정) 절개를 시행하고 그 후방으로는 대략 45도 정도 협측으로 방향을 바꾸어 후방으로 절개를 연장한다 (📷 5-24). 일부 임상가들은 이식골 수혜부가 하악 대구치가 아닌 경우에도 하악지 골채취를 위해 치은 열구 절개를 선호하기도 한다.[47] 이 때에는 하악 제2소구치부터 치은 열구 절개를 시작하여 역시 제2대구치 원심에서 외측으로 절개를 연장하는 방법을 이용한다. 필요에 따라 제2소구치 부위에 약간의 수직 이완 절개를 가할 수도 있다.

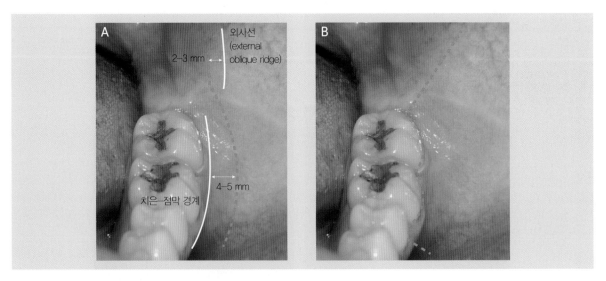

📷 **5-23 하악지 골채취를 위한 두 가지 절개 방법**
A. 일반적인 절개법은 전정 절개법이다. 하악 소구치부터 하악 제2대구치 부위까지는 치은–점막 경계 4-5 mm 하방에 절개를 가하고 제2대구치 후방에서는 외사선을 촉지하여 이보다 2-3 mm 내측에 절개를 가한다. 절개의 후방 한계는 하악 교합면 높이, 혹은 이보다 5 mm 정도 상방 높이에 이를 때까지이다. **B.** 만약 하악 대구치 부위가 골이식 수혜부라면 전정 절개, 혹은 치조정 절개를 후방으로 연장하는 방법을 이용한다.

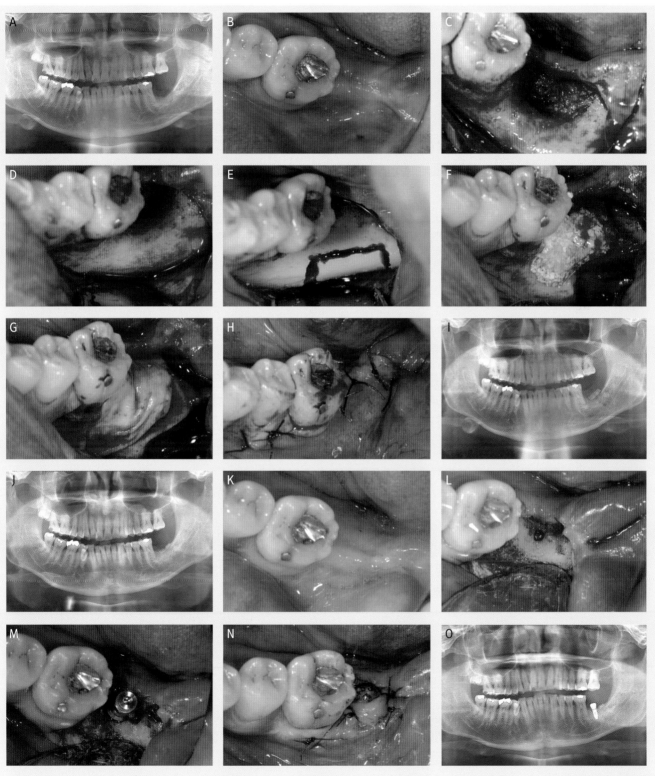

- 계속 -

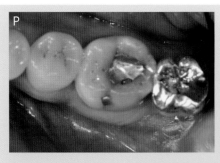
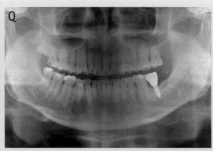

📷 **5-24** 하악지 골을 이식할 부위가 하악 구치부라면 골이식 공여부와 수혜부를 하나의 절개선으로 연결해준다.
A~I. 이전의 골이식술이 실패하여 의뢰된 증례이다. 하악 제2대구치 결손부에 수직적 골결손을 보였다**(A)**. 동측 하악지(협측 골선반)에서 골을 채취하여 이식해 주었다**(D, E)**. 골결손부의 치조정 절개를 원심 협측으로 연장하여 골채취 부위를 노출시켰다**(C, D)**. 이식골이 스크루로 수혜부 골에 고정되지 않았기 때문에 피브린 글루를 적용했다.
J~O. 대략 6.5개월 후 임플란트를 식립했다. 이식골은 잘 유합된 양상을 보였다**(L)**.
P~Q. 보철물 연결 1년 후 소견이다. 골증강부는 정상적인 치유 상태를 보였다.

절개 후 박리를 시작한다. 이 부위는 하악 정중부와 달리 근육 부착이 별로 없기 때문에 손쉽게 박리할 수 있다. 하악체 하방과 하악지 후방으로 박리를 시행하면 하악각을 둘러싼 익돌근-교근 현수(pterygomasseteric sling)의 근육 부착 부위와 만나며 박리는 여기에서 중단하면 된다(📷 **5-25**). 경험상 수술 부위는 Minnesota retractor로 견인하는 것이 가장 편리하였다. 협측 점막을 외측으로 최대한 견인시킨 상태에서 절개를 외사선보다 2-3 mm 정도 설측에 가하였다면 설측은 견인할 필요가 거의 없다.

(3) 하악지에서 골채취의 과정

골채취를 시행할 때에는 우선 이식할 골의 크기와 형태를 연필로 표시하는 것이 좋다. 하악지 본체보다는 주로 제1대구치 원심-제3대구치(후구치 부위)의 협측 골선반 부위가 골 채취에 더 유리하고, 따라서 더 많은 술자들이 선호한다. 그 이유는 다음과 같다.[70-75]

- 피질골 두께가 협측 골선반 부위가 더 두껍다.
- 하치조 신경이 더 내측에 위치한다.
- 접근이 더 쉽다.

특히 제2대구치 부위의 협측 골선반은 피질골 두께와 골표면에서 하치조 신경까지의 거리가 가장 큰 부위이기 때문에 골 채취에 가장 좋은 부위이다.[76] 하악지에서 골을 채취할 때에는 상방, 전방, 후방, 그리고 하방 골절단선 등, 네 개의 골절단선을 형성해 주어야 한다(📷 **5-26**). 하악지 골채취의 과정은 다음과 같다(📚 **5-3**).

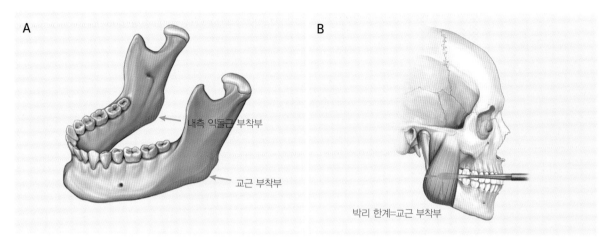

📷 **5-25** 하악지에서 골을 채취할 때 박리의 후방-하방 한계는 교근 부착부가 된다. 골막 기자가 교근 부착부에 이르면 박리는 더 이상 원활하게 진행되지 않는다.

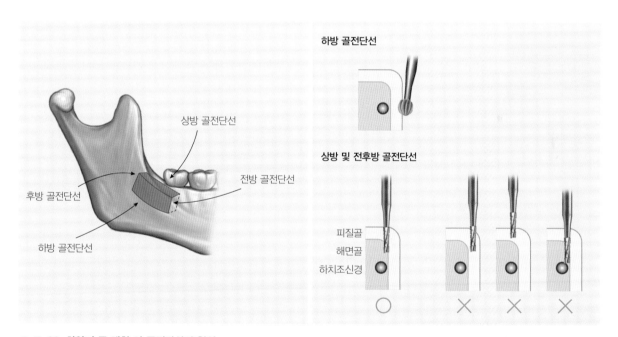

📷 **5-26 하악지 골 채취 시 골절단선의 형성**
상방 골절단선을 피셔 버로 형성한다. 상방 골절단선은 피질골 외측 표면에서 대략 3-4 mm 정도 내측에 형성한다. 협측 피질골 두께보다 아주 약간 설측에 골절단을 시행한다고 생각하는 것이 좋다. 대략 3-4 mm 정도인 상부 피질골을 버로 뚫어서 해면골에 진입하면 저항감이 급속히 감소하거나 골 내 출혈이 관찰되며 버는 이 정도 깊이까지만 진입하면 된다. 버는 반드시 해면골까지 진입해야 치즐로 이식골을 분리해낼 수 있다. 그러나 너무 깊이 버를 삽입하면 하치조 신경을 손상시킬 수 있다. 하방 골절단선은 커다란 라운드 버로 피질골에 절흔을 만들어 준다는 느낌으로 형성해준다.

📷 5-3 하악지 골채취의 과정

상방 골절단	상방 골절단선을 두꺼운 피셔 버로 형성한다. 상방 골절단선은 피질골 외측 표면에서 대략 3–4 mm 정도 내측에 형성한다. 협측 피질골 두께보다 아주 약간 설측에 골절단선을 형성한다고 생각하는 것이 좋다. 하악지 본체에서는 피질골 두께가 2 mm 정도이고 협측 골선반에서는 3 mm 정도이다.[68,70] 따라서 외측 골표면에서 대략 3–4 mm 정도 내측으로 상방 골절단을 형성한다. 상부 피질골을 버로 뚫어서 해면골에 진입하면 저항감이 급속히 감소하거나 골 내 출혈이 관찰되며 버는 이 정도 깊이까지만 진입하면 된다.[33,64] 상부 피질골의 두께 또한 하악지 본체에서 협측 골선반쪽으로 갈수록 두꺼워지며 대략 2–3 mm 정도이다.[70]
전후방 골절단	상방 골절단을 완료한 후 전방과 후방 골절단을 시행한다. 이 때도 피셔 버나 카바이드 라운드 버를 이용하며 역시 피질골만 2 mm 정도의 두께로 삭제한다는 생각으로 시행한다.[66,67] 상방 골절단과 달리 전방과 후방 골절단은 하치조 신경과 만날 수도 있기 때문에 해면골 내부로 너무 깊이는 시행하지 않는 것이 좋다. 전방 골절단선은 제1대구치의 협측에 설정하고 후방 골절단선은 필요한 골의 양에 따라 최대 교합면 높이까지 설정한다.
하방 골절단	하방의 골절단선은 디스크나 직경이 4–5 mm정도인 커다란 카바이드 라운드 버로 시행한다. 하방 골절단은 생각보다 형성하기가 쉽지 않고 하치조 신경을 손상시킬 수 있기 때문에 어떤 임상가들은 하방 골절단은 형성하지 않고 상방 및 전후방 골절단선만 형성하여 치즐로 골절시킬 것을 추천하였다.[33,64] 그러나 골절단 없이 치즐만으로 이식골 하연을 골절시키기가 용이하지 않고 하악 우각부 골절 등의 심각한 합병증을 야기할 수 있기 때문에[77] 하방 골절단선은 가급적 형성하는 것이 좋다. 디스크로 하방 골절단을 시행하려면 협측을 상당히 많이 견인해 주어야 하기 때문에 생각보다 골절단이 쉽지 않다. 따라서 저자는 커다란 라운드 버로 하방 골절단을 시행한다. 하방 골절단은 피질골을 완전히 관통시키는 것이 아니라 피질골에 대략 2 mm 정도 깊이의 압흔을 형성해 준다는 생각으로 시행한다.[37,67] 하방 골절단선은 전방 및 후방 골절단선과 만나야 이식골을 분리하기가 용이하다.

모든 골절단을 완료하였다면 치즐과 말렛으로 이식골을 분리한다. 이 때 보조자는 하악 우각부를 단단히 잡고 있어야 한다. 치즐의 날은 약간 외측을 향하게 함으로써 외측 피질골만을 분리해낸다(📷 5-27). 치즐이 하방 골절단선까지 삽입되면 이를 외측으로 눕혀서 하방의 골절단이 라운드 버로 만든 압흔을 따라 이루어지도록 한다. 혹은 커브드 치즐을 이용하여 하방 골절단을 완료할 수도 있다.

골을 채취해낸 이후 필요하다면 지혈제나 bone wax 등으로 지혈을 시행하고 거즈를 삽입한다. 일반적으로 하악지는 하악 정중부에 비해 출혈이 많지 않다. 하악지 부위는 두터운 교근으로 피개된 부위이기 때문에 골채취로 인한 안모 변화는 전혀 고려하지 않아도 된다. 따라서 골채취 부위를 이종골이나 동종골로 충전할 필요가 전혀 없다.

(4) 골 채취 후 수술부 폐쇄 및 술 후 관리

골이식 수혜부에 대한 수술이 완료되면 공여부인 하악지 부위를 봉합한다. 봉합에 앞서 수술부에 삽입하였던 거즈를 제거하고 출혈 부위가 있는지를 확인한다. 작은 출혈은 별다른 문제를 야기하지 않지만 혈액이 계속하여 분출되는 부위는 지혈제, 혹은 전기 소작기를 이용하여 완전히 지혈해주는 것이 좋다. 많은 출혈은 수술 부위에 불편감을 유발할 수 있으며 이로 인해 많은 양의 혈종이 형성되면 감염을 유발할 수도 있다. 하지만 하악지 부위에서의 출혈은 하악 정중부에서와 같은 심각한 병발증은 유발하지 않는다.

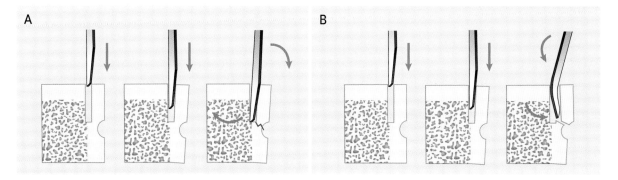

📷 **5-27 하악지에서 블록골 이식편을 분리해내는 방법들**
A. 원하는 깊이까지 직선형 치즐을 말렛팅하고 나서 치즐을 손으로 외번시킨다. 하방에 라운드 버로 형성한 절흔을 따라 골편이 떨어진다.
B. 원하는 깊이까지 직선형 치즐을 말렛팅한다. 다시 커브드 치즐을 삽입하고 치즐의 끝이 외측을 향하도록 말렛팅한다.

이 부위는 특별한 근육 부착이 없기 때문에 보통 단층으로 봉합을 시행한다. 전정 절개를 시행하였으면 보통 3-0나 4-0 Vicryl을 많이 이용한다. 치은 열구 절개나 치조정 절개를 시행하였으면 Nylon을 이용할 수도 있다. 그러나 이 때에도 가동성 점막 부위는 부드러운 봉합사를 이용해야 환자의 불편감이 적다. 하악지 부위는 하악 정중부와 다르게 수술 후 반드시 압박 드레싱을 시행하지는 않아도 된다. 출혈이 약간씩 지속되는 경우에 한하여 압박 드레싱을 시행한다.

(5) 하악지 골 공여부의 장기적 변화

하악지 골 공여부가 골 채취 후 어떻게 치유되는가에 대해서는 매우 제한적인 정보만이 알려져 있다. 몇몇 임상 연구에서는 골 공여부의 방사선 불투과성이 수술 6-9개월 후 현저히 증가한 양상을 보인다고 보고하긴 했지만, 이는 모두 단순히 파노라마 방사선 사진을 통한 것일 뿐이었다.[78-80] 골 공여부의 방사선 불투과성 증가는 골채취로 형성된 결손부 내로 신생골이 형성되면서 발생할 수도 있지만, 단순히 결손부 변연이 피질골화 되면서 발생할 수도 있다. 2014년의 한 전향적 증례 연구에서는 수술 전, 수술 14일 후, 수술 6개월 후 골 공여부의 변화를 CT로 측정했다. 그 결과, 2차원적으로는 골채취부의 56%가 재생골로 충전됐고, 3차원적으로는 9.7%가 충전됐다고 보고했다.[81] 하악 정중부 공여부보다 하악지 공여부는 골벽의 수가 적고 자가 유지 결손이 아니기 때문에 자가 재생 능력이 더 떨어지는 것으로 보인다.

771

3.
골이식 수혜부의 수술 과정

1) 절개 및 피판 형성의 원리

자가 블록골 이식술에서 절개와 피판 형성의 원리는 골유도 재생술에서의 그것과 동일하다. 구강 점막 내로 의 혈류 공급에 주의하면서 수술 부위를 충분히 노출시킬 수 있도록 한다. 수평 절개는 치조정 절개로 시행하 고 수직 절개는 인접 치아 하나 정도를 완전히 포함할 수 있도록 가한다. 절개 후 수술 부위를 박리할 때에는 연조직 잔사가 남지 않도록 골에서 골막과 근부착을 완전히 분리해 낸다. 절개 및 박리를 통해 골이식 수혜부 를 완전히 노출시킨 이후에는 골이식이 필요한 부위를 정하고 이식골의 크기와 형태를 결정한다. 전술했듯이 봉합사 포장 종이나 bone wax 등을 이용하여 이식골의 template을 만들 수도 있다.

2) 이식골의 수혜부에 대한 밀접한 접촉과 안정적 고정은 블록골 이식술의 성공에 있어 가장 중요하다.

자가 블록골 이식에 있어 이식골 및 수혜부 골 간의 밀접한 접촉과 이식골의 안정적인 고정은 그 성공을 결 정짓는 가장 중요한 요소이다.[6-8] 이식골이 수혜부에 밀접하게 접한 상태로 단단하게 고정되지 못하면 치유 과 정 중 이식골은 미세하게 움직일 수 있으며, 이로 인해 간엽세포는 섬유아세포로 분화하고 이식골과 수혜부 골 사이에 섬유아세포가 이주하여 서로 분리될 수 있기 때문이다(📷 5-28).[48,82,83] 이식골이 초기에 10-20 μm 정 도만 움직이더라도 이식골의 유합은 실패할 수 있다.[83]

공여부에서 이식골을 채취하면 골 공여부를 재빨리 지혈하고 거즈 등을 삽입한 후 이식골을 수혜부에 고정 하는 작업을 시작한다. 이식골을 수혜부에 맞춰보고 이식골과 수혜부 골 사이의 밀접한 접촉을 방해하는 이식 골 부위를 삭제한다. 골이식이 아무리 성공적으로 이루어졌다고 하더라도 이식골 부위보다는 원래의 잔존골 부위가 더 생활성도가 좋을 것임은 자명하기 때문에 수혜부 골과 이식골 중 가능하다면 이식골을 삭제하여 접 촉을 증가시키는 것이 유리하다. 삭제할 골량이 꽤 많은 경우에는 피셔 버로 이식골에 절흔을 형성하고 본론저 (bone rongeur)로 부러뜨린다. 작은 부위를 삭제하거나 뾰족한 변연을 다듬을 필요가 있을 때에는 카바이드 라 운드 버를 이용한다.

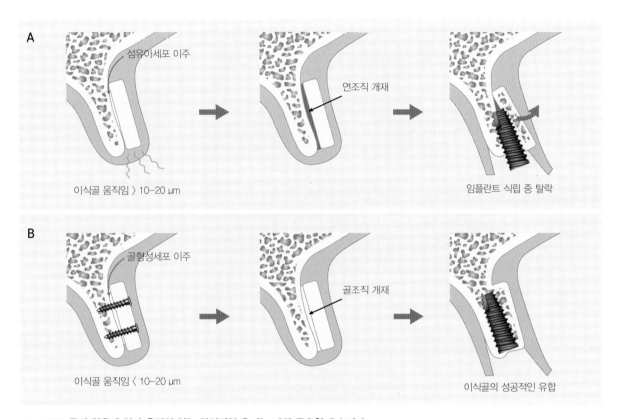

📷 **5-28 골의 치유에 있어 움직임 없는 안정적인 유지는 가장 중요한 요소이다.**
A. 이식골의 움직임이 10–20 μm을 넘으면 이식골과 수혜부 골 사이에는 연조직이 개재되며 이식골은 결국 유합에 실패하거나 임플란트 식립 중 탈락하게 된다. **B.** 스크루 등을 이용하여 이식골의 움직임을 10–20 μm 미만으로 줄여주면 이식골과 수혜부 골 사이에는 골조직이 형성된다. 따라서 이식골은 성공적으로 유합된다.

위의 과정을 통해 수혜부와 이식골의 밀접한 접촉을 이룰 수 있게 되면 골이식 수혜부의 피질골을 천공한다 (📷 5-29). 어떤 임상가들은 골천공이 필요없다고 생각하기도 하지만,[64] 대부분의 임상가들은 골천공을 시행한다.[33,38] 동물 연구들에서는 피질골을 천공하면 수혜부 골과 블록형 이식골의 유합을 증진시키며, 따라서 차후 이식골의 탈락을 예방할 수 있다는 결과가 일관적으로 보고되었다.[84–87]

이후 나사를 이용하여 이식골을 고정한다. 많은 임상가들이 적어도 두 개의 나사로 이식골을 고정하는 것이 이식골의 회전에 의한 미세 이동을 예방할 수 있어서 좋다고 하였지만 저자의 경험으로는 하나의 나사만으로도 충분한 고정을 얻을 수 있는 경우가 대부분이었다. 나사 고정은 포지션 스크루(position screw)법과 래그 스크루(lag screw)법 등 두 가지 개념 중 하나에 근거하여 이룰 수 있다(📷 5-30).[88]

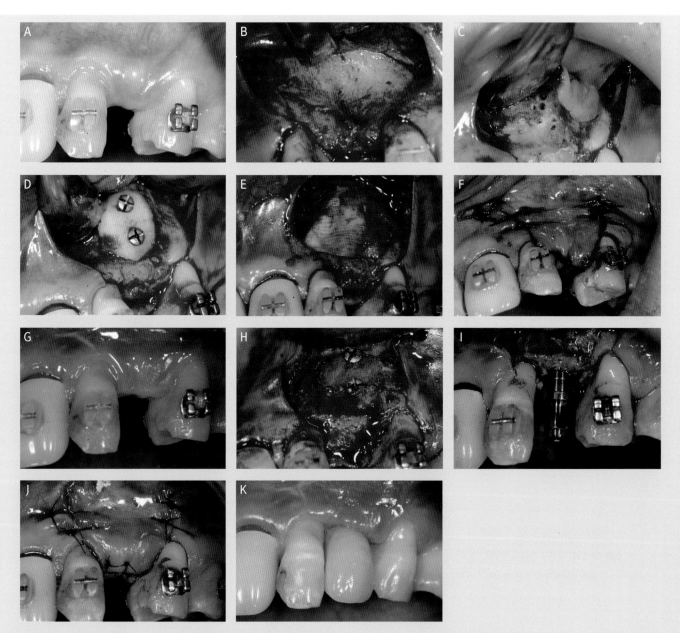

📷 **5-29 블록골 이식술 시 수혜부 골의 천공은 중요하다고 생각된다.**

A~F. 상악 견치부의 수평적 결손에 하악지에서 채취한 블록골을 이식했다. 수혜부 피질골은 충분히 천공시켜 주었다**(C)**.

G~J. 약 5개월 후 임플란트를 식립했다. 이식골은 수혜부에 잘 유합되어 있었다**(H)**.

K. 임시 보철물을 거쳐 임플란트 식립 8개월 후 최종 보철물을 연결했다.

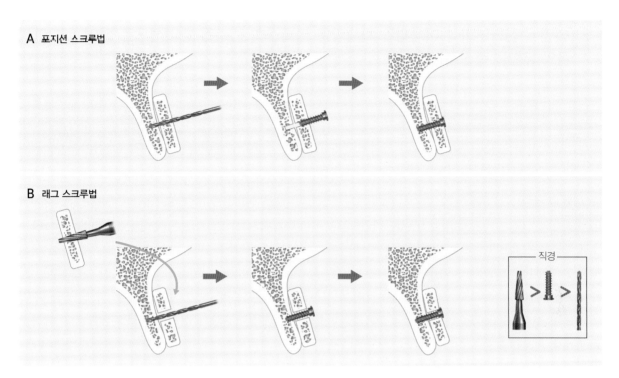

A 포지션 스크루법

B 래그 스크루법

직경

📷 **5-30 스크루를 이용한 블록골의 고정 방법**
A. 포지션 스크루법은 일반적으로 많이 사용하는 방법으로 이식골과 수혜부골에 동일한 직경의 구멍을 형성해 주고 이 구멍보다 약간 큰 직경의 나사로 고정하는 방법이다. 이식골과 수혜부골 사이에 들뜬 공간이 존재하는 경우에 포지션 스크루 방법을 이용하면 이 공간은 그 대로 남아있다. 따라서 이식골을 수혜부골에 밀접하게 접합시킬 수 없다. **B.** 래그 스크루법은 나사못의 원리를 이용한 것으로, 이식골에 는 나사 직경보다 큰 직경의 구멍을 내고 수혜부 골에는 나사 직경보다 작은 구멍을 형성해주는 것이다. 이 상태에서 나사를 삽입해 주면 이식골이 점차 스크루 머리(head)에 의해 수혜부 골에 압착되기 때문에 밀접한 접합을 얻을 수 있으며 나사 삽입 시 이식골이 회전하려는 경향을 막아줄 수 있다.

• **포지션 스크루법**
포지션 스크루법은 이식골과 수혜부 골에 동일한 직경의 구멍을 형성해 주고 이 구멍보다 약간 큰 직경의 나사로 고 정하는 것이다. 이는 일반적으로 많이 사용하는 방법이지만 이식골과 수혜부 골 간의 밀착도를 높이지 못할 뿐만 아 니라 나사를 삽입할 때 이식골이 나사를 따라 회전하려고 하기 때문에 추천할 만하지 못하다.

• **래그 스크루법**
래그 스크루법은 나사못의 원리를 이용한 방법이다. 이 방법을 이용하기 위해서는 이식골에 나사 직경보다 큰 직경의 피셔 버로 구멍을 내고 수혜부 골에는 나사 직경보다 작은 구멍을 형성해준다. 이 상태에서 나사를 삽입해 주면 이식 골이 점차 스크루 헤드에 의해 수혜부 골에 압착되기 때문에 밀접한 접합을 얻을 수 있으며 나사 삽입 시 이식골이 회전하려는 경향을 막아줄 수 있다. 단, 래그 스크루법에서 나사를 너무 단단히 조여주면 이식골이 파절될 수 있으므 로 주의해야 한다.

이식골을 고정한 후 예리하거나 튀어나온 변연이 있으면 큰 라운드 버 등으로 다듬어 주는 것이 좋다. 예리 한 변연은 향후 창상 열개나 피판 천공의 주요한 원인이 되기도 한다. 마지막으로 블록골의 변연부에 입자골을 이식하여 이식골과 수혜부 골 사이의 틈을 메워준다.

3) 천연 수산화인회석 이식재와 차폐막은 블록골의 흡수를 효과적으로 줄여주고 이식골의 유합을 증진시킨다.

전통적인 블록골 이식술에서는 이식골을 고정하고 바로 봉합을 시행했다(📷 5-31). 그러나 현재에는 블록골 이식술을 시행한 후에도 차폐막을 적용하는 임상가들이 많다. 자가 블록골을 차폐막으로 피개해 주는 가장 큰 이유는 이식골의 흡수를 예방하기 위함이다.[89] 일찍이 Buser는 본인의 경험에 근거, 자가 블록골 상부에 차폐막을 적용하면 이식골의 흡수를 예방할 수 있다고 언급한 바 있다.[90] 그는 자가 블록골 이식 후 이식골의 흡수는 이를 피개하는 골막에 의한 것으로 보인다고 하였다. 한 동물 실험은 이러한 생각을 뒷받침하는데, 이 실험에서는 쥐의 하악에 자가 블록골 이식을 시행하고 e-PTFE 차폐막을 적용하거나 적용하지 않았다.[91] 그 결과, 차폐막을 적용한 군에서보다 차폐막을 적용하지 않은 군에서 이식골의 흡수가 훨씬 많았다. 또 다른 동물 실험에서도 e-PTFE 차폐막은 자가 블록골 이식재의 흡수를 현저히 줄여줄 수 있다고 하였다.[92] 이 실험에서는 골의 기원(연골성/막성)보다도 오히려 차폐막 적용 여부가 이식골의 흡수에 더 큰 영향을 미친다고 하였다. 이 이외에도 쥐, 토끼, 개를 이용한 많은 동물 실험에서 e-PTFE 차폐막은 구강 내/구강 외에서 채취한 자가 블록골의 흡수를 현저히 예방해 준다고 하였다.[93-100] 다만 한 연구에서는 차폐막이 효과가 부정적이라고 하였다. 즉, 차폐막을 적용하면 초기에는 골흡수가 예방되지만 일단 차폐막을 제거하고 나면 골이식재의 흡수가 가속되어 결국 차폐막을 적용하지 않은 경우와 비슷한 흡수량을 보인다고 결론 내렸다.[101] 그러나 다른 동물 실험들에서는 치유 기간이 완료되어 차폐막을 제거하면 이식골이 어느 정도는 흡수되는 것은 맞지만 그래도 차폐막을 적용하지 않았을 때에 비해서는 흡수되는 양이 적었다고 하였다.

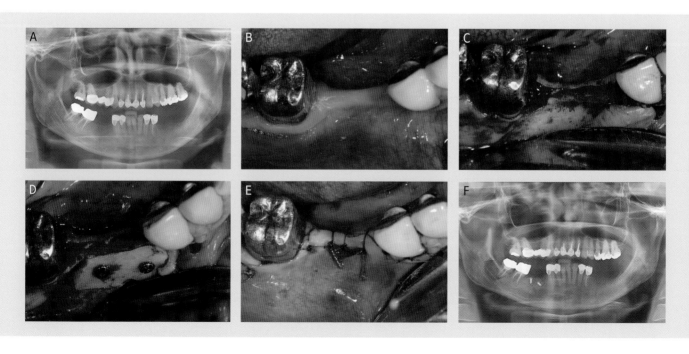

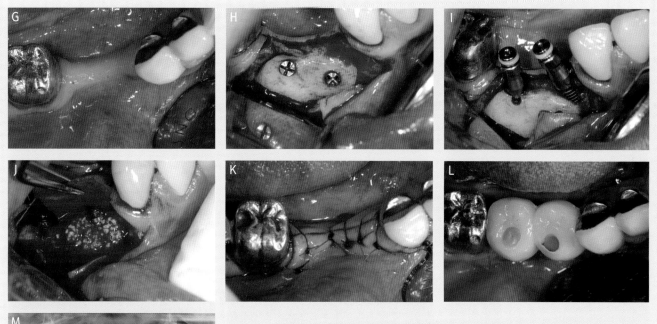

📷 5-31 **전통적으로 블록골 이식술을 시행할 때에는 차폐막이나 여타 골대체재를 함께 사용하지 않았다.**

A~F. 하악 구치부에 광범위한 수평적 결손이 존재하여 하악지에서 채취한 블록골을 이식했다. 자가 블록골 이식 시 차폐막이나 골대체재를 적용하는 술식이 일반화되지 않았던 오래 전의 증례이다.
G~K. 약 4.5개월 후 임플란트를 식립했다. 전체적으로 이식골의 부피는 골이식 직후에 비해 감소해 있었다(**D, H** 비교). 특히 근심 치관측에서 흡수가 현저했기 때문에 합성골 이식재(3인산칼슘)와 교원질 차폐막으로 추가적인 골유도 재생술을 시행했다.
L~M. 임플란트 식립 17개월 후의 소견으로, 보철 부하는 임플란트 식립 5개월 후 시행했다. 임플란트 식립부는 특별한 문제를 보이지 않았다.

차폐막 적용이 이식골 흡수에 미치는 영향에 대한 임상 연구는 의외로 매우 적은 편이다.[102] 한 무작위 대조 연구에서는 e-PTFE 차폐막을 적용하면 수술 6개월 후 이식골이 0.3 mm 흡수되었던 반면, 차폐막을 적용하지 않으면 2.3 mm가 흡수되었다고 하였다.[103] 이는 현저한 차이였지만 이 연구에서는 대상 환자 수가 적어서 통계학적 비교는 하지 않았다. 2018년에는 차폐막이 블록골 이식재의 흡수를 예방하는가를 주제로 메타분석이 시행되었고, 3개의 무작위 대조 연구를 일차 문헌으로 포함하여 분석을 시행했다.[104] 그 결과, 블록골 이식재 상부에 차폐막을 적용하면 적용하지 않았을 때에 비해 골 흡수량을 평균 1.20 mm (95% CI 0.3-2.11 mm) 더 줄여줄 수 있었고 이는 유의한 차이를 보이는 것이었다(📷 5-32). 저자들은 차폐막이 블록골 이식재의 흡수를 예방하는 효과를 보이기는 하지만, 이 술식을 정당화하기 위해서는 더 많은 연구가 필요하다고 결론 내렸다(📷 5-33). 그러나 ITI에서는 자가 블록골 이식 시 이식골의 흡수를 예방하기 위해 천천히 흡수되는 골대체재와 차폐막을 적용하는 것이 도움이 될 것이라는 결론을 내렸다.[8]

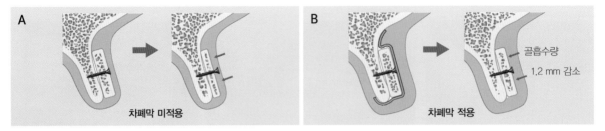

📷 **5-32** 한 메타분석에 의하면 블록골 이식술 후 차폐막을 적용하면 적용하지 않았을 때에 비해 이식골의 흡수량을 평균 1.20 mm 줄여줄 수 있었다.

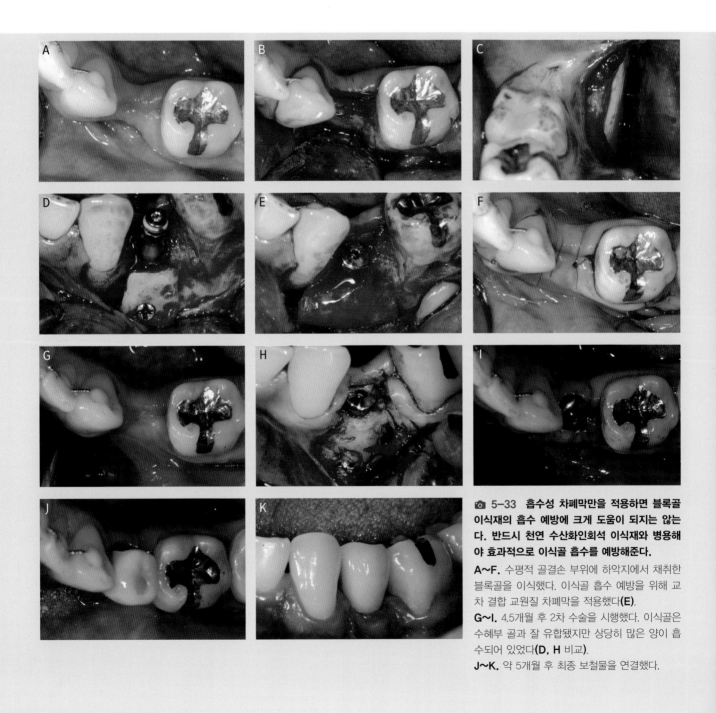

📷 **5-33** 흡수성 차폐막만을 적용하면 블록골 이식재의 흡수 예방에 크게 도움이 되지는 않는다. 반드시 천연 수산화인회석 이식재와 병용해야 효과적으로 이식골 흡수를 예방해준다.

A~F. 수평적 골결손 부위에 하악지에서 채취한 블록골을 이식했다. 이식골 흡수 예방을 위해 교차 결합 교원질 차폐막을 적용했다(**E**).

G~I. 4.5개월 후 2차 수술을 시행했다. 이식골은 수혜부 골과 잘 유합됐지만 상당히 많은 양이 흡수되어 있었다(**D, H** 비교).

J~K. 약 5개월 후 최종 보철물을 연결했다.

자가 블록골 이식재의 흡수를 예방해주기 위해 어떤 임상가들은 이식골 상부에 이종 이식재인 Bio-Oss를 적용하기도 한다. 이론적으로 생각했을 때 매우 천천히 흡수되는, 혹은 거의 흡수되지 않는 천연 수산화인회석인 Bio-Oss는 일종의 차폐막처럼 작용하여 이식골의 흡수를 예방할 것이며 차폐막처럼 차후에 제거할 필요가 없기 때문에 차폐막 제거 후 발생할 수 있는 이식골의 흡수를 원천적으로 막아줄 수 있다(📷 5-34). 한 대조 연구에서는 자가 블록골 이식 후 Bio-Oss를 적용하였을 때에는 9.3%의 골흡수를 보인 반면 Bio-Oss를 적용하지 않은 부위에서는 18.3%의 이식골이 흡수되었다고 하였다.[32] 2011년의 한 무작위 대조 연구에서는 수평적 골증강을 자가 블록골로 수복해 주었으며, 대조군에서는 그 상태로 수술을 완료한 반면, 실험군에서는 탈단백 우골과 천연 교원질로 이식골을 피개한 후 수술부를 폐쇄했다. 4개월 후 대조군에서는 평균 0.89 mm (21%)의 골이 흡수된 반면, 실험군에서는 0.25 mm (5.5%)가 흡수됐고 이는 유의한 차이를 보이는 것이었다.[105]

자가 블록골 이식 후 그 상부를 비흡수성 차폐막으로 피개하면 감염이나 열개와 같은 차폐막으로 인한 합병증이 발생할 수 있다.[41,106] 반면 천연 수산화인회석계 이식재를 단독으로, 혹은 교원질 차폐막과 함께 적용하면 수술부 감염의 가능성이 그다지 높지 않으면서도 자가 블록골의 흡수를 현저히 예방할 수 있다. 따라서 현재 전문가들은 블록골 이식 시에 이들 재료를 주로 조합하여 사용한다(📷 5-35, 36).[107]

블록골 이식재, 탈단백 우골, 차폐막을 함께 사용하는 개념이 일반화되면서, 블록골 이식재에 대해 기존 개념과는 다른 개념으로 접근이 가능해졌다. 작은 블록골 이식재를 결손부 중앙에 위치시키면 이는 공간 유지 장치로 기능할 것이다. 나머지 결손부는 골대체재를 위치시키고 흡수성 차폐막으로 원하는 양과 질의 신생골을 얻을 수 있다(📷 5-37).[38] 따라서 작은 자가골 블록만을 이용하고 골유도 재생술의 개념을 도입하여 예지성 높은 골증강술을 시행할 수 있게 되었다.

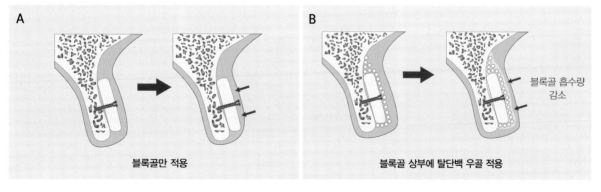

📷 **5-34** 블록골 상부에 탈단백 우골을 적용하면 블록골의 흡수를 효율적으로 줄여준다.

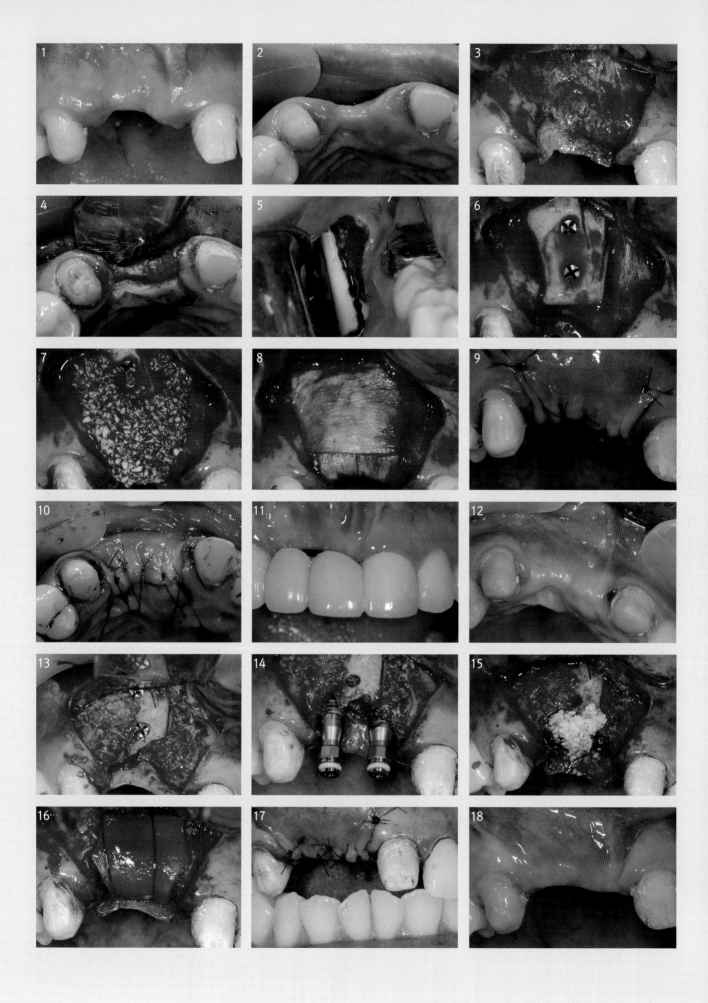

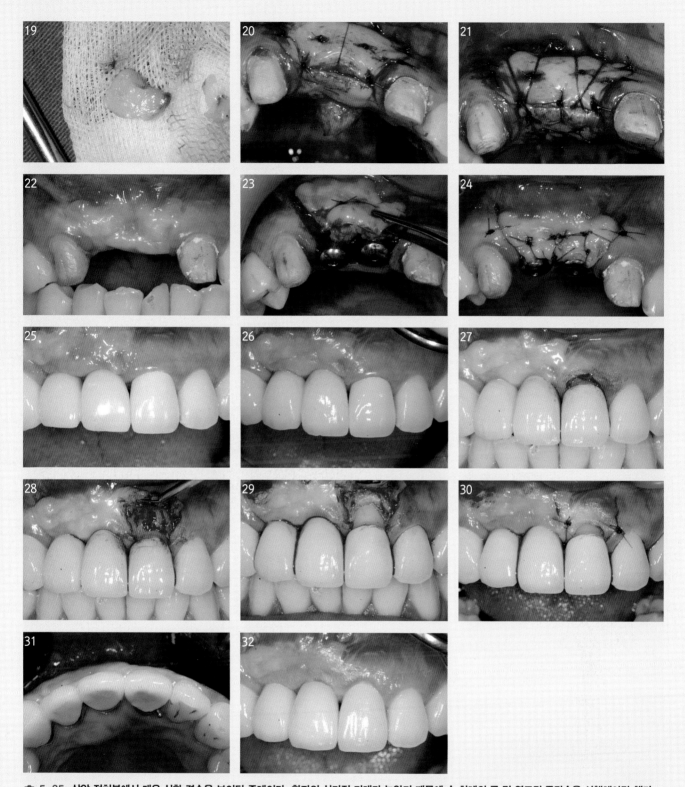

📷 5-35 상악 전치부에서 매우 심한 결손을 보이던 증례이다. 환자의 심미적 기대가 높았기 때문에 수 차례의 골 및 연조직 증강술을 시행해야만 했다.

1~10. 치아 결손부는 심한 수직-수평적 결손을 보였다(**1, 2**). 블록골을 이식하고 탈단백 우골 및 천연 교원질 차폐막을 적용했다.

11~17. 5개월 후 임플란트 식립부의 조직 결손은 수술 전보다 상당히 회복되어 있었다. 그러나 중절치와 측절치 사이의 치간부는 여전히 수직적 결손을 보였고 전체적으로 수평적인 조직의 부피가 감소되어 보였다(**11**). 임플란트 식립 후 치간부에 동종골 이식재로 골증강술을 시행하고 무세포성 동종진피를 차폐막으로 적용했다.

18~21. 다시 3개월 후 두 임플란트 사이의 치간부에는 결합 조직을 이식하여 수직적 증강을 꾀했다(**19, 20**). 또한 순측에는 두껍게 채취한 유리 치은을 이식했다.

22~24. 2개월 후 2차 수술을 시행했다. 순측 점막 하방에는 결합 조직을 이식해 주었다.

25~32. 임시 고정성 보철물을 거쳐 최종 보철물 장착 후 중절치 부위의 점막 변연은 상당한 양의 퇴축을 보였다(**26**). 인접한 반대측 중절치의 치관 연장술을 시행해 임플란트 점막 변연과 치은 변연의 높이를 동일하게 조정했다(**27~30**).

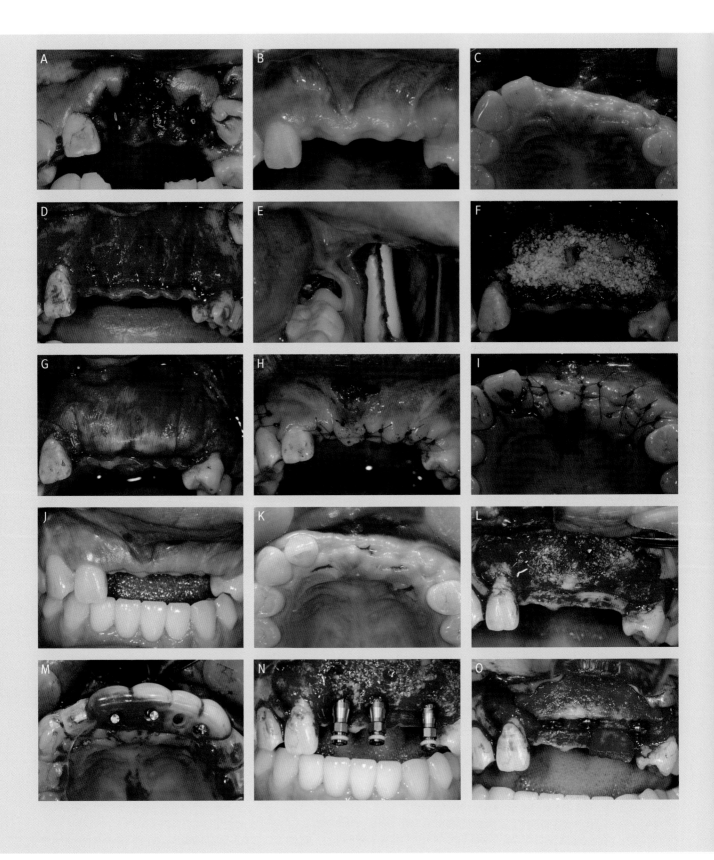

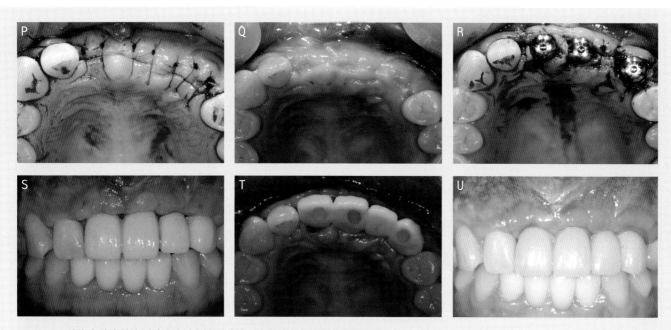

📷 **5-36 외상에 의해 상악 전방부에 다수의 치아와 치조골이 결손되었던 증례이다.**

A. 외상 직후의 소견이다. 이미 여러 개의 치아가 탈구되고 치조골이 상실된 상태로 내원했다.

B~I. 조직의 수직적인 결손이 심하지는 않았지만 수평적으로는 심하게 결손되어 있었다**(B, C)**. 하악지에서 블록골을 채취하여 이식하고 탈단백 우골 과 천연 교원질 차폐막을 그 위에 적용했다.

J~P. 5.5개월 후 임플란트를 식립했다. 수술 전과 비교하여 조직의 수평적 양이 증강되긴 했지만 아직도 부족한 상태이다**(C, K** 비교**)**. 이식골은 탈단 백 우골과 차폐막으로 인해 흡수되지 않고 그 부피를 잘 유지하고 있었다**(L)**. 임플란트 식립 후 무세포성 동종 진피를 삽입하여 조직의 부피를 추가적으 로 증강시켰다.

Q~T. 다시 3개월 3주 후 2차 수술을 시행했다. 순측 조직의 부피는 아직도 약간 부족해 보이긴 했지만 술 전에 비해서는 굉장히 많이 증강된 것을 확 인할 수 있었다**(C, K, Q** 비교**)**. 2차 수술 1주 후 고정성 임시 보철물을 연결했다**(S, T)**.

U. 약 4.5개월 후 최종 보철물을 장착했다.

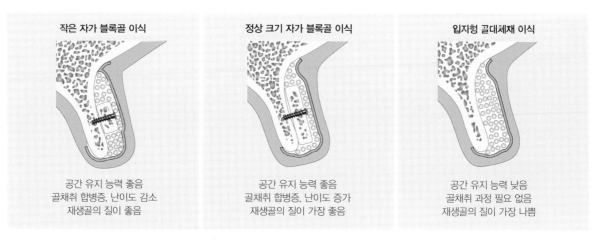

📷 **5-37 작은 크기의 블록골 이식재를 이용하는 방법**

블록골 이식술과 진정한 의미의 골유도 재생술을 병행하는 술식이라고 생각할 수 있다. 이 때 자가골 이식재와 병행 사용한 골대체재는 블 록골의 흡수를 줄여주려는 목적뿐만 아니라 그 자체가 골을 형성하도록 하는 목적으로도 사용된 것이다.

4) 술 후 관리와 합병증

자가 블록골 이식술 시행 후 수술부 폐쇄의 원칙은 골유도 재생술에서의 원칙과 동일하다. 즉, 골막 이완 절개에 의해 무장력 폐쇄를 이루는 것이 가장 중요하다.

블록골 이식술 후에는 여러 가지 합병증이 발생 가능하다(📑 5-4).[108]

블록골 이식술 후 가장 흔한 합병증은 부종, 혈종, 신경 손상 등이다.[38] 그러나 블록골 이식술 시 철저한 수술 원칙을 준수하지 못하면 이식골은 변연 부위의 국소적 괴사부터 시작해서 골이식재의 완전한 탈락에 이르기까지 여러 가지 합병증을 보일 수 있다.[109,110] 블록골 이식술 후의 수술부 열개와 이식골 노출은, 그 빈도가 비흡수성 차폐막을 이용한 골유도 재생술에 비해 적은 편이지만 합병증 중 가장 많은 비율을 차지한다.[5] 그러나 수술부가 열개되더라도 노출부를 클로르헥시딘으로 자주 세척해주면 이차 치유에 의해 자발적으로 폐쇄되는 경향을 보인다.[5,105] 열개부가 자발적으로 폐쇄되지 않으면 노출된 이식골을 버로 제거해준다.[109] 드물긴 하지만 열개부가 광범위한 경우에는 이식골의 완전한 실패에 이를 수도 있다.[111]

📑 5-4 블록골 이식술 후 발생할 수 있는 합병증

합병증	원인	예방	처치
감염, 차폐막 오염	세균 오염	• 항생제 처방, 무균적 수술	• 감염원 제거, 항생제 처방, 구강 세정제 적용
차폐막 노출 창상 열개, 점막 천공	피판에 장력이 잔존함	• 골증강술 전에 각화 점막 이식술 시행 • 장력 없는 폐쇄 시행	• 항생제 및 구강 세정제 처방 • 재봉합
골 공여부 골절	심하게 흡수되어 약화된 하악골	• 철저한 진단으로 공여부 골 상태 확인 • 외상을 최소화한 골채취	• 관혈적 정복(open reduction)과 내부 고정(internal fixation)
신경 손상	수술부 주위 신경의 손상	• 수술 전 철저한 진단을 통해 골채취 부위를 설정 • 골 채취 시 신경과 최소 2 mm 이상 간격 설정	• 보존적 치료
이식골의 움직임	불충분한 고정	• 스크루로 이식골을 확실히 고정함 • 고정 후 이식골의 안정적 고정을 확인	• 이식골 제거 및 재수술
이식골 상실	과도한 흡수	• 골천공 시행 • 이식골과 수혜부의 밀접한 접촉을 이룸 • 천연 수산화인회석과 차폐막을 적용함 • 수술 후 감염 예방	• 재수술

4.
자가 블록골의 대체재

    자가 블록골 이식술은 예지성 높은 성공적인 술식이다. 그러나 골채취에 따른 신경 손상 등의 합병증 발생, 수술 시간 연장, 높은 난이도로 인한 술자의 부담감, 수술 중과 후 환자의 불편감은 이 술식을 사용하는 데 있어 제한 요소가 된다. 따라서 하악에서 채취한 블록골은 아직까지 블록골 이식재의 황금 기준으로 남아 있으며 가장 광범위하게 쓰이고 있기는 하지만 자가 블록골을 대체할 수 있는 몇 가지 재료가 소개되었다. 여기에서는 최근 자가 블록골의 대체재로 가장 널리 쓰이고 있는 자가 치아 이식과 동종 블록골에 대해 설명하도록 한다.

1) 자가 치아 이식재

(1) 상아질은 골과 유사한 특성을 갖기 때문에 골이식재로 사용 가능하다.

상아질의 몇 가지 특성은 상아질이 골이식재로 적합하다는 점을 보여준다.
① 상아질과 골은 무기질(69.3% vs 62%)이나 유기질(25% vs 17.5%) 함량이 비슷하고 유기질의 90% 정도가 1형 교원질이란 점에서도 비슷하다.[112,113]
② 상아질 내 무기질인 수산화인회석은 골조직에서와 동일하게 저결정질(low crystalline)의 인산 칼슘으로, 생체 내에서 재형성(remodeling)이 가능하다. 반면 법랑질의 수산화인회석은 고결정질이며, 이는 파골세포에 의해 잘 분해되지 않기 때문에 생체 내에서 잘 흡수되지 않고 이식 시 골전도성이 떨어진다.[114]
③ 상아질 내에는 골의 형성을 촉진하는 성장 인자들인 BMP-2, TGF 등이 존재한다.[115]

    상아질의 이러한 조직학적 특성에 주목하여 골이식재로 사용하려는 시도가 있었으며, 쥐나 토끼를 이용한 동물 실험에서 골이식재로 사용된 상아질은 신생골로 대체되면서 골결손을 효율적으로 수복해 줄 수 있음이 밝혀졌다.[116-119] 치아 상아질은 블록형과 입자형 모두 사용이 가능하며, 골증강술에 사용 시 자가 이식골과 비슷한 치유 양상을 보였다.[120] 블록형은 광범위한 수평적 결손/수직적 결손에, 입자형은 열개 결손, 치아 주위 결손, 상악동 내 결손에 사용되어 자가골 이식재와 비슷한 임상적 결과를 보였다.[121-124] 그러나 자가 치아 이식에 대한 관심은 2010년대 이후부터 집중되기 시작했기 때문에 근거가 매우 부족하다.[122,123]

(2) 자가 치아에서 분리한 치근 상아질 블록은 단일치 범위의 광범위한 수평적 결손에 효율적으로 사용 가능하다.

    광범위한 수평적 결손을 보이는 단일치 부위는 자가 치아 이식에 가장 적합한 적응증이라고 할 수 있으며, 따라서 이러한 상황에서 가장 많은 연구가 이루어졌다. 입자형 치아 이식재를 사용하려면 조직 은행이나 진료실에서의 특별한 처치가 필요하기 때문에 사용이 쉽지 않고 추가적인 비용이 발생한다. 반면 블록형 자가 치아 이식재는 추가적인 비용 없이 작은 자가 블록골 이식재의 훌륭한 대체재가 될 수 있다.

개를 이용한 일련의 동물 실험에서 자가 치근 상아질이나 자가 블록골을 광범위한 수평적 결손과 수직적 결손에 이식했을 때 서로 유사한 결과를 보였다.[121,125,126] 이식된 치근은 조직학적으로 마치 치아 강직증 시 치질이 골로 대체되면서 흡수되는 것과 유사한 치유 과정(replacement resorption)을 거친다.[127] 치근을 이식했을 때의 수평적 증강량이나 이 부위에 식립한 임플란트의 골-임플란트간 접촉량은 자가 블록골을 이식했을 때와 비슷한 결과를 보였다.[125,126] 또한 골증강 후 식립한 임플란트의 제거 토크나 신생 조직 내 광화 조직 비율은 두 이식재를 사용했을 때 비슷한 수치를 보였다.[127]

치근 상아질 블록을 이식재로 적용하는 데 많은 관심을 기울인 Schwarz 등은 2016년 실제 환자에게 이를 적용하여 그 결과를 증례 보고의 형태로 발표했는데, 광범위한 수평적 결손에서 상악 제3대구치 치근을 이식하여 4.5 mm 폭의 골증강을 얻을 수 있었고, 골증강된 부위에 식립한 임플란트는 성공적으로 골유착 되었다고 보고했다.[125] 이들은 이어서 2018년과 2019년에는 전향적 대조 연구를 시행하여 치근 상아질 블록과 하악지에서 채취한 자가 블록골을 수평적 결손에 적용했을 때의 결과를 비교했다.[128,129] 이 연구에서는 치아 우식증이 없는 완전/부분 매복된 제3대구치가 존재할 때에는 이를 발치하여 이식해 주었고, 적합한 제3대구치가 존재하지 않으면 하악지에서 골을 채취하여 이식해 주었다. 그 결과, 26주 후 치근 상아질 이식군에서 수평적 골증강량은 평균 5.53 mm였던 반면, 자가 블록골 이식군에서는 평균 3.93 mm였고 이는 유의한 차이를 보이는 것이었다. 또한 이식재의 수평적 흡수량은 상아질에서 0.13 mm, 블록골에서 1.03 mm였고 이 또한 유의한 차이를 보였다(📷 5-38).[128] 이들은 이식에 이용한 치근에서 수혜부 골과 만나는 부분은 백악질을 제거했고 점막과 만나는 반대측은 제거하지 않았는데, 남은 백악질이 치근 블록의 흡수를 막아주는 역할을 해준 것으로 판단했다(📷 5-39). 이 연구의 후속 연구에서는 골증강부에 임플란트를 식립하고 부하 26주 후까지의 임플란트 및 주위 조직상태를 평가했고 치근을 이식한 부위나 블록골을 이식한 부위 모두 성공적인 결과를 보였다.[129]

(3) 자가 치근 블록 이식의 과정

치근 상아질 블록 이식재의 준비는 다음 순서를 따른다(📷 5-40).[125,128]

① 발치된 치아(주로 치수가 건전한 제3대구치)의 백악 법랑 경계(cementoenamel junction)부에서 카바이드 버로 치관을 제거한다. 노출된 치근 내 치수는 보존한다.
② 다근치의 경우 치근을 분리하고 가장 큰 치근을 이식재로 선택한다.
③ 이식될 치근의 백악질 중 수혜부 골 표면과 만나는 부위는 다이아몬드 버로 조심스럽게 삭제해준다.
④ 치근과 수혜부 골의 접촉 면적을 최대화하기 위해 필요 시 수혜부 표면이나 치근 표면을 약간 삭제해 준다.
⑤ 치근 상아질 블록은 스크루를 이용하여 수혜부에 단단히 고정해준다.

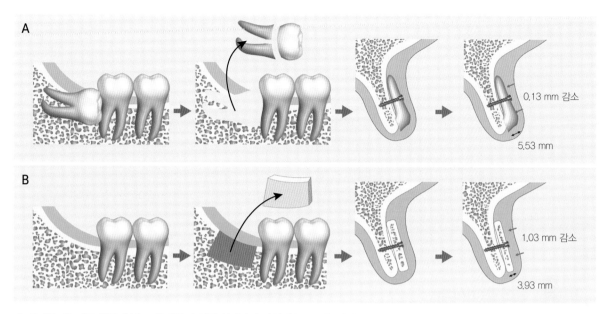

📷 **5-38** 한 대조 연구에서는 재3대구치 치근 상아질과 하악지 블록골을 각각 수평적 결손 수복을 위한 용도로 사용하고 그 결과를 비교했다.[128] 26주 후 치근 상아질 이식군에서 수평적 골증강량은 평균 5.53 mm였던 반면, 자가 블록골 이식군에서는 평균 3.93 mm였고 이는 유의한 차이를 보이는 것이었다. 또한 이식재의 수평적 흡수량은 상아질에서 0.13 mm, 블록골에서 1.03 mm였고 이 또한 유의한 차이를 보였다.

📷 **5-39** 치근 상아질 블록을 이식할 때 점막과 만나는 측의 백악질은 제거하지 않는다.

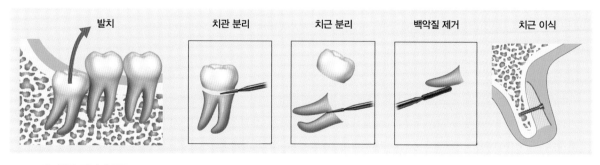

📷 **5-40** **치근 상아질 블록 이식재의 채취 및 이식 과정**

자가 블록골 이식의 경우 탈단백 우골과 차폐막을 적용하면 치유 기간 중 이식골의 흡수를 효율적으로 예방해 줄 수 있다. 이는 자가 치아 상아질 블록 이식 시에도 충분히 적용 가능한 개념이다. 그러나 아직 이에 대한 보고는 전무하기 때문에 특별한 결론을 내리기는 힘들다.

결론적으로 수가 많지는 않지만 잘 수행된 일련의 전향적 대조 연구들에 의하면 오염되지 않은 치아의 치근 상아질 블록은 단일치 영역의 광범위한 수평적 결손에 자가 블록골의 대체재로 충분히 사용 가능한 것으로 보인다. 이는 자가 블록골 채취의 수술적 어려움이나 술 후 합병증을 효율적으로 피할 수 있게 해준다. 또한 상아질 블록은 블록골보다 흡수가 덜 되는 반면, 임플란트와의 유착이나 주위 조직의 건강에는 긍정적인 영향을 미쳤다.

2) 동종 블록골 이식재

(1) 신선 동결 동종골 블록은 자가 블록골 이식재의 대체재로 사용 가능하다.
동종 블록골은 자가 블록골에 비해 여러 가지 이점을 갖는다.[130-134]

① 원하는 크기의 이식골을 자유롭게 얻을 수 있다.
② 자가골 이식의 단점인 골 공여부의 합병증 발생(신경 손상, 공여부 인접 자연치 손상, 공여부의 부종/감염/열개 등), 수술 시간 증가, 제한적인 이식골 크기 등의 단점을 극복할 수 있다.
③ 조직 적합성이 좋고 안전하다.
④ 광범위하고 심한 결손부에 많은 양의 골이식이 가능하다. 따라서 많은 양의 자가골 채취를 위해 전신 마취 하에 장골 등의 구강외 공여부 골을 채취해야 할 필요성이 감소된다.

반면 동종 블록골의 가장 큰 단점은 낮은 골재생 능력과 질병의 전염 가능성이다. 그러나 질병 전염의 가능성은 지난 40여 년간 동종골 처리 방법의 개선으로 크게 개선됐다.[135] 조직 은행의 조직 처리 과정은, 적어도 전염성 질환의 예방에 있어서만큼은 극히 안전해졌다.[136,137] 공여자에 대한 선별 과정과 엄격한 처리 과정에 의해 인간 면역 결핍 바이러스(Human Immunodeficiency Virus, HIV)의 전염 가능성은 800만분의 1 미만으로 줄어들었다.[138,139]

이식재의 특성은 골의 종류와 처리 과정에 따라 결정된다. 이종골을 채취하여 처리하는 과정은 이 이식재의 항원성을 없애기 위해 필수적인 과정이지만, 다른 한편으로는 골의 생물학적, 기계적 성질을 저하시킨다.[140,141] 동종 블록골 이식재에는 동결 건조 동종골 블록과 신선 동결 동종골 블록이 있다. 전통적으로는 동결 건조 동종골 블록이 많이 이용되었지만 동결 건조 처리 과정은 이식재의 장기간의 강도와 기계적 성질에 영향을 미쳐서 동결 건조골의 일관적이지 않은 성질과 빠른 흡수에 영향을 미친다(📷 5-41).[142] 최근에는 건조 과정을 제외

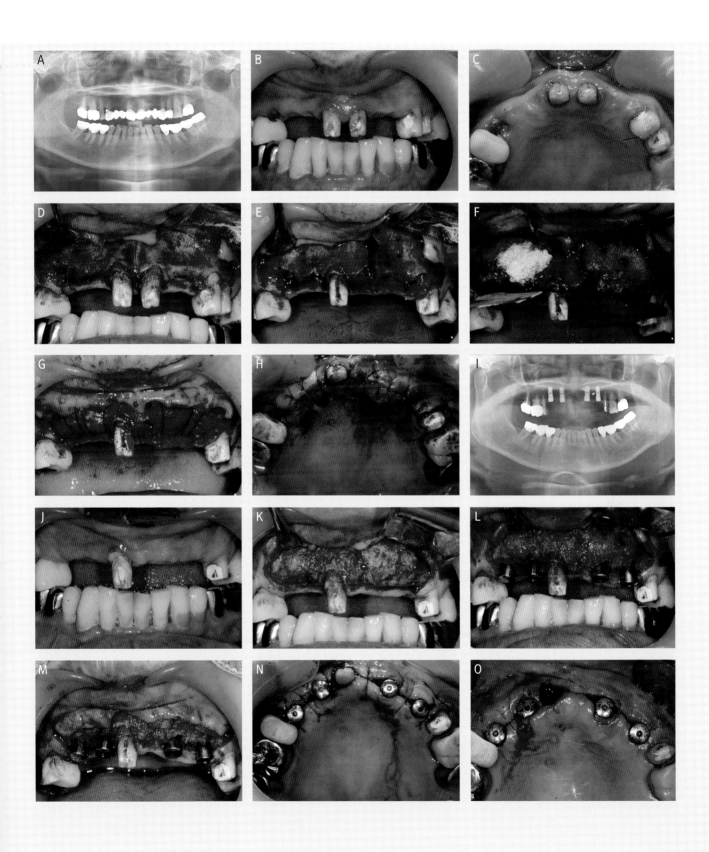

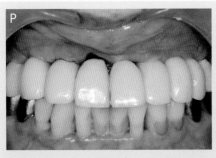
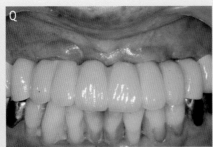
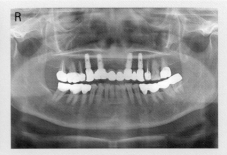

📷 5-41 **동결 건조 동종 블록골을 이식한 증례**

A~I. 상악 전치부에 수평적 골증강술과 임플란트 식립을 시행했다. 우측은 탈단백 우골 입자 이식재와 교원질 차폐막을 이용한 골유도 재생술을 시행했다. 반면 좌측에는 동종골 블록을 이식한 후 탈단백 우골과 교원질 차폐막으로 이를 피개했다. 우측 중절치는 고정성 임시 보철물을 지지해주기 위해 남겨 두었다.

J~N. 4.5개월 후 2차 수술을 시행했다. 재생된 골은 주위골과 잘 유합된 양상을 보였다(**L**). 조직 부피 증강을 위해 무세포성 동종 진피를 삽입해 주었다.

O~P. 1주 후 우측 중절치를 발거하고 임플란트 지지 고정성 임시 보철물을 연결했다.

Q~R. 다시 3개월 3주 후 최종 보철물을 연결했다.

하고 동종골을 동결 처리한 신선 동결 동종골 블록(fresh frozen bone allograft block)이 자가 블록골의 대체재로 많이 이용되고 있다. 신선 동결 과정은 사체에서 채취한 동종골을 살균 처리하고 영하 70℃로 급속 냉동한 후 사용하는 것으로, 신선 동결골은 자가골과 비슷한 구조와 강도를 지닌다.[143]

동종 해면골은 골전도와 골유도 능력이 좋고 신생 혈관이 빠르게 내부로 성장하지만 물리적 강도가 약하기 때문에 상부 연조직의 압력에 쉽게 붕괴되며 고정이 쉽지 않기 때문에 치유 기간 중 빠르게 흡수된다.[144-148] 반면 피질골은 물리적 강도가 강해서 압력에 잘 저항하고 스크루로 쉽게 고정되지만 이식재 내부로의 혈관화가 느리기 때문에 치유되는데 오랜 시간을 필요로 한다.[133,146,149,150] 따라서 신선 동결 동종 블록골의 조성으로는 피질-해면골이 피질골이나 해면골 중 한 가지 종류로만 이루어진 것보다 더 선호된다. 피질골은 이식골의 흡수를 막고 고정이 더 잘 되기 때문에 피질-해면골은 이식 후 흡수에 잘 저항하면서도 조직학적으로 뛰어난 결과를 보인다.[146,150,151]

신선 동결 동종 블록골은 골이식 수혜부에 적용한 후 상부의 연조직에서 가해지는 압력을 견딜 수 있을 정도로 충분한, 자가 블록골과 유사한 물리적 강도를 갖는다.[152,153] 동결된 골은 골전도성이 매우 높고, 골유도성은 약간 지니며, 골형성 능력은 없다.[154-156] 신성 동결 동종골의 채취 부위는 주로 장골(iliac bone)이지만 대퇴골두나 경골에서 채취한 골을 이용하기도 한다.[130,134]

(2) 신선 동결 동종 블록골은 주로 광범위한 수평직 결손의 수복에 사용된다.

이 이식재는 특히 아주 광범위한 수평적 결손에 자가 블록골의 대용으로 많이 사용되었다.[130,133,148,157-159] 수직적 결손에서도 이 이식재를 사용했다는 보고가 있었지만 그 증례 수가 너무 적은 데다가 실패의 가능성도 매우 높은 것으로 보인다.[158,159] 신선 동결 동종 블록골은 수평적 결손에 적용 시 잘 감염되지 않으며 조직학적으로도 수혜부 골과 잘 유합된 양상을 보인다.[130,152,160] 임상적으로 이 이식재는 치유가 완료된 후 "살아있는" 느낌이 들었고, 임플란트 식립을 위한 골삭제부에서는 출혈이 관찰되었다.[130,160] 또한 이 이식재로 수복된 부위에 식립한 임플란트는 높은 성공률을 보인다.[130,152,160] 이 이식재로 증강된 부위에서는 충분히 높은 임플란트의 일차 안정을 얻을 수 있다. 한 연구에서는 신선 동결 블록골로 수직적 골증강을 시행한 부위에 임플란트 식립 시 식립 토크가 35-45 Ncm 사이였다고 보고했다.[161] 다른 연구에서도 이 이식재로 수평적 골증강을 시행한 부위에 식립한 모든 임플란트는 40 Ncm 이상의 토크를 얻을 수 있었다고 했다.[130]

신선 동결 동종 블록골을 골증강술에 이용했을 때의 조직학적 결과는 ► 5-5와 같았다.

► 5-5 신선 동결 동종 블록골 이식 시의 조직 계측학적 결과

연구	치유 기간(이식부)	신선 동결 동종 블록골			자가 블록골		
		광화 조직	잔존 이식재	골수 및 연조직	광화 조직	잔존 이식재	골수 및 연조직
Nissan 등, 2012[148]	6개월(상악)	33±18	26±17	41±2			
Pereira 등, 2015[162]	5개월(상악)	20.9±5.8	29.0±11.8	49.1±11.8			
Dias 등, 2016[163]	6개월(하악)	18.9±8.1	32.5±14.8	48.6±14.9			
Chiapasco 등, 2013[141]	4-9개월(상/하악)	28.4±13.3	24.7±14.7	46.9±16.9	22.9±11.0	25.3±15.3	51.7±15.7
Spin-Neto 등, 2014[147]	6개월(상/하악)	8.4±4.9	43.1±20.3	48.4±18.1	27.6±17.5	55.9±27.6	16.4±15.6

신선 동결 동종 블록골은 대체적으로 임플란트 식립이 가능한 정도의 질을 가진 신생골로 대체되었지만 개별 증례에 따른 결과 차이가 심하며,[162] 연구에 따라서도 일관되지 못한 결과를 보여주었다. 몇몇 전향적 대조 연구에서는 자가 블록골과 신선 동결 동종 블록골을 이용했을 때 증강된 조직의 조직학적 조성에 있어 비슷한 결과를 보였다.[141,164] 그러나 어떤 연구들에서는 신선 동결 동종골을 이용했을 때 재생골의 질은 현저히 저하되었다고 보고했다.[140,147] 이는 아마도 동종골의 특징인 개별 이식재에 따른 변이와, 자가골 이식재에 비해 낮은 골형성 능력으로 인해 술자의 시술 능력과 골이식 수혜부의 상태에 따라 결과가 많이 좌우되기 때문인 것으로 보인다.[148,160,162,163,165,166]

동종 블록골 처리 방법의 발전에도 불구하고 그 예후는 자가 블록골에 비해 떨어진다는 것이 일반적인 의견이기는 하지만,[147,167] 신선 동결 동종 블록골로 증강한 부위에 식립한 임플란트는 94.7-100%의 생존율을 보였다.[110,130,148,158-160,163] 그러나 이는 대부분 부하 1년 이내의 짧은 기간 동안의 결과이며, 이식된 동종 블록골은 신생 광화 조직으로 잘 대체되지 않고, 따라서 잔존한 비생활성 이식골은 임플란트로부터 전달되는 부하에 생리적으로 잘 적응하지 못하기 때문에 장기간의 결과는 좋지 못할 수 있다.[147] 2010년에는 신선 동결 동종 블록골로 온레이 이식을 시행했을 때의 결과를 분석한 체계적 문헌 고찰이 발표되었다. 그 결과, 90% 이상의 증례에서 이식골은 수혜부와 잘 유합되었으며, 식립된 임플란트는 높은 생존율을 보였다. 그러나 대부분의 일차 문헌이 증례 보고나 단일 환자군 연구였고, 각 문헌의 디자인이나 측정 지표에 차이가 많았으며, 모두 단기간의 결과만을 보고했기 때문에 임상적 근거 수준은 매우 낮은 상태라고 결론 내렸다.[168] 신선 동결 동종 블록골로 증강된 부위에 식립한 임플란트의 생존율은 일관적으로 높은 수치를 보여주긴 하지만, 치조정 골은 임플란트의 기능적 부하에 잘 적응하지 못하거나 현저히 흡수될 수 있는 것으로 보인다. 한 후향적 분석에 의하면 부하 26개월 후 임플란트의 생존율은 98.3%였다. 그러나 치조정 골소실은 1년 후 평균 1.68 mm, 4년 후 평균 1.85 mm였으며, 이렇게 현저한 치조정 골소실에 의해 부하 4년 후의 성공률은 40%에 지나지 않게 되었다.[169] 이는 자가 블록골 이식술 시 임플란트 성공률이 90% 이상인 것과 현저한 차이를 보이는 것이다.[21]

(3) 동종 블록골은 자가 블록골보다 재생 능력이 낮기 때문에 이식 시 많은 주의를 기울여야 한다.

동종 블록골 이식술 후의 합병증 발생 가능성은 전반적으로 높지 않으며, 수평적 골증강 시 다른 이식술과 비슷한 정도의 골재생 성공 확률을 보인다.[148,160,165] 동종 블록골 이식 후 수혜부의 합병증 발생률은 0-11.76%로 자가 블록골과 비슷한 정도를 보였다.[130,148,157,159,160,166,167] 신선 동결 동종 블록골 이식 후 치유 기간 중 가장 흔한 합병증은 이식골의 노출이다.[147,158,162] 또한 이외에도 감염, 수술부 열개, 이식부 상부 점막의 천공 등이 발생할 수 있다.[165]

그러나 심한 합병증은 자가골 이식재를 사용했을 때보다 더 자주 발생하며 이는 이식재의 치유 능력이 더 낮기 때문인 것으로 보인다. 이식골을 완전히 고정하지 못하면 부분적, 혹은 전체적으로 탈락할 수도 있으며, 이는 자가 블록골 사용 시 많이 발생하지는 않지만 동종 블록골 이식 시에는 주요한 합병증 중의 하나이다.[147,158,165] 자가 블록골은 수혜부 골과 잘 유합되는 반면, 이종 블록골은 유합의 정도가 떨어지기 때문이다.[147]

동종 블록골의 흡수 정도는, 자가 블록골과 비슷하게 이식재의 채취 부위나 골의 조성(피질골과 해면골 함량)에 따라 결정된다. 일반적으로 신선 동결 동종골은 피질-해면골을 사용하기 때문에 구강 내에서 채취한 자가 블록골에 비해 치유 기간 중 더 많은 흡수가 발생한다.[160,167] 신선 동결 동종 블록골을 이식하면 이식재의 흡수는 피질골보다는 해면골에서 더 많이 발생한다.[165] 한 전향적 대조 연구에서는 수술 6개월 후 신선 동결 동종 블록골은 9.0%, 자가 블록골은 3.0%가 흡수됐으며, 이는 유의한 차이를 보이는 것이었다고 보고했다.[167] 2014년의 무작위 대조 연구에서는 수술 6개월 후 자가 블록골은 25%, 신선 동결 동종 블록골은 52%가 흡수됐으며, 이는 유의한 차이를 보이는 것이었다고 했다.[166] 한 단일 환자군 연구에서는 하악의 수직–수평 증강 시 골이식재는 6개월 후 부피와 높이가 각각 45%씩 감소했다고 보고했다.[163] 다른 임상 연구들에서도 대부분 수술 6개월 후에는 신선 동결 동종골이 30–50% 정도 흡수되었다고 보고했다.[160,165]

결국 동종 블록골을 이용하여 골증강술을 시행할 때 수술의 원칙은 자가 블록골 이식과 동일하다. 그러나 자가골보다는 골형성 능력이 떨어지기 때문에 좀 더 확고하게 수술 원칙을 준수해야 한다.[163] 골이식 수혜부의 충분한 골천공, 고정 스크루를 통한 완벽한 고정, 수혜부와 이식골의 밀접한 접촉이 매우 중요하다. 특히 이식골의 완전하고 유동성 없는 고정은 가장 중요하다고 생각된다.[147,165] 이 수술 원칙이 지켜지지 못하면 이식골은 유합에 실패하고 탈락하게 된다.[165] 한 전향적 대조 연구에 의하면, 동종 블록골은 수혜부 골과 접촉한 곳으로부터 외부로 갈수록 재생골 내의 광화 조직이 줄어드는 양상을 보였다고 했는데, 이는 이식골과 수혜부 표면과의 접촉이 아주 중요하다는 사실을 보여주는 것이다.[147]

참고문헌

1. Branemark PI, Lindstrom J, Hallen O, Breine U, Jeppson PH, Ohman A. Reconstruction of the defective mandible. Scand J Plast Reconstr Surg. 1975;9(2):116-128.

2. Chiapasco M, Zaniboni M, Boisco M. Augmentation procedures for the rehabilitation of deficient edentulous ridges with oral implants. Clin Oral Implants Res. 2006;17 Suppl 2:136-159.

3. Donos N, Mardas N, Chadha V. Clinical outcomes of implants following lateral bone augmentation: systematic assessment of available options (barrier membranes, bone grafts, split osteotomy). J Clin Periodontol. 2008;35(8 Suppl):173-202.

4. Jensen SS, Terheyden H. Bone augmentation procedures in localized defects in the alveolar ridge: clinical results with different bone grafts and bone-substitute materials. Int J Oral Maxillofac Implants. 2009;24 Suppl:218-236.

5. Aloy-Prósper A, Peñarrocha-Oltra D, Peñarrocha-Diago M, Peñarrocha-Diago M. The outcome of intraoral onlay block bone grafts on alveolar ridge augmentations: a systematic review. Med Oral Patol Oral Cir Bucal. 2015;20(2):e251-e258.

6. Burchardt H, Enneking WF. Transplantation of bone. Surg Clin North Am. 1978;58(2):403-427.

7. Misch CM. Comparison of intraoral donor sites for onlay grafting prior to implant placement. Int J Oral Maxillofac Implants. 1997;12(6):767-776.

8. Chen ST, Beagle J, Jensen SS, Chiapasco M, Darby I. Consensus statements and recommended clinical procedures regarding surgical techniques. Int J Oral Maxillofac Implants. 2009;24 Suppl:272-278.

9. Chiapasco M, Abati S, Romeo E, Vogel G. Clinical outcome of autogenous bone blocks or guided bone regeneration with e-PTFE membranes for the reconstruction of narrow edentulous ridges. Clinical oral implants research. 1999;10(4):278-288.

10. Bahat O, Fontanessi RV. Efficacy of implant placement after bone grafting for three-dimensional reconstruction of the posterior jaw. The International journal of periodontics & restorative dentistry. 2001;21(3):220-231.

11. Raghoebar GM, Schoen P, Meijer HJA, Stellingsma K, Vissink A. Early loading of endosseous implants in the augmented maxilla: a 1-year prospective study. Clinical oral implants research. 2003;14(6):697-702.

12. Jemt T, Lekholm U. Measurements of buccal tissue volumes at single-implant restorations after local bone grafting in maxillas: a 3-year clinical prospective study case series. Clinical implant dentistry and related research. 2003;5(2):63-70.

13. Iizuka T, Smolka W, Hallermann W, Mericske-Stern R. Extensive augmentation of the alveolar ridge using autogenous calvarial split bone grafts for dental rehabilitation. Clinical oral implants research. 2004;15(5):607-615.

14. Levin L, Nitzan D, Schwartz-Arad D. Success of dental implants placed in intraoral block bone grafts. Journal of periodontology. 2007;78(1):18-21.

15. Chiapasco M, Gatti C, Gatti F. Immediate loading of dental implants placed in severely resorbed edentulous mandibles reconstructed with autogenous calvarial grafts. Clinical oral implants research. 2007;18(1):13-20.

16. Lundgren S, Nyström E, Nilson H, Gunne J, Lindhagen O. Bone grafting to the maxillary sinuses, nasal floor and anterior maxilla in the atrophic edentulous maxilla. A two-stage technique. International journal of oral and maxillofacial surgery. 1997;26(6):428-434.

17. Shirota T, Ohno K, Michi K, Tachikawa T. An experimental study of healing around hydroxylapatite implants installed with autogenous iliac bone grafts for jaw reconstruction. Journal of oral and maxillofacial surgery : official journal of the American Association of Oral and Maxillofacial Surgeons. 1991;49(12):1310-1315.

18. Piattelli A, Paolantonio M, Corigliano M, Scarano A. Immediate loading of titanium plasma-sprayed screw-shaped implants in man: a clinical and histological report of two cases. Journal of periodontology. 1997;68(6):591-597.

19. Rasmusson L, Meredith N, Kahnberg KE, Sennerby L. Effects of barrier membranes on bone resorption and implant stability in onlay bone grafts. An experimental study. Clinical oral implants research. 1999;10(4):267-277.

20. Chiapasco M, Zaniboni M, Boisco M. Augmentation procedures for the rehabilitation of deficient edentulous ridges with oral implants. Clin Oral Implants Res. 2006;17 Suppl 2:136-159.

21. Chiapasco M, Casentini P, Zaniboni M. Bone augmentation procedures in implant dentistry. The International journal of oral & maxillofacial implants. 2009;24 Suppl:237-259.

22. Gungormus M, Yavuz MS. The ascending ramus of the mandible as a donor site in maxillofacial bone grafting. J Oral Maxillofac Surg. 2002;60(11):1316-1318.

23. Montazem A, Valauri DV, St-Hilaire H, Buchbinder D. The mandibular symphysis as a donor site in maxillofacial bone grafting: a quantitative anatomic study. J Oral Maxillofac Surg. 2000;58(12):1368-1371.

24. Lu M, Rabie AB. Quantitative assessment of early healing of intramembranous and endochondral autogenous bone grafts using micro-computed tomography and Q-win image analyzer. Int J Oral

Maxillofac Surg. 2004;33(4):369-376.

25. Gordh M, Alberius P. Some basic factors essential to autogeneic nonvascularized onlay bone grafting to the craniofacial skeleton. Scand J Plast Reconstr Surg Hand Surg. 1999;33(2):129-146.

26. Wong RW, Rabie AB. A quantitative assessment of the healing of intramembranous and endochondral autogenous bone grafts. Eur J Orthod. 1999;21(2):119-126.

27. Adell R, Eriksson B, Lekholm U, Branemark PI, Jemt T. Long-term follow-up study of osseointegrated implants in the treatment of totally edentulous jaws. Int J Oral Maxillofac Implants. 1990;5(4):347-359.

28. Astrand P, Nord PG, Branemark PI. Titanium implants and onlay bone graft to the atrophic edentulous maxilla: a 3-year longitudinal study. Int J Oral Maxillofac Surg. 1996;25(1):25-29.

29. van der Meij EH, Blankestijn J, Berns RM, et al. The combined use of two endosteal implants and iliac crest onlay grafts in the severely atrophic mandible by a modified surgical approach. Int J Oral Maxillofac Surg. 2005;34(2):152-157.

30. Cordaro L, Amade DS, Cordaro M. Clinical results of alveolar ridge augmentation with mandibular block bone grafts in partially edentulous patients prior to implant placement. Clin Oral Implants Res. 2002;13(1):103-111.

31. Proussaefs P, Lozada J. The use of intraorally harvested autogenous block grafts for vertical alveolar ridge augmentation: a human study. Int J Periodontics Restorative Dent. 2005;25(4):351-363.

32. Maiorana C, Beretta M, Salina S, Santoro F. Reduction of autogenous bone graft resorption by means of bio-oss coverage: a prospective study. Int J Periodontics Restorative Dent. 2005;25(1):19-25.

33. Schwartz-Arad D, Levin L. Intraoral autogenous block onlay bone grafting for extensive reconstruction of atrophic maxillary alveolar ridges. J Periodontol. 2005;76(4):636-641.

34. Verdugo F, Simonian K, Raffaelli L, D'Addona A. Computer-aided design evaluation of harvestable mandibular bone volume: a clinical and tomographic human study. Clin Implant Dent Relat Res. 2014;16(3):348-355.

35. Pereira RS, Pavelski MD, Griza GL, Boos FBJD, Hochuli-Vieira E. Prospective evaluation of morbidity in patients who underwent autogenous bone-graft harvesting from the mandibular symphysis and retromolar regions. Clin Implant Dent Relat Res. 2019;21(4):753-757.

36. Misch CM. Use of the mandibular ramus as a donor site for onlay bone grafting. J Oral Implantol. 2000;26(1):42-49.

37. Clavero J, Lundgren S. Ramus or chin grafts for maxillary sinus inlay and local onlay augmentation: comparison of donor site morbidity and complications. Clin Implant Dent Relat Res. 2003;5(3):154-

160.

38. Mendoza-Azpur G, de la Fuente A, Chavez E, Valdivia E, Khouly I. Horizontal ridge augmentation with guided bone regeneration using particulate xenogenic bone substitutes with or without autogenous block grafts: A randomized controlled trial. Clin Implant Dent Relat Res. 2019;21(4):521-530.

39. Clavero J, Lundgren S. Ramus or chin grafts for maxillary sinus inlay and local onlay augmentation: comparison of donor site morbidity and complications. Clin Implant Dent Relat Res. 2003;5(3):154-160.

40. Silva FMS, Cortez ALV, Moreira RWF, Mazzonetto R. Complications of intraoral donor site for bone grafting prior to implant placement. Implant Dent. 2006;15(4):420-426.

41. Chiapasco M, Abati S, Romeo E, Vogel G. Clinical outcome of autogenous bone blocks or guided bone regeneration with e-PTFE membranes for the reconstruction of narrow edentulous ridges. Clin Oral Implants Res. 1999;10(4):278-288.

42. Raghoebar GM, Batenburg RH, Meijer HJ, Vissink A. Horizontal osteotomy for reconstruction of the narrow edentulous mandible. Clin Oral Implants Res. 2000;11(1):76-82.

43. Nkenke E, Schultze-Mosgau S, Radespiel-Troger M, Kloss F, Neukam FW. Morbidity of harvesting of chin grafts: a prospective study. Clin Oral Implants Res. 2001;12(5):495-502.

44. Osman AH, Atef M. Computer-guided chin harvest: A novel approach for autogenous block harvest from the mandibular symphesis. Clin Implant Dent Relat Res. 2018;20(4):501-506.

45. Nkenke E, Schultze-Mosgau S, Radespiel-Tröger M, Kloss F, Neukam FW. Morbidity of harvesting of chin grafts: a prospective study. Clin Oral Implants Res. 2001;12(5):495-502.

46. Nóia CF, Ortega-Lopes R, Olate S, Duque TM, de Moraes M, Mazzonetto R. Prospective clinical assessment of morbidity after chin bone harvest. J Craniofac Surg. 2011;22(6):2195-2198.

47. Jensen OT. The sinus bone graft. 2nd ed. Chicago: Quintessence Pub. Co.; 2006.

48. Raghoebar GM, Louwerse C, Kalk WW, Vissink A. Morbidity of chin bone harvesting. Clin Oral Implants Res. 2001;12(5):503-507.

49. Ellis E, Zide MF. Surgical approaches to the facial skeleton. 2nd ed. Philadelphia: Lippincott Williams & Wilkins; 2006.

50. Garg AK. Bone biology, harvesting, grafting for dental implants: rationale and clinical applications. Chicago: Quintessence Pub. Co.; 2004.

51. Joshi A. An investigation of post-operative morbidity following chin graft surgery. Br Dent J. 2004;196(4):215-218; discussion 211.

52. Widmark G, Andersson B, Ivanoff CJ. Mandibular bone graft in the anterior maxilla for single-tooth

implants. Presentation of surgical method. Int J Oral Maxillofac Surg. 1997;26(2):106–109.

53. Smiler DG. Small-segment symphysis graft: augmentation of the maxillary anterior ridge. Pract Periodontics Aesthet Dent. 1996;8(5):479–483; quiz 484.

54. Sohn DS, Ahn MR, Lee WH, Yeo DS, Lim SY. Piezoelectric osteotomy for intraoral harvesting of bone blocks. Int J Periodontics Restorative Dent. 2007;27(2):127–131.

55. Kaufman E, Wang PD. Localized vertical maxillary ridge augmentation using symphyseal bone cores: a technique and case report. Int J Oral Maxillofac Implants. 2003;18(2):293–298.

56. Dik EA, de Ruiter AP, van der Bilt A, Koole R. Effect on the contour of bone and soft tissue one year after harvesting chin bone for alveolar cleft repair. Int J Oral Maxillofac Surg. 2010;39(10):962–967.

57. Weibull L, Widmark G, Ivanoff C-J, Borg E, Rasmusson L. Morbidity after chin bone harvesting–a retrospective long-term follow-up study. Clin Implant Dent Relat Res. 2009;11(2):149–157.

58. Verdugo F, Simonian K, D'Addona A, Pontón J, Nowzari H. Human bone repair after mandibular symphysis block harvesting: a clinical and tomographic study. J Periodontol. 2010;81(5):702–709.

59. Sbordone C, Toti P, Guidetti F, Martuscelli R, Califano L, Sbordone L. Healing of donor defect after mandibular parasymphyseal block harvesting: a 6-year computerized tomographic follow-up. J Craniomaxillofac Surg. 2012;40(5):421–426.

60. Schwartz-Arad D, Toti P, Levin L, Laviv A, Guidetti F, Sbordone L. A comparative volumetric study of symphysis donor defects, unfilled or filled with bone substitute. Clin Implant Dent Relat Res. 2013;15(5):684–691.

61. Cohen ES. Atlas of cosmetic and reconstructive periodontal surgery. 3rd ed. Hamilton, Ont.: BC Decker; 2007.

62. Happe A. Use of a piezoelectric surgical device to harvest bone grafts from the mandibular ramus: report of 40 cases. Int J Periodontics Restorative Dent. 2007;27(3):241–249.

63. Hallman M, Hedin M, Sennerby L, Lundgren S. A prospective 1-year clinical and radiographic study of implants placed after maxillary sinus floor augmentation with bovine hydroxyapatite and autogenous bone. J Oral Maxillofac Surg. 2002;60(3):277–284; discussion 285–276.

64. Bedrossian E, Tawfilis A, Alijanian A. Veneer grafting: a technique for augmentation of the resorbed alveolus prior to implant placement. A clinical report. Int J Oral Maxillofac Implants. 2000;15(6):853–858.

65. Bartling R, Freeman K, Kraut RA. The incidence of altered sensation of the mental nerve after mandibular implant placement. J Oral Maxillofac Surg. 1999;57(12):1408–1412.

66. Misch CM, Misch CE. The repair of localized severe ridge defects for implant placement using

mandibular bone grafts. Implant Dent. 1995;4(4):261-267.

67. Khoury F, Hanser T. Mandibular bone block harvesting from the retromolar region: a 10-year prospective clinical study. Int J Oral Maxillofac Implants. 2015;30(3):688-697.

68. Hwang K, Lee DK, Lee WJ, Chung IH, Lee SI. A split ostectomy of mandibular body and angle reduction. J Craniofac Surg. 2004;15(2):341-346.

69. Jin H, Kim BG. Mandibular angle reduction versus mandible reduction. Plast Reconstr Surg. 2004;114(5):1263-1269.

70. Fistarol F, De Stavola L, Fincato A, Bressan E. Mandibular Canal Position in Posterior Mandible: Anatomical Study and Surgical Considerations in Relation to Bone Harvesting Procedures. Int J Periodontics Restorative Dent. 2019;39(6):e211-e218.

71. Levine MH, Goddard AL, Dodson TB. Inferior alveolar nerve canal position: a clinical and radiographic study. J Oral Maxillofac Surg. 2007;65(3):470-474.

72. Yoshioka I, Tanaka T, Khanal A, et al. Relationship between inferior alveolar nerve canal position at mandibular second molar in patients with prognathism and possible occurrence of neurosensory disturbance after sagittal split ramus osteotomy. J Oral Maxillofac Surg. 2010;68(12):3022-3027.

73. Leong DJ, Li J, Moreno I, Wang HL. Distance between external cortical bone and mandibular canal for harvesting ramus graft: a human cadaver study. J Periodontol. 2010;81(2):239-243.

74. Nagadia R, Tay AB, Chan LL, Chan ES. The spatial location of the mandibular canal in Chinese: a CT study. Int J Oral Maxillofac Surg. 2011;40(12):1401-1405.

75. Balaji SM, Krishnaswamy NR, Kumar SM, Rooban T. Inferior alveolar nerve canal position among South Indians: A cone beam computed tomographic pilot study. Ann Maxillofac Surg. 2012;2(1):51-55.

76. Di Bari R, Coronelli R, Cicconetti A. An anatomical radiographic evaluation of the posterior portion of the mandible in relation to autologous bone harvest procedures. J Craniofac Surg. 2014;25(5):e475-483.

77. Misch CM. The harvest of ramus bone in conjunction with third molar removal for onlay grafting before placement of dental implants. J Oral Maxillofac Surg. 1999;57(11):1376-1379.

78. Raghoebar GM, Meijndert L, Kalk WWI, Vissink A. Morbidity of mandibular bone harvesting: a comparative study. Int J Oral Maxillofac Implants. 2007;22(3):359-365.

79. Pikos MA. Mandibular block autografts for alveolar ridge augmentation. Atlas Oral Maxillofac Surg Clin North Am. 2005;13(2):91-107.

80. Felice P, Iezzi G, Lizio G, Piattelli A, Marchetti C. Reconstruction of atrophied posterior mandible

with inlay technique and mandibular ramus block graft for implant prosthetic rehabilitation. J Oral Maxillofac Surg. 2009;67(2):372–380.

81. Diez GF, Fontão FNGK, Bassi APF, Gama JC, Claudino M. Tomographic follow–up of bone regeneration after bone block harvesting from the mandibular ramus. Int J Oral Maxillofac Surg. 2014;43(3):335–340.

82. Santoro F, Maiorana C, Rabagliati M. Long–term results with autogenous onlay grafts in maxillary and mandibular atrophy. J Long Term Eff Med Implants. 1999;9(3):215–222.

83. Hürzeler MB, Quiñones CR, Morrison EC, Caffesse RG. Treatment of peri–implantitis using guided bone regeneration and bone grafts, alone or in combination, in beagle dogs. Part 1: Clinical findings and histologic observations. Int J Oral Maxillofac Implants. 1995;10(4):474–484.

84. Canto FR, Garcia SB, Issa JP, Marin A, Del Bel EA, Defino HL. Influence of decortication of the recipient graft bed on graft integration and tissue neoformation in the graft–recipient bed interface. Eur Spine J. 2008;17(5):706–714.

85. Cha JK, Kim CS, Choi SH, Cho KS, Chai JK, Jung UW. The influence of perforating the autogenous block bone and the recipient bed in dogs. Part II: histologic analysis. Clin Oral Implants Res. 2012;23(8):987–992.

86. Oh KC, Cha JK, Kim CS, Choi SH, Chai JK, Jung UW. The influence of perforating the autogenous block bone and the recipient bed in dogs. Part I: a radiographic analysis. Clin Oral Implants Res. 2011;22(11):1298–1302.

87. de Carvalho PS, Vasconcellos LW, Pi J. Influence of bed preparation on the incorporation of autogenous bone grafts: a study in dogs. Int J Oral Maxillofac Implants. 2000;15(4):565–570.

88. Proffit WR, White RP, Sarver DM. Contemporary treatment of dentofacial deformity. St. Louis: Mosby; 2003.

89. Gielkens PF, Bos RR, Raghoebar GM, Stegenga B. Is there evidence that barrier membranes prevent bone resorption in autologous bone grafts during the healing period? A systematic review. Int J Oral Maxillofac Implants. 2007;22(3):390–398.

90. Buser D, Dula K, Hirt HP, Schenk RK. Lateral ridge augmentation using autografts and barrier membranes: a clinical study with 40 partially edentulous patients. J Oral Maxillofac Surg. 1996;54(4):420–432; discussion 432–423.

91. De Marco AC, Jardini MA, Lima LP. Revascularization of autogenous block grafts with or without an e–PTFE membrane. Int J Oral Maxillofac Implants. 2005;20(6):867–874.

92. Donos N, Kostopoulos L, Tonetti M, Karring T. Long–term stability of autogenous bone

grafts following combined application with guided bone regeneration. Clin Oral Implants Res. 2005;16(2):133-139.

93. Donos N, Kostopoulos L, Karring T. Augmentation of the rat jaw with autogeneic cortico-cancellous bone grafts and guided tissue regeneration. Clin Oral Implants Res. 2002;13(2):192-202.

94. Donos N, Kostopoulos L, Karring T. Alveolar ridge augmentation by combining autogenous mandibular bone grafts and non-resorbable membranes. Clin Oral Implants Res. 2002;13(2):185-191.

95. Donos N, Kostopoulos L, Karring T. Augmentation of the mandible with GTR and onlay cortical bone grafting. An experimental study in the rat. Clin Oral Implants Res. 2002;13(2):175-184.

96. Gordh M, Alberius P, Johnell O, Lindberg L, Linde A. Osteopromotive membranes enhance onlay integration and maintenance in the adult rat skull. Int J Oral Maxillofac Surg. 1998;27(1):67-73.

97. Alberius P, Dahlin C, Linde A. Role of osteopromotion in experimental bone grafting to the skull: a study in adult rats using a membrane technique. J Oral Maxillofac Surg. 1992;50(8):829-834.

98. Lundgren AK, Lundgren D, Sennerby L, Taylor A, Gottlow J, Nyman S. Augmentation of skull bone using a bioresorbable barrier supported by autologous bone grafts. An intra-individual study in the rabbit. Clin Oral Implants Res. 1997;8(2):90-95.

99. Gordh M, Alberius P, Johnell O, Lindberg L, Linde A. Effects of rhBMP-2 and osteopromotive membranes on experimental bone grafting. Plast Reconstr Surg. 1999;103(7):1909-1918.

100. Salata LZ, Rasmusson L, Kahnberg KE. Effects of a mechanical barrier on the integration of cortical onlay bone grafts placed simultaneously with endosseous implant. Clin Implant Dent Relat Res. 2002;4(2):60-68.

101. Rasmusson L, Meredith N, Kahnberg KE, Sennerby L. Effects of barrier membranes on bone resorption and implant stability in onlay bone grafts. An experimental study. Clin Oral Implants Res. 1999;10(4):267-277.

102. Gielkens PFM, Bos RRM, Raghoebar GM, Stegenga B. Is there evidence that barrier membranes prevent bone resorption in autologous bone grafts during the healing period? A systematic review. Int J Oral Maxillofac Implants. 2007;22(3):390-398.

103. Antoun H, Sitbon JM, Martinez H, Missika P. A prospective randomized study comparing two techniques of bone augmentation: onlay graft alone or associated with a membrane. Clin Oral Implants Res. 2001;12(6):632-639.

104. Zaki J, Alnawawy M, Yussif N, Elkhadem A. The Effect of Membrane Coverage on the Resorption of Autogenous Intraoral Block Grafts in Horizontal Ridge Augmentation: A Systematic Review of Literature and Meta-Analysis: Inevitability or an Iatrogenic Vulnerability? J Evid Based Dent Pract.

2018;18(4):275–289.

105. Cordaro L, Torsello F, Morcavallo S, di Torresanto VM. Effect of bovine bone and collagen membranes on healing of mandibular bone blocks: a prospective randomized controlled study. Clin Oral Implants Res. 2011;22(10):1145–1150.

106. Widmark G, Andersson B, Andrup B, Carlsson GE, Ivanoff CJ, Lindvall AM. Rehabilitation of patients with severely resorbed maxillae by means of implants with or without bone grafts. A 1–year follow–up study. Int J Oral Maxillofac Implants. 1998;13(4):474–482.

107. von Arx T, Buser D. Horizontal ridge augmentation using autogenous block grafts and the guided bone regeneration technique with collagen membranes: a clinical study with 42 patients. Clin Oral Implants Res. 2006;17(4):359–366.

108. Li J, Wang HL. Common implant–related advanced bone grafting complications: classification, etiology, and management. Implant Dent. 2008;17(4):389–401.

109. Dörtbudak O, Haas R, Bernhart T, Mailath–Pokorny G. Inlay autograft of intra–membranous bone for lateral alveolar ridge augmentation: a new surgical technique. J Oral Rehabil. 2002;29(9):835–841.

110. Nissan J, Mardinger O, Calderon S, Romanos GE, Chaushu G. Cancellous bone block allografts for the augmentation of the anterior atrophic maxilla. Clin Implant Dent Relat Res. 2011;13(2):104–111.

111. Peñarrocha–Diago M, Aloy–Prósper A, Peñarrocha–Oltra D, Calvo–Guirado JL, Peñarrocha–Diago M. Localized lateral alveolar ridge augmentation with block bone grafts: simultaneous versus delayed implant placement: a clinical and radiographic retrospective study. Int J Oral Maxillofac Implants. 2013;28(3):846–853.

112. Linde A. Dentin matrix proteins: composition and possible functions in calcification. Anat Rec. 1989;224(2):154–166.

113. Brudevold F, Steadman LT, Smith FA. Inorganic and organic components of tooth structure. Ann N Y Acad Sci. 1960;85:110–132.

114. Kim YK, Lee J, Um IW, et al. Tooth–derived bone graft material. J Korean Assoc Oral Maxillofac Surg. 2013;39(3):103–111.

115. Gao J, Symons AL, Bartold PM. Expression of transforming growth factor–beta 1 (TGF–beta1) in the developing periodontium of rats. J Dent Res. 1998;77(9):1708–1716.

116. Andersson L. Dentin xenografts to experimental bone defects in rabbit tibia are ankylosed and undergo osseous replacement. Dent Traumatol. 2010;26(5):398–402.

117. Andersson L, Ramzi A, Joseph B. Studies on dentin grafts to bone defects in rabbit tibia and mandible; development of an experimental model. Dent Traumatol. 2009;25(1):78–83.

118. Atiya BK, Shanmuhasuntharam P, Huat S, Abdulrazzak S, Oon H. Liquid nitrogen—treated autogenous dentin as bone substitute: an experimental study in a rabbit model. Int J Oral Maxillofac Implants. 2014;29(2):e165–170.

119. Bormann KH, Suarez—Cunqueiro MM, Sinikovic B, et al. Dentin as a suitable bone substitute comparable to ß—TCP—an experimental study in mice. Microvasc Res. 2012;84(2):116–122.

120. Pohl V, Pohl S, Sulzbacher I, Fuerhauser R, Mailath—Pokorny G, Haas R. Alveolar Ridge Augmentation Using Dystopic Autogenous Tooth: 2—Year Results of an Open Prospective Study. Int J Oral Maxillofac Implants. 2017;32(4):870 – 879.

121. Schwarz F, Mihatovic I, Popal—Jensen I, Parvini P, Sader R. Influence of autoclavation on the efficacy of extracted tooth roots used for vertical alveolar ridge augmentation. J Clin Periodontol. 2019;46(4):502–509.

122. Ramanauskaite A, Sahin D, Sader R, Becker J, Schwarz F. Efficacy of autogenous teeth for the reconstruction of alveolar ridge deficiencies: a systematic review. Clin Oral Investig. 2019;23(12):4263–4287.

123. Gual—Vaqués P, Polis—Yanes C, Estrugo—Devesa A, Ayuso—Montero R, Mari—Roig A, López—López J. Autogenous teeth used for bone grafting: A systematic review. Med Oral Patol Oral Cir Bucal. 2018;23(1):e112–e119.

124. Cardaropoli D, Nevins M, Schupbach P. New Bone Formation Using an Extracted Tooth as a Biomaterial: A Case Report with Histologic Evidence. Int J Periodontics Restorative Dent. 2019;39(2):157–163.

125. Schwarz F, Golubovic V, Becker K, Mihatovic I. Extracted tooth roots used for lateral alveolar ridge augmentation: a proof—of—concept study. J Clin Periodontol. 2016;43(4):345–353.

126. Schwarz F, Golubovic V, Mihatovic I, Becker J. Periodontally diseased tooth roots used for lateral alveolar ridge augmentation. A proof—of—concept study. J Clin Periodontol. 2016;43(9):797–803.

127. Becker K, Drescher D, Hönscheid R, Golubovic V, Mihatovic I, Schwarz F. Biomechanical, micro—computed tomographic and immunohistochemical analysis of early osseous integration at titanium implants placed following lateral ridge augmentation using extracted tooth roots. Clin Oral Implants Res. 2017;28(3):334–340.

128. Schwarz F, Hazar D, Becker K, Sader R, Becker J. Efficacy of autogenous tooth roots for lateral alveolar ridge augmentation and staged implant placement. A prospective controlled clinical study. J Clin Periodontol. 2018;45(8):996–1004.

129. Schwarz F, Hazar D, Becker K, Parvini P, Sader R, Becker J. Short—term outcomes of staged lateral

alveolar ridge augmentation using autogenous tooth roots. A prospective controlled clinical study. J Clin Periodontol. 2019;46(9):969-976.

130. Contar CMM, Sarot JR, Bordini J, Jr., Galvão GH, Nicolau GV, Machado MAN. Maxillary ridge augmentation with fresh-frozen bone allografts. J Oral Maxillofac Surg. 2009;67(6):1280-1285.

131. Schaaf H, Lendeckel S, Howaldt H-P, Streckbein P. Donor site morbidity after bone harvesting from the anterior iliac crest. Oral Surg Oral Med Oral Pathol Oral Radiol Endod. 2010;109(1):52-58.

132. Bauer TW. An overview of the histology of skeletal substitute materials. Arch Pathol Lab Med. 2007;131(2):217-224.

133. Gomes KU, Carlini JL, Biron C, Rapoport A, Dedivitis RA. Use of allogeneic bone graft in maxillary reconstruction for installation of dental implants. J Oral Maxillofac Surg. 2008;66(11):2335-2338.

134. Köndell PA, Mattsson T, Astrand P. Immunological responses to maxillary on-lay allogeneic bone grafts. Clin Oral Implants Res. 1996;7(4):373-377.

135. Hinsenkamp M, Muylle L, Eastlund T, Fehily D, Noël L, Strong DM. Adverse reactions and events related to musculoskeletal allografts: reviewed by the World Health Organisation Project NOTIFY. Int Orthop. 2012;36(3):633-641.

136. Zhang K, Barragan-Adjemian C, Ye L, et al. E11/gp38 selective expression in osteocytes: regulation by mechanical strain and role in dendrite elongation. Mol Cell Biol. 2006;26(12):4539-4552.

137. Johansson B, Grepe A, Wannfors K, Hirsch JM. A clinical study of changes in the volume of bone grafts in the atrophic maxilla. Dentomaxillofac Radiol. 2001;30(3):157-161.

138. Wanschitz F, Figl M, Wagner A, Rolf E. Measurement of volume changes after sinus floor augmentation with a phycogenic hydroxyapatite. Int J Oral Maxillofac Implants. 2006;21(3):433-438.

139. Kirmeier R, Payer M, Wehrschuetz M, Jakse N, Platzer S, Lorenzoni M. Evaluation of three-dimensional changes after sinus floor augmentation with different grafting materials. Clin Oral Implants Res. 2008;19(4):366-372.

140. Spin-Neto R, Landazuri Del Barrio RA, Pereira LAVD, Marcantonio RAC, Marcantonio E, Marcantonio E, Jr. Clinical similarities and histological diversity comparing fresh frozen onlay bone blocks allografts and autografts in human maxillary reconstruction. Clin Implant Dent Relat Res. 2013;15(4):490-497.

141. Chiapasco M, Giammattei M, Carmagnola D, Autelitano L, Rabbiosi D, Dellavia C. Iliac crest fresh-frozen allografts and autografts in maxillary and mandibular reconstruction: a histologic and histomorphometric evaluation. Minerva Stomatol. 2013;62(1-2):3-16.

142. Steinberg EL, Luger E, Zwas T, Katznelson A. Very long-term radiographic and bone scan results of

frozen autograft and allograft bone grafting in 17 patients (20 grafts) a 30- to 35-year follow-up. Cell Tissue Bank. 2004;5(2):97-104.

143. Acocella A, Bertolai R, Nissan J, Sacco R. Clinical, histological and histomorphometrical study of maxillary sinus augmentation using cortico-cancellous fresh frozen bone chips. J Craniomaxillofac Surg. 2011;39(3):192-199.

144. Laverick S, Summerwill A, Cawood JI. Ten years of experience with the anterior maxillary and mandibular osteoplasty (class IV ridges): a retrospective analysis of implant survival rates. Int J Oral Maxillofac Surg. 2008;37(5):415-418.

145. Lyford RH, Mills MP, Knapp CI, Scheyer ET, Mellonig JT. Clinical evaluation of freeze-dried block allografts for alveolar ridge augmentation: a case series. Int J Periodontics Restorative Dent. 2003;23(5):417-425.

146. Giannoudis PV, Dinopoulos H, Tsiridis E. Bone substitutes: an update. Injury. 2005;36 Suppl 3:S20-S27.

147. Spin-Neto R, Stavropoulos A, Coletti FL, Faeda RS, Pereira LAVD, Marcantonio E, Jr. Graft incorporation and implant osseointegration following the use of autologous and fresh-frozen allogeneic block bone grafts for lateral ridge augmentation. Clin Oral Implants Res. 2014;25(2):226-233.

148. Nissan J, Marilena V, Gross O, Mardinger O, Chaushu G. Histomorphometric analysis following augmentation of the anterior atrophic maxilla with cancellous bone block allograft. Int J Oral Maxillofac Implants. 2012;27(1):84-89.

149. Keith JD, Jr. Localized ridge augmentation with a block allograft followed by secondary implant placement: a case report. Int J Periodontics Restorative Dent. 2004;24(1):11-17.

150. Amorfini L, Migliorati M, Signori A, Silvestrini-Biavati A, Benedicenti S. Block allograft technique versus standard guided bone regeneration: a randomized clinical trial. Clin Implant Dent Relat Res. 2014;16(5):655-667.

151. Buffoli B, Boninsegna R, Rezzani R, Poli PP, Santoro F, Rodella LF. Histomorphometrical evaluation of fresh frozen bone allografts for alveolar bone reconstruction: preliminary cases comparing femoral head with iliac crest grafts. Clin Implant Dent Relat Res. 2013;15(6):791-798.

152. Nocini PF, Bertossi D, Albanese M, D'Agostino A, Chilosi M, Procacci P. Severe maxillary atrophy treatment with Le Fort I, allografts, and implant-supported prosthetic rehabilitation. J Craniofac Surg. 2011;22(6):2247-2254.

153. Ryu SI, Lim JT, Kim S-M, Paterno J, Willenberg R, Kim DH. Comparison of the biomechanical stability of dense cancellous allograft with tricortical iliac autograft and fibular allograft for cervical

interbody fusion. Eur Spine J. 2006;15(9):1339-1345.

154. Lind M, Bünger C. Factors stimulating bone formation. Eur Spine J. 2001;10 Suppl 2(Suppl 2):S102-S109.

155. Marchesi DG. Spinal fusions: bone and bone substitutes. Eur Spine J. 2000;9(5):372-378.

156. Erbe EM, Marx JG, Clineff TD, Bellincampi LD. Potential of an ultraporous beta-tricalcium phosphate synthetic cancellous bone void filler and bone marrow aspirate composite graft. Eur Spine J. 2001;10 Suppl 2(Suppl 2):S141-S146.

157. Wallace S, Gellin R. Clinical evaluation of freeze-dried cancellous block allografts for ridge augmentation and implant placement in the maxilla. Implant Dent. 2010;19(4):272-279.

158. Barone A, Varanini P, Orlando B, Tonelli P, Covani U. Deep-frozen allogeneic onlay bone grafts for reconstruction of atrophic maxillary alveolar ridges: a preliminary study. J Oral Maxillofac Surg. 2009;67(6):1300-1306.

159. Novell J, Novell-Costa F, Ivorra C, Fariñas O, Munilla A, Martinez C. Five-year results of implants inserted into freeze-dried block allografts. Implant Dent. 2012;21(2):129-135.

160. Deluiz D, Oliveira LS, Pires FR, Tinoco EMB. Time-dependent changes in fresh-frozen bone block grafts: tomographic, histologic, and histomorphometric findings. Clin Implant Dent Relat Res. 2015;17(2):296-306.

161. Macedo LGS, Mazzucchelli-Cosmo LA, Macedo NL, Monteiro ASF, Sendyk WR. Fresh-frozen human bone allograft in vertical ridge augmentation: clinical and tomographic evaluation of bone formation and resorption. Cell Tissue Bank. 2012;13(4):577-586.

162. Pereira E, Messias A, Dias R, Judas F, Salvoni A, Guerra F. Horizontal Resorption of Fresh-Frozen Corticocancellous Bone Blocks in the Reconstruction of the Atrophic Maxilla at 5 Months. Clin Implant Dent Relat Res. 2015;17 Suppl 2(Suppl 2):e444-e458.

163. Dias RR, Sehn FP, de Santana Santos T, Silva ER, Chaushu G, Xavier SP. Corticocancellous fresh-frozen allograft bone blocks for augmenting atrophied posterior mandibles in humans. Clin Oral Implants Res. 2016;27(1):39-46.

164. Contar CMM, Sarot JR, da Costa MB, et al. Fresh-frozen bone allografts in maxillary ridge augmentation: histologic analysis. J Oral Implantol. 2011;37(2):223-231.

165. Deluiz D, Santos Oliveira L, Ramôa Pires F, et al. Incorporation and Remodeling of Bone Block Allografts in the Maxillary Reconstruction: A Randomized Clinical Trial. Clin Implant Dent Relat Res. 2017;19(1):180-194.

166. Lumetti S, Consolo U, Galli C, et al. Fresh-frozen bone blocks for horizontal ridge augmentation in

the upper maxilla: 6-month outcomes of a randomized controlled trial. Clin Implant Dent Relat Res. 2014;16(1):116-123.

167. Spin-Neto R, Stavropoulos A, Dias Pereira LAV, Marcantonio E, Jr., Wenzel A. Fate of autologous and fresh-frozen allogeneic block bone grafts used for ridge augmentation. A CBCT-based analysis. Clin Oral Implants Res. 2013;24(2):167-173.

168. Waasdorp J, Reynolds MA. Allogeneic bone onlay grafts for alveolar ridge augmentation: a systematic review. Int J Oral Maxillofac Implants. 2010;25(3):525-531.

169. Carinci F, Brunelli G, Franco M, et al. A retrospective study on 287 implants installed in resorbed maxillae grafted with fresh frozen allogenous bone. Clin Implant Dent Relat Res. 2010;12(2):91-98.